ELIZ

Née aux États-Unis
est diplômée de littérature anglaise et de psychopédagogie. Elle a enseigné l'anglais pendant treize ans avant de publier *Enquête dans le brouillard*, qui obtient le grand prix de Littérature policière en 1988 et l'impose d'emblée comme un grand nom du roman "à l'anglaise". Intronisé dans ce premier livre, le duo explosif composé de l'éminent membre de Scotland Yard, Thomas Lynley, et de sa très peu féminine acolyte, Barbara Havers, évolue au fil d'une dizaine d'ouvrages ultérieurs, parmi lesquels *Le lieu du crime* (1992), *Pour solde de tout compte* (1994), *Le visage de l'ennemi* (1996), *Une patience d'ange* (1999) et *Un petit reconstituant* (recueil de trois nouvelles paru en 2000). Fidèles à la tradition britannique, dont Elizabeth George est imprégnée depuis son adolescence, ils déploient une véritable fresque romanesque où l'atmosphère, les décors, les intrigues secondaires et les ressorts psychologiques prennent un relief saisissant. L'incontestable talent de cette écrivain qui refuse de voir une différence entre "le roman à énigme" et le "vrai roman" lui a valu un succès mondial, notamment en Angleterre, où elle compte parmi les auteurs les plus vendus. Elizabeth George vit à Huntington Beach, près de Los Angeles, où elle anime des ateliers d'écriture.

ELIZABETH GEORGE

Née aux Etats-Unis, dans l'Ohio, Elizabeth George est diplômée de littérature anglaise et de psychopédagogie. Elle a enseigné l'anglais pendant treize ans avant de publier *Enquête dans le brouillard*, qui obtient le grand prix de littérature policière en 1990 et l'impose d'emblée comme un grand nom du roman "à l'anglaise". Initiant dans ce premier livre le duo explosif composé de l'éminent membre de Scotland Yard Thomas Lynley, et de sa très peu féminine acolyte, Barbara Havers, elle est l'auteur d'une dizaine d'ouvrages à succès, parmi lesquels *Le lieu du crime* (1992), *Pour solde de tout compte* (1994), *Le visage de l'ennemi* (1996), *Une patience d'ange* (1999) et *Un petit reconstituant*, recueil de trois nouvelles paru en 2003. Fidèles à la tradition britannique, dont Elizabeth George est imprégnée depuis son adolescence, ils déploient une véritable enquête romanesque où l'atmosphère, les décors, les intrigues secondaires et les ressorts psychologiques prennent un relief saisissant. L'une des clés du talent de cette écrivain qui refuse de voir une différence entre "le roman à énigme" et le "vrai roman", lui vaut un succès mondial, notamment en Angleterre où elle compte parmi les auteurs les plus vendus.

Elizabeth George vit à Huntington Beach, près de Los Angeles, où elle anime des ateliers d'écriture.

UN NID DE MENSONGES

DU MÊME AUTEUR
CHEZ POCKET

Cérémonies barbares
Enquête dans le brouillard
Le lieu du crime
Pour solde de tout compte
Une douce vengeance
Mal d'enfant
Le visage de l'ennemi
Un goût de cendres
Un petit constituant
Une patience d'ange
Mémoire infidèle
Troubles de voisinage

ELIZABETH GEORGE

UN NID DE MENSONGES

traduit par Dominique Wattwiller
avec le concours de Jean-Charles Khalifa

PRESSES DE LA CITÉ

Titre original :
A PLACE OF HIDING

Le Code de la propriété intellectuelle n'autorisant, aux termes des paragraphes 2 et 3 de l'article L. 122-5, d'une part, que les « copies ou reproductions strictement réservées à l'usage privé du copiste et non destinées à une utilisation collective » et, d'autre part, sous réserve du nom de l'auteur et de la source, que les « analyses et les courtes citations justifiées par le caractère critique, polémique, pédagogique, scientifique ou d'information », toute représentation ou reproduction intégrale ou partielle, faite sans le consentement de l'auteur ou de ses ayants droit ou ayants cause, est illicite (article L. 122-4). Cette représentation ou reproduction, par quelque procédé que ce soit, constituerait donc une contrefaçon sanctionnée par les articles L. 335-2 et suivants du Code de la propriété intellectuelle.

© 2003, Susan Elizabeth George.
© Presses de la Cité, 2003, pour la traduction française.

ISBN : 2-266-14894-X

Il est question dans ce livre
des relations entre frères et sœurs
et je le dédie à mon frère
Robert Rivelle George
avec tout mon amour et mon admiration
pour son talent,
son humour et sa sagesse.

« Notre entreprise peut être considérée
comme malhonnête
en ceci que, à l'instar
des grands hommes d'Etat,
nous encourageons
ceux qui trahissent leurs amis. »

John Gay, *L'Opéra des gueux*

10 NOVEMBRE
14 H 45
MONTECITO
CALIFORNIE

Le Santa Ana n'a jamais été l'ami des photographes. Mais ce n'est pas le genre de remarque à faire à un client. Encore moins à un client architecte et égocentrique, persuadé que sa réputation exige que soit saisie par l'objectif une immense propriété s'étendant sur quelque cinq mille mètres carrés de colline. Pour la revue *Architectural Digest*. Aujourd'hui même. Inutile d'essayer de lui faire entendre raison. Car quand, après de multiples tours et détours, vous avez enfin déniché l'emplacement de sa résidence, vous êtes en retard, il est furieux, et le vent aride soulève une telle poussière que vous n'avez plus qu'une envie : vous enfuir au plus vite. Chose impossible, bien sûr, si vous vous mettez à discuter avec lui pour savoir s'il est possible de photographier dans ces conditions. Alors vous les prenez, ces photos. Et tant pis pour la poussière. Tant pis pour les amarantes qui semblent avoir été entassées là par l'équipe des effets spéciaux pour donner à une propriété californienne avec vue sur le Pacifique – d'une valeur de plusieurs millions de dollars – l'allure d'un bled aussi paumé que Barstow en plein mois d'août. Tant pis pour les microparticules de terre qui s'insinuent sous vos verres de contact. Tant pis pour l'air qui vous donne l'impression d'avoir la peau aussi rêche qu'un noyau de pêche et des cheveux comme du foin. L'important, c'est le boulot. Le boulot seul compte. Alors, comme la photo est votre gagne-pain, vous prenez des photos.

China River les avait prises, mais elle n'était pas spécialement contente. Son travail terminé, une fine pellicule de poussière recouvrait ses vêtements et sa peau. Et tout ce qu'elle désirait – en dehors d'un grand verre d'eau fraîche et d'un long bain froid –, c'était filer. Quitter les collines, se rapprocher de la plage.

— Voilà, j'ai fini, dit-elle à son client. Vous aurez les épreuves après-demain pour faire votre choix. Treize heures ? A votre cabinet ? Parfait. J'y serai.

Et de s'éloigner à grandes enjambées sans laisser à son interlocuteur le temps d'ouvrir la bouche. De toute façon, elle se fichait pas mal de savoir comment il réagirait à ce départ précipité.

Elle descendit la colline dans sa vieille Plymouth, le long d'une route lisse comme un cahier – les nids-de-poule n'ayant décidément pas droit de cité à Montecito. Elle longea les villas des super friqués de Santa Barbara qui vivaient leurs vies de privilégiés retranchés derrière des grilles électroniques, nageaient dans des piscines dessinées par des designers, s'essuyaient au sortir de l'eau avec des serviettes aussi blanches et épaisses que la neige du Colorado. De temps à autre, elle donnait un coup de frein pour laisser passer les jardiniers mexicains qui suaient sang et eau derrière ces murs ou des adolescentes à cheval en jeans serrés et tee-shirts minuscules. La chevelure des jeunes filles se balançait au soleil. Toutes avaient de longs cheveux raides et brillants, comme éclairés de l'intérieur. Une peau sans défaut, des dents parfaites. Pas une seule n'avait un gramme de trop. Comment s'en étonner ? Les grammes indésirables n'auraient pas eu le mauvais goût de les accabler plus de temps qu'il n'en faut pour monter sur la balance, piquer une crise d'hystérie et se ruer vers la cuvette des toilettes.

Ce petit monde chouchouté, sous-alimenté était pathétique. Et ce qui n'arrangeait pas les choses, c'est que les mères de ces écervelées leur ressemblaient probablement trait pour trait, s'efforçant de leur servir de modèles tout au long d'une vie encombrée de professeurs de gymnastique, d'opérations de chirurgie esthétique, d'expéditions prolongées dans les boutiques, de massages quotidiens, de manucures hebdomadaires et de séances régulières chez le psy. Voilà par quoi il fallait en passer quand on se faisait entretenir par un crétin qui n'exigeait de sa femme qu'une apparence irréprochable.

Chaque fois que China devait se rendre à Montecito, elle n'avait qu'une hâte : quitter les lieux. Aujourd'hui encore, c'était le cas. Et c'était même pire. En raison de la chaleur et du vent, son désir de fuite s'était exacerbé, semblable à un acide qui lui sapait le moral. Ce moral, d'ailleurs, était loin d'être excellent, à vrai dire. Un malaise indéfinissable pesait telle une chape sur ses épaules depuis le moment où son réveil avait sonné, très tôt ce matin-là.

Son réveil, mais pas son téléphone. Le problème était là. En ouvrant les yeux, elle avait automatiquement effectué un saut de trois heures dans le temps (il-est-dix-heures-du-matin-à-Manhattan-alors-pourquoi-n'a-t-il-pas-appelé ?) et, tandis que les heures s'écoulaient et qu'arrivait le moment où elle devait prendre sa voiture pour se rendre à son rendez-vous à Montecito, tout ce qu'elle avait fait, ç'avait été de fixer le téléphone tout en marinant dans son jus. Pas vraiment un exploit : à neuf heures du matin la température atteignait déjà les vingt-sept degrés.

Elle avait essayé de s'occuper. Elle avait arrosé le

jardin, devant et derrière. Echangé quelques mots par-dessus la clôture avec Anita Garcia : « Eprouvante, cette chaleur, non ? M'en parlez pas, je suis morte. » Et exprimé toute sa sympathie à sa voisine enceinte de huit mois qui faisait de la rétention d'eau. Elle avait lavé la Plymouth, l'avait essuyée tant bien que mal avant que la poussière n'ait le temps de se déposer à nouveau sur la carrosserie pour y former des grumeaux. Et à deux reprises elle avait bondi en entendant crépiter la sonnerie pour tomber sur des quémandeurs obséquieux, le genre de personne qui veut toujours savoir si votre journée est bonne avant de se lancer dans un assommant baratin visant à vous persuader de changer de compagnie de téléphone, ce qui, évidemment, ne manquera pas de vous changer la vie. Finalement il lui avait fallu partir pour Montecito. Pas avant de s'être assurée qu'elle avait une tonalité, et que son répondeur fonctionnait.

Elle s'en voulait de son incapacité à le chasser de ses pensées. C'était là le hic : treize ans que cela durait. L'amour était vraiment une chose détestable.

Ce fut finalement son portable qui sonna tandis qu'elle regagnait son domicile. A cinq minutes du carré de trottoir défoncé qui menait chez elle, il grésilla sur le siège du passager.

China s'en empara. Voix de Matt.

— Salut, ma jolie.

Il semblait de bonne humeur.

— Salut.

Elle se sentit aussitôt soulagée et s'en voulut. Alors elle décida de le laisser venir.

— Tu es en colère ? fit-il, interprétant correctement son laconisme. (Silence radio. Qu'il poireaute, ça lui fera les pieds, songea-t-elle.) J'ai l'impression que tu m'en veux.

— Où étais-tu passé ? Tu ne devais pas m'appeler

ce matin ? J'ai attendu. J'ai horreur qu'on me fasse faux bond, Matt. Pourquoi n'arrives-tu pas à te fourrer ça dans le crâne ? Si tu dois ne pas appeler, dis-le-moi. Je saurai à quoi m'en tenir. Pourquoi n'as-tu pas téléphoné ?

— Désolé. Je m'étais promis de le faire. J'y ai pensé toute la journée.

— Et... ?

— Ça ne va pas te plaire, China.

— Je t'écoute.

— Eh bien, figure-toi qu'un vent glacial a fondu hier soir sur New York. J'ai passé la moitié de la matinée à essayer de me trouver un manteau correct.

— Tu aurais pu m'appeler sur ton portable pendant que tu étais dehors.

— J'avais oublié de le prendre. Désolé.

Elle entendait le brouhaha de Manhattan, les bruits qu'elle percevait lorsqu'il appelait de New York. Les klaxons résonnant au fond des canyons formés par les gratte-ciel, les marteaux piqueurs telles des armes lourdes attaquant le ciment. Mais, s'il avait laissé son portable à l'hôtel, que faisait-il avec dans la rue maintenant ?

— Je suis en route pour aller dîner. C'est mon dernier rendez-vous. De la journée, je veux dire.

Elle s'était garée trente mètres plus loin dans sa rue. Elle détestait s'arrêter parce que la climatisation n'était pas assez puissante pour rafraîchir l'intérieur de sa voiture où on étouffait. Toutefois la dernière remarque de Matt lui fit oublier la chaleur. Elle se concentra sur sa signification.

A défaut d'autre chose, elle avait appris à garder le silence lorsque Matt lâchait une de ces petites bombes verbales dont il avait le secret. A une époque, elle aurait bondi en entendant ce : « De la journée, je veux dire », pour l'obliger à préciser sa pensée. Mais les années lui avaient appris que le silence était aussi efficace que les interrogatoires ou les accusations. Cette stratégie lui donnait également l'avantage lorsqu'il finissait par avouer ce qu'il s'efforçait d'éviter de dire.

De fait, il lui lança tout à trac :

— Faut que je t'explique. Je suis obligé de rester une semaine de plus. J'ai réussi à décrocher un rendez-vous pour une bourse, et il faut absolument que j'y aille.

— Voyons, Matt.

— Attends, baby. Ecoute-moi. Ces gars-là ont accordé des crédits mirobolants à un cinéaste de l'université de New York l'an dernier. Ils veulent refinancer un film. Tu te rends compte ? Ils sont à la recherche d'un projet. C'est pas du bidon.

— Comment le sais-tu ?

— C'est ce qu'on m'a dit.

— Qui ?

— Je les ai appelés, j'ai obtenu un rendez-vous. Mais pas avant jeudi prochain. Faut donc que je reste.

— Adieu le pays de Galles, alors.

— Non, on ira. Mais pas la semaine prochaine.

— J'imagine. Quand ça ?

— C'est le problème.

A l'autre bout du fil, les bruits de la rue s'intensifièrent, à croire qu'il s'était jeté au beau milieu de la circulation, que la foule compacte de cette fin de journée l'avait obligé à descendre du trottoir.

— Matt ? Matt ? dit-elle.

Un mouvement de panique s'empara d'elle : l'avait-elle perdu ? Au diable les téléphones et ces saletés de signaux qui se brouillaient à tout moment. Toutefois, lorsqu'il revint en ligne, le vacarme avait quelque peu diminué, il s'était réfugié dans un restaurant.

— Ecoute, China, c'est l'occasion ou jamais. Mon

film est foutu de décrocher un prix. Au festival de Sundance, si ça se trouve. Tu sais ce que ça signifie. Ça me fait mal au ventre de te laisser tomber mais si je n'essaie pas de me vendre à ces gens-là, de leur placer mon baratin, je ne suis pas digne de t'emmener en voyage. Au pays de Galles, à Paris ou à Tombouctou. C'est aussi simple que ça.

— Bien, laissa-t-elle tomber d'une voix atone, histoire de lui faire comprendre qu'elle était tout sauf convaincue.

Un mois s'était écoulé depuis qu'il avait réussi à dégager deux jours de son planning de réunions à Los Angeles et de courses au financement dans le reste du pays, et avant cela il y avait eu six semaines pendant lesquelles elle avait annulé des rendez-vous avec des clients potentiels tandis que lui poursuivait son rêve.

— Il y a des moments où je me demande si tu y arriveras un jour, Matt.

— Je sais. Mettre un film sur les rails, ça prend du temps. Tu sais comment ça se passe, pas besoin de te faire un topo. Ça peut demander des années de préparation, et tout d'un coup, le succès au box-office. C'est un peu dur, le cinéma, mais c'est la voie que j'ai choisie. Désolé si en fin de compte on passe plus de temps loin l'un de l'autre qu'ensemble.

China, tout en écoutant, observait un bambin qui pédalait le long du trottoir sur son tricycle, suivi de près par sa mère et un berger allemand attentifs. Le petit garçon atteignit une saillie du ciment provoquée par une racine d'arbre et buta dedans. Il eut beau se démener, rien n'y fit, la roue était coincée. Il fallut que sa mère lui donne un coup de main. La scène emplit China d'une tristesse inexplicable.

Matt attendait sa réaction. Elle essaya de formuler sa déception autrement et, n'y parvenant pas, elle dit :

— Je ne parlais pas du film, Matt.

— Oh...

Inutile de poursuivre la discussion : il resterait à New York pour se présenter au rendez-vous qu'il avait arraché de haute lutte et elle n'aurait qu'à se débrouiller. Encore une occasion de perdue.

— Bonne chance.

— On se parlera au téléphone. D'accord ? Tu es d'accord, China ?

— J'ai le choix ? fit-elle en raccrochant.

Elle s'en voulait de finir la conversation comme ça, seulement elle était en nage, malheureuse, découragée, déprimée... Ce n'étaient pas les adjectifs qui manquaient.

Elle détestait cette facette de sa personnalité qui redoutait l'avenir ; le plus souvent, elle arrivait à la contenir. Quand elle échappait à son contrôle et se mettait à diriger sa vie tel un guide débordant de confiance au milieu du chaos, cela ne donnait jamais rien de bon. Elle se trouvait réduite à adhérer à une conception de la féminité qu'elle avait toujours eue en horreur – définie par la nécessité d'avoir un homme à tout prix, de lui passer la corde au cou, et de peupler sa vie de bébés le plus rapidement possible. Pas question de m'embarquer dans cette direction, se répétait-elle. Et pourtant, quelque part, elle le souhaitait.

Cela l'amenait à poser des questions, à formuler des exigences, à se focaliser sur le *nous* au lieu de se concentrer sur le *moi*. Quand cela se produisait, le vieux débat qui les opposait, Matt et elle, depuis maintenant cinq ans repartait de plus belle. Ils tournaient en rond dans une polémique sur le mariage qui aboutissait toujours au même résultat : lui, manifestant une répugnance sans ambiguïté ; elle, l'abreuvant de récriminations furieuses qui étaient suivies d'une rupture provoquée par celui des deux qu'exaspéraient le plus les divergences qui naissaient entre eux.

Divergences qui leur permettaient de se rabibocher, soit dit en passant. Car elles coloraient leurs relations, leur donnant un piment que ni l'un ni l'autre n'avait trouvé ailleurs. Matt avait probablement essayé ; China avait sa petite idée là-dessus. Mais pas elle. Ce n'était pas nécessaire. Elle savait depuis longtemps que Matthew Whitecomb était l'homme qu'il lui fallait.

China était de nouveau parvenue à cette conclusion lorsqu'elle regagna son bungalow, une construction datant des années 1920 qui avait jadis servi de point de chute pour le week-end à un habitant de Los Angeles. Il était bâti au milieu de cottages identiques dans une rue bordée de palmiers, suffisamment près de la plage pour qu'on puisse profiter de l'air du large, et suffisamment loin de l'océan pour être d'un prix abordable.

Le bungalow était modeste : cinq petites pièces – salle de bains comprise –, neuf fenêtres seulement, une véranda en façade et deux rectangles de pelouse, un devant et l'autre derrière. La propriété était enserrée par une clôture dont la peinture s'écaillait en copeaux blancs sur les plates-bandes et le trottoir. China se dirigea vers la grille avec son matériel après avoir mis un terme à sa conversation avec Matt.

La chaleur était accablante, à peine un peu moins forte que sur la colline, mais le vent ne soufflait pas avec autant de violence. Les branches des palmiers craquaient tels des os rongés d'arthrite. La verveine lavande jaillissant d'un sol complètement desséché – pourtant arrosé le matin même – qui grimpait à l'assaut de la clôture laissait pendre mollement ses fleurs mauves semblables à des astérisques sous le soleil éclatant.

China poussa la barrière de traviole, les courroies de ses étuis lui sciant l'épaule. Elle était décidée à aller chercher le tuyau d'arrosage pour abreuver les végétaux assoiffés. Elle se ravisa toutefois à la vue du spectacle qui s'offrait à elle : un homme vêtu de ses seuls sous-vêtements était allongé au beau milieu de sa pelouse, la tête reposant sur un jean et un tee-shirt délavé qu'il avait roulés en boule. Pas de chaussures en vue, la plante de ses pieds était noire de crasse, et si calleuse que la peau en était crevassée. A en juger par ses chevilles et ses coudes, il ne semblait pas amateur de bains. S'il ne se lavait pas, il se nourrissait correctement, en revanche, et il devait faire de l'exercice car il était charnu sans être gras. Il ne négligeait pas non plus de se désaltérer car il tenait dans sa main droite une bouteille de San Pellegrino couverte de buée.

Sa bouteille. L'eau minérale qu'elle se faisait une joie de boire.

Il se retourna paresseusement et, appuyé sur ses coudes, leva la tête vers elle en louchant.

— La sécurité est nulle à chier chez toi, Chine, fit-il en buvant une longue gorgée au goulot.

China jeta un coup d'œil à la véranda : la porte moustiquaire était ouverte et la porte d'entrée également.

— Tu t'es encore introduit chez moi comme un voleur ?

Son frère se redressa, une main en auvent sur les yeux :

— C'est quoi, cette tenue ? Tu pars au ski ?

— Tu peux parler, avec ta touche d'exhibitionniste à deux doigts de se faire embarquer. Tout de même, Cherokee, tu pourrais faire gaffe. Il y a des gamines dans le voisinage. Imagine que l'une d'elles t'aperçoive en passant. Tu veux que les flics rappliquent ? (Elle fronça les sourcils.) Tu t'es mis de l'écran total, au moins ?

— T'as pas répondu à ma question. C'est quoi, ce cuir ? De la révolte tardive ? (Il eut un sourire.) Si maman voyait ce froc, elle en ferait...

— Je le porte parce qu'il me plaît, coupa-t-elle. Il est confortable.

Et j'ai les moyens de me l'offrir, songea-t-elle. La véritable raison, c'est qu'elle était contente de posséder un vêtement luxueux et inutile en Californie du Sud, parce qu'elle en avait envie après une enfance et une adolescence passées à écumer les rayons de Good Will en quête de fringues à sa taille ni totalement hideuses ni – respect pour les opinions de sa mère oblige – taillées dans une quelconque peau d'animal.

Il se mit debout tandis qu'elle le dépassait et se dirigeait vers la véranda.

— Ben voyons. Du cuir quand le Santa Ana souffle plein pot. Rien de plus confortable. C'est évident.

— C'est ma dernière bouteille d'eau minérale, je te signale. Je n'ai pensé qu'à ça pendant tout le trajet du retour.

Elle déposa son matériel sur le seuil.

— Tu reviens d'où ?

Lorsqu'elle lui eut répondu, il se mit à ricaner.

— Je vois. Un reportage pour un architecte. Friqué à mort et ne sachant quoi faire de son pognon ? Et célibataire en plus ? C'est cool. Voyons la tête que tu as.

Il porta la bouteille à ses lèvres et, tout en buvant, la détailla. Une fois désaltéré, il lui tendit le Pellegrino.

— Finis-la, cette flotte. Pas terribles, tes cheveux. Pourquoi t'arrêtes pas de les décolorer ? Ça te va pas. Et c'est pas bon pour l'eau de table, tous ces produits chimiques qu'on balance dans les canalisations.

— Comme si tu te souciais de la qualité de l'eau.

— J'ai mes critères.

— Parmi lesquels celui qui consiste à ne pas

attendre le retour des propriétaires pour faire une descente dans leur frigo.

— T'as de la chance : ç'aurait pu être quelqu'un d'autre. C'est pas malin de partir en laissant les fenêtres ouvertes. Tes stores, c'est de la merde. Un coup de canif. Et hop !

Voilà donc comment il s'était introduit chez elle. Et il n'avait rien fait pour dissimuler son forfait : l'une des deux fenêtres du salon n'avait plus de store. Cherokee n'avait eu aucun mal à l'ôter vu qu'il n'était fixé que par un crochet métallique. Au moins son frère avait eu le bon goût de pénétrer chez elle en passant par une fenêtre ne donnant pas sur la rue et hors de vue des voisins qui se seraient empressés d'alerter la police.

La bouteille de Pellegrino à la main, elle se rendit à la cuisine. Elle versa ce qui restait d'eau minérale dans un verre, ajouta une rondelle de citron. Elle agita le tout, l'avala et posa le verre dans l'évier, mécontente, irritée.

— Qu'est-ce que tu fabriques ici ? demanda-t-elle à son frère. Comment es-tu arrivé jusque-là ? Tu t'es décidé à faire réparer ta voiture ?

— Ce tas de ferraille ?

Il traversa le linoléum jusqu'au frigo, l'ouvrit, fouilla dans les sacs plastique pleins de fruits et de légumes. Il en extirpa un poivron rouge qu'il alla laver au robinet avant de le couper en deux à l'aide d'un couteau déniché dans un tiroir. Il en essuya les deux moitiés et en tendit une à China.

— J'ai un projet en vue. Qui ne nécessite pas de voiture.

China ignora la perche tendue. Son frère n'avait pas son pareil pour vous appâter.

— Tout le monde a besoin d'une voiture.

Elle posa sa moitié de poivron sur la table. Puis alla

se changer dans sa chambre. Avec ce cuir, elle avait l'impression d'être au sauna. Côté look, c'était super ; mais question confort, c'était plutôt l'enfer.

— J'espère que tu n'as pas fait le trajet jusqu'ici dans l'espoir d'emprunter la mienne, cria-t-elle depuis la chambre. Si tel est le cas, tu risques d'être déçu. Demande à maman la sienne. Je suppose qu'elle l'a encore.

— Tu viens, pour Thanksgiving ?

— Qui veut le savoir ?

— Devine.

— Son téléphone est en panne, tout d'un coup ?

— Je lui ai dit que je montais. Elle m'a demandé de te poser la question. Alors tu viens ?

— Je vais en parler à Matt.

Elle suspendit le pantalon de cuir dans le placard, puis le gilet, jeta son chemisier de soie dans la corbeille à linge destinée au pressing. Elle passa une robe hawaïenne fluide, prit ses sandales sur l'étagère. Puis elle rejoignit son frère.

— Au fait il est où, Matt ?

Ayant fini sa moitié de poivron, il s'était attaqué à la sienne. Elle la lui prit des mains et mordit dedans. La chair aqueuse était vaguement sucrée, remède comme un autre à la soif.

— En déplacement. Cherokee, ça t'ennuierait de te rhabiller ?

Avec un sourire lubrique, il remua le bassin.

— Pourquoi ? Je te fais bander ?

— Tu n'es pas mon type.

— Où ça, en déplacement ?

— New York. Pour affaires. Tu te décides à t'habiller ?

Haussant les épaules, il sortit. Un instant plus tard, elle entendit claquer la porte moustiquaire tandis qu'il allait récupérer ses fringues. Elle dénicha une bouteille de Calistoga dans le placard à balais qui lui tenait lieu d'office. De l'eau gazeuse, c'était déjà ça. Elle prit de la glace et se servit un verre.

— Au fait, tu ne m'as pas posé de questions.

Elle pivota. Cherokee s'était rhabillé, tee-shirt rétréci par les lavages, jean sur la pointe des hanches. Le bas du pantalon frôlait le linoléum. En l'examinant, China se dit une fois de plus que son frère s'était trompé d'époque. Avec ses longs cheveux blonds bouclés, ses vêtements élimés, ses pieds nus et sa façon de se tenir, il ressemblait à un rescapé de l'été de l'amour. Cela aurait empli leur mère de fierté, aurait plu à son père à lui et fait rire son père à elle. Mais cela irritait China. Malgré son âge et son physique avantageux, Cherokee avait l'air trop vulnérable pour se débrouiller seul dans la vie.

— Tu ne m'as pas posé la moindre question, reprit-il.

— A quel sujet ?

— Au sujet de mon projet. Tu ne veux pas savoir pourquoi je n'aurai plus besoin de bagnole ? Je suis venu en stop, à propos. Le stop, tu parles d'une connerie. J'ai mis une éternité pour arriver chez toi.

— C'est bien pour ça qu'il te faut un moyen de transport.

— Pas pour ce que j'ai en vue.

— Je te le répète : pas question que je te prête ma voiture. J'en ai besoin pour aller bosser. Et au fait, comment se fait-il que tu ne sois pas à la fac ? Tu as de nouveau lâché les études ?

— J'ai abandonné, ouais. J'avais besoin de davantage de temps pour rédiger les mémoires. Mon business a fini par prendre trop d'envergure. Tu n'as pas idée du nombre d'étudiants dénués de sens moral qui peuvent se trimballer sur les campus de nos jours. C'est inimaginable, Chine. Si je choisissais de faire carrière dans cette branche, je pourrais prendre ma retraite à quarante ans. A l'aise.

China soupira. Les « mémoires ». C'étaient des comptes rendus à faire chez soi, une maîtrise, deux dissertations. Cherokee les avait rédigés pour des étudiants qui avaient les moyens de casquer et pas envie de se taper le boulot. On pouvait se demander pourquoi Cherokee – qui n'avait jamais obtenu moins d'un B pour ce qu'il écrivait moyennant finance – n'arrivait pas à rester à la fac. Il était sorti si souvent de l'université de Californie, avant d'y retourner, que cette institution avait pratiquement fait graver son nom sur ses portes battantes. Cherokee avait une explication toute trouvée à cette carrière universitaire en dents de scie : « Si la fac consentait à me refiler, pour faire mon boulot, ce que les étudiants me paient pour faire le leur, là, oui, je bosserais. »

— Est-ce que maman sait que tu as plaqué de nouveau ?

— J'ai coupé le cordon.

— Bien sûr.

China n'avait pas déjeuné et elle commençait à avoir un creux. Elle sortit du frigo de quoi faire une salade, et du placard une unique assiette dans l'espoir que son frère saisirait l'allusion.

— Eh bien, qu'est-ce que tu attends pour me cuisiner ?

Il tira une chaise et s'y laissa tomber. Il attrapa une pomme dans une corbeille et c'est seulement au moment de mordre dedans qu'il s'aperçut qu'elle était factice.

Elle commença à préparer la romaine.

— A quel propos ?

— Fais pas semblant de ne pas comprendre. Question : « C'est quoi, ton projet, Cherokee ? On peut savoir pourquoi tu vas pouvoir te passer de voiture ? »

Réponse : « Parce que je vais avoir un bateau. Et qu'avec le bateau, j'ai tout : moyen de transport et de subsistance, logement. »

— Rêve toujours, Butch, murmura China pour elle-même.

Ses trente-trois années, Cherokee les avait vécues à la manière d'un hors-la-loi de l'Ouest. Toujours un plan pour s'enrichir vite fait, obtenir quelque chose sans lever le petit doigt, mener la belle vie.

— Non, c'est du solide, mon truc. J'ai déjà dégoté le bateau. Il est à Newport. C'est un bateau de pêche. Il emmène des touristes en excursion. Moyennant un gros paquet par tête de pipe. Les clients vont à la pêche au thon. C'est surtout des excursions d'une journée. Mais en mettant une rallonge, ils peuvent descendre jusqu'à Baja. Le bateau a besoin de réparations mais je pourrai m'en occuper une fois installé à bord. Acheter le nécessaire dans les magasins d'accastillage. Pas besoin de bagnole pour ça. Et je prendrai des clients toute l'année.

— Qu'est-ce que tu connais à la pêche ? Et à la navigation ? Et l'argent, pour commencer, tu vas le trouver où ?

China se mit à couper un morceau de concombre en rondelles et à les jeter dans la salade. Puis, faisant le rapprochement avec l'apparition soudaine de son frère :

— Cherokee, inutile d'y compter.

— Pour qui tu me prends ? Je t'ai dit que j'avais un projet sur le feu, et c'est le cas. Merde, je pensais que ça te ferait plaisir. Et j'ai même pas demandé d'argent à maman.

— Comme si elle en avait.

— Eh bien, elle a la maison. J'aurais pu lui demander de me la céder pour pouvoir emprunter dessus. Et elle aurait marché. Tu sais qu'elle aurait accepté.

Ce n'était pas faux. Quand avait-elle refusé de marcher dans les combines de Cherokee ? *Il est asthmatique*, disait-elle pour excuser son fils lorsqu'il était petit. Avec les années, changeant de refrain, elle s'était rabattue sur : *C'est un homme*.

Il ne restait donc plus que China pour financer le fameux projet.

— Ne compte pas sur moi, d'accord ? Ce que j'ai, je le garde pour moi, pour Matt et pour l'avenir.

— Tu parles ! fit Cherokee, se levant de sa chaise.

Il s'approcha de la porte et l'ouvrit. Les mains sur le chambranle, il fixa le jardin calciné.

— Comment ça : « Tu parles » ?

— Rien.

China lava deux tomates et les coupa en morceaux. Elle lança un regard à son frère : il fronçait les sourcils et se mordillait l'intérieur de la lèvre inférieure. Elle lisait en lui à livre ouvert. Il ruminait quelque chose.

— J'ai du fric de côté, dit-il. Pas suffisamment mais j'ai la possibilité de m'en faire un petit paquet. Ce qui me sortira du pétrin.

— Et tu oses prétendre que tu n'es pas venu pour me taper ? Tu as passé vingt-quatre heures sur le bord de la route, le pouce en l'air, pour me rendre une visite de courtoisie ? M'exposer tes projets ? Me demander si je vais aller passer Thanksgiving chez maman ? Le téléphone, les mails, les télégrammes, les signaux de fumée, ça n'est pas fait pour les chiens, merde !

Tournant le dos à la porte, il la regarda nettoyer des champignons.

— Te fâche pas, Chine. En fait, j'ai deux billets gratuits pour l'Europe et je suis venu demander à ma petite sœur si elle n'aimerait pas m'accompagner. Voilà pourquoi je suis là. Pour te demander de venir. Tu n'y es jamais allée, en Europe, n'est-ce pas ? Considère que c'est un cadeau de Noël avant l'heure.

— Comment t'as fait pour avoir deux billets gratuits pour l'Europe ?

— Je les ai eus par coursier.

Et d'expliquer. Les coursiers transportaient des Etats-Unis jusqu'aux quatre coins du globe paquets et plis divers pour le compte d'expéditeurs ne faisant confiance ni à la poste, ni à Federal Express ou tout autre service de messagerie pour les acheminer intacts, en temps et en heure jusqu'à leur destinataire. Les sociétés ou les particuliers fournissaient à l'intermédiaire retenu un billet pour atteindre sa destination – assorti parfois d'une certaine somme d'argent –, et une fois le colis remis à son destinataire le coursier était libre de séjourner sur place ou de continuer à voyager.

Cherokee avait repéré sur le tableau d'affichage de l'université de Californie à Irvine une petite annonce – émanant d'un avocat de Tustin – cherchant un coursier pour acheminer un paquet en Angleterre moyennant paiement et deux billets d'avion gratuits. Cherokee avait posé sa candidature et il avait été retenu. Tout juste lui avait-on fait promettre de s'habiller plus classique et d'arranger un peu ses cheveux.

— Cinq mille tickets pour effectuer la livraison, conclut-il, tout content. C'est pas un bon plan ?

— Cinq mille dollars ? Tu plaisantes ? s'étrangla China.

Les choses qui semblaient trop belles pour être vraies étaient généralement des pièges à con.

— Attends une minute, Cherokee. Qu'est-ce qu'il y a dans ce paquet ?

— Des plans d'architecte. C'est l'une des raisons pour lesquelles j'ai tout de suite pensé à t'emmener. L'architecture, c'est ton rayon.

Cherokee s'approcha de la table, retourna la chaise et s'assit à califourchon.

— Pourquoi l'architecte n'achemine-t-il pas les plans lui-même ? Pourquoi ne les envoie-t-il pas par le Net ? Et à supposer que ses correspondants ne soient pas connectés, pourquoi ne les envoie-t-il pas sur un disque ?

— Je sais pas. Mais qu'est-ce que ça peut faire ? Cinq mille tickets et un billet gratuit, c'est super, non ?

China secoua la tête, se replongea dans la préparation de sa salade.

— C'est louche, surtout. Je ne marche pas.

— Hé, mais je te parle de l'Europe. Big Ben. La tour Eiffel. Le Colisée, merde.

— Tu vas t'amuser comme un fou. Si tu ne te fais pas choper à la douane pour trafic d'héroïne.

— Mais je te dis que c'est réglo.

— Cinq mille dollars pour transporter un paquet ? Tu te fous de moi ?

— Allez, quoi, China. Faut que tu viennes.

Il y avait plus que de l'impatience dans sa voix : du désespoir.

— Que se passe-t-il ? demanda-t-elle, fatiguée. Tu ferais mieux de me le dire.

— Ben... On m'a demandé de... faut que j'emmène ma femme.

— Quoi ?

— Le coursier. Les billets. C'est pour un couple. Je le savais pas quand j'ai postulé. Mais quand l'avocat m'a demandé si j'étais marié, j'ai compris qu'il fallait que je réponde oui. Alors je lui ai dit que oui.

— Pourquoi ?

— Quelle différence ? Comment veux-tu qu'il s'en aperçoive ? On porte le même nom de famille. On ne se ressemble pas. On peut faire semblant...

— Pourquoi un couple pour porter ce paquet ? Un couple vêtu de façon classique ? Un couple dont l'homme accepte de « se faire un peu arranger les cheveux » ? Pour avoir l'air inoffensif, passe-partout ? Merde, Cherokee, fais fonctionner tes méninges. C'est sûrement une arnaque, de la marchandise à passer en fraude, tu finiras en prison.

— Arrête ta parano. J'ai vérifié. Le gars est avocat. Un avocat tout ce qu'il y a de plus officiel.

— Voilà qui m'inspire confiance.

Elle disposa des carottes miniatures autour de son assiette, ajouta une poignée de graines de potiron. Elle arrosa la salade de citron et posa l'assiette sur la table.

— Je ne marche pas. Faudra trouver quelqu'un d'autre pour faire Mrs River.

— Mais je n'ai personne d'autre sous la main. Et à supposer que je trouve quelqu'un à la dernière minute, le billet est au nom de River, le passeport doit donc l'être aussi et... Allez, China.

On aurait dit un gamin frustré, obligé de constater que le plan qui lui avait paru d'une simplicité biblique, le plan qu'un petit voyage à Santa Barbara suffisait à concrétiser, s'avérait tout autre. C'était du Cherokee tout craché : j'ai une idée, pas de raison que ça ne réussisse pas.

Mais China n'avait pas envie de le suivre dans cette voie. Elle aimait son frère, certes. Bien qu'il fût plus âgé qu'elle, elle avait passé une partie de son adolescence et presque toute son enfance à le materner. Mais malgré son affection pour lui, elle ne se voyait pas marchant dans une combine qui, si elle était susceptible de leur faire gagner facilement de l'argent, risquait également de les mettre en danger.

— C'est hors de question, lui dit-elle. Fais une croix dessus. Trouve-toi un job. Il va bien falloir que tu rejoignes le monde de la réalité un jour ou l'autre.

— Justement, c'est ce que j'essaie de faire.

— Alors dégote-toi un vrai boulot. Tu seras bien

obligé de toute façon d'en arriver là. Alors pourquoi ne pas t'y mettre tout de suite ?

— Génial. (Il bondit de sa chaise.) C'est génial, China. « Trouve-toi un vrai boulot. Faut bien que tu rejoignes le monde de la réalité. » C'est ce que je m'efforce de faire, je te signale. Je me trouve un job, un logement et du fric, mais ça ne te plaît pas. Ça ne correspond pas à tes critères, ça n'est pas assez réaliste pour toi.

Filant jusqu'à la porte, il sortit comme une furie.

China le suivit. Un bassin pour les oiseaux occupait le centre de la pelouse assoiffée. Cherokee le vida, s'empara d'une brosse métallique et entreprit de frotter rageusement le bassin, délogeant la pellicule d'algues qui en recouvrait le fond. Il se dirigea vers la maison et vers un tuyau qui gisait là, enroulé, tourna le robinet et se mit à remplir le récipient.

— Ecoute... commença China.

— Laisse tomber. Tu trouves mon idée débile. Tu me trouves débile.

— J'ai dit ça ?

— J'ai pas envie de vivre comme tout le monde – gratter du papier de huit heures à cinq heures pour un salaire de misère – mais tu n'approuves pas ma façon de voir. Tu te figures qu'il n'y a qu'une seule façon de mener sa barque. Et quand on te tient un langage différent, tu décrètes que c'est de la connerie, que ça va se terminer en taule.

— D'où sors-tu tout ça ?

— Ce que je suis censé faire, selon toi, c'est bosser pour des clopinettes, mettre péniblement trois sous de côté pour me retrouver marié avec des traites sur le dos, des mômes et une femme qui sera peut-être plus épouse et mère que maman ne l'a jamais été pour quiconque. Mais ça, c'est ta façon de voir. Pas la mienne.

Il jeta le tuyau gargouillant par terre et l'eau se mit à couler sur le gazon desséché.

— Cela n'a rien à voir avec une quelconque philosophie de la vie. C'est du bon sens. Enfin quoi, pense à ce que tu me demandes. Réfléchis à ce qu'on t'a proposé.

— De l'argent. Cinq mille dollars. Et cinq mille dollars dont j'ai foutrement besoin.

— Pour acheter un bateau que tu es incapable de manœuvrer ? Pour emmener des gens pêcher je ne sais où ? Réfléchis, bon sang. Sérieusement. Sinon au bateau. Du moins à cette histoire de paquet.

— Moi ? fit-il avec un rire qui tenait plutôt de l'aboiement. Faudrait que je réfléchisse ? Et sérieusement ? Mais toi, bordel, quand est-ce que tu vas te décider à faire fonctionner tes méninges ?

— Moi ? Qu'est-ce que...

— C'est la meilleure ! Tu oses me dire comment vivre ma vie alors que la tienne est une vaste plaisanterie et que tu n'en es même pas consciente. Je te donne une chance de t'en sortir pour la première fois en quoi... dix ans ? Plus ? Et tout ce que tu...

— Me sortir de quoi ?

— ... trouves à faire, c'est me casser ma baraque. Sous prétexte que ma façon de vivre te déplaît. Tu ne vois pas que la tienne est pire ?

— Que sais-tu de mon mode de vie ?

Elle était en colère à présent. Elle détestait cette façon qu'avait son frère de détourner la conversation. Quand on voulait discuter avec lui de ses choix, il s'arrangeait pour braquer le projecteur vers l'autre. Et il était rare qu'on sorte indemne de la manœuvre. Ou alors il fallait être drôlement fort.

— Tu disparais pendant des mois. Tu te pointes ici, tu entres chez moi par effraction, tu me racontes que tu as besoin de mon aide dans une histoire louche, et comme je refuse de collaborer, tu prétends que tout est ma faute. Il n'est pas question que je joue à ce petit jeu.

— Ben voyons. Tu préfères jouer le jeu de Matt.

— Que veux-tu dire ?

A l'énoncé du nom de Matt, ce fut plus fort qu'elle : elle sentit un frisson de peur courir le long de son dos.

— Merde, China. Tu me crois idiot. Quand vas-tu te décider à regarder les choses en face ?

— Quelles choses ?

— Matt. Ta vie avec Matt. Ce fric que tu économises. « Pour moi, pour Matt, pour l'avenir. » C'est grotesque. Non, c'est carrément pathétique. Tu as tellement la tête dans les nuages que tu n'es même pas capable...

Il s'interrompit. Comme se rappelant soudain où il était, avec qui. Il se baissa, empoigna le tuyau d'arrosage, le rapporta à sa place et ferma le robinet d'arrivée d'eau. Puis il enroula le tuyau sur lui-même avec une application bien inutile.

China l'observait. Il lui sembla soudain que tout ce qui était sa vie – son passé et son avenir – se concentrait en ce seul instant. Savoir, ne pas savoir.

— Que sais-tu sur Matt ?

La réponse, elle la connaissait en partie. Tous trois s'étaient connus adolescents dans le quartier crade d'une ville du nom d'Orange où Matt surfait, où Cherokee était son copain, et China une ombre. Mais l'autre partie était restée pour elle un mystère car elle était demeurée enfouie dans les heures et les jours que les deux garçons passaient seuls à faire du surf à Huntington Beach.

— Laisse tomber.

Cherokee passa devant elle et regagna la maison. Elle lui emboîta le pas. Mais il ne s'arrêta ni dans la cuisine ni dans le salon. Au lieu de cela, il traversa la villa, ouvrit à la volée la porte moustiquaire et déboucha dans la véranda. Là, il marqua une pause, louchant vers la rue accablée d'un soleil qui tapait impitoyablement sur les voitures en stationnement. Une bouffée de vent chassa des feuilles mortes qui filèrent au ras du trottoir.

— Tu ferais mieux de me dire où tu veux en venir, reprit China. Tu as commencé. Autant finir.

— Laisse tomber.

— « Pathétique », « grotesque », un « jeu ».

— Ça m'a échappé. J'étais en rogne.

— Il t'arrive de discuter avec Matt, non ? Quand il vient rendre visite à ses parents, tu dois bien le voir. Que sais-tu, Cherokee ? Est-ce qu'il...

Elle se demandait si elle allait pouvoir le dire tant elle répugnait à savoir. Mais il y avait ses absences interminables, ses déplacements à New York. Le fait qu'il annulait leurs projets. Qu'il habitait Los Angeles quand il n'était pas par monts et par vaux. Et toutes les fois où il était chez lui mais trop pris par son travail pour passer un week-end avec elle. Elle s'était dit que cela ne signifiait rien au regard des années qu'ils avaient passées ensemble. Mais ses doutes augmentaient avec le temps. Maintenant il lui fallait soit les affronter, soit cesser de douter.

— Matt a une autre femme dans sa vie ?

Il souffla, fit non de la tête. Mais c'était moins une réponse à sa question qu'une réaction au fait qu'elle la lui avait posée.

— Cinquante tickets et une planche de surf, dit-il à sa sœur. C'était le deal. Je lui avais garanti le produit – « contente-toi d'être gentil avec elle, lui avais-je dit, elle se montrera coopérative » – alors il n'a pas moufté : il a casqué.

China entendit mais refusa d'assimiler. Puis elle se

souvint de la fameuse planche, de Cherokee la rapportant à la maison avec un cri de triomphe : « Matt me l'a donnée ! » Et elle se rappelait ce qui avait suivi. Dix-sept ans, jamais sortie avec un garçon, jamais embrassé, jamais flirté et Matthew Whitecomb – grand, timide, étonnant d'aisance sur une planche de surf mais nul avec les filles – venant chez eux lui bredouiller une demande de rendez-vous. A ceci près que c'était moins sa gaucherie qui le faisait bredouiller et lui donnait les mains moites que la certitude de recueillir les fruits du marché qu'il avait passé avec son frère.

— Tu as vendu...

Impossible de terminer sa phrase. Cherokee se tourna vers elle.

— Il aime baiser avec toi, China. C'est tout. Ça ne va pas plus loin.

— Je ne te crois pas.

Mais elle avait la bouche sèche, plus sèche que sa peau déshydratée par la chaleur et le vent du désert, plus sèche même que la terre crevassée dans laquelle les fleurs se flétrissaient. Elle tâtonna pour atteindre dans son dos le bouton rouillé de la vieille porte moustiquaire. Elle s'engouffra dans la maison. Son frère la suivit, traînant tristement les pieds dans son sillage.

— Je ne voulais pas te le dire. Je suis désolé, Chine. Je n'avais pas l'intention de te le dire.

— Sors d'ici. Va-t'en. File.

— Tu sais que je dis la vérité. Tu dois le sentir comme tu sens qu'il y a quelque chose qui ne colle pas entre vous depuis un certain temps.

— Je ne sais rien du tout.

— Mais si, insista-t-il. Et c'est mieux ainsi. Tu vas pouvoir tirer un trait maintenant.

Il s'approcha d'elle et lui posa la main sur l'épaule.

— Viens en Europe avec moi, China. Là-bas, tu verras, tu apprendras à oublier.

Elle se dégagea brusquement et pivota pour lui faire face.

— Je ne franchirai même pas le seuil de cette maison avec toi.

5 DÉCEMBRE
6 H 30 DU MATIN
ÎLE DE GUERNESEY
MANCHE

Ruth Brouard se réveilla en sursaut. Il se passait quelque chose d'inhabituel dans la maison. Pétrifiée, elle se concentra sur l'obscurité, comme elle avait appris à le faire des années plus tôt, attendant que le bruit se reproduise pour savoir si elle était en sécurité dans sa cachette ou s'il fallait fuir. Elle avait beau tendre l'oreille, impossible d'identifier la nature de ce bruit. Mais il ne ressemblait pas à ceux qu'elle avait l'habitude d'entendre la nuit – craquements dans la maison, vibration d'un châssis de fenêtre, soupirs du vent, cri d'une mouette arrachée au sommeil... Les battements de son cœur s'accélérèrent, elle tendit encore davantage l'oreille et força ses yeux à distinguer les choses dans sa chambre, testant chaque objet en comparant sa position dans la pénombre à celle qu'il occupait dans la journée, là où ni spectres ni intrus n'auraient osé troubler la paix du vieux manoir.

Plus aucun bruit ne lui parvenant, elle attribua son réveil soudain à un rêve dont elle n'avait aucun souvenir. Quant à ses nerfs à vif, elle mit cela sur le compte de son imagination. Et des médicaments qu'elle prenait, de puissants antalgiques que son médecin lui prescrivait pour ne pas lui donner la morphine que son corps réclamait.

Elle grogna dans son lit, sentant la douleur se frayer

un chemin de ses épaules à ses bras. Les médecins, pensa-t-elle, étaient des guerriers des temps modernes. Ils étaient formés pour combattre l'ennemi de l'intérieur jusqu'à ce que le dernier corpuscule recrache l'esprit malin. Ils étaient programmés pour cela, et elle leur en était reconnaissante. Mais il est des moments où le malade en sait plus que le thérapeute, et elle sentait bien que ce moment, elle l'avait atteint. Six mois, pensa-t-elle. Deux semaines encore avant son soixante-sixième anniversaire, mais elle ne fêterait jamais le soixante-septième. Le démon était finalement passé de ses seins à ses os, après une rémission de vingt années, pendant lesquelles elle était devenue optimiste.

Elle changea de position, se mit sur le côté, et son regard se posa sur les chiffres rouges du réveil digital à son chevet. Il était plus tard qu'elle ne l'avait imaginé. La saison l'avait induite en erreur. D'après l'obscurité, elle avait jugé qu'il était deux ou trois heures du matin, mais il était en fait six heures et demie, une heure seulement avant son heure de lever habituelle.

Dans la chambre voisine, elle entendit un bruit. Cette fois, cependant, ce n'était pas un bruit inhabituel, né du songe ou de l'imagination. C'était en fait le bruit du bois contre le bois : une porte de penderie qui s'ouvrait puis se fermait, même manœuvre avec un tiroir de commode. Le bruit sourd et étouffé de quelque chose qui tombe par terre, et Ruth s'imagina les baskets qui lui échappaient des mains, dans sa hâte à les chausser.

Au prix de quelques contorsions, il aurait déjà enfilé son slip de bain, ce laconique triangle de Lycra bleu azur qu'elle jugeait si incongru pour un homme de son âge, et son survêtement par-dessus à présent. Tout ce qu'il lui manquait dans ses préparatifs, c'étaient les chaussures pour marcher jusqu'à la baie, qu'il était en train de mettre. Ruth le comprit au grincement du rocking-chair.

Un sourire lui vint à l'écoute des mouvements de son frère. Guy était aussi prévisible que les saisons : hier soir, il avait dit qu'il voulait aller se baigner au matin, et naturellement, il allait se baigner, comme tous les jours. Traversée de la pelouse pour atteindre l'allée extérieure, puis petit trot jusqu'à la plage en guise d'échauffement, tout seul sur les épingles à cheveux de la route étroite qui creusait un tunnel en zigzag sous les arbres. C'était cette capacité à suivre son programme et à le mener à bien que Ruth admirait plus que tout chez son frère.

Elle entendit la porte de sa chambre qui se refermait, et elle attendit la suite : à tâtons dans l'obscurité, il irait jusqu'à l'armoire chauffante pour y prendre une serviette. C'était l'affaire d'une dizaine de secondes, après quoi il lui faudrait cinq minutes pour retrouver ses lunettes de natation, qu'il aurait rangées la veille au matin dans la boîte à couteaux, ou bien posées en sautoir sur le casier à musique dans son bureau, ou encore fourrées distraitement dans ce buffet d'angle appuyé de guingois contre un mur de la petite salle à manger. Une fois les lunettes en sa possession, il se rendrait dans la cuisine pour préparer son thé, et une fois la Thermos en main (car il l'emportait toujours avec lui pour boire après le bain, son ginkgo fumant, sa récompense pour un nouveau plongeon dans une eau trop froide pour le commun des mortels), il sortirait de la maison, se dirigeant à grandes enjambées vers les châtaigniers, puis l'allée, puis le mur délimitant la propriété. Ruth sourit de la prévisibilité de son frère. Ce n'était pas seulement ce qu'elle préférait en lui, c'était ce qui, depuis longtemps, donnait à sa vie une impression de sécurité dont par nature celle-ci aurait dû être dépourvue.

Elle regardait les chiffres défiler sur le réveil digital, à mesure que les minutes passaient et que son frère se préparait. Là, il devait être près de l'armoire chauffante, là il devait descendre l'escalier, là fouiller partout pour retrouver ces satanées lunettes et maudire ces trous de mémoire qui se multipliaient à l'approche de ses soixante-dix ans. Là, il devait être dans la cuisine, peut-être même s'offrait-il en douce une petite collation avant l'effort.

Au moment où, selon son rituel matinal, Guy allait sortir, Ruth se leva et mit son peignoir sur ses épaules. Pieds nus, elle alla furtivement à la fenêtre et écarta les lourds rideaux. Elle commença un compte à rebours à partir de vingt, et, à cinq, effectivement, il apparut juste au-dessous d'elle, sortant de la maison, aussi fiable que les heures de la journée, que le vent de décembre et que ce sel qu'il soulevait de la Manche.

Il était vêtu comme toujours : un bonnet de laine rouge tricoté, enfoncé jusqu'aux yeux pour couvrir ses oreilles et son épaisse chevelure grisonnante ; le survêtement bleu marine taché aux coudes, aux poignets et aux cuisses de cette peinture blanche qu'il avait utilisée pour la véranda l'été dernier ; les baskets sans chaussettes (ça, elle ne pouvait pas le voir, mais elle connaissait trop bien son frère et sa façon de s'habiller). Il emportait son thé ; il avait une serviette sur les épaules ; quant aux lunettes, elles devaient être dans une poche.

« Bonne baignade », dit-elle à la vitre glaciale. Et elle ajouta ce que leur mère avait hurlé bien longtemps auparavant, alors que le chalutier s'écartait du quai, les emportant loin de la maison dans la nuit noire : *Au revoir et adieu, mes chéris*.

En bas, il fit ce qu'il faisait toujours. Il traversa la pelouse en direction des arbres et de l'allée derrière les arbres.

Mais, ce matin-là, Ruth vit également autre chose. Une fois que Guy eut atteint les arbres, une silhouette sombre se détacha de sous les frondaisons et se mit à le suivre.

Un peu plus loin, Guy Brouard constata qu'il y avait déjà de la lumière chez les Duffy, un fier cottage de pierre construit en partie dans le mur d'enceinte de la propriété. Autrefois lieu d'encaissement des loyers pour les métayers du corsaire qui avait bâti le Reposoir au début du XVIIIe siècle, le cottage au toit pentu était aujourd'hui la demeure du couple qui aidait Guy et sa sœur à entretenir la propriété : Kevin Duffy se chargeait des extérieurs, et Valerie du manoir lui-même. De toute évidence, Valerie s'était levée pour préparer le petit déjeuner de Kevin. Ça lui ressemblait bien : Valerie était une épouse sans égale.

Guy pensait depuis très longtemps que l'on avait cassé le moule après la naissance de Valerie Duffy. Elle était la dernière de son espèce, une épouse d'antan qui considérait comme son devoir et privilège de s'occuper de son homme. Si Guy avait lui-même eu une épouse de cette trempe au tout début, il n'aurait pas eu, il le savait bien, à passer toute une vie à faire des essais comparatifs dans l'espoir de la trouver enfin.

Ses deux épouses avaient été en tous points assommantes de similitude : un enfant de la première, deux de la seconde, belles maisons, jolies voitures, agréables vacances au soleil, nounous et pensionnats... Rien n'y avait fait : tu travailles trop ; jamais tu n'es à la maison ; tu préfères ton satané travail à ta femme. Variations à l'infini sur un thème mille fois rebattu. Pas étonnant qu'il n'ait pu s'empêcher d'aller voir ailleurs.

Sorti de sous les aulnes aux branches dépouillées, Guy prit l'allée en direction du chemin. Tout était encore silencieux, mais dès qu'il eut atteint la grille métallique et ouvert l'un des battants, les premières fauvettes froufroutèrent dans les ronciers, les prunelliers et le lierre qui poussaient le long de l'étroit chemin et couvraient le mur de pierre plein de lichen.

Il faisait froid. Décembre. A quoi d'autre s'attendre ? Mais, à cette heure matinale, il n'y avait pas encore de vent, même si une rare brise de sud-est, prévue pour un peu plus tard dans la matinée, devait rendre toute baignade impossible passé midi. De toute façon, personne d'autre que lui ne s'aventurerait dans l'eau en décembre ; c'était là un des avantages d'une grande résistance au froid : on a toute la mer pour soi tout seul.

Et c'était bien cela que Guy Brouard appréciait par-dessus tout. Car le temps de la baignade, c'était du temps de réflexion, et en général il avait des sujets de réflexion à foison.

Aujourd'hui comme les autres jours. Le mur de sa propriété à sa droite, les hautes haies bordant les terres des fermes avoisinantes à sa gauche, il descendait à grands pas le chemin dans la lueur commençante de l'aube ; bientôt il prendrait le tournant qui l'amènerait, en pente raide, jusqu'à la baie. Il méditait sur ce qu'il avait fait de sa vie dans les derniers mois, en partie volontairement et en toute connaissance de cause, en partie en réaction à des événements que nul n'aurait pu prévoir. Il avait causé déception, confusion et trahison chez ses proches. Et, comme il était depuis bien longtemps quelqu'un qui ne se fie qu'à lui-même, aucun d'eux n'avait été en mesure de concevoir, et encore moins de digérer, le fait que les espoirs qu'ils avaient mis en lui aient pu être aussi mal placés. Depuis bientôt une décennie, il les avait encouragés à voir en lui un éternel bienfaiteur, paternel dans son intérêt pour leur avenir, généreux dans la façon dont il leur promettait que cet avenir était assuré. Il n'avait jamais voulu tromper son monde sur ce point. Bien au contraire, il avait toujours œuvré pour que leurs rêves secrets se réalisent.

Mais tout cela, c'était avant Ruth, avant cette grimace de douleur lorsqu'elle croyait qu'il regardait ailleurs, et ce qu'elle voulait dire, cette grimace, il le savait bien. Il n'aurait jamais compris, bien sûr, si elle n'avait pas commencé à s'éclipser pour des rendez-vous qu'elle baptisait « occasions de faire de l'exercice, mon grand » sur les falaises. A Icart Point, disait-elle, elle allait puiser l'inspiration pour une future broderie dans les cristaux de feldspath du gneiss lamelliforme. A Jerbourg, disait-elle, le schiste incrusté dans la pierre formait des motifs de rubans gris de largeur inégale, que l'on pouvait suivre, retraçant l'itinéraire suivi par le temps et la nature pour couler vase et sédiment dans de la pierre antédiluvienne. Elle faisait des esquisses d'ajoncs, disait-elle, et des tentatives de rendu au crayon, en rose et blanc, d'armérias et de silènes maritimes. Elle cueillait des chrysanthèmes des prés, les disposait sur la rude surface d'une saillie granitique, et les dessinait. Au cours de ses promenades, elle coupait campanules et genêts, bruyère et ajoncs, coucous et lis, en fonction de la saison et de son humeur. Mais jamais les fleurs n'arrivaient jusqu'à la maison. « Trop longtemps dans la voiture, j'ai dû les jeter, prétendait-elle. Les fleurs sauvages, ça ne tient jamais. »

Et cela avait duré ainsi des mois et des mois. Mais Ruth n'était pas une arpenteuse de falaises. Pas plus qu'une cueilleuse de fleurs ou une apprentie géologue. Tout cela avait mis la puce à l'oreille de Guy, naturellement.

Au début, il avait eu la stupidité de se figurer que sa sœur avait enfin un homme dans sa vie et était trop gênée pour le lui avouer. Mais il avait aperçu sa voiture à l'hôpital Princess Elizabeth, et cette découverte l'avait fait revenir sur terre. Ses grimaces de douleur, les longues heures où elle se retirait dans sa chambre, tout cela l'avait forcé à comprendre ce qu'il ne voulait pas voir en face.

Elle était la seule constante dans sa vie, depuis cette nuit où ils avaient quitté les côtes françaises, réussissant une fuite trop longtemps différée, sur un bateau de pêche, cachés dans les filets. Elle était la raison de sa survie, c'était son besoin de lui qui l'avait poussé vers la maturité, les projets, et, au bout du compte, la réussite.

Mais ça ? Il ne pouvait rien contre ça. Aucun bateau nocturne ne pourrait arracher sa sœur au mal dont elle souffrait.

Alors, s'il avait trahi, égaré et déçu les autres, ce n'était rien au regard de la perte de Ruth.

La natation, c'était sa soupape de sûreté, qui tous les matins le soulageait du poids de ces angoisses ressassées. Sans sa baignade quotidienne, Guy savait que de trop penser à sa sœur le consumerait, sans même parler de son impuissance absolue à modifier le cours des choses.

Le sentier qu'il suivait était étroit et raide, et traversait des bois épais dans cette partie orientale de l'île. A l'abri de vents forts soufflant des côtes de France, les arbres proliféraient par ici depuis très longtemps. Au passage de Guy, sycomores et châtaigniers, frênes et hêtres formaient au-dessus de lui comme une voûte fantomatique, gravure grise sur étain dans le ciel d'avant l'aube. Les arbres poussaient sur les flancs des collines retenues par des murets de pierre. A leur base, une source de pleine terre jaillissait joyeusement, et son eau, gazouillant sur les pierres, dévalait jusqu'à la mer.

Le sentier, en brusques zigzags, passait devant un

moulin à eau ténébreux et un chalet suisse saugrenu : un hôtel fermé pour la saison. Il se terminait en un minuscule parking où un snack-bar grand comme un timbre-poste était fermé à double tour, panneaux baissés, et la rampe de granit qui autrefois permettait aux chevaux et charrettes l'accès au *vraic*, seul engrais de l'île, était toute gluante de varech.

L'air était immobile, les mouettes encore tapies dans leur abri nocturne au sommet des falaises. L'eau de la baie était calme, miroir couleur de cendres reflétant les teintes du ciel qui s'éclairait. Il n'y avait aucune vague dans ce creux bien abrité, tout juste un léger clapotis sur les galets, un frôlement qui semblait faire émaner du goémon les parfums antagonistes de vie bourgeonnante et de putréfaction.

Près de la bouée de sauvetage suspendue à un vieux piquet planté au flanc de la falaise, Guy posa sa serviette et installa son thé sur une pierre bien plate. Il envoya valser ses chaussures et retira le bas de son survêtement ; puis il fouilla dans la poche de sa veste pour en retirer ses lunettes de natation.

Mais il y avait autre chose, en plus des lunettes. Là, dans sa poche, se trouvait un objet enveloppé de tissu qu'il retira et posa au creux de sa main. Ses sourcils se froncèrent ; il savait bien qu'il n'avait pas mis ça là. A part les lunettes, il était rare qu'il mette quoi que ce soit dans son haut de survêtement.

L'objet était enveloppé d'un chiffon blanc. Il le déballa avec curiosité et vit qu'il s'agissait d'une pierre plate et ronde, percée en son centre comme une roue ; d'ailleurs, c'était bien une roue qu'il fallait y voir : *énne rouelle dé faïtot*. Une roue de fée.

Guy sourit, puis secoua la tête. Cette île était un lieu de folklore. Pour les autochtones, dont les parents et grands-parents étaient également nés ici, porter de temps en temps un talisman protégeant des sorcières et de leurs acolytes était un acte qui, peut-être, suscitait moquerie ou mépris en public, mais qui en privé gardait une certaine importance. *Tu devrais en porter une, tu sais. C'est important de se protéger, Guy.*

Et pourtant, cette pierre, qu'elle soit ou non « roue de fée », n'avait pas suffi à le protéger de la seule façon dont il avait pensé être protégé. L'inattendu surgit dans la vie de chacun, et par conséquent il n'avait pas été autrement surpris de le voir surgir dans la sienne.

Il remballa la pierre dans son morceau de tissu et la remit dans sa poche. Il ôta sa veste, puis son bonnet de laine, et ajusta les lunettes sur ses yeux. Traversant l'étroite bande de plage, il pénétra sans hésiter dans l'eau.

Elle lui fit l'effet d'une lame de couteau. Au beau milieu de l'été, la Manche n'avait déjà rien d'un bain tropical. En ce matin ténébreux d'un hiver arrivant au galop, elle était glaciale, dangereuse et menaçante.

Mais, loin de s'arrêter à cette impression, il avançait résolument ; dès qu'il eut assez de fond, il s'élança et commença à nager. Il avançait vigoureusement, évitant des paquets d'algues dans l'eau.

Il s'éloigna ainsi d'une centaine de mètres, jusqu'à la saillie granitique en forme de crapaud qui marquait le point de rencontre de la baie et de la Manche. Il s'y arrêta, juste au niveau de l'œil du crapaud – une accumulation de guano dans une anfractuosité de la roche. Se retournant vers la plage, il se mit à battre l'eau, en suspension, de ses bras et de ses jambes, le meilleur exercice qu'il connaissait pour conserver la forme en prévision de la saison de ski imminente en Autriche. Comme à son habitude, il ôta alors ses lunettes pour avoir, en ces quelques instants, une vision plus claire. Ses yeux parcoururent distraitement les lointaines falaises et les épaisses frondaisons qui les couvraient. Et c'est ainsi que son regard descendit, descendit, sur une succession de rochers, puis s'arrêta tout en bas, sur la plage.

Il en perdit le compte de ses battements de jambes.

Il y avait quelqu'un. Une forme humaine, en grande partie dans l'ombre, mais qui manifestement le guettait. Debout sur un côté de la rampe de granit, la silhouette était vêtue de sombre, avec une tache blanche vers le col, c'était sans aucun doute cela qui avait attiré son attention. Alors même que Guy fronçait les yeux pour tenter de mieux voir, elle se détacha du granit et traversa résolument la plage.

Nul doute sur sa destination. Se glissant jusqu'à ses vêtements abandonnés, la silhouette s'agenouilla pour ramasser quelque chose, veste ou pantalon, difficile à dire à cette distance.

Mais Guy savait ce que l'inconnu cherchait, et un juron lui vint. Il comprit qu'il aurait dû vérifier ses poches avant de quitter la maison. Il était évident qu'aucun voleur ordinaire ne se serait intéressé à cette petite pierre percée que Guy avait sur lui. Mais aucun voleur ordinaire n'aurait jamais non plus pensé qu'il pourrait trouver les affaires d'un nageur abandonnées sans surveillance sur cette plage un matin de début décembre. Qui que ce fût, soit c'était la pierre qu'il cherchait, soit il feignait de fouiller les affaires de Guy pour le faire revenir au rivage.

Et puis merde, se dit-il. Après tout, c'était son heure de solitude, et il n'avait aucune intention de la partager avec quiconque. La seule chose qui lui importait à présent, c'était sa sœur, la façon dont sa sœur allait terminer sa vie.

Il se remit à nager. Il fit un aller-retour sur toute la largeur de la baie. Lorsque enfin il jeta à nouveau un regard en direction de la plage, il fut soulagé de voir que celui qui avait empiété sur son temps et sa quiétude n'était plus là.

Lorsqu'il arriva à la plage, il était hors d'haleine ; il avait nagé près de deux fois la distance habituelle qu'il couvrait le matin. Chancelant, il sortit de l'eau et courut, masse de chair de poule, jusqu'à sa serviette.

Le thé serait assurément un remède rapide contre le froid ; il s'en servit un gobelet de sa Thermos. La boisson était forte, amère et brûlante, il l'avala d'un trait avant de retirer son slip de bain et de s'en verser un autre. Celui-là, il mit plus de temps à le boire, tout en se frictionnant vigoureusement pour ramener un peu de chaleur dans ses membres. Il enfila son pantalon et se saisit de sa veste, qu'il mit sur ses épaules tout en s'asseyant sur un rocher afin de se sécher les pieds. Ce ne fut qu'après avoir remis ses baskets qu'il glissa la main dans sa poche. La pierre s'y trouvait toujours.

Il réfléchit à ce qu'il avait vu depuis la mer. Tendant le cou, il scruta les parois verdoyantes des falaises derrière lui. Apparemment, rien ne bougeait nulle part.

Il se demanda s'il ne s'était pas trompé quant à ce qu'il avait cru voir sur la plage. Peut-être après tout n'était-ce pas un être matériel, mais la manifestation d'un état de conscience. La culpabilité faite chair, par exemple.

Il sortit la pierre de sa poche, la déballa à nouveau, passa le pouce sur les initiales peu profondes qui y avaient été gravées.

Tout le monde a besoin de protection, pensa-t-il. Le tout est de savoir contre qui ou contre quoi.

Il avala le reste de son gobelet et se resservit. Le soleil serait entièrement levé dans moins d'une heure. Il allait l'attendre ici même ce matin.

15 DÉCEMBRE
23 H 15
LONDRES

1

Heureusement qu'il y avait le temps. Pour meubler, c'était une vraie bénédiction. Une semaine entière de pluie pratiquement incessante, ça, c'était un sujet de conversation. Même en décembre, où d'ordinaire il fait déjà si mauvais. Outre les précipitations atmosphériques du mois précédent, le fait que les comtés du Somerset, du Dorset, d'East Anglia, du Kent et de Norfolk – ainsi d'ailleurs que les trois quarts des villes de York, Shrewsbury et Ipswich – soient inondés rendait presque obligatoire l'impasse sur le vernissage d'une expo de photos en noir et blanc dans une galerie de Soho. Difficile d'épiloguer sur la maigreur du public – une poignée d'amis et de parents – qui s'était donné la peine de se déplacer quand, à deux pas de Londres, les gens étaient privés de logis, les animaux d'abri, et les biens détruits. S'abstenir de commenter ce désastre naturel aurait paru proprement inhumain.

Tout au moins, c'était ce que se répétait Simon Saint James.

Même s'il était bien conscient du sophisme inhérent à ce raisonnement, il persistait cependant à le tenir en son for intérieur. Il entendait les vitres trembler sous les rafales de vent et se raccrochait à ce bruit tel un baigneur qui, pour éviter la noyade, trouve son salut en se saisissant d'un rondin à demi submergé.

— Pourquoi ne pas attendre une accalmie pour rentrer ? demanda-t-il à ses invités, ça ne va pas être évident pour rouler.

Il percevait la solennité de sa voix et espérait qu'ils la mettraient au compte de sa crainte pour leur sécurité, et non pas de la crainte tout court, comme c'était bel et bien le cas. Peu importait si Thomas Lynley et son épouse habitaient à moins de cinq kilomètres au nord-est de Chelsea, personne ne devait sortir sous un tel déluge.

Et pourtant, Lynley et Helen avaient déjà enfilé leur manteau et n'étaient plus qu'à trois pas de la porte du domicile de Saint James. Lynley avait en main leur parapluie noir, dont l'état (sec, en l'occurrence) montrait à l'évidence que cela faisait déjà un bon bout de temps qu'ils étaient là à attendre près de l'âtre dans le bureau du rez-de-chaussée, en compagnie de Saint James et de son épouse. En même temps, l'état de Helen, malade à onze heures du soir de ce que dans son cas on ne pouvait que par euphémisme nommer nausées matinales, en ce deuxième mois de grossesse, laissait prévoir un départ imminent, qu'il pleuve ou non. Pourtant, se disait Saint James, il était toujours permis d'espérer.

— On n'a même pas encore discuté du procès Fleming, dit-il à Lynley, à qui Scotland Yard avait confié l'enquête sur cette affaire de meurtre. Tu dois être content, le parquet n'a pas traîné à l'envoyer devant les assises.

— Simon, arrête, interrompit tranquillement Helen. Tu ne peux pas te dérober indéfiniment, ajouta-t-elle, adoucissant ses paroles d'un doux sourire. Parles-en avec elle. Ça ne te ressemble pas de te dérober.

Mais, hélas, ça lui ressemblait trait pour trait, et, si par hasard la femme de Saint James avait entendu cette remarque de Helen Lynley, elle aurait bien été la première à le dire. La vie avec Deborah était pleine des écueils les plus traîtres, et Saint James, tel un batelier inexpérimenté sur une rivière inconnue, s'ingéniait toujours à les éviter.

Par-dessus son épaule, il jeta un coup d'œil au bureau. Le feu dans la cheminée et les chandeliers en étaient l'unique éclairage. Il aurait dû penser à faire davantage de lumière dans la pièce ; cet éclairage tamisé, on aurait pu y voir un côté romantique dans d'autres circonstances, mais ce soir, il faisait franchement veillée funèbre.

Mais il n'y a pas de cadavre, se répéta-t-il. Il ne s'agit pas d'un décès, juste d'une déception.

Cela faisait pratiquement un an que sa femme travaillait sur ces photographies en prévision de cette soirée. Elle avait accumulé une belle collection de portraits pris aux quatre coins de Londres, depuis les poissonniers posant à cinq heures du matin à Billingsgate jusqu'aux fêtards mondains entrant en titubant dans une boîte de Mayfair à minuit. Elle avait saisi toute la diversité culturelle, ethnique, sociale et économique qui faisait la capitale, et avait placé tout son espoir dans ce vernissage. La galerie d'Upper Newport Street était petite, mais distinguée. S'il y avait du monde, s'était-elle dit, peut-être cela lui vaudrait-il un entrefilet dans une de ces publications dont sont friands les collectionneurs à la recherche de nouveaux artistes. Tout ce qu'elle voulait, disait-elle, c'était planter son nom, comme on plante une petite graine, dans l'esprit du public. Elle ne s'attendait pas à de grosses ventes au tout début.

Le paramètre qu'elle n'avait pas pris en compte, c'était ce sale temps d'automne finissant. En novembre, la pluie ne l'avait pas trop inquiétée, les intempéries étaient chose normale en cette période de l'année. Mais lorsque, les averses succédant inexorablement aux averses, le déluge de décembre s'était solidement installé, elle avait commencé à émettre des doutes. Peut-être serait-il plus sage de reporter son exposition au printemps ? Ou peut-être même à l'été, saison où les gens sortent volontiers tard le soir ?

C'était Saint James qui lui avait conseillé de s'en tenir à sa première idée. Le mauvais temps, lui répétait-il, ne persisterait jamais jusqu'à la mi-décembre, cela faisait plusieurs semaines qu'il pleuvait, et cela ne pouvait guère durer plus longtemps, tout au moins d'un point de vue statistique.

Mais au contraire, cela avait bel et bien duré. Jour après jour, nuit après nuit, jusqu'à transformer les parcs de la ville en marécages et faire pousser des champignons dans les interstices des trottoirs. On voyait des arbres tomber, leurs racines ne les retenant plus dans un sol presque liquide, et les sous-sols des maisons proches du fleuve prendre rapidement des allures de pataugeoires.

S'il n'y avait pas eu les frères et sœurs de Saint James, tous présents avec en renfort leur conjoint, légitime ou non, et leurs enfants, ainsi que sa mère, les seuls présents au grand vernissage de son épouse auraient été le père de Deborah, une poignée d'amis intimes dont la fidélité l'avait apparemment emporté sur la prudence, et cinq inconnus. Ceux-là avaient été la cible de nombreux regards chargés d'espérances, mais il était bientôt apparu que trois d'entre eux ne recherchaient qu'un endroit pour s'abriter de la pluie, et les deux autres s'étaient réfugiés là, épuisés d'attendre dans la file devant le restaurant *Mr Kong*.

Dans ces conditions, Saint James avait essayé de faire bonne figure devant sa femme, tout comme le propriétaire de la galerie, un nommé Hobart, dont l'accent branché vulgaire faisait du mot « quoi » quasiment un signe de ponctuation.

« Vous tracassez donc pas, ma puce, quoi, avait-il dit à Deborah, elle dure un mois, l'expo, et la qualité est là, quoi. Regardez, quoi, vous en avez déjà vendu plein !

— Oui, et regardez combien de membres de la famille de mon mari sont là, Mr. Hobart, avait répliqué Deborah avec son honnêteté coutumière. S'il était d'une famille encore plus nombreuse, on aurait déjà tout vendu ! »

Ce qui n'était pas entièrement faux : la famille de Saint James s'était montrée généreuse dans son soutien. Mais qu'ils achètent ses photos ne pouvait pas pour Deborah être aussi significatif qu'un achat par un étranger.

« J'ai l'impression qu'ils ont acheté par pitié », avait-elle lâché, désespérée, dans le taxi qui les ramenait chez eux.

C'était tout cela, entre autres, qui rendait la compagnie des Lynley si précieuse à Saint James en ce moment. Il savait pertinemment qu'il finirait par devoir endosser la robe d'avocat de la défense du talent de son épouse après le fiasco de cette soirée, et il ne se sentait pas encore de taille pour cela. Il savait qu'elle n'allait pas en croire un seul mot, même s'il croyait lui-même très fort en ses propres affirmations. Comme tant d'artistes, ce qu'il lui fallait, c'était, sous quelque forme que ce fût, une ratification de son talent qui vienne de l'extérieur. Lui-même appartenait au cercle rapproché, alors il ne pouvait faire l'affaire. Pas plus que son propre père, qui lui avait dit, philosophe, avec une petite tape sur l'épaule : « On n'y peut rien, à ce sale temps », avant de monter se coucher. En revanche, Lynley et Helen lui semblaient d'assez bons candidats, et c'est pourquoi Saint James tenait tant à leur présence quand il se déciderait enfin à mettre la chose sur le tapis avec Deborah.

Hélas, cela n'en prenait guère le chemin. Il voyait bien que Helen tombait de fatigue et que Lynley était décidé à la ramener à la maison.

— Faites bien attention en rentrant, alors, leur dit-il.

— *Coraggio*, mari indigne, conclut Lynley dans un sourire.

Saint James les regarda remonter Cheyne Row jusqu'à leur voiture sous des trombes d'eau. Ce n'est que lorsqu'ils furent à bord qu'il referma enfin sa porte, se préparant mentalement à l'affrontement verbal qui l'attendait dans son bureau.

A part cette brève remarque à Mr Hobart dans la galerie, Deborah avait fait remarquablement bonne figure jusqu'au trajet de retour en taxi. Elle avait bavardé avec ses amis, salué sa belle-famille avec force exclamations de joie et passé en revue, avec son vieux maître en photographie Mel Doxson, chacun de ses clichés, pour entendre ses compliments et ses fines critiques sur son travail. Il fallait l'œil de quelqu'un qui la connût depuis toujours, Saint James lui-même, par exemple, pour percevoir ce découragement qui ternissait son regard, pour remarquer à ses coups d'œil furtifs en direction de l'entrée à quel point elle avait bêtement mis tous ses espoirs dans un imprimatur donné par des étrangers dont elle se serait souciée comme d'une guigne en d'autres circonstances.

En revenant, il trouva Deborah à l'endroit exact où il l'avait laissée en allant raccompagner les Lynley à la porte : debout face au mur sur lequel il exposait toujours une sélection de ses photos. Mains crispées dans le dos, elle examinait celles qui s'y trouvaient à ce moment-là.

— Une année de ma vie gâchée, déclara-t-elle. J'aurais pu avoir un travail régulier, gagner ma vie, pour une fois. J'aurais pu faire des photos de mariages, de bals des débutantes, de baptêmes, de bar-mitsva, d'anniversaires ; ou alors ce genre de portraits qui flattent l'ego des hommes mûrs, avec les épouses qu'ils se sont offertes, que sais-je encore ?

— Des touristes en compagnie de la famille royale sur carton-pâte avec un trou pour la tête ? hasarda-t-il. Ça, ça aurait rapporté, pour peu que tu te sois installée devant Buckingham Palace.

— Simon, je parle sérieusement, répliqua-t-elle.

Et il comprit au ton de sa voix que ce n'était pas avec des plaisanteries qu'il allait pouvoir s'en tirer. Qu'il allait avoir du mal à la persuader que la déconvenue d'un soir n'était qu'un contretemps.

Saint James la rejoignit et se mit à contempler les photos. Elle le laissait toujours choisir ses préférées de chaque série qu'elle sortait, et cet ensemble-là était, à ses yeux de profane, un des meilleurs de sa production : sept études en noir et blanc, des clichés pris au marché aux puces de Bermondsey au petit matin, sur lesquels des vendeurs de toutes sortes de choses, des antiquités aux marchandises tombées du camion, disposaient leurs étals. Ce qu'il aimait dans ces scènes, c'était leur côté intemporel, cette impression d'un Londres éternel et immuable. Il aimait les jeux d'ombre et de lumière qui déformaient ces visages, éclairés qu'ils étaient par les lampadaires de la rue. Il aimait leurs expressions, l'espoir chez l'un, la ruse chez l'autre, l'inquiétude, la lassitude ou la patience chez les autres. Pour lui, sa femme était beaucoup plus que simplement douée ; elle avait un talent que très peu partageaient.

— Tu sais, dit-il, les gens qui tentent une carrière dans une branche comme celle-là commencent tous en bas de l'échelle. Donne-moi le nom du photographe que tu admires le plus : ce sera forcément quelqu'un qui a débuté en tant qu'assistant, un type qui trimballe des projecteurs et des filtres pour une pointure, qui aura fait de même autrefois. Si le monde était parfait, le succès viendrait en produisant de bonnes photos sans rien faire d'autre, sauf recevoir des récompenses par la suite, mais le monde n'est pas parfait !

— Je ne veux pas de récompenses. Ce n'est pas le but du jeu.

— Bon, tu penses que tu es revenue à la case départ, après un an, et... voyons, combien de photos ?

— Huit mille trois cent vingt-deux.

— Et donc tu as fait du surplace, c'est bien ça ?

— En tout cas, je n'ai pas avancé. Pas d'un millimètre. Je ne sais même pas si ce genre... ce genre de vie, ça vaut vraiment que j'y passe mon temps.

— Si je te comprends bien, pour toi l'expérience seule n'est pas assez satisfaisante. Tu es en train de te dire, et de me dire, même si, attention, je ne te crois pas, que le travail, ça ne compte que si ça aboutit au résultat que tu désires.

— Non, ce n'est pas ça.

— C'est quoi, alors ?

— J'ai besoin de croire, Simon.

— Croire en quoi ?

— Je ne peux pas me permettre de passer encore un an à bricoler dans la photo. Je veux être plus que la femme un peu artiste de Simon Saint James, avec sa salopette et ses rangers, qui trimballe ses appareils dans tout Londres juste pour passer le temps. Je veux apporter ma contribution à notre vie. Et ça, je n'y arriverai jamais si je ne crois pas.

— Alors, pourquoi ne pas commencer par croire à l'évolution ? Regarde tous les photographes dont tu as pu étudier la carrière, tu as vu quelqu'un qui a commencé...

— Ce n'est pas ce que je veux dire ! s'écria-t-elle en se retournant brusquement pour le regarder dans les yeux. Je n'ai pas besoin qu'on m'apprenne à croire qu'on commence toujours au bas de l'échelle et qu'on grimpe par la suite. Je ne suis pas inconsciente au point de penser que si j'organise une expo, la Portrait Gallery va venir le lendemain du vernissage me supplier de lui fournir des spécimens de mon travail. Je ne suis pas idiote, Simon.

— Je n'ai jamais dit ça. J'essaie seulement de te faire comprendre que l'échec d'un vernissage – et d'ailleurs ce ne sera absolument pas un échec – ne signifie rien du tout. C'est juste une expérience, Deborah, ni plus ni moins. Ce qui te démolit, c'est la façon que tu as d'interpréter cette expérience.

— Donc, on n'est pas censés interpréter nos expériences ? Juste les vivre et continuer comme avant ? On prend des risques et on n'en tire rien ? C'est ça que tu veux dire ?

— Tu sais très bien que non. Tu te montes la tête, et ça ne va pas faire avancer les choses, ni pour toi, ni...

— Je me monte la tête ? Elle est déjà à l'envers, ma tête. J'ai passé des mois dans les rues, des mois dans la chambre noire ! J'ai dépensé une fortune en matériel ! Je ne peux pas continuer comme ça si je n'y crois plus, si je ne crois plus qu'il y a un sens à tout ça !

— Un sens que tu mesures comment ? Les ventes ? Le succès ? Un article dans le *Sunday Times Magazine* ?

— Mais non ! Bien sûr que non ! Ce n'est pas ça le but, tu le sais très bien !

S'écriant « pourquoi est-ce que je me fatigue ? », elle se précipita vers la porte, le bousculant au passage, bien décidée à quitter la pièce, à monter en courant l'escalier, en le laissant une nouvelle fois perplexe, une nouvelle fois incapable de comprendre les démons qui la hantaient périodiquement. Ils étaient comme l'eau et le feu : nature passionnée et imprévisible chez elle, tempérament flegmatique chez lui. Ce véritable gouffre entre leurs visions du monde respectives, c'était, finalement, un des atouts qui rendaient si exquise leur vie commune. Hélas, c'était également une malchance qui la rendait, en même temps, si impossible.

— Alors dis-moi, lança-t-il. Deborah, explique-moi !

Elle s'arrêta au seuil de la porte. Elle avait des allures de Médée, toute de furie et de détermination, les boucles de son épaisse crinière encore plus gonflées après la pluie, et ses yeux, éclairés par le feu, jetant des éclairs métalliques.

— J'ai besoin de croire en moi, dit-elle tout simplement, comme si le seul effort d'articuler ces mots la mettait au désespoir, ce qui lui fit sentir combien elle lui en voulait de ne pas avoir réussi à la comprendre.

— Mais il faut que tu prennes conscience que ton travail est bon ! Comment peux-tu aller à Bermondsey, saisir tout cela (montrant le mur d'un geste), et ne pas comprendre à quel point il est bon ? Bon sang, c'est mieux que ça, c'est superbe !

— Parce que comprendre, ça se passe ici, répondit-elle.

Sa voix était étrangement calme à présent, et son attitude, si raide juste avant, s'était relâchée à tel point qu'elle lui donnait l'impression de s'affaisser. Au mot « ici », elle avait mis son index sur sa tempe, puis elle posa la main sous son sein gauche en ajoutant :

— Mais croire, ça se passe là, et jusqu'à présent, je n'ai jamais réussi à combler la distance entre ici et là. Et si je n'y arrive pas... comment supporter ce que je dois supporter pour arriver à quelque chose qui me permette de faire mes preuves ?

Nous y voilà, pensa-t-il. Elle n'ajouta pas la suite, ce dont il lui fut reconnaissant. Comme il lui avait été refusé de faire ses preuves en tant que femme à travers la maternité, elle était à la recherche d'autre chose pour se définir.

— Mon amour... commença-t-il.

Mais il n'arriva pas à trouver d'autres mots. Et pourtant, ceux-là seuls parurent contenir plus de compassion qu'elle n'en pouvait supporter : le métal de ses yeux se liquéfia instantanément, et elle leva la main afin de l'empêcher de traverser toute la pièce pour venir la consoler.

— Constamment, dit-elle, quoi que je fasse, j'ai cette petite voix tout au fond de moi qui me répète que je suis en train de me fourvoyer.

— Mais c'est la malédiction de tout artiste, non ? Tu ne crois pas que ceux qui réussissent, ce sont ceux qui sont capables de dépasser leurs doutes ?

— Peut-être, mais je n'ai pas encore trouvé le moyen de ne pas l'écouter, la petite voix. Tu joues au photographe, voilà ce qu'elle me dit. Tu fais semblant, c'est tout. Tu perds ton temps.

— Mais enfin, comment peux-tu penser que tu fais fausse route quand tu es capable de réaliser des photos pareilles ?

— Tu es mon mari, répliqua-t-elle. Tu ne peux rien me dire d'autre.

Saint James savait qu'il n'y avait pas vraiment de réponse à cet argument-là. Bien sûr, il était son mari, et ne voulait que son bonheur. L'un comme l'autre savaient que, le père de Deborah mis à part, il serait bien le dernier à prononcer la moindre parole qui pût la démolir. Il se sentit vaincu, et elle lut sans doute cette défaite sur son visage, car elle ajouta :

— Quand même, on a pu juger sur pièces ce soir, non ? Tu l'as bien vu, il n'y avait presque personne pour venir les voir !

Ça recommençait.

— C'est à cause du temps.

— Moi, j'ai l'impression que c'est bien autre chose que le temps.

C'était une voie sans issue que de débattre de ses impressions, ça ne menait qu'au flou et au n'importe quoi : comme la logique d'un idiot.

— Alors, tu espérais quel résultat ? reprit Saint James en bon scientifique. Qu'est-ce qui aurait été raisonnable pour une première exposition à Londres ?

Elle réfléchit à la question, tout en passant ses doigts sur le bois blanc de la porte, comme si elle y lisait la réponse en braille.

— Je n'en sais rien, finit-elle par admettre. Je crois que j'ai trop peur pour en avoir une idée.

— Trop peur de quoi ?

— Je vois bien que mes objectifs étaient totalement irréalistes. Je sais que, même si j'étais la nouvelle Annie Leibovitz, il faudrait du temps. Mais si tout le reste était totalement irréaliste, et pas seulement mes objectifs ?

— Quoi, par exemple ?

— Par exemple, peut-être que je suis simplement en train de me ridiculiser. C'est ce que j'ai passé toute la soirée à me dire. Peut-être que, tout simplement, les gens ne veulent pas me faire de peine ! Ta famille, nos amis, Mr Hobart. Peut-être que c'est par philanthropie qu'ils prennent mes photographies ? Oui, madame, très joli, on va les exposer à la galerie, ça ne mange pas de pain, surtout au mois de décembre, après tout personne ne se soucie des expos d'art à cette période, en plein shopping de Noël, et puis de toute façon il nous faut bien quelque chose pour garnir les murs pendant un mois, et personne d'autre n'a envie d'exposer. Et si c'était ça ?

— Ce que tu dis est insultant envers tout le monde, famille, amis, tout le monde, Deborah. Et envers moi aussi.

A ces mots, elle ne put retenir ses larmes plus longtemps. Elle porta son poing à sa bouche, comme si elle savait pertinemment que c'était là une réaction puérile à sa déception. Et pourtant, elle n'y pouvait rien, il le savait. Deborah était Deborah, c'était aussi simple que cela.

« C'est un petit être hypersensible, tu ne trouves pas ? » avait dit d'elle la mère de Saint James, avec une expression qui laissait entendre que s'exposer aux émotions de Deborah, c'était un peu comme de s'exposer à la tuberculose.

— Tu comprends, j'ai vraiment besoin de ça, dit-elle. Et si je ne peux pas y arriver, je veux le savoir, parce que j'ai besoin de quelque chose. Tu comprends ça ?

Il traversa la pièce et la prit dans ses bras, sachant que ce qui la faisait pleurer n'avait qu'un assez lointain rapport avec leur lugubre soirée à Upper Newport Street. Il avait envie de lui dire que rien de tout cela n'avait d'importance, mais il ne voulait pas lui mentir. Il avait envie de la soulager de son combat intérieur, mais lui-même avait son propre combat à mener. Il avait envie de rendre leur vie commune plus facile, mais il n'en avait pas le pouvoir. Alors, il resta silencieux, mais appuya la tête contre son épaule.

— Tu n'as rien à me prouver, murmura-t-il dans sa chevelure souple et cuivrée.

— Si seulement c'était aussi facile, répondit-elle.

Il allait lui dire que c'était aussi facile que de faire de chaque jour un jour qui compte, au lieu de se projeter dans un avenir que ni l'un ni l'autre ne pouvait connaître. Mais il n'eut que le temps d'ouvrir la bouche : la sonnette retentit, une longue et forte sonnerie, comme si le visiteur s'était carrément appuyé contre le bouton.

S'écartant de lui, Deborah s'essuya les joues en regardant vers la porte.

— Tommy et Helen ont dû oublier... Ils ont oublié quelque chose ici, non ? s'enquit-elle en jetant un regard circulaire dans la pièce.

— Je ne crois pas, non.

Le tintamarre de la sonnette continuait, tirant de son sommeil la chienne de la maison. Alors qu'ils se dirigeaient vers la porte d'entrée, Peach déboula de la cuisine à grand renfort d'aboiements de chasseuse de blaireaux outragée. Deborah attrapa au vol le teckel frétillant.

Saint James ouvrit la porte, en disant : « Tiens, vous vous êtes décidés... », mais il s'interrompit en constatant que ce n'était ni Thomas Lynley ni sa femme.

C'était un homme vêtu d'un blouson sombre, son épaisse chevelure ruisselante de pluie, son jean trempé lui collant à la peau, tapi dans l'ombre contre la grille de fer au bout du perron. Plissant les yeux dans la lumière, il demanda à Saint James : « Vous êtes... ? », et s'arrêta en voyant juste derrière lui Deborah, qui tenait la chienne dans ses bras.

— Dieu merci ! s'écria-t-il. Ça doit bien faire dix fois que je fais demi-tour. J'ai pris le métro à Victoria, mais je me suis trompé de direction, et je m'en suis pas rendu compte avant... Et puis le plan qui a pris l'eau, et puis qui s'est envolé. Et puis moi qui perds l'adresse. Et puis maintenant... Ouf !

Sur ces mots, il s'avança en pleine lumière, ajoutant seulement :

— Debs ! Bon Dieu, c'est un vrai miracle. Je commençais à me dire que jamais je ne te trouverais.

Debs. Deborah, interdite, s'avança de quelques pas. D'un seul coup, en une bouffée, lui revinrent cette époque et cet endroit. Ainsi que les gens de cette époque et de cet endroit. Posant Peach sur le sol, elle rejoignit son mari à la porte pour mieux voir.

— Simon ! commença-t-elle, mon Dieu ! Je n'arrive pas à y croire...

Mais au lieu de terminer sa phrase, elle décida d'aller vérifier par elle-même la matérialité de cette apparition si inattendue. Allongeant le bras, elle agrippa l'homme sur le perron et le tira vers l'intérieur.

— Cherokee ?

Sa première réaction fut l'incrédulité : comment le frère de sa vieille amie pouvait-il se trouver là, sur le seuil de sa porte ? Et puis, constatant que c'était bien lui, elle s'exclama :

— Oh, mon Dieu, Simon ! C'est Cherokee River !

Simon, interloqué, referma la porte derrière eux, alors que Peach se précipitait dans les jambes du visiteur pour lui renifler les chaussures. Elle n'eut pas l'air de trop aimer, car elle s'écarta de lui et se remit à aboyer.

— Silence, Peach, c'est un ami, fit Deborah.

— Qui ça ? demanda Simon, prenant la chienne dans ses bras pour la calmer.

— Cherokee River, répéta Deborah. C'est bien Cherokee, hein ? demanda-t-elle à l'intéressé.

Car, bien qu'à peu près certaine que c'était lui, elle ne l'avait pas vu depuis presque six ans, et même au temps où elle l'avait côtoyé, elle ne l'avait guère rencontré qu'une demi-douzaine de fois. Il n'avait pas vraiment changé, toujours ce visage d'ange, cette mâchoire un peu saillante, et ces cheveux d'un blond doré, ternis par la pluie en cet instant, mais toujours trop longs. Elle n'attendit même pas sa réponse, le pressant :

— Viens, entre, viens dans le bureau, il y a du feu dans la cheminée. Grands dieux, tu es trempé comme une soupe. Et ta tête, tu t'es coupé ? Mais qu'est-ce que tu fais là, enfin ?

Elle le conduisit jusqu'à l'ottomane devant la cheminée et lui fit d'autorité ôter son blouson, lequel avait dû être imperméable autrefois, mais à présent des rigoles en coulaient sur le sol. Deborah le jeta devant l'âtre ; Peach alla l'inspecter.

— Cherokee River ? répéta pensivement Simon.

— Le frère de China, répondit Deborah.

Simon dévisagea l'homme, qui commençait à grelotter.

— De Californie ?

— Oui, China, de Santa Barbara. Cherokee, mais qu'est-ce que tu... Là, là, assieds-toi, voyons. Assieds-toi devant le feu. Simon, une couverture ? Une serviette ?

— J'y vais.

— Vite ! s'écria Deborah, car sans son blouson, Cherokee s'était mis à trembler de tous ses membres.

Il avait le teint si blanc qu'il en prenait des reflets bleutés, et il s'était mordu si fort la lèvre qu'un filet de sang commençait à couler sur son menton. De plus, il avait une vilaine plaie à la tempe, que Deborah se mit à examiner, tout en poursuivant :

— Il te faut un pansement pour ça. Mais enfin, qu'est-ce qui t'est arrivé, Cherokee ? Tu t'es fait agresser ? Non, attends, ne réponds pas. Je vais d'abord te chercher un remontant.

Elle se précipita vers l'antique table-bar, sous la fenêtre donnant sur Cheyne Row. Elle versa un généreux verre de cognac, qu'elle apporta à Cherokee et lui fourra dans les mains.

Cherokee le porta à ses lèvres, mais ses mains tremblaient tellement que ses dents claquèrent sur le bord du verre, et le liquide se renversa presque totalement sur son tee-shirt noir, déjà aussi trempé que tout le reste.

— Et merde ! Désolé, Debs.

Peach, déconcertée soit par sa voix, soit par son état, soit par l'alcool renversé, cessa de renifler le blouson détrempé et se remit à aboyer en direction de Cherokee.

Deborah tenta d'intimer silence au teckel, mais en vain, et finit par le traîner hors de la pièce pour l'expédier dans la cuisine.

— Elle se prend pour un doberman, commenta-t-elle. On a intérêt à surveiller ses chevilles avec elle.

Cherokee eut un petit rire, mais très vite un immense frisson parcourut tout son corps, faisant valser le reste du cognac dans le verre.

— Désolé, répéta-t-il. J'ai eu une de ces trouilles.

— Mais non, enfin, tu n'as pas à t'excuser !

— J'ai vadrouillé un bon moment sous la pluie, je ne savais plus trop où j'étais. Je me suis cogné à une branche d'arbre près du fleuve. Je croyais que ça s'était arrêté de saigner.

— Bois ton cognac, ensuite je vais soigner ce bobo, dit Deborah, soulagée d'apprendre qu'il ne lui était rien arrivé de fâcheux dans la rue.

— C'est vilain ?

— Non, juste une coupure, mais il faut la soigner. Tiens.

Et, tirant de sa poche un mouchoir en papier, elle essuya doucement le sang.

— C'est une sacrée surprise. Qu'est-ce que tu fabriques à Londres ?

La porte du bureau s'ouvrit, et Simon réapparut, apportant serviette et couverture. Deborah les lui prit des mains, enveloppa les épaules de Cherokee de l'une, et passa l'autre sur ses cheveux dégoulinants. Même s'ils étaient un tout petit peu moins longs que durant les années où Deborah avait habité chez la sœur de cet homme, à Santa Barbara, ils étaient encore bouclés et fous, si différents des cheveux de China. Son visage aussi était différent, sensuel avec ces lourdes paupières et ces lèvres épaisses que les femmes sont prêtes à payer des fortunes à leur chirurgien esthétique. China River disait souvent de son frère qu'il avait hérité de tous les gènes de la séduction, alors qu'elle, avec ce qui lui restait, ne ressemblait qu'à une ascète du IVe siècle.

— J'ai essayé de t'appeler, répondit Cherokee, les mains crispées sur la couverture. A neuf heures. C'est China qui m'avait donné tes coordonnées. J'ai attendu qu'il y ait une accalmie dans la tempête, mais à ce moment-là, merde, il était trop tard pour aller à l'ambassade. Alors, j'ai appelé ici, mais il n'y avait personne.

— L'ambassade ? Que s'est-il produit, au juste ?

Simon prit le verre des mains de Cherokee et remplaça le cognac renversé. Cherokee s'en saisit en le remerciant de la tête. Ses mains ne tremblaient plus ; il avala une gorgée d'alcool mais se mit à tousser.

— Il faut que tu changes de vêtements, déclara Deborah. Ce qu'il te faut, c'est un bon bain. Je vais t'en faire couler un, et pendant que tu tremperas, nous mettrons tes affaires dans le sèche-linge, d'accord ?

— Ben... non, je peux pas... c'est... Putain, il est quelle heure ?

— Ne t'inquiète pas pour l'heure. Simon, tu veux bien l'accompagner à la chambre d'amis et l'aider à se déshabiller ? Et ne proteste pas, Cherokee, ça ne nous dérange pas du tout !

Deborah les précéda pour monter à l'étage. Pendant que son mari partait à la recherche de vêtements secs pour le jeune homme, elle ouvrit les robinets de la baignoire. Elle lui sortit des serviettes, et quand Cherokee la rejoignit dans la salle de bains, vêtu d'une vieille robe de chambre de Simon, un pyjama de ce dernier sur l'avant-bras, elle nettoya soigneusement la plaie de sa tempe. Il grimaça sous la brûlure de l'alcool, si bien que, lui tenant plus fermement la tête, elle lui dit :

— Serre les dents !

— Tu ne fournis pas les balles pour que je morde dedans ?

— Seulement quand j'opère vraiment. (Elle jeta le coton et prit un pansement.) Cherokee, tu viens d'où, ce soir ? Ne me dis pas de Los Angeles, parce que tu n'as pas... Voyons, tu en as, des bagages ?

— Guernesey. J'arrive de Guernesey, je suis parti ce matin, j'avais pensé pouvoir tout régler dans la journée avant de rentrer, et donc je n'ai pris aucune de mes affaires avec moi, de l'hôtel. Mais finalement, j'ai perdu une bonne partie de la journée à l'aéroport à attendre une éclaircie.

Deborah s'était arrêtée à deux mots seulement.

— Tout régler ?

Elle colla soigneusement le pansement sur sa plaie.

— Quoi ?

— Qu'est-ce que ça veut dire, « tout régler » ?

Cherokee détourna un instant le regard. Un bref instant seulement, mais ce fut suffisant pour que le cœur de Deborah tressaille. Il avait dit que sa sœur lui avait donné leur adresse à Cheyne Row, et Deborah en avait d'abord conclu que c'était avant qu'il ne quitte les Etats-Unis, que c'était un de ces gestes qui se font lorsque quelqu'un parle d'un voyage comme ça, en passant. *Ah, tu passes à Londres pendant tes vacances ? Va donc voir mes amis là-bas*. Sauf que, quand même, en y réfléchissant bien, Deborah finit par trouver qu'un tel scénario était très improbable dans leur cas : elle n'avait pas eu le moindre contact avec la sœur de Cherokee depuis cinq ans. Ce qui l'amena à penser que, si Cherokee lui-même n'avait pas d'ennuis, mais s'il avait fait en catastrophe le voyage Guernesey-Londres avec leur adresse en poche, et dans la ferme intention de se rendre à l'ambassade américaine...

— Cherokee, interrogea-t-elle, quelque chose est arrivé à China, dis-moi ? C'est pour ça que tu es là ?

De nouveau, il la regarda dans les yeux, l'air sombre.

— Elle a été arrêtée, répondit-il.

— Je ne lui ai rien demandé de plus.

Deborah avait retrouvé son époux dans la cuisine en sous-sol. Simon, avec son proverbial sens de l'anticipation, avait mis de la soupe à chauffer, du pain à griller, et disposé un couvert sur la table marquée d'entailles où le père de Deborah avait, au cours de toutes ces années, préparé des milliers de repas.

— Je pensais... après son bain... peut-être qu'il vaut mieux le laisser se remettre un peu. Enfin, avant qu'il ne nous dise... enfin, s'il a vraiment envie de nous dire...

Sourcils froncés, elle passait l'ongle de son pouce sur le bord du plan de travail ; il y avait là un éclat dans le bois qui lui fit l'effet d'une écharde dans sa propre conscience. Elle essaya de se persuader qu'il n'y avait aucune raison de ressentir ainsi les choses. Les amitiés dans la vie, ça va et ça vient, c'est comme ça et on n'y peut rien. Mais la vérité, en l'occurrence, était qu'elle avait cessé de répondre aux lettres d'outre-Atlantique... tout cela parce que China River représentait une partie de sa vie que Deborah avait voulu oublier.

Simon, devant la cuisinière où il remuait la soupe à la tomate à l'aide d'une cuiller de bois, lui jeta un bref regard. Sans doute avait-il décelé une certaine inquiétude dans les hésitations de Deborah, car il lança :

— C'est peut-être quelque chose de relativement anodin.

— Voyons, Simon. Une arrestation ? Comment ça pourrait être anodin ?

— Je veux dire : quelque chose de mineur, un accident de la circulation, un malentendu chez Boots qui la fait prendre pour une voleuse à l'étalage, quelque chose comme ça.

— Simon, si c'était une affaire de vol à l'étalage, il ne serait pas parti pour l'ambassade américaine. Et elle, ce n'est pas une voleuse à l'étalage, de toute façon.

— Mais tu la connais bien ?

— Je la connais bien, oui. Je la connais parfaitement bien.

Deborah avait ressenti le besoin de se répéter, comme par défi.

— Et son frère ? Cherokee ? Et puis d'abord, c'est quoi, ce nom à coucher dehors ?

— C'est le nom qu'on lui a donné à la naissance, j'imagine.

— Les parents étaient du style Sergeant Pepper ?

— Euh... voyons... leur mère était une espèce de gauchiste, de hippie... non, attends, c'était une militante écologiste radicale. Oui, c'est ça. C'était bien avant que je rencontre China. Elle campait dans les arbres.

Simon lui lança un regard ironique.

— Pour empêcher qu'on ne les abatte, poursuivit Deborah. Quant au père de Cherokee, euh oui, ils n'ont pas le même père... c'était aussi un militant écologiste radical. Est-ce qu'il avait... ?

Elle fit un effort de mémoire.

— Oui, c'est ça, je crois bien qu'il s'était enchaîné

à des rails de chemin de fer, quelque part dans le désert peut-être.

— Pour les protéger aussi ? C'est vrai qu'ils sont en voie d'extinction rapide !

Deborah sourit. Le grille-pain éjecta les toasts avec un petit claquement. Peach se précipita de son panier dans l'espoir de saisir au vol quelques retombées, pendant que Deborah découpait des mouillettes.

— Cherokee, je ne le connais pas tant que ça. Pas aussi bien que China. Je passais des vacances dans la famille de China à l'époque où j'habitais Santa Barbara, c'est comme ça que je l'ai rencontré. Dans sa famille. Des repas de Noël, de Nouvel An, des petites vacances. On prenait la voiture, et on allait jusqu'à... Comment ça s'appelait, cette ville où sa mère habitait ? C'était un nom de couleur...

— Une couleur ?

— Rouge ? Vert ? Jaune ? Orange, voilà ! Elle habitait une ville qui s'appelait Orange. Elle nous faisait de la dinde au tofu pendant ces vacances, et des haricots noirs, et du riz complet, et des tartes aux algues. Enfin, des trucs franchement atroces. On essayait d'y goûter, et ensuite on se trouvait une excuse pour aller faire un tour en voiture, et là on cherchait un restaurant encore ouvert. Cherokee connaissait toujours des bouis-bouis douteux, mais pas chers.

— Un bon point pour lui.

— C'est dans ces occasions-là que je le voyais. Peut-être dix fois en tout ? Il était même venu à Santa Barbara une fois, il avait passé quelques nuits sur notre canapé. China et lui avaient une espèce de relation d'amour-haine en ce temps-là. C'est lui l'aîné, mais jamais il ne s'est comporté comme tel, ce qui l'exaspérait, elle. Alors, elle avait tendance à le materner, ce qui l'exaspérait, lui. Parce que leur mère... disons qu'elle n'a jamais été une mère-mère, si tu vois ce que je veux dire.

— Trop occupée avec ses arbres, c'est ça ?

— Ça et plein d'autres choses ; elle était là sans être là. Et c'est comme ça que s'est formé ce... disons ce lien entre China et moi. Un autre lien, autre que la photo. Le côté orpheline de mère.

Deborah beurrait le pain, Peach assise à ses pieds, pleine d'espoir, la truffe humide contre sa cheville. Simon réduisit le feu sous la casserole et s'appuya contre la cuisinière, les yeux fixés sur sa femme.

— Années difficiles que celles-là, prononça-t-il tranquillement.

— Oui, bon, lui répondit-elle avec un petit sourire, on s'en est tous à peu près tirés, non ?

— Tous, à peu près, oui.

Peach leva la truffe de la cheville de Deborah, tête et oreilles dressées, en attente. Sur le rebord de la fenêtre au-dessus de l'évier, Alaska, le gros chat gris qui, indolent, était occupé à observer les rigoles de pluie sur le carreau, se leva et s'étira gracieusement de tout son long, les yeux fixés sur le bas des marches, juste à droite du buffet de guingois sur lequel le matou passait souvent ses journées. Un instant après, la porte du haut grinça, et la chienne émit un aboiement. D'un bond, Alaska descendit de la fenêtre et disparut dans l'arrière-cuisine pour y faire un somme.

— Debs ? appela la voix de Cherokee.

— Descends, nous sommes là, répondit Deborah. On t'a préparé de la soupe et des toasts.

Cherokee les rejoignit. Son apparence s'était beaucoup améliorée. Le pyjama et la robe de chambre de Simon lui allaient fort bien, même s'il était un peu moins grand et plus athlétique, et ses tremblements avaient cessé. Il était pieds nus, cependant.

— J'aurais dû penser aux chaussons, dit Deborah.

— Non, laisse tomber, ça va très bien, répondit Cherokee. Vous avez été super, merci, merci à vous deux. Ça doit quand même faire un choc, un type qui débarque comme ça. Merci de votre hospitalité, j'apprécie beaucoup.

Il adressa un signe de tête à Simon, qui apporta la casserole et lui servit un bol de soupe.

— Il faut que tu saches que c'est quasiment un jour de gala, reprit Deborah. C'est une brique de soupe que Simon a ouverte. Les jours ordinaires, ce sont des boîtes.

— Merci beaucoup, rétorqua Simon.

Cherokee sourit, mais d'un sourire quelque peu forcé. Il avait l'air épuisé, comme quelqu'un qui, à la fin d'une terrible journée, ne tient que sur ses toutes dernières réserves.

— Allez, prends ta soupe, suggéra Deborah. Tu restes ici pour la nuit, au fait.

— Ah, non, quand même. Je ne peux pas m'imposer...

— Ne dis pas de bêtises. Tes vêtements sont dans le sèche-linge, ils seront prêts dans un petit moment, mais j'imagine que tu n'avais pas l'intention de retourner dehors chercher un hôtel en pleine nuit.

— Deborah a raison, approuva Simon, il y a de la place ici ; ça nous fera très plaisir de vous garder.

Le visage de Cherokee prit une expression de soulagement et de gratitude, malgré l'épuisement.

— Merci. Vous savez quoi ? Je me sens comme... comme un gamin, vous comprenez ? Vous savez ce qui leur arrive ? Perdus dans la supérette, sauf qu'ils ne savent pas qu'ils sont perdus, mais quand ils lèvent les yeux, parce qu'ils sont en train de lire une BD, et que là ils ne voient plus leur maman, ils paniquent. C'est ce que je ressens. Que je ressentais, plutôt.

— Tu es en sécurité maintenant, assura Deborah.

— J'ai hésité à laisser un message sur le répondeur quand j'ai appelé. Mais ç'aurait été un choc pour vous en rentrant, c'est pour ça que j'ai décidé de me mettre plutôt à la recherche de votre maison. J'ai pris cette ligne jaune dans le métro et j'ai complètement merdé, je me suis retrouvé à Tower Hill avant de comprendre où j'avais bien pu me gourer.

— Affreux, murmura Deborah.

— Pas de chance, ajouta Simon.

Un ange passa alors, on entendait seulement les bruits des gouttes de pluie qui s'écrasaient sur les dalles devant la porte de la cuisine et glissaient sur la vitre en rigoles incessantes. Ils étaient trois dans cette cuisine à minuit, plus un chien plein d'espoir. Mais ils n'y étaient pas seuls. Il y avait aussi la Question, qui flottait parmi eux comme un être palpable à l'haleine si fétide qu'on ne pouvait l'ignorer. Ni Deborah ni son mari ne la posèrent. Mais, en l'occurrence, ils n'en eurent pas besoin.

Cherokee trempa sa cuiller dans le bol, la porta à ses lèvres. Pourtant, sa main s'abaissa lentement sans qu'il ait goûté la soupe. Il fixa un instant l'intérieur du bol, avant de relever la tête et de regarder d'abord Deborah, puis son mari.

— Bon, voilà ce qui s'est passé, commença-t-il.

C'était lui qui était responsable de tout, leur raconta-t-il. Sans lui, China ne serait jamais partie pour Guernesey. Mais il avait besoin d'argent, et lorsqu'il était tombé sur cette annonce, transporter un paquet depuis la Californie jusqu'à la Manche, être payé pour ça, avec même les billets d'avion offerts... À vrai dire, ça avait l'air trop beau pour être vrai.

Il avait demandé à China de l'accompagner parce qu'il y avait deux billets et qu'il fallait un homme et une femme voyageant ensemble pour transporter ce paquet. Pourquoi pas ? s'était-il dit. Et pourquoi pas China ? Jamais elle ne voyageait, sauf pour aller à Los Angeles. Jamais elle n'était sortie de Californie.

Il fallait qu'il la persuade. Ça lui avait pris quelques jours, mais elle venait de rompre avec Matt (tu t'en souviens, Debs, de son copain Matt, ce cinéaste avec qui elle était depuis une éternité ?) et elle avait décidé qu'il lui fallait des vacances. Alors elle l'avait rappelé en lui disant que oui, elle avait envie d'y aller, et il avait fait tous les préparatifs. Ils avaient transporté le paquet depuis Tustin, au sud de L.A., où ils en avaient pris livraison, jusqu'à un endroit de Guernesey situé près de Saint Peter Port.

— Et qu'est-ce qu'il y avait, dans ce paquet ? demanda Deborah, qui s'imaginait le couple arrêté pour trafic de drogue à l'aéroport, les chiens qui grondaient, China et Cherokee le dos au mur, tels des renards aux abois.

Rien d'illégal, répondit Cherokee. Son contrat consistait à transporter des plans d'architecte de Tustin aux îles Anglo-Normandes. Et l'avocat qui l'avait engagé...

— Un avocat ? s'étonna Simon. Pas l'architecte ?

Non. C'était un avocat qui avait engagé Cherokee, et c'était bien ce qui avait paru louche à China, plus louche encore peut-être que d'être payée pour transporter un paquet jusqu'en Europe, billets d'avion offerts. C'est pourquoi elle avait insisté pour qu'ils ouvrent le colis avant de donner leur accord pour le transporter, et c'est ce qu'ils avaient fait.

C'était un paquet-poste en forme de tube, de bonne taille, et si China avait craint qu'il ne soit bourré de drogue, d'armes, d'explosifs ou autres produits prohibés susceptibles de leur valoir les menottes, ses craintes se trouvèrent apaisées lorsqu'ils le décachetèrent. Il n'y avait à l'intérieur rien d'autre que les plans annoncés, ce qui avait également tranquillisé Cherokee, finit-il par admettre, car les appréhensions de China lui avaient mis les nerfs à vif.

Ils étaient donc partis pour Guernesey afin d'assurer la livraison des plans, avec l'intention de prolonger leur voyage à Paris, puis Rome. Ce ne serait pas un long périple, car ni l'un ni l'autre n'en avait les moyens, ils avaient prévu deux jours seulement dans chaque ville. Mais, arrivés à Guernesey, ils avaient dû changer leurs projets en catastrophe. Ils s'étaient imaginé que l'échange à l'aéroport serait très bref : les papiers contre la somme promise, et...

— Quel genre de somme ? demanda Simon.

Cinq mille dollars, répondit Cherokee. Devant leur expression d'incrédulité, il s'empressa d'ajouter que, ouais, c'était franchement astronomique, et que ce montant était la première raison de l'insistance de China pour ouvrir le paquet, parce que, bon Dieu, tu en connais beaucoup qui offriraient deux billets d'avion pour l'Europe plus cinq mille dollars juste pour transporter un truc depuis Los Angeles ? Mais il était apparu que toute cette histoire de transport était une excentricité de milliardaire, le type qui voulait ces plans était plus riche encore que Howard Hughes, et il passait son temps à utiliser son argent à des excentricités.

Et pourtant, personne ne les attendait à l'aéroport avec, comme ils l'avaient imaginé, un chèque, une mallette pleine de billets, ou quoi que ce soit d'approchant. Ce fut en fait un quasi-muet nommé Kevin quelque chose qui les prit en charge, les poussa d'un air bourru dans une camionnette et les conduisit jusqu'à une belle propriété, à quelques kilomètres de là.

China était tourneboulée par le tour que prenaient les choses, tour quelque peu déconcertant, il fallait bien l'avouer. Ils se retrouvaient là, enfermés dans une voiture en compagnie d'un inconnu qui n'articula pas plus de dix mots de tout le trajet ; c'était étrange, mais en même temps, c'était comme une aventure, et Cherokee pour sa part en était fort intrigué.

Leur destination se révéla être un impressionnant manoir situé au milieu de Dieu seul sait combien d'hectares. L'endroit était ancien (et entièrement restauré, Debs) et le regard de China, dès l'instant où il se posa dessus, passa en mode photographique. C'était un panorama digne d'*Architectural Digest* qui s'offrait à elle. Et, bien que n'ayant pas de contrat avec un magazine, elle était prête à le photographier à ses frais, sans être mandatée.

Alors, China avait décidé qu'il lui fallait faire ces photos, là, tout de suite. Pas seulement de l'habitation, mais de toute la propriété, où l'on trouvait de tout, depuis les mares aux canards jusqu'aux trucs préhistoriques. Elle avait compris que c'était là, servie sur un plateau, une occasion unique, qui ne se présenterait sans doute plus jamais, et, même si cela signifiait travailler sans contrat, elle acceptait d'y investir temps, argent et énergie, car cet endroit était sensationnel.

Cherokee n'y avait vu aucune objection, se disant qu'il faudrait à China seulement un jour ou deux, pendant lesquels il aurait le temps d'explorer l'île, qui lui semblait fort agréable. La seule question était de savoir si le propriétaire ferait preuve du même enthousiasme. Il y a des gens qui n'aiment pas que leur maison apparaisse dans un magazine. Ça donne des idées aux rois du pied-de-biche.

Leur hôte, en l'occurrence, se nommait Guy Brouard, et il avait trouvé l'idée excellente. Il avait insisté auprès de Cherokee et China pour qu'ils restent passer la nuit, ou quelques jours, enfin le temps qu'il faudrait pour que les clichés soient satisfaisants. Ma sœur et moi-même vivons seuls ici, leur avait-il expliqué, et il est toujours distrayant d'avoir des visiteurs.

Comme il s'était trouvé que le fils de leur hôte était également présent à ce moment-là, Cherokee avait tout d'abord pensé que Brouard espérait peut-être que quelque chose se passerait entre China et son fils. Mais ce dernier était du genre évanescent, ne faisant d'apparitions qu'aux repas, et invisible le reste du temps. Cependant, la sœur était fort sympathique, tout comme Brouard, d'ailleurs, et Cherokee comme China se sentaient chez eux.

De son côté, China s'était trouvé beaucoup d'atomes crochus avec Guy. Ils partageaient un intérêt pour l'architecture, elle parce que son métier était de la photographier, lui parce qu'il avait pour projet d'édifier un ouvrage sur l'île. Il l'avait même emmenée voir le site et lui avait fait faire le tour des autres bâtiments de l'île présentant un intérêt historique. Il faudrait qu'elle photographie toute l'île, lui avait-il dit. Elle devrait réaliser un livre entier de ces photos, pas seulement un reportage. L'endroit avait beau être minuscule, il était imprégné d'histoire, et, depuis les origines, toutes les sociétés qui l'avaient habité avaient laissé des traces sous forme d'édifices.

A leur quatrième et dernière soirée chez les Brouard, une réception devait avoir lieu, prévue depuis longtemps. C'était une soirée de gala, smokings et robes du soir, avec un nombre incalculable d'invités. Ni China ni Cherokee n'avaient su quel en était l'objet jusqu'à minuit, heure à laquelle Guy Brouard rassembla tout le monde pour annoncer que le choix final pour la construction de son édifice, un musée en l'occurrence, avait été fait. Roulements de tambour, enthousiasme, bouchons de champagne qui sautent, et feux d'artifice suivirent l'annonce du nom de l'architecte dont China et Cherokee avaient transporté les plans depuis la Californie. On apporta, sur un chevalet, une aquarelle représentant le musée, qui suscita les oooh ! et les aaah ! des invités, et, le champagne des Brouard coulant à flots, la fête se prolongea jusqu'aux environs de trois heures du matin.

Le lendemain, ni Cherokee ni sa sœur ne furent surpris de ne voir personne levé. Vers huit heures et demie, ils se rendirent à la cuisine où, en fouillant un peu, ils trouvèrent céréales, café et lait. Ils se disaient qu'il était normal qu'ils se préparent eux-mêmes leur petit déjeuner pendant que les Brouard cuvaient les excès de la veille. Ils appelèrent ensuite un taxi par téléphone et partirent pour l'aéroport. Ils ne revirent personne de la propriété.

Ils prirent un vol pour Paris et passèrent deux jours à y visiter les monuments qu'ils n'avaient jusque-là vus que sur des photos. Ils s'apprêtaient à faire la même chose à Rome, mais, à leur passage à la douane de l'aéroport Léonard-de-Vinci, ils furent arrêtés par Interpol.

La police les remit dans un avion à destination de Guernesey, où, leur indiqua-t-on, on voulait leur poser des questions. Des questions sur quoi ? On leur dit seulement qu'« une affaire sérieuse nécessitait leur retour séance tenante sur l'île ».

Plus précisément, c'était au commissariat de Saint Peter Port qu'ils étaient attendus. On les plaça en isolement dans des cellules différentes, Cherokee pendant vingt-quatre heures éprouvantes, China pendant trois jours cauchemardesques, qui débouchèrent sur sa comparution devant un magistrat et sa mise en détention préventive, en attendant son procès. Voilà où elle était à présent.

— Procès pour quoi ?

Deborah allongea le bras au-dessus de la table pour prendre la main du jeune homme.

— Cherokee, de quoi est-elle accusée ?

— De meurtre. (Levant l'autre main, il la porta à ses yeux.) C'est complètement dingue. Ils accusent China du meurtre de Guy Brouard.

2

Deborah rabattit les couvertures du lit et secoua les oreillers pour leur redonner du gonflant, tout en pensant qu'il ne lui était presque jamais arrivé de se sentir aussi inutile. China était là-bas, dans sa cellule à Guernesey, et elle-même s'affairait dans la chambre d'amis, à tirer des rideaux et secouer des oreillers, des oreillers, bon Dieu ! parce qu'elle ne savait pas quoi faire d'autre. Une partie d'elle-même voulait sauter dans le prochain avion pour les îles Anglo-Normandes, une autre voulait plonger dans le cœur de Cherokee et faire quelque chose pour apaiser son angoisse, une autre encore voulait dresser des listes, des plans, donner des instructions, agir pour que les River sachent qu'ils n'étaient pas seuls au monde. Et une dernière partie voulait que quelqu'un d'autre se charge de tout cela, parce qu'elle ne se sentait pas à la hauteur. Voilà pourquoi elle était là, à faire des bêtises, comme tapoter des oreillers ou retourner la literie.

Prise d'une envie de dire quelque chose au frère de China, elle se retourna : il se tenait, l'air embarrassé, près de la commode.

— Si tu as besoin de quoi que ce soit cette nuit, on est juste à l'étage au-dessous.

Cherokee ébaucha un signe de tête. Son expression était morose.

— Elle n'a rien fait, dit-il. Tu imagines China faisant du mal à une mouche ?

— Bien sûr que non.

— Quand on était gamins, c'était le genre à me faire enlever des araignées de sa chambre, tu sais ? Elle était là, grimpée sur son lit, à gueuler parce qu'elle en avait vu une sur le mur, et moi, quand j'arrivais pour la tuer, elle hurlait : « Lui fais pas de mal ! Lui fais pas de mal ! »

— Oui, elle était comme ça avec moi aussi.

— Bon Dieu, si seulement je l'avais laissée tranquille, si je ne lui avais pas demandé de venir ! (Cherokee, d'un geste impatient, se passa la main dans les cheveux.) Il faut que je fasse quelque chose, et je ne sais pas quoi !

Il avait l'air apeuré, avec ses doigts qui tortillaient nerveusement la ceinture de la robe de chambre de Simon. Ce geste rappela à Deborah à quel point sa sœur avait toujours paru plus âgée que lui. Cherokee, qu'est-ce que je vais faire de toi ? lui demandait-elle au téléphone. Quand vas-tu te décider à grandir ?

Maintenant, pensa Deborah. Dans ce genre de circonstances qui réclamaient une maturité que Cherokee, selon elle, ne possédait pas.

— Dors, maintenant, on aura l'esprit plus clair sur tout ça demain matin.

Elle avait prononcé ces mots parce que c'était tout ce qu'elle avait su dire ; puis elle le laissa seul.

Elle avait le cœur gros. China River avait été son amie intime pendant les moments les plus pénibles de sa vie. Elle avait envers elle une dette morale qu'elle n'avait que très peu remboursée. Et voilà que China était dans de sales draps, et qu'elle y soit toute seule, c'était... Deborah ne comprenait que trop bien l'angoisse de Cherokee.

Elle trouva Simon dans leur chambre à coucher, assis sur la chaise à haut dossier dont il se servait lorsqu'il retirait sa prothèse pour la nuit. Il était en train d'en défaire les attaches Velcro, pantalon tire-bouchonné sur les chevilles, ses béquilles par terre à côté de la chaise.

Il avait un air enfantin, comme presque toujours quand il était dans cette position de vulnérabilité, et il avait toujours fallu à Deborah toute l'autodiscipline dont elle était capable pour éviter de voler au secours de son mari lorsqu'elle le trouvait comme cela. Son handicap était, pour elle, la grande force égalisatrice entre eux. Elle le haïssait, ce handicap, pour lui, parce qu'elle savait que lui le haïssait, mais elle avait depuis bien longtemps accepté le fait que cet accident qui l'avait laissé estropié lorsqu'il avait une vingtaine d'années l'avait aussi rendu disponible pour elle. Sans cet accident, il se serait marié alors qu'elle était encore adolescente, ce qui l'aurait laissée loin derrière lui. Mais son séjour à l'hôpital, puis en convalescence, puis les années noires de dépression qui avaient suivi étaient venus bouleverser cet ordre des choses.

Tout de même, il n'aimait guère être vu dans cette position embarrassante, aussi se dirigea-t-elle droit vers la commode, où elle fit mine de s'affairer à ôter les quelques bijoux qu'elle portait, tout en guettant le choc métallique de la prothèse sur le sol. A ce signal, suivi du léger grognement qu'il émit en se relevant, elle se retourna. Ses béquilles aux poignets, il la regardait tendrement.

— Merci, fit-il.

— Je suis désolée. J'ai toujours été si mauvaise comédienne ?

— Tu as toujours été adorable. Et pourtant, je ne crois pas t'avoir jamais vraiment remerciée. Voilà ce qui arrive dans un couple trop heureux : on prend l'être qu'on aime pour un acquis.

— Ça veut dire que toi, tu me prends pour un acquis, alors ?

— Ce n'est pas volontaire. (Penchant la tête de côté, il la regarda avec attention.) Franchement, tu ne m'en laisses pas l'occasion.

Il traversa la pièce jusqu'à elle, et elle le prit par la taille. Il l'embrassa doucement d'abord, puis longuement, fougueusement, en la tenant d'un bras, jusqu'à ce qu'elle sente le désir qui montait en eux. C'est alors qu'elle leva les yeux vers lui.

— Je suis heureuse que tu me fasses encore cet effet-là. Mais bien plus heureuse de pouvoir encore te le faire.

Il lui toucha la joue.

— Hmmm. Oui. Mais bon, tout bien considéré, ce n'est probablement pas le moment...

— Le moment pour quoi ?

— Pour explorer certaines conséquences de cet « effet » dont tu parlais.

— Ah ! sourit-elle. Ça... Mais si, justement, peut-être que c'est le moment, Simon. Peut-être que l'on se rend compte, un peu plus chaque jour, que les choses changent trop vite. Tout ce qu'il y a d'important peut disparaître en l'espace d'un instant. Alors, oui, c'est le moment.

— D'explorer... ?

— Oui, seulement si nous sommes deux à explorer.

Et ils partirent tous deux en exploration, à la lueur d'une seule lampe, qui jetait sur leurs corps des reflets dorés, rendait plus sombre le bleu-gris des yeux de Simon, et cramoisis ces autres endroits, d'ordinaire d'une pâleur secrète, où leur sang affluait en bouillons chauds. Au bout du voyage, ils restèrent allongés dans le désordre du dessus-de-lit froissé qu'ils ne s'étaient pas donné la peine de retirer. Les vêtements de Deborah étaient éparpillés là où son mari les avait jetés, et la chemise de Simon, enfilée encore par une manche, s'étalait telle une fille de joie lascive.

— Je suis heureuse que tu aies tardé à te mettre au lit, dit-elle, la joue contre sa poitrine. Je croyais que tu serais déjà couché. J'ai pensé que ce n'était pas convenable de l'abandonner dans la chambre d'amis sans rester un petit moment. Mais tu avais l'air si fatigué dans la cuisine que j'ai cru que tu étais déjà endormi. Je suis heureuse que ça n'ait pas été le cas. Merci, Simon.

Il lui caressa les cheveux, comme à son habitude, enfonçant la main dans la lourde masse jusqu'à toucher le cuir chevelu, qu'il palpa tendrement, sentant tout le corps de sa femme se détendre.

— Ça va, lui ? demanda-t-il. Est-ce qu'il y a quelqu'un à prévenir, au cas où ?

— Au cas où quoi ?

— Au cas où il n'obtiendrait pas ce qu'il veut de l'ambassade, demain. J'imagine qu'ils auront déjà contacté la police de Guernesey, et, s'ils n'ont envoyé personne... (Deborah sentit son haussement d'épaules.) Alors il y a toutes les chances pour qu'ils ne veuillent rien faire de plus.

Elle se redressa.

— Tu ne vas pas me dire que tu crois China coupable de ce meurtre ?

— Absolument pas. (Il la reprit dans ses bras.) Je note simplement qu'elle est entre les mains de la police dans un pays étranger. Il va y avoir des protocoles et des procédures à suivre, et sans doute que l'intervention de l'ambassade s'arrêtera là. Cherokee doit y être préparé. Peut-être qu'il aura besoin d'un soutien si les choses se déroulent de cette façon. C'est peut-être pour ça qu'il est venu, en fait.

Simon avait prononcé ces derniers mots plus bas que le reste. Deborah leva la tête pour plonger à nouveau son regard dans le sien.

— Quoi ?

— Rien.

— Non, il y a autre chose, Simon, je l'entends à ta voix.

— Non, rien d'autre. Tu es la seule personne qu'il connaît à Londres ?

— Probablement.

— Je vois.

— Tu vois quoi ?

— C'est peut-être de toi qu'il aura besoin, Deborah.

— Et ça t'ennuierait ?

— Ennuyer, non. Dis-moi, China a-t-elle d'autres parents ?

— Non, seulement leur mère.

— Ah oui, l'amie des arbres. Eh bien, ce serait peut-être une bonne idée de lui téléphoner. Et le père ? Tu m'as bien dit que China et Cherokee étaient de deux pères différents ?

Deborah prit un air désolé.

— Il est en prison, mon amour. Tout au moins il y était à l'époque où nous habitions ensemble.

Lorsqu'elle vit l'appréhension sur le visage de Simon, où on lisait « tel père, telle fille », elle poursuivit :

— Rien de grave, enfin il n'avait tué personne, tu sais. China n'aimait pas trop en parler, mais je sais que c'était une histoire de drogue. Un labo clandestin quelque part, un truc comme ça, je crois bien. Enfin, ce n'est pas comme s'il était revendeur d'héroïne à un coin de rue, quoi.

— Effectivement, c'est rassurant.

— Simon, elle ne lui ressemble pas !

Il émit un grognement qu'elle prit pour un acquiescement réticent. Ils restèrent allongés en silence, satisfaits l'un de l'autre, la tête de Deborah sur sa poitrine et les doigts de Simon de retour dans ses cheveux.

Elle éprouvait pour son mari un amour différent

dans ces moments-là. Elle avait presque l'impression d'être son égale. Cette sensation ne venait pas seulement du ton paisible de leur conversation, mais également, ce qui peut-être comptait davantage à ses yeux, de ce qui avait précédé la conversation. Car le fait que son corps pouvait donner à Simon tant de plaisir semblait toujours la ramener à égalité avec lui, et le fait qu'elle puisse être témoin de ce plaisir-là lui donnait le sentiment, même pour un instant, de prendre le dessus sur lui. A cause de cela, son plaisir à elle était depuis longtemps subordonné au sien ; de quoi faire frémir d'horreur toutes ses contemporaines libérées, Deborah le savait. Mais c'était comme ça, pourtant.

— J'ai mal réagi, finit-elle par murmurer. Ce soir. Je suis désolée, mon amour. Je t'en fais supporter les conséquences, non ?

Simon n'eut aucune peine à suivre la pensée de sa femme.

— Les attentes, ça détruit la tranquillité d'esprit, tu sais ? C'est comme si on planifiait à l'avance ses déceptions.

— C'est vrai, j'avais tout planifié. Des dizaines de personnes, une coupe de champagne à la main, debout à contempler mes photos, estomaquées. « Mon Dieu, mais c'est un génie, cette femme, disent-ils tous à leur voisin. Cette idée de prendre un Polaroïd... Tu savais, toi, que ça existait en noir et blanc ? Et cette taille d'image... Grands dieux, il m'en faut une tout de suite. Non, attends, non, il m'en faut au moins dix. »

— « Il en faut absolument pour le nouvel appartement à Canary Wharf », ajouta Simon.

— « Sans parler de la maison de campagne des Costwolds. »

— « Et de la maison près de Bath. »

Ils se mirent tous deux à rire. Puis le silence se fit. Deborah changea de position afin de regarder son mari.

— Ça fait encore mal, admit-elle. Pas comme au début, pas du tout. Mais encore un peu. C'est encore là.

— Oui, fit-il, il n'y a pas de remède miracle instantané pour les frustrations. On veut tous quelque chose, et quand on ne l'a pas, ça ne veut pas dire qu'on arrête de le vouloir. Je sais très bien. Crois-moi, je le sais.

Elle détourna brusquement son regard, comprenant soudain que ce qu'il avouait venait de beaucoup plus loin que ce passé récent ayant précédé la déception de cette soirée. Elle lui fut reconnaissante d'avoir compris, d'avoir compris depuis toujours, si impeccablement rationnelles, logiques, froides et incisives qu'aient pu être ses remarques sur sa vie à elle. Elle sentit les larmes lui brûler les yeux, mais elle ne voulut pas le laisser les voir. Elle voulait seulement lui offrir, pour un instant, sa tranquille acceptation d'infériorité, comme un présent. Dès qu'elle eut réussi à remplacer sa peine par quelque chose qui, espérait-elle, pourrait passer pour de la détermination, elle se retourna vers lui.

— Je vais rebondir, et bien, annonça-t-elle. Je vais peut-être prendre une voie complètement différente.

Il l'observa, comme à son habitude, avec ce regard fixe qui avait le don de faire perdre leur calme aux avocats lorsqu'il témoignait à la barre, et de réduire ses étudiants de l'université à des bégaiements pitoyables. Pour elle, cependant, ce regard était adouci par ses lèvres, qui esquissèrent un sourire, et par ses mains, qui se tendirent à nouveau vers elle.

— Excellente idée, dit-il en l'attirant vers lui. J'ai très envie de te faire tout de suite quelques suggestions à ce sujet.

Deborah se leva avant l'aube. Elle avait mis des heures à s'endormir, d'un sommeil haché par toute une série de rêves incompréhensibles et épuisants, où elle se retrouvait à Santa Barbara, pas comme la jeune étudiante à l'Institut photographique Brooks qu'elle était, mais comme quelqu'un de différent : une ambulancière, dont la mission semblait consister à aller chercher, pour une transplantation, un cœur humain fraîchement prélevé ; et qui plus est, dans un hôpital qu'elle ne pouvait trouver. Le facteur temps était crucial : faute de livraison, le malade, qui, on ne savait trop pourquoi, était allongé non dans une salle d'opération, mais dans l'atelier de réparation de la station d'essence derrière laquelle China et elle-même habitaient autrefois, allait mourir dans l'heure, d'autant plus que son cœur lui avait déjà été retiré, et qu'il n'avait plus qu'un trou béant dans la poitrine. Ou peut-être était-ce son propre cœur et non celui de l'homme. Deborah était incapable de le dire à la seule vue de la forme humaine en partie recouverte d'un drap, surélevée sur un pont hydraulique dans l'atelier.

Dans son rêve, elle parcourait, désespérée, les rues bordées de palmiers au volant de son ambulance, mais en vain : de Santa Barbara, elle ne se souvenait de rien du tout, et personne ne voulait lui indiquer son chemin. A son réveil, elle se rendit compte qu'elle avait repoussé toutes les couvertures, et qu'elle était tellement en sueur qu'elle frissonnait. Elle jeta un coup d'œil au réveil, puis se glissa hors du lit pour gagner silencieusement la salle de bains, où la douche fit s'estomper en grande partie le cauchemar. En revenant dans la chambre, elle trouva Simon éveillé. Il prononça son prénom dans l'obscurité, puis :

— Quelle heure est-il ? Qu'est-ce que tu fais ?

— Des rêves affreux, répondit-elle.

— Pas de collectionneurs qui te font coucou en agitant leurs chéquiers ?

— Non, hélas. Des collectionneurs qui me font coucou en agitant leurs Annie Leibovitz !

— Ah bon... Ma foi, ça aurait pu être pire.

— Ah oui ? Comment ça ?

— Ça aurait pu être des Karsch.

Elle éclata de rire et lui conseilla de se rendormir. Il était encore tôt, trop tôt pour que son père soit levé, et il n'était pas question qu'elle monte et descende l'escalier pour porter à Simon son thé au lit comme le faisait son père.

— Au fait, tu es trop gâté par papa, lança-t-elle à son mari.

— Je considère ça comme un simple pourboire pour l'avoir débarrassé de toi.

Elle entendit le froissement des draps : il venait de changer de position. Il poussa un profond soupir de satisfaction avant de se rendormir, et elle le laissa à son sommeil.

Elle descendit à la cuisine et prépara du thé ; Peach la regarda, intéressée, depuis son panier près de la cuisinière, et Alaska surgit de l'arrière-cuisine. A en juger par le blanc neigeux du bout de ses poils, il avait très probablement passé la nuit sur un sac de farine mal fermé. Les deux animaux traversèrent la pièce carrelée de rouge pour rejoindre Deborah, qui, devant l'évier sous la fenêtre, attendait que l'eau frémisse dans la bouilloire électrique. Elle écoutait la pluie qui continuait à tomber dehors sur les dalles devant la porte. Cela n'avait cessé qu'un bref instant pendant la nuit, un peu après trois heures ; Deborah à ce moment-là était encore éveillée, allongée à écouter non seulement le vent et les rafales de pluie qui venaient frapper les carreaux, mais également ce conseil extraordinaire réuni dans sa tête, qui, d'un ton grinçant et résolu, lui exposait ce qu'il fallait faire, de sa journée, de sa vie, de sa carrière, et surtout de – et pour – Cherokee River.

Elle jeta un coup d'œil à Peach, tandis qu'Alaska se frottait à ses jambes d'un air entendu. La chienne détestait sortir sous la pluie : à la moindre goutte, prom-prom devenait bras-bras, pas question donc de petite promenade. Cependant, une sortie rapide pour la petite affaire dans le jardin derrière la maison semblait s'imposer. Mais c'était comme si le teckel lisait les pensées de Deborah, car il battit précipitamment en retraite jusqu'à son panier, alors qu'Alaska se mettait à miauler.

— Ne crois pas que tu vas faire la grasse matinée très longtemps, lança Deborah à la chienne.

Peach la regarda d'un air lugubre, cet air qu'elle se donnait, avec ses yeux en losange, lorsqu'elle voulait attendrir son entourage.

— Si tu ne viens pas tout de suite avec moi, c'est papa qui t'emmènera, et loin, jusqu'à la rivière. Tu le sais bien, hein ?

Mais Peach semblait prête à prendre le risque. Délibérément, elle posa son museau sur ses pattes et laissa retomber ses paupières.

— Comme tu voudras, conclut Deborah.

Elle servit au chat sa ration quotidienne de croquettes, en prenant soin de mettre la nourriture hors de portée de la chienne ; car sinon, Deborah le savait bien, même si Peach faisait semblant de dormir, elle tenterait de se l'approprier dès qu'elle aurait le dos tourné. Elle finit de préparer son thé et remonta à l'étage, à tâtons dans l'obscurité, sa tasse à la main.

Le bureau était glacial. Elle ferma doucement la porte et alluma le chauffage au gaz. Elle alla prendre, sur l'une des étagères, une chemise où elle avait rassemblé une série de clichés Polaroïd petit format représentant ses prochains sujets de photos. Elle alla s'asseoir au bureau dans le vieux fauteuil de cuir de Simon et les examina tour à tour.

Elle pensa à Dorothea Lange, en se demandant si, comme elle, elle avait le flair pour choisir le bon, l'unique visage parmi la foule, et y saisir au vol une image inoubliable susceptible de symboliser toute une époque. Mais elle n'avait pas à sa disposition l'Amérique de la Dépression et son désespoir gravé à jamais dans l'inconscient collectif de toute une nation. Et pour parvenir à saisir l'image de sa propre époque, elle savait bien qu'il lui faudrait se projeter en imagination au-delà de cette icône depuis bien longtemps figée : toute la souffrance du visage émacié d'une mère, et de ses enfants, et de toute une génération de désespoir. Elle se sentait capable de faire la première partie du travail, la conception. Mais, pour le reste, elle se demandait si c'était vraiment là ce dont elle avait envie, passer encore douze mois dans les rues à prendre encore huit ou neuf mille clichés, à chercher constamment à voir au-delà de ce monde de la vitesse et du téléphone mobile qui déformait la vérité des choses. Et même en admettant qu'elle y parvienne, qu'avait-elle donc à y gagner à long terme ? Pour le moment, elle n'en savait tout simplement rien.

En soupirant, elle reposa les photos sur le bureau. Une nouvelle fois, elle se demanda si ce n'était pas China qui avait choisi la voie raisonnable. La photo commerciale vous assurait le gîte, le couvert et l'habillement. Ce n'était pas forcément dépourvu de flamme créatrice. Et Deborah, bien qu'ayant la chance de n'avoir à payer ni gîte ni couvert, ni habillement pour elle ou pour quiconque, avait envie, à cause même de cela, de faire quelque chose d'utile dans d'autres domaines. Puisque, compte tenu de la situation financière du ménage, elle n'avait nul besoin de travailler, au moins elle pourrait apporter, par son talent, quelque chose à la société.

Mais se lancer dans la photo commerciale, était-ce

le bon moyen d'y parvenir ? se demandait-elle. Et puis, quel genre de photos ? Au moins celles de China avaient un rapport avec sa passion pour l'architecture. Elle s'était lancée comme photographe d'édifices, et dans ces conditions, en faire profession, ce n'était nullement se renier, alors que cela le serait pour Deborah si elle prenait la voie de la facilité en choisissant la photo commerciale. Et même si elle devait se renier, que pourrait-elle bien photographier ? Mariages ? Barmitsva ? Anniversaires de gamins ? Vedettes du rock libérées de prison ?

Prison... Mon Dieu. Deborah eut un gémissement. Posant le front sur ses mains, elle ferma les yeux. Quelle importance, tout cela, comparé à la situation de China ? China qui était là, rassurante à ses côtés, à Santa Barbara, au moment où elle avait vraiment eu besoin de réconfort. *Je vous ai vus ensemble, Debs. Si tu lui dis la vérité, il reviendra par le prochain avion. Il sera prêt à t'épouser, il en a déjà envie.* Mais pas comme ça, avait répondu Deborah. Ça ne peut pas se passer comme ça.

Alors, c'était China qui s'était occupée de tout, qui l'avait emmenée à la clinique ; c'était China qu'elle avait trouvée au réveil à son chevet, China, qui attendait, tout simplement. Et qui avait lancé, tout simplement : « Salut, toi », avec une telle expression de bonté que Deborah s'était dit que jamais au cours de sa vie elle ne retrouverait pareille amie.

C'était au nom de cette amitié qu'il lui fallait à présent agir. Elle ne devait pas laisser China penser, une minute de plus, qu'elle était toute seule. Mais la question était : comment agir, parce que...

Le plancher craqua dans le couloir devant le bureau. Deborah leva la tête. Il y eut un nouveau craquement. Elle se leva, traversa la pièce et ouvrit la porte.

Dans la faible lueur d'un réverbère encore allumé à

l'extérieur en ce petit matin, elle vit Cherokee River qui enlevait son blouson du radiateur où Deborah l'avait mis à sécher pour la nuit. Son intention ne faisait aucun doute.

— Tu ne vas quand même pas partir ? s'enquit-elle, incrédule.

Cherokee se retourna brusquement.

— Putain, tu m'as flanqué une de ces trouilles ! Tu sors d'où ?

Deborah montra du doigt la porte, ouverte derrière elle, sur le bureau de Simon, la lampe allumée, et le foyer à gaz dont la lueur rougeoyante jouait sur le haut plafond.

— Je me suis levée de bonne heure, j'étais là à trier des vieilles photos. Mais qu'est-ce que tu fais ? Où vas-tu ?

Faisant porter son poids sur l'autre jambe, il se passa la main dans les cheveux, de ce geste qui n'appartenait qu'à lui. Du doigt, il désigna l'escalier et les étages du dessus.

— Je ne pouvais pas dormir, expliqua-t-il. Je te jure que je ne pourrai plus dormir, nulle part, avant d'avoir fait envoyer quelqu'un à Guernesey. Alors, je me disais qu'à l'ambassade...

— Quelle heure est-il ?

Elle jeta machinalement un coup d'œil à son poignet, pour constater qu'elle n'avait pas remis sa montre. Elle n'avait pas consulté la pendule du bureau, mais d'après l'obscurité extérieure, même exagérée par cette pluie insupportable, elle savait qu'il ne pouvait pas être beaucoup plus de six heures.

— L'ambassade n'ouvre pas avant plusieurs heures, poursuivit-elle.

— Je me disais qu'il y avait sans doute une file d'attente. Je voulais être là le premier.

— Tu peux, même en prenant le temps d'avaler une

tasse de thé. Ou de café si tu préfères. Et de manger quelque chose.

— Non, vous avez déjà fait bien assez pour moi. Me laisser passer la nuit, que dis-je, m'inviter à passer la nuit, la soupe, le bain, tout ça ? Vous m'avez secouru !

— Merci, c'est gentil, mais il n'est pas question que tu partes maintenant, tout de suite. Ça ne sert à rien. Je te déposerai en voiture moi-même, largement à temps pour être le premier de la file si c'est ce que tu veux.

— Mais je ne veux pas que tu...

— Tu n'as pas à vouloir, interrompit fermement Deborah. Ce n'est pas une proposition, c'est un ordre. Alors, laisse donc ce blouson et viens avec moi.

Cherokee réfléchit un instant : il regarda la porte d'entrée, dont les trois panneaux vitrés laissaient filtrer la lumière. Tous deux entendaient la pluie persistante, et, comme pour mieux souligner l'inconfort qui l'attendait à l'extérieur s'il devait s'y risquer, une rafale de vent, soudaine comme un uppercut, venant de la Tamise, vint faire craquer bruyamment les branches du sycomore de la rue.

— Bon, d'accord, finit-il par lâcher, réticent. Mais merci, merci.

Deborah le conduisit en bas à la cuisine. Peach, couchée dans son panier, leva la tête et se mit à gronder. Alaska, qui avait regagné le rebord de la fenêtre, son poste habituel pour la journée, jeta un coup d'œil, cligna des paupières et reprit son observation des rigoles de pluie sur le carreau.

— Veux-tu rester polie, dit Deborah à la chienne, avant d'installer Cherokee à la table, dont il étudia les griffures que les couteaux avaient infligées au bois, ainsi que les marques rondes de brûlure laissées par des casseroles trop chaudes.

Deborah rebrancha la bouilloire et prit une théière sur le vieux buffet.

— Je te fais à manger aussi. De quand date ton dernier vrai repas ? (Elle lui jeta un regard.) Pas d'hier, j'imagine.

— Il y a eu la soupe.

Deborah émit un grommellement désapprobateur.

— Comment veux-tu aider China si tu ne tiens pas debout ?

Elle alla chercher des œufs et du bacon au réfrigérateur, sortit des tomates de leur panier près de l'évier, des champignons du coin sombre près de la porte d'entrée, où son père les conservait dans un grand sac en papier, suspendu à un crochet parmi les imperméables de la maisonnée.

Cherokee se leva et alla vers la fenêtre au-dessus de l'évier, puis tendit la main vers Alaska. Le chat lui renifla les doigts avant de se laisser grattouiller derrière les oreilles, tête baissée dans une position royale. Deborah suivit du regard Cherokee qui regardait attentivement partout dans la cuisine, comme s'il cherchait à retenir tous les détails. Elle le voyait enregistrer tout ce qui, à elle, lui semblait si évident : depuis les herbes séchées que son père disposait en bouquets soigneusement arrangés jusqu'à la batterie de cuisine en cuivre suspendue au mur, à portée de main au-dessus de la cuisinière, depuis le vieux carrelage du sol jusqu'à ce vaisselier de guingois où l'on trouvait de tout, des assiettes de service aussi bien que des photos des neveux et nièces de Simon.

— C'est une chouette maison, Debs, murmura Cherokee.

Pour Deborah, c'était seulement la maison où elle avait vécu depuis son enfance, d'abord fille d'un veuf, l'indispensable bras droit de Simon, puis, brièvement, maîtresse de Simon, et enfin femme de Simon. Elle en connaissait les courants d'air, les problèmes de tuyauterie, et le manque assommant de prises électriques. Pour elle, c'était simplement la maison. Elle répondit :

— Oh, elle est vieille, pleine de courants d'air, et exaspérante.

— Tu parles, ça ressemble à un palais pour moi.

— Ah bon ? (Elle versa neuf tranches de bacon dans la poêle et les mit à frire.) En fait, elle appartient à la famille de Simon. Quand il l'a récupérée, c'était un vrai taudis. Des souris dans les murs, des renards dans la cuisine. Il a passé presque deux ans, avec papa, à la rendre habitable. Je suppose que ses frères ou sa sœur pourraient emménager et habiter ici maintenant s'ils le voulaient, puisque c'est un bien de famille. Elle n'est pas seulement à nous. Mais ils n'oseraient pas. Ils savent que c'est lui et papa qui ont tout fait.

— Simon a donc des frères et sœurs ?

— Deux frères à Southampton ; sa famille est dans le transport maritime. Mais sa sœur est à Londres. Elle a été mannequin, et maintenant elle essaie de faire carrière comme intervieweuse de célébrités obscures sur une chaîne du câble encore plus obscure, que personne ne regarde. (Deborah, avec une petite grimace, cassa les œufs dans un bol.) Oh, c'est un personnage, Sidney. C'est le nom de la sœur de Simon. Elle rend folle sa mère, parce qu'elle ne veut pas se caser. Elle a eu des amants par dizaines, on en a rencontré je ne sais combien au fil des vacances, et ils étaient tous, sans exception, enfin l'homme de ses rêves.

— Il a bien de la chance d'avoir une famille comme ça, répliqua Cherokee.

Une pointe de mélancolie dans sa voix fit se retourner Deborah.

— Tu veux téléphoner à la tienne ? proposa-t-elle. Ta maman, je veux dire. Tu peux prendre ce téléphone, là, sur le buffet, ou celui du bureau si tu préfères être seul. Il est... (Elle jeta un coup d'œil à la pendule murale et fit mentalement la soustraction.) Il est seulement dix heures et quart du soir en Californie.

— Je ne peux pas. (Cherokee retourna à table et se laissa tomber sur une chaise.) Je l'ai promis à China.

— Mais enfin, elle a le droit...

— China et maman ? Elles ne... enfin, notre mère n'a jamais vraiment été une maman, pas comme les autres mamans, et China n'a pas envie qu'elle apprenne tout ça. Je crois que c'est parce que... tu comprends... une autre mère prendrait le premier avion, mais la nôtre ? Tu parles ! Alors, ce n'est même pas la peine de lui dire. Enfin, c'est ce que pense China.

— Et son père alors ? Est-ce qu'il est...

Deborah hésita. Il avait toujours été délicat d'aborder le sujet du père de China.

Cherokee leva un sourcil.

— A l'ombre ? Ouais. Il est encore en taule. Tu vois, il n'y a personne à appeler.

On entendit un pas dans l'escalier de la cuisine. Deborah disposa des assiettes sur la table ; quelqu'un descendait d'une démarche irrégulière et précautionneuse.

— C'est sûrement Simon, dit-elle.

Il était debout bien plus tôt que d'habitude, et Joseph Cotter n'allait pas aimer cela, lui qui s'était occupé de Simon bien longtemps auparavant, tout au long de sa convalescence après cet accident où un chauffard ivre avait fait de lui un infirme, et il n'aimait pas que Simon ne lui laisse pas l'occasion de s'affairer, protecteur, autour de lui.

— Tu as de la chance, j'en ai préparé assez pour trois, annonça Deborah à son mari.

Le regard de Simon alla de la cuisinière à la table qu'elle venait de dresser.

— J'espère que ton père a le cœur assez solide pour résister au choc, sourit-il.

— Très amusant.

Simon l'embrassa, puis salua Cherokee d'un signe de tête.

— Vous avez bien meilleure mine ce matin. Comment va la tête ?

— Mieux. (Cherokee porta la main au pansement tout près de la racine de ses cheveux.) J'ai eu une très bonne infirmière.

— Oui, elle connaît son boulot, répliqua Simon.

Deborah versa les œufs dans la poêle et les brouilla vigoureusement.

— En tout cas, il est plus sec, c'est certain, fit-elle remarquer. Après déjeuner, je lui ai dit que je le conduirai à l'ambassade américaine.

— Ah bon. (Simon jeta un regard à Cherokee.) La police de Guernesey n'a pas déjà averti officiellement l'ambassade ? Ça, c'est inhabituel.

— Si, répondit Cherokee. Mais ils n'ont envoyé personne. Ils ont juste passé un coup de fil pour s'assurer qu'elle aurait un avocat pour la représenter au tribunal. Et puis ça a été : bon, tout est réglé, elle aura un avocat, appelez-nous si vous avez besoin d'autre chose. Je leur ai dit : mais c'est de vous que j'ai besoin, j'ai besoin de vous ici. Je leur ai dit qu'on n'était même pas sur l'île quand c'est arrivé. Mais eux m'ont dit que la police devait avoir des preuves, et qu'ils ne pouvaient vraiment rien faire d'autre jusqu'au coup de sifflet final. C'est exactement ce qu'ils m'ont dit : « jusqu'au coup de sifflet final », comme s'il était question d'un match de basket ou un truc comme ça. (Il s'éloigna brusquement de la table.) C'est là-bas que j'ai besoin de quelqu'un de l'ambassade. Toute cette affaire, c'est un coup monté, et si je ne fais rien pour empêcher ça, il va y avoir procès et condamnation avant la fin du mois. J'en jurerais.

— Mais ils peuvent tenter quelque chose, à l'ambassade ? demanda Deborah en posant le petit déjeuner sur la table. Simon, tu sais ça, toi ?

Son mari réfléchit à la question. Il ne travaillait pas souvent pour des ambassades, mais la plupart du temps pour le parquet, ou pour de grands avocats préparant une stratégie de défense dans un procès criminel, et qui dans ce cadre requéraient le témoignage d'un expert indépendant pour contrer celui d'un technicien d'un des laboratoires de la police. Mais il en savait suffisamment pour prévoir ce que l'ambassade américaine allait forcément proposer à Cherokee lorsqu'il se présenterait dans ses locaux de Grosvenor Square.

— L'assurance d'une procédure équitable, expliqua-t-il. C'est cela que l'ambassade s'efforce d'obtenir. Ils font tout pour s'assurer que les lois du pays s'appliquent à la situation de China.

— C'est tout ce qu'ils peuvent faire ? s'étonna Cherokee.

— Pas grand-chose de plus, j'en ai bien peur. (Le ton de Simon était plein de regret, mais il se fit plus rassurant en poursuivant.) Je pense qu'ils vont garantir qu'elle sera bien défendue. Ils vont vérifier les états de service de l'avocat, histoire d'éviter un débutant inscrit au barreau il y a trois semaines. Ils vont s'assurer que tous ceux que China voudra tenir informés aux Etats-Unis seront bien informés. Ils lui feront parvenir son courrier dans les meilleurs délais, et la mettront sur leur tournée régulière de visites, je pense. Ils feront tout ce qu'ils pourront. (Il observa Cherokee un moment, puis continua avec douceur.) Ce ne sont que les premiers jours, vous savez.

— On n'était même pas là-bas lorsque ça s'est passé, insista Cherokee. Lorsque c'est arrivé. Je leur ai dit et répété, mais ils n'ont pas voulu me croire. Ils doivent bien avoir des registres à l'aéroport, qui montrent quand nous sommes partis ? Ils doivent avoir des traces, quand même !

— Bien sûr, répondit Simon. Si le jour et l'heure de la mort sont en contradiction avec votre départ, c'est quelque chose qui va ressortir très vite.

Il se mit à jouer avec son couteau, qu'il faisait tinter sur l'assiette.

— Quoi ? Simon ? Qu'est-ce qu'il y a ? questionna Deborah.

Son regard se posa sur Cherokee, puis, par-dessus la tête de ce dernier, sur la fenêtre de la cuisine où Alaska, assis, faisait sa toilette, puis cessait pour poser sa patte sur le carreau, comme pour arrêter les rigoles de pluie qui ruisselaient à l'extérieur, puis reprenait sa toilette... Prudemment, Simon s'expliqua :

— Il faut voir les choses rationnellement. Ce n'est pas à un pays du tiers-monde que l'on a affaire. Ce n'est pas un pays totalitaire. La police de Guernesey ne procède pas à des arrestations sans preuves. Donc... (Il posa son couteau à côté de l'assiette.) La réalité est la suivante : quelque chose de précis les a conduits à penser qu'ils tiennent leur meurtrier. (A ce point, il regarda Cherokee, étudia son visage de son air impassible de scientifique, comme pour y chercher l'assurance qu'il pouvait supporter sa conclusion.) Vous devez vous préparer.

— Préparer à quoi ? questionna Cherokee en cherchant de la main, comme par réflexe, le bord de la table.

— A ce que votre sœur a pu faire, j'en ai bien peur. A votre insu.

3

— Du jus de bigorneau, Frankie. Voilà comment qu'on appelait ça. Je t'avais jamais dit ça, hein ? Jamais je t'avais parlé de toutes ces saloperies qu'on a dû avaler en ce temps-là, hein, mon gars ? J'aime pas trop y repenser, à c't'époque. Putains de Boches... Ce qu'y z'ont pu faire à cette île...

Frank Ouseley glissa doucement les mains sous les aisselles de son vieux père, le laissant radoter. Le soulevant doucement de son siège plastique dans la baignoire, il l'aida à poser le pied gauche sur le tapis de bain usé qui recouvrait le lino froid. Il avait eu beau mettre le radiateur à fond ce matin, cette salle de bains lui semblait encore glaciale. Tenant son père par un bras pour lui éviter une chute, il déploya la serviette qu'il venait de prendre au porte-serviettes, et en enveloppa les épaules de son père, aussi rabougries que le reste de son corps. Les chairs de Graham Ouseley, à quatre-vingt-douze ans, pendaient mollement sur ses os telle de la pâte à pain.

— En ce temps-là, c'est de tout qu'on mettait dans la théière, poursuivait Graham, s'appuyant, nabot minuscule, sur l'épaule quelque peu enveloppée de Frank. Des rutabagas écrasés, qu'on y mettait, mon gars, et encore, quand on pouvait en trouver. On les faisait bouillir d'abord, bien sûr. Et puis aussi des feuilles de camélia, des fleurs de tilleul, du baume citronné, mon gars. Et pis, on y mettait du bicarbonate, dans l'pot, pour faire durer les feuilles. Du jus d'bigorneau, qu'on l'appelait. Bien sûr, on pouvait pas vraiment appeler ça du thé.

A ces mots, ses fragiles épaules furent secouées d'un éclat de rire, qui se prolongea en une quinte de toux, laquelle se mua en étouffement. Frank saisit fermement son père pour qu'il reste debout.

— Doucement, doucement, papa.

Il resserra son étreinte autour du corps fragile de Graham, malgré sa peur qu'un jour, à l'agripper ainsi pour l'empêcher de tomber, il puisse lui faire plus de mal qu'une chute, lui broyer les os comme ceux d'un moineau.

— Voilà. Allez, on va t'installer sur le siège.

— Mais j'ai pas envie de pisser, fiston, protesta Graham, tentant de se libérer. Qu'est-ce qui t'arrive ? Tu te ramollis de la cervelle, ou quoi ? J'ai pissé avant que tu me mettes dans la baignoire.

— Oui oui, je sais, je veux seulement que tu t'assoies.

— Mais ça va bien, mes jambes ! J'peux rester debout aussi bien que n'importe qui. J'suis bien resté debout quand les Boches étaient là. Debout sans bouger, comme si on faisait la queue à la boucherie. Pas comme si on se passait les nouvelles, ah ça non ! Pas de poste de radio dans votre tas de fumier, ah que non, mon gars ! Fallait juste avoir l'air de préférer dire *heil* au moustachu d'mes deux, plutôt que *God save the King*, et y vous embêtaient pas. Comme ça on pouvait faire ce qu'on voulait, à condition d'faire bien attention.

— Oui, je me souviens, papa, reprit Frank patiemment. Je me souviens, tu me l'as raconté.

Malgré les protestations de son père, il l'assit sans heurts sur le siège des toilettes et se mit à le sécher délicatement. Tout en maniant la serviette, il écoutait, inquiet, la respiration de Graham, guettant le retour à la normale. Insuffisance cardiaque congestive, avait dit le médecin. Oui, naturellement, il existe des médicaments, on peut le mettre sous traitement. Mais, très franchement, à son âge, ce n'est qu'une question de temps. Estimez-vous heureux, Frank, qu'il ait vécu si longtemps, ça relève du miracle.

A ce verdict, Frank avait tout d'abord pensé : non, pas maintenant. Pas encore, et pas avant longtemps. Mais à présent, il s'était préparé à laisser partir son père. Depuis longtemps, il avait pris conscience de la chance qu'il pouvait avoir, à pas loin de soixante ans, de l'avoir encore, et, tout en espérant bien que Graham Ouseley survivrait encore dix-huit mois, il avait fini par comprendre, avec un chagrin qui l'enserrait comme un filet dont il ne pourrait jamais s'échapper, que tel ne serait pas le cas, et que cela valait sans doute mieux comme ça.

— Moi, je t'ai raconté ça ? demanda Graham, fouillant sa mémoire dans une grimace d'effort. Quand est-ce que j'ai pu te raconter ça, moi, mon gars ?

Deux ou trois cents fois, se dit Frank. Les histoires de guerre de son père, il les entendait depuis son enfance, et pour la plupart, il pouvait les réciter par cœur. Les Allemands avaient occupé cinq ans Guernesey, en préparation de leur plan avorté d'invasion de l'Angleterre, et les privations endurées par les habitants, sans même parler de leurs mille et une manières d'essayer de contrarier les objectifs allemands sur l'île, constituaient depuis bien longtemps l'essentiel des conversations paternelles. A l'âge où presque tous les enfants tètent le lait de leur mère, c'était aux souvenirs de Graham que Frank avait été nourri. N'oublie jamais ça, Frankie. Quoi qu'il t'arrive plus tard, mon gars, il ne faut jamais oublier.

Il n'avait pas oublié, et, contrairement à tant d'enfants qui avaient pu se lasser des histoires que leurs parents leur racontaient le jour de l'Armistice, Frank Ouseley, lui, s'était cramponné aux paroles de son père, jusqu'à souhaiter être né une décennie plus tôt, afin de faire partie, même enfant, de ces temps de troubles et d'héroïsme.

Aujourd'hui, il n'existait rien de comparable à ce temps-là. Ni la guerre des Malouines, ni la guerre du Golfe, ces sales petits conflits restreints qui se déclenchaient pour rien ou pour pas grand-chose, fabriqués pour galvaniser la populace à coups de patriotisme cocardier. Pas davantage l'Irlande du Nord, où il avait servi lui-même, se demandant, en essayant d'éviter les tirs des snipers de Belfast, ce qu'il pouvait bien faire en plein milieu d'une lutte sectaire orchestrée par des crapules qui passaient leur temps à se canarder depuis le début du siècle. Il n'y avait aucun héroïsme dans tout cela, parce qu'il n'y avait aucun ennemi identifiable contre lequel marcher jusqu'à la mort. Rien de comparable à la Seconde Guerre mondiale.

Il redressa son père sur le siège et approcha la main de ses vêtements posés en pile bien pliée au bord du lavabo. C'est lui-même qui faisait la lessive, ce qui expliquait que les caleçons et maillots de corps n'étaient pas aussi blancs qu'il eût fallu, mais, comme la vue de son père baissait de jour en jour, Frank était à peu près certain que Graham ne le remarquerait pas.

L'habillage de son père était un exercice qu'il connaissait par cœur ; c'était toujours dans le même ordre qu'il lui enfilait ses vêtements. Ce rituel, il le trouvait autrefois rassurant. Il donnait à ses journées avec Graham une similitude porteuse de la promesse, même fallacieuse, que ces journées se prolongeraient indéfiniment. Aujourd'hui, cependant, il regardait son père avec inquiétude, se demandant si cette difficulté à respirer et ce teint cireux présageaient la fin de leur cohabitation, qui durait depuis plus de cinquante ans. Deux mois auparavant, son sang se serait glacé à cette pensée. Deux mois auparavant, son seul désir était de disposer d'assez de temps pour l'établissement du musée de la Guerre Graham-Ouseley, afin que son père puisse enfin fièrement couper le ruban devant les portes au matin de l'inauguration. Mais les soixante jours passés avaient tout bouleversé, et c'était fort dommage, car la collecte de ce qui représentait l'occupation allemande de l'île était, depuis les tout premiers souvenirs de Frank, le ciment de sa relation avec son père. C'était là l'œuvre de leurs deux vies, leur passion commune, avec pour motivation un amour de l'histoire et une conviction, celle que les habitants présents et à venir de Guernesey devaient recevoir cet enseignement de ce que leurs ancêtres avaient pu endurer.

Que leurs projets soient quasiment condamnés, désormais, Frank ne voulait pas que son père le sache pour le moment. Puisque les jours de Graham étaient comptés, il n'y avait pas grand sens à détruire un rêve que, de toute façon, jamais ils n'auraient caressé si Guy Brouard n'avait fait intrusion dans leur vie.

— Qu'est-ce qu'on a de prévu aujourd'hui ? demanda Graham à son fils, qui ajustait le bas de survêtement sur ses fesses amaigries. Y serait temps d'aller jeter un œil au chantier, non ? Ça démarre bientôt, Frankie ? T'y seras, hein, mon gars ? A poser la première pierre ? A moins que le Guy y veuille faire ça lui-même ?

Frank éluda toute la série de questions, éluda en fait complètement le sujet de Guy Brouard. Jusque-là, il était parvenu à cacher à son père la nouvelle de la mort tragique de leur ami et bienfaiteur, n'ayant pas encore décidé si cette annonce serait dangereuse pour sa santé. Qui plus est, que son père soit ou non au courant, pour le moment il s'agissait d'attendre, car rien n'avait encore filtré sur le règlement de la succession de Guy.

Frank répondit à son père :

— J'ai pensé qu'on pourrait vérifier tous les uniformes ce matin, j'ai l'impression qu'ils ont pris l'humidité.

C'était un mensonge, bien évidemment. Les dix uniformes qu'ils possédaient, depuis les capotes à col sombre de la Wehrmacht jusqu'aux combinaisons, usées jusqu'à la corde, utilisées par les personnels DCA de la Luftwaffe, étaient tous conservés dans des boîtes hermétiques et des emballages anti-oxydation, en attendant le jour où ils seraient disposés dans des vitrines spécialement conçues pour les protéger en permanence.

— Je ne sais pas comment ça a pu arriver, mais, si c'est le cas, il faut qu'on s'en occupe avant qu'ils commencent à moisir.

— Ah, ça, c'est sûr, acquiesça son père. Faut y faire attention, Frankie. Tout ce barda. Faut qu'on le garde comme neuf, pour sûr.

— Pour sûr, papa.

Son père parut se satisfaire de cela. Il se laissa peigner ce qui lui restait de cheveux, et aider à aller jusqu'au salon. Là, Frank l'installa dans son fauteuil préféré et lui tendit la télécommande. Il n'avait aucune inquiétude, son père n'allait pas se brancher sur la chaîne de l'île et y apprendre les nouvelles sur Guy Brouard, celles-là mêmes qu'il s'efforçait de lui dissimuler. Graham Ouseley regardait exclusivement les émissions culinaires et les feuilletons. Il prenait des notes sur les premières, pour des raisons que son fils n'était jamais parvenu à percer ; quant aux autres, il s'y absorbait totalement, passant quotidiennement l'heure du dîner à discuter des problèmes des personnages comme si ces derniers étaient ses plus proches voisins.

Des voisins, il n'y en avait pas là où demeuraient les Ouseley. Il y avait eu, bien des années auparavant, deux autres familles qui habitaient dans l'enfilade de cottages qui poussaient dans le prolongement du vieux moulin à eau nommé Moulin des Niaux. Mais, avec le temps, Frank et son père s'étaient débrouillés pour acheter ces bâtiments dès qu'ils étaient mis en vente. Et, à présent, ils renfermaient l'immense collection censée remplir le musée de la Guerre.

Frank prit ses clés, et, ayant vérifié le radiateur du salon, puis mis en route le chauffage électrique, n'appréciant guère la médiocre chaleur des vieux tuyaux, il se dirigea vers le cottage qui jouxtait celui où son père et lui vivaient depuis quarante-deux ans. Ils étaient tous en enfilade, et les Ouseley demeuraient dans celui qui était le plus éloigné du moulin – dont la roue grinçait et gémissait la nuit, pour peu que le vent s'engouffre et hurle dans la Talbot Valley, cette gorge creusée par un torrent.

La porte du cottage résista lorsque Frank la poussa, car le vieux dallage était inégal et ni lui ni son père n'avaient pensé à remédier au problème depuis toutes ces années. Ils utilisaient le cottage essentiellement comme dépôt, et cette porte n'était qu'un inconvénient mineur par rapport aux autres ennuis qu'un vieux bâtiment pouvait présenter. Il était plus important d'assurer l'étanchéité de la toiture et des fenêtres. Du moment que le chauffage fonctionnait et maintenait un bon équilibre entre sécheresse et humidité, le fait qu'une porte soit dure à ouvrir était finalement assez négligeable.

Pas pour Guy Brouard, pourtant. Cette porte, c'était la première chose dont il avait parlé lors de sa toute première visite aux Ouseley. Il avait dit :

« Le bois a gonflé. Ça veut dire qu'il y a de l'humidité, Frank. Vous avez pris des précautions contre ça ?

— C'est le sol, en fait, avait expliqué Frank. Pas l'humidité. Mais y en a aussi, c'est vrai. On essaie d'y maintenir une chaleur constante, mais maintenant, en hiver... C'est la proximité du torrent, je pense.

— Il vous faudrait un terrain plus en altitude.

— Pas facile de dénicher ça sur l'île. »

Guy n'avait rien à objecter à cela. Il n'existait rien de très élevé sur Guernesey, si ce n'est peut-être les hautes falaises qui dominaient la Manche tout au sud de l'île. Mais la seule présence de la mer et l'atmosphère saline rendaient ces falaises peu accueillantes pour la collection... quand bien même ils réussiraient à y trouver un bâtiment pour l'abriter, ce qui était fort peu probable.

Guy n'avait pas fait tout de suite la suggestion du musée. Il lui avait fallu quelque temps avant de prendre la mesure de l'importance de la collection des Ouseley. S'il était venu à Talbot Valley, c'était à la suite d'une invitation de Frank lors du goûter qui avait suivi une conférence au Club de l'Histoire. Celui-ci se réunissait au-dessus de la place du marché de Saint Peter Port, dans la vieille salle des assemblées depuis longtemps détournée de cet usage après l'agrandissement de la bibliothèque Guille-Alles. C'est là que les membres s'étaient réunis pour écouter un conférencier parler de l'enquête des Alliés sur Hermann Goering en 1945, ce qui s'était vite révélé une ennuyeuse litanie de faits relevés dans un document nommé le Rapport d'enquête consolidé. En moins de dix minutes, la plupart des personnes présentes dodelinaient de la tête, à l'exception de Guy Brouard, qui semblait boire les paroles du conférencier. Frank pensa alors que Guy pourrait s'avérer d'une fréquentation instructive : si peu de gens s'intéressaient encore à des événements survenus en un autre siècle ! C'est ainsi qu'il l'avait abordé à la fin de la conférence, sans savoir qui il était, pour apprendre à sa grande surprise que c'était lui qui avait racheté cette ruine qu'était le manoir Thibeault, entre Saint Martin et Saint Peter Port, pour en orchestrer la renaissance sous le nom de Reposoir.

Guy Brouard eût-il été d'un abord moins facile, peut-être Frank se serait-il contenté d'échanger quelques banalités polies avec lui ce soir-là, et les choses en seraient restées là. Mais Guy avait fait montre d'un tel intérêt pour le violon d'Ingres de Frank que ce dernier, flatté, l'avait invité à leur rendre visite au Moulin des Niaux.

Nul doute que Guy s'était rendu à cette invitation en pensant qu'il s'agissait du geste de politesse d'un amateur envers quiconque manifeste suffisamment de curiosité pour son dada. Mais, en voyant les premières pièces remplies de caisses et de boîtes, de cartons à chaussures pleins de munitions, de médailles, d'armes vieilles d'un demi-siècle, de baïonnettes, poignards, masques à gaz et autres matériels d'alarme, il avait émis un sifflement admiratif et s'était installé pour un examen plus approfondi.

L'examen en question avait pris plus d'une journée. En fait, plus d'une semaine. Deux mois durant, Guy Brouard était venu au Moulin des Niaux pour passer en revue le contenu des deux autres cottages. Et lorsque, au bout du compte, il avait lâché : « C'est tout un musée qu'il vous faut pour tout ça, Frank », la graine avait commencé à germer dans l'esprit de Frank.

A l'époque, ça ressemblait à un rêve. Comme c'était étrange aujourd'hui de se dire que ce rêve avait pu peu à peu se muer en cauchemar !

Une fois entré dans le cottage, Frank se dirigea vers le classeur métallique dans lequel son père et lui avaient rangé les documents intéressants de l'époque de la guerre au fur et à mesure qu'ils leur tombaient sous la main. Ils possédaient de vieilles cartes d'identité par dizaines, des cartes de rationnement, des permis de conduire. Ils possédaient des proclamations allemandes de peine de mort pour des crimes capitaux tels que le lâcher de pigeons voyageurs, ainsi que des déclarations sur tous les sujets concevables permettant de contrôler la vie des insulaires. Leurs objets les plus précieux étaient une demi-douzaine d'exemplaires de *GIFT,* la feuille d'information quotidienne clandestine dont la fabrication avait coûté la vie à trois Guernesiais.

Ce furent ceux-là que Frank sortit du classeur. Il les emporta jusqu'à un fauteuil en rotin pourrissant, dans lequel il s'assit, les tenant délicatement sur ses genoux. C'étaient des feuillets simples, dactylographiés sur papier pelure, avec autant d'épaisseurs de carbone que pouvait en accepter le rouleau d'une vieille machine à écrire. Ils étaient si diaphanes et si fragiles que c'était un miracle qu'ils aient survécu un mois, alors un demi-siècle... Chacun était un témoignage, d'une fraction de millimètre d'épaisseur, de la bravoure de ces hommes qui ne voulaient pas se laisser intimider par les menaces des nazis.

Si Frank n'avait été, sa vie durant, élevé dans le culte de l'histoire, s'il n'avait passé toutes ses années d'apprentissage, sans exception aucune, jusqu'à ses années de maturité solitaire, à s'entendre inculquer la valeur inestimable de tout ce qui pouvait toucher, de près ou de loin, à Guernesey dans ces années d'épreuves, sans doute aurait-il jugé qu'une seule de ces feuilles si fragiles du temps de guerre suffisait à représenter la résistance de tout un peuple. Mais un seul exemplaire n'était jamais assez pour un collectionneur passionné et, qui plus est, lorsque cette passion visait à raviver la mémoire et à dévoiler la vérité historique, à inscrire le « plus jamais ça » dans l'éternité, la question de posséder *trop* de pièces devenait indécente.

Un bruit métallique retentit à l'extérieur ; Frank alla voir à la fenêtre poussiéreuse. Un cycliste venait de s'arrêter, un jeune garçon en train de descendre de sa bicyclette et de mettre la béquille en place. Il était accompagné par un chien au pelage épais comme du chaume, son compagnon de chaque instant.

C'était le petit Paul Fielder, et Taboo.

A leur vue, Frank fronça les sourcils, se demandant ce qu'ils pouvaient bien faire là, si loin du Bouet, où Paul demeurait, avec sa famille à la réputation douteuse, dans un des pavillons sociaux dont la paroisse avait voté la construction, à l'est de l'île, pour y loger ceux dont les revenus ne seraient jamais à la hauteur de leur propension à se reproduire. Paul était le protégé de Guy Brouard, et souvent il avait accompagné ce dernier au Moulin des Niaux, traînant au milieu des caisses entreposées dans les cottages et en explorant le contenu avec les deux adultes. Mais jamais auparavant il n'était venu seul à Talbot Valley, et Frank sentit un frisson le parcourir à la vue du jeune garçon.

Paul se dirigea vers le cottage des Ouseley, tout en réajustant un sac à dos vert sale qu'il portait comme un bossu sa bosse. Frank fit un pas de côté pour ne pas être vu. Si jamais Paul frappait à la porte, Graham ne répondrait pas, hypnotisé qu'il était par ses feuilletons à cette heure-ci de la matinée. Et Paul, si personne ne venait ouvrir, s'en irait. C'était là le scénario qu'espérait Frank.

Mais le chien, lui, avait d'autres projets. Alors que Paul s'en allait d'un pas hésitant vers le cottage du bout, Taboo se dirigea droit vers la porte derrière laquelle Frank se dissimulait tel un cambrioleur. L'animal renifla le battant, puis aboya, ce qui fit changer Paul de direction.

Au milieu des gémissements de Taboo, qui s'était mis à gratter à la porte, Paul frappa, d'une manière hésitante, comme tout ce qu'il faisait, au point d'en être exaspérant.

Frank rangea les exemplaires de *GIFT* dans leur chemise, qu'il rangea à la hâte dans le tiroir du classeur. Il ferma le meuble, essuya ses paumes sur son pantalon et ouvrit brusquement la porte du cottage.

— Paul ! lança-t-il avec entrain tout en regardant la bicyclette avec une surprise feinte. Grands dieux, tu es venu jusqu'ici à vélo ?

A vol d'oiseau, bien sûr, la distance n'était pas considérable entre le Bouet et Talbot Valley. A vol d'oiseau, rien n'était distant de rien sur l'île de Guernesey. Mais les routes étroites et tortueuses allongeaient de beaucoup les trajets. Paul n'était jamais venu à bicyclette auparavant, et de toute manière Frank n'aurait pas parié que le garçon connaîtrait assez le chemin pour se rendre jusque-là tout seul, niais comme il était.

Paul le regarda en clignant des yeux. Il n'était pas bien grand pour ses seize ans, et assez efféminé d'apparence. C'était le genre de garçon qui aurait été la coqueluche des scènes élisabéthaines, à une époque très friande de jeunes gens capables de jouer des femmes. Mais les choses étaient différentes aujourd'hui. La première fois que Frank avait rencontré le garçon, il avait senti à quel point sa vie devait être difficile. Tout spécialement à l'école, où une peau de pêche, une chevelure rousse et bouclée, et des cils dorés et soyeux ne garantissaient pas à leur propriétaire une immunité contre le harcèlement de petits sadiques.

Paul ne réagit pas à cet accueil d'une jovialité forcée. En fait, ses yeux d'un gris laiteux se mouillèrent de larmes, qu'il essuya en se tamponnant le visage avec la manche usée de sa chemise de flanelle. Il ne portait pas de veste, ce qui par ce temps revenait à de la folie douce, et ses poignets dépassaient des manches, parenthèses blanches au bout de ses bras de la taille de jeunes sycomores. Il tenta d'articuler quelque chose, mais tout ce qu'il émit fut un sanglot étranglé. Taboo profita de l'occasion pour pénétrer dans le cottage.

Plus moyen de faire autrement : Frank invita le garçon à entrer à son tour et le fit asseoir dans le fauteuil en rotin avant de fermer la porte sur le froid de décembre. Mais, en se retournant, il vit que Paul était debout. Il avait enlevé son sac à dos comme un fardeau dont il espérait qu'on lui soulage les épaules, et était penché au-dessus d'un tas de boîtes en carton dans l'attitude de quelqu'un qui soit en explorait le contenu du regard, soit attendait sa pénitence.

Un peu les deux, pensa Frank. Car ces boîtes représentaient l'un des liens de Paul Fielder avec Guy Brouard mais lui rappelaient désormais la disparition de ce dernier.

Nul doute que le garçon était anéanti par la mort de Guy. Quels que soient les détails qu'il pouvait connaître ou ignorer sur ses terribles circonstances. Né dans une famille où il était l'un des nombreux enfants de parents tout juste bons à boire et baiser, il se serait très certainement épanoui grâce aux attentions de Guy Brouard à son égard. Même si, à vrai dire, Frank n'avait jamais vu lui-même de signes tangibles de cet épanouissement, toutes ces fois où Paul avait accompagné Guy au Moulin des Niaux, il n'avait pas non plus connu ce garçon si taciturne *avant* que Guy n'arrive dans sa vie. Après tout, cette attitude de vigilance quasi silencieuse qui semblait caractériser Paul à chaque fois qu'eux trois étaient là, à trier les pièces d'époque que contenaient les cottages, était peut-être une prodigieuse évolution par rapport à un mutisme pathologique et absolu qui aurait pu lui être propre auparavant.

Les épaules étroites de Paul tremblaient, et sa nuque, où ses cheveux fins bouclaient tels les accroche-cœurs d'un angelot de la Renaissance, semblait trop délicate pour soutenir sa tête, qu'il laissa tomber en avant pour la poser sur la boîte du dessus de la pile. Tout son corps était secoué de hoquets convulsifs.

Dépassé par les événements, Frank s'approcha du garçon et lui tapota maladroitement l'épaule, tout en murmurant : « Là, là », et en se demandant quoi répondre si le garçon demandait en retour : « Où ça, où ça ? » Mais Paul, toujours sanglotant, ne prononça pas un mot. Taboo vint s'asseoir à ses pieds et se mit à le regarder.

Frank avait envie de lui dire que lui aussi avait un chagrin immense à cause du décès de Guy Brouard ; mais, en dépit de son désir de réconforter l'adolescent, il savait bien que personne sur l'île, à l'exception de la propre sœur du disparu, n'avait plus de chagrin que Paul. Donc, il ne pouvait offrir à Paul que deux choses : soit des mots de réconfort insuffisants, soit la possibilité de continuer le travail que lui-même, Guy et l'adolescent avaient entrepris. La première, Frank savait qu'il en était incapable ; la deuxième, il ne pouvait en supporter l'idée. C'est pourquoi la seule option qui lui restait était de renvoyer chez lui le jeune homme silencieux et vigilant.

— Ecoute, Paul, je suis désolé de te voir si bouleversé. Mais tu ne devrais pas être à l'école ? Ce n'est pas encore les vacances, si ?

Paul leva vers Frank un visage rougi. Il essuya du revers de la main son nez qui coulait, d'un air à la fois si pitoyable et si plein d'espoir que Frank comprit d'un seul coup pourquoi il était venu le voir.

Grands dieux, c'était un remplaçant qu'il cherchait, un autre Guy Brouard qui ferait preuve d'intérêt à son égard, qui lui donnerait une raison de... de quoi donc ? De poursuivre ses rêves ? De vouloir encore les réaliser ? Mais qu'avait pu promettre Guy Brouard à ce malheureux gamin ? Rien sans aucun doute que Frank Ouseley, à jamais sans descendance, puisse l'aider à obtenir. Pas avec un père de quatre-vingt-douze ans à charge. Et pas avec ce poids que lui-même avait peine à porter : le poids de ses espoirs qui s'étaient fracassés contre une réalité incompréhensible.

Comme pour confirmer les soupçons de Frank, Paul se mit à renifler et les spasmes de sa poitrine se ralentirent. Il s'essuya le nez une dernière fois avec la flanelle de sa manche, puis regarda autour de lui comme s'il venait seulement de prendre conscience du lieu où il se trouvait. Frottant ses lèvres dans un bruit de succion, il crispait les doigts sur un pan élimé de sa chemise. Puis il traversa la pièce en direction d'une pile de boîtes, qui portaient l'inscription « à trier » au feutre noir sur le couvercle et les côtés.

Frank accusa le coup : c'était bien ce qu'il pensait, le garçon était là pour nouer une alliance avec lui et poursuivre le travail en témoignage de cette alliance. Ça ne pouvait pas aller.

Paul saisit la boîte du dessus et la déposa délicatement sur le sol pendant que Taboo s'approchait. Il s'accroupit près de la boîte, et, alors que l'animal se couchait dans sa pose habituelle, sa tête ébouriffée sur les pattes avant, ses yeux fixés sur son maître toujours silencieux, Paul ouvrit le couvercle avec précaution, comme il l'avait cent fois vu faire à Guy et Frank. A l'intérieur se trouvait un fouillis de médailles, vieilles boucles de ceinturon, bottes, casquettes de la Luftwaffe et de la Wehrmacht, et autres pièces d'uniforme portées par les troupes ennemies à cette époque lointaine. Comme Guy et Frank le faisaient, il étendit sur le sol une bâche en plastique et se mit à y disposer les pièces, en préparation à leur catalogage, une par une, dans le classeur à trois anneaux qu'ils utilisaient.

Il se leva pour aller chercher le classeur là où ils le

rangeaient, au fond du meuble métallique d'où Frank, quelques instants seulement auparavant, avait sorti les exemplaires de *GIFT*. Ce dernier sauta sur l'occasion.

— Hé, ho, jeune homme ! cria-t-il, se précipitant vers le meuble dont il ferma brutalement le tiroir.

Paroles et mouvements furent si brusques et si tonitruants que Taboo se releva d'un bond et aboya.

— Mais qu'est-ce que tu fais, bon Dieu ? s'écria Frank, profitant du moment. Je travaille, moi ! Tu entres ici comme chez toi et tu tripotes tout, enfin quoi, ça va pas ! Ce sont des pièces précieuses, ça, c'est fragile. Si jamais on les abîme, c'est fini, tu comprends ?

Paul écarquilla les yeux. La bouche. Mais aucun son n'en sortit. Taboo continuait à aboyer.

— Et fais-moi sortir ce clébard, bon sang ! poursuivit Frank. T'as rien dans le citron ou quoi ? Tu l'amènes ici alors qu'il pourrait... Mais regarde-le donc, enfin ! Sale bête, ça vous esquinte tout !

Taboo, de son côté, montrait les crocs, ce que Frank exploita encore. Haussant la voix d'un ton, il hurla :

— Vire-le d'ici, petit. Vire-le avant que je le vire moi-même !

Mais Paul se crispa encore, sans faire mine de sortir ; alors Frank regarda tout autour de lui, cherchant désespérément quelque chose qui pourrait le faire bouger. Ses yeux tombèrent sur le sac à dos, qu'il ramassa, et il le fit tournoyer, menaçant, devant Taboo, qui recula en jappant.

Ce fut cette menace qui débloqua la situation. Paul, dans un cri étranglé, courut vers la porte, Taboo sur ses talons. Il ne s'arrêta que le temps d'arracher le sac des mains de Frank et l'enfila sur une épaule tout en courant.

Le cœur battant la chamade, Frank les regarda s'éloigner par la fenêtre. Le vélo du garçon était une relique grinçante, qui ne dépassait sans doute jamais la vitesse d'un homme au pas. Mais il pédalait si furieusement qu'en un temps record lui et le chien eurent disparu derrière le moulin, et, passant sous la vieille écluse couverte d'algues, prirent la direction de la route quittant Talbot Valley.

Dès qu'il fut assuré qu'ils étaient partis, Frank retrouva d'un seul coup son souffle. Les coups sonores de son pouls dans ses oreilles l'avaient empêché d'entendre d'autres coups, qui résonnaient sur le mur mitoyen du cottage où il vivait avec Graham.

Il se précipita chez lui pour voir pourquoi son père l'appelait. Il trouva Graham qui, un maillet de bois à la main, revenait en chancelant vers le fauteuil d'où il avait réussi à se lever.

— Papa ? Ça va ? Qu'est-ce qui se passe ?

— Pas moyen d'avoir la paix chez soi, ou quoi ? Qu'est-ce qu'y te prend donc ce matin, mon gars ? Je peux même pas entendre la télé avec ton bon Dieu de vacarme !

— Désolé, répondit Frank, c'était ce garçon, il est venu tout seul, sans Guy. Tu sais qui je veux dire, Paul Fielder... Bon, eh bien je ne veux pas de ça, papa. Je ne veux pas le voir rôder ici tout seul. Ce n'est pas que je n'aie pas confiance, mais il y a des objets de valeur là-dedans, et comme il est... disons d'un milieu défavorisé... (Il savait qu'il parlait trop vite, mais ne pouvait se contrôler.) Je ne veux pas courir le risque qu'il nous pique quelque chose pour le revendre. Il a ouvert l'une des boîtes, tu comprends. Il s'est mis à fouiller dedans sans dire ni bonjour ni merde, et moi...

Graham saisit la télécommande et monta le volume à un niveau qui agressa les tympans de Frank.

— Occupe-toi de tes affaires, interrompit-il, péremptoire. Tu vois bien que je suis occupé, crénom.

Paul pédalait comme un dératé, avec Taboo qui courait à ses côtés. Sans s'arrêter ni pour respirer, ni pour se reposer, ni même pour penser, il fonça sur la route qui menait hors de Talbot Valley, rasant dangereusement le mur envahi de lierre qui retenait la colline au flanc de laquelle on l'avait creusée. S'il avait été en mesure d'avoir des pensées claires, peut-être alors aurait-il stoppé là où un petit terre-plein donnait accès à un chemin pierreux qui grimpait dans la colline. Il aurait pu y laisser son vélo et suivre ce chemin jusqu'au sommet, au milieu des prés où paissaient les vaches laitières rousses. Comme personne ne se promenait par là à cette époque de l'année, il aurait été tranquille et aurait peut-être pu réfléchir, solitaire, à ce qu'il allait devenir. Mais tout ce qu'il avait en tête, c'était de s'échapper. Dans son expérience, les cris n'étaient que le prélude aux coups, alors, depuis tout ce temps, sa seule option avait toujours été la fuite.

Il fuyait donc dans la vallée ; une éternité plus tard, lorsque enfin il réussit à se demander où il pouvait bien être, il vit que ses jambes l'avaient amené jusqu'au seul endroit où il eût jamais trouvé sécurité et sérénité. Il était devant le portail métallique du Reposoir, ouvert, comme si on l'attendait, ainsi que par le passé.

Il freina. A hauteur de son genou, Taboo haletait. Paul ressentit un brusque et douloureux regret en prenant conscience du dévouement sans faille du petit chien. C'était pour protéger Paul de la colère de Mr Ouseley que Taboo avait aboyé. Il s'était exposé à la fureur d'un étranger. Puis il avait traversé sans hésitation la moitié de l'île en courant. Paul lâcha son vélo, qui tomba par terre, et, sans même le regarder, tomba à genoux pour prendre l'animal dans ses bras. Taboo, à son tour, se mit à lui lécher l'oreille, comme si son maître, dans sa fuite, ne l'avait pas complètement oublié. Paul étouffa un sanglot à cette pensée. De toute sa vie, personne d'autre qu'un chien n'avait eu plus d'amour à lui offrir.

Pas même Guy Brouard. Quoi qu'il ait pu dire. Quoi qu'il ait pu faire.

Mais Paul ne voulait pas penser à Guy Brouard à ce moment-là. Il ne voulait pas revenir sur le passé avec Mr Brouard, et encore moins penser à un avenir où Mr Brouard serait sorti de sa vie.

Alors il fit la seule chose qu'il pouvait faire, c'est-à-dire ce qu'il avait déjà fait ce matin-là en allant jusqu'au Moulin des Niaux. Il fit comme si rien n'avait changé.

En d'autres termes, comme il était au portail d'entrée du Reposoir, il ramassa son vélo et pénétra dans la propriété. Cependant, au lieu de monter sur la bicyclette, il la poussa, passant ainsi sous les châtaigniers, Taboo gambadant joyeusement à ses côtés. Au loin, l'allée gravillonnée s'élargissait devant la façade du manoir de pierre, dont la rangée de fenêtres semblait lui faire de l'œil en guise de salut dans le pâle soleil de décembre.

Il fut un temps où il aurait effectué le tour pour entrer par la serre à l'arrière, s'arrêtant à la cuisine où Valerie Duffy lui aurait dit, souriante : « En voilà, une surprise pour une dame de bon matin ! »

Et puis elle lui aurait offert un petit en-cas. Elle avait toujours un scone maison pour lui, ou bien un biscuit, et avant de le laisser aller retrouver Mr Brouard dans son bureau, dans la galerie, ou ailleurs, elle aurait repris :

« Bon, assieds-toi et dis-moi si c'est mangeable, Paul. Je ne veux pas que Mr Brouard le goûte avant que tu me donnes le feu vert, d'accord ? » Et puis elle aurait ajouté : « Tu vas le faire couler avec ça. »

Et elle lui aurait offert du lait, du thé, du café, ou à l'occasion une tasse de chocolat chaud si riche et si épais que l'eau lui venait à la bouche rien qu'à l'odeur. Et elle aurait eu quelque chose pour Taboo aussi.

Mais ce matin-là, Paul évita d'aller à la serre. Tout avait changé avec la mort de Mr Guy. Il se dirigea vers les écuries de pierre derrière le manoir où, dans une vieille sellerie, Mr Guy rangeait ses outils. Alors que Taboo reniflait toutes ces odeurs délicieuses d'écurie et de sellerie, Paul alla chercher la boîte à outils et la scie, prit les planches sur son épaule, et, ainsi chargé, ressortit. Il siffla Taboo, qui arriva en courant, et fonça vers l'étang qui se trouvait un peu plus loin au nord-ouest du corps de logis. Pour s'y rendre, Paul devait passer devant la cuisine, où il aperçut Valerie Duffy par la fenêtre, du coin de l'œil, mais il baissa la tête lorsqu'elle lui fit signe. Résolu, il poursuivit son chemin, en traînant les pieds dans les gravillons comme il aimait, juste pour entendre leur crissement sous ses semelles. Il affectionnait ce son depuis longtemps, tout particulièrement lorsqu'ils marchaient tous les deux, Mr Guy et lui. Ils faisaient le même bruit, deux compagnons partant au boulot, et cette similitude avait toujours donné à Paul la certitude que tout était possible, et qu'il pouvait devenir, en grandissant, un autre Guy Brouard.

Non pas qu'il voulût reproduire à l'identique la vie de Mr Guy. Non, ses rêves étaient différents. Mais le fait que Mr Guy, enfant réfugié de France, soit parti de rien pour finalement devenir un géant dans le domaine qu'il s'était choisi, portait la promesse que Paul pouvait en faire autant. Tout était possible à qui avait envie de travailler.

Paul en avait envie, et ce depuis le jour où il avait rencontré Mr Guy. Il avait douze ans à l'époque, gamin maigrichon vêtu des vêtements de son frère aîné, lesquels iraient bientôt au frère suivant, et en serrant la main de ce monsieur en jean, tout ce qu'il avait su dire était « blanc, ça », en lorgnant avec une vile admiration le tee-shirt immaculé que Mr Guy portait sous son impeccable pull bleu marine à col en V. Après quoi il avait rougi si fort qu'il avait cru défaillir. Idiot, idiot, hurlaient les voix dans sa tête. Ah, t'as l'air fin, Paulie, bête à manger du foin.

Mais Mr Guy avait compris exactement ce que Paul voulait dire. Je n'y suis pour rien, avait-il répondu, c'est Valerie qui s'occupe du blanchissage. Il n'en reste plus, des comme ça, une vraie femme d'intérieur. Pas la mienne, malheureusement. Elle est prise par Kevin. Tu les rencontreras tous les deux quand tu viendras au Reposoir. Enfin, si tu veux, bien sûr. Qu'est-ce que t'en penses ? On essaie de travailler ensemble ?

Paul n'avait su quoi répondre. Sa prof l'avait fait asseoir et avait pris son temps pour lui expliquer cette opération spéciale – des adultes de la commune qui allaient s'occuper de certains jeunes –, mais il n'avait pas écouté comme il aurait dû, distrait par un plombage en or dans la bouche de l'enseignante. C'était sur le devant, et lorsqu'elle parlait, il scintillait à la lumière du plafonnier de la salle de classe. Paul avait essayé de voir si elle en avait d'autres, et de calculer la valeur de sa dentition.

Alors, quand Mr Guy lui avait parlé du Reposoir, de Valerie et de Kevin, et également de sa petite sœur Ruth (Paul s'attendait à voir une vraie petite fille lorsqu'il la rencontra), Paul avait bu toutes ses paroles, en hochant la tête, parce qu'il savait qu'on attendait de lui qu'il hoche la tête, et qu'il faisait toujours ce qu'on attendait de lui, et parce que, s'il faisait autre chose, il paniquait et s'embrouillait immédiatement. C'est ainsi que Mr Guy était devenu son copain et qu'ensemble ils s'étaient embarqués dans l'aventure de cette amitié.

Laquelle consistait surtout à traîner ensemble sur la propriété de Mr Guy, car, à part la pêche, la baignade et les promenades en haut des falaises, il n'y avait pas vraiment beaucoup à faire pour deux gars à Guernesey. Tout au moins jusqu'au projet de musée.

Mais le projet de musée, il fallait l'effacer de son esprit à présent. Sans quoi cela signifiait revivre ce moment, lui tout seul face à Mr Ouseley qui hurlait. C'est pourquoi, d'un pas lourd, il se dirigeait vers l'étang où lui et Mr Guy avaient commencé à reconstruire l'abri à canards.

Il n'en restait plus que trois, un mâle et deux femelles. Les autres étaient morts, Paul avait surpris un matin Mr Guy qui enterrait leurs corps sanglants et mutilés, victimes innocentes d'un chien féroce. Ou de la méchanceté humaine. Mr Guy n'avait pas voulu que Paul s'approche et voie cela de trop près. Reste là, Paul, avait-il dit, et retiens Taboo. Et, sous les yeux de Paul, Mr Guy avait enterré chacune des pauvres bêtes séparément, dans de petites tombes qu'il avait creusées lui-même, tout en répétant : « Bon Dieu de bon Dieu, quel gâchis, quel gâchis. »

Il y en avait douze, et seize canetons en plus, avec chacun sa tombe, et chaque tombe marquée, délimitée par des pierres et ornée d'une croix ; le cimetière des canards entièrement entouré d'une clôture officielle. Il faut honorer les créatures de Dieu, lui avait dit Mr Guy. Il est de notre devoir de nous souvenir que nous-mêmes en faisons partie.

Quant à Taboo, il avait fallu le lui apprendre, son devoir, et Paul avait eu quelque mal à lui faire comprendre qu'il fallait honorer les canards du bon Dieu. Mais Mr Guy lui avait assuré que la patience paierait, et il avait eu raison. Taboo était à présent doux comme un agneau avec les trois canards survivants, et ce matin-là, le chien était aussi indifférent à eux que s'ils n'avaient pas été là. Il s'était éloigné pour explorer de sa truffe le bouquet de roseaux qui poussait à proximité de la passerelle enjambant l'étang. Paul de son côté transporta tout son chargement du côté est, là où lui et Mr Guy avaient commencé leur ouvrage.

En plus des canards assassinés, ils avaient trouvé les abris hivernaux détruits, et c'étaient ceux-là que Paul et son parrain étaient occupés à reconstruire dans les jours précédant la mort de Mr Guy.

Avec le temps, Paul avait fini par comprendre que Mr Guy le testait, lui proposant une activité après l'autre, afin de voir laquelle lui conviendrait le mieux plus tard. Il avait bien eu envie de lui dire que la menuiserie, la maçonnerie, le carrelage et la peinture étaient des occupations fort intéressantes, mais pas exactement la meilleure préparation pour devenir pilote de chasse à la RAF. Mais il s'était retenu d'avouer explicitement ce rêve. C'est pourquoi il avait coopéré avec enthousiasme à chaque nouveau projet qui lui était présenté. Au moins, les heures passées au Reposoir étaient des heures loin de sa famille, et cette coupure lui convenait on ne peut mieux.

Il laissa tomber planches et outils sur le sol à proximité du bord et se débarrassa également de son sac à dos. Après s'être assuré que Taboo était toujours en vue, il ouvrit la boîte à outils et en étudia le contenu, en essayant de se souvenir de l'ordre exact que Mr Guy lui avait enseigné pour l'assemblage. Bon, les planches étaient coupées, ça tombait bien, il n'était pas trop dégourdi avec une scie. L'étape suivante, crut-il se rappeler, était le clouage. Mais la question était : qu'est-ce qui doit se clouer et où ?

Il aperçut un papier plié sous un sachet de clous, et se souvint des schémas que lui dessinait Mr Guy. Il s'en saisit et, s'agenouillant, le déplia par terre, puis se pencha pour examiner attentivement les plans.

Un A majuscule entouré d'un cercle, ça voulait dire qu'il fallait commencer par là. Un B majuscule entouré d'un cercle, c'était qu'il fallait continuer là, le C majuscule suivait B, et ainsi de suite jusqu'à ce que l'abri soit fini. Simple comme bonjour, se dit Paul. Il se mit à fouiller dans les planches pour trouver celles qui correspondaient aux lettres sur le dessin.

Mais là, problème : les pièces de bois ne portaient pas de lettres, mais des chiffres, et, même s'il y avait aussi des chiffres sur le schéma, il y avait plusieurs fois les mêmes, et en plus tous ces chiffres avaient aussi des fractions. Paul avait toujours été nul pour les fractions ; il ne savait même pas ce qu'étaient le chiffre du haut et celui du bas. Il savait quand même que ça avait un rapport avec les divisions, celui du haut par celui du bas, ou l'inverse, ça dépendait du petit commun moralisateur ou quelque chose comme ça. Mais, rien que de regarder ces chiffres, il eut le vertige, et lui revinrent en mémoire des chemins de croix au tableau, avec ce prof qui lui ordonnait de réduire la fraction, mais réduis-la, Paul, pour l'amour du ciel ! Non, NON ! Le narrateur et le dominateur vont changer quand tu les diviseras correctement, imbécile, idiot !

Rires dans la classe. Bête comme ses pieds, Paulie Fielder. Un vrai manche.

Paul fixa les chiffres, et les fixa tant et si bien qu'ils finirent par se troubler. Puis il saisit brusquement le papier et le froissa en boule. Rien à faire, pas moyen, con comme un balai. *C'est ça, pleure donc, sale p'tite femmelette, moi je sais bien pourquoi tu pleures, pour sûr !*

— Ah ! Te voilà !

Paul sursauta et se retourna. C'était Valerie Duffy qui arrivait du manoir, sa longue jupe de laine se prenant aux fougères du bord du chemin. Elle portait quelque chose, soigneusement plié sur ses mains.

Comme elle approchait, Paul vit qu'il s'agissait d'une chemise.

— Bonjour, Paul, reprit Valerie avec une bonne humeur qui semblait forcée. Où est ton compagnon à quatre pattes ce matin ?

Taboo arriva en bondissant, suivant le bord arrondi de l'étang, aboyant en signe de bienvenue.

— Ah, te voilà, Tab, poursuivit-elle. Pourquoi donc n'es-tu pas passé à la cuisine en arrivant ?

C'était à Taboo qu'elle avait posé la question, mais Paul savait qu'elle s'adressait à lui, en réalité. Valerie communiquait fréquemment avec lui de cette façon : elle aimait bien s'adresser au chien. Et elle continua :

— Il y a l'enterrement demain matin, Tab, et j'ai bien peur que les chiens ne soient pas admis dans l'église, tu sais. Mais si Mr Brouard avait voix au chapitre, tu serais là, mon toutou. Les canards aussi. Mais j'espère bien que notre Paul va y aller. Mr Brouard aurait bien voulu qu'il y soit.

Paul baissa les yeux et, au spectacle de ses vêtements élimés, comprit qu'il ne pourrait jamais assister à un enterrement. Il n'avait aucune tenue correcte, et, même si cela avait été le cas, personne ne lui avait dit que l'enterrement était pour demain. Pourquoi ? se demanda-t-il.

— J'ai appelé au Bouet hier, et j'ai parlé au frère de notre Paul de l'enterrement, Tab. Mais tu sais ce que je crois ? Billy Fielder ne lui a pas transmis le message. Bon, je n'aurais pas dû le croire quand il m'a dit qu'il le ferait. Billy, toujours égal à lui-même, on le sait bien tous les deux, hein ? J'aurais dû rappeler jusqu'à ce que je puisse parler directement à Paul, ou bien à sa maman ou son papa. Enfin, Taboo, je suis bien contente que tu nous aies amené Paul, comme ça il sait, maintenant.

Paul s'essuya les mains sur les côtés de son jean.

Tête baissée, il piétinait la terre sablonneuse au bord de l'étang. Il pensa aux centaines de personnes qui seraient présentes aux obsèques et se sentit finalement soulagé de n'avoir pas été mis au courant. Ça suffisait bien, avec ce chagrin qu'il ressentait tout seul, maintenant que Mr Guy n'était plus là. Devoir le ressentir en public, c'était plus qu'il n'en pouvait supporter. Tous ces regards fixés sur lui, toutes ces interrogations non formulées, toutes ces voix murmurant : Ah, c'est le jeune Paul Fielder, l'ami particulier de Mr Guy. Et ces expressions accompagnant les mots *ami particulier*, ces sourcils levés, ces yeux écarquillés qui diraient à Paul que c'était bien plus que des mots qui était échangé par les gens.

Il leva les yeux, pour voir si Valerie l'avait, cette expression, sourcils levés, yeux écarquillés. Mais ce n'était pas le cas, et ses épaules se dénouèrent. Elles étaient si crispées depuis sa fuite du Moulin des Niaux qu'elles commençaient à être douloureuses. Désormais, on aurait dit que l'étau qui emprisonnait ses clavicules s'était soudain desserré.

— On s'en va à onze heures et demie demain, poursuivit Valerie, s'adressant directement à Paul cette fois. Tu peux venir dans la voiture avec Kev et moi, mon chéri. Ne t'inquiète pas pour tes vêtements. Tu vois, je t'ai amené une chemise. Et tu pourras la garder, tu sais. Kev dit qu'il en a deux autres comme ça, et il n'a pas besoin de trois. Et pour le pantalon... (Elle le regarda attentivement, et Paul sentait une brûlure à chaque endroit de son corps où ses yeux se posaient)... ceux de Kev ne t'iront pas, tu flotterais dedans. Mais peut-être qu'un de ceux de Mr Brouard... Mais ne t'inquiète pas d'avoir à porter un vêtement de Mr Brouard, mon chéri. C'est ce qu'il aurait voulu si tu en avais eu besoin. Il t'aimait tellement, Paul. Mais ça, tu le sais, hein ? Quoi qu'il ait dit ou fait, il... il t'aimait...

Les mots s'étranglèrent dans sa gorge. Paul ressentit son chagrin comme un aimant qui tirait de lui ce qu'il cherchait à refouler. Détournant les yeux de Valerie, il regarda les trois canards survivants, se demandant comment les gens allaient faire sans Mr Guy pour leur indiquer la direction à prendre, comment ils allaient savoir orienter leur vie.

Il entendit Valerie qui se mouchait, et se retourna. Elle lui adressa un pauvre sourire.

— Enfin, écoute, nous on aimerait bien que tu sois là. Mais si tu préfères ne pas venir, ne te sens pas coupable. Les enterrements, ce n'est pas pour tout le monde, et parfois c'est mieux de se souvenir des vivants en vivant soi-même, tu ne crois pas ? Mais garde la chemise de toute façon. Elle est pour toi.

Elle jeta un coup d'œil circulaire, comme pour chercher un coin propre où la poser.

— Ah, voilà !

Elle venait d'apercevoir le sac à dos que Paul avait laissé par terre. Elle fit mine de fourrer la chemise dedans. Mais Paul poussa un cri et la lui arracha des mains, puis la jeta par terre. Taboo se mit à aboyer vigoureusement.

— Mais enfin, Paul, reprit Valerie, interloquée, je ne voulais pas te... Ce n'est pas une vieille chemise, tu sais, mon chéri. Elle est encore...

Paul attrapa le sac à la volée, regarda à gauche, à droite. La seule fuite possible était par le chemin qu'il avait pris pour arriver là, et il était essentiel de fuir.

Il décampa, Taboo sur ses talons, qui aboyait frénétiquement. Paul sentit lui échapper un sanglot en débouchant sur la pelouse qui entourait le manoir. Il était si fatigué de courir, comprit-il alors. C'était comme s'il n'avait fait que cela toute sa vie. Courir.

4

Ruth Brouard avait assisté à la fuite du garçon. Elle était dans le bureau de Guy lorsque Paul avait débouché du tunnel de verdure qui marquait l'entrée vers les étangs. Elle était occupée à ouvrir une pile de cartes de condoléances arrivées la veille, qu'elle n'avait pas encore eu le courage de décacheter, lorsqu'elle avait d'abord entendu les aboiements du chien, avant d'apercevoir le garçon qui traversait la pelouse à toute allure. Quelques instants après arrivait Valerie Duffy, avec la chemise qu'elle avait apportée à Paul, cadeau repoussé qui pendait tristement des mains d'une mère dont les fils avaient quitté le nid bien avant qu'elle ne fût préparée à cela.

Il lui aurait fallu davantage d'enfants, se dit Ruth en voyant Valerie revenir vers la maison d'un pas accablé. Il est des femmes qui naissent avec une soif de maternité que rien ne peut étancher, et Valerie Duffy lui paraissait depuis longtemps être de cette race-là.

Ruth garda les yeux fixés sur Valerie jusqu'à ce que celle-ci disparaisse par la porte de la cuisine, située juste sous le bureau de Guy, où Ruth était montée juste après le petit déjeuner. C'était le seul endroit où elle pensait pouvoir être proche de lui à présent, entourée des objets attestant, comme par défi envers les terribles circonstances de sa mort, que Guy Brouard avait vécu une belle vie. Ces objets, le bureau en était rempli : ils étaient sur les murs, les rayonnages, sur une très belle crédence ancienne trônant au centre de la pièce. Ils étaient partout, certificats, photographies, récompenses, plans, documents. Soigneusement classée, la correspondance et les recommandations pour de méritants bénéficiaires de la largesse proverbiale des Brouard. Et, à la place d'honneur, ce qui aurait dû être le joyau final à la couronne des réussites de son frère : la maquette, méticuleusement réalisée, du bâtiment dont Guy avait fait la promesse à l'île qui était devenue sa patrie. Ce serait, comme avait dit Guy, un monument dédié aux souffrances des insulaires. Un monument construit par un homme qui avait lui-même souffert.

Tout au moins, c'est ce qui était prévu, se disait Ruth.

Elle ne s'était pas alarmée tout de suite de ne pas voir Guy revenir de sa baignade matinale. Bien sûr, il était toujours si ponctuel qu'il en était prévisible dans ses habitudes, mais lorsqu'elle était descendue et ne l'avait pas trouvé rhabillé dans la petite salle à manger, à attendre son petit déjeuner en écoutant attentivement les informations à la radio, elle avait simplement pensé qu'il s'était arrêté chez les Duffy prendre un café avec Valerie et Kevin au retour de sa baignade. Cela lui arrivait de temps en temps ; il les aimait beaucoup. C'est pourquoi, après avoir réfléchi un moment, Ruth s'était déplacée avec son café et son pamplemousse jusqu'au petit salon, d'où elle avait téléphoné au cottage à la limite de la propriété.

C'est Valerie qui avait répondu. Non, avait-elle dit à Ruth, Mr Brouard n'était pas là-bas. Elle l'avait aperçu au petit matin alors qu'il partait se baigner, mais pas depuis. Pourquoi donc ? Il n'était pas rentré ? Sans doute était-il quelque part dans la propriété, peut-être au milieu des sculptures ? Il avait dit à Kevin qu'il avait l'intention d'en déplacer. Cette grosse tête humaine dans le jardin tropical ? Oui, peut-être était-il en train de se demander où la mettre, parce que Valerie était bien sûre que c'était une des pièces qu'il voulait changer de place. Non, Kev n'était pas avec lui, miss Brouard. Kev était là dans la cuisine.

Ruth n'avait pas paniqué tout de suite. Elle était tout d'abord montée à la salle de bains de son frère, où il aurait dû se changer après l'effort, en y laissant maillot de bain et survêtement. Mais ni l'un ni l'autre ne s'y trouvait. Pas plus qu'une serviette humide, qui aurait indiqué à coup sûr qu'il était rentré.

C'est alors qu'elle le ressentit, ce pincement d'inquiétude, comme des pinces à épiler lui arrachant juste un petit morceau de peau sous le cœur : lorsqu'elle se souvint de ce qu'elle avait vu de sa fenêtre en regardant son frère partir vers la baie, cette silhouette qui s'était détachée des arbres proches du cottage des Duffy, au passage de Guy.

Alors elle retourna au téléphone et rappela chez les Duffy. Kevin dit qu'il partait tout de suite voir à la baie.

Il était revenu en courant, mais sans passer chez elle. Ce fut seulement quand l'ambulance apparut au bout de l'allée qu'il était arrivé pour la chercher.

C'est ainsi qu'avait commencé le cauchemar. Et il avait empiré avec les heures qui passaient. D'abord, elle avait pensé qu'il avait fait une crise cardiaque, mais, en constatant qu'ils avaient refusé de la laisser monter dans l'ambulance avec son frère, lui demandant de suivre dans la voiture avec Kevin Duffy, lequel était demeuré silencieux jusqu'à l'hôpital, et qu'ils avaient emporté Guy sans même lui laisser le temps de le voir, elle avait compris que quelque chose d'affreux avait changé le cours des choses.

Elle espérait que ce n'était qu'une attaque. Mais ils étaient finalement venus lui annoncer son décès, et c'est alors qu'ils lui en avaient expliqué les circonstances. Et depuis cette explication, son cauchemar était devenu permanent : Guy se débattant, agonisant, tout seul.

Elle aurait préféré croire qu'un accident avait emporté son frère. Savoir que c'était un meurtre l'avait mentalement coupée en deux, et réduite à vivre en incarnation d'un mot unique : *pourquoi ?* Et puis : *qui* ? mais avec celui-là, on était sur un terrain glissant.

Guy avait appris de la vie que ce dont il avait besoin, il lui fallait le prendre. Rien ne lui serait jamais donné. Mais il lui était arrivé plus d'une fois de prendre sans se demander si ce qu'il voulait était vraiment ce qu'il devrait avoir. Ce qui avait parfois occasionné de la souffrance pour les autres. Ses épouses, ses enfants, ses associés, ses... autres.

Tu ne peux pas continuer ainsi sans un jour détruire quelqu'un, lui avait-elle dit. Et moi, je ne peux pas te laisser faire sans broncher.

Mais il avait eu un rire de tendresse et l'avait embrassée sur le front. Mademoiselle la directrice, l'appelait-il. Allez-vous me taper sur les doigts si je n'obéis pas ?

La douleur était de retour. Elle paralysait toute sa colonne vertébrale, comme si on lui avait enfoncé un pieu métallique en haut de la nuque, pour ensuite le refroidir jusqu'à ce qu'elle ressente sa brûlure glaciale. Elle étendait ses tentacules, serpents venimeux ondulants, et finit par la faire sortir de la pièce en quête de secours.

Même si Ruth n'était pas seule dans la maison, elle se sentait seule, et, n'eût été ce cancer diabolique qui la tenait dans ses griffes, elle aurait éclaté de rire. Soixante-six ans et trop tôt arrachée au cocon que l'amour de son frère avait tissé autour d'elle. Qui aurait pensé que cela finirait ainsi, en cette nuit si lointaine où leur mère avait murmuré : *Promets-moi de ne pas pleurer, mon petit chat. Sois forte pour Guy* ?

Elle voulait continuer à être fidèle à sa mère, comme elle l'était depuis plus de soixante ans. Mais ce qu'elle endurait à présent la rendait incapable de voir comment elle pourrait être forte pour qui que ce soit.

Margaret Chamberlain n'était pas depuis cinq minutes en présence de son fils que déjà elle brûlait d'envie de lui donner des ordres : tiens-toi droit, pour l'amour de Dieu ; regarde les gens dans les yeux quand tu leur parles, Adrian ; mais, pour l'amour du ciel, arrête de cogner mes valises comme ça ; attention au vélo, mon chéri ; mais enfin, mets ton clignotant quand tu tournes, mon grand. Elle parvint cependant à endiguer ce déluge d'injonctions. De ses quatre fils, Adrian était le plus cher à son cœur, et aussi le plus exaspérant, ce qu'elle attribuait au fait qu'il était d'un père différent des autres ; mais bon, comme il venait de perdre ce père, elle se résolut à lui passer ses manies les plus irritantes. Pour le moment au moins.

Il l'avait retrouvée dans ce qui faisait office de hall d'arrivée à l'aéroport de Guernesey. Elle était apparue, poussant un chariot sur lequel étaient empilées ses valises, et l'avait aperçu qui traînait autour du comptoir de location de voitures, où travaillait une jolie rousse que tout homme normal se serait empressé de baratiner. Mais lui faisait semblant d'étudier une carte, ratant une nouvelle occasion placée résolument en face de lui par la vie.

Margaret poussa un soupir.

— Adrian, fit-elle.

Et, comme il ne réagissait pas, elle répéta, un ton plus haut :

— Adrian !

Il l'entendit la deuxième fois et leva les yeux de sa

carte, qu'il alla replacer discrètement sur le comptoir. La rousse lui demanda : « Je peux vous aider, monsieur ? » mais il ne répondit pas. Il ne la regarda même pas. Elle répéta sa question. Relevant le col de son blouson, il lui tourna carrément le dos.

— La voiture est dehors, annonça-t-il à sa mère en guise de bonjour, prenant les valises sur le chariot.

— Tu aurais pu dire : « Tu as fait un bon voyage, maman chérie ? », suggéra Margaret. Et si on allait jusqu'à la voiture avec le chariot, mon chéri, ce ne serait pas plus facile ?

Mais il s'en allait, valises en main. Il n'y avait plus qu'à le suivre. Margaret jeta un regard désolé en direction du comptoir, au cas où la rousse aurait suivi tous les détails de l'accueil qu'elle venait de recevoir de son fils, puis lui emboîta le pas.

L'aérogare se réduisait à un seul bâtiment posé à côté de l'unique piste, au beau milieu de champs en friche. Le parking étant plus petit que celui de la gare de la ville où elle vivait en Angleterre, elle n'eut aucun mal à y suivre Adrian. Quand elle arriva à sa hauteur, il était occupé à fourrer les deux valises de sa mère dans le coffre d'une Range Rover qui, comme elle ne tarda pas à le découvrir, était exactement le véhicule qui ne convenait pas aux routes étriquées de l'île.

C'était la première fois qu'elle venait ici. Elle était depuis longtemps divorcée du père d'Adrian lorsque celui-ci avait lâché les rênes des Châteaux Brouard pour prendre sa retraite à Guernesey. Mais Adrian était venu de nombreuses fois rendre visite à son père, aussi pourquoi se promenait-il dans un tank alors que, manifestement, c'était une Mini qu'il fallait, ça, elle n'arrivait pas à le comprendre. Pas plus qu'elle ne comprenait une bonne partie des agissements de son fils, dont, tout récemment, la fin de la seule relation qu'il ait réussi à avoir avec une femme en trente-sept ans. Mais enfin, pourquoi ? se demandait encore Margaret. Tout ce qu'il lui avait dit, c'était : « On avait des attentes différentes », ce qu'elle n'avait pas cru une minute, puisqu'elle savait, depuis une conversation privée des plus confidentielles avec l'intéressée elle-même, que la jeune femme, Carmel Fitzgerald, était désireuse de l'épouser. Tout comme elle savait, depuis une conversation privée des plus confidentielles avec son fils, qu'Adrian s'estimait heureux d'avoir trouvé une femme jeune, raisonnablement jolie et disposée sans réserve à faire sa vie avec un homme d'âge presque mûr qui n'avait jamais vécu ailleurs que chez sa mère. Sauf, évidemment, ces trois mois de cauchemar où il avait vécu seul, essayant d'aller à l'université... Mais ça, moins on en parlait, mieux cela valait. Alors, qu'est-ce qui s'était passé ?

Margaret savait qu'elle ne pouvait poser cette question. Tout au moins, pas quelques heures à peine avant les obsèques de Guy. Mais elle avait bien l'intention de la poser très vite.

— Dans quel état est ta pauvre tante Ruth, mon chéri ?

Adrian freina à un feu rouge devant un hôtel décrépi.

— Pas vue.

— Comment ça, pas vue ? Elle s'enferme dans sa chambre ?

Il garda les yeux fixés sur le feu, toute son attention concentrée sur le moment où le rouge allait passer à l'orange.

— Enfin, si, je l'ai vue, mais sans la voir. Je ne sais pas dans quel état elle est, elle n'en dit rien.

Ça ne lui viendrait pas à l'idée de le lui demander, évidemment. Pas plus que de parler à sa mère autrement que par devinettes.

— Ce n'est pas elle qui l'a trouvé, n'est-ce pas ?

— Non, c'est probablement Kevin Duffy, tu sais, le gardien.

— Elle doit être effondrée. Ils étaient ensemble depuis... Depuis toujours, en fait, tu sais.

— Je ne comprends pas pourquoi tu as tenu à venir, maman.

— Guy a été mon mari, mon chéri.

— Le numéro un d'une série de quatre, remarqua Adrian. (C'était vraiment pénible de sa part ; Margaret savait pertinemment combien de fois elle avait été mariée.) Je croyais que tu n'allais à leurs obsèques que quand tu étais toujours leur épouse au jour de leur décès.

— Ça, c'est d'une vulgarité sans nom, Adrian.

— Ah bon ? Dieu du ciel, on ne peut tolérer la vulgarité !

— Pourquoi un tel comportement ? demanda-t-elle en se tournant sur son siège pour le regarder en face.

— Quel comportement ?

— Guy a été mon mari. Je l'ai aimé. C'est à lui que je dois de t'avoir pour fils. Alors, si je veux faire honneur à cela en assistant à ses obsèques, tu me permettras d'agir à ma guise.

Il y avait tant d'incrédulité dans le sourire d'Adrian que Margaret eut envie de le gifler. Son fils ne la connaissait que trop bien.

— Tu t'es toujours crue meilleure menteuse que tu ne l'es, répondit-il. Est-ce que tante Ruth pensait que j'allais faire quelque chose de... voyons, comment dire ? malsain ? illégal ? ou complètement fou, sans toi derrière moi ici ? Ou bien est-ce qu'elle pense que c'est déjà fait ?

— Adrian ! Comment peux-tu seulement insinuer... même en plaisantant...

— Je ne plaisante pas, maman.

Margaret se retourna vers la vitre, peu désireuse

d'entendre d'autres exemples des pensées tordues de son fils. Le feu du carrefour passa à l'orange, et Adrian démarra en trombe.

La route qu'ils suivaient était bordée de constructions. Sous le ciel sombre, des cottages en stuc d'après guerre voisinaient avec des enfilades de maisons victoriennes délabrées, elles-mêmes parfois flanquées d'un hôtel de tourisme miteux, fermé en cette saison. Du côté sud de la route, les zones habitées avaient cédé la place à des champs nus, où l'on pouvait voir les fermes en pierre, si caractéristiques, avec leurs boîtes de bois blanc en lisière de propriété, où les gens disposaient, à d'autres périodes de l'année, pommes de terre nouvelles ou fleurs fraîches à vendre en bord de route.

— Si ta tante m'a téléphoné, c'est parce qu'elle a téléphoné à tout le monde, lâcha enfin Margaret. Très franchement, ça m'étonne que tu ne m'aies pas appelée toi-même.

— Il n'y a personne d'autre qui vient, remarqua Adrian de cette façon exaspérante qu'il avait de détourner la conversation. Pas même JoAnna et les filles. Remarque, pour JoAnna, je comprends. Combien de maîtresses papa a-t-il eues pendant qu'ils étaient mariés ? Mais les filles, je pensais qu'elles viendraient. Bien sûr, elles ne pouvaient pas l'encadrer, mais j'avais l'impression que, avec l'appât du gain, elles allaient quand même remuer leur cul. Le testament, tu sais. Elles auraient peut-être eu envie de savoir ce qui leur revient, un beau magot sans doute, enfin, si jamais il a pu un jour éprouver des regrets de ce qu'il a fait endurer à leur mère.

— Ne parle pas de ton père comme ça, s'il te plaît, Adrian. Tu es son seul fils, celui qui un jour se mariera et aura des enfants pour perpétuer le nom de Guy, et à ce titre...

— Mais elles ne viennent pas. (Adrian se mit à parler plus fort, et d'un ton obstiné, comme s'il voulait couvrir la voix de sa mère.) Quand même, je pensais que JoAnna se pointerait, rien que pour lui enfoncer un pieu dans le cœur, au vieux.

Adrian eut un rictus, mais qui s'adressait plutôt à lui-même qu'à sa mère. Cependant, ce rictus fit passer un frisson dans le dos de Margaret : il lui rappelait trop les mauvais jours, lorsque son fils se conduisait comme si tout allait bien, alors que, au fond de lui, c'était une guerre civile qui couvait.

Elle n'avait pas envie de poser la question, mais encore moins envie de rester dans l'ignorance. Elle ramassa son sac à main, qu'elle avait posé à ses pieds, et l'ouvrit, feignant de chercher une pastille à la menthe, tout en laissant tomber d'un ton détaché :

— L'air marin, ça doit faire beaucoup de bien, j'imagine. Comment ont été tes nuits depuis ton arrivée, mon chéri ? Tu en as passé de mauvaises ?

Il lui lança un regard brusque.

— Tu n'aurais pas dû insister pour que je vienne à cette putain de réception, maman.

— Moi, j'ai insisté ? s'étrangla Margaret en se désignant du doigt.

— « Il faut que tu y ailles, mon chéri. (L'imitation de la voix de sa mère était saisissante.) Ça fait une éternité que tu ne l'as pas vu. Tu lui as téléphoné depuis septembre dernier ? Non. Tu vois bien. Ton père sera très déçu si tu n'y vas pas. » Et ça, ce n'est pas permis, reprit Adrian. Il ne faut jamais décevoir Guy Brouard lorsqu'il veut quelque chose. Sauf qu'il ne voulait pas ça. Il ne voulait pas que j'y sois. C'est toi qui voulais. Il me l'a dit.

— Adrian, non ! Ce n'est pas... j'espère... tu... tu ne t'es pas disputé avec lui, au moins ?

— Ce que tu espérais, c'est qu'il change d'avis sur

le financement si j'allais le voir à son heure de gloire, c'est ça, hein ? Je montre ma gueule à sa réception débile, et lui, il est tellement content qu'il finit par changer d'avis et accepte de financer l'affaire. C'était bien ça, le but de la manœuvre, non ?

— Je ne sais pas du tout de quoi tu parles.

— Tu ne vas quand même pas me dire qu'il ne t'a jamais parlé de son refus de me financer ? En septembre dernier ? Notre petite... discussion ? « Tu n'as pas l'air d'avoir assez de punch pour réussir, Adrian. Je suis navré, mon garçon, mais je n'aime pas jeter l'argent par les fenêtres. » Et ça, malgré les paquets de pognon qu'il a distribués par ailleurs.

— Il a dit ça, ton père ? Pas assez de punch ?

— Entre autres. « L'idée de base est intéressante, m'a-t-il dit. Il y a toujours moyen d'améliorer l'accès à Internet, et il semble bien que ta méthode soit la bonne. Mais avec ta carrière, Adrian... enfin, plutôt ton absence de carrière. Ce qui pose un autre problème : pourquoi n'en as-tu pas ? »

Margaret sentit le fiel de l'outrage qui se répandait lentement en elle.

— Il n'a pas osé dire ça ? Mais comment...

— « Tiens, prends une chaise, mon fils. Si, si. Là. Tu en as eu, des problèmes, dans ta vie, pas vrai ? Cet incident dans le jardin du principal quand tu avais douze ans ? Et ce gâchis à l'université quand tu en avais dix-neuf ? Ce n'est pas exactement ce que l'on attendrait d'un individu sur lequel on veut investir, mon garçon. »

— Il t'a dit ça ? Il a remué toutes ces choses-là ? Mon chéri, je suis vraiment navrée, j'ai envie de pleurer. Et tu es quand même venu le voir après ça ? Tu l'as rencontré ? Mais pourquoi ?

— Parce que je dois être le roi des crétins.

— Ne dis pas ça, s'il te plaît.

— Je me suis simplement dit qu'il fallait essayer encore. Je pensais que, si ça marchait, Carmel et moi on pourrait... enfin, je ne sais pas, se donner une autre chance. Alors, le voir, et supporter ce qu'il aurait à me déballer, je me suis dit que ça valait quand même le coup, pour peu que ça puisse nous sauver, Carmel et moi.

Il avait gardé les yeux rivés sur la route pendant sa confession, et Margaret ressentit une bouffée d'amour pour son fils, en dépit de ses manières qui la mettaient si souvent en rage. La vie d'Adrian avait été tellement plus dure que celle de ses demi-frères, se disait-elle. Et elle-même avait été en grande partie responsable de ces difficultés. Si seulement elle lui avait permis de passer davantage de temps avec son père, comme Guy l'avait voulu, exigé, sollicité... Bien sûr, cela n'avait pas été possible. Mais si elle l'avait permis, si elle avait pris ce risque, peut-être Adrian serait-il moins torturé aujourd'hui. Et peut-être, du coup, se sentirait-elle moins coupable.

— Tu lui as reparlé d'argent, alors ? Pendant cette visite, mon chéri ? Tu lui as demandé de t'aider pour ton nouveau projet ?

— Jamais eu l'occasion. Jamais pu le voir seul, avec Miss Grololos qui tournait sans arrêt autour de lui, pour être bien certaine que je n'aurais pas une seconde pour lui extorquer un fric qu'elle voulait, elle.

— Miss... qui ça ?

— Sa dernière en date. Tu la verras.

— Elle ne s'appelle pas vraiment comme...

— Elle devrait. Elle était constamment là à lui tourner autour, à les lui fourrer sous le nez, des fois qu'il se mette à penser à quelque chose qui n'ait pas de rapport immédiat avec elle. Pas étonnant qu'il ait été distrait. Alors, on n'a jamais réussi à parler. Et après, c'était trop tard.

Margaret n'avait pas posé la question auparavant, car elle ne voulait pas le faire dire à Ruth, qui, au téléphone, lui avait paru souffrir profondément. Quant à son fils, elle n'avait pas non plus voulu lui poser la question dès qu'elle l'avait retrouvé, parce qu'il lui fallait d'abord sonder son état d'esprit. Mais il venait de lui fournir une ouverture, et elle saisit l'occasion.

— Comment est-il mort, au juste ?

A cet instant, ils pénétraient dans une zone boisée de l'île ; un haut mur de pierre recouvert d'un lierre luxuriant bordait le côté ouest de la route, alors que, côté est, se pressaient d'épais bosquets de sycomores, de châtaigniers et d'ormes, entre lesquels, dans le lointain, on apercevait parfois la Manche, gris étain dans la lumière hivernale. Margaret ne parvenait pas à s'imaginer ce qui pouvait pousser quelqu'un à s'y baigner.

Adrian ne répondit pas tout de suite à la question. Ils passèrent devant des champs cultivés, et il ralentit en arrivant en vue des deux battants d'un portail métallique ouvert dans le mur. Des carreaux de faïence incrustés dans la pierre formaient le nom de la propriété, le Reposoir, et il tourna dans l'allée, qui menait à une habitation imposante : quatre étages de pierre grise surmontés de ce qui ressemblait à un belvédère, peut-être inspiré à un précédent propriétaire par une vision enchanteresse en Nouvelle-Angleterre. Des chiens-assis pointaient sous ce balcon à balustrade et, sous leurs fenêtres, la façade du corps de logis lui-même était parfaitement équilibrée. Margaret se rendait compte que la retraite de Guy était plutôt confortable, mais elle n'en était pas autrement surprise.

En arrivant au bâtiment, l'allée émergeait de sous le tunnel formé par les arbres pour aboutir à un rond-point de pelouse au centre duquel trônait une impressionnante sculpture, un jeune couple nageant en compagnie de dauphins. Adrian fit le tour de ce rond-point et arrêta la Range Rover devant un perron qui menait à une porte d'entrée blanche. Celle-ci était fermée, et resta fermée alors qu'il répondait enfin à la question de Margaret.

— Etouffé. Dans la baie.

Margaret entendit les mots, mais en resta interdite. Ruth avait dit que son frère n'était pas revenu de sa baignade matinale, qu'il avait été agressé sur la plage, et assassiné. Mais « étouffé », ça ne voulait pas dire assassiné.

— Etouffé ? s'étonna-t-elle. Mais Ruth m'a dit que c'était un meurtre !

Et, pendant un bref instant, elle eut cette pensée folle, que sa belle-sœur lui avait menti afin de l'attirer, pour une obscure raison, sur l'île.

— Oh, c'était bien un meurtre, reprit Adrian. Personne ne s'étouffe accidentellement, ou même normalement, avec ce que papa avait dans la gorge.

5

— C'est bien le dernier endroit où j'aurais pensé aller.

Cherokee River s'arrêta un moment devant New Scotland Yard pour examiner le panneau. Son regard passa des lettres argentées métalliques au bâtiment lui-même avec ses bunkers, ses policiers en uniforme et son air d'austère autorité.

— Je ne sais pas si ça va servir à grand-chose, reconnut Deborah. Mais ça vaut le coup d'essayer.

Il était presque dix heures et demie, et la pluie commençait enfin à se calmer. L'averse sous laquelle ils étaient partis pour gagner l'ambassade américaine s'était transformée en crachin. Ils s'étaient mis à l'abri sous l'un des grands parapluies noirs de Simon.

Leur visite à l'ambassade avait bien commencé. Malgré la situation dramatique de sa sœur, Cherokee n'avait rien perdu de l'esprit pratique qui était l'apanage des Américains que Deborah avait croisés en Californie. Il se conduisait en citoyen des Etats-Unis en mission dans l'ambassade de son pays en terre étrangère. En tant que contribuable il s'était dit qu'une fois à l'ambassade et une fois les faits exposés, des coups de téléphone seraient passés, et China immédiatement relâchée.

Au début, la confiance de Cherokee dans le pouvoir de l'ambassade parut parfaitement fondée. Une fois que l'accueil leur eut expliqué où se rendre – dans les bureaux des Services consulaires spéciaux, dont l'entrée n'était pas sur Grosvenor Square avec sa grande grille et son impressionnant drapeau mais au coin de la discrète Brook Street –, le fonctionnaire donna le nom de Cherokee à la réception et un coup de téléphone dans les profondeurs des locaux qui eut un résultat étonnamment rapide. Même Cherokee n'avait pas imaginé être reçu par le responsable des Services consulaires spéciaux. Conduit en la présence de cette personne par un sous-fifre peut-être. Mais pas *reçu* personnellement. Ce fut pourtant ce qui arriva. Le consul spécial Rachel Freistat – « Ms », annonça-t-elle d'entrée en leur donnant une chaleureuse poignée de main destinée à les rassurer – pénétra dans l'immense salle d'attente et guida Deborah et Cherokee jusqu'à son cabinet de travail, où elle leur offrit du café et des biscuits, insistant pour qu'ils s'asseyent près du feu électrique afin de se sécher.

Rachel Freistat, comme ils ne tardèrent pas à le constater, était au courant de tout. Dans les vingt-quatre heures qui avaient suivi l'arrestation de China, la police de Guernesey lui avait passé un coup de fil. Normal, leur expliqua-t-elle. C'est ainsi que les choses se passaient entre les nations signataires du traité de La Haye. Elle avait eu China au téléphone, et elle lui avait demandé si elle voulait que quelqu'un de l'ambassade fasse un saut là-bas en avion pour s'occuper d'elle.

« Elle a dit qu'elle n'en avait pas besoin, poursuivit le consul. Sinon nous aurions envoyé quelqu'un immédiatement.

— Mais elle a besoin de quelqu'un, protesta Cherokee. On doit faire pression sur elle là-bas. Pourquoi ne pas... (Il se passa la main dans les cheveux, murmurant :) Je ne comprends vraiment pas son attitude. »

Rachel Freistat hocha la tête en signe de sympathie

mais son visage disait clairement qu'elle avait déjà eu droit et plus d'une fois à la petite phrase : « On doit faire pression sur elle. »

« Notre marge de manœuvre est limitée, Mr River. Votre sœur le sait. Nous avons contacté son avocat et il nous a assuré qu'il avait assisté à chacun de ses entretiens avec la police. Nous sommes prêts à passer aux Etats-Unis autant de coups de fil que votre sœur le souhaite, mais elle nous a clairement fait savoir qu'elle n'en voulait aucun pour le moment. Au cas où la presse américaine s'emparerait de l'affaire, nous nous chargerons de répondre à leurs questions. La presse locale de Guernesey couvre déjà cette histoire mais ils sont handicapés par leur isolement relatif et leur manque de moyens financiers ; tout ce qu'ils peuvent faire, c'est publier le peu de détails que la police consent à leur fournir.

— Mais justement, protesta de nouveau Cherokee, la police fait tout ce qu'elle peut pour la piéger. »

A ces mots, Ms Freistat avait bu une gorgée de café tout en regardant Cherokee par-dessus le rebord de sa tasse. Deborah comprit qu'elle pesait les différentes façons d'annoncer une mauvaise nouvelle à ses visiteurs et prenait tout son temps pour se décider.

« L'ambassade américaine ne peut vous être d'aucune aide sur ce plan, je le crains. Il est possible que vous disiez vrai mais nous ne pouvons pas nous en mêler. Si vous pensez qu'on met la pression sur votre sœur pour la garder en détention, il faut vous procurer de l'aide sans tarder. Mais cette aide, il faut aller la chercher à l'intérieur de leur système, pas ici.

— Qu'est-ce que ça signifie ? s'enquit Cherokee.

— Un détective privé, peut-être... ? » suggéra Ms Freistat.

Ils avaient quitté l'ambassade pas plus avancés

qu'en arrivant. Ils avaient passé l'heure suivante à donner des coups de fil pour finalement s'apercevoir que dénicher un détective privé sur l'île de Guernesey était comme de chercher des pains de glace au Sahara. Cela étant, ils avaient traversé la ville pour rejoindre Victoria Street et ils se trouvaient maintenant en face de New Scotland Yard, masse de béton gris et de verre jaillie du cœur de Westminster.

Ils se dépêchèrent d'entrer, secouant leur parapluie sur le paillasson de caoutchouc. Deborah laissa Cherokee en contemplation devant la flamme éternelle tandis qu'elle s'approchait du bureau de la réception.

— Je voudrais voir le commissaire par intérim Lynley. Nous n'avons pas de rendez-vous mais s'il est là et qu'il peut nous recevoir... Deborah Saint James.

Les deux « uniformes » à la réception examinèrent Deborah et Cherokee comme s'ils les soupçonnaient d'être des terroristes bardés d'explosifs. L'un d'eux prit son téléphone tandis que l'autre accueillait un livreur de Federal Express.

Deborah attendit que l'homme du téléphone lui dise : « Patientez deux minutes », et se tourna vers Cherokee, qui lui demandait :

— Tu crois qu'on va arriver à quelque chose ?

— Je n'en sais rien. Mais on ne peut pas rester les bras croisés.

Tommy descendit en personne les chercher cinq minutes plus tard, ce que Deborah trouva de bon augure.

— Hello, Deb. Quelle surprise !

Il l'embrassa sur la joue, attendant d'être présenté à Cherokee. Ils ne s'étaient jamais rencontrés auparavant. Tommy avait fait plusieurs séjours en Californie tandis que Deborah s'y trouvait mais son chemin et celui du frère de China ne s'étaient jamais croisés. Certes, Tommy avait entendu parler de lui. Il avait entendu prononcer son nom et il ne l'avait pas oublié – c'était un prénom peu courant comparé aux prénoms anglais. C'est pourquoi, lorsque Deborah lui annonça : « Voici Cherokee River », Tommy dit en lui tendant la main :

— Le frère de China. Tu lui fais visiter la ville ? Ou tu lui montres que tu as des amis dans des endroits douteux ?

— Ni l'un ni l'autre. Est-ce qu'on peut te parler ? En privé ? Si tu as un peu de temps. C'est une visite... professionnelle.

Tommy haussa un sourcil.

— Je vois.

Il les entraîna aussitôt vers l'ascenseur et son bureau. Commissaire par intérim, il n'était pas dans ses locaux habituels. Il occupait provisoirement un bureau pendant que son supérieur hiérarchique se remettait d'une tentative de meurtre perpétrée sur sa personne un mois plus tôt.

— Comment va le commissaire ? s'enquit Deborah en constatant que Tommy, avec son tact habituel, n'avait pas touché à une seule des photos du commissaire Malcolm Webberly pour les remplacer par les siennes.

— Pas fort, répondit Tommy avec un hochement de tête.

— C'est terrible.

— Pour tout le monde.

Il leur demanda de s'asseoir et les rejoignit, se penchant en avant, les coudes sur les genoux. Dans une posture qui disait : Que puis-je faire pour vous ? Deborah le savait : il était très pris. Pas question de tourner autour du pot.

Aussi se mit-elle à lui raconter l'objet de leur visite, Cherokee ajoutant les détails qu'il jugeait importants tandis que, fidèle à son habitude, Tommy écoutait intensément : ses yeux marron braqués sur son interlocuteur, il semblait chasser de son esprit les moindres bruits en provenance des bureaux environnants.

— Votre sœur en est-elle venue à bien connaître Mr Brouard pendant que vous avez été ses hôtes ? voulut savoir Tommy lorsque Cherokee eut terminé son récit.

— Ils ont eu l'occasion de se trouver ensemble à plusieurs reprises. Ils ont sympathisé, ils avaient un sujet d'intérêt commun : l'architecture. Mais cela n'a jamais été plus loin. Il se montrait amical avec elle. Mais avec moi aussi. Il était charmant avec tout le monde.

— Tout le monde, peut-être pas, laissa tomber Tommy.

— Certes. Si quelqu'un l'a tué...

— Comment est-il mort, au juste ?

— Etouffé. C'est ce que nous a appris l'avocat qui assiste China. Il n'en sait pas davantage.

— Etranglé, vous voulez dire ?

— Non. Etouffé. Avec une pierre.

— Une pierre ? Seigneur ! Quelle sorte de pierre ? Un galet ?

— Nous n'en savons pas davantage pour le moment. Il s'est étouffé avec une pierre. Ou plutôt c'est ma sœur qui l'a étouffé avec une pierre puisqu'on l'a arrêtée pour meurtre.

— Tu vois bien, Tommy, intervint Deborah. Ça ne tient pas debout.

— Comment China a-t-elle pu l'étouffer avec cette pierre ? reprit Cherokee. Comment quiconque peut l'avoir *étouffé* avec une pierre ? Il a ouvert la bouche et a laissé quelqu'un la lui enfoncer dans la gorge ?

— C'est en effet une bonne question, admit Lynley.

— C'est peut-être un accident, si ça se trouve, dit

Cherokee. Il aurait pu se mettre la pierre dans la bouche pour une raison quelconque.

— Il doit y avoir des éléments tendant à prouver le contraire, si la police a procédé à une arrestation. Si on lui a fourré de force une pierre dans la gorge, cela aura laissé des traces d'écorchure sur le palais, sur la langue peut-être. Tandis que s'il l'a avalée par erreur... Oui. Je vois pourquoi ils ont tout de suite pensé qu'il y avait eu meurtre.

— Mais pourquoi China ? interrogea Deborah.

— Il doit y avoir d'autres preuves, Deb.

— Ma sœur n'a tué personne, rétorqua Cherokee en se levant. (Très agité, il se dirigea vers la fenêtre puis pivota pour leur faire face.) Pourquoi ne s'en rendent-ils pas compte ?

— Peux-tu faire quelque chose, Tommy ? L'ambassade nous a suggéré d'engager quelqu'un mais je me suis dit que tu pourrais... Tu ne pourrais pas leur passer un coup de fil ? A la police de Guernesey. Leur expliquer... Manifestement il y a une erreur. Quelqu'un doit le leur signaler.

Les doigts réunis en clocher, Tommy fronça les sourcils.

— La police de Guernesey fait ses classes ici. Et il leur arrive de nous demander un coup de main. Mais de là à lancer une opération de Londres... Si c'est à cela que tu songeais, il va falloir y renoncer. Impossible.

— Mais... (Deborah tendit la main et, consciente de quémander – ce qui était pathétique –, la laissa retomber sur ses genoux.) S'ils savaient qu'on s'intéresse à l'affaire ici...

Tommy la fixa, sourit.

— Tu ne changeras jamais, observa-t-il affectueusement. Très bien. Patiente un moment. Laisse-moi voir ce que je peux faire.

Trouver le bon numéro à Guernesey et remonter jusqu'à l'enquêteur concerné fut l'affaire de quelques minutes. Le meurtre était si peu courant sur l'île que Tommy n'eut qu'à prononcer le mot pour qu'on le mette en relation avec le responsable de l'enquête.

Toutefois, le coup de téléphone ne servit à rien. New Scotland Yard n'impressionnait manifestement personne à Saint Peter Port. Lorsque Tommy eut décliné son identité et proposé l'aide de la Police métropolitaine, son collègue lui répondit – comme il le rapporta à Cherokee et Deborah – qu'il avait la situation bien en main. Et que si la police de Guernesey avait besoin d'aide, elle irait en chercher, selon ses bonnes habitudes, en Cornouailles et dans le Devon.

— Nous sommes un peu ennuyés, étant donné que c'est un ressortissant étranger que vous avez appréhendé, expliqua Tommy.

Oui, et la police de Guernesey était capable de se débrouiller toute seule.

— Désolé, dit-il à Deborah et Cherokee au terme de son appel.

— Mais, bon Dieu, qu'est-ce qu'on va faire, alors ? s'écria Cherokee, s'adressant plus à lui-même qu'aux autres.

— Vous arranger pour dénicher quelqu'un qui est prêt à interroger les divers protagonistes, répondit Tommy. Si l'un de mes hommes était en vacances ou en congé personnel, je vous suggérerais de lui demander de fouiner pour votre compte. Vous pouvez vous en charger vous-mêmes mais ce serait mieux si vous engagiez un professionnel.

— Que faut-il faire ? demanda Deborah.

— Poser des questions, dit Tommy. Pour voir s'il n'y a pas un témoin qu'on aurait négligé d'interroger. Il faut essayer de savoir si ce Brouard avait des ennemis : combien, qui ils sont, où ils vivent, où ils se trouvaient lorsqu'il a été tué. Il faut que quelqu'un examine les indices. Et s'assure qu'aucun n'a été négligé.

— Il n'y a personne capable de faire ce boulot à Guernesey, dit Cherokee. On a cherché, Debs et moi. Avant de venir vous voir.

— Alors adressez-vous ailleurs qu'à Guernesey.

Tommy jeta un regard entendu à Deborah, qui comprit aussitôt où il voulait en venir. Cette personne, ils la connaissaient déjà. Mais pas question de demander de l'aide à son mari. Il était débordé, et même si cela n'avait pas été le cas, Deborah avait l'impression d'avoir passé la plus grande partie de sa vie à lui demander un coup de main : depuis l'époque lointaine où Mr Saint James, alors âgé de dix-neuf ans et doté d'un esprit chevaleresque assez développé, était venu au secours de la petite écolière chahutée par ses condisciples en leur flanquant la frousse de leur vie, jusqu'à aujourd'hui où, devenue sa femme, elle mettait souvent à rude épreuve la patience d'un mari qui ne voulait que son bonheur. Elle ne pouvait pas lui imposer cela.

Cherokee et elle se débrouilleraient seuls. Elle devait bien cela à China mais, surtout, elle se le devait à elle-même.

Pour la première fois depuis des semaines, un soleil fade comme du thé au jasmin frappait les plateaux de la balance de la justice lorsque Deborah et Cherokee atteignirent Old Bailey. Comme ils n'avaient ni sac à dos ni sac à main, ils n'eurent aucun mal à entrer. Quelques questions leur suffirent pour trouver ce qu'ils cherchaient : la salle d'audience numéro trois.

La galerie réservée aux visiteurs était tout en haut. Pour le moment elle n'était occupée que par trois touristes égarés en baskets et impers transparents, et une femme étreignant un mouchoir. A leurs pieds, la salle se déployait tel un décor de film historique. Là trônait le juge – robe rouge, impressionnantes lunettes à monture métallique et perruque dont les boucles moutonnaient sur les épaules – assis dans un fauteuil de cuir vert, l'un des cinq sièges de cuir de même couleur disposés sur une estrade qui séparait le magistrat des avocats. Ces derniers étaient installés sur le premier banc formant un angle droit avec le bureau du juge. Derrière les avocats confirmés, se tenaient des confrères moins expérimentés, et également des avoués. En face, le jury et un appariteur, peut-être pour arbitrer les débats. Le banc des accusés se situait juste sous la galerie et c'est là que se trouvait l'accusé avec un huissier. En face de lui, la barre des témoins. C'est vers la barre que Cherokee et Deborah portèrent leurs regards.

Le procureur finissait de procéder au contre-interrogatoire de Mr Allcourt-Saint James, témoin expert de la défense. Il se reportait à un volumineux document et le fait qu'il appelait Simon *sir* et *Mr Allcourt-Saint James* ne l'empêchait manifestement pas de douter de l'avis de quelqu'un qui n'était d'accord ni avec la police ni avec les conclusions du parquet.

— Vous semblez suggérer que le travail effectué par le laboratoire du Dr French est insuffisant, Mr Allcourt-Saint James, disait le procureur au moment où Deborah et Cherokee se glissaient sur un banc.

— Absolument pas, répondit Simon. Je veux simplement suggérer que la quantité de microparticules de terre prélevées sur la peau du prévenu me paraît correspondre à son métier de jardinier.

— Suggérez-vous également qu'il s'agit d'une coïncidence si Mr Casey (mouvement de tête en direction de l'homme dans le box dont Cherokee et Deborah, de leur poste d'observation, distinguaient la nuque) portait sur sa personne des traces de la substance utilisée pour empoisonner Constance Garibaldi ?

— L'Aldrine servant à éliminer les insectes nuisibles et ce crime ayant été commis au moment de la saison où ces mêmes insectes sont le plus virulents, je dirais que les traces d'Aldrine retrouvées sur la peau du prévenu s'expliquent aisément par la profession qu'il exerce.

— Et cela en dépit du différend qui l'opposait à Mrs Garibaldi ?

— C'est exact, oui.

Le procureur poursuivit encore quelques minutes, se reportant à ses notes et consultant un de ses confrères derrière lui. Il renvoya enfin Simon avec un « merci, monsieur » qui permit à celui-ci de quitter la barre des témoins lorsque la défense n'eut plus besoin de son témoignage. Il descendait les marches lorsqu'il aperçut Deborah et Cherokee au-dessus de lui dans la galerie.

Ils se retrouvèrent à l'extérieur de la salle d'audience, où Simon dit :

— Alors, comment cela s'est-il passé ? Les Américains vous ont-ils aidés ?

Deborah lui résuma ce qu'ils avaient appris de la bouche de Rachel Freistat à l'ambassade.

— Tommy ne peut pas nous aider lui non plus. Question de juridiction. Et si j'ai bien compris, c'est à la police du Devon et à celle de Cornouailles que la police de Guernesey fait appel quand elle a besoin d'aide. Pas à la Met. J'ai eu l'impression – pas toi, Cherokee ? – que ça les a agacés que Tommy parle de leur donner un éventuel coup de main.

Simon hocha la tête, se frottant le menton pensivement. Autour d'eux la vie suivait son cours, huissiers passant chargés de documents et avocats devisant à mi-voix, peaufinant leur stratégie pour un prochain procès.

Deborah regarda son mari. Manifestement il cherchait une solution au problème de Cherokee ; elle lui en sut gré. Il aurait fort bien pu se contenter d'un :

« Bon, alors c'est réglé. Il va falloir laisser les choses suivre leur cours et attendre que des décisions soient prises sur l'île. » Mais ce n'était pas dans sa nature. Elle voulait le rassurer, lui dire qu'ils n'étaient pas venus le charger d'une mission – lui qui en avait déjà tellement. Mais plutôt lui apprendre qu'ils allaient partir pour Guernesey dès que Deborah aurait fait un saut à Chelsea, histoire de récupérer quelques affaires.

Elle lui fit part de son projet, persuadée qu'il serait soulagé. Mais elle se trompait.

Tandis que sa femme l'informait de ses intentions, Saint James ne tarda pas à en tirer des conclusions : c'était de la folie pure et simple. Mais il se garda bien de le dire à Deborah. Elle était sérieuse, animée de bonnes intentions et surtout préoccupée par le sort de son amie californienne. En outre il y avait cet homme.

Saint James avait été heureux d'offrir l'hospitalité à Cherokee River. C'était le moins qu'il pût faire pour un proche de celle qui avait été l'amie la plus intime de Deborah en Amérique. Mais de là à ce que Deborah s'imagine qu'elle allait jouer les détectives en compagnie d'un quasi-inconnu, il y avait de la marge. Tous deux risquaient d'avoir de sérieux ennuis avec la police. Voire pire si par hasard ils tombaient sur le véritable meurtrier de Guy Brouard.

Ne voulant pas lui causer de déception trop vive, Saint James essaya de trouver un moyen de détourner sa femme de son projet. Après avoir entraîné Deborah et Cherokee vers un endroit où ils pouvaient s'asseoir, il dit :

— Qu'espères-tu faire une fois sur place, Deborah ?

— Tommy pensait que...

— Oui, je sais. Mais, comme tu as déjà pu t'en rendre compte, il n'y a pas de détective privé à Guernesey à qui Cherokee puisse faire appel.

— Effectivement. C'est pourquoi...

— Aussi, à moins que tu n'en aies trouvé un à Londres, je ne vois pas à quoi va servir ce voyage à Guernesey. A moins que tu ne veuilles apporter ton soutien moral à China. Ce que je comprends parfaitement, bien sûr.

Deborah pinça les lèvres. Il se doutait de ce qu'elle pensait. Il se conduisait de façon trop raisonnable, trop logique, trop scientifique, dans une situation où il fallait laisser parler les émotions. Et agir. Même si c'était de façon un peu précipitée.

— Je n'ai pas l'intention d'engager un détective privé, Simon, dit-elle avec raideur. Du moins pas dans un premier temps. Cherokee et moi allons... Nous allons rencontrer l'avocat de China. Nous examinerons les indices que la police a glanés. Nous nous entretiendrons avec tous ceux qui voudront bien nous voir. Nous ne sommes pas policiers, les gens n'auront pas peur de nous, et si quelqu'un sait quelque chose... si la police est passée à côté d'indices quelconques... Nous découvrirons la vérité.

— China est innocente, dit Cherokee. La voilà, la vérité. Et China a besoin...

— Dans ce cas quelqu'un d'autre est coupable, coupa Saint James. Ce qui rend la situation d'autant plus délicate et dangereuse.

Il se garda d'ajouter ce qu'il brûlait de dire à ce stade. *Je t'interdis d'y aller.* On n'était pas au XVIIIe siècle. Deborah était une femme indépendante. Pas financièrement, bien sûr. Il pouvait refuser de dénouer les cordons de sa bourse. Mais il ne voulait pas s'abaisser à cela. Il avait toujours pensé que le raisonnement valait mieux que l'intimidation.

— Comment mettras-tu la main sur les gens à qui tu veux parler ?

— Je suppose qu'il existe des annuaires à Guernesey, fit Deborah.

— Je veux dire : comment sauras-tu avec qui tu dois t'entretenir ?

— Cherokee le saura. China le saura. Ils étaient chez cet homme. Ils y ont rencontré un certain nombre de gens. Ils me diront leurs noms.

— Mais pourquoi ces gens-là voudraient-ils parler à Cherokee ? Ou à toi, une fois qu'ils apprendront que tu es une amie de China ?

— Ils ne l'apprendront pas.

— Tu crois que la police gardera ça pour elle ? Et à supposer qu'ils s'entretiennent avec toi et avec Cherokee, que feras-tu ensuite ?

— Comment cela ?

— Les indices. Comment comptes-tu t'y prendre pour les analyser ? Comment sauras-tu que tu es en présence d'indices ?

— J'ai horreur que tu... (Deborah pivota vers Cherokee.) Tu veux bien nous laisser une minute ?

Le regard de Cherokee navigua de l'un à l'autre.

— Attends, Debs. Tu en as assez fait. L'ambassade. Scotland Yard. Je vais rentrer à Guernesey et je...

— Laisse-nous un moment, l'interrompit fermement Deborah.

Cherokee les regarda de nouveau à tour de rôle. Il avait l'air décidé à reprendre la parole mais ne souffla mot. Il s'éloigna et alla examiner un panneau d'affichage.

Deborah, furieuse, se tourna vers Saint James.

— Pourquoi fais-tu ça ?

— Je veux seulement que tu te rendes compte...

— Tu me prends pour une incapable, ou quoi ?

— Ce n'est pas vrai, et tu le sais, Deborah.

— Incapable d'avoir une conversation avec des gens qui, si cela se trouve, sont tout disposés à nous dire des choses qu'ils ont refusé de révéler à la police. Des choses qui pourraient tout changer. Et permettre à China de retrouver la liberté.

— Je ne veux pas que tu penses...

— China est mon amie, poursuivit-elle à voix basse mais d'un ton farouche. Et j'ai bien l'intention de l'aider. Elle était avec moi, Simon. En Californie. C'est la seule personne...

Deborah s'interrompit. Elle fixa le plafond et secoua la tête comme pour chasser d'un même mouvement son émotion et ses souvenirs.

Saint James savait ce qu'elle se remémorait. Il n'avait pas besoin qu'on lui fasse un dessin. China avait été une âme sœur, un confesseur pendant les années où lui-même n'avait pu épauler Deborah. China avait été présente tandis que Deborah tombait amoureuse de Tommy Lynley et elle avait peut-être pleuré avec Deborah lorsque cet amour s'était brisé.

Il savait tout cela mais il se sentait incapable d'y faire allusion en cet instant, tout comme il était incapable de se déshabiller en public et d'étaler son infirmité.

— Ecoute-moi, mon cœur. Je sais que tu veux l'aider.

— Vraiment ?

— Bien sûr. Mais tu ne peux pas sillonner les routes de Guernesey juste parce que tu veux te rendre utile. Tu n'as pas d'expérience...

— Merci, c'est gentil.

— ... et il ne faut pas t'attendre à ce que la police se montre coopérative, loin de là. Or tu as besoin de leur collaboration, Deborah. S'ils refusent de te soumettre la totalité des indices dont ils disposent, tu ne pourras pas savoir si China est vraiment innocente.

— Seigneur ! Ne me dis pas que tu crois que c'est une meurtrière !

— Je ne pense rien : je ne suis pas impliqué affectivement. C'est ça qu'il te faudrait, tiens : quelqu'un qui soit neutre dans cette affaire.

A peine eut-il prononcé ces mots qu'il comprit qu'il s'engageait. Elle ne le lui avait pas demandé et elle ne le lui demanderait certainement pas. Encore moins après cette conversation. Mais il vit que c'était la seule solution.

Elle avait besoin de son aide, et il avait passé plus de la moitié de son existence à la lui offrir, qu'elle la sollicite ou non.

6

Paul Fielder gagna son refuge, plantant là Valerie Duffy. Il laissa les outils là où ils étaient. Il savait que ce n'était pas bien : Mr Guy lui avait expliqué qu'un bon ouvrier entretenait correctement son matériel et ne le laissait pas traîner n'importe où. Il retournerait le chercher quand Valerie aurait le dos tourné. Il se faufilerait de l'autre côté de la maison, du côté opposé à la cuisine, il rassemblerait les outils et les remettrait en place dans les écuries. Si la voie était libre, il travaillerait aux abris à ce moment-là. Il jetterait un coup d'œil au cimetière des canards afin de s'assurer que les petites tombes étaient bien enserrées dans un cercle de cailloux et de coquillages. Il lui fallait faire tout ça avant que Kevin découvre les outils à l'abandon. Si Kevin les voyait par terre dans l'herbe humide, il ne serait pas content.

Paul n'alla pas très loin dans sa fuite. Il se contenta de faire le tour de la maison et de s'engager dans le bois à l'est de l'allée. Là, il s'élança sur le chemin rugueux jonché de feuilles sous les arbres, entre les rhododendrons et les fougères, et le suivit jusqu'au second embranchement à droite. Puis il abandonna sa vieille bécane près d'un tronc mousseux de sycomore, seul vestige d'un arbre déraciné par la tempête et qui servait d'abri aux créatures de la forêt. Le chemin était trop cahoteux pour qu'on pût y passer avec la bicyclette. Il ajusta son sac à dos et s'éloigna à pied tandis que Taboo trottait à ses côtés, ravi de se promener au lieu d'attendre patiemment comme d'habitude, attaché au vieux menhir qui se dressait près du mur bordant la cour de l'école, un bol d'eau près de lui et une poignée de biscuits pour tromper sa faim.

La destination de Paul était l'un des secrets qu'il avait partagés avec Mr Guy. « On se connaît suffisamment bien maintenant pour que je te conduise ici, lui avait dit Mr Guy la première fois qu'il l'avait emmené en ce lieu. Si tu veux, si tu penses être prêt, nous pouvons sceller notre amitié, mon prince. »

Mon prince, c'était ainsi qu'il avait appelé Paul. Pas dès le début, bien sûr, mais plus tard. Lorsqu'ils en étaient arrivés à mieux se connaître, qu'ils avaient eu l'impression d'être liés par le sang. Non qu'ils fussent parents. Et Paul n'aurait jamais pensé qu'ils puissent l'être. Cependant il avait existé entre eux une réelle amitié, et la première fois que Mr Guy l'avait appelé *mon prince*, Paul s'était dit que le vieil homme lui aussi ressentait cette proximité.

Il avait acquiescé. Il était prêt à sceller son amitié avec ce personnage important qui avait fait son entrée dans sa vie. Il n'était pas bien certain de savoir comment on scellait une amitié, mais ce qu'il savait, c'est qu'en compagnie de Mr Guy il se sentait le cœur tout gonflé. Les paroles de Mr Guy signifiaient certainement que lui aussi avait le cœur tout gonflé. Quoi que cela pût signifier, ce devait être bien. Paul en était sûr.

« Lieu de rendez-vous des esprits », c'était ainsi que Mr Guy avait qualifié le refuge. C'était un monticule de terre semblable à un bol renversé, recouvert d'herbe épaisse, et dont un sentier faisait le tour.

Le rendez-vous des esprits se dressait au-delà du petit bois, au-dessus d'un mur de pierre sèche, au milieu d'une prairie où paissaient jadis les placides vaches de Guernesey. Il était recouvert de mauvaises herbes, envahi de ronces et de fougères parce que Mr Guy n'avait pas de vaches à qui faire brouter cette végétation parasite et que les serres qui avaient remplacé le bétail avaient été démontées et transplantées lorsqu'il avait acheté le domaine.

Paul franchit le muret et déboucha sur le sentier qui en longeait la base. Taboo lui emboîta le pas. Le sentier traversait les fougères jusqu'au tertre. Là, ils empruntèrent un autre petit chemin qui aboutissait à la partie sud-ouest de la prairie. C'était à cet endroit qu'aux temps anciens, lui avait expliqué Mr Guy, le soleil brûlait le plus fort et le plus longtemps.

De l'autre côté du tertre, il y avait une porte en bois de facture récente. Elle était fixée à des montants de pierre surmontés d'un linteau également en pierre ; un cadenas glissé dans un moraillon fermait le battant.

« Il m'a fallu des mois pour me frayer un passage à l'intérieur, lui avait confié Mr Guy. Je savais ce que c'était. Pas difficile. Qu'est-ce qu'un monticule de terre de cette nature fabriquerait au milieu d'une prairie ? Mais, pour découvrir l'entrée de la galerie, crois-moi, Paul, j'ai transpiré. Des débris de toutes sortes la masquaient – des ronces, des buissons, j'en passe et des meilleures ; cette végétation parasite camouflait les abords du monticule. Même après avoir réussi à dégager les premières pierres de sous leur gangue de terre, j'ai eu du mal à distinguer les pierres de l'entrée des pierres de soutènement. Des mois, mon prince, il m'a fallu des mois. Mais le jeu en valait la chandelle, je t'assure. J'ai fini par découvrir un endroit bien à moi, un refuge, et crois-moi, Paul, tout homme sur terre a besoin d'un refuge, d'une retraite. »

Que Mr Guy ait consenti à partager ce secret avec lui avait sidéré Paul. Il en avait écarquillé les yeux de stupéfaction. Il en avait eu la gorge serrée de bonheur.

Il avait souri, pauvre abruti. Souri d'un grand sourire de clown. Mais Mr Guy avait compris le sens de ces mimiques. Dix-neuf, trois, vingt-sept, quinze, tu t'en souviendras, Paul ? La combinaison, je ne la donne qu'à une poignée d'amis triés sur le volet.

Paul avait religieusement mémorisé cette suite de chiffres et il en fit bon usage. Il fourra le cadenas dans sa poche et poussa la porte. Elle n'avait qu'un mètre vingt de hauteur, aussi retira-t-il son sac à dos et le plaqua-t-il contre sa poitrine pour avoir davantage de place. Il se glissa sous le linteau et s'engagea à l'intérieur.

Taboo, qui l'avait précédé, s'arrêta, renifla, se mit à gronder. Il faisait sombre à l'intérieur, éclairé en ce mois de décembre par un rai de lumière anémique, et, bien que le refuge fût généralement cadenassé, Paul hésita en voyant que le chien n'avait pas l'air décidé à s'aventurer plus loin. Il y avait des esprits sur l'île : fantômes des morts, amis des sorcières, fées qui vivaient dans les haies et les cours d'eau. Et s'il ne craignait pas de rencontrer un être humain à l'intérieur du tertre, il n'était pas impossible qu'il se trouve nez à nez avec autre chose.

Taboo, lui, ne nourrissait pas ce genre de craintes. Il poussa plus avant, reniflant le sol, disparaissant dans la galerie et filant au centre de la structure dont la hauteur à cet endroit-là permettait à un homme de se tenir debout. Il revint finalement vers Paul qui, toujours hésitant, se tenait sur le seuil. Taboo agita la queue.

Paul se baissa encore, appuya sa joue contre la fourrure bouclée du chien. Taboo lui lécha la joue. Puis il recula de trois pas, poussa un petit aboiement plein d'entrain : sans doute étaient-ils venus là pour jouer. Mais Paul lui gratta les oreilles, ferma la porte et ils se retrouvèrent prisonniers de l'obscurité et du calme.

Paul connaissait suffisamment bien les lieux pour

trouver son chemin dans le noir ; il tenait son sac plaqué contre sa poitrine d'une main et, de l'autre, il suivait le mur de pierre humide tout en progressant vers le centre. Mr Guy lui avait expliqué que cet endroit avait une signification particulière : c'était une tombe où les hommes préhistoriques venaient coucher les morts en partance pour leur dernier voyage. On appelait cela un dolmen ; il abritait un autel, même si ce dernier ressemblait aux yeux de Paul davantage à une vieille pierre surélevée de quelques centimètres par rapport au sol, et une seconde chambre où se déroulaient les rites funéraires, rites sur la nature desquels on ne pouvait que spéculer.

Paul avait écouté, regardé, frissonné dans le froid la première fois qu'il était venu. Quand Mr Guy avait allumé les bougies qu'il rangeait dans un petit creux à côté de l'autel, il avait vu Paul grelotter et il avait réagi.

Il lui avait dit : « Suis-moi, Paul. » Il l'avait conduit dans la seconde chambre, dont l'aspect évoquait deux paumes réunies en coupe et à laquelle on accédait en se faufilant derrière une pierre levée aux allures de statue d'église, qui présentait des vestiges de motifs sculptés sur toute sa surface. Dans cette seconde chambre, Mr Guy avait entreposé un lit de camp. Avec des couvertures et un oreiller. Des bougies. Une petite boîte en bois.

« Je viens ici parfois, lui avait-il dit. Pour être seul et méditer. Est-ce que tu médites, Paul ? Est-ce que tu sais faire le vide dans ton esprit ? Jusqu'à ce qu'il n'y ait plus que toi, Dieu et le monde. Non ? Peut-être qu'on pourrait s'entraîner à la méditation tous les deux. Tiens, prends cette couverture en attendant. Je vais te faire visiter. »

Des endroits secrets, avait songé Paul. Des refuges, des retraites à partager avec des amis triés sur le volet.

Des endroits où on pouvait être seul. Quand on avait besoin d'être seul. Comme maintenant.

Paul n'était jamais venu ici seul, pourtant. C'était la première fois.

Il se faufila prudemment jusqu'au cœur du dolmen, tâtonna à la recherche de l'autel. Aveugle comme une taupe, il passa les mains sur la pierre plate pour repérer le creux à la base de l'autel où étaient logées les bougies. Une boîte de Curiously Strong était fichée dans ce creux qui contenait les bougies et des allumettes. Paul s'en empara. Il posa son sac par terre, alluma la première des bougies, la fixant avec de la cire sur le plateau de l'autel.

Maintenant qu'il avait un peu de lumière, il se sentait moins angoissé à l'idée d'être seul dans cet endroit humide et sombre. Il jeta un coup d'œil autour de lui, aux vieux murs de granit, au plafond incurvé, au sol défoncé. « Incroyable que les hommes de la préhistoire aient pu édifier une telle structure, lui avait dit Mr Guy. On s'imagine qu'on est très forts, beaucoup plus forts que nos ancêtres de l'âge de pierre, avec nos mobiles, nos ordinateurs et tout le bataclan. Nos informations instantanées qui vont de pair avec tout le reste – instantané, lui aussi. Mais regarde ça, mon prince, regarde cet endroit. Qu'avons-nous construit ces cent dernières années qui tiendra encore debout dans cent mille ans ? Rien. Tiens, regarde, Paul, regarde cette pierre... »

Il avait obéi. La main de son protecteur lui tenait chaud, ainsi posée sur son épaule, tandis qu'avec les doigts de son autre main Mr Guy effleurait les sillons que des centaines de mains avant lui avaient tracés dans la pierre qui défendait l'entrée de la chambre où il avait installé son lit de camp et ses couvertures. C'est là que Paul se rendit, dans cette seconde chambre, son sac à dos à la main. Il se glissa derrière la pierre sentinelle avec une bougie allumée dans l'autre main,

Taboo sur ses talons. Il posa son sac par terre, sa bougie sur la boîte pleine de la cire des dizaines de bougies qui y avaient trouvé refuge auparavant. Il prit une des couvertures, la plia en carré et la posa sur la pierre glaciale du sol. Taboo ne se le fit pas dire deux fois : il sauta dessus, en effectua trois fois le tour histoire de marquer son territoire et se coucha avec un soupir. Il baissa la tête, l'appuya contre ses pattes et fixa amoureusement Paul.

« Ce chien me surveille, il s'imagine que je te veux du mal, mon prince. »

Mais non. C'était la manière de faire de Taboo. Il savait le rôle qu'il jouait dans la vie de l'adolescent – dont il avait été le seul ami, le seul compagnon jusqu'à l'arrivée de Mr Guy – et, conscient de l'importance de ce rôle, il tenait à ce que Paul sache qu'il ne le prenait pas à la légère. Comme il ne pouvait le lui dire en paroles, il suivait des yeux ses moindres mouvements à tout instant de la journée.

C'était avec cette même intensité que Paul avait observé Mr Guy quand ils étaient ensemble. Et, contrairement aux gens que Paul pouvait croiser, Mr Guy n'avait jamais paru gêné par ce regard insistant. « Tu trouves ça intéressant, pas vrai ? » lui demandait-il s'il se rasait en sa présence. Il ne se moquait jamais du fait que Paul, malgré son âge, n'avait pas encore besoin de rasoir. « Je les fais couper court comment, mes cheveux ? demandait-il à Paul qui l'accompagnait chez le coiffeur à Saint Peter Port. Attention à vos ciseaux, Al, ce jeune homme vous a à l'œil. » Et il adressait un clin d'œil de connivence à Paul, accompagné d'un geste qui signifiait : « Entre nous, c'est à la vie, à la mort. »

« A la mort » : ce jour était arrivé.

Paul sentit venir les larmes et les laissa venir. Il n'était pas chez lui. Il n'était pas à l'école. Il pouvait donner libre cours à son chagrin. Aussi pleura-t-il tout son saoul jusqu'à ce que ses yeux lui fassent mal et que ses paupières soient douloureuses. A la lumière de la bougie, le fidèle Taboo l'observait amoureusement, acceptant cette manifestation de détresse.

A court de larmes, Paul se dit qu'il lui fallait se souvenir de tout ce que Mr Guy lui avait fait découvrir de bien, de passionnant, d'essentiel : tout ce qu'il avait appris en sa compagnie, tout ce qu'il avait appris à apprécier, tout ce à quoi Mr Guy l'avait encouragé à croire. « Nous ne sommes pas sur terre uniquement pour vaquer au train-train quotidien, lui avait répété maintes fois son ami. Nous sommes là pour éclairer le passé afin de donner tout son sens à l'avenir. »

Pour éclairer le passé, justement, ils allaient bâtir le musée. Dans cette optique, ils avaient passé de longues heures en compagnie de Mr Ouseley et de son père. C'étaient les Ouseley et Mr Guy qui avaient appris à Paul à reconnaître la valeur d'objets qu'il aurait jadis dédaignés et laissés de côté : boucle de ceinturon récupérée à Fort Doyle, cachée au milieu des mauvaises herbes, ensevelie pendant des décennies jusqu'à ce qu'une tempête dénude un rocher recouvert d'une couche de terre ; lanterne retrouvée dans un vide-greniers ; médaille rouillée ; boutons ; assiette cabossée. « Cette île est une véritable mine, avait dit Mr Guy. Nous allons procéder à des fouilles. Est-ce que ça te plairait d'y participer ? » Paul n'avait pas hésité : il voulait suivre Mr Guy partout où il allait.

Il s'était donc jeté à corps perdu dans cette entreprise avec Mr Guy et Mr Ouseley. Et partout où il allait, il ouvrait l'œil, cherchant des pièces qui pourraient grossir la collection.

Il avait fini par trouver quelque chose : il s'était rendu à vélo – une sacrée balade – au sud-ouest de la Congrelle, où les nazis avaient édifié une de leurs plus abominables tours de guet : une structure futuriste en béton dotée de meurtrières permettant à leurs mitrailleuses de canarder les avions qui s'approchaient de la côte. Pourtant il n'était pas parti dans l'espoir de mettre la main sur quelque chose qui se rattache aux cinq années d'occupation allemande. Seulement pour jeter un coup d'œil à la dernière voiture qui avait fait le grand saut du haut de la falaise.

La Congrelle était en effet l'une des rares falaises dont le bord était directement accessible en voiture. Pour atteindre les autres bords de falaise, il fallait se garer sur un parking situé à bonne distance et faire le reste du trajet à pied. Mais pas à La Congrelle. C'était un excellent endroit pour un suicide qu'on voulait déguiser en accident. Il suffisait de prendre la rue de la Trigale jusqu'à la Manche, de tourner à droite et d'accélérer sur les cinquante derniers mètres à travers les joncs et l'herbe. Un ultime coup sur l'accélérateur, et la voiture décollait, plongeait vers les rochers, cul par-dessus tête, jusqu'à ce qu'elle soit arrêtée par une barrière de granit, qu'elle explose dans l'eau ou s'enflamme.

La voiture que Paul était allé voir avait pris feu. Il en restait peu de chose : du métal tordu et un siège noirci. Un peu décevant après cette pénible course à vélo dans le vent. S'il y avait eu autre chose, Paul se serait peut-être risqué jusqu'en bas pour aller y voir de plus près. Comme ce n'était pas le cas, il explora la région autour de la tour de guet.

Il y avait eu une chute de rochers récente – à en juger par l'aspect du terrain d'où les quartiers de roc avaient été délogés. Les pierres mises à nu étaient vierges de végétation. Et les quartiers de roc qui avaient dégringolé dans l'eau ne portaient aucune trace de guano. Alors qu'alentour les blocs de gneiss plus anciens en étaient constellés.

L'endroit était très dangereux, et Paul, qui était né et avait grandi sur l'île, ne l'ignorait pas. Mais Mr Guy lui avait appris que chaque fois que la terre s'ouvrait à l'homme, c'était pour lui révéler des secrets. C'est pourquoi il se mit en chasse.

Abandonnant Taboo sur la falaise, il se fraya un chemin le long de l'entaille laissée par les rochers. Il prenait bien soin, chaque fois qu'il avançait, de trouver un morceau de granit bien stable pour y poser le pied. De cette façon, il descendit lentement le long de la paroi, tel un crabe en quête d'une crevasse où se cacher.

Ce fut à mi-descente qu'il tomba dessus, tellement encroûtée de terre qu'au début il prit cela tout simplement pour une pierre en forme d'ellipse. Toutefois, lorsque avec son pied il la délogea du rocher contre lequel elle était venue s'adosser, il aperçut un éclat de métal qui émergeait de la paroi. Il ramassa l'objet mystérieux.

Pas question de l'examiner à mi-pente. Il le coinça donc entre son menton et sa poitrine puis regagna tant bien que mal le sommet. Là, tandis que Taboo reniflait gaiement sa trouvaille, il sortit son canif puis gratta avec ses ongles pour voir ce que la terre avait abrité en son sein pendant des années.

Qui pouvait savoir comment il avait atterri là ? Les nazis ne s'étaient pas donné la peine de faire le ménage lorsqu'ils avaient compris que la guerre était perdue et qu'ils n'envahiraient jamais l'Angleterre. Ils s'étaient rendus et, à l'instar des envahisseurs défaits qui avaient occupé l'île avant eux, ils avaient abandonné tout ce qu'ils avaient jugé trop encombrant.

Près d'une tour de guet jadis occupée par des soldats, il n'y avait rien d'étonnant à ce que du matériel militaire continue d'être déterré. Et si ce matériel n'appartenait à personne en particulier, il est certain que les nazis l'auraient utilisé au cas où les Alliés ou les hommes de la Résistance auraient débarqué avec succès.

Dans la semi-obscurité du lieu privilégié que Mr Guy et lui avaient partagé, Paul tendit le bras pour attraper son sac à dos. Il avait eu l'intention de confier sa trouvaille à Mr Ouseley au Moulin des Niaux – sa première contribution. Mais pas question maintenant. Pas après ce qui s'était passé ce matin. Il allait la mettre en lieu sûr.

Taboo leva la tête, regarda Paul qui défaisait les courroies du sac à dos. Le garçon plongea la main dedans et en ressortit la vieille serviette qui lui avait servi à envelopper son trésor. A la manière de tous ceux qui cherchent des fragments d'histoire, il déplia la serviette afin de jeter un dernier coup d'œil à sa trouvaille.

Paul se dit que la grenade n'était probablement plus opérationnelle. Les éléments avaient dû la ballotter pendant des années avant qu'elle finisse enterrée dans le sol et la goupille devait être complètement rouillée. Toutefois, ce n'était pas prudent de transporter ce genre de chose dans un sac à dos. Il n'avait pas besoin que Mr Guy ou quiconque lui rappelle que la prudence voulait qu'il la place dans un endroit où personne ne risquait de tomber dessus en attendant qu'il décide de ce qu'il en ferait.

C'est dans la seconde chambre du dolmen, où Taboo et lui se trouvaient maintenant, que se trouvait la cache. Mr Guy la lui avait montrée. Il s'agissait d'une fissure naturelle entre deux des pierres du dolmen. Cette fissure n'existait sans doute pas à l'origine mais avec le temps, les intempéries, le mouvement de la terre...

La cache était à côté du lit de camp et, pour un œil non initié, cela ressemblait à un simple trou, rien de plus. Mais quand on glissait la main à l'intérieur, on rencontrait un second trou, plus large celui-là, derrière la pierre qui était près du lit de camp. Et dans cette cache, les secrets et les trésors trop précieux pour être laissés à la vue de tous pouvaient être entreposés.

« Si je te montre ceci, c'est révélateur, Paul. Ça dépasse les mots. Ça dépasse les pensées. »

Paul songea qu'il devait y avoir suffisamment de place pour la grenade dans la cachette. Il y avait déjà glissé la main, guidé par Mr Guy qui le rassurait en lui soufflant à l'oreille : « La cachette est vide pour le moment, je ne m'amuserais pas à te jouer un tour de cochon, mon prince. » C'est pourquoi il savait qu'il y avait assez de place pour deux poings – ce qui était suffisant pour y dissimuler une grenade. La profondeur était suffisante, elle aussi. Car Paul, bien qu'il eût tendu le bras au maximum, n'avait pas été capable de toucher le bout.

Il poussa le lit de camp et posa la boîte avec sa bougie au milieu du sol de la chambre. Taboo protesta, dérangé dans son installation, mais Paul lui tapota la tête et lui effleura le bout du nez. T'inquiète pas. On est en sécurité ici. Il n'y a que toi et moi qui connaissions cet endroit.

Empoignant précautionneusement la grenade, il s'allongea sur le sol glacial. Il glissa son bras dans la fente étroite. Celle-ci s'élargissait de plusieurs centimètres après l'ouverture et, bien que ne pouvant voir très loin à l'intérieur, il savait où se trouvait la seconde ouverture et, en tâtonnant, il ne s'attendait pas à avoir de mal à déposer sa grenade à cet endroit.

Seulement il y avait un problème. Dix centimètres plus bas dans la fissure il y avait autre chose. Qu'il rencontra sous ses jointures. Quelque chose de solide.

Avec un hoquet de surprise, Paul retira sa main. Toutefois il ne lui fallut qu'un bref moment pour comprendre que ce qu'il rencontrait sous ses doigts n'était pas un être vivant, et qu'il n'avait donc aucune raison d'avoir peur. Il posa la grenade sur le lit et approcha la bougie de l'orifice de l'entaille.

Le problème, c'est qu'il ne pouvait à la fois éclairer la fissure et voir ce qu'il y avait à l'intérieur. Aussi se remit-il à plat ventre et glissa-t-il la main puis le bras dans la cache.

Ses doigts rencontrèrent l'objet. Solide mais pas dur, lisse, la forme d'un cylindre. Il s'en saisit et commença à le faire sortir.

« Cet endroit est spécial, c'est un endroit où l'on garde les secrets, et c'est notre secret maintenant. Le tien et le mien. Tu es capable de garder un secret, Paul ? »

Bien sûr, et comment ! Parce que, tout en le ramenant vers lui, Paul comprit ce que Mr Guy avait caché à l'intérieur du dolmen.

L'île, après tout, était un paysage de secrets. Le dolmen lui-même était un endroit secret au sein de ce paysage de choses enfouies, de choses passées sous silence, de souvenirs que les gens voulaient oublier. Et Paul ne trouvait pas étonnant que, au plus profond des âges d'une terre capable de recracher médailles, sabres, balles et autres objets vieux de plus d'un demi-siècle, se trouve enfoui quelque part quelque chose d'encore plus précieux, quelque chose datant de l'époque des pirates, voire d'avant. Et ce qu'il retirait maintenant de la fissure était la clef qui allait lui permettre de trouver cette chose enfouie longtemps auparavant.

Il venait de trouver un ultime cadeau de Mr Guy, qui lui avait déjà tant donné.

— *Enne rouelle dé faïtot*, dit Ruth Brouard en réponse à la question de Margaret Chamberlain. On s'en sert dans les granges, Margaret.

Margaret se dit que la réponse était délibérément obscure, et caractéristique de Ruth, qu'elle n'avait jamais réussi à aimer bien qu'elle ait dû vivre avec la sœur de Guy pendant tout le temps où elle avait été mariée à cet homme. Ruth était beaucoup trop accrochée à lui, et une trop grande affection entre frère et sœur n'était pas convenable. Cela sentait... Margaret ne voulait même pas penser à ce que cela évoquait. Certes, elle comprenait bien que ce frère et cette sœur, Juifs comme elle mais Juifs d'Europe pendant la Seconde Guerre mondiale – ce qui leur donnait certaines excuses pour se conduire bizarrement –, avaient perdu, du fait du mal absolu qu'incarnaient les nazis, tous les membres de leur famille et qu'il leur avait bien fallu devenir tout l'un pour l'autre, dès leur plus tendre enfance. Mais que Ruth n'ait jamais eu de vie personnelle au cours de ces années n'était pas seulement bizarre et prévictorien, c'était une chose qui faisait d'elle aux yeux de Margaret une femme incomplète, une créature de nature inférieure, qui n'avait vécu qu'une demi-vie, et dans l'ombre.

Margaret décida de se montrer patiente.

— Comment ça, les granges ? Je ne comprends pas, ma chère. La pierre devait forcément être petite, non ? Pour qu'on ait pu la glisser dans la bouche de Guy ?

Elle vit sa belle-sœur esquisser un mouvement de recul, comme si le fait d'évoquer ces choses réveillait les images insoutenables des derniers instants de son frère : Guy se tordant de douleur sur la plage, portant désespérément les mains à sa gorge. Mais comment éviter cela ? Margaret voulait des détails et elle était bien décidée à en avoir.

— Ça servait à quoi dans les granges, Ruth ?

Ruth leva les yeux de la broderie à laquelle elle travaillait lorsque Margaret l'avait rejointe dans le petit salon. C'était un énorme morceau de toile tendu sur un métier à canevas de bois devant lequel Ruth était assise tel un elfe, en pantalon noir aux revers retroussés et cardigan noir surdimensionné ayant probablement appartenu à Guy. Ses lunettes à monture ronde avaient glissé sur son nez, elle les remit en place de sa petite main d'enfant.

— Ça ne se met pas dans la grange, expliqua-t-elle. Mais sur un porte-clefs avec les clefs de la grange. Du moins c'est à ça que ça servait. Mais aujourd'hui, des granges, il n'y en a plus beaucoup à Guernesey. C'était pour débarrasser la grange des amis des sorcières. Pour se protéger, Margaret.

— Une amulette ?

— Oui.

— Je vois.

Margaret trouvait ces insulaires ridicules. Des amulettes contre les sorcières. Des salamalecs pour se concilier les fées. Des fantômes qui hantent le sommet des falaises. Des diables qui rôdent partout. Elle n'avait jamais pensé que son ex-mari fût homme à croire à ces balivernes. Est-ce qu'ils vous l'ont montrée, cette pierre ? Vous l'aviez déjà vue ? Elle appartenait à Guy ? Si je vous pose la question, c'est que ça ne lui ressemble pas de se promener avec des amulettes sur lui. Ça ne ressemble pas au Guy que j'ai connu en tout cas. Avait-il besoin d'un porte-bonheur pour se lancer dans quelque aventure ?

Avec une femme. Elle ne précisa pas sa pensée mais toutes deux savaient la phrase prête à jaillir. Les affaires exceptées – domaine dans lequel Guy Brouard s'était taillé une réputation de nouveau Midas –, la seule entreprise à laquelle il se consacrait était la poursuite et la conquête du sexe opposé. Particularité que Margaret n'avait découverte que le jour où elle avait trouvé une petite culotte de femme dans l'attaché-case de son mari, glissée là, par jeu, par l'hôtesse de l'air d'Edimbourg qu'il baisait alors en douce. Leur mariage avait pris fin à l'instant où Margaret avait pêché cette relique dans les affaires de son époux au lieu du chéquier qu'elle espérait y découvrir. Pendant les deux années qui avaient suivi, son avocat et celui de Guy s'étaient rencontrés à maintes reprises afin de se mettre d'accord sur la somme qui lui permettrait de vivre pendant le reste de son existence.

— La seule entreprise dans laquelle il s'était lancé récemment, c'était le musée. (Ruth se pencha de nouveau sur sa broderie, maniant l'aiguille d'une main experte.) Il n'avait pas besoin d'amulette pour ça. C'était inutile. Cela marchait très bien. (Elle releva les yeux, l'aiguille en l'air, prête à la replonger dans la toile.) Est-ce qu'il vous avait parlé du musée, Margaret ? Est-ce qu'Adrian vous en a parlé ?

Margaret n'avait pas envie d'aborder le sujet d'Adrian avec sa belle-sœur, pas plus qu'avec quiconque, aussi s'empressa-t-elle d'opiner :

— Oui oui, le musée. Evidemment que j'étais au courant.

Ruth eut un sourire songeur et attendri.

— Il en était tellement fier ! Si fier de pouvoir faire quelque chose pour l'île ! Quelque chose de durable, quelque chose de bien, de beau. Quelque chose qui ait un sens.

Pas comme sa vie, alors, songea Margaret. Mais elle n'était pas là pour écouter Ruth faire l'éloge de Guy Brouard, protecteur de tous et de chacun. Si elle était à Guernesey, c'était uniquement pour s'assurer que Guy Brouard s'était également institué, par-delà la mort, le protecteur de son fils unique.

— Que va-t-il se passer maintenant ? dit-elle. Et ses projets ?

— Tout dépend du testament, répondit Ruth avec prudence. (Margaret la trouva trop prudente.) Je parle du testament de Guy, bien entendu. Je n'ai pas encore rencontré son notaire.

— Et pourquoi donc, très chère ?

— Parler de son testament, c'est rendre sa disparition beaucoup trop réelle. Permanente. Pour l'instant je n'y tiens pas.

— Vous préférez que je lui parle ? S'il y a des dispositions à prendre, je serai heureuse de m'en charger, ma chère.

— Merci, Margaret. Merci de me le proposer mais je dois m'en occuper moi-même. Je le ferai. Bientôt. Quand le moment sera venu.

— Oui, murmura Margaret. Evidemment.

Elle regarda sa belle-sœur piquer son aiguille dans le tissu, indiquant ainsi qu'elle arrêtait là son travail pour le moment. Elle essayait de jouer les âmes compatissantes mais elle rongeait son frein : elle mourait d'envie de savoir comment son ex-mari avait disposé de son immense fortune. Et plus exactement, elle voulait savoir comment il avait traité Adrian. Parce que même si, de son vivant, il avait refusé à ce fils unique les fonds dont il avait besoin pour lancer son affaire, dans son testament Guy avait sûrement prévu un geste dans ce sens. Sans doute cela permettrait-il à Carmel Fitzgerald et Adrian de se rabibocher. Adrian pourrait alors enfin se marier, devenir un homme normal menant une vie normale, ce qui mettrait un terme aux incongruités qui l'inquiétaient tant chez son fils.

Ruth s'était approchée d'un petit secrétaire où elle prit un cadre délicat. Dans ce cadre, une moitié de médaillon qu'elle regarda longuement. C'était le cadeau d'adieu de maman, que celle-ci avait remis à ses enfants au moment d'embarquer. « Je vais conserver l'autre moitié, mes chéris. Nous le reconstituerons lorsque nous nous retrouverons. »

Oui oui, faillit dire Margaret. Je sais qu'elle te manque, mais nous avons des affaires à régler.

— Il vaudrait peut-être mieux s'en occuper le plus

vite possible, ma chère, dit doucement Margaret. Vous devriez lui parler. C'est important.

Ruth reposa le cadre tout en continuant de le fixer.

— Ça ne changera rien que je lui parle ou non.

— Mais ça clarifiera les choses.

— A condition que la clarté soit nécessaire.

— Il faut bien que vous sachiez à quelle sauce... comment il souhaitait... enfin bref, ce qu'il souhaitait. Il faut bien que vous le sachiez. Mieux vaut se renseigner le plus tôt possible. Je suis sûre que son notaire sera d'accord avec moi. Est-ce qu'il vous a contactée, au fait, le notaire ? Après tout il doit savoir...

— Oh oui, il le sait.

Eh bien alors ? songea Margaret. Mais d'un ton apaisant elle acquiesça :

— Je vois, oui, chaque chose en son temps, quand vous vous sentirez prête.

Bientôt, songea Margaret. Elle n'avait pas envie de rester sur cette maudite île plus longtemps que nécessaire.

Ruth Brouard connaissait suffisamment sa belle-sœur pour savoir que sa présence au Reposoir n'avait rien à voir avec son mariage avec Guy, pas plus qu'avec le chagrin ou le regret qu'elle aurait pu éprouver concernant la manière dont Guy et elle s'étaient séparés, ni même avec le respect qu'elle aurait pu juger bon de témoigner devant les circonstances dramatiques de sa fin. Le fait qu'elle n'ait pas essayé de savoir qui avait assassiné le frère de Ruth indiquait clairement ce à quoi elle s'intéressait vraiment. Dans son esprit, Guy était riche à millions, et elle était bien décidée à mettre la main sur sa part du butin. Sinon pour elle-même, du moins pour Adrian.

C'est une garce vindicative, avait dit Guy en parlant d'elle à sa sœur. Elle a une collection de médecins à sa botte qui se tiennent prêts à témoigner qu'Adrian est trop instable pour être ailleurs qu'en compagnie de sa saleté de mère. Mais crois-moi, Ruth, si quelqu'un est responsable de l'état de ce malheureux gamin, c'est elle. Je ne sais pas si tu te rends compte, la dernière fois que je l'ai vu, il était couvert d'eczéma. De l'eczéma, à son âge... Cette femme est folle.

Et cela avait continué comme ça au fil des années. Vacances écourtées, voire carrément annulées. Pour finir, Guy ne pouvait plus voir son rejeton qu'en présence de son ex-femme. « Faut voir comment elle monte la garde, bordel, avait écumé Guy. Sans doute a-t-elle peur que je profite de son absence pour conseiller au petit de cesser de s'accrocher à ses jupes. Ce gamin est parfaitement normal, il suffirait de quelques années dans une école digne de ce nom pour le remettre d'aplomb. Je ne parle pas de ces établissements antédiluviens où on vous dresse les jeunes à coups de bains glacés et de châtiments corporels. Je parle d'une école moderne où il apprendrait à avoir confiance en lui, ce qu'il n'apprendra jamais tant qu'il restera collé à sa mère. »

Mais Guy n'avait jamais eu gain de cause. Et le résultat était que le pauvre Adrian, à trente-sept ans, n'avait aucun talent lui permettant de se définir. A moins qu'une série ininterrompue d'échecs, dans les sports d'équipe ou dans les relations avec les femmes, ne puisse être considérée comme un talent. Ces échecs étaient directement imputables aux rapports qu'il entretenait avec sa mère. Il ne fallait pas avoir un diplôme de psychologie pour aboutir à cette conclusion. Mais Margaret ne verrait jamais les choses sous cet angle, cela l'aurait obligée à prendre des mesures ou, du moins, à reconnaître qu'elle était responsable des problèmes de son fils. Et ça, bon sang, il n'en était pas question.

Margaret n'était pas du genre à assumer ses responsabilités. Plutôt du style à dire : je n'y suis pour rien si tu as des problèmes, débrouille-toi par tes propres moyens.

Pauvre Adrian, qui avait hérité d'une telle mère. Qu'elle fût pleine de bonnes intentions ne changeait rien au mal qu'elle réussissait à lui faire.

Ruth examina sa belle-sœur tandis qu'elle feignait de regarder l'unique souvenir qu'elle possédait encore de sa mère, cette moitié de médaillon. Margaret était une grande blonde aux cheveux ramenés sur le dessus de la tête, elle portait des lunettes de soleil en serre-tête, en plein mois de décembre. Incroyable. Ruth avait du mal à s'imaginer que son frère ait pu être marié à cette femme. Elle n'avait jamais réussi à associer dans son esprit Margaret et Guy, à se les représenter en tant que mari et femme. Pas sexuellement, car là c'était la nature qui parlait et peu importait la bizarrerie du tandem que deux êtres pouvaient former. Ce qu'elle n'arrivait pas à concevoir, c'était leur vie à deux dans la plénitude de sa dimension affective, ce terreau fécond dans lequel s'enracinent les enfants et l'avenir.

Les événements l'avaient prouvé : Ruth ne s'était pas trompée en supposant que son frère et Margaret étaient incompatibles. Si dans un rare moment d'optimisme ils n'avaient pas engendré le pauvre Adrian, il est probable qu'ils se seraient totalement perdus de vue après l'échec de leur mariage. Elle, ravie d'extorquer de l'argent à son ex, et lui, de se séparer de son épouse – trop heureux d'être débarrassé d'une de ses plus monumentales erreurs. Adrian avait empêché Margaret de disparaître de la vie de Guy. Car Guy avait aimé son fils même s'il avait été frustré dans son amour, et l'existence d'Adrian avait fait de la présence de Margaret une donnée inamovible. Jusqu'à la mort de Guy ou à celle de Margaret.

Mais c'était justement ce à quoi Ruth ne voulait pas penser, ce dont elle ne voulait pas parler, même si elle savait qu'elle ne pourrait éluder indéfiniment le sujet.

Comme lisant dans ses pensées, Margaret reposa le médaillon et dit :

— Ma chère Ruth, je n'arrive pas à tirer trois mots d'Adrian. Je ne voudrais pas passer pour morbide mais j'aimerais comprendre. Le Guy que je connaissais n'a jamais eu un seul ennemi. Bien sûr, il y avait ses femmes, et les femmes n'aiment guère qu'on les rejette, mais à supposer qu'il ait, conformément à ses habitudes...

— Margaret, je vous en prie, protesta Ruth.

— Attendez, s'empressa de reprendre Margaret. Inutile de se voiler la face, ma chère. Ce n'est pas le moment. Nous savons vous et moi quel genre d'homme c'était. Ce que j'essaie de dire, c'est qu'à supposer qu'il ait plaqué une femme, il est rare qu'une femme... pour se venger... vous me suivez. Alors qui ? A moins que, cette fois, il ne se soit agi d'une femme mariée et que le mari ait découvert le pot aux roses ? Encore que... Guy s'arrangeait pour éviter ces femmes-là.

Margaret jouait avec l'une de ses trois lourdes chaînes en or, celle qui était agrémentée d'un pendentif. Une énorme perle baroque, sorte d'excroissance laiteuse, nichée entre ses seins comme de la purée pétrifiée.

— Il n'avait pas... (Ruth se demanda pourquoi ça lui faisait aussi mal de le dire. Elle avait connu son frère. Elle l'avait connu pour ce qu'il était : bon, mais avec des côtés inquiétants, dangereux.) Il n'y avait pas de liaison. Personne n'a été rejeté.

— Mais une femme n'a-t-elle pas été arrêtée, ma chère ?

— En effet.

— Et est-ce que Guy et elle...

— Bien sûr que non. Elle n'était là que depuis quelques jours. Ça n'avait rien à voir avec... rien.

Margaret inclina la tête. Ruth comprit à quoi elle pensait : quelques heures, c'était plus que suffisant quand on était comme Guy Brouard un dragueur invétéré. Margaret allait sans aucun doute se mettre à la cuisiner à ce sujet. L'expression rusée de son visage signifiait qu'elle cherchait un moyen de s'y prendre qui exprimerait moins de la curiosité morbide et la certitude que son mari volage avait finalement eu la fin qu'il méritait que de la compassion à l'égard de Ruth qui avait perdu un frère auquel elle tenait plus qu'à sa vie. Toutefois Ruth n'eut pas à subir l'interrogatoire attendu. Car un coup hésitant fut frappé à la porte du petit salon et une voix tremblante énonça :

— Ruthie ? Je ne vous dérange pas... ?

Ruth et Margaret pivotèrent et aperçurent dans l'embrasure une femme, et derrière elle une adolescente montée en graine.

— Anaïs, dit Ruth. Je ne vous ai pas entendues arriver.

— Nous nous sommes servies de notre clef.

Anaïs la brandit, façon de faire comprendre la place qu'elle tenait dans la vie de Guy.

— J'espère que je n'ai pas... Oh Ruth, je n'arrive pas à y croire, je ne peux vraiment pas...

Elle se mit à pleurer. La jeune fille détourna les yeux avec gêne, s'essuyant les mains sur son pantalon. Ruth traversa la pièce et prit Anaïs Abbott dans ses bras.

— Vous pouvez vous servir de cette clef aussi longtemps que vous voudrez. Je suis sûre que Guy l'aurait voulu ainsi.

Tandis qu'Anaïs pleurait sur son épaule, Ruth tendit la main à sa fille de quinze ans. Jemima eut un bref sourire – elle s'était toujours bien entendue avec Ruth

– mais elle ne bougea pas pour autant. Elle fixa Margaret puis sa mère et dit : « Maman » d'une voix étouffée par la gêne. Jemima n'avait jamais aimé les démonstrations. Et elle avait toujours manifesté de la répugnance quand sa mère se laissait aller à se donner en spectacle.

Margaret s'éclaircit la gorge. Anaïs se dégagea des bras de Ruth et sortit un paquet de mouchoirs en papier de la veste de son tailleur-pantalon. Elle était vêtue de noir des pieds à la tête, un chapeau cloche couvrait en partie ses cheveux blond vénitien.

Ruth fit les présentations. C'était un peu délicat. Ex-femme, maîtresse en titre, et sa fille. Anaïs et Margaret échangèrent des murmures polis et se jaugèrent aussitôt du regard.

Elles n'auraient pu être plus dissemblables. Guy les aimait blondes, il les avait toujours aimées blondes, mais en dehors de cela les deux femmes n'avaient aucun point commun si ce n'est peut-être leurs origines. En effet, Guy ne les aimait pas seulement blondes, il les aimait également vulgaires. Quelle que fût leur éducation, leur façon de s'habiller, de se comporter ou de s'exprimer, la Mersey transparaissait encore dans le langage d'Anaïs tout comme la mère de Margaret – qui avait été femme de ménage – pointait le bout de l'oreille lorsque sa fille le souhaitait le moins.

En dehors de cela, c'était le jour et la nuit. Margaret était une grande femme imposante beaucoup trop élégante ; Anaïs, une sorte de petit oiseau, d'une minceur inquiétante – mis à part des seins manifestement faux car beaucoup trop opulents – mais toujours vêtue comme une femme qui ne porte jamais un vêtement sans avoir obtenu l'approbation de son miroir.

Evidemment Margaret n'avait pas fait le trajet jusqu'à Guernesey pour rencontrer voire réconforter l'une des nombreuses maîtresses de son ex-mari, aussi après avoir murmuré un digne mais mensonger : « Ravie de vous rencontrer », elle dit à Ruth : « Nous nous parlerons plus tard, ma chère. » Et elle embrassa sa belle-sœur sur les deux joues, la gratifiant d'un « Ruth chérie » comme si elle souhaitait qu'Anaïs Abbott comprenne à ce geste vaguement dérangeant, qui lui ressemblait si peu, que l'une d'entre elles au moins était solidement implantée dans la famille. Puis elle s'en alla dans un sillage de Chanel n° 5. Trop tôt pour ce genre de parfum, songea Ruth. Détail qui échappait à Margaret.

— J'aurais dû être avec lui, dit Anaïs d'une voix étouffée une fois que la porte se fut refermée derrière Margaret. Je voulais l'accompagner, Ruthie. Si seulement j'avais passé la nuit ici, je serais allée jusqu'à la baie le lendemain matin. C'était un tel plaisir de le regarder et, mon Dieu, pourquoi a-t-il fallu que cela arrive ?

A moi, n'osa-t-elle ajouter. Mais Ruth n'était pas idiote. Elle n'avait pas passé sa vie à observer son frère pour rien, elle savait où il en était dans son jeu perpétuel de séduction, de désillusion et d'abandon. A sa mort, Guy en avait presque fini avec Anaïs Abbott. Si Anaïs ne le savait pas, elle l'avait probablement senti d'une façon ou d'une autre.

— Venez, asseyons-nous. Vous voulez que je demande du café à Valerie ? Jemima, tu veux quelque chose, ma grande ?

— Peut-être quelque chose que je pourrais donner à Biscuit ? suggéra Jemima d'un ton hésitant. Il attend dehors. Il n'a pas mangé ce matin et...

— Mon canard chéri ! coupa sa mère avec un agacement qui était d'autant plus évident qu'elle s'était laissée aller à affubler Jemima du surnom de son enfance. (Ces mots constituaient à eux seuls un monde de reproches : les gamines s'intéressent à leur chiot, les jeunes filles aux jeunes gens.) Le chien survivra, n'aie crainte. En fait il aurait parfaitement pu rester à la maison. C'est sa place. Je me tue à te le dire. Tu ne peux tout de même pas t'attendre à ce que Ruth...

— Désolée.

Jemima avait dû parler plus fort que d'habitude car elle baissa aussitôt la tête. La pauvre petite n'était pas vêtue comme une adolescente ordinaire. Un cours d'été à Londres dans une école de mannequins ainsi que les descentes de sa mère dans son placard y avaient mis bon ordre. Elle était vêtue comme un mannequin de *Vogue*. Mais, bien qu'ayant passé du temps à apprendre à se maquiller, à se coiffer, à défiler sur un podium, elle était restée la maladroite Jemima, canard pour sa famille, et canard pour le monde, aussi mal à l'aise qu'un de ces volatiles à qui on interdirait de barboter dans l'eau.

Ruth se sentit le cœur gros.

— Cet adorable petit chien ? Mais il est sûrement très malheureux tout seul, Jemima. Tu veux me l'amener ?

— C'est stupide, fit Anaïs. Il est peut-être sourd mais sa vue et son odorat fonctionnent parfaitement bien. Il est très bien où il est. Laisse-le là-bas.

— Oui, bien sûr. Mais il aimerait peut-être un peu de bœuf haché ? Il reste de la tourte aux rognons d'hier. Jemima, va donc à la cuisine, demande à Valerie de t'en donner. Tu peux la passer au micro-ondes si tu veux.

Jemima releva la tête et son expression réchauffa le cœur de Ruth.

— Si ça ne vous dérange pas... dit la jeune fille avec un coup d'œil à sa mère.

Anaïs était suffisamment intelligente pour savoir quand s'incliner.

— Ruthie, c'est vraiment trop gentil. Nous ne voulons pas vous déranger.

— Vous ne me dérangez pas, dit Ruth. Vas-y, Jemima. Laisse-nous entre femmes, nous allons bavarder.

Ruth n'avait pas eu l'intention d'être désagréable en utilisant le terme *femmes*, néanmoins elle vit que cela avait été mal pris. A l'âge qu'elle consentait à avouer – quarante-six ans –, Anaïs aurait facilement pu passer pour la fille de Ruth. Physiquement en tout cas. Elle faisait tous les efforts possibles pour avoir l'air plus jeune. Car elle savait mieux que la plupart des femmes que les hommes d'âge mûr étaient attirés par la jeunesse et la beauté féminines, tout comme la jeunesse et la beauté féminines étaient attirées par ceux qui avaient les moyens de leur permettre de s'entretenir. L'âge importait peu. Ce qui comptait, c'étaient l'apparence et les ressources. Cette allusion à l'âge avait été une erreur. Toutefois, Ruth ne fit rien pour se faire pardonner cette faute de goût. Elle était en deuil de son frère, pour l'amour du ciel. Elle avait des excuses.

Anaïs s'approcha du métier à canevas. Elle examina le dernier panneau.

— C'est quel numéro, celui-là ?

— Vingt-deux, je crois.

— Vous en avez encore beaucoup à faire ?

— Autant qu'il en faudra pour raconter toute l'histoire.

— Toute l'histoire ? Et même celle de Guy, à la fin ?

Anaïs avait les yeux rouges mais elle ne se remit pas à pleurer. Elle se servit de sa question pour en revenir à l'objet de sa visite.

— Tout a changé maintenant, Ruth. Je suis inquiète pour vous. Prend-on soin de vous ?

L'espace d'un moment, Ruth songea qu'elle faisait allusion au cancer qui la rongeait et à sa mort imminente.

— Je crois que j'arriverai à m'en sortir, dit-elle.

Mais Anaïs lui posa une nouvelle question qui lui fit comprendre qu'elle n'était pas venue lui proposer un abri, des soins ni même son soutien pour les mois à venir.

— Avez-vous lu le testament, Ruthie ? (Et, comme se rendant compte de l'énormité de sa question, elle ajouta :) Savez-vous si on a pris soin de vous ?

Ruth dit à la maîtresse de son frère ce qu'elle avait dit à l'ex-femme de ce dernier. Elle y parvint avec une certaine dignité.

— Oh, fit Anaïs d'une voix empreinte de déception.

S'il n'y avait pas eu de lecture de testament, cela voulait dire qu'elle ne saurait pas si, quand, comment elle allait pouvoir payer les opérations qu'elle avait subies depuis sa rencontre avec Guy. Cela signifiait également que les loups étaient plus près qu'elle ne le croyait de la porte de l'impressionnante maison que ses enfants et elle occupaient au nord de l'île près de la baie de Grand Harve. Ruth avait toujours pensé qu'Anaïs Abbott vivait au-dessus de ses moyens, veuve de financier ou pas. Car qui sait ce que cette expression signifiait à une époque où les actions perdent toute valeur une semaine après avoir été achetées et où les marchés mondiaux sont fondés sur des sables mouvants ? Evidemment, il avait peut-être été un magicien de la finance, qui multipliait l'argent d'autrui comme on multiplie les pains devant les affamés, ou un conseiller en investissements capable de transformer cinq livres en cinq millions avec suffisamment de temps et de ressources. Mais d'un autre côté, il avait pu n'être qu'un employé de la Barclay's dont l'assurance-vie avait encouragé sa veuve éplorée à s'établir de façon à fréquenter des milieux plus huppés que ceux auxquels sa naissance et son mariage l'avaient habituée. D'une façon comme d'une autre, pour entrer dans ces cercles-là et s'y mouvoir, il fallait de l'argent. Pour payer la maison, les vêtements, la voiture, les vacances, sans compter ce détail annexe qu'est la nourriture. C'est pourquoi Anaïs Abbott se trouvait dans une situation critique. Elle avait fait des investissements considérables depuis sa rencontre avec Guy. Dans l'espoir que Guy, resté en vie, l'aurait épousée.

Même si Ruth éprouvait une certaine aversion pour Anaïs Abbott, compte tenu du plan qui, elle en était persuadée, avait toujours guidé cette femme, elle la savait en partie excusable. Guy l'avait en effet incitée à croire en la possibilité d'une union entre eux. Une union légitime. Main dans la main devant un prêtre, ou quelques minutes de sourires au greffe. Anaïs avait eu des raisons de se faire certaines idées parce que Guy s'était montré généreux. Ruth savait que c'était lui qui avait envoyé Jemima suivre ces cours à Londres et elle avait la quasi-certitude que c'était également grâce à lui que les seins d'Anaïs pointaient comme deux melons symétriques plaqués sur un torse trop frêle pour les supporter naturellement. Est-ce que toutes les factures avaient été réglées ou y en avait-il encore en souffrance ? Là était la question. Ruth ne tarda pas à avoir la réponse.

— Il me manque, Ruth, dit Anaïs. Il était si... Vous savez que je l'aimais, n'est-ce pas ? Vous savez combien je tenais à lui.

Ruth hocha la tête. Le cancer qui lui rongeait la colonne vertébrale réclamait toute son attention. Un hochement de tête, c'était à peu près tout ce qu'elle pouvait avoir comme réaction quand la douleur se manifestait et qu'elle essayait de la faire taire.

— Il était tout pour moi, Ruth. Mon rocher. Mon centre.

Anaïs baissa la tête. Quelques boucles s'échappèrent

de son chapeau cloche, qui lui glissèrent sur la nuque comme sous la caresse d'une main d'homme.

— Il avait une telle façon de prendre les choses... De prendre des initiatives... Vous savez que c'est lui qui a eu l'idée d'envoyer Jemima à Londres dans ce cours de mannequins ? Pour qu'elle prenne confiance en elle, disait-il. C'était tout à fait lui. Généreux, aimant.

Ruth hocha de nouveau la tête : son cancer la tenaillait. Elle pinça les lèvres pour étouffer un gémissement de douleur.

— Il n'y a rien qu'il n'aurait fait pour nous, poursuivit Anaïs. La voiture, l'entretien de la voiture, la piscine. Il était toujours là pour nous aider. Quel homme merveilleux, jamais je n'ai rencontré quelqu'un qui lui arrive à la cheville. Il a été si bon avec moi. Sans lui... j'ai l'impression d'avoir tout perdu. Il vous a dit qu'il avait payé les uniformes cette année ? Il allait jusqu'à m'allouer une certaine somme d'argent par mois. « Tu représentes davantage pour moi que je ne l'aurais cru possible et je veux que tu aies plus que ce que tu peux t'offrir par toi-même. » Je l'ai remercié, Ruth, cent fois. Je n'arrêtais pas de lui dire merci. Je voulais que vous sachiez comme il a été bon pour moi. Ce qu'il a fait de bien pour moi. Pour m'aider.

La requête n'aurait pu être plus claire sauf à l'écrire sur le tapis de Wilton. Ruth se demanda jusqu'où les femmes qui portaient le deuil de son frère allaient s'enfoncer dans le mauvais goût.

— Merci de cet hommage, Anaïs, dit-elle à son interlocutrice. Savoir que vous étiez pleinement consciente qu'il était la bonté même me fait chaud au cœur... C'est gentil à vous d'être venue me le dire. Je vous en suis infiniment reconnaissante. Vous êtes très bonne.

Anaïs ouvrit la bouche, prête à répondre. Elle prit

même une inspiration avant de comprendre qu'il n'y avait plus rien à ajouter. Elle ne pouvait demander directement de l'argent sans passer pour un abominable personnage. Même si elle se moquait qu'on la prenne pour tel, elle n'avait certainement pas envie de cesser de jouer la comédie de la veuve financièrement indépendante pour qui une relation riche de sens était plus importante que les espèces sonnantes et trébuchantes qu'elle ramassait au passage. Il y avait trop longtemps qu'elle vivait dans ce mensonge.

Tout en restant assise dans le petit salon, Anaïs Abbott ne dit donc plus rien, et Ruth non plus. D'ailleurs, qu'y avait-il à dire ?

7

Le temps continuant de s'arranger à Londres au fil de la journée, les Saint James et Cherokee River purent faire le voyage jusqu'à Guernesey. Ils y arrivèrent en fin d'après-midi. Survolant l'aéroport, ils distinguèrent à la lumière faiblissante des routes semblables à du fil gris qui serpentaient au milieu des hameaux de pierre et entre les champs dénudés. Les vitres d'innombrables serres reflétaient les derniers rayons du soleil, et les arbres dépouillés de leurs feuilles dans les vallées et sur les collines indiquaient les endroits où vents et tempêtes étaient le moins violents. Vu d'avion, le paysage était varié : à l'est et au sud de l'île, des falaises imposantes ; à l'ouest et au nord, des baies tranquilles. L'île était déserte à cette période de l'année. Les vacanciers ne reviendraient qu'à la fin du printemps ou en été arpenter les routes menant aux plages, aux sentiers du bord des falaises ou aux ports, explorer les églises, les châteaux forts de Guernesey. Ils feraient de la randonnée, du bateau, de la bicyclette, ils nageraient. Ils envahiraient les rues, peupleraient les hôtels. Mais en décembre seules trois catégories occupaient cette île : les insulaires liés à l'endroit par l'habitude, la tradition et l'affection ; les spécialistes de l'évasion fiscale résolus à soustraire le plus d'argent possible à leurs gouvernements respectifs ; les banquiers qui travaillaient à Saint Peter Port et d'un coup d'avion retournaient passer le week-end chez eux en Angleterre.

C'est à Saint Peter Port que les Saint James et Cherokee se rendirent. C'était l'agglomération la plus importante de l'île et le siège du gouvernement. C'était également là que se trouvaient le quartier général de la police et le cabinet de l'avocat de China River.

Cherokee s'était montré intarissable pendant la plus grande partie du trajet. Il sautait du coq à l'âne comme s'il avait peur de ce que le silence aurait pu signifier. Saint James s'était demandé si cette conversation incessante n'était pas destinée à les empêcher de réfléchir à la futilité de la mission qu'ils avaient entreprise. Si China River avait été arrêtée et inculpée, c'est qu'il devait y avoir des raisons. S'il s'agissait de preuves et non de simples présomptions, Saint James savait qu'il avait fort peu de chances de pouvoir les interpréter autrement que les experts de la police locale.

Puis, tandis que Cherokee poursuivait son monologue, Saint James avait eu l'impression que c'était moins pour les empêcher de tirer des conclusions concernant leur objectif que pour se lier à eux. Simon s'était placé en position d'observateur, troisième roue d'une bicyclette lancée vers l'inconnu en une balade décidément inconfortable.

Cherokee parlait surtout de sa sœur. Chine, comme il l'appelait, avait fini par apprendre à surfer. Est-ce que Debs le savait ? Son petit ami Matt avait fini par l'entraîner suffisamment loin du bord, elle qui avait toujours eu la frousse des requins. Il lui avait enseigné le b.a.-ba, il l'avait aidée à s'aguerrir et, le jour où elle avait réussi à se dresser sur sa planche... Génial. Elle avait fini par piger. Par comprendre de quoi il retournait. Le zen du surf. Cherokee voulait toujours qu'elle vienne surfer à Huntington avec lui en février ou en mars, quand les vagues sont méchantes, mais elle refusait parce que venir dans le comté d'Orange cela signifiait pour elle se rendre chez sa mère, or entre Chine et sa mère... ça ne collait pas très bien. Elles étaient trop différentes. Maman faisait toujours tout de travers. Par exemple, la dernière fois que Chine était venue passer un week-end, ça remontait à plus de deux ans, ça avait fait toute une histoire parce que maman n'avait pas de verres propres. Chine ne refusait pas de laver son verre. Mais elle disait que maman aurait dû prévoir, les laver à l'avance, que ça voulait dire quelque chose. Du genre : Je t'aime, sois la bienvenue... ou : Je suis contente de te voir ici. Quoi qu'il en soit, Cherokee avait toujours essayé de se tenir à l'écart lorsqu'elles s'engueulaient. Maman et Chine, c'étaient des femmes sympas. C'est seulement qu'elles étaient très différentes. Chaque fois que Chine venait au canyon – Debs savait que Cherokee vivait dans un canyon, n'est-ce pas ? A Modjeska, dans les terres. Dans un chalet avec des bûches devant –, chaque fois que Chine venait, lui, Cherokee, mettait des verres propres partout. Il n'en possédait pas des quantités, mais ceux qu'il avait... partout. Chine voulait des verres propres ? Cherokee lui donnait des verres propres. C'était vraiment bizarre, le genre de détail qui mettait les gens en rogne...

Pendant le trajet jusqu'à Guernesey, Deborah avait prêté une oreille amicale aux élucubrations de Cherokee. Il était passé des réminiscences aux révélations, puis aux explications et, en l'espace d'une heure, Saint James avait senti qu'outre l'inquiétude bien compréhensible que pouvait susciter en lui la situation de sa sœur, il se culpabilisait terriblement. S'il n'avait pas insisté pour que Chine l'accompagne, elle ne serait pas là où elle était. Il était en grande partie responsable. La merde, c'est des choses qui arrivent, dit-il. Mais il était clair que cette merde-là ne serait pas arrivée à cette personne-là si Cherokee n'avait pas voulu qu'elle le suive. Et s'il avait tenu à ce qu'elle soit du voyage, c'était parce qu'il avait besoin d'elle, leur expliqua-t-il. C'était la seule façon pour lui de prendre cet avion. S'il avait voulu faire l'aller-retour, c'était parce qu'il avait besoin d'argent, qu'il avait enfin trouvé un job qui lui convenait et qu'il lui fallait seulement un petit quelque chose pour financer son projet. Un bateau de pêche. C'était ça en un mot. China River était derrière les barreaux parce que son connard de frère avait voulu acheter un bateau de pêche.

« Tu ne pouvais pas savoir comment ça tournerait, avait protesté Deborah.

— C'est exact. Mais c'est pas pour autant que je me sens moins coupable. Il faut absolument que je la sorte de ce pétrin, Debs. (Avec un sourire à Deborah et à Saint James, il avait ajouté :) C'est vraiment sympa de me donner un coup de main. Vous me tirez une drôle d'épine du pied. Je ne sais pas comment je vous revaudrai ça. »

Saint James aurait bien voulu lui dire que sa sœur n'était pas encore sortie de prison et qu'il y avait même des chances pour que, même si la caution était payée, sa liberté ne constitue qu'un répit momentané. Aussi s'était-il contenté d'un bref :

« Nous ferons ce que nous pourrons.

— Merci, c'est vous les meilleurs, avait répondu Cherokee.

— Nous sommes tes amis, Cherokee », avait ajouté Deborah.

A ce moment-là, l'émotion l'avait submergé. C'est tout juste s'il avait trouvé la force de hocher la tête et d'esquisser, le poing fermé, ce drôle de geste qui, pour les Américains, revêt mille significations, de la gratitude à l'adhésion politique.

Ou peut-être entendait-il leur signifier autre chose.

Saint James ne pouvait s'empêcher de penser à ça. Il y pensait depuis le moment où, levant les yeux vers la galerie de la salle d'audience n° 3, il avait aperçu sa femme en compagnie de l'Américain : épaule contre épaule, Deborah murmurant à l'oreille de Cherokee qui baissait la tête pour mieux entendre. Il y avait quelque chose qui ne tournait pas rond. Saint James en était persuadé même s'il était incapable de définir de quoi il s'agissait. Cette impression l'empêcha de reprendre à son compte la déclaration d'amitié de sa femme à Cherokee. Il ne souffla mot et lorsque, des yeux, Deborah lui demanda pourquoi, il évita de croiser son regard. Cela n'allait pas améliorer leurs relations. Elle lui en voulait toujours à propos de leur conversation d'Old Bailey.

Arrivés en ville, ils s'installèrent à Ann's Place. Cet immeuble qui avait jadis abrité des locaux administratifs avait depuis été transformé en hôtel. Là, ils se séparèrent : Cherokee et Deborah se rendirent à la prison dans l'espoir de rencontrer China, qui était en détention préventive, Saint James au commissariat de police pour y rencontrer l'officier chargé de l'enquête.

Il éprouvait un sentiment de malaise. Il savait très bien qu'il n'avait rien à faire ici, qu'il s'immisçait indûment dans une enquête de police et qu'il ne serait pas accueilli à bras ouverts. En Angleterre au moins il aurait su quelle entrée en matière choisir pour aborder un policier à qui il venait soutirer des tuyaux. Il aurait pu faire allusion à des affaires sur lesquelles il avait travaillé. Vous vous souvenez du kidnapping Bowen ? Et cette mort par strangulation à Cambridge, l'an dernier, ça ne vous rappelle rien ? L'expérience avait appris à Saint James que, quand il déclinait son identité, les policiers anglais étaient en général disposés à partager avec lui leurs informations sans se formaliser outre mesure de ses tentatives pour leur tirer les vers du nez. Mais ici les choses étaient différentes. Pour se faire accepter par les enquêteurs chargés de l'affaire

River, il ne pourrait pas en appeler à des souvenirs communs, évoquer des affaires ou des procès criminels auxquels lui-même avait été mêlé. Cela le mettait dans une situation qu'il n'appréciait guère car il était obligé de recourir à celui de ses talents qui était le moins développé : la faculté de nouer des liens avec autrui.

Il passa d'Ann's Place dans Hospital Lane et au commissariat de police. Il réfléchit à cette histoire de lien. Peut-être que cette incapacité qui créait un gouffre entre lui et les autres – lui qui était toujours le scientifique froid, occupé à chercher les causes, réfléchir, peser, examiner, observer quand les autres se souciaient seulement d'être... – peut-être était-ce là la cause de son malaise face à Cherokee River.

« Je me souviens du surf ! avait dit Deborah, son visage se transformant. On y était allés tous les trois cette fois-là, tu te rappelles ? C'était où, déjà ? »

Cherokee avait pris un air pensif avant de répondre :

« Mais oui, bien sûr, à Seal, Debs, c'est plus facile qu'à Huntington, c'est plus protégé là-bas.

— Oui oui. Seal Beach. Tu m'as obligée à me lancer sur la planche, je n'arrêtais pas de crier tellement j'avais peur de heurter la jetée.

— Tu risquais pas de rester assez longtemps sur la planche pour heurter quoi que ce soit. »

Ils avaient éclaté de rire : un autre lien venait de se tisser entre eux.

Saint James traversa la rue pour atteindre le QG de la police de Guernesey. Le bâtiment s'abritait derrière un mur imposant taillé dans une pierre veinée de feldspath. C'était une bâtisse en forme de L dotée de quatre rangées de fenêtres et surmontée du drapeau de Guernesey. A la réception, Saint James donna son nom et tendit sa carte au constable de garde. Serait-il possible, lui demanda-t-il, de parler à l'officier chargé d'enquêter sur le meurtre de Guy Brouard ? Ou, à défaut, au chargé des relations avec la presse ?

Le constable examina la carte, son visage signifiant clairement que des coups de téléphone allaient devoir être passés de l'autre côté de la Manche, histoire de savoir exactement qui était ce spécialiste de la police scientifique. Tant mieux, parce que si ces coups de fil étaient passés, ce serait à la Police métropolitaine de Londres, au parquet ou à l'université où Simon enseignait, et dans ce cas son identité serait confirmée. Cela prit vingt minutes. Saint James resta à ronger son frein à la réception, où il lut le tableau d'affichage une demi-douzaine de fois. Il faut croire que ces vingt minutes furent bien employées parce que finalement l'inspecteur principal Louis Le Gallez vint en personne le chercher pour le conduire dans la salle des opérations – une ancienne chapelle garnie de matériels divers, de classeurs métalliques, d'ordinateurs, de panneaux d'affichage et de tableaux blancs.

Le Gallez voulut, bien entendu, savoir pourquoi un expert de la police scientifique de Londres s'intéressait à une enquête pour meurtre à Guernesey. Qui plus est à une enquête qui était bouclée.

— Nous avons le tueur, dit-il, bras croisés sur la poitrine, une jambe sur un coin de table.

Il fit reposer tout le poids de son corps, qui n'était pas mince pour un homme aussi petit, sur le bord de la table tout en tripotant la carte professionnelle de Saint James. Il avait l'air plus intrigué que méfiant.

Saint James décida de jouer franc jeu. Le frère de l'accusée, très secoué par ce qui était arrivé à sa sœur, lui avait demandé de l'aide faute d'avoir réussi à remuer l'ambassade américaine.

— Les Américains ont fait le nécessaire, affirma Le Gallez. Je ne sais pas ce que ce garçon peut espérer d'autre. Au fait, lui aussi faisait partie des suspects. Mais tout le monde était suspect. Tous ceux qui ont assisté à la fête donnée par Brouard. La nuit qui a précédé le meurtre. La moitié de l'île était présente. Croyez-moi, ça ne nous a pas simplifié le travail.

Le Gallez poursuivit comme s'il savait exactement dans quelle direction Saint James comptait orienter la conversation après cette remarque sur la soirée. Il lui dit qu'on avait interrogé toutes les personnes présentes chez les Brouard la nuit précédant le meurtre et que rien n'était venu modifier les soupçons initiaux des enquêteurs : quiconque aurait quitté le Reposoir comme les River au matin du meurtre aurait mérité qu'on enquête sérieusement sur son compte.

— Les autres invités avaient tous un alibi pour l'heure du meurtre ? questionna Saint James.

Ce n'était pas ce qu'il avait voulu dire, rétorqua Le Gallez.

Les preuves qu'ils avaient contre China River étaient accablantes et Le Gallez ne parut que trop heureux d'en fournir la liste. Les quatre techniciens de scène de crime avaient passé les lieux au peigne fin. Le médecin légiste avait examiné le corps. China River avait laissé une empreinte partielle sur place : une empreinte de pas dont la moitié était effacée par un paquet d'algues. Toutefois des grains de sable qui correspondaient exactement au sable de la plage s'étaient trouvés pris dans les semelles de ses chaussures et ces chaussures correspondaient à l'empreinte partielle.

— Elle aurait pu se trouver là-bas à un autre moment, dit Saint James.

— Possible. Brouard les avait autorisés à se promener partout quand lui-même ne les accompagnait pas. Mais je doute qu'il ait accroché des cheveux de cette fille dans la fermeture Eclair du survêtement qu'il portait lorsqu'il est mort. Et je doute qu'il se soit frotté la tête contre son vêtement.

— Quelle sorte de vêtement portait-elle ?

— Un grand truc noir. Boutonné au cou, sans manches.

— Une cape ?

— Et les cheveux de Brouard étaient dessus à l'endroit exact où on pourrait s'attendre à les trouver si on lui avait passé un bras autour du corps pour l'immobiliser. La pauvre imbécile n'a même pas pris la peine d'utiliser une brosse.

— La façon dont on s'y est pris pour le tuer, vous ne trouvez pas ça bizarre ? La pierre ? Le fait qu'il soit mort étouffé ? S'il ne l'a pas avalée seul par accident...

— Aucune chance, coupa Le Gallez...

— ... alors c'est qu'on la lui a enfoncée dans la gorge. Mais comment ? Quand ? Au cours d'une lutte ? Vous avez retrouvé des signes de lutte ? Sur la plage ? Sur le corps ? Sur miss River quand vous l'avez conduite au commissariat ?

— Aucune trace de lutte. Mais je ne vois pas pourquoi il y aurait eu lutte. C'est pour ça que, dès le départ, on a pensé à une femme.

Le Gallez s'approcha d'une table pour y prendre un petit tube en plastique dont il vida le contenu dans sa paume.

— Ah, voilà qui fera l'affaire. (Et il sortit un rouleau de bonbons Polo. Il en prit un, le tendit vers Saint James.) La pierre en question est un petit peu plus grande que ça et percée d'un trou pour qu'on puisse la suspendre à un porte-clefs. Les bords sont sculptés. Maintenant regardez. (Il se fourra le bonbon dans la bouche d'un coup de langue, le cala dans sa joue.) C'est pas seulement des microbes qu'on peut se transmettre quand on se roule une pelle, mon vieux.

Saint James hocha la tête mais il restait dubitatif. La théorie de l'enquêteur lui semblait hautement improbable.

— Mais il lui aurait fallu faire plus que lui glisser

la pierre dans la bouche. J'admets à la rigueur qu'elle ait pu la lui faire passer sur la langue pendant un baiser mais certainement pas dans la gorge. Comment aurait-elle réussi un coup pareil ?

— L'effet de surprise. Elle le prend par surprise en lui refilant la pierre, elle lui plaque une main sur la nuque tandis qu'ils se font du bouche-à-bouche. Du coup, il est dans la position voulue. Elle lui pose l'autre main sur la joue et à l'instant où il recule parce qu'elle lui a refilé la pierre, elle le tient au creux de son bras, elle le fait basculer en arrière et sa main à elle est sur sa gorge, la pierre aussi. Le tour est joué : il est cuit.

— Très tiré par les cheveux, votre scénario, dit Saint James. L'accusation ne peut espérer convaincre... Vous avez des jurys ici ?

— Aucune importance. La pierre n'est censée convaincre personne. Ce n'est qu'une théorie. On ne sera même pas, si ça se trouve, obligés d'en faire état devant le tribunal.

— Pourquoi ?

— Parce que nous avons un témoin, Mr Saint James, fit Le Gallez avec un fin sourire. Et un témoin, ça vaut cent experts et mille théories.

A la prison où on avait enfermé China, Deborah et Cherokee apprirent que les événements s'étaient accélérés au cours des dernières vingt-quatre heures, depuis que le jeune homme avait quitté l'île pour aller demander de l'aide à Londres. L'avocat de China avait réussi à la faire libérer sous caution et il lui avait trouvé un point de chute. L'administration pénitentiaire connaissait son adresse, évidemment, mais le personnel refusa de la leur communiquer.

Deborah et Cherokee firent donc machine arrière et repartirent en direction de Saint Peter Port. Lorsqu'ils aperçurent une cabine téléphonique à la hauteur de

Belle Greve, Cherokee bondit de la voiture pour téléphoner à l'avocat. Deborah le regarda passer son appel. Manifestement le frère de China était très agité. Tout en parlant, il tapait avec son poing sur la vitre. Bien que ne sachant lire sur les lèvres, Deborah réussit à déchiffrer : « Ecoutez-moi, mon vieux », d'un Cherokee très énervé. La conversation ne dura que trois ou quatre minutes. Pas assez longtemps pour rassurer Cherokee, mais suffisamment pour lui permettre de découvrir où sa sœur habitait.

— Il l'a installée dans un appartement à Saint Peter Port, relata Cherokee tandis qu'il reprenait le volant. Un de ces endroits que les touristes louent pendant l'été. « Trop heureux de la savoir là. » C'est comme ça qu'il m'a présenté les choses. Je me demande ce que ça veut dire.

— C'est un appartement de vacances, dit Deborah. Qui sera sans doute libre jusqu'à la fin du printemps.

— Sans doute. Il m'a peut-être fait passer un message. Je lui ai demandé pourquoi il ne m'avait pas prévenu qu'il la faisait sortir de prison et tu sais ce qu'il a répondu ? « Miss River ne m'a pas dit vouloir qu'on révèle l'endroit où elle se trouvait. »

A croire qu'elle voulait se cacher.

Ils se frayèrent un chemin jusqu'à Saint Peter Port, où, même avec l'adresse, ce ne fut pas une mince affaire de localiser l'appartement où l'on avait logé China. La ville était un labyrinthe de sens uniques : des ruelles étroites qui grimpaient à l'assaut de la colline et s'égaillaient à travers une agglomération bâtie longtemps avant l'invention des voitures. Deborah et Cherokee passèrent à plusieurs reprises devant des maisons de ville du XVIIIe siècle, devant des maisons mitoyennes victoriennes, avant de tomber sur les Queen Margaret Apartments au coin de Saumarez et de Clifton, tout en haut de Clifton. C'était un endroit qui aurait fourni à un vacancier la vue que l'on paye une fortune quand on veut en profiter au printemps et en été. Le port s'étendait au-dessous, et Castle Cornet se dressait à l'endroit où il protégeait jadis la ville des invasions. Par temps clair, on devait voir les côtes françaises à l'horizon.

Ce jour-là, dans le crépuscule commençant, la Manche était une masse cendreuse de paysage liquide. Les lumières brillaient sur le port déserté par les bateaux de plaisance et au loin le château fort ressemblait à un amoncellement de cubes édifié par un enfant. Le plus dur, à Queen Margaret Apartments, fut de trouver quelqu'un qui puisse leur indiquer la direction de l'appartement de China. Ils dénichèrent finalement un homme pas rasé qui sentait mauvais, dans un studio à l'arrière de la résidence par ailleurs déserte. Il semblait tenir le rôle de concierge, quand il n'était pas occupé comme maintenant à déposer des pierres d'un noir luisant dans de petites cavités creusées sur un étroit plateau de bois.

— Attendez, dit-il lorsque Cherokee et Deborah se présentèrent chez lui. Faut juste que je... ah merde. Il m'a encore eu.

« Il », c'était son adversaire, c'est-à-dire lui-même car il jouait pour les deux camps. Il débarrassa son côté de ses pierres et dit :

— Qu'est-ce que je peux faire pour vous ?

Lorsqu'ils lui apprirent qu'ils étaient venus voir sa seule et unique locataire – manifestement il n'y avait personne d'autre dans les Queen Margaret Apartments à cette époque de l'année –, il feignit l'ignorance. C'est seulement lorsque Cherokee lui dit de téléphoner à l'avocat de China qu'il leur laissa entendre que la femme accusée de meurtre résidait quelque part dans le bâtiment. Et là, il se contenta de se traîner jusqu'au téléphone et d'appuyer sur quelques touches. Quand on lui répondit à l'autre bout de la ligne, il dit : « Quelqu'un qui prétend être le frère... » Et avec un coup d'œil à Deborah : « Y a une rouquine avec lui. » Il écouta cinq secondes puis dit : « Très bien » et leur communiqua le renseignement. Ils trouveraient la personne qu'ils cherchaient dans l'appartement B à l'est du bâtiment.

Ce n'était pas très loin. China leur ouvrit la porte.

— Te voilà, dit-elle simplement en se jetant dans les bras de Deborah.

Celle-ci l'étreignit chaleureusement. Elle la serra contre elle comme une sœur.

— Bien sûr, s'écria Deborah. Je regrette seulement de n'avoir pas su plus tôt que tu étais de passage en Europe. Pourquoi ne pas m'avoir prévenue ? Pourquoi ne pas avoir téléphoné ? Oh, si tu savais comme je suis contente de te voir !

Elle plissa furieusement les paupières, étonnée de ce débordement d'émotion indiquant combien son amie lui avait manqué pendant toutes les années où elles avaient perdu contact.

— Désolée qu'on se retrouve dans ces conditions.

China sourit fugacement à Deborah. Elle était beaucoup plus mince que dans le souvenir de son amie, et ses beaux cheveux couleur de sable blond, fort bien coupés, encadraient un visage d'enfant abandonné avec des cernes trahissant son désarroi. Sa façon de s'habiller aurait fait piquer une crise à sa mère, l'écologiste. Elle était entièrement vêtue de cuir noir : pantalon, gilet, boots. Le noir rehaussait encore la pâleur de son teint.

— Simon m'a accompagnée, dit Deborah. On va tirer cette histoire au clair. Ne t'inquiète pas.

China jeta un coup d'œil à son frère, qui avait fermé la porte. Il était allé dans le renfoncement qui servait de cuisine. Gêné, dansant d'un pied sur l'autre, c'était le mâle qui aurait donné cher pour se trouver ailleurs quand des femmes lâchent la bride à leurs émotions. Elle s'adressa à lui :

— Je ne t'avais pas dit de les ramener ici. Seulement de leur demander leur avis. Mais je suis heureuse que tu l'aies fait, Cherokee. Merci.

Il hocha la tête.

— Vous avez besoin... Je peux aller faire un tour, si vous voulez. T'as de quoi manger, Chine ? Tu sais quoi : je vais aller faire les courses.

Et il sortit sans attendre de réponse.

— C'est bien les hommes, commenta China lorsqu'il fut parti. Ils ne supportent pas les larmes.

— Et nous n'en sommes pas encore aux larmes.

China eut un petit rire qui réchauffa le cœur de Deborah. Elle n'arrivait pas à imaginer ce que ce devait être que de se retrouver piégée dans un pays étranger et accusée de meurtre. Aussi, si elle pouvait aider son amie à ne pas trop penser à sa situation, était-elle décidée à le faire. Mais elle voulait également rassurer China quant à l'amitié qu'elle éprouvait toujours pour elle.

— Tu m'as manqué. J'aurais dû t'écrire plus souvent, dit-elle.

— Tu aurais dû m'écrire tout court, répondit China. Toi aussi, tu m'as manqué. (Elle entraîna Deborah dans le coin cuisine.) Je vais nous préparer du thé. C'est fou ce que je suis heureuse de te voir.

— Non, laisse-moi faire. Ce n'est pas à toi de t'occuper de moi. Laisse-moi inverser les rôles pour une fois.

Elle conduisit son amie vers la table placée sous une fenêtre donnant à l'est. Sur la table, un bloc et un stylo. La première page était couverte de lettres en majuscules, de dates, avec l'écriture de China.

— Tu as passé un sale moment, en Californie, dit China. J'étais contente de pouvoir t'aider.

— Je ne sais pas comment tu as pu me supporter. J'étais une vraie loque.

— Tu étais à des milliers de kilomètres de chez toi, tu étais dans une drôle de situation et tu ne savais pas quoi faire. J'étais ton amie. Je n'ai pas eu à te supporter, comme tu dis. Simplement à m'occuper de toi. Ce qui n'a pas été très difficile, à vrai dire.

Deborah éprouva comme une vague de chaleur qui colora son visage, réaction qui avait deux causes. D'une part, le plaisir de l'amitié entre femmes. Mais également une période de son passé difficile à regarder en face. China River avait fait partie de cette période, maternant Deborah pendant tout ce temps.

— Je suis tellement... dit Deborah. Je ne sais pas quel mot utiliser, heureuse de te voir ? Mais c'est vraiment égocentrique de formuler les choses comme ça. Tu as des ennuis et je suis heureuse d'être là, quelle sale petite égoïste je fais !

— Mais non, fit China avec un sourire.

Deborah se rendit dans la kitchenette. Elle remplit la bouilloire, la brancha. Elle sortit des mugs, du thé, du sucre et du lait. Dans l'un des deux placards, elle tomba sur un paquet de gâche de Guernesey. Elle ôta le papier d'emballage et découvrit une pâtisserie en forme de brique, compromis entre un pain d'épices et un cake. Cela ferait l'affaire.

China se tut pendant que Deborah posait le nécessaire sur la table. Puis elle murmura un : « Tu m'as manqué », qui aurait pu échapper à Deborah si elle n'avait prêté autant attention aux paroles de son amie.

Deborah lui tapota l'épaule. Elle versa rituellement le thé et le sucra. Elle savait que la cérémonie ne réconforterait pas longtemps China, mais il y avait quelque chose dans le fait de tenir un mug de thé brûlant entre ses doigts, de laisser la chaleur vous pénétrer, qui avait toujours possédé une vertu magique à ses yeux, comme si les eaux du Léthé, et non les feuilles d'une plante asiatique, avaient produit ce qui fumait à l'intérieur de la tasse.

China devina à quoi elle songeait car, en prenant sa tasse, elle dit :

— Ah, ces Anglais avec leur thé.

— On boit aussi du café.

— Pas dans un moment comme celui-là.

China tenait son mug au creux de sa paume. Elle regarda par la fenêtre. Les lumières de la ville commençaient à former une palette jaune sur fond de nuit tandis que les dernières lueurs du jour laissaient place à l'obscurité.

— C'est fou ce que la nuit tombe vite ici, j'ai du mal à m'y faire.

— Ah, c'est la saison.

— Je suis tellement habituée au soleil.

China sirota son thé et posa le mug sur la table. A l'aide d'une fourchette, elle piqua un morceau de gâche mais sans le manger.

— Il va falloir que je m'y habitue, j'imagine, au manque de clarté. A être perpétuellement enfermée.

— Il n'y a pas de danger que ça arrive.

— Je n'ai rien fait.

China leva la tête, regarda son amie droit dans les yeux.

— Je n'ai pas tué cet homme, Deborah.

Deborah sentit un frisson la parcourir à l'idée que China puisse croire qu'elle avait besoin d'être convaincue de son innocence.

— Evidemment que tu ne l'as pas tué. Je ne suis pas venue ici pour jouer les saint Thomas, et Simon non plus.

— Mais ils ont des preuves. Mes cheveux, mes

chaussures, mes empreintes de pas. J'ai l'impression d'être dans un rêve. Un de ces rêves où on essaie de crier mais où personne n'entend parce qu'on ne crie pas vraiment. Tu vois le genre.

— J'aimerais pouvoir te sortir de là.

— On les a retrouvés sur ses vêtements, poursuivit China. Les cheveux. *Mes* cheveux. Il y en avait sur ses vêtements lorsqu'ils l'ont découvert. Impossible de savoir comment ils ont atterri là. J'ai beau réfléchir, je ne vois pas d'explication. (D'un geste, elle désigna le bloc.) J'ai noté là-dedans mes faits et gestes de chacune des journées passées ici. M'aurait-il serrée contre lui à un moment ou un autre ? Mais pourquoi ? Et si oui, comment se fait-il que je ne m'en souvienne pas ? L'avocat semble vouloir me faire dire qu'il y avait quelque chose entre nous. Pas quelque chose de sexuel, non. Mais qui aurait pu déboucher sur des relations sexuelles. Des contacts physiques. Des frôlements. Ce genre de trucs. Seulement il n'y a rien eu de ce style entre nous. Je ne peux pas dire qu'il y en a eu s'il n'y en a pas eu. Ce n'est pas que ça me gêne de mentir. Je mentirais comme un arracheur de dents si ça pouvait arranger les choses. Mais qui diable pourrait confirmer une histoire pareille ? On m'a vue avec lui et jamais il n'a posé la main sur moi. Oh, peut-être sur mon bras, mais c'est tout. C'est pour ça, si je vais à la barre et si je dis qu'on a retrouvé mes cheveux sur lui parce que... parce qu'il m'a serrée contre lui, embrassée, pelotée, que sais-je ? c'est ma parole contre celle de tous ceux qui diront qu'il ne m'a jamais regardée. On pourrait demander à Cherokee de témoigner mais il est hors de question que je demande à mon frère de mentir.

— Il ne demande qu'à t'aider.

— Mais pas comme ça. (China secoua la tête d'un air de résignation.) Tu sais, lui, toute sa vie il a vécu d'arnaques. Tu te souviens des brocantes ? Ces artefacts indiens qu'il fourguait semaine après semaine ? Des flèches, des morceaux de poterie, des outils. Il a failli me faire croire que ces objets étaient authentiques.

— Tu ne veux pas dire que Cherokee... commença Deborah en fronçant les sourcils.

— Non non. C'est juste que j'aurais dû y réfléchir à deux fois, et même plus, avant de m'embarquer dans ce voyage. J'aurais dû me douter qu'il s'agissait d'autre chose que de transporter des plans par-delà l'océan. Je ne dis pas que Cherokee avait une arnaque en tête. Plutôt que c'est un coup monté par quelqu'un d'autre.

— Et vous étiez les boucs émissaires, conclut Deborah.

— C'est ce que j'ai pensé.

— Ça signifie que tout ce qui est arrivé était programmé. Même le fait de demander à un Américain de se charger de la mission pour lui faire porter le chapeau.

— Deux Américains, rectifia China. Comme ça, si un seul n'était pas suffisamment crédible comme suspect, l'autre avait de bonnes chances de l'être. On a donné dans le panneau. Deux abrutis de Californiens qui n'avaient jamais mis les pieds en Europe, exactement les gens qu'il leur fallait. Un couple de naïfs, qui seraient totalement désarmés si jamais ils étaient piégés. Et le plus beau, c'est que je ne voulais pas venir. Je savais qu'il y avait du louche dans cette expédition. Seulement, tu me connais, je n'ai jamais été capable de dire non à mon frère.

— Il est effondré.

— Cela ne m'étonne pas. Si je lui refuse quelque chose, je me sens coupable. « Tout ce qu'il lui faut, c'est un coup de pouce », voilà le raisonnement que je me suis tenu pour me convaincre de l'accompagner. Je sais qu'il ferait pareil pour moi.

— Il avait l'air de croire qu'il te rendait service, à cause de Matt. Il pensait que le moment était venu pour toi de décrocher un peu. Au fait, il m'a raconté, vous deux. La rupture. Désolée. Je l'aimais bien, Matt.

China contempla son mug si fixement que Deborah se dit qu'elle voulait éviter de parler de la fin de sa relation avec Matt Whitecomb, mais, alors qu'elle allait changer de sujet, China se décida.

— Ç'a été dur au début. Ça va mieux maintenant. Treize ans, c'est long. Treize ans passés à attendre qu'un homme vous dise qu'il est prêt. J'ai toujours su quelque part que ça n'allait pas coller, nous deux. Il m'a juste fallu du temps pour avoir le courage de mettre fin à cette liaison. C'est la hantise de me retrouver seule qui m'a poussée à m'accrocher à lui. Qu'est-ce que je vais faire pour le Nouvel An ? Qui va m'envoyer une carte pour la Saint-Valentin ? Chez qui vais-je fêter le 4 Juillet ? C'est fou, le nombre de relations qui tiennent simplement parce que les gens veulent avoir de la compagnie pour les fêtes.

China prit son morceau de gâteau et le repoussa avec un frisson.

— Impossible d'avaler ce truc-là, désolée. De toute façon, j'ai des choses plus importantes en tête que Matt Whitecomb pour le moment. Savoir pourquoi j'ai passé mon temps entre vingt et trente ans à essayer de transformer le sexe en mariage, maison, mioches... Franchement il faudra que j'y réfléchisse quand je serai plus vieille parce que pour l'instant... C'est curieux, la vie. Si je n'avais pas une condamnation suspendue au-dessus de la tête, je serais peut-être en train de me demander pourquoi il m'a fallu si longtemps pour comprendre la vérité sur Matt.

— Et c'est quoi, la vérité ?

— Matt est un type qui a les jetons. J'aurais dû m'en rendre compte, ça crevait les yeux. Mais je n'ai pas voulu regarder les choses en face. Chaque fois que j'exigeais de lui plus que des week-ends ou de courtes vacances, il éludait, il se volatilisait. Un voyage d'affaires de dernière minute. Du travail par-dessus la tête. Besoin de faire un break pour réfléchir. En treize ans, on s'est séparés tellement souvent que notre relation commençait à ressembler à un cauchemar récurrent. Nos relations tournaient en rond, on ne parlait que de ça. Des heures à se demander pourquoi on n'était pas d'accord, pourquoi je voulais une chose et lui une autre. Pourquoi il reculait quand j'allais de l'avant, pourquoi il avait l'impression d'étouffer quand je me sentais abandonnée. Qu'est-ce qu'ils ont, les hommes, à refuser de s'engager ?

China prit sa cuiller pour remuer son thé, plus par nervosité que par nécessité. Elle jeta un coup d'œil à Deborah.

— Mais ce n'est pas à toi que je devrais poser la question. Ce n'est pas le genre de problème que tu as rencontré, Debs.

Deborah n'eut pas le temps de lui rappeler les faits : à savoir que, pendant les trois ans qu'elle avait passés en Amérique, elle avait été complètement coupée de Simon.

Un coup frappé à la porte annonçait le retour de Cherokee. Il avait un sac à l'épaule. Il le posa par terre en disant :

— Je quitte l'hôtel, Chine. Pas question que je te laisse ici toute seule.

— Il n'y a qu'un lit.

— Je dormirai par terre. Tu as besoin de compagnie. Tu as besoin de moi.

Il dit cela d'un ton qui fit comprendre à China

qu'elle était mise devant le fait accompli. Qu'il était inutile d'essayer de le faire revenir sur sa décision.

China poussa un soupir : elle n'avait pas l'air contente.

Saint James n'eut pas de mal à trouver le cabinet de l'avocat de China dans New Street car il était situé à peu de distance de la Royal Court House. L'inspecteur principal Le Gallez avait appelé pour faire savoir à l'homme de loi qu'il aurait un visiteur. Aussi, lorsque Saint James se présenta devant sa secrétaire, attendit-il moins de cinq minutes avant d'être conduit dans le saint des saints.

Roger Holberry lui désigna l'un des trois fauteuils qui entouraient une petite table de conférence. Ils prirent place et Saint James déroula à l'intention de l'avocat les faits que l'inspecteur principal avait bien voulu lui communiquer. Saint James savait que Holberry les connaissait déjà. Mais il fallait que l'avocat complète ce compte rendu en y ajoutant ce que Le Gallez avait omis pendant leur entretien. Et le seul moyen d'y parvenir, c'était de laisser son interlocuteur constater ce qui manquait dans les données qu'il lui fournissait.

Holberry ne se fit pas prier. Le Gallez lui avait appris qui était Saint James. L'inspecteur principal n'était pas particulièrement content que des renforts aient rallié les rangs de l'opposition, mais c'était un honnête homme et il n'avait pas l'intention d'empêcher des amis de China River d'établir son innocence.

— Il me l'a fait clairement comprendre : il ne croit pas que vous puissiez être utile à grand-chose, dit Holberry. Il pense avoir des éléments solides sur lesquels s'appuyer.

— Qu'est-ce que la médecine légale vous a communiqué concernant le corps ?

— Ce qu'ils ont réussi à récupérer en externe

jusque-là. Y compris des microparticules diverses prélevées sous les ongles.

— L'analyse toxicologique ? Tissus ? Organes ? Des résultats ?

— C'est encore trop tôt. Echantillons et prélèvements sont expédiés en Angleterre et il faut attendre son tour. Mais le modus operandi est clair, Le Gallez a dû vous le dire.

— La pierre, oui.

Saint James confia à l'avocat qu'il avait fait remarquer à Le Gallez qu'il jugeait invraisemblable qu'une femme ait enfoncé une pierre dans la gorge d'un homme adulte.

— Et s'il n'y avait pas de signes de lutte... Que disent les microparticules prélevées sous les ongles ?

— Rien. C'est du sable.

— Le reste du corps ? Ecchymoses, écorchures, coups ?

— Rien de tout ça, répondit Holberry. Le Gallez sait qu'il n'a presque rien. Le plus important, c'est le témoin. La sœur de Brouard a vu quelque chose. Dieu sait quoi. Et elle ne nous l'a pas encore dit.

— Est-ce qu'elle aurait pu faire le coup ? La sœur ?

— Possible mais peu vraisemblable. Tous ceux qui les connaissent sont d'accord : elle était très attachée à la victime. Ils ont passé presque toute leur vie ensemble. Elle a même travaillé pour lui quand il a monté son affaire.

— Quel genre d'affaire ?

— Les Châteaux Brouard, dit Holberry. Ils ont gagné un fric monstre et ils sont venus se retirer à Guernesey.

Les Châteaux Brouard, songea Saint James. Il avait entendu prononcer le nom du groupe : une chaîne de petits hôtels haut de gamme installés un peu partout en Angleterre, dans d'anciennes maisons de campagne de belle facture. Rien de tapageur, juste un cadre historique, des meubles anciens, une table raffinée et le calme. Le genre d'endroit que fréquentent ceux qui cherchent la paix, l'anonymat ; parfait pour des acteurs qui ont besoin de quelques jours loin des projecteurs et des médias, excellent pour les hommes politiques qui ont des liaisons. La discrétion était le mot d'ordre absolu de ce genre d'établissements et les Châteaux Brouard s'y entendaient en matière de discrétion.

— Elle pourrait protéger quelqu'un, fit Saint James. Qui, au fait ?

— Le fils, pour commencer. Adrian.

Holberry expliqua que le fils de Guy Brouard, âgé de trente-sept ans, résidait au manoir la veille du meurtre. Puis, ajouta-t-il, les Duffy, Valerie et Kevin, qui faisaient partie de la maisonnée depuis que Brouard avait repris le Reposoir.

— Je vois bien Ruth Brouard mentant pour les couvrir, souligna Holberry. Elle était loyale envers les gens qu'elle aimait. Et les Duffy de leur côté lui étaient tout dévoués. Ruth et Guy Brouard étaient très appréciés à Guernesey. Il distribuait son argent avec une grande facilité et elle s'occupait d'œuvres charitables.

— Donc, apparemment, des gens qui n'avaient pas d'ennemis.

— C'est dur pour la défense, dit l'avocat. Mais tout n'est pas encore perdu.

Holberry avait l'air satisfait. L'intérêt de Saint James s'éveilla.

— Vous avez trouvé quelque chose.

— Plusieurs choses. Peut-être que ce ne sera rien mais ça mérite qu'on se penche dessus.

Il décrivit les liens qui unissaient Guy Brouard à un adolescent de seize ans, un certain Paul Fielder qui vivait du mauvais côté de la ville dans un quartier nommé le Bouet. Brouard avait fait la connaissance du jeune homme par l'intermédiaire d'une association chargée de mettre des adultes en contact avec des adolescents issus de milieux défavorisés et scolarisés dans le secondaire. GAYT – Guernsey-Adults-Youths-Teachers – avait demandé à Guy Brouard d'être le mentor de Paul Fielder, et Brouard avait plus ou moins adopté le jeune homme. Ce que les parents de ce dernier n'avaient pas dû trouver particulièrement agréable et que le fils biologique de Brouard n'avait pas dû apprécier lui non plus. Dans un cas comme dans l'autre, cela avait pu déchaîner les passions, et parmi elles la plus basse d'entre toutes, la jalousie.

Et puis il y avait la soirée. Soirée qui s'était déroulée la nuit précédant la mort de Guy Brouard, poursuivit Holberry. Tout le monde savait depuis des semaines qu'elle devait avoir lieu. C'est pourquoi un tueur prêt à se jeter sur un Brouard épuisé par une nuit de festivités aurait eu largement le temps de préparer son coup et de faire porter le chapeau à une tierce personne. Pendant que la soirée battait son plein, il n'avait pas dû être difficile de se glisser à l'étage et de déposer des pièces à conviction sur des vêtements, des semelles de chaussures, ou mieux encore de prendre ces chaussures et de les emporter jusqu'à la baie pour y laisser une empreinte de pas ou deux que la police découvrirait ultérieurement. Oui, cette soirée et la mort de Brouard étaient liées, énonça catégoriquement Holberry.

— Et puis il y a cette histoire d'architecte et de musée sur laquelle on ferait bien de se pencher également, poursuivit-il. Une vraie cacophonie. Or, quand la confusion règne, les gens prennent vite cela pour de la provocation.

— Mais l'architecte n'était pas présent la nuit du meurtre, si ? fit Saint James. Je pensais qu'il était en Amérique.

— Pas celui-là. Je vous parle de l'architecte pressenti originellement, un type du nom de Bertrand Debiere. Un homme de la région, persuadé, comme nous tous d'ailleurs, que c'étaient ses plans qui seraient choisis pour le musée de Brouard. Pourquoi pas ? Brouard avait chez lui une maquette qu'il montrait à qui voulait la voir : la maquette réalisée par Debiere de ses propres mains. Aussi, lorsque Brouard a annoncé qu'il donnait une fête pour révéler le nom de l'architecte choisi par ses soins... (Holberry haussa les épaules.) Rien d'étonnant à ce que Debiere ait supposé que c'était lui.

— C'est quelqu'un de vindicatif, ce Debiere ?

— Comment savoir ? On pourrait penser que les flics du coin se seraient penchés attentivement sur son cas, mais il est de Guernesey. Il est peu probable qu'ils s'intéressent à lui.

— Les Américains étant plus violents par nature ? Tirs dans les cours d'école, peine de mort, armes à portée de tous, etc. ?

— Ce n'est pas tant ça que la nature du crime lui-même. (Holberry jeta un coup d'œil à la porte, qui grinçait. Sa secrétaire se glissa dans la pièce. Tout dans sa personne indiquait que c'était l'heure de partir. Elle tenait une liasse de papiers dans une main, un stylo dans l'autre. Elle avait enfilé son manteau, et son sac pendait à son bras. Holberry prit les documents et commença à les parapher tout en parlant.) Ça fait des années qu'il n'y a pas eu de meurtre de sang-froid sur l'île. On ne sait même plus à quand remonte le dernier. En tout cas, la police est bien incapable de le dire. On a eu des crimes passionnels, naturellement. Des morts accidentelles, des suicides. Mais un meurtre prémédité, calculé ? Non. (Il finit de signer les documents, les tendit à sa secrétaire et lui souhaita une bonne soirée. Il se leva, retourna vers son bureau, se mit à fouiller dans ses papiers, en fourra certains dans un attaché-case posé sur son fauteuil.) Cela étant, la police est malheureusement encline à croire que quelqu'un de Guernesey serait incapable de commettre un meurtre de cette nature.

— Vous soupçonnez d'autres personnes en dehors de l'architecte ? s'enquit Saint James. Je veux dire d'autres insulaires qui auraient une raison de vouloir la mort de Guy Brouard ?

L'avocat repoussa ses papiers tout en réfléchissant. A l'extérieur, la porte du cabinet s'ouvrit puis se referma sur la secrétaire.

— Je crois, dit prudemment Holberry, qu'on a à peine gratté la surface en ce qui concerne Guy Brouard et les habitants de l'île. C'était un vrai père Noël : œuvres caritatives par-ci, œuvres caritatives par-là, construction d'une nouvelle aile de l'hôpital. « Vous avez besoin de quelque chose ? Allez donc trouver Mr Brouard. » En outre c'était un mécène, il parrainait une bonne demi-douzaine d'artistes : peintres, sculpteurs, verriers. Et il finançait les études universitaires de plus d'un gamin en Angleterre. Voilà le genre d'homme que c'était. Certains disaient qu'il ne faisait que rendre à la communauté ce qu'elle lui avait donné en l'accueillant dans son sein. Mais je ne serais pas surpris que d'autres aient pris les choses autrement.

— Ce n'est pas le tout de recevoir, il faut rendre ?

— C'est un peu ça. (Holberry ferma son attaché-case.) Les gens ont tendance à attendre quelque chose en retour quand ils distribuent leur argent. En suivant la trace de l'argent de Brouard dans l'île, nous finirons tôt ou tard par trouver ce qu'il attendait.

8

En début de matinée, Frank Ouseley prit ses dispositions pour que l'une des femmes de fermiers de la rue des Rocquettes descende faire de petites visites à son père. Il ne comptait pas s'absenter du moulin plus de trois heures mais il ne savait pas avec certitude combien de temps dureraient le service religieux, les obsèques et la réception. Il était hors de question qu'il n'assiste pas à la totalité des cérémonies. Mais il ne pouvait se permettre de laisser son père tout seul, c'était trop risqué. Aussi passa-t-il des coups de téléphone jusqu'à ce qu'il trouve une âme compatissante qui accepta de faire un ou deux sauts à bicyclette au moulin, avec des douceurs pour le cher homme. « Votre papa a le bec sucré, n'est-ce pas ? »

Ce n'était pas nécessaire, lui avait assuré Frank. Toutefois, si elle tenait à faire une surprise à papa, autant qu'elle sache qu'il avait une prédilection pour les pommes.

— Fuji, Braeburn, Pippin ? s'était enquise la brave dame.

— Franchement, cela ne fait aucune différence.

En réalité, elle aurait probablement pu préparer une vague mixture à base de farine et de graisse quelconque et la faire passer pour de l'apple strudel. Son père avait mangé pire dans le temps et il avait survécu, faisant de ces agapes un de ses sujets de conversation préférés. Frank avait l'impression que plus son père avançait en âge, plus il se plaisait à évoquer le passé lointain. Frank avait trouvé ça très bien quand cela avait commencé des années plus tôt car, en dehors de l'intérêt qu'il portait à la guerre en général et à l'occupation de Guernesey en particulier, Graham Ouseley avait toujours été admirablement discret sur ses exploits pendant cette période douloureuse. Pendant la plus grande partie de la jeunesse de Frank, il s'était efforcé d'éluder les questions personnelles, disant : « Il ne s'agissait pas seulement de moi, fiston, mais de nous tous. » Et Frank en était venu à chérir l'idée que l'ego de son père n'avait pas besoin d'être dopé par l'évocation de souvenirs dans lesquels il avait joué un rôle clef. Mais comme s'il savait que le temps lui était compté et qu'il souhaitait léguer des souvenirs à son fils unique, Graham s'était mis à parler de façon plus détaillée. Une fois qu'il avait commencé, rien ne pouvait l'arrêter.

Ce matin-là, justement, Graham s'était lancé dans un monologue sur le véhicule que les nazis avaient utilisé pour détecter les derniers émetteurs ondes courtes qu'utilisaient les citoyens de l'île afin de recueillir des informations de l'ennemi, notamment des Français et des Anglais. « Le dernier qui s'est fait piquer a été passé par les armes à Fort George, avait dit Graham. Un pauvre bougre, originaire du Luxembourg. Y en a qui disent que c'est la camionnette qui l'a piégé ; mais moi, je dis que c'est un indic qui l'a donné. Parce qu'on en avait, bon sang, des indics, des espions. Des collaborateurs, Frank. Même que ça leur faisait ni chaud ni froid d'envoyer un mec devant le peloton d'exécution. J'espère qu'ils pourrissent en enfer. Tous jusqu'au dernier, les salopards. »

Après les émetteurs clandestins, il y avait eu la campagne V pour Victoire. Les habitants de Guernesey avaient inscrit cette lettre partout pour défier les nazis

– à la craie, avec de la peinture, sur le béton encore humide.

Et puis il y avait eu l'opération *GIFT – Guernsey Independent From Terror*. Contribution personnelle de Graham Ouseley à la Résistance. C'était cette lettre confidentielle qui lui avait valu de passer un an en prison. Avec trois autres insulaires, et pendant vingt-neuf mois, il avait réussi à publier ce bulletin clandestin avant que la Gestapo ne vienne frapper à sa porte. « On m'a trahi, dit Graham. C'est comme pour les émetteurs-récepteurs ondes courtes. N'oublie jamais ça, Frank. Au pied du mur, les trouillards se dégonflent, ils craquent. C'est toujours la même chose quand les temps sont durs. Les gens vous balancent pour peu qu'on sache les motiver. Compte sur moi, on le leur fera payer cher, à ces fumiers. Peut-être pas tout de suite mais ils paieront. »

Frank laissa son père continuer de disserter sur ce sujet et faire ses confidences au téléviseur tout en s'installant confortablement pour suivre le premier des feuilletons de la journée. Il lui dit que Mrs Petit passerait le voir dans une heure et expliqua à son père que lui-même avait des choses importantes à faire à Saint Peter Port. Il ne fit pas mention des obsèques parce qu'il ne lui avait toujours pas annoncé que Guy Brouard était mort.

Par chance, son père ne lui demanda pas de précisions : des accords de musique grandiloquente jaillis de la télé absorbaient déjà son attention. Quelques secondes plus tard, il était plongé dans une intrigue mettant en scène deux femmes, un homme et une belle-mère particulièrement retorse. Voyant cela, Frank s'empressa de partir.

Comme il n'y avait pas de synagogue dans l'île, compte tenu du faible nombre de Juifs qui y résidaient, et bien que Guy Brouard ne fût paroissien d'aucune église, le service funèbre se tenait dans Town Church, non loin du port, à Saint Peter Port. « Etant donné la place occupée par le défunt dans la communauté et l'affection dont il était l'objet », l'église de Saint Martin – dont dépendait le Reposoir – avait été jugée trop petite pour contenir l'assistance, qui promettait d'être nombreuse. Il était devenu si cher au cœur des habitants de l'île en ses dix ans de séjour parmi eux qu'il n'y avait pas moins de sept personnes pour officier : anglicans, Armée du Salut, etc.

Frank arriva juste à temps – un vrai miracle, étant donné les problèmes de stationnement. Il faut dire que la police avait prévu le coup et réservé les deux parkings d'Albert Pier aux personnes venues assister aux obsèques. Alors que Frank n'avait réussi à trouver une place qu'à l'extrémité nord de la jetée, il parvint malgré tout, en courant jusqu'à l'église, à se présenter là-bas avant le cercueil et la famille.

Adrian Brouard menait le deuil. C'était son droit le plus strict en tant que fils de Guy. Les amis de Guy savaient toutefois que les deux hommes ne s'étaient pas vus au cours des trois derniers mois et que le peu de relations qu'ils avaient pu avoir auparavant étaient le plus souvent conflictuelles. La mère du jeune homme était certainement intervenue, se dit Frank, lorsqu'il s'était agi de placer Adrian dans le cortège, car il était juste derrière le cercueil. Et pour être sûr qu'il ne bouge pas de là, elle s'était postée directement derrière lui. La pauvre petite Ruth venait en troisième position, suivie d'Anaïs Abbott et de ses deux enfants, qui avaient réussi à se glisser au milieu de la famille pour l'occasion. Les seules personnes à qui Ruth avait probablement demandé de l'accompagner étaient les Duffy. Toutefois, la place occupée par Valerie et Kevin – derrière les Abbott – ne leur permettrait guère de lui offrir le cas échéant un quelconque réconfort. Frank espéra qu'elle trouverait une consolation dans le nombre de personnes qui s'étaient rendues à l'église pour lui témoigner leur amitié à elle et à son frère – qui était l'ami et le bienfaiteur d'un grand nombre de gens.

Pendant presque toute sa vie, Frank avait fui l'amitié. Son père lui suffisait. Dès l'instant où sa mère s'était noyée au Réservoir, ils s'étaient cramponnés l'un à l'autre. Le fait d'avoir été témoin des tentatives infructueuses de Graham pour se porter au secours de sa femme et la ranimer, de la culpabilité qui l'avait rongé à la suite de son échec avait inextricablement lié Frank et son père. Arrivé à l'âge de quarante ans, Graham Ouseley avait trop souffert, il avait eu trop de chagrin, et Frank avait décidé tout jeune de faire son possible pour qu'il ne souffre plus. Il avait consacré à cet objectif la plupart de son existence. Et lorsque Brouard avait fait son entrée dans sa vie, l'éventualité de nouer amitié avec un autre homme pour la première fois s'était présentée à Frank telle une pomme venant d'un serpent. Il avait mordu dedans comme un affamé, sans se rendre compte qu'une seule bouchée suffisait à sceller son destin.

Les obsèques semblaient interminables. Chacun des officiants devait prononcer un petit discours après l'éloge funèbre péniblement débité par Adrian Brouard, qui lisait des feuilles dactylographiées probablement rédigées par sa mère. L'assistance chantait des hymnes de circonstance. Une soliste cachée dans les hauteurs entonna des adieux d'opéra.

Ce fut fini, du moins la première partie. Ensuite venaient l'enterrement et la réception, qui devaient se dérouler au Reposoir.

La procession des invités se rendant à la propriété était impressionnante. Elle se déroulait le long du Quay, d'Albert Pier jusqu'au-delà de Victoria Marina. Elle serpentait à l'assaut du Val des Terres, sous les arbres dénudés, contournant la colline. De là, elle suivait la route sortant de la ville, qui séparait l'opulence de Fort George à l'est, avec ses immenses villas modernes protégées par des haies et des portails électriques, et les logements plus quelconques à l'ouest : rues et avenues percées au XIXe, où s'entassaient bâtisses néoclassiques et maisons mitoyennes que le temps n'avait guère épargnées.

Juste avant que Saint Peter Port ne cède la place à Saint Martin, le cortège prit vers l'est. Les voitures roulaient sous les arbres, le long d'une route étroite qui débouchait sur un sentier encore plus étroit. D'un côté du sentier courait un mur de pierre assez haut. De l'autre, un terre-plein d'où jaillissait une haie rabougrie par le froid de décembre.

Une ouverture dans le mur laissait voir deux grilles de fer. Elles étaient ouvertes. Le corbillard s'engagea sur les terres du Reposoir. L'assistance suivit, Frank avec elle. Il se gara au bord de l'allée et se rendit au manoir avec le reste des invités. A peine avait-il fait dix pas que sa solitude fut interrompue. Une voix s'éleva près de lui :

— Voilà qui change tout.

Levant les yeux, il constata que Bertrand Debiere s'était joint à lui.

L'architecte avait une mine épouvantable. Trop maigre pour sa taille, il semblait avoir perdu encore plusieurs kilos depuis la réception qui avait eu lieu au Reposoir. Le blanc de ses yeux était veiné de rouge, et ses pommettes toujours proéminentes semblaient se détacher de son visage tels des œufs qui auraient tenté de fuir leur nid.

— Ah, Nobby, dit Frank avec un hochement de tête.

Il avait utilisé machinalement le sobriquet de l'homme de l'art. Celui-ci avait été son élève en histoire des années plus tôt, dans le secondaire, et Frank n'avait jamais fait de manières avec les gens qu'il avait eus dans sa classe.

— Je ne t'ai pas vu au service.

Debiere ne montra pas s'il était contrarié que Frank utilise son surnom. Comme ses intimes ne l'appelaient jamais autrement, il est probable qu'il ne l'avait même pas remarqué.

— Vous n'êtes pas d'accord ?

— Avec quoi ?

— L'idée de départ. *Mon* idée. Il va falloir qu'on y revienne maintenant. Guy ayant disparu, on ne peut pas compter sur Ruth pour diriger les opérations. De toute façon elle n'y connaît rien et je doute qu'elle ait envie de s'y mettre.

— Ah, le musée, dit Frank.

— Le projet ne restera pas lettre morte. Guy ne l'aurait pas souhaité. Quant au plan, il faudra le modifier. Je lui en avais parlé mais vous êtes probablement au courant, non ? Je sais que vous étiez proches. Il vous a probablement dit que je l'avais pris entre quat'z'yeux. Ce soir-là, justement. Après le feu d'artifice. J'ai jeté un coup d'œil aux dessins et je me suis tout de suite rendu compte que le Californien avait tout faux. Rien d'étonnant de la part de quelqu'un qui n'a pas mis les pieds sur le site. Ce type-là devait avoir un ego grand comme ça. Je n'aurais jamais procédé de cette façon. C'est ce que j'ai dit à Guy. Et je suis sûr que je commençais à lui faire entendre raison, Frank.

Nobby parlait d'une voix convaincue. Frank lui jeta un coup d'œil tandis qu'ils suivaient la procession qui se dirigeait vers la façade ouest de la maison. Il ne broncha pas, alors qu'il voyait bien que l'autre attendait qu'il réagisse. Les fines gouttes de transpiration sur sa lèvre supérieure le trahissaient.

— Toutes ces fenêtres, Frank, poursuivit l'architecte. Comme s'il y avait une vue extraordinaire à

Saint Saviour dont il fallait absolument tirer parti. Il aurait tout de suite constaté qu'il n'y avait pas de vue s'il s'était déplacé. Et le chauffage, avec toutes ces grandes fenêtres. Ça va coûter une fortune d'entretien si on veut que l'endroit reste ouvert hors saison, par mauvais temps. Je suppose que vous voulez que ce soit ouvert hors saison. Si ce musée est pour l'île, pas seulement pour les touristes, il faut qu'il soit ouvert quand les gens du cru pourront y aller. Chose qu'ils ne feront jamais au milieu de l'été avec la foule des touristes. Vous n'êtes pas d'accord ?

Sachant qu'il lui fallait dire quelque chose, que son silence paraîtrait bizarre, Frank dit :

— Attention à ne pas mettre la charrue avant les bœufs, Nobby. Il faut y aller doucement.

— Mais vous êtes mon allié, n'est-ce pas ? s'enquit Nobby. Fffrank, vous êtes de mmmon côté ?

Ce bégaiement trahissait bien son angoisse. Il l'avait trahi à l'école déjà quand il était gamin et qu'on l'interrogeait : il en devenait incapable de réciter sa leçon. Son problème d'élocution avait toujours fait paraître Nobby plus vulnérable que les autres. D'un côté, c'était attendrissant ; d'un autre, ça l'obligeait à dire la vérité, lui ôtant la faculté de déguiser ses sentiments.

— Ce n'est pas seulement une question d'alliés et d'ennemis, Nobby, dit Frank. Cette histoire... (D'un hochement de tête, il indiqua ce qui s'était déroulé dans la maison, les décisions qui avaient été prises, les rêves qui avaient été brisés.) Ça n'a rien à voir avec moi. Je n'ai pas eu mon mot à dire. Je n'avais pas les moyens de m'engager, pas comme tu sembles le penser, en tout cas.

— Mais il avait porté son choix sur moi, Frank. Vous savez qu'il m'avait choisi, qu'il avait arrêté son choix sur mon plan. Ecoutez, il faut absolument que je décroche ce chantier.

Il cracha le dernier mot. Son visage luisait d'effort. Il avait élevé la voix et plusieurs personnes jetèrent un coup d'œil curieux dans leur direction.

Frank quitta la procession et entraîna Nobby. Le cercueil passait devant la serre, se dirigeait vers le jardin des sculptures au nord-ouest de la maison. Emplacement idéal pour une tombe : mort, Guy pourrait reposer au milieu des artistes dont il avait été le mécène au cours de sa vie.

Sa main sur le bras de Nobby, Frank l'emmena vers la serre, hors de la vue de ceux qui rejoignaient le lieu de la sépulture.

— Il est trop tôt pour parler de tout ça, dit-il à son ancien élève. Si rien dans son testament n'a été spécifié...

— Aucun architecte n'a été désigné dans le testament. Vous pouvez en être sûr. (Il s'épongea le visage avec un mouchoir, ce qui parut lui rendre de l'assurance.) Guy aurait adopté mes plans, soyez-en sûr, Frank. Vous connaissez ses sentiments pour l'île. Je le vois mal choisissant un outsider comme architecte. Cette idée est ridicule, il s'en serait rendu compte lui-même. Maintenant c'est à nous d'expliquer pourquoi il faut changer d'architecte. Qu'on me donne dix minutes et je me fais fort de pointer tout ce qui ne va pas dans ce projet. Il ne s'agit pas seulement des fenêtres, Frank. Cet Américain n'a rien compris à la nature des collections que le musée doit abriter.

— Mais Guy avait déjà fait son choix. C'est manquer de respect à sa mémoire que de ne pas s'y tenir. Non, ne dis rien, Nobby, écoute-moi. Je sais que tu es déçu. Je sais que tu n'approuves pas le choix de Guy. Mais c'était *son* choix, à nous de nous y conformer.

— Guy est mort, fit Nobby en martelant les syllabes. Quelle qu'ait pu être sa décision, nous sommes maintenant en mesure de bâtir le musée comme nous le jugeons bon. Comme il doit l'être. C'est votre projet, Frank. Ça a toujours été votre projet. C'est vous qui détenez les objets à exposer. Guy voulait juste que vous ayez un endroit où les rassembler.

Son apparence, son langage avaient beau être étranges, il était très persuasif. Dans d'autres circonstances, Frank aurait abondé dans le sens de Nobby. Mais, en l'état actuel des choses, il lui fallait rester ferme. S'il se laissait ébranler, il risquait de le payer cher.

— Je ne peux pas t'aider, Nobby, désolé.

— Mais vous pourriez en parler à Ruth. Elle vous écouterait.

— Peut-être, mais je ne saurais pas quoi lui dire.

— Je vous brieferai, je vous soufflerai les mots.

— Dans ce cas, pourquoi ne pas t'en charger toi-même ?

— Elle ne m'écoutera pas ; pas comme elle vous écouterait.

Frank tendit les mains, paumes en l'air :

— Désolé, Nobby, vraiment désolé. Qu'est-ce que je peux dire d'autre ?

Nobby avait l'air abattu, son dernier espoir s'était envolé.

— Vous pouvez toujours dire que vous êtes suffisamment désolé pour vous sentir poussé à agir. Mais je suppose que c'est trop pour vous, Frank.

C'était trop peu, songea Frank. Et c'était parce que les choses avaient changé qu'ils étaient là où ils se trouvaient maintenant.

Saint James vit les deux hommes quitter la procession. Devant le sérieux de leur conciliabule, il se promit de découvrir leur identité. Pour l'instant toutefois, il suivit le reste de l'assistance.

Deborah cheminait près de lui. Sa réserve du matin

indiquait qu'elle n'avait pas oublié leur conversation du petit déjeuner, une de ces confrontations insensées où seule une des parties concernées sait de quoi il s'agit. En l'occurrence, la personne qui savait de quoi il s'agissait n'était pas lui. Alors qu'il demandait à Deborah si c'était raisonnable de ne commander que des champignons et des tomates grillées pour son premier repas de la journée, elle avait passé leur histoire en revue depuis le début. En tout cas c'est ce qu'il avait fini par comprendre après avoir entendu sa femme l'accuser de la manipuler. « Tu me bouscules, Simon, comme si j'étais incapable d'agir seule. J'en ai assez. Je suis adulte et j'aimerais que tu me traites comme telle. »

Il avait écarquillé les yeux, se demandant comment ils avaient pu, à partir d'une discussion sur les protéines, en arriver à ce genre d'accusation. Un peu stupidement, il avait dit : « De quoi parles-tu, Deborah ? » Et le fait qu'il n'ait pas suivi son raisonnement les avait entraînés vers un désastre.

Un désastre pour lui. A ses yeux à elle, c'était simplement un moment où des vérités concernant leur mariage éclataient enfin au grand jour. Il avait espéré qu'elle le ferait profiter de ces vérités pendant le trajet jusqu'à l'église et ensuite au manoir. Mais elle n'en avait rien fait, alors il avait décidé de laisser passer quelques heures pour lui donner le temps de se calmer.

— Ce doit être son fils, murmura Deborah.

Ils étaient au dernier rang de la foule, sur une petite pente conduisant à un mur. Le mur enserrait un jardin séparé du reste de la propriété. Des allées y sinuaient au hasard, traversant des buissons et des massifs soigneusement taillés, sous les arbres qui, s'ils étaient nus en cette saison, devaient être en été astucieusement placés pour fournir de l'ombre à des bancs de béton et à des bassins. Partout, des sculptures modernes : une silhouette de granit en position fœtale ; un elfe de cuivre verdi par le temps qui posait sous les branches d'un palmier ; trois jeunes filles de bronze traînant des algues ; une nymphe de marbre jaillissant d'un bassin. En haut de cinq marches, une terrasse. A l'extrémité de la terrasse, une pergola supportant de la vigne et abritant un banc. C'était ici, sur la terrasse, que la tombe avait été creusée, peut-être pour que les générations à venir puissent contempler le jardin et du même coup le lieu où reposait celui qui l'avait conçu.

Saint James vit que le cercueil était déjà dans la fosse et que les dernières prières avaient été prononcées. Une femme blonde qui portait des lunettes de soleil incongrues, comme pour un enterrement à Hollywood, poussait en direction de la tombe l'homme qui était à ses côtés. Près de la tombe, un tas de terre d'où pointait une pelle avec des rubans noirs. Saint James était d'accord avec Deborah, ce devait être le fils, Adrian Brouard, seul habitant de la maison en dehors de sa tante et des River la veille du jour où son père avait été assassiné.

Le fils Brouard fit une grimace. Il repoussa sa mère, s'approcha du monticule de terre. Dans le silence absolu, il prit une pelletée de terre et la jeta sur le cercueil. La terre en heurtant le bois fit un bruit de porte que l'on referme.

Adrian Brouard fut bientôt imité par une petite femme à silhouette d'oiseau, si menue que, de dos, elle aurait facilement pu passer pour un préadolescent. Elle tendit solennellement la pelle à la mère d'Adrian Brouard, qui s'exécuta à son tour. Alors qu'elle s'apprêtait à planter la pelle dans le tas de terre, une autre femme s'avança et s'empara du manche avant que la blonde à lunettes ait eu le temps de le lâcher.

Un murmure parcourut l'assistance. Saint James étudia la femme plus attentivement. On n'en voyait pas grand-chose car elle portait un chapeau de la taille d'un parasol. Mais elle avait une silhouette spectaculaire que mettait en valeur un tailleur couleur charbon. Elle mania la pelle à son tour et la tendit à une adolescente dégingandée au dos voûté, aux chevilles incertaines dans ses chaussures à semelles compensées. La jeune fille s'inclina devant la tombe et voulut passer la pelle à un garçon dont la taille, le teint et l'allure générale indiquaient qu'il était son frère. Toutefois, au lieu d'exécuter le rituel, le jeune homme se détourna brutalement et s'enfonça dans les rangs de ceux qui se trouvaient le plus près de la fosse. Il y eut un second murmure.

— Qu'est-ce qui se passe ? questionna doucement Deborah.

— Ça mérite qu'on enquête, répondit Saint James. (Et, saisissant l'occasion qui lui était offerte, il ajouta :) Tu te sens d'attaque pour le sonder, Deborah ? Ou est-ce que tu préfères aller voir China ?

Il n'avait pas encore rencontré l'amie de Deborah et n'était pas sûr de le vouloir, même s'il n'arrivait pas à mettre le doigt sur la cause de sa réticence. Il savait qu'ils allaient forcément être mis en présence à un moment ou un autre, alors il se dit qu'il voulait avoir quelque chose de positif à lui rapporter lorsque cela arriverait. En attendant, il tenait à ce que Deborah se sente libre d'aller rendre visite à son amie si elle en avait envie. Elle ne l'avait pas encore fait aujourd'hui, et il y avait gros à parier que l'Américaine et son frère devaient se demander ce qu'ils fabriquaient.

Cherokee avait téléphoné de bonne heure le matin, brûlant d'apprendre ce que Saint James avait réussi à découvrir en allant voir la police. Il s'exprimait d'une voix délibérément tonique tandis que Saint James lui racontait qu'il avait peu de choses à lui dire, et Saint James en avait conclu que le jeune homme se trouvait en présence de sa sœur. Au terme de la conversation, Cherokee lui avait fait part de son intention d'assister aux obsèques. Il avait très fermement exprimé son désir de se manifester. C'est seulement lorsque Saint James lui avait objecté avec tact que sa présence risquait de provoquer une distraction supplémentaire qui pourrait permettre au tueur de se fondre dans la foule qu'il avait accepté de renoncer à son projet. Il attendait avec impatience d'apprendre ce que Simon et sa femme avaient pu découvrir. Et China aussi.

— Va la voir si tu veux, dit Saint James à sa femme. Je vais rôder par ici un moment. Fouiner, flairer le vent. Je trouverai bien quelqu'un pour me ramener en ville. Ça ne devrait pas être un problème.

— Je ne suis pas venue à Guernesey pour tenir la main de China, rétorqua Deborah.

— Je sais, et c'est pourquoi...

Elle lui coupa la parole :

— Je vais essayer de savoir ce qu'il a à dire, Simon.

Saint James la regarda s'éloigner à grandes enjambées en direction du jeune homme. Avec un soupir il se demanda pourquoi, quand on parlait avec des femmes, et particulièrement avec sa propre femme, on parlait d'une chose en essayant de deviner ce qu'elle sous-entendait par ailleurs. Et il se demanda en quoi son incapacité à « lire » les femmes n'allait pas perturber son enquête à Guernesey, où, à ce qu'il semblait, la vie et la mort de Guy Brouard grouillaient de femmes.

Lorsque Margaret Chamberlain vit le handicapé s'approcher de Ruth à la fin de la réception, elle comprit que normalement il n'avait rien à faire au milieu de l'assistance. Pour commencer, il n'était même pas allé dire un mot de condoléances à sa belle-sœur près de la tombe, comme les autres. En outre, pendant la réception qui avait suivi l'enterrement, il n'avait cessé de se promener de pièce en pièce, en homme plongé dans des spéculations. Margaret avait d'abord pensé que c'était un quelconque monte-en-l'air, malgré sa boiterie et sa prothèse, mais lorsqu'il se présenta à Ruth, allant jusqu'à lui donner sa carte, elle comprit qu'il s'agissait de tout autre chose. Et que cela concernait la mort de Guy. Ou du moins la répartition de sa fortune, répartition dont ils allaient enfin découvrir les tenants et les aboutissants dès que le dernier des invités aurait tourné les talons.

Ruth n'avait pas voulu rencontrer plus tôt le notaire de Guy. C'était comme si elle pressentait qu'il allait être porteur de mauvaises nouvelles et qu'elle essayait d'épargner cette épreuve à tout le monde. A tout le monde ou à quelqu'un en particulier ? songea Margaret la rusée. A qui ? Telle était la question.

Si c'était Adrian que Ruth espérait protéger, les choses ne se passeraient pas comme ça. Elle traînerait sa belle-sœur devant les tribunaux, elle agiterait sans vergogne les moindres pièces de linge sale si Guy avait déshérité son fils unique. Oh, bien sûr, elle savait que Ruth ne manquerait pas de trouver des excuses à son frère s'il avait déshérité Adrian. Mais qu'ils osent faire mine de l'accuser, elle, d'avoir détérioré les relations entre le père et le fils, qu'ils osent la dépeindre sous les traits de la personne responsable de la situation d'Adrian... Cela ferait un foin du diable quand elle énumérerait les excellentes raisons qu'elle avait eues de les tenir éloignés l'un de l'autre. Raisons qui portaient toutes un nom et un titre, même si ce n'était pas exactement le genre de titre qui vous vaut l'indulgence du public : Danielle l'hôtesse de l'air, Stephanie la danseuse, Marianne la toiletteuse de chiens, Lucie la femme de chambre.

C'était à cause d'elles que Margaret avait tenu le fils éloigné du père. Quelle sorte d'exemple voulait-on donner au petit garçon, quelle sorte de modèle voulait-on fournir à un gamin impressionnable ? Si son père menait une vie dc bâton de chaise qui rendait les séjours prolongés de son fils inappropriés, était-ce la faute du fils ? Devait-il être privé maintenant de ce qu'on lui devait par le sang sous prétexte que son père avait collectionné les maîtresses au fil des années ?

Non. Elle avait bien agi en les séparant, ne leur consentant que de brèves retrouvailles. Après tout, Adrian était un enfant sensible. Elle devait le protéger en tant que mère, le soustraire aux excès de son père. Elle regarda son fils tournicoter dans la pièce où la réception se déroulait à la chaleur des flambées qui brûlaient aux deux extrémités de la salle. Il essayait de se faufiler vers la porte, soit pour s'échapper, soit pour passer dans la salle à manger, où un somptueux buffet garnissait la magnifique table d'acajou. Margaret fronça les sourcils. Hors de question. Il aurait mieux fait de chercher à se mêler aux invités. Au lieu de ramper le long du mur comme un insecte, il aurait dû se conduire comme le digne rejeton de l'homme le plus riche des îles Anglo-Normandes. Comment pouvait-il espérer que sa vie changerait s'il ne se plaçait pas un peu en avant, s'il n'y mettait pas un peu du sien ?

Margaret se fraya un chemin au milieu des invités et intercepta son fils devant la porte donnant sur le couloir de la salle à manger. Elle passa le bras dans le sien, ignorant l'effort qu'il faisait pour se dégager et disant avec un sourire :

— Ah, te voilà, mon chéri. Je savais bien que je trouverais quelqu'un pour me présenter ceux que je n'ai pas encore salués. On ne peut pas connaître tout le monde. Je suis sûre qu'il y a ici des gens importants pour ton avenir, qu'il serait souhaitable que je rencontre.

— Mon avenir ? Quel avenir ?

Adrian fit mine de retirer sa main mais elle lui emprisonna les doigts entre les siens et continua à lui sourire comme si de rien n'était.

— Le tien, évidemment. Nous devons penser à ton avenir. Nous assurer que tu ne risques rien.

— Vraiment, maman ? Et comment comptes-tu t'y prendre ?

— Un mot par-ci, un mot par-là, dit-elle d'un ton léger. C'est fou, l'influence qu'on peut avoir quand on sait à qui il convient de dire quoi. Ce gentleman à l'air farouche, là-bas, qui est-ce ?

Au lieu de répondre, Adrian commença à s'éloigner de sa mère. Mais elle avait l'avantage de la taille, celui du poids, et elle le retint.

— Voyons, mon chéri, ce monsieur ? Celui qui a des pièces de tweed aux coudes ? Séduisant dans le genre Heathcliff suralimenté. Qui est-ce ?

Adrian jeta un regard bref à l'homme en question.

— Un des artistes de papa. La propriété en est truffée. Ils se sont tous précipités pour lécher les bottes de Ruth au cas où elle aurait hérité d'une bonne partie du pactole.

— Alors que c'est à toi qu'ils devraient faire du charme ! Comme c'est bizarre ! observa Margaret.

Il lui décocha un regard qu'elle préféra ignorer.

— Crois-moi, personne n'est idiot à ce point.

— Comment ça ?

— Concernant papa et son argent. Les gens savent qu'il ne m'aurait pas...

— Mon chéri, je ne sais pas à qui il destinait son argent mais ce n'est pas forcément là qu'il atterrira. Sage est l'homme qui en a conscience et agit en conséquence.

— Et sage également la femme, maman ?

Il avait un ton venimeux. Margaret n'arrivait pas à comprendre ce qu'elle avait fait pour mériter ça.

— Eh bien, si on parle des dernières galipettes de ton père avec Mrs Abbott, je crois pouvoir dire sans me tromper que...

— Tu sais très bien qu'on ne parle pas de ça.

— ... que l'attirance de ton père pour les femmes plus jeunes étant ce qu'elle était...

— Ouais, c'est justement ça, maman. Tu ne veux pas t'« écouter » un peu pour une fois ?

Margaret s'arrêta, perplexe.

— Quoi, qu'est-ce que je disais ?

— Tu parlais de papa, des femmes, des *jeunes* femmes. Réfléchis, je suis sûr que tu vas pouvoir assembler les pièces du puzzle.

— Quelles pièces, mon chéri ? Franchement, je ne sais pas...

— « Présente-la donc à ton père, qu'elle se rende compte, récita son fils. Aucune femme au monde ne peut résister à cela. » J'imagine qu'elle commençait à avoir des doutes et que tu avais vu clair dans son jeu, n'est-ce pas ? Si ça se trouve même, tu t'y attendais. Et tu t'es dit que si elle savait combien d'argent se profilait à l'horizon, elle déciderait de rester avec moi. Comme si j'allais vouloir d'elle après ça. Comme si je voulais d'elle maintenant.

Margaret sentit un vent glacial lui frôler la nuque.

— Tu veux dire...

Mais elle savait qu'effectivement c'était ce qu'il voulait dire. Elle jeta un coup d'œil autour d'eux. Son sourire ressemblait à un masque mortuaire. Elle entraîna son fils hors du salon. Elle lui fit franchir le couloir, traverser la salle à manger, l'emmena dans l'office, dont elle referma la porte derrière eux. Elle n'avait pas du tout envie de penser au tour que prenait cette conversation. Mais elle ne pouvait stopper le cours des choses qu'elle avait mis en route. Aussi fut-elle bien obligée de parler.

— Qu'est-ce que tu racontes, Adrian ?

Elle était adossée à la porte de l'office pour empêcher son fils de fuir. Il y avait une seconde porte, donnant sur la salle à manger, mais elle était certaine qu'il ne la franchirait pas. Car, au brouhaha qui s'en échappait, il était évident que la pièce était occupée. Or il avait commencé à trembler, son regard devenait flou, signe qu'une crise s'annonçait dont il ne voudrait pas que des étrangers soient témoins. Comme il ne répondait pas immédiatement, Margaret lui reposa la question. Avec plus de douceur cette fois, malgré l'impatience qu'il lui inspirait, parce qu'elle voyait combien il souffrait.

— Que s'est-il passé, Adrian ?

— Comme si tu ne le savais pas, fit-il d'une voix morne. Tu le connais, pas la peine de te faire un dessin.

Margaret lui emprisonna le visage entre ses paumes.

— Non, je n'arrive pas à le croire. Il y a des limites tout de même : tu es son fils.

— Comme s'il était homme à se laisser arrêter par ce genre de considération. (Adrian se dégagea rudement.) Tu étais sa femme, ça ne l'a pas empêché d'aller voir ailleurs.

— Mais Guy et Carmel ? *Carmel Fitzgerald* ? Carmel incapable de sortir trois mots d'affilée, incapable d'apprécier une remarque amusante, incapable...

Margaret s'arrêta net, détourna les yeux.

— C'est ça. Carmel qui était parfaite pour moi, dit Adrian. Ce n'était pas une lumière, il n'était pas difficile de la séduire.

— Ce n'est pas ce que je voulais dire. Elle est adorable, elle et toi...

— Qu'est-ce que tu veux que ça me fasse, ce que tu penses ? C'est la vérité. Carmen n'allait pas faire de difficultés. Papa l'a bien vu et il est aussitôt passé à l'action. Ce n'est pas le genre à laisser non retourné un champ qui ne demande qu'à être labouré.

Sa voix se brisa. Derrière eux, dans la salle à manger, les cliquetis d'assiettes et de couverts indiquaient que les employés du traiteur commençaient à débarrasser : la réception touchait à son terme. Margaret jeta un coup d'œil à la porte derrière son fils et comprit qu'ils allaient être interrompus d'un moment à l'autre. Elle se sentait incapable de supporter l'idée qu'on puisse le surprendre ainsi, visage luisant, lèvres tremblantes. En un instant, il était redevenu un petit enfant et elle une mère prise entre l'envie de lui dire de se ressaisir, d'arrêter de pleurnicher, et celle de le plaquer contre sa poitrine pour le réconforter tout en lui promettant de le venger. Cette notion de vengeance amena Margaret à voir en Adrian l'homme qu'il était devenu et non l'enfant qu'il avait été. Le courant d'air qui lui frôlait la nuque glaça son sang dans ses veines tandis qu'elle réfléchissait à la façon dont la vengeance s'était peut-être réalisée ici même à Guernesey.

La poignée grinça et la porte s'ouvrit derrière son fils, qui la reçut dans le dos. Une femme à cheveux gris passa la tête, vit le visage figé de Margaret, s'excusa rapidement et disparut. Mais bientôt d'autres ne manqueraient pas de lui succéder. Aussi Margaret fit-elle sortir son fils de la pièce.

Elle l'entraîna en haut dans sa chambre, soulagée que Ruth l'ait logée dans la partie ouest de la maison, loin de sa propre chambre et de celle de Guy. Son fils et elle seraient tranquilles, or ils allaient avoir besoin de tranquillité.

Elle fit asseoir Adrian sur le tabouret de la coiffeuse et alla prendre dans sa valise une bouteille de pur malt. Ruth ne se montrait pas généreuse en ce qui concernait l'alcool et Margaret avait pris ses précautions. Ce dont elle se félicita. Elle versa deux bons doigts dans un gobelet et les but d'un trait, puis elle versa de nouveau et tendit le verre à son fils.

— Je ne...

— Mais si. Ça te calmera les nerfs. (Elle attendit qu'il se soit exécuté, vidant son verre et le gardant entre ses mains.) Tu es certain de ce que tu dis, Adrian ? Guy a toujours aimé flirter. Si ça se trouve, ce n'était qu'un flirt. Les as-tu vus ensemble ? As-tu...

Il lui fallait des faits même si ces détails sordides lui répugnaient.

— Pas eu besoin de les voir. Elle s'est comportée différemment avec moi après. J'ai deviné.

— Tu lui as parlé ? Tu l'as accusé ?

— Evidemment. Pour qui tu me prends ?

— Qu'a-t-il dit ?

— Il a nié. Mais je l'ai forcé à...

— Comment ça, forcé ?

C'est à peine si elle pouvait respirer.

— J'ai menti. Je lui ai raconté qu'elle m'avait tout avoué. Il a confirmé.

— Et après ça ?

— Rien. On est rentrés en Angleterre, Carmel et moi. La suite, tu la connais.

— Mon Dieu, pourquoi es-tu revenu, alors ? Il s'était envoyé ta fiancée sous ton nez. Pourquoi n'as-tu pas...

— On m'a forcé à revenir, souviens-toi, lâcha Adrian. Tu te rappelles ce que tu m'as dit ? Qu'il serait tellement content de me voir.

— Si j'avais su, je n'aurais jamais suggéré... Et encore moins insisté... Pour l'amour du ciel, Adrian, pourquoi ne m'avoir rien dit ?

— Parce que je comptais me servir de cette histoire pour arriver à mes fins. Je me suis dit que si je n'obtenais pas ce prêt en faisant appel à sa raison, je pourrais essayer de jouer sur le sentiment de culpabilité qui devait le titiller. Seulement j'avais oublié une chose : papa était imperméable à la culpabilité. Il était imperméable à tout. (Puis, avec un sourire, et le sang de Margaret se figea dans ses veines :) Enfin à *presque* tout.

9

Deborah Saint James suivit l'adolescent à distance. Engager la conversation avec des étrangers n'était pas son fort, mais elle n'avait pas l'intention de quitter les lieux sans avoir au moins essayé. Elle savait que ces réticences ne faisaient que conforter son mari dans ses craintes qu'elle ne soit incapable d'élucider seule l'affaire de China – Simon n'ayant manifestement pas grande confiance en l'aide que Cherokee aurait pu lui apporter. Aussi était-elle doublement décidée à ce que sa réserve naturelle ne la freine pas dans les circonstances actuelles.

Le jeune homme ne savait pas qu'elle était derrière lui. Il ne semblait pas avoir de destination particulière en tête. Il se fraya un chemin hors de la foule qui avait envahi le jardin des sculptures puis se dirigea vers une pelouse qui s'étendait au-delà d'une serre chargée d'ornements. Une fois là, il sauta entre deux énormes rhododendrons et ramassa une branche d'un marronnier qui poussait près d'un groupe de trois bâtiments. Arrivé à cette hauteur, il obliqua soudain vers l'est, où, au loin et à travers les arbres, Deborah aperçut un mur de pierre débouchant sur des champs et des prairies. Au lieu de s'orienter dans cette direction – le plus sûr moyen de laisser derrière lui les obsèques et les invités –, il se mit à cheminer le long de la route caillouteuse qui le ramenait vers le manoir. Tout en marchant, il repoussait avec la branche qui lui tenait lieu de badine les buissons épais qui bordaient l'allée. Celle-ci longeait, sur la partie est de la maison, une série de jardins méticuleusement entretenus où il ne se risqua pas. Sans ralentir, il traversa un bouquet d'arbres, poussa au-delà des buissons et accéléra l'allure en entendant apparemment quelqu'un s'approcher de l'une des voitures garées dans ce coin.

Deborah le perdit momentanément de vue. Il faisait très sombre près des arbres et le jeune homme était vêtu de marron foncé de la tête aux pieds, aussi n'était-il pas facile à repérer. Toutefois elle se dépêcha, prenant la direction qu'elle lui avait vu emprunter, et elle le rattrapa sur un sentier qui descendait en pente douce vers une prairie. Au milieu de la prairie s'élevait le toit de tuile pentu de ce qui ressemblait à une maison de thé japonaise, derrière un rideau d'érables délicats et une barrière en bois que l'on avait passée à l'huile pour en entretenir la chaude couleur originelle, rehaussée de touches de rouge et de noir. Un jardin de plus dans la propriété.

Le jeune homme traversa un frêle pont de bois. Il jeta sa baguette, se fraya un chemin de dalle en dalle, atteignit un portillon pratiqué dans la barrière. L'ayant poussé, il disparut à l'intérieur. Le portillon se referma en silence derrière lui.

Deborah le suivit rapidement, traversant le pont qui enjambait un petit fossé au creux duquel on avait disposé avec soin des pierres grises. Elle s'approcha du portillon et distingua ce qu'elle n'avait pas pu voir jusque-là : une plaque de bronze vissée dans le bois. « A la mémoire de Myriam et Benjamin Brouard, assassinés par les nazis à Auschwitz. Nous n'oublierons jamais. » Deborah comprit qu'elle était devant un jardin du souvenir.

Elle poussa le portillon qui s'ouvrit sur un monde tout différent de ce qu'elle avait vu jusqu'à présent au

Reposoir. La végétation dense et exubérante, plantes et arbres, avait été ici fermement disciplinée. Un ordre austère avait été imposé à la nature, les buissons sévèrement taillés. Leurs formes géométriques agréables à l'œil, se fondant l'une dans l'autre, dessinaient un tracé qui conduisait le regard jusqu'à un autre pont. Lequel franchissait un grand bassin sinueux, couvert de nénuphars. Au-delà de ce bassin se dressait la maison de thé dont Deborah avait aperçu le toit. La bâtisse était dotée de portes en parchemin comme on en trouve dans les constructions japonaises, et l'une de ces portes était ouverte.

Deborah suivit le sentier qui contournait le jardin et franchit le pont. A ses pieds nageaient de grosses carpes colorées ; devant elle se révélait l'intérieur de la maison de thé. Par la porte ouverte on apercevait un plancher recouvert de tatamis, et une pièce meublée d'une table basse en ébène autour de laquelle étaient disposés six coussins en guise de sièges.

Une grande véranda courait le long de la façade. Deux marches y donnaient accès à partir du sentier de gravier ratissé avec soin qui contournait le jardin. Deborah monta les marches sans chercher à se cacher. Mieux valait passer pour une invitée en promenade que pour quelqu'un qui poursuivait un jeune homme qui n'avait probablement pas envie de faire la conversation.

Il était agenouillé devant un meuble de rangement en teck, encastré dans le mur à l'autre extrémité de la maison. Le placard était ouvert et il en sortait un sac qui semblait assez lourd. Sous les yeux de Deborah, il réussit à extraire le sac, l'ouvrit, fouilla dedans. Il en extirpa un récipient en plastique. Puis il pivota. C'est alors qu'il vit Deborah en train de l'observer. La vue de cette étrangère ne parut guère le troubler. Au lieu de sursauter, il la fixa sans la moindre crainte. Puis il se releva, passa devant elle, franchit le porche et se dirigea vers le bassin.

Au moment où il passait, elle vit que la boîte en plastique contenait des paillettes ou des granulés. Il les emporta au bord de l'eau et s'assit sur un rocher lisse et gris où il prit une poignée de ces granulés qu'il jeta aux poissons. L'eau se mit aussitôt à grouiller d'une activité couleur d'arc-en-ciel.

— Ça vous ennuie si je regarde ? demanda Deborah.

Le jeune homme fit non de la tête. Il avait environ dix-sept ans, le visage défiguré par l'acné et couvert de boutons qui s'enflammèrent tandis qu'elle s'asseyait près de lui sur le rocher. Elle observa les poissons un moment, leurs bouches avides, l'instinct les poussant à happer tout ce qui bougeait à la surface. Ils avaient de la chance de se trouver dans cet environnement protégé où ce qui flottait à la surface était de la nourriture et non des appâts.

— Je n'aime pas beaucoup les enterrements. J'en ai fait l'expérience trop jeune. Ma mère est morte quand j'avais sept ans. Chaque fois que j'assiste à un enterrement, tous ces souvenirs me reviennent.

Le jeune homme ne souffla mot mais il ralentit l'allure dans sa distribution de nourriture. Deborah s'enhardit et poursuivit :

— C'est bizarre, pourtant, parce que sur le moment je n'ai pas ressenti grand-chose. Les gens croyaient sans doute que je n'avais pas compris ce qui se passait. Mais c'est faux : je comprenais. Je savais ce que ça signifiait, mourir. C'était quand les gens s'en allaient, qu'on ne les revoyait plus. Ils étaient peut-être avec les anges ou avec Dieu mais dans un endroit où je n'irais pas les retrouver avant très longtemps. Je savais bien ce que ça voulait dire. C'est juste que je ne comprenais pas ce que ça impliquait. C'est plus tard que j'ai compris, beaucoup plus tard, quand j'ai pensé à tout ce qui aurait pu se passer entre nous, entre ma mère et moi...

Il se taisait toujours. Toutefois il s'arrêta de nourrir les poissons et les observa qui se battaient pour attraper les granulés. Ils ressemblaient à ces voyageurs qui font sagement la queue et qui, lorsque le bus arrive, se battent, jouent des coudes, des genoux et des parapluies pour s'engouffrer dedans, au milieu de la bousculade générale.

— Voilà près de vingt ans qu'elle est morte et je me demande encore quel genre de vie on aurait pu avoir. Mon père ne s'est jamais remarié. Il y a des moments où je me dis que ça doit être formidable, une famille. Je me demande ce que ça aurait pu donner s'ils avaient eu d'autres enfants. Elle n'avait que trente-deux ans quand elle est morte. Ça paraissait très vieux à la petite fille que j'étais et qui n'en avait que sept. Mais maintenant je me rends compte qu'elle avait encore bien des années devant elle. Et tout le temps de mettre au monde d'autres enfants. Je regrette qu'elle ne l'ait pas fait.

Le jeune homme la regarda à ces mots.

— Désolée, vous trouvez que j'insiste lourdement ? Ça m'arrive.

— Vous voulez essayer ?

Il lui tendit le récipient.

— Oh, merci.

Elle plongea la main dans les granulés. Elle s'approcha du bord du rocher et laissa la nourriture glisser de ses doigts dans l'eau. Les poissons se précipitèrent, se bousculant dans leur hâte à manger.

— L'eau est en ébullition : il doit y en avoir des centaines.

— Cent vingt-trois, dit le jeune homme d'une voix basse en fixant le bassin. Il s'arrange pour qu'il y en ait toujours le même nombre malgré les attaques des oiseaux. Parfois, c'est des gros oiseaux. Voire une mouette. Mais dans l'ensemble ils ne sont pas assez costauds ni assez rapides pour les carpes. Et elles sont malignes, elles se cachent. Sous les rochers. C'est là qu'elles se réfugient quand les oiseaux arrivent.

— Il faut penser à tout, remarqua Deborah. C'est merveilleux, cet endroit. Je me promenais quand j'ai aperçu le toit de la maison de thé et la barrière. Je me suis dit que je serais tranquille loin de la foule des obsèques et j'ai poussé le portillon.

— Inutile de mentir. (Il posa le récipient par terre comme s'il traçait une ligne dans le sable entre eux.) Je vous ai vue.

— Vue... ?

— Vous me suiviez. Je vous ai vue près des écuries.

— Ah.

Deborah s'en voulut de s'être trahie mais plus encore de donner raison à son mari. Cependant elle n'était pas hors de son élément comme Simon l'aurait sans doute décrété, et elle était bien décidée à le prouver.

— J'ai vu ce qui s'est passé au bord de la tombe, reconnut-elle. Quand on vous a donné la pelle. Vous aviez l'air... Comme j'ai perdu quelqu'un moi aussi... il y a des années, c'est vrai... Je me suis dit que vous auriez peut-être envie de... C'était présomptueux de ma part, je m'en rends compte. Mais c'est dur de perdre un proche. Et parler, ça aide parfois.

Il s'empara du récipient, en versa la moitié dans l'eau, déclenchant de nouveau une activité frénétique.

— Je n'ai pas besoin de parler. Et surtout pas de lui.

Deborah dressa l'oreille.

— Est-ce que Mr Brouard... ? Il était un peu vieux

pour être votre père mais comme vous étiez avec la famille... C'était votre grand-père peut-être ?

Elle attendit qu'il poursuive. Elle se dit que si elle se montrait patiente, ça viendrait : il lui dirait ce qui le rongeait. Elle poursuivit :

— Au fait, je ne me suis pas présentée. Je m'appelle Deborah Saint James. Je viens de Londres.

— Exprès pour l'enterrement ?

— Oui. Pourtant je n'aime pas trop ça. Mais qui les aime, les enterrements ?

Il eut un reniflement de dérision.

— Ma mère. Les enterrements, c'est son truc. Elle a de la pratique.

Deborah eut la sagesse de ne pas réagir. Elle attendit que le jeune homme s'explique, ce qu'il fit, bien que d'une manière détournée. Il lui dit s'appeler Stephen Abbott, et ajouta :

— J'avais sept ans, moi aussi. Il a disparu dans une tempête. Un brouillard à couper au couteau. Impossible de distinguer la montagne ou les pistes de ski. Pas moyen de s'en sortir. Tout ce qu'on voit, c'est du blanc partout : la neige et le ciel. Alors on se perd et parfois... Parfois on meurt.

— Votre père ? Désolée, Stephen. C'est horrible de perdre de cette façon quelqu'un qu'on aime.

— Elle m'avait dit qu'il retrouverait son chemin pour descendre. Les skieurs chevronnés retrouvent toujours leur chemin. Seulement la tempête a duré trop longtemps. La neige s'est mise à tomber, un vrai blizzard. Et il était à des kilomètres de l'endroit où il aurait dû se trouver. Quand finalement on l'a retrouvé, deux jours s'étaient écoulés : il avait essayé de reprendre la route et s'était cassé la jambe. Ensuite j'ai appris que si les secours étaient arrivés seulement six heures plus tôt... (Il plongea le poing dans les granulés, qui débordèrent du récipient et s'éparpillèrent sur le rocher.) Il aurait pu s'en tirer. Survivre. Mais *elle*, ça lui aurait pas tellement plu.

— Comment ça ?

— Ça l'aurait empêchée de collectionner les copains.

— Ah.

Deborah comprit ce qui s'était passé. Un gamin perd un père qu'il adore et voit sa mère passer d'un amant à un autre, peut-être parce qu'elle ne peut pas surmonter son chagrin ou parce qu'elle essaie désespérément de remplacer l'homme qu'elle a perdu. Mais elle sentit aussi comment l'enfant avait dû ressentir la situation, se dire que sa mère n'avait jamais aimé son père.

— Mr Brouard était un de ses amants ? dit-elle. C'est pour ça que votre mère était avec la famille ? C'était votre mère, non ?

— Ouais. C'était elle.

Il chassa de la main les boulettes qui s'étaient répandues autour d'eux. Elles atterrirent dans l'eau une à une comme les croyances d'un enfant qui perd ses illusions.

— Cette grosse conne, murmura-t-il.

— De vouloir vous faire participer à...

— Elle se croit tellement forte. Elle se prend pour le meilleur coup du siècle. Ecarte les jambes, m'man, et tu leur feras faire tes quatre volontés à ces messieurs. Tu les mèneras par le bout du nez. Jusqu'à présent on ne peut pas dire que ça ait marché si bien que ça. Mais on ne sait jamais, avec de la persévérance, ça pourrait peut-être donner des résultats...

Stephen bondit sur ses pieds, attrapa le récipient. A grandes enjambées il regagna la maison et entra. Deborah le suivit.

Du seuil, elle dit :

— Il arrive que les gens fassent des choses bizarres quand un être cher leur manque, Stephen. Leurs actes peuvent sembler irrationnels. Ils donnent l'impression d'être sans cœur. Mais si on arrive à faire abstraction des apparences, si on essaie de comprendre ce qui les pousse...

— Elle a commencé à se taper des mecs *juste après sa mort* ! (Stephen fourra le sac de nourriture pour poissons dans le meuble dont il claqua la porte.) Un des secouristes de la patrouille. Seulement je ne savais pas ce qui se passait à ce moment-là. Je n'ai compris que quand on s'est retrouvés à Palm Beach après un détour par Milan et Paris. Des hommes, y en a toujours eu, dans sa vie. *Toujours*. Si on est là, c'est pour ça. Le précédent, à Londres, lui a claqué entre les doigts : elle n'a pas réussi à lui passer la corde au cou. Elle commence à paniquer sérieusement. Si elle se retrouve sans un sou et qu'il n'y a personne pour la renflouer... Merde, qu'est-ce qu'elle va faire ?

Le pauvre garçon se mit à pleurer à gros sanglots déchirants d'humiliation. Deborah en fut émue et, traversant la maison, elle vint le rejoindre.

— Assieds-toi, Stephen.

— Je la hais. Je la hais. Cette sale garce. Elle est tellement bête qu'elle ne se rend même pas compte...

Il ne put poursuivre tellement il pleurait.

Deborah lui fit signe de s'asseoir sur un coussin. Il se laissa tomber dessus à genoux, la tête baissée, le corps secoué de sanglots.

Deborah s'abstint de le toucher et pourtant ce n'était pas l'envie qui lui en manquait. Dix-sept ans, un désespoir sans fond. Elle savait ce que c'était pour être passée par là : le soleil avait disparu, la nuit s'annonçait interminable et un sentiment d'impuissance vous enveloppait tel un linceul.

— Tu as l'*impression* que c'est de la haine. Parce que c'est quelque chose de très violent. Seulement ça n'en est pas. C'est bien différent. La haine détruit.

Mais ça, ce que tu éprouves, ce n'est pas de la haine, je t'assure.

— Mais vous l'avez vue ! s'écria-t-il. Vous avez vu à quoi elle ressemble.

— Ce n'est qu'une femme, Stephen.

— Vous avez vu ce qu'elle a fait.

— Ce qu'elle a fait ? reprit Deborah, tous les sens en éveil.

— Elle est trop vieille maintenant. Elle ne peut plus assurer. Elle refuse de voir... Et moi je ne peux pas lui dire. Comment est-ce que je pourrais lui dire ?

— Lui dire quoi ?

— Que c'est trop tard. Il ne l'aime pas, il ne la désire même pas. Elle peut faire tout ce qu'elle veut, ça ne changera rien. Ni le sexe, ni les opérations de chirurgie esthétique, rien. Elle l'avait perdu, seulement elle est tellement bête qu'elle ne s'en est pas rendu compte. Elle aurait dû, pourtant. Pourquoi n'a-t-elle pas voulu comprendre ? Pourquoi cet acharnement, ces interventions chez les plasticiens ? Pour essayer de le forcer à la désirer alors qu'il ne la désirait plus ?

Deborah assimila. Et réfléchit à tout ce que le jeune homme lui avait confié précédemment. Guy Brouard s'était lassé de la mère de Stephen. Conclusion : il s'était trouvé quelqu'un d'autre. Ou *quelque chose* d'autre peut-être. S'il ne voulait plus de Mrs Abbott, il leur fallait découvrir à *quoi* il s'était intéressé.

Paul Fielder arriva au Reposoir en nage, sale et hors d'haleine, le sac à dos de travers. Conscient qu'il était trop tard, il n'en avait pas moins pédalé du Bouet à Town Church, fonçant le long du front de mer comme si les Quatre Cavaliers de l'Apocalypse étaient à ses trousses. Il s'était dit qu'il y avait peut-être une chance que les obsèques de Mr Guy aient été retardées pour une raison ou une autre. Si tel était le cas, il aurait réussi à assister à une partie au moins du service religieux.

Devant l'absence de voitures le long de North Esplanade et sur les parkings de la jetée, il comprit que la ruse de Billy avait réussi : son aîné était parvenu à l'empêcher d'assister aux funérailles de son seul ami.

Paul savait que c'était Billy qui avait esquinté sa bicyclette. A peine sorti, une fois qu'il eut évalué les dégâts – le pneu arrière lacéré d'un coup de couteau, la chaîne retirée et jetée dans la boue –, il comprit que cette sale blague était l'œuvre de son frère. Avec un cri étranglé, il s'était rué dans la maison où ce dernier mangeait du pain grillé à la table de la cuisine tout en buvant un mug de thé. Une cigarette se consumait dans un cendrier près de lui et une autre, oubliée, fumait sur l'évier. Il faisait semblant de suivre une émission à la télé tandis que leur petite sœur s'amusait avec un paquet de farine par terre. Mais en réalité il attendait que Paul se précipite, furieux, dans la maison et l'apostrophe de façon à avoir un prétexte pour déclencher une bagarre.

Paul s'en rendit compte à peine entré. Le sourire torve de Billy le trahit. A une époque, il aurait sollicité l'arbitrage de leurs parents. Il se serait même jeté sur son frère sans réfléchir, sans penser une seconde à leur différence de taille et de poids. Mais ces temps étaient révolus. Le marché à la viande avait définitivement fermé ses portes, retirant à sa famille son gagne-pain. Sa mère tenait maintenant une caisse chez Boots dans High Street, tandis que son père – qui avait rejoint une équipe chargée de l'entretien des routes – trimait sur les chantiers de longues heures d'affilée. Ni l'un ni l'autre n'était donc à la maison pour lui prêter main-forte. D'ailleurs, à supposer que l'un d'entre eux se soit trouvé là, Paul se serait bien gardé de les accabler davantage. Quant à une attaque frontale, il avait beau être un peu dur à la détente, il n'était pas complètement idiot. L'attaque frontale, c'était exactement ce que Billy cherchait. Cela faisait plusieurs mois que ça le démangeait ; il y avait sacrément mis du sien pour arriver à ses fins. Il mourait d'envie de sauter sur le râble de quelqu'un et se fichait pas mal de savoir qui.

Paul lui jeta à peine un regard, se précipita vers le placard aménagé sous l'évier de la cuisine et en sortit la boîte à outils cabossée de leur père.

Billy le suivit dehors, ignorant la petite sœur qui restait par terre dans la cuisine, les mains dans la farine. Un autre frère et une autre sœur se disputaient à l'étage. Billy était censé les emmener à l'école. Mais Billy ne faisait jamais ce qu'on lui demandait. Il préférait passer ses journées dans le jardin envahi d'herbes folles à lancer des pièces dans les boîtes de bière qu'il vidait sans discontinuer de l'aube au crépuscule.

— Ohhhh, fit Billy, faussement compatissant, lorsque ses yeux se portèrent sur la bicyclette de Paul. C'est quoi, ce cirque, Paulie ? On t'a niqué ta bécane ?

Paul fit comme s'il n'avait pas entendu et s'accroupit. Il commença par retirer le pneu arrière. Taboo, qui montait la garde près du vélo, renifla ce dernier d'un air soupçonneux, un grondement au fond de la gorge. Paul prit Taboo et l'entraîna vers un réverbère. Il y attacha le chien et lui désigna du doigt le sol pour qu'il s'allonge. Taboo obéit mais sans enthousiasme. Il n'avait aucune confiance dans le frère de Paul, et Paul savait que le chien aurait nettement préféré rester près de lui.

— T'as un rancard ? questionna Billy. Et on t'a bousillé ta bicyclette ? C'est moche. Les gens sont des salauds, rien ne les arrête.

Paul ne voulait pas pleurer car les larmes donneraient du grain à moudre à son frère et de nouvelles raisons de l'asticoter. Certes, des larmes feraient moins plaisir à Billy qu'une bonne empoignade dont il serait sorti vainqueur, mais ce serait quand même mieux que rien. Or Paul ne voulait pas lui donner cette satisfaction. Il y avait belle lurette qu'il savait que son frère aîné n'avait ni cœur ni conscience. Son seul but dans l'existence était de rendre l'existence impossible aux autres. C'était sa seule contribution à la vie de famille.

Alors Paul l'ignora, ce que Billy n'apprécia pas. Il se posta contre la façade de la maison et alluma une nouvelle cigarette.

C'est ça, songea Paul, bousille-toi les poumons. Mais il se garda bien de le dire tout haut. Il se mit à réparer le vieux pneu, prenant rustines de caoutchouc et colle, et les appliquant à l'endroit des lacérations.

— Voyons, où qu'il pouvait bien vouloir aller comme ça, le frangin ? fit Billy en tirant sur sa clope. Chez Boots, rendre visite à maman ? Sur le chantier, apporter son déjeuner à papa ? Mmm. J'ai pas l'impression. Il est trop bien sapé pour ça. Justement, où qu'il l'a dégotée, cette chemise ? Dans *mon* placard ? J'espère bien que non. Parce que s'il me l'a chourée, il va m'entendre. Mais je devrais peut-être examiner ça de plus près. Histoire d'être sûr.

Paul ne réagit pas. Il le savait, Billy était un lâche qui ne s'en prenait qu'à plus faible que lui. Le seul moment où il avait le culot d'attaquer, c'est quand il était persuadé que les gens tremblaient de trouille. Ses parents avaient la pétoche. C'était même pour ça qu'ils le gardaient à la maison sans exiger de lui un sou de loyer : ils avaient trop peur de ce qu'il pourrait faire s'ils le flanquaient dehors.

Paul avait été comme eux pendant un temps, inerte, se contentant de regarder son frère fourguer les affaires de la famille dans les vide-greniers du coin pour se payer sa bière et ses clopes. Mais ça, c'était avant l'arrivée de Mr Guy. Mr Guy qui semblait toujours savoir ce qui se passait dans le cœur de Paul, qui semblait toujours capable de lui en parler sans prêchi-prêcha, ni exiger de lui autre chose en retour que sa compagnie.

« Concentre-toi sur ce qui est important, mon prince. Le reste ? Oublie-le si cela ne va pas dans le sens de tes rêves. »

Voilà pourquoi il arrivait à réparer son vélo pendant que son frère se payait sa tête et l'asticotait dans l'espoir de l'inciter à se battre ou à pleurer. Paul se bouchait intérieurement les oreilles et se concentrait. Un pneu à réparer, une chaîne à nettoyer. Pas commode mais il y parviendrait.

Il aurait pu prendre le bus pour aller en ville mais il n'avait pensé à cette solution qu'une fois la bicyclette réparée et une fois parvenu à mi-chemin. Il avait tellement tenu à être là pour dire adieu à Mr Guy que sa seule pensée, lorsqu'un bus l'avait bruyamment dépassé sur la 5, avait été qu'il aurait peut-être été plus facile de monter à bord, que la question aurait été réglée.

C'est à ce moment-là qu'il finit par fondre en larmes de frustration et de désespoir. Il pleura pour le présent qui contrecarrait tous ses projets, et il pleura pour l'avenir qui lui paraissait noir et vide.

Alors qu'il n'y avait plus une seule voiture en vue près de Town Church, il remit néanmoins son sac à dos d'aplomb et pénétra à l'intérieur de l'édifice. Mais d'abord il prit Taboo dans ses bras et l'emmena avec lui. Il était conscient d'enfreindre toutes les règles de la bienséance, mais il s'en moquait. Mr Guy avait également été l'ami de Taboo, et il était hors de question de laisser l'animal seul sur la place. Il l'entraîna donc à l'intérieur, où flottait encore le parfum des fleurs et des cierges et où une bannière avec les mots « Requiescat in Pace » était restée à droite de la chaire – seuls signes que des obsèques s'étaient déroulées dans l'église de Saint Peter Port. Après avoir parcouru l'allée centrale et imaginé qu'il était parmi la foule qui assistait au service, Paul sortit et remonta sur sa bicyclette. Il prit la direction du sud, vers le Reposoir.

Ce matin-là, il avait mis ses vêtements les plus chics, regrettant de s'être enfui la veille lorsque Valerie Duffy lui avait proposé une des vieilles chemises de Kevin. Résultat : il portait un pantalon noir taché par endroits, son unique paire de chaussures qui était près de rendre l'âme et une chemise en flanelle que son père mettait l'hiver à l'époque où il travaillait au marché à la viande. Autour du cou, il avait noué une cravate en tricot également empruntée à son père. Par-dessus tout ça il avait enfilé l'anorak rouge de sa mère. Il n'était pas très reluisant, il en était conscient, mais il ne pouvait pas faire mieux.

Tout ce qu'il portait était soit sale, soit trempé de sueur lorsqu'il arriva chez les Brouard. C'est pour ça qu'une fois le mur d'enceinte franchi, il dissimula sa bicyclette derrière un énorme camélia et, évitant l'allée, se dirigea vers la maison sous le couvert des arbres, toujours accompagné de Taboo.

Un peu plus loin, Paul vit que les gens sortaient du manoir un par un, et tandis qu'il s'arrêtait pour essayer de comprendre ce qui se passait, le corbillard qui avait renfermé le cercueil de Mr Guy le dépassa lentement et franchit les grilles de la propriété pour retourner en ville. Paul le suivit du regard et conclut qu'il avait également raté l'inhumation. Il avait tout raté.

Il se raidit, comme si quelque chose essayait de s'échapper de lui à son corps défendant. Il ôta son sac à dos de ses épaules, le plaqua contre sa poitrine. Il essaya de croire que ce qu'il avait partagé avec Mr Guy ne s'était pas effacé en un instant mais avait été au contraire sanctifié, béni à jamais par l'intermédiaire d'un message que Mr Guy lui avait laissé.

« C'est un endroit à part, mon prince. Un endroit que nous sommes seuls à connaître, toi et moi. Tu es capablc dc gardcr un sccrct, Paul ? »

Quelle question... N'était-il pas capable de supporter sans réagir les piques de son frère ? N'était-il pas capable de supporter le poids de cette perte sans s'effondrer complètement ? Bien sûr qu'il en était capable.

Ruth Brouard emmena Saint James à l'étage dans le bureau de son frère. Située dans l'angle nord-ouest, la pièce donnait d'un côté sur une pelouse ovale et sur la serre ; et de l'autre, sur des bâtiments en demi-cercle qui semblaient être d'anciennes écuries. Au-delà de la pelouse et des écuries, s'étendait la propriété : des jardins, des paddocks, des champs, des bois. Saint James constata que les sculptures ne se trouvaient pas seulement dans le jardin où on avait enterré le magnat. Çà et là, une forme géométrique taillée dans le marbre, le bronze, le granit ou le bois se dressait au milieu des arbres et des plantes qui poussaient librement.

— Votre frère protégeait les arts.

Saint James se détourna de la fenêtre tandis que Ruth Brouard fermait doucement la porte derrière eux.

— Mon frère protégeait beaucoup de choses.

Elle n'avait pas l'air dans son assiette, songea Saint James. Ses mouvements étaient étudiés, sa voix lasse. Elle se dirigea vers un fauteuil, s'y laissa tomber. Derrière les lunettes, ses yeux se plissèrent : si elle ne s'était pas si bien contrôlée ç'aurait pu devenir une grimace de douleur.

Au centre de la pièce se trouvait une table de noyer et, sur cette table, la maquette d'un bâtiment au milieu d'un paysage comportant une route devant, un jardin derrière, et même les arbres et les buissons miniatures qui pousseraient dans le jardin. La maquette était si détaillée qu'elle comportait jusqu'aux portes et aux fenêtres. Sur la façade, inscrite d'une main habile, la destination du bâtiment – qui serait sculptée dans la pierre du fronton le moment venu : musée de la Guerre Graham-Ouseley.

— Graham-Ouseley.

Saint James recula. L'édifice court sur pattes évoquait un bunker. Seule verticale, mais impressionnante : l'entrée, qui aurait pu être signée Le Corbusier.

— Oui, murmura Ruth. C'est un homme de la région. Un nonagénaire. Un héros de l'Occupation.

Elle n'alla pas plus loin, il était clair qu'elle attendait. Elle avait lu le nom et la profession de Saint James sur la carte qu'il lui avait remise et avait aussitôt accepté de le recevoir. Mais elle allait attendre de voir ce qu'il voulait avant de lui fournir des renseignements supplémentaires.

— Seraient-ce les plans de l'architecte local ? demanda Saint James. J'ai cru comprendre qu'il avait réalisé une maquette pour votre frère.

— Oui. C'est le travail d'un architecte de Saint Peter Port mais son plan n'est pas celui que Guy a retenu.

— Je me demande pourquoi. Ça a pourtant l'air bien.

— Aucune idée. Mon frère ne m'a rien dit.

— Ça a dû être une sacrée déception pour l'architecte local. Il avait déjà beaucoup travaillé sur le projet.

Saint James se pencha de nouveau sur la maquette. Ruth Brouard changea de place sur son siège comme à la recherche d'une position plus confortable, rajustant ses lunettes, croisant ses petites mains sur ses genoux.

— Mr Saint James, en quoi puis-je vous être utile ? C'est la mort de Guy qui vous amène ? Comme vous êtes expert en police scientifique, vous avez peut-être du nouveau à m'apprendre ? Des examens des organes et des tissus devaient être effectués en Angleterre.

Comme vous êtes de Londres, j'en conclus que vous êtes peut-être venu me donner des détails. Quoique... Si on avait découvert quelque chose d'inattendu... Mr Le Gallez serait venu me le dire en personne, non ?

— Il me sait chez vous mais ce n'est pas lui qui m'envoie.

Il expliqua prudemment ce qui l'avait amené à Guernesey et termina en disant :

— L'avocat de miss River m'a dit que c'est sur votre témoignage que l'inspecteur principal Le Gallez s'appuie. C'est à propos de ce témoignage que je suis là.

Elle détourna les yeux.

— Miss River, reprit-elle.

— Son frère et elle ont séjourné chez vous plusieurs jours avant le meurtre, si j'ai bien compris.

— Et elle vous a demandé de l'aider à la disculper ?

— Je ne l'ai pas encore rencontrée, dit Saint James. Je ne lui ai pas encore parlé.

— Alors pourquoi... ?

— Ma femme et elle sont de vieilles amies.

— Et votre femme n'arrive pas à croire que son amie a assassiné mon frère.

— Il y a la question du mobile. Miss River connaissait-elle bien votre frère ? Y a-t-il une chance qu'elle l'ait connu avant son séjour ici ? Son frère ne m'en a pas soufflé mot, mais il n'est peut-être pas au courant. Qu'en dites-vous ?

— Il est possible, si elle est déjà venue en Angleterre, qu'elle ait connu Guy. Guy n'est jamais allé en Amérique. Du moins à ma connaissance.

— A votre connaissance ?

— Il aurait pu s'y rendre sans m'en parler, mais je ne vois pas pourquoi. Ni quand. S'il l'a fait, c'était il y a longtemps. Pas depuis notre installation à Guernesey. Il me l'aurait dit. Chaque fois qu'au cours de ces neuf dernières années il a entrepris un voyage, ce qui est rarement arrivé, il a bien pris soin de me dire où on pouvait le joindre. Il pensait à tout. On pouvait lui faire confiance. C'était quelqu'un de bien, vous savez.

— Vous voulez dire que personne ne pouvait avoir de raison de le tuer ? Personne d'autre que China River, qui apparemment ne semble pas avoir eu non plus de raison de le faire ?

— Je ne sais comment vous expliquer.

Saint James s'éloigna de la maquette et rejoignit Ruth Brouard, prenant place dans le second fauteuil. Entre eux, une petite table ronde. Sur cette table, une photo dont il s'empara : une famille juive rassemblée autour d'une table de salle à manger, les hommes portant la kippa, les femmes debout derrière, un livre à la main. Parmi les adultes, deux enfants : une petite fille et un petit garçon. La fille portait des lunettes, le garçon des bretelles rayées. Un patriarche présidait, s'apprêtant à rompre le pain azyme. Derrière lui, sur un buffet, des bougies allumées qui répandaient leur lueur sur un tableau accroché au mur. Près de lui se tenait sa femme, la tête inclinée, la main sur son épaule.

— Votre famille ?

— Nous habitions Paris, répondit-elle. Avant Auschwitz.

— Désolé.

— Le mot est faible.

Saint James en convint. Cela parut toucher Ruth Brouard, comme lui plut sans doute la douceur avec laquelle il reposa la photo. Car, tout en regardant la maquette qui était au centre de la pièce, elle se mit à parler d'une voix tranquille et sans rancœur.

— Tout ce que je peux vous dire, c'est ce que j'ai vu ce matin-là, Mr Saint James. Ce que j'ai fait. Je suis allée à la fenêtre de ma chambre et j'ai regardé Guy sortir de la maison. Quand il a atteint les arbres et qu'il s'est engagé dans l'allée, elle l'a suivi. Je l'ai vue.

— Vous êtes certaine que c'était China River ?

— Au début j'ai eu un doute. Venez, je vais vous montrer.

Elle l'entraîna le long d'un couloir obscur où étaient accrochées des gravures anciennes du manoir. Non loin de l'escalier, elle ouvrit une porte et fit pénétrer Saint James dans ce qui manifestement était sa chambre : peu mais bien meublée, avec des meubles anciens et un énorme ouvrage de tapisserie. La tapisserie comportait plusieurs scènes racontant une longue histoire. Cette histoire était celle d'une fuite : fuite dans la nuit tandis qu'une armée étrangère s'approchait, trajet précipité vers la côte, traversée sur une mer agitée, débarquement au milieu d'étrangers. Deux des personnages étaient présents dans chaque scène : une petite fille et un petit garçon.

Ruth Brouard s'approcha de l'embrasure d'une fenêtre et tira les fins rideaux.

— Tenez, dit-elle. Regardez.

Saint James s'approcha et constata que la fenêtre s'ouvrait sur la façade. A leurs pieds, l'allée contournait un coin de terre planté d'herbe et de buissons. Plus loin, la pelouse se déroulait jusqu'à atteindre un cottage. Entouré par un épais bouquet d'arbres.

Son frère, expliqua Ruth Brouard, était sorti par la porte de devant comme d'habitude. Il avait traversé la pelouse en direction du cottage et disparu derrière les arbres. C'est aussi de derrière les arbres que China River était sortie pour lui emboîter le pas. Elle était nettement visible. Silhouette vêtue de noir. Elle portait sa cape, dont elle avait rabattu la capuche sur son visage, mais Ruth savait que c'était China.

Pourquoi ? voulut savoir Saint James. N'importe qui aurait pu subtiliser la cape de China. Laquelle aurait pu être portée aussi bien par un homme que par une femme. Le fait que la capuche était rabattue ne suggérait-il pas à miss Brouard que...

— Je ne me suis pas fiée uniquement à ce détail, Mr Saint James. J'ai trouvé bizarre qu'elle suive Guy à une heure pareille. Ça m'a troublée. Croyant que je m'étais trompée, je suis allée jusqu'à sa chambre. Elle n'y était pas.

— Peut-être était-elle ailleurs dans la maison ?

— J'ai vérifié. La salle de bains. La cuisine. Le bureau de Guy. Le salon. La galerie. Aucune trace d'elle dans la maison. Parce qu'elle suivait mon frère.

— Vous portiez vos lunettes quand vous l'avez vue dehors sous les arbres ?

— C'est pour ça que j'ai cherché dans la maison, dit Ruth. Je ne les avais pas sur le nez quand j'ai regardé par la fenêtre. Cela lui ressemblait – les silhouettes, les tailles, je m'y connais, vous savez – mais je voulais être sûre.

— Pourquoi ? Vous la soupçonniez de quelque chose ? Vous soupçonniez quelqu'un d'autre ?

Ruth remit les fragiles rideaux en place. Elle passa la main sur le tissu extrafin.

— Quelqu'un d'autre ? Non, bien sûr que non.

Toutefois, comme elle s'exprimait sans le regarder, Saint James insista.

— Qui d'autre y avait-il au manoir, miss Brouard ?

— Son frère. Moi. Et Adrian, le fils de Guy.

— Quel genre de relations entretenait-il avec son père ?

— Bonnes. Même s'ils ne se voyaient pas souvent. Sa mère l'empêchait de lui rendre visite. Mais quand ils étaient ensemble ils étaient très heureux. Bien sûr, ils se disputaient à l'occasion. Entre père et fils, c'est normal. Mais jamais pour des choses importantes. Et leurs brouilles ne duraient pas longtemps.

— En êtes-vous sûre ?

— Evidemment que j'en suis sûre. Adrian est... C'est quelqu'un de bien, seulement il n'a pas eu une vie facile. Le divorce de ses parents a été mouvementé et il s'est retrouvé pris entre deux feux. Il aimait ses parents mais on l'a obligé à choisir. De là naissent bien des malentendus. C'est dommage. (Elle parut lutter pour dissimuler des sentiments qu'elle préférait garder pour elle et prit une profonde inspiration.) Ils s'aimaient comme s'aiment un père et un fils qui sont incapables de se comprendre.

— Où ce genre d'amour peut-il mener, selon vous ?

— Pas au meurtre, je vous assure.

— Vous aimez votre neveu, commenta Saint James.

— Les liens du sang sont ce qu'il y a de plus important pour moi. Pour des raisons évidentes.

Saint James hocha la tête. Il comprenait fort bien cela. Il voyait également une autre réalité là-dedans mais préféra ne pas aborder le sujet pour le moment.

— J'aimerais voir le trajet que votre frère a suivi pour rejoindre la baie où il nageait.

— C'est à l'est du cottage du gardien. Je vais appeler les Duffy, leur dire que je vous ai donné la permission de passer par là.

— La baie est privée ?

— Non. Mais s'il vous voit rôder à proximité du cottage, Duffy va se demander ce que vous fabriquez. Il veille attentivement sur nous. Sa femme aussi.

Mais pas assez attentivement, songea Saint James.

10

Saint James retrouva Deborah alors qu'elle émergeait de sous les marronniers qui bordaient l'allée. Elle lui raconta aussitôt sa rencontre dans le jardin japonais, dont elle lui indiqua d'un geste la direction. Elle semblait avoir retrouvé son sang-froid et il s'en réjouit. Il ne put s'empêcher de penser à l'avertissement de son beau-père lorsqu'il lui avait demandé sa main. « Autant que vous sachiez où vous mettez les pieds, mon garçon, lui avait dit Joseph Cotter. Deborah est rousse, et comme toutes les rousses, elle démarre au quart de tour. Mais elle se calme aussi vite qu'elle prend la mouche. »

Elle s'était bien débrouillée avec le jeune homme, constata-t-il. Malgré sa timidité et grâce à sa nature compatissante, elle avait une façon épatante de traiter les gens, que lui-même ne possédait pas. Cela l'avait longtemps servie dans son métier – les sujets posaient d'autant plus volontiers qu'ils savaient que la personne qui était derrière l'appareil était toute sympathie. De même que son tempérament à lui et son esprit analytique l'avaient longtemps servi dans le sien. Saint James était avant tout un homme de laboratoire. Et le succès de Deborah avec Stephen Abbott indiquait que les compétences techniques ne suffiraient pas dans cette affaire.

— La femme qui s'est avancée pour prendre la pelle, indiqua Deborah en guise de conclusion, celle qui avait cet énorme chapeau, c'était la petite amie en titre. Pas un membre de la famille. Même si elle espérait bien le devenir.

— « Vous voyez ce qu'elle a fait », murmura Saint James. Tu interprètes ça comment, toi, mon cœur ?

— Ce qu'elle a fait pour séduire. J'ai bien remarqué, tu sais, il aurait fallu être aveugle pour ne pas s'en apercevoir... et on n'en voit pas beaucoup ici. Ce n'est pas comme aux Etats-Unis, où les gens font une fixation sur les bustes opulents.

— Tu ne penses pas qu'il puisse s'agir d'autre chose ? Eliminer son amant en voyant qu'il lui préférait une autre femme ?

— Pourquoi l'aurait-elle supprimé si elle espérait l'épouser ?

— Peut-être qu'elle avait besoin de s'en débarrasser.

— Pourquoi ?

— Obsession. Jalousie. Rage aveugle. Ou peut-être plus simplement s'est-elle rappelé qu'il l'avait couchée sur son testament et qu'il lui fallait le liquider avant qu'il le modifie en faveur de quelqu'un d'autre.

— Tout ça n'explique pas comment une femme a pu faire avaler de force une pierre à Guy Brouard, Simon.

— On en revient à la théorie du baiser de Le Gallez. Aussi invraisemblable soit-elle. « Elle l'avait perdu. » Est-ce qu'il y aurait une autre femme ?

— Pas China, lança Deborah.

La détermination de sa femme ne put lui échapper :

— Tu en es certaine ?

— Elle venait de rompre avec Matt. Matt, qu'elle aimait depuis ses dix-sept ans. Je la vois mal sortir avec un autre homme aussi vite après cette rupture.

Saint James savait qu'ils étaient là en terrain glissant, un terrain qui concernait non seulement China

River mais aussi Deborah. Il ne s'était pas écoulé tellement de temps entre le moment où Deborah avait été séparée de lui et celui où elle avait trouvé un autre amant. Ce n'était pas parce qu'ils n'avaient jamais évoqué la soudaineté avec laquelle elle s'était liée à Tommy Lynley que celle-ci n'était pas la conséquence du chagrin et de la vulnérabilité accrue de Deborah.

— Mais elle était plus vulnérable que jamais, tu ne crois pas ? Est-ce qu'elle n'aurait pas pu avoir besoin d'une aventure pour se remettre d'aplomb ? Une petite histoire en passant, que Brouard aurait prise plus au sérieux qu'elle-même.

— Elle n'est pas comme ça.

— Soit, supposons...

— Très bien, supposons. Mais elle ne l'a sûrement pas *tué*, Simon. Reconnais qu'il lui faudrait un mobile.

Certes. Mais les idées préconçues – innocence ou culpabilité – étaient toutes dangereuses. Aussi, lorsqu'il lui rapporta ce que Ruth Brouard lui avait confié, conclut-il prudemment :

— Miss Brouard a cherché China partout dans la maison. Elle ne l'a trouvée nulle part.

— C'est ce qu'elle dit, rétorqua-t-elle avec bon sens. Mais elle ment.

— Peut-être. Les River n'étaient pas les seuls invités qui résidaient dans la maison. Il y avait aussi Adrian Brouard.

— Il avait une raison de tuer son père ?

— C'est une possibilité qu'on ne peut pas laisser de côté.

— Elle est sa parente par le sang, remarqua Deborah. Et avec son passé – sa famille décimée, l'Holocauste –, il est normal qu'elle fasse tout pour protéger ce garçon. Tu ne crois pas ?

— Si.

Ils longeaient l'allée en direction du sentier. Saint

James s'avança au milieu des arbres, vers le chemin dont Ruth Brouard lui avait dit qu'il conduisait à la baie où son frère nageait le fameux matin. Ils passaient près du cottage de pierre qu'il avait remarqué auparavant et il constata que deux des fenêtres de la bâtisse donnaient directement sur le chemin. C'était là qu'habitaient les gardiens. Saint James se dit que les Duffy avaient peut-être quelque chose à ajouter à ce que Ruth Brouard lui avait confié.

Le chemin était de plus en plus humide à mesure qu'on s'enfonçait sous les arbres. Soit fécondité naturelle de la terre, soit intervention de l'homme, un impressionnant déploiement de feuillages abritait la piste du reste de la propriété. Près du chemin fleurissaient des rhododendrons. Parmi eux, une demi-douzaine de fougères déroulaient leurs frondes. Les feuilles d'automne en se décomposant rendaient le sol spongieux, et les branches dénudées des marronniers portaient la promesse d'un tunnel de verdure pour l'été. Le silence régnait, brisé par le seul bruit de leurs pas.

Ce silence ne dura pas. Au moment où Saint James tendait la main à sa femme pour l'aider à franchir une flaque d'eau stagnante, un petit chien jaillit des buissons en aboyant, le poil hérissé.

— Oh ! fit Deborah, surprise, avant d'éclater de rire. Qu'il est mignon ! Allez viens, petit chien. On ne va pas te manger.

Elle lui tendit la main. A ce moment-là, un jeune garçon en veste rouge jaillit de là où avait surgi le chien et prit l'animal dans ses bras.

— Désolé, dit Saint James avec un sourire. On a fait peur à ton chien.

Le gamin ne souffla mot. Son regard passa de Deborah à Saint James tandis que le chien continuait d'aboyer.

— Miss Brouard nous a dit que c'était par là qu'il

fallait passer pour atteindre la baie, précisa Saint James. Est-ce qu'on se serait trompés de chemin ?

Le gamin ne parlait toujours pas. Il avait l'air en piteux état, les cheveux graisseux collés au crâne, le visage sale. Les mains qui tenaient le chien étaient noires et son pantalon noir était taché de graisse au genou. Il recula de plusieurs pas.

— Ne me dis pas qu'on t'a fait peur, à toi aussi ? s'écria Deborah. On ne pensait pas rencontrer quelqu'un...

Elle ne termina pas sa phrase, voyant que le jeune homme tournait les talons et repartait dans la direction d'où il était venu. Il portait un vieux sac à dos qui rebondissait contre ses omoplates comme un sac de pommes de terre.

— Qui est-ce que ça peut bien être ? murmura-t-elle.

— Il va falloir qu'on se renseigne, déclara Saint James, se posant lui aussi la question.

Ils atteignirent le sentier après avoir franchi une grille dans le mur à quelque distance de l'allée. Là, ils constatèrent que les voitures des invités étaient parties, laissant le coin désert, si bien qu'ils n'eurent aucun mal à trouver le chemin qui descendait à la baie, à quelque cent mètres de l'entrée de la propriété.

Ce chemin était plus large qu'une piste, mais trop étroit pour mériter le nom de sentier. Il sinuait tout en plongeant vers la mer. Des murs de rocher et de la végétation le bordaient, ainsi qu'un cours d'eau. Il n'y avait ni maisons, ni cottages, juste un hôtel fermé en cette saison, un hôtel entouré d'arbres et niché dans un creux de la colline, tous volets clos.

Au loin à leurs pieds, Saint James et sa femme aperçurent la Manche mouchetée du faible rayon de soleil qui avait réussi à percer l'épaisse couche nuageuse. Les cris des mouettes leur parvinrent. Elles survolaient les affleurements de granit au sommet des falaises qui dessinaient le fer à cheval constituant la baie. Les ajoncs poussaient en abondance et, là où le sol était plus profond, des buissons touffus de branches squelettiques marquaient l'endroit où prunelliers et mûriers sauvages s'épanouiraient au printemps.

Au bout du sentier, un petit parking laissait comme une empreinte de pouce sur le paysage. Il était désert et il y avait toutes les chances pour qu'il le reste à cette époque de l'année. C'était un endroit idéal pour nager ou s'ébattre à l'abri des témoins.

Une digue de pierre protégeait le parking de l'érosion de la marée. D'un côté, une rampe descendait en pente douce vers l'eau, sur laquelle flottait un tapis touffu d'algues – végétation en décomposition qui, à une autre époque de l'année, devait être infestée de mouches et de moucherons. En plein décembre, il n'y avait pas le moindre insecte. Saint James et Deborah purent donc franchir cette forêt d'algues sans problème pour atteindre la plage. L'eau clapotait rythmiquement contre le sable et les pierres.

— Pas de vent, remarqua-t-il en observant l'entrée de la baie. Parfait pour nager.

— Mais frisquet. Je ne sais pas comment il faisait. En plein mois de décembre ? C'est incroyable.

— Certaines personnes aiment les extrêmes, dit Saint James. Jetons un œil.

— Qu'est-ce qu'on cherche exactement ?

— Quelque chose qui aurait échappé aux policiers.

L'emplacement où le meurtre avait eu lieu ne fut pas difficile à trouver : la scène de crime était encore signalée par la présence d'un morceau de ruban jaune, deux boîtes de pellicule abandonnées et un sac de plâtre qui s'était répandu quand un technicien avait procédé au moulage d'une empreinte de pas. Simon et Deborah partirent du sac, côte à côte, décrivant un cercle de plus en plus large autour de ce point.

Leur progression était lente. Les yeux à terre, ils avançaient, retournant les plus grosses des pierres qu'ils rencontraient, déplaçant avec précaution les algues, filtrant le sable entre leurs doigts. Une heure s'écoula ainsi. Ils ne récupérèrent en tout et pour tout qu'un couvercle de petit pot pour bébés, un ruban fané, une bouteille d'Evian vide et soixante-dix-huit pence en menue monnaie.

Lorsqu'ils atteignirent la digue, Saint James suggéra à Deborah de commencer chacun par une extrémité pour finir par se rejoindre. Une fois la jonction opérée, chacun continuerait le long du mur qu'ainsi ils inspecteraient l'un et l'autre dans son entier.

Il leur fallait y aller prudemment car les rochers étaient plus gros et il y avait davantage de crevasses dans lesquelles des objets auraient pu se nicher. Bien que se déplaçant à la vitesse de l'escargot, ils avaient les mains vides lorsqu'ils se retrouvèrent.

— Pas très encourageant, comme résultat.

— En effet, confirma Saint James. Mais nos chances étaient maigres.

Il s'appuya un moment contre la digue, bras croisés sur la poitrine, regard braqué vers la Manche. Il était plongé dans un abîme de réflexions sur le mensonge : ceux qu'on raconte, ceux qu'on croit. Ceux qui les racontaient et ceux qui les croyaient ne faisaient parfois qu'une seule et même personne. Il suffit de dire quelque chose assez longtemps pour finir par y croire dur comme fer.

— Tu es soucieux, remarqua Deborah. Si on ne trouve rien...

Il lui passa un bras autour de la taille et lui embrassa la tempe.

— Continuons, dit-il.

Sans toutefois formuler à voix haute l'évidence : trouver quelque chose pouvait être encore plus accablant que de faire chou blanc.

Ils continuèrent tels des crabes à avancer le long du mur, Saint James gêné par sa prothèse qui rendait difficile sa progression au milieu des rochers. C'est peut-être pour cela que le cri de triomphe marquant la découverte d'un objet qui leur avait échappé jusque-là fut poussé par Deborah quinze minutes plus tard.

— Simon ! Viens voir !

Il pivota, constata qu'elle avait atteint l'extrémité de la digue. Elle lui désignait de la main l'angle formé par la digue et la rampe ; et, lorsqu'il s'approcha, elle s'accroupit pour mieux voir sa trouvaille.

— Qu'est-ce que c'est ?

— Un objet métallique, dit-elle. Je n'ai pas voulu le ramasser.

— C'est enfoui profond ?

— Trente centimètres à peine, répondit-elle. Si tu veux que je...

— Tiens.

Il lui tendit un mouchoir. Pour atteindre l'objet, elle dut passer la jambe dans un trou au pourtour déchiqueté, ce qu'elle fit avec enthousiasme. Elle se glissa à l'intérieur de façon à récupérer ce qu'elle avait vu d'en haut.

C'était une bague. Deborah la posa au creux de sa paume sur le mouchoir pour que Saint James puisse l'examiner. On aurait dit du bronze. Une bague d'homme. Décorée d'une tête de mort et de tibias croisés. Au-dessus du crâne, les chiffres 39-40. Au-dessous, quatre mots en allemand que Saint James déchiffra en louchant. *Die Festung im Westen*.

— Elle date de la guerre, murmura Deborah en examinant à son tour le bijou. Mais elle n'a pas séjourné là tout ce temps.

— Vu son aspect, certainement pas.
— Alors... ?
Il replia le mouchoir mais laissa la bague à Deborah.
— Il faudra l'examiner avec soin. Le Gallez va vouloir faire relever des empreintes dessus. Il n'y en aura sûrement pas des masses. Mais si on trouve ne serait-ce qu'une empreinte partielle, ce sera toujours ça.
— Comment se fait-il qu'ils ne l'aient pas repérée ? s'étonna Deborah, dont la question était purement rhétorique.
— L'inspecteur principal Le Gallez considère comme valable et recevable le témoignage d'une sexagénaire qui ne portait pas ses lunettes. J'ai l'impression qu'il n'a pas spécialement envie de se décarcasser pour trouver des éléments susceptibles de démolir ce témoignage.
Deborah examina le petit paquet blanc au creux de sa main puis regarda son mari.
— Ce pourrait être une preuve que nous tenons là, Simon. Outre les cheveux, l'empreinte de pas – et les témoins qui mentent peut-être. Cela pourrait tout changer, tu ne crois pas ?
— Si, dit-il.

Margaret Chamberlain se félicita d'avoir insisté pour que la lecture du testament ait lieu directement après la réception. Un peu plus tôt elle avait dit à Ruth : « Appelez le notaire, ma chère. Qu'il vienne après les obsèques. » Et quand Ruth lui avait fait remarquer que le notaire de Guy serait présent de toute façon, elle s'était dit que c'était très bien ainsi. Au cas où sa belle-sœur se serait mis en tête de la contrecarrer à la dernière minute, Margaret avait acculé l'homme de l'art dans un coin tandis qu'il s'empiffrait de toasts au crabe. Miss Brouard voulait qu'il soit procédé à l'ouverture du testament immédiatement après le départ du dernier des invités. Il avait les documents nécessaires sur lui, n'est-ce pas ? Oui ? Parfait. Cela présenterait-il une difficulté quelconque de s'occuper du testament dès qu'ils seraient rassemblés en petit comité ? Non ? Très bien.

Ils étaient donc maintenant réunis. Mais les membres du groupe ne plaisaient guère à Margaret.

Ruth ne s'était pas contentée de convoquer le notaire. Elle s'était également assurée de la présence pour la circonstance d'une impressionnante galerie de personnages. Cela ne pouvait signifier qu'une chose : Ruth était au courant des dispositions du testament, lesquelles avaient été prises en faveur d'individus n'appartenant pas à la famille. Sinon, pourquoi aurait-elle pris la peine d'inviter des quasi-étrangers à se joindre au cercle familial ? Malgré l'accueil chaleureux que Ruth leur avait réservé au salon où elle les avait fait asseoir, ces gens étaient des étrangers, qui n'étaient liés au défunt ni par le sang ni par le mariage.

Anaïs Abbott et sa fille en faisaient partie, la première aussi outrageusement maquillée que la veille, la seconde aussi gauche et voûtée. Seule différence : leurs vêtements. Anaïs avait réussi à se couler dans un tailleur noir dont la jupe moulait son petit postérieur aussi fermement que le film alimentaire moule les melons, tandis que Jemima portait un boléro avec toute la grâce d'un éboueur. Le fils maussade avait apparemment disparu : tandis que l'assemblée se réunissait dans le salon du premier sous une tapisserie représentant un autre épisode de la Vie d'une Personne Déplacée (une scène où l'on voyait une enfant ballottée de famille d'accueil en famille d'accueil, comme si Ruth avait été la seule à connaître ce sort dans les années qui avaient suivi la guerre), Anaïs, tout en se tordant les mains, disait à qui voulait l'entendre que Stephen était inconsolable. Là-dessus ses yeux se mouillaient en une agaçante manifestation de l'affection éternelle qu'elle portait au défunt. Les Duffy étaient également présents : Kevin – intendant, gardien, bref, homme à tout faire – se tenait à l'écart près d'une fenêtre d'où il examinait les jardins en contrebas. Fidèle à son habitude, ce taciturne se contentait de vagues grognements quand on s'adressait à lui. Sa femme, Valerie, était assise, seule, les mains croisées sur les genoux. Elle regardait tour à tour son mari, Ruth et le notaire qui vidait sa serviette. Elle semblait parfaitement ahurie de se trouver mêlée à cette cérémonie.

Il y avait également Frank. Il avait été présenté à Margaret après l'enterrement. Frank Ouseley, célibataire endurci, ami très proche de Guy. Quasiment son âme sœur, à vrai dire. Ils s'étaient découvert une passion commune pour tout ce qui touchait à la guerre, et cela les avait rapprochés. C'était suffisant pour que Margaret l'observe d'un air soupçonneux. Il était à l'origine de ce foutu projet de musée, d'après ce qu'elle avait appris. Responsable de ce qu'une bonne partie des millions de Guy allaient atterrir dans une escarcelle qui n'était pas celle de son fils. Margaret le trouvait particulièrement repoussant avec son costume de tweed informe et ses incisives aux jaquettes approximatives. En plus, il était gros. Encore un mauvais point pour lui. Sa brioche trahissait le glouton, et la gloutonnerie allait de pair avec la cupidité.

Or il était en train de parler à Adrian à ce moment précis, Adrian qui n'avait manifestement pas assez de jugeote pour reconnaître un ennemi quand il se trouvait dans la même pièce que lui. Si les choses se présentaient de la façon que craignait Margaret dans les trente minutes qui allaient suivre, son fils et elle risquaient de se retrouver juridiquement aux prises avec ce type. Adrian ferait bien de s'en rendre compte et de garder ses distances.

Margaret poussa un soupir. Elle observa son fils,

remarquant pour la première fois combien il ressemblait à son père. Et combien il se donnait de mal pour atténuer cette ressemblance, se faisant quasiment tondre les cheveux, s'habillant n'importe comment, se rasant de près, de façon à éviter tout ce qui pouvait évoquer la barbe paternelle. Mais pas moyen de camoufler ses yeux, si semblables à ceux de son père. Des yeux qui suggéraient irrésistiblement le lit, des yeux sensuels, aux paupières lourdes. Pas moyen non plus de modifier son teint, plus foncé que celui de la moyenne des Anglais.

Elle s'approcha de lui, qui se tenait près de la cheminée avec Frank, et passa le bras sous le sien :

— Viens donc t'asseoir près de moi, mon chéri. Je peux vous l'enlever, Mr Ouseley ?

Frank Ouseley n'eut pas à répondre : Ruth avait fermé la porte du salon, indiquant ainsi que toutes les personnes concernées étaient rassemblées, qu'on pouvait commencer. Margaret entraîna Adrian vers un canapé près de la table sur laquelle le notaire de Guy – un individu filiforme du nom de Dominic Forrest – avait disposé ses papiers.

Margaret ne manqua pas de remarquer que tout le monde essayait de prendre un air aussi dégagé que possible. A commencer par son fils, qu'elle avait eu bien du mal à convaincre d'assister à cette cérémonie. Tassé sur le canapé, le visage dénué d'expression, il semblait se désintéresser complètement de ce qui allait suivre. Savoir comment son père avait disposé de sa fortune ne semblait pas le préoccuper.

Contrairement à lui, Margaret s'intéressait à la question. Aussi se raidit-elle lorsque Dominic Forrest chaussa ses demi-lunes et s'éclaircit la gorge. Il avait fait comprendre à Margaret que les modalités de cette lecture étaient tout à fait contraires à la procédure habituelle. Il valait mieux selon lui que les principaux intéressés prennent connaissance du testament dans un lieu où ils pourraient assimiler tranquillement les nouvelles les concernant et poser toutes les questions qui les préoccupaient sans que soient présentes des tierces personnes qui ne seraient peut-être pas bien disposées à leur égard.

Ce qui signifiait en langage clair que Mr Forrest aurait préféré convoquer les bénéficiaires dans son étude séparément pour pouvoir leur adresser ensuite à chacun sa note d'honoraires. Sale type.

Ruth était perchée tel un oiseau au bord d'une chaise, non loin de Valerie. Kevin Duffy resta posté près de la fenêtre, Frank devant la cheminée. Anaïs Abbott et sa fille vinrent s'asseoir sur une causeuse où la première se mit à se tordre les mains tandis que la seconde s'efforçait de caser ses jambes de girafe de la façon la plus discrète possible.

Mr Forrest prit un siège et se saisit de ses papiers, qu'il agita d'un mouvement de poignet. Le dernier testament de Mr Brouard, commença-t-il, avait été rédigé et signé devant témoins le deux octobre de cette année. Le document était très simple.

Margaret n'aimait décidément pas le tour que prenaient les choses. Elle se raidit dans l'attente de nouvelles qui risquaient fort d'être mauvaises. Sage réflexe. Car, sans tourner un seul instant autour du pot, Mr Forrest leur apprit que la fortune de Guy se composait d'un compte en banque et d'un portefeuille d'actions, lesquels, conformément aux lois sur l'héritage en vigueur à Guernesey, seraient partagés en deux parts égales. La première, toujours aux termes des lois sur l'héritage en vigueur à Guernesey, devait être répartie également entre les trois enfants de Guy. La seconde, distribuée pour moitié à Paul Fielder et pour moitié à une certaine Cynthia Moullin.

Aucune mention de Ruth, sœur bien-aimée, compagne de toute une vie. Toutefois, si l'on songeait aux propriétés que Guy possédait en Angleterre, en France, en Espagne et aux Seychelles, si l'on considérait ses holdings, ses actions, ses obligations, ses œuvres d'art – dont son testament ne faisait pas mention –, il n'était pas difficile de voir comment Guy Brouard avait manifesté ses sentiments à l'égard de ses enfants tout en prenant les mesures nécessaires pour mettre sa sœur à l'abri. Seigneur, songea Margaret. Il avait dû tout léguer à Ruth pendant qu'il était encore en vie.

Un silence ébahi, qui chez Margaret se mua lentement en rage, accueillit la fin de la lecture. Margaret pensa immédiatement que Ruth avait orchestré cette cérémonie dans le but de l'humilier. Ruth n'avait jamais eu de sympathie pour elle. Jamais. Et pendant les années où Margaret s'était évertuée à tenir son fils éloigné de Guy, Ruth avait même dû concevoir pour elle une véritable haine. Elle devait jubiler en voyant Margaret Chamberlain récolter ce qu'elle avait semé. Car non seulement Margaret devait être sonnée en découvrant que la fortune de Guy ne correspondait pas à ses attentes, mais elle devait être folle furieuse de constater que la part de son fils était inférieure à celle qui avait été léguée à deux étrangers qui avaient nom Fielder et Moullin.

Margaret se tourna vivement vers sa belle-sœur, prête à croiser le fer. Mais elle lut sur le visage de Ruth une vérité qu'elle eut bien du mal à assimiler. Ruth était devenue si pâle que ses lèvres étaient blanches comme de la craie. Manifestement sa pâleur extrême indiquait que le testament de son frère n'était pas conforme à ce qu'elle attendait. Mais la physionomie de Ruth et le fait qu'elle ait invité les autres à assister à l'ouverture du testament révélaient encore autre chose : non seulement Ruth avait été au courant de l'existence d'un testament antérieur mais elle avait également eu connaissance de son contenu.

Sinon, pourquoi inviter à la cérémonie la dernière en date des maîtresses de Guy ? Pourquoi convoquer Frank Ouseley ? Pourquoi rameuter les Duffy ? Une seule raison à cela : Ruth les avait conviés en toute bonne foi, sachant qu'à un moment ou un autre Guy leur avait fait un legs.

Un legs, songea Margaret. Le legs d'Adrian. Le legs de son propre fils. Un voile rouge lui obscurcit la vue lorsqu'elle comprit ce qui s'était passé. Son fils Adrian avait été privé de ce qui lui revenait de droit, son fils Adrian avait été rayé du testament de son propre père malgré les belles paroles de Guy tendant à lui faire croire le contraire. Adrian avait été placé dans la situation humiliante de quelqu'un qui reçoit moins que des gens – Fielder et Moullin – qui n'avaient aucun lien de parenté avec Guy. La quasi-totalité de la fortune de son père avait été distribuée, il avait été laissé sans biens par l'homme qui lui avait donné la vie et l'avait abandonné sans culpabiliser, et qui avait en outre, comme si cela ne suffisait pas, séduit la maîtresse de son fils unique quand cette dernière était à deux doigts – oui, à deux doigts – de prendre la décision qui aurait pu changer la vie d'Adrian à jamais et le guérir de ses dysfonctionnements. Tout cela était inconcevable. C'était révoltant. Et quelqu'un allait payer.

Margaret ne savait pas qui allait payer ni comment, mais elle était décidée à remettre les pendules à l'heure.

Pour cela, elle allait commencer par retirer des griffes de ces deux étrangers l'argent que son ex-mari leur avait légué. Qui étaient-ils, de toute façon ? Où étaient-ils ? Mais, plus important, quelles étaient leurs relations avec Guy ?

Deux personnes connaissaient la réponse à ces questions. L'une, Dominic Forrest, rangeait ses papiers dans sa serviette, marmonnant des bribes de phrases où il était question de banquiers et de comptables qu'il faudrait consulter. L'autre était Ruth, qui se précipitait vers Anaïs Abbott – ça alors, c'était vraiment trop fort – et lui murmurait quelque chose à l'oreille. Forrest ne lui communiquerait vraisemblablement pas plus de renseignements qu'il ne leur en avait fourni pendant la lecture du testament. Mais Ruth, qui était sa belle-sœur, qui était la tante d'Adrian – Adrian qui avait été si mal traité par son père –, Ruth, pour peu qu'on s'y prenne bien, lui donnerait des détails.

Près d'elle, Margaret sentit qu'Adrian tremblait. Elle se ressaisit abruptement. Elle avait été tellement obnubilée par les mesures à prendre qu'elle n'avait pas évalué l'impact que cet instant devait avoir sur son fils. Dieu sait que les relations d'Adrian avec son père avaient été orageuses, Guy ayant préféré collectionner les liaisons plutôt que de s'occuper de son aîné. Mais être traité de cette façon était cruel. C'était beaucoup plus cruel que d'être séparé de son père. Et maintenant il souffrait.

Alors elle se tourna vers lui, s'apprêtant à lui faire savoir qu'elle n'avait pas dit son dernier mot, prête à lui rappeler qu'il y avait des moyens légaux, des recours juridiques, des façons de manipuler les gens, de les menacer, bref de parvenir à ses fins, qu'il ne fallait pas qu'il s'inquiète et qu'il ne fallait surtout pas qu'il croie que les dispositions testamentaires de son père représentaient autre chose qu'un moment de folie inspiré par Dieu seul savait quoi. Elle était prête à prononcer ces mots, prête à lui passer un bras autour des épaules, prête à lui remonter le moral et à lui communiquer sa volonté d'acier. Mais elle s'aperçut que rien de tout cela ne serait nécessaire.

Adrian ne pleurait pas. Il ne s'était même pas recroquevillé sur lui-même.

Il était secoué d'un rire silencieux.

Ce n'était pas sans appréhension que Valerie Duffy avait assisté à la lecture du testament, et cette lecture ne dissipa qu'une seule de ses craintes, celle de perdre son toit et son gagne-pain – ce qui aurait pu se produire à la mort de Guy Brouard. Le fait que le Reposoir n'ait pas été mentionné dans le testament indiquait que des mesures concernant la propriété avaient été prises par ailleurs, et Valerie n'avait pas le moindre doute quant à l'identité de la personne à qui le manoir avait été légué. Cela signifiait que Kevin et elle ne se retrouveraient pas immédiatement à la rue, ce qui était un soulagement. Toutefois, d'autres soucis minaient Valerie, lui ôtant la paix de l'esprit. Ils avaient leur source dans le laconisme de Kevin, qui ne la gênait généralement pas mais qu'elle trouvait maintenant troublant. Son mari et elle traversèrent la pelouse, laissant le manoir derrière eux, et se dirigeant vers le cottage. Valerie avait vu la variété des réactions sur les visages de ceux qui étaient réunis au salon, et déchiffré sur chacun d'eux les espoirs qui avaient été anéantis. Anaïs Abbott avait escompté qu'on l'exhumerait financièrement de la tombe qu'elle avait creusée pour garder son amant. Frank Ouseley s'était attendu à un legs assez important pour édifier un monument à la gloire de son père. Margaret Chamberlain avait tablé sur une somme suffisante pour pouvoir se débarrasser de son fils et ne plus l'avoir sous son toit. Et Kevin ? A l'évidence, Kevin était soucieux, et cela n'avait pas de rapport avec les testaments ni avec les legs. Elle lui jeta un regard de biais tandis qu'il avançait à grandes enjambées à côté d'elle. Elle savait qu'il trouverait bizarre qu'elle ne fasse pas de commentaires mais elle n'en avait pas envie. Il y a des choses dont il vaut mieux ne pas parler.

— Crois-tu qu'on devrait téléphoner à Henry ? demanda-t-elle finalement à son mari.

Kevin desserra sa cravate, déboutonna le premier bouton de sa chemise, gêné dans ces vêtements qu'il n'avait pas l'habitude de porter.

— Oh, il aura vite fait de l'apprendre. La moitié de l'île sera au courant à l'heure du dîner.

Valerie attendit qu'il poursuive, mais non. Elle aurait voulu en éprouver du soulagement mais le fait qu'il ne la regardait pas lui permit de comprendre qu'il avait dû lâcher la bride à ses pensées.

— Je me demande comment il va réagir, reprit-elle.

— Vraiment, chérie ? répliqua Kevin si bas que Valerie faillit ne pas l'entendre, mais le ton seul qu'il avait employé en disait assez long pour la faire frissonner.

— Pourquoi cette question, Kev ? interrogea-t-elle dans l'espoir de le forcer à s'exprimer.

— Il y a parfois un monde entre ce que les gens disent et ce qu'ils font.

Et il posa les yeux sur elle. Valerie se sentit glacée. Elle sentit ce frisson remonter de ses jambes dans son ventre, où il se pelotonna tel un chat. Elle attendit que son mari aborde le sujet auquel tous ceux qui étaient au salon pensaient. Voyant qu'il n'en était rien, elle insista :

— Henry était présent à l'église, Kev. Tu lui as parlé ? Il était à l'enterrement également. Et à la réception. Tu l'as vu ? Ça signifie que Mr Brouard et lui sont restés amis. Ce qui est une bonne chose. Ce serait terrible si Mr Brouard était mort fâché avec quelqu'un, particulièrement avec Henry. Henry ne voudrait pas que leur amitié soit entamée. Cela lui pèserait sur la conscience.

— C'est moche, un poids sur la conscience. Ça vous empêche de dormir, ça vous obsède.

Il s'immobilisa et Valerie l'imita. Une soudaine rafale de vent venue de la Manche leur apporta une grande bouffée d'air du large, et du même coup le souvenir de ce qui s'était passé près de la baie.

— Tu crois, s'enquit Kevin trente secondes plus tard, comme Valerie ne réagissait toujours pas, que Henry va se poser des questions à propos du testament ?

Elle détourna les yeux, consciente de son regard toujours braqué sur elle et consciente qu'il essayait de la persuader de parler. Il y réussissait la plupart du temps : après vingt-sept ans de mariage, elle l'aimait comme au premier jour, lorsqu'il l'avait, tremblante mais consentante, dépouillée de ses vêtements pour l'aimer. Une relation comme celle-là, cela n'avait pas de prix. La peur de le perdre la poussait à parler et à demander pardon à Kevin de ce qu'elle avait fait malgré sa promesse.

Le regard de Kevin ne suffit pas toutefois à la décider à sauter le pas. Elle garda le silence, ce qui le força à poursuivre.

— Je ne vois pas comment il pourrait ne pas se poser de questions. Tout ça est tellement bizarre... Ce ne sont pas les questions qui manquent. Et s'il ne les pose pas... (Kevin jeta un coup d'œil aux bassins aux canards et au petit cimetière où gisaient les corps brisés des innocents volatiles.) Il y a des tas de choses qui sont synonymes de pouvoir aux yeux d'un homme. Et quand il s'en trouve privé, il a du mal à l'accepter. Il a du mal à prendre ça à la légère, à se dire : « Bah, ce n'était pas si important que ça au fond. »

— Et tu crois...

Valerie se remit en route, résolue à ne pas se laisser épingler par le regard de son mari tel un papillon de collection avec une étiquette portant les mots *femme parjure*.

— Tu crois que c'est ce qui est arrivé, Kev ? Quelqu'un a perdu son pouvoir ? C'est ça que tu te dis ?

— Je n'en sais rien. Et toi ?

Toute autre que Valerie aurait fait l'idiote, aurait dit « Pourquoi voudrais-tu que je... ? » Mais Valerie savait pourquoi son mari lui posait la question et elle savait où cela les mènerait si elle lui répondait directement : à passer en revue les promesses et à discuter de leur accomplissement.

Mais il n'y avait pas que cela à éviter, il y avait ses sentiments à elle, qu'elle devait prendre en compte. Car il n'était pas facile de vivre en sachant qu'on avait peut-être causé la mort de quelqu'un de bien. Fonctionner, assurer le train-train quotidien avec cette idée en tête, c'était une épreuve. Mais savoir que quelqu'un d'autre était au courant de votre responsabilité rendait le fardeau intolérable. Il ne lui restait qu'une solution : esquiver, noyer le poisson. Quelle que soit sa décision, Valerie avait l'impression qu'elle serait perdante.

Elle aurait voulu plus que tout pouvoir renverser le cours du temps. Mais c'était impossible. Alors elle continua d'avancer en direction du cottage, où là, au moins, ils auraient de quoi s'occuper et pourraient momentanément ne plus penser au fossé qui se creusait entre eux.

— Tu as remarqué cet homme qui parlait à miss Brouard ? Celui qui a un problème à la jambe. Elle l'a emmené en haut. A la fin de la réception. Je ne l'ai jamais vu dans le coin auparavant, je me demandais si... Tu crois que c'est son médecin ? Elle ne va pas fort. Tu l'as remarqué ? Elle essaye de le cacher mais ça ne fait qu'empirer. J'aimerais qu'elle nous en parle ouvertement. Je pourrais l'aider davantage. Je comprends qu'elle n'ait rien dit pendant que son frère était en vie, elle ne voulait pas qu'il se fasse de souci. Mais maintenant qu'il a disparu, on pourrait lui donner un sacré coup de main, toi et moi, Kev, si seulement elle nous laissait faire.

Quittant la pelouse, ils traversèrent la portion de l'allée qui longeait leur cottage. Ils s'approchèrent de la porte, Valerie en tête. Elle serait entrée, elle aurait suspendu son manteau, commencé à vaquer à ses occupations si les mots de Kevin ne l'avaient arrêtée.

— Quand vas-tu cesser de me mentir, Val ?

A tout autre moment, elle aurait été obligée de répondre à une question formulée en ces termes. Ces mots impliquaient tant de choses quant à la nature de leur relation qu'en d'autres circonstances la seule façon de réfuter ces implications aurait été de donner à son mari ce qu'il demandait. Dans la situation présente, toutefois, Valerie n'eut pas à s'exécuter car, alors que Kevin prononçait cette phrase, l'homme auquel elle venait de faire allusion sortit des buissons bordant le sentier qui menait à la baie.

Il était accompagné d'une jeune femme rousse. Après avoir échangé quelques mots, ils s'approchèrent des Duffy. L'homme déclara s'appeler Simon Saint James et il leur présenta sa compagne – sa femme, Deborah. Ils étaient venus de Londres pour les obsèques. Il demanda aux Duffy s'ils pouvaient s'entretenir quelques instants avec eux.

Le plus récent des analgésiques – celui que son cancérologue avait qualifié de dernier recours – ne suffisait plus à faire taire la douleur infernale qui rongeait le squelette de Ruth. Le moment était venu de passer très sérieusement à la morphine. Mais psychologiquement elle n'était pas prête à franchir le pas. Pas prête à admettre qu'elle n'avait plus aucun pouvoir sur la façon dont elle entendait gérer la fin de sa vie. Tant qu'elle serait dans cet état d'esprit, elle ferait comme si la maladie, telle une armée de Vikings privée de chef, ne lui ravageait pas le corps.

Elle s'était réveillée ce matin dans un état de souffrance intense qui ne l'avait pas lâchée de la journée. Au début de la matinée, elle était tellement concentrée sur les devoirs à rendre à son frère, à sa famille, à ses amis, à la communauté qu'elle avait réussi à oublier l'emprise du feu sur la quasi-totalité de son corps. Mais, tandis que les gens lui faisaient leurs adieux, celle-ci devenait de plus en plus difficile à ignorer. La lecture du testament l'avait momentanément distraite de la maladie. Les retombées de la lecture continuaient de l'occuper.

Sa conversation avec Margaret avait été étonnamment brève. « Je m'occuperai du reste de cette affaire plus tard, lui avait lancé sa belle-sœur, raide d'indignation, avec la tête d'une femme qui renifle un morceau de viande avariée. Pour l'instant, je veux savoir qui c'est. »

Ruth savait que Margaret faisait allusion à ceux des bénéficiaires qui n'étaient pas les enfants de Guy. Elle fournit à Margaret les renseignements exigés et la regarda sortir majestueusement de la pièce, prête à se lancer dans ce qui allait certainement être un combat douteux.

Ruth se retrouva ainsi avec les autres. Frank Ouseley ne lui avait pas donné de fil à retordre, contrairement à ce qu'elle craignait. Lorsqu'elle s'était approchée de lui avec des explications embarrassées, lui disant qu'il y avait sûrement quelque chose à faire, que Guy avait clairement fait connaître son sentiment concernant le musée, Frank s'était contenté de répondre : « Ne vous tracassez pas, Ruth. » Et il avait pris congé sans la moindre amertume. Il devait être rudement déçu, pourtant, compte tenu du temps et des efforts que Guy et lui avaient consacrés au projet. Aussi, avant qu'il ne s'en aille, lui avait-elle dit qu'il ne fallait pas désespérer, qu'elle était sûre qu'on allait pouvoir faire quelque chose pour que ses rêves se réalisent. Guy savait combien le projet lui tenait à cœur et il avait sûrement eu l'intention de... Elle ne pouvait en dire davantage : elle ne pouvait trahir son frère et ses desiderata car elle ne comprenait pas encore ce qu'il avait fait ni pourquoi.

Frank avait pris sa main entre les siennes, disant : « On réétudiera la question plus tard. Ne vous tourmentez pas pour l'instant. »

Et sur ces mots, il était parti, la laissant aux prises avec Anaïs.

Commotionnée, tel fut le mot qui vint aussitôt à l'esprit de Ruth quand elle se trouva seule avec la maîtresse de son frère. Anaïs était en effet prostrée plutôt qu'assise sur la causeuse où elle avait pris place pendant que le notaire officiait. Seul détail qui avait changé : elle était maintenant seule. La pauvre Jemima avait été tellement pressée de filer que lorsque Ruth avait suggéré : « Tu devrais peut-être aller à la recherche de Stephen, mon petit ? », elle s'était pris le pied, qu'elle avait fort grand, dans un meuble et avait failli renverser une petite table dans sa hâte à disparaître. Cette hâte était compréhensible. Jemima connaissait suffisamment sa mère pour savoir ce qu'Anaïs exigerait d'elle dans les semaines à venir : elle allait avoir besoin d'une confidente et d'un bouc émissaire. Le temps déciderait du rôle qu'elle attribuerait à sa grande gigue de fille.

Ruth et Anaïs étaient donc maintenant en tête à tête. Anaïs triturait l'ourlet d'un coussin du fauteuil. Ruth ne savait que lui dire. Son frère était quelqu'un de bon et de généreux malgré ses défauts, et, sur un testament précédent, il avait couché Anaïs Abbott et ses enfants dans des termes qui l'auraient considérablement soulagée de ses angoisses. C'était ainsi que Guy procédait avec les femmes. Chaque fois qu'il choisissait une nouvelle maîtresse et que cette liaison durait plus de trois mois, il modifiait son testament de façon à prendre cette donnée en compte. Si Ruth le savait, c'est parce que son frère lui avait toujours fait connaître le contenu de ses testaments. A l'exception du dernier, Ruth avait lu chacun des documents précédents en présence de Guy et de son notaire, parce que Guy avait toujours voulu que Ruth sache comment il entendait disposer de son argent.

Le dernier testament porté à la connaissance de Ruth avait été rédigé quelque six mois après le début de la liaison de son frère avec Anaïs Abbott, peu après leur retour de Sardaigne, où ils avaient apparemment passé le plus clair de leur temps à tester les mérites des différentes positions. Guy était rentré de ce voyage l'œil vitreux, disant : « C'est elle, c'est la femme qu'il me faut, Ruth. » Et son testament avait reflété cet optimisme. C'est pour cela que Ruth avait convoqué Anaïs et non, comme l'expression de cette dernière semblait l'indiquer, par méchanceté.

Ruth se demandait ce qui était pire. Laisser croire à Anaïs que son désir de lui nuire était tel qu'elle l'avait mise en situation de voir ses espoirs anéantis devant un parterre de spectateurs. Ou lui confier que dans un testament antérieur Guy lui avait légué les quatre cent mille livres qui lui auraient permis de régler ses problèmes. Ruth décida d'opter pour la première solution. Car, même si elle n'avait guère envie d'être un objet de haine pour qui que ce soit, en parlant à Anaïs du précédent testament elle serait forcément amenée à lui parler de la raison pour laquelle il avait été modifié.

Ruth s'installa dans le fauteuil, murmurant :

— Anaïs, je suis vraiment désolée. Je ne sais que dire.

Anaïs tourna la tête en femme qui reprend lentement conscience.

— S'il tenait à léguer son argent à des ados, pourquoi pas aux miens ? Jemima, Stephen. C'était seulement de la comédie... ? (Elle se plaqua un coussin sur le ventre.) Pourquoi m'a-t-il fait ça, Ruth ?

Ruth ne savait comment le lui expliquer. Anaïs était assez effondrée pour le moment. Inutile d'en rajouter : ç'aurait été inhumain.

— C'est parce qu'il a été coupé de ses enfants, ma chère. Par leurs mères. A la suite des divorces. Je crois qu'il a sauté sur l'occasion de se conduire encore une fois en père quand il ne pouvait plus en être un pour ses propres enfants.

— Les miens ne lui suffisaient donc pas ? Jemima ? Stephen ? Ils comptaient moins que deux étrangers ?

— Ce ne sont pas des étrangers pour Guy, corrigea Ruth. Il connaît Paul Fielder et Cynthia Moullin depuis des années. (Depuis plus longtemps que vos enfants et vous, aurait-elle voulu ajouter, mais elle n'avait pas envie de s'engager sur ce terrain.) L'association GAYT, vous en avez entendu parler, Anaïs. Vous savez combien Guy prenait son rôle de mentor au sérieux.

— Ils se sont immiscés dans sa vie, c'est ça ? Dans l'espoir... On les a présentés à Guy, ils ont débarqué ici, examiné les lieux, compris que s'ils manœuvraient bien ils avaient une chance de se voir léguer quelque chose. Et c'est ce qui s'est produit.

Elle jeta le coussin. Ruth écoutait. La faculté d'Anaïs à se mentir ne laissait pas de l'étonner. Elle fut à deux doigts de lui dire : « Parce que ce n'est pas ce que vous-même visiez, ma chère ? Ne me dites pas que c'est par amour que vous vous êtes liée avec un homme de vingt-cinq ans votre aîné. » Au lieu de quoi, elle déclara :

— Il était sûr que Jemima et Stephen réussiraient dans la vie. Grâce à vous. Mais les deux autres... ils n'ont pas eu les mêmes avantages que vos enfants au départ. Il a voulu leur donner un coup de pouce.

— Et moi, alors ? Qu'est-ce qu'il comptait faire pour moi ?

Ah, songea Ruth, nous y voilà. Ne se sentant pas disposée à répondre à cette question, elle se contenta de répéter :

— Je suis vraiment désolée, ma chère.

— Je n'en doute pas, riposta Anaïs.

Elle jeta les yeux autour de la pièce comme si elle avait complètement repris ses esprits et remarquait le décor qui l'entourait pour la première fois. Elle rassembla ses affaires et se leva. Elle se dirigea vers la porte. Mais là, elle marqua une pause et se tourna vers Ruth.

— Il m'avait fait des promesses, affirma-t-elle. Il m'avait dit des choses, Ruth. Est-ce qu'il m'a menti ?

Ruth répondit avec circonspection.

— A ma connaissance, mon frère n'a jamais menti.

Et le fait est qu'il ne lui avait jamais menti, à elle. Pas une seule fois. « Sois forte, lui avait-il dit. Ne crains rien. Je reviendrai te chercher, petite sœur. » Et il avait tenu parole, revenant la chercher dans la famille d'accueil où l'avaient placée les autorités d'un pays en proie à la tourmente, pour lequel deux petits réfugiés français signifiaient seulement deux bouches de plus à nourrir, deux foyers de plus à trouver, deux avenirs dépendant du retour aléatoire de parents reconnaissants. Ces parents ne s'étant pas manifestés et l'énormité de ce qui s'était passé dans les camps ayant été portée à la connaissance de tous, Guy lui-même était venu. Il lui avait juré que cela n'avait pas d'importance. Il avait passé sa vie à lui démontrer qu'ils pouvaient survivre sans leurs parents et même sans amis si nécessaire dans un pays qu'ils n'avaient pas choisi mais qui leur avait été imposé par les circonstances. C'est pourquoi Ruth n'avait jamais considéré son frère comme un menteur, tout en sachant pertinemment qu'il avait pourtant dû mentir, ruser, biaiser, dissimuler, lui qui avait trahi deux femmes et une ribambelle de maîtresses.

Anaïs partie, Ruth reconsidéra les faits à la lueur des activités de Guy ces derniers mois. Elle comprit que s'il lui avait menti, ne serait-ce que par omission, et c'était le cas puisqu'elle ignorait l'existence du dernier testament, il pouvait également lui avoir menti à propos d'autre chose.

Elle se leva et se rendit dans le bureau de son frère.

11

— Et vous êtes sûre de ce que vous avez vu ce matin-là ? questionna Saint James. Quelle heure était-il quand elle est passée devant le cottage ?

— Pas tout à fait sept heures, répondit Valerie Duffy.

— Il ne faisait pas encore jour, alors.

— Non. Mais j'étais à la fenêtre.

— Pourquoi ?

— Je buvais une tasse de thé. Kevin n'était pas encore descendu. J'écoutais les infos à la radio. J'organisais ma journée dans ma tête.

Ils se trouvaient dans le salon du cottage des Duffy, où Valerie les avait fait entrer tandis que Kevin disparaissait dans la cuisine pour mettre la bouilloire à chauffer. Ils s'étaient assis sous le plafond bas, au milieu des étagères chargées d'albums de photos, de volumineux livres d'art, et des vidéos de sœur Wendy. Une pièce normalement meublée aurait déjà eu du mal à accueillir quatre personnes. Mais avec les livres entassés par terre, les piles de cartons qui s'alignaient le long des murs, sans compter les dizaines de photos de famille posées un peu partout, l'atmosphère était presque irrespirable. La preuve, s'il en était besoin, du niveau d'études de Kevin Duffy ne manquait pas de surprendre. On pouvait difficilement s'attendre qu'un gardien, un régisseur, un homme à tout faire, soit diplômé d'histoire de l'art ; c'était sans doute pourquoi, outre les photos de famille, les murs s'ornaient de ses diplômes dûment encadrés ainsi que de plusieurs portraits du jeune diplômé encore célibataire.

— Les parents de Kev ont toujours considéré que le but des études, c'était d'étudier, indiqua Valerie, comme répondant à la question qu'ils n'avaient pas formulée. Pas de déboucher nécessairement sur un métier.

Aucun des Duffy ne s'était posé la question de savoir si Saint James avait qualité pour enquêter sur la mort de Guy Brouard. Une fois qu'il leur avait eu expliqué son métier et tendu sa carte, ils l'avaient accepté sans sourciller. Ils ne cherchèrent pas non plus à savoir pourquoi il était accompagné de son épouse. Et Saint James se garda bien de leur apprendre que la femme inculpée du meurtre de Brouard était une amie de Deborah.

Valerie leur dit qu'elle se levait généralement à six heures et demie pour préparer le petit déjeuner de Kevin avant de se rendre au manoir pour y préparer celui des Brouard. Mr Brouard aimait prendre un petit déjeuner copieux lorsqu'il revenait de la baie. Aussi, ce matin-là, elle s'était levée comme d'habitude bien que s'étant couchée tard la veille. Mr Brouard lui avait fait savoir qu'il irait nager, et effectivement elle l'avait vu passer devant la fenêtre pendant qu'elle se tenait là avec son thé. Une demi-minute plus tard, elle avait vu une silhouette enveloppée de sombre qui le suivait.

— Ce vêtement sombre, il possédait une capuche ? s'enquit Saint James.

— Oui.

— Et la capuche, elle était relevée ou baissée ?

— Relevée, dit Valerie Duffy.

Elle avait pu distinguer le visage de la silhouette à

la cape parce qu'elle avait traversé le rai de lumière qui émanait de la fenêtre.

— C'était l'Américaine, énonça Valerie. J'en suis sûre. J'ai aperçu ses cheveux.

— Ça ne pouvait pas être quelqu'un de la même taille ? insista Saint James.

— Non, lui assura Valerie.

— Une autre femme blonde ? glissa Deborah.

Valerie leur certifia avoir vu China River. Ça ne l'avait d'ailleurs pas étonnée. China River lui avait semblé être en très bons termes avec Mr Brouard pendant son séjour au Reposoir. Certes, les femmes ne laissaient pas Mr Brouard indifférent mais avec l'Américaine il avait rondement mené les choses.

Saint James vit sa femme froncer les sourcils. Lui-même hésitait à prendre pour argent comptant les paroles de Valerie Duffy. Il y avait quelque chose dans l'aisance avec laquelle elle répondait qui était déconcertant. Ainsi que dans sa façon d'éviter le regard de son mari.

— Et vous, monsieur Duffy, demanda poliment Deborah, vous avez vu quelque chose ?

Kevin Duffy se tenait silencieux dans l'ombre où il s'était placé en revenant avec le thé. Il était appuyé contre l'une des étagères, la cravate dénouée. Son visage basané était indéchiffrable.

— Valerie se lève généralement avant moi, dit-il brièvement.

D'où, supposa Saint James, il fallait en conclure qu'il n'avait rien vu. Toutefois il insista :

— Et ce jour-là ?

— Comme d'habitude, répondit Kevin Duffy.

— Vous avez dit qu'ils étaient en très bons termes, reprit Deborah. Vous pourriez préciser ?

— Ils se promenaient souvent ensemble dans la propriété. Le Reposoir lui plaisait beaucoup et elle voulait faire un reportage dessus. Mais ils se promenaient aussi ailleurs : il lui faisait visiter l'île.

— Et son frère ? questionna Deborah. Est-ce qu'il les accompagnait ?

— Pas toujours. Il lui arrivait de rester à la maison. Ou alors il sortait de son côté. Cela ne semblait pas déplaire à l'Américaine. Comme ça elle restait en tête à tête avec Mr Brouard. Il avait la manière avec les femmes.

— Mr Brouard avait une liaison, non ? demanda Deborah. Avec Mrs Abbott.

— Il était toujours entre deux liaisons, et ça ne durait jamais longtemps. Mrs Abbott n'était que la dernière en date. Puis l'Américaine a débarqué.

— Quelqu'un d'autre ? questionna Saint James.

Pour une raison indéfinissable, il y eut comme un raidissement dans l'air. Kevin Duffy se dandina d'un pied sur l'autre, Valerie lissa sa jupe avec application.

— Personne pour autant que je sache.

Saint James et Deborah échangèrent un regard. Saint James vit à la physionomie de sa femme qu'elle se rendait compte que leur enquête allait devoir s'orienter dans une autre direction, et il était d'accord avec elle. Toutefois, le fait de se trouver devant un autre témoin affirmant que China River avait suivi Guy Brouard jusqu'à la plage – et un témoin nettement plus valable que Ruth Brouard, compte tenu de la distance infime qui séparait le cottage du chemin conduisant à la baie – ne pouvait être ignoré.

— Vous avez parlé de ça à l'inspecteur principal Le Gallez ? dit-il à Valerie.

— Je lui ai tout raconté.

Saint James se demanda ce que ça signifiait : ni Le Gallez ni l'avocat de China River ne lui avaient répercuté l'information.

— Nous avons découvert un objet que vous pourrez

peut-être nous aider à identifier, annonça-t-il en sortant de sa poche le mouchoir dans lequel était enveloppée la bague récupérée par Deborah dans les rochers.

Il déplia le tissu, tendit la bague à Valerie puis à Kevin. Ni l'un ni l'autre ne réagirent en la voyant.

— Ça date de la guerre, expliqua Kevin Duffy. De l'Occupation. C'est sûrement une bague nazie. Tête de mort et tibias croisés. Pas la première fois que je vois ça.

— Des bagues semblables à celle-ci, vous en avez vu ? dit Deborah.

— La tête de mort et les tibias croisés, répéta Kevin. (Il jeta un regard à sa femme :) Tu connais quelqu'un qui en aurait une ?

Elle fit non de la tête en examinant l'objet resté dans la paume de Saint James.

— C'est un souvenir, n'est-ce pas ? dit-elle à son mari. (Puis à Saint James et à Deborah :) Ce ne sont pas les objets de ce genre qui manquent dans l'île. Ça peut venir de n'importe où.

— Par exemple ? s'enquit Saint James.

— De chez un brocanteur spécialisé dans les choses militaires, répondit-elle. De chez un collectionneur privé, peut-être.

— Ou alors c'est tombé de la main d'un loubard, remarqua Kevin Duffy. La tête de mort et les tibias croisés, c'est bien le genre de truc que les petits mecs du National Front s'amusent à exhiber devant leurs potes pour frimer. Ça leur donne l'impression d'être des hommes, des vrais. Mais elle était trop grande pour lui et il l'a perdue.

— Vous voyez un autre endroit d'où elle aurait pu provenir ? voulut savoir Saint James.

Les Duffy réfléchirent. Ils échangèrent un nouveau regard. Et Valerie répondit :

— Je ne vois pas.

Frank Ouseley sentit venir une crise d'asthme au moment où, au volant de sa voiture, il s'engageait dans Fort Road. Ce n'était pas très loin du Reposoir et, comme en chemin il n'avait été exposé à aucune substance susceptible de l'incommoder, il était bien obligé de conclure qu'il faisait une réaction indésirable à la conversation qu'il s'apprêtait à avoir.

Conversation qui n'était même pas nécessaire. La façon dont Guy Brouard avait envisagé de distribuer son argent n'était pas de la responsabilité de Frank : Guy ne lui avait jamais demandé son avis. Il n'était donc pas obligé de jouer le rôle du porteur de mauvaises nouvelles, étant donné que, d'ici quelques jours, les langues allant bon train dans l'île, le contenu du testament serait vraisemblablement connu de tous. Cependant, compte tenu de son passé d'enseignant, il se sentait obligé de s'acquitter de cette mission. Même s'il n'était pas enthousiaste à la pensée de s'en charger – d'où cette sensation de gêne dans la poitrine.

Lorsqu'il s'arrêta devant la maison de Fort Road, il prit son inhalateur dans la boîte à gants. Il attendit un moment que le malaise se dissipe. Profitant de cette pause pour regarder alentour, il vit qu'au milieu du pré communal, de l'autre côté de la rue, un grand type mince et deux gamins tapaient dans un ballon. Aucun d'eux ne semblait très doué.

Frank sortit de la voiture sous une brise glaciale. Il enfila tant bien que mal son manteau et marcha jusqu'à la pelouse. Les arbres qui en bordaient le pourtour étaient nus car le pré était très exposé. Sur fond de ciel gris les branches s'agitaient tels des bras de suppliants, les oiseaux qui y avaient trouvé refuge semblaient observer les joueurs.

Frank essaya de préparer une entrée en matière tandis qu'il s'approchait de Bertrand Debiere et de ses fils. Dans un premier temps, Nobby ne le vit pas. C'était aussi bien car Frank savait que son visage exprimait probablement ce que sa langue renâclait à révéler.

Les deux gamins jubilaient, fous de joie d'avoir leur père tout à eux. Le visage de Nobby, si souvent crispé d'angoisse, était détendu tandis qu'il jouait avec ses fils, leur lançant le ballon, les encourageant à le lui renvoyer. L'aîné avait six ans, il serait certainement aussi grand que son père et probablement aussi dégingandé. Le cadet n'avait que quatre ans et, tout joyeux, il courait et agitait les bras quand le ballon était destiné à son frère. Ils s'appelaient respectivement Bertrand Jr et Norman, prénoms un peu difficiles à porter par les temps qui couraient, mais ils ne s'en rendraient compte que lorsqu'ils iraient à l'école et qu'ils prieraient pour qu'on leur donne des surnoms plus sympathiques que celui dont leur père avait été affublé par ses condisciples.

C'était en grande partie pour cela que Frank avait pris la peine de venir voir son ancien élève : l'adolescence de Nobby n'avait pas été une partie de plaisir. Et Frank n'avait pas fait tout ce qu'il aurait pu pour lui faciliter les choses.

C'est Bertrand Jr qui le premier l'aperçut. Il s'arrêta alors qu'il avait tapé dans le ballon, dévisagea Frank, son petit bonnet jaune en tricot rabattu sur son front de sorte que seuls ses yeux étaient visibles. De son côté, Norman en profita pour se laisser tomber sur l'herbe et se rouler dedans comme un chien à qui on a enlevé sa laisse et qui fait le fou. Pour une raison connue de lui seul, il agitait les jambes en l'air tout en criant : « Pluie, pluie, pluie. » Nobby se tourna dans la direction du regard de son aîné. Voyant Frank, il attrapa le ballon que Bertrand Jr avait réussi à lui envoyer, le renvoya à son fils en disant : « Surveille ton petit frère,

Bert », et rejoignit Frank tandis que Bertrand Jr se jetait sur Norman et commençait à le chatouiller dans le cou.

— Ils sont aussi doués que moi pour le sport, commenta Nobby avec un hochement de tête destiné à Frank. Norman a des possibilités mais il a la concentration d'un moucheron. Ce sont de gentils gamins, pourtant. Et à l'école, ils marchent bien. Bert est bon en calcul et il lit comme un chef. Norman, lui, c'est encore trop tôt pour voir ce qu'il a dans le ventre.

Frank savait que les résultats scolaires étaient importants pour Nobby, qui avait été handicapé par des problèmes d'apprentissage et par le fait que ses parents s'étaient imaginé que ses difficultés venaient de ce qu'il était le seul garçon d'une famille de filles.

— Ils tiennent ça de leur mère, dit Nobby. Ils ont de la chance. Bert, ne sois pas brutal avec lui.

— T'inquiète pas, papa.

Frank constata que Nobby se gonflait d'orgueil. Ce vibrant *papa* semblait l'emplir de fierté. C'est parce que sa famille était le centre de son univers que Nobby s'était fourré dans la situation où il se trouvait actuellement. Leurs besoins – réels ou imaginaires – étaient tout pour lui. L'architecte n'en dit pas davantage à Frank tandis qu'il le rejoignait. Une fois qu'il eut tourné le dos à ses enfants, son visage se crispa ; il parut se raidir dans l'attente de ce qui allait suivre et une lueur d'animosité brilla dans ses yeux. Frank aurait voulu commencer par dire à Nobby qu'il n'était pas responsable des décisions que ce dernier avait prises sur un coup de tête ; pourtant il se sentait dans une certaine mesure responsable. Cela venait de son impossibilité à lui témoigner davantage son amitié à l'époque où il n'avait été qu'un gamin assis à un bureau de sa classe, souffre-douleur des autres parce qu'il était un peu trop lent et un peu trop différent.

— Je viens du Reposoir, Nobby. Où s'est déroulée la lecture du testament.

Nobby attendit en silence. Un muscle palpita sur sa joue.

— J'ai l'impression que c'est la mère d'Adrian qui a insisté pour que cette formalité ait lieu le plus vite possible, poursuivit Frank.

— Et alors ? fit Nobby, réussissant à prendre un air indifférent dont Frank ne fut pas dupe.

— Eh bien, les choses ne sont pas aussi simples qu'on aurait pu le penser.

Et Frank d'expliquer les dispositions du testament : le compte en banque, le portefeuille, Adrian Brouard et ses sœurs, les deux adolescents.

Nobby fronça les sourcils.

— Mais qu'a-t-il fait de... ? L'héritage doit être colossal. Autrement plus important qu'un compte en banque et un portefeuille d'actions. Comment s'est-il débrouillé ?

— Ruth, dit Frank.

— Il ne peut pas lui avoir légué le Reposoir.

— Non, bien sûr que non. La loi l'en aurait empêché. Ce n'est donc pas à elle qu'il l'a laissé.

— Alors ?

— Je ne sais pas. Il a dû avoir recours à un tour de passe-passe juridique. Je lui fais confiance. Et elle, elle a dit amen.

A ces mots, le dos de Nobby se détendit quelque peu.

— Ah... mais c'est bien, alors ? Ruth était au courant de ses intentions : elle va vouloir que le projet prenne corps. Et quand elle se penchera sur les plans californiens, je m'arrangerai pour les examiner avec elle. Je lui montrerai qu'il n'avait pas choisi la meilleure solution. Que ces plans sont totalement inadaptés au site. Totalement inadaptés au climat. Extrêmement coûteux en termes de chauffage et de maintenance.

— Nobby, coupa Frank, ce n'est pas si simple.

Derrière lui l'un des gamins se mit à crier, Nobby pivota pour constater que Bertrand Jr avait retiré son bonnet et l'enfonçait sur la tête de son petit frère.

— Bert, arrête ça tout de suite, fit Nobby sèchement. Si tu ne veux pas jouer gentiment, tu restes à la maison avec maman.

— Mais je...

— Bertrand !

Le gamin arracha le bonnet à son frère et commença à taper dans le ballon. Norman se précipita derrière lui. Nobby les suivit des yeux un moment avant de reporter son attention sur Frank.

— Comment ça, pas si simple ? Pourquoi, Frank ? Qu'est-ce qui pourrait être plus simple ? Ne me dites pas que les plans de l'Américain vous plaisent ? Que vous les préférez aux miens ?

— Non.

— Alors ?

— Je parle des implications du testament.

— Mais vous venez de dire que Ruth... (Le visage de Nobby se durcit de nouveau. Frank reconnut ce regard empreint de colère, une colère qu'il avait eu du mal à contenir quand il n'était qu'un adolescent solitaire à qui l'on n'avait pas témoigné l'amitié qui aurait pu rendre son parcours plus facile.) Des implications. Quelles implications ?

Frank avait réfléchi à la question. Il l'avait examinée sur toutes les coutures pendant le trajet qui, du Reposoir, le menait à Fort Road. Si Guy Brouard avait eu l'intention de bâtir le musée, son testament aurait reflété cette intention. Il aurait laissé un legs suffisant pour couvrir sa construction. Comme tel n'était pas le cas, Frank s'était dit que c'était une façon d'exprimer clairement ses ultimes volontés.

Il expliqua tout cela à Nobby Debiere, qui l'écoutait avec une expression d'incrédulité croissante.

— Vous êtes fou ? s'écria l'architecte lorsque Frank eut terminé. Mais alors c'était quoi, le but de cette soirée mondaine ? L'annonce ? Le champagne ? Le feu d'artifice ? Les dessins ?

— Je suis bien incapable de te le dire. Je ne peux que m'appuyer sur les faits dont nous disposons.

— Parmi eux figurent les événements de cette soirée, Frank. Les paroles qu'il a prononcées. Sa façon d'agir.

— Oui, mais qu'a-t-il dit de concret, exactement ? Est-ce qu'il a parlé de la date du premier coup de pelle ? De la date d'achèvement des travaux ? Ne trouves-tu pas bizarre qu'il n'ait mentionné ni l'une ni l'autre ? Je ne vois qu'une explication à cela.

— Laquelle ?

— Il n'a jamais vraiment eu l'intention de construire le musée.

Nobby dévisagea Frank tandis que ses enfants chahutaient sur la pelouse. Venant de Fort George, une silhouette en survêtement bleu s'approcha en trottinant, tenant un chien en laisse. L'homme en bleu relâcha l'animal, qui se mit à gambader, ses oreilles flottant au vent tandis qu'il courait vers les arbres. Les enfants de Nobby poussèrent des cris ravis mais leur père ne pivota pas vers eux comme l'instant d'avant. Au lieu de cela, il fixa, derrière Frank, les maisons le long de Fort Road et plus particulièrement la sienne. Une grande bâtisse jaune rehaussée de touches de blanc avec, sur la façade arrière, un jardin pour les enfants. Dans cette maison, Caroline Debiere devait travailler à son roman, le roman dont elle rêvait depuis longtemps et que Nobby l'avait encouragée à écrire. Dans ce but elle avait démissionné de son job à l'*Architectural Review*, poste qu'elle occupait déjà avant de rencontrer Nobby et avant qu'il n'échafaude des projets qui se trouvaient maintenant réduits à néant par la froide réalité de la mort de Guy Brouard.

Le teint de Nobby vira au cramoisi.

— P..pas pas l'in... l'in... l'intention ? Vous... vous voulez di...di...re que ce ssssss...salopard...

Il s'arrêta. Essayant de retrouver son sang-froid. Frank intervint :

— Je ne dis pas qu'il nous faisait marcher. Seulement qu'il avait changé d'avis. Pour une raison que j'ignore. J'ai l'impression que c'est ce qui est arrivé.

— Mais... mais... mais... Et la réception, alors ?

— Je ne sais pas quoi te dire.

— Mais... mais... (Nobby ferma les yeux. Son visage se crispa sous l'effort qu'il fit pour se maîtriser. Lorsqu'il reprit la parole, il avait réussi à se débarrasser de son bégaiement.) Et l'annonce, Frank ? Les dessins ? Vous étiez là. Il les a montrés à tout le monde. Il... Pourquoi a-t-il fait ça ?

— Je n'en sais rien. Je ne comprends pas.

Nobby l'examina. Il fit un pas en arrière comme pour mieux observer Frank. Ses yeux s'étrécissant, ses traits étaient plus crispés que jamais.

— Je suis le dindon de la farce, alors ? Ça recommence.

— Une farce, quelle farce ?

— Brouard et vous, vous m'avez mené en bateau. Vous et les autres, à l'école, vous étiez tous contre moi, dans le temps, déjà. Ça ne vous a pas suffi ? « Non, non, on veut pas de Nobby dans notre groupe, monsieur. Si c'est lui qui récite, on va être mal. »

— Ne sois pas stupide. As-tu seulement écouté ce que je viens de te dire ?

— Oui. C'est clair maintenant, je comprends

comment il s'y est pris pour me ridiculiser. Il m'a donné de l'espoir. Laissé croire que j'avais décroché la commande. Et ensuite il m'a retiré le tapis de sous les pieds. Les règles n'ont pas changé. Seul le jeu est différent.

— Nobby, tu te rends compte de ce que tu dis ? Tu crois vraiment que Guy a monté tout ça pour le plaisir – un peu court – de t'humilier ?

— Oui.

— Ça ne tient pas debout. Pourquoi aurait-il fait une chose pareille ?

— Par plaisir. Parce que c'est comme ça qu'il prenait son pied, une fois à la retraite. Ça lui donnait une sensation de pouvoir.

— Cela n'a pas de sens.

— Non ? Eh bien, regardez son fils. Regardez Anaïs, cette pauvre conne. Et regardez-vous, Frank.

Il faut qu'on fasse quelque chose, Frank. Vous êtes d'accord, non ?

Frank détourna les yeux. De nouveau il sentit sa poitrine se serrer, et pourtant il n'y avait rien dans l'air qui pût gêner sa respiration.

— Il m'a dit : « Je vous ai aidé autant que j'ai pu, reprit Nobby. Je vous ai donné un coup de pouce, mon vieux, ne m'en demandez pas davantage. Ne vous attendez pas à ce que j'aille plus loin. » Seulement il m'avait fait des promesses. Il m'avait fait *croire*... (Nobby cligna rageusement des paupières et se détourna. Il fourra ses mains dans ses poches, répéta :) Il m'avait fait croire...

— Oui, murmura Frank, pour ça, il était très fort.

Saint James et sa femme se séparèrent non loin du cottage des Duffy. Ruth Brouard avait téléphoné vers la fin de leur entretien avec ces derniers et Saint James remit à Deborah la bague à la tête de mort. Il allait retourner au manoir pour voir miss Brouard. De son côté, Deborah confierait la bague toujours enveloppée dans son mouchoir à l'inspecteur principal Le Gallez. Il était peu probable qu'on relève dessus des empreintes exploitables. Mais on ne savait jamais... Saint James n'ayant ni le matériel ni d'ailleurs l'autorisation de l'examiner, il incombait à Le Gallez de s'en charger.

— Je me débrouillerai pour rentrer. Je te retrouverai à l'hôtel. (Saint James regarda sa femme et ajouta :) Qu'est-ce que tu penses de tout ça, Deborah ?

Il ne faisait pas allusion à la mission dont il venait de la charger mais plutôt à ce qu'ils avaient appris chez les Duffy, et particulièrement à ce qu'avait dit Valerie, qui, ne voulant pas en démordre, affirmait avoir vu China River suivre Guy Brouard jusqu'à la baie.

— Elle a peut-être des raisons de nous faire croire qu'il y avait quelque chose entre eux, dit Deborah. Si c'était un dragueur, pourquoi ne se serait-il pas également attaqué à elle ?

— Valerie est plus âgée que les autres.

— Plus âgée que China. Mais pas tellement plus qu'Anaïs Abbott. Elles ont quoi... quelques petites années de différence ? Ce qui lui fait quand même encore vingt ans de moins que Brouard.

Evidemment, c'était indiscutable, même s'il lui semblait que Deborah était un peu trop désireuse de se convaincre elle-même.

— Le Gallez ne nous répercute pas toutes les informations dont il dispose. Il nous cache des choses. Normal : je suis un étranger pour lui. Et même si ce n'était pas le cas, ce n'est pas comme ça que ça marche : le responsable d'une enquête ne va pas s'amuser à dévoiler ses batteries au premier venu. A Guernesey, je le répète, je ne suis qu'un étranger qui n'a aucune raison officielle de se trouver là.

— Alors tu penses qu'il y a un lien entre Guy Brouard et China ? J'ai du mal à y croire, Simon.

Saint James la contempla avec tendresse. Il l'aimait tant, il voulait perpétuellement la protéger. Mais il lui devait la vérité.

— Oui, mon amour, je le pense.

Deborah fronça les sourcils. Elle regarda par-dessus l'épaule de Simon, à l'endroit où le sentier de la baie disparaissait dans un épais bouquet de rhododendrons.

— J'ai du mal à le croire, répéta-t-elle. Même compte tenu du fait que sa rupture avec Matt l'avait fragilisée. Quand un homme et une femme ont rompu, il faut du temps, Simon. Une femme a besoin de sentir qu'il y a quelque chose d'autre entre elle et le soupirant suivant. Pas seulement de... du sexe.

Son cou puis ses joues virèrent à l'écarlate.

C'est comme ça que tu as vécu l'expérience, toi, aurait voulu lui dire Saint James. Elle venait, il en était bien conscient, de lui faire le plus grand des compliments en lui avouant qu'elle n'était pas passée si facilement de lui à Tommy Lynley. Mais les femmes ne réagissaient pas toutes comme Deborah. Certaines, à la fin d'une longue liaison, devaient avoir besoin de se rassurer, de vérifier que leur pouvoir de séduction était resté entier. Se savoir désirée par un homme était peut-être plus important que de se savoir aimée de lui. Toutefois il ne pouvait aborder ce sujet délicat. Qui tournait autour de Deborah, de Lynley et de son amitié pour cet homme.

— Tâchons de garder l'esprit ouvert, dit-il, en attendant d'en savoir davantage.

— Bonne idée.

— Alors à plus tard ? A l'hôtel.

Il l'embrassa très vite, puis recommença, deux fois. La bouche de Deborah était douce. Elle lui caressa la joue, il aurait voulu rester mais c'était impossible.

— Tu demanderas à parler à Le Gallez, au commissariat, lui conseilla-t-il. Tu lui remettras la bague en main propre.

— Entendu.

Il reprit le chemin du manoir.

Deborah le suivit des yeux. Sa démarche, qui aurait pu être fluide, était handicapée par sa prothèse. Elle aurait voulu le rappeler, lui expliquer qu'elle connaissait China River, qu'elle l'avait connue dans des circonstances qu'il ne pouvait comprendre – circonstances au cours desquelles une amitié se forge qui fait que la compréhension entre deux femmes est parfaite. Il y a des moments dans la vie des femmes, aurait-elle voulu dire à son mari, qui créent une forme de vérité qui ne peut jamais être détruite, jamais être niée, qui n'a jamais besoin d'explications compliquées. La vérité existe et c'est tout. Mais comment expliquer cela à un homme ? Et pas à n'importe quel homme, à son mari, qui avait pendant plus d'une décennie essayé de dépasser la vérité de son handicap – voire de le nier – en le traitant comme une bagatelle alors que ce handicap avait gâché la plus grande partie de sa jeunesse.

C'était impossible. Tout ce qu'elle pouvait faire, c'était essayer de lui montrer que la China River qu'elle connaissait n'était pas une China River qui se serait facilement laissé séduire, qui aurait pu commettre un meurtre.

Quittant la propriété en voiture, elle mit le cap sur Saint Peter Port, pénétrant dans la ville par le Val des Terres, émergeant juste au-dessus de Havelet Bay. Le long du front de mer, quelques rares piétons. Une rue plus haut sur la colline, les banques qui faisaient la notoriété des îles Anglo-Normandes devaient bruire d'une activité fébrile, mais ici il n'y avait pratiquement aucun signe de vie : pas de gens s'adonnant à l'évasion fiscale tout en prenant le soleil sur leur bateau, pas de touristes photographiant le château fort ou la ville.

Deborah se gara non loin de l'hôtel, sur Ann Place, à moins d'une minute de marche du commissariat de police, retranché derrière un grand mur de pierre, dans Hospital Lane. Elle resta assise un moment au volant avant de couper le moteur. Elle disposait environ d'une heure, peut-être même davantage, avant que Simon ne revienne du Reposoir. Elle décida de la mettre à profit avec un léger changement dans le programme qu'il lui avait tracé.

Tout était pratiquement à portée de main à Saint Peter Port. C'est-à-dire à vingt minutes de marche. Et dans le centre – délimité par une série de rues formant un ovale approximatif qui de Vauvert aboutissait à Grange Road –, le temps nécessaire pour se rendre du point A au point B était réduit de moitié. Toutefois, la ville ayant été construite bien avant l'apparition des automobiles, les rues étaient à peine assez larges pour laisser passer une voiture et elles s'entortillaient sans rime ni raison autour de la colline sur laquelle se dressait Saint Peter Port.

Deborah zigzagua au milieu de ces rues pour atteindre les Queen Margaret Apartments, dans Clifton Street. Quand elle arriva et qu'elle frappa à la porte, l'appartement était vide. Elle rebroussa chemin jusque devant la façade de l'immeuble et réfléchit.

Où China pouvait-elle être ? Chez son avocat, au commissariat, dehors à prendre l'air ou à arpenter les rues. Son frère était probablement avec elle. Deborah décida d'aller à leur recherche. Elle allait se diriger vers le commissariat. Elle descendrait vers la Grand Rue puis emprunterait celle-ci pour regagner l'hôtel.

De l'autre côté des Queen Margaret Apartments, un escalier descendait vers le port. Deborah se dirigea de ce côté, plongea entre de hauts murs et des bâtiments de pierre, pour déboucher dans l'un des plus anciens quartiers de la ville, où un bâtiment ancien en pierre rougeâtre qui avait dû avoir fière allure occupait tout un pan de Market Street tandis qu'en face une série d'entrées voûtées permettaient d'accéder à des boutiques de fleurs, de cadeaux et de fruits.

L'impressionnant édifice avait des fenêtres en hauteur, il y faisait sombre, il semblait désaffecté. Il n'y avait pas de lumière allumée à l'intérieur malgré le manque de clarté de la journée. Et pourtant certains étals étaient ouverts, qu'on apercevait par-delà la grande porte bleue donnant accès à l'édifice caverneux. Deborah s'approcha.

Elle fut agressée par l'odeur reconnaissable entre toutes : celle du sang et de la viande. Celle de la boucherie. Dans les vitrines s'alignaient des côtelettes, des rôtis, de la viande hachée, mais les étals en activité étaient peu nombreux dans ce qui avait été jadis une florissante halle à la viande. Même si l'édifice avec ses poutres d'acier et ses plâtres décoratifs offrait de quoi intéresser China, l'odeur des animaux morts aurait rapidement fait fuir le frère et la sœur. Aussi Deborah ne fut-elle pas étonnée de ne pas les trouver à l'intérieur. Elle n'en fit pas moins le tour de l'édifice, se frayant un chemin dans l'entrepôt tristement abandonné où avaient jadis prospéré des dizaines de petits commerces. Au centre de la halle, à l'endroit où, le plafond étant le plus haut, ses pas résonnaient le plus fort, une rangée d'étals était barricadée. Sur le rideau de fer de l'un d'eux, on pouvait lire les mots *Va te faire foutre, Safeway* tracés au marqueur, résumant le sentiment d'un des marchands qui, du fait de l'implantation du supermarché du même nom, avait dû vider les lieux, perdant ainsi son gagne-pain.

De l'autre côté du marché à la viande, Deborah tomba sur un étal de fruits et légumes et de fleurs encore ouvert. Elle s'arrêta pour acheter des lis de serre avant de sortir de la halle, marquant une pause afin d'examiner les boutiques qui se trouvaient dehors.

Sur le trottoir d'en face, sous les voûtes, elle distinguait non seulement les petits commerces mais les marchands et les chalands – peu nombreux. Ni China ni Cherokee ne se trouvaient parmi les clients. Deborah se demanda où ils étaient passés.

La réponse, elle l'eut près de l'escalier qu'elle avait emprunté en venant de Clifton Street. Dans une petite épicerie qui se proclamait Coopérative des îles Anglo-Normandes. Le nom avait dû plaire aux River qui, même s'ils se moquaient d'elle, étaient bien les enfants de leur végétalienne de mère.

Deborah traversa et pénétra dans la boutique. Elle les entendit tout de suite car l'épicerie était petite.

— Je n'ai envie de rien, disait China d'un ton impatient. Je n'ai pas faim. Tu aurais de l'appétit à ma place ?

— Il doit bien y avoir quelque chose qui te tente, répondit Cherokee. De la soupe ?

— J'ai *horreur* de la soupe en boîte.

— Tu nous en faisais pourtant, quand on était petits.

— Justement. Je n'ai pas envie de me souvenir de cette époque de motels minables, Cherokee.

Deborah s'approcha et les vit devant une rangée de conserves. Cherokee tenait dans une main une boîte de soupe à la tomate et au riz, et dans l'autre, un sachet de lentilles. China avait un panier métallique au bras. Il était quasiment vide, ne contenant que du pain, un paquet de spaghettis et un pot de sauce tomate.

— Debs ! s'exclama Cherokee avec un sourire de bienvenue et surtout de soulagement. J'ai besoin d'une alliée, elle ne mange rien.

— Mais si. (China avait l'air encore plus fatiguée que la veille, avec de grands cernes sous les yeux. Elle avait essayé de les camoufler mais n'avait pas très bien réussi son coup.) Coopérative des îles Anglo-Normandes, je m'attendais à trouver de la nourriture bio. Au lieu de quoi...

Les seuls produits frais proposés par la coopérative étaient des œufs, du fromage, de la viande sous cellophane et du pain. Le reste était soit en boîte, soit en sachet. Décevant pour quelqu'un qui avait l'habitude de fréquenter les marchés en plein air de Californie.

— Cherokee a raison, insista Deborah. Il faut que tu manges.

— L'affaire est entendue, dit Cherokee, fourrant au hasard diverses denrées dans le panier métallique.

China avait l'air trop abattue pour discuter. Quelques minutes plus tard, les emplettes étaient terminées.

Dehors, Cherokee se montra impatient d'entendre le compte rendu des découvertes des Saint James. Deborah leur suggéra de retourner à l'appartement. China protesta.

— Ah non, alors. Je viens à peine de mettre le nez dehors. Marchons un peu.

Ils descendirent jusqu'au port et se dirigèrent vers la plus longue des jetées. Celle-ci s'enfonçait dans Havelet Bay jusqu'au lopin de terre formant talon sur lequel, telle une sentinelle, se dressait la masse de Castle Cornet. Ils continuèrent de marcher au-delà des fortifications jusqu'au bout de la jetée.

Arrivée à l'extrémité de la jetée, China mit carrément les pieds dans le plat.

— C'est moche, ce que tu as appris, hein ? Ça se lit sur ton visage. Tu ferais mieux de le dire tout de suite.

Elle se tourna vers la grosse masse grise de la mer en contrebas. Non loin de là, une autre île – Sercq ? Aurigny ? – se dressait tel un léviathan au repos dans la brume.

— Qu'est-ce que tu as déniché, Debs ?

Cherokee posa les sacs d'épicerie et prit sa sœur par le bras. China se dégagea avec l'air de quelqu'un qui s'attend au pire. Deborah faillit décider de lui présenter les choses sous un angle positif. Mais lequel ? D'ailleurs, même s'il y en avait eu un, ne devait-elle pas à ses amis les faits et rien que les faits ?

Elle raconta donc aux River ce que Simon et elle avaient réussi à découvrir au cours de leurs conversations au Reposoir. China, qui n'était pas idiote, vit tout de suite le cours que pouvaient prendre les pensées d'une personne sensée apprenant non seulement qu'elle avait passé du temps en tête à tête avec Guy Brouard mais que deux témoins l'avaient vue le suivre le matin de sa mort.

— Tu crois que je fricotais avec lui, Deborah ? Génial, dit-elle d'un ton où se mêlaient colère et désespoir.

— C'est-à-dire que je...

— Pourquoi pas ? C'est ce que tout le monde doit penser. Quelques heures de tête-à-tête, deux jours... Et il était riche comme Crésus. Alors forcément, on baisait comme des malades.

La grossièreté du terme fit tressaillir Deborah. Ça ne ressemblait pas à la China qu'elle avait connue, une grande romantique qui avait vécu une liaison avec le même homme pendant des années.

— Ça m'était égal qu'il soit assez âgé pour être mon grand-père. Putain, du moment qu'il y avait de l'argent en jeu. Peu importe avec qui on baise dès lors que ça rapporte, c'est ça ?

— Chine ! protesta Cherokee.

China parut se rendre compte de ce qu'elle venait de dire. En un éclair elle réalisa que Deborah pouvait le prendre pour elle car très vite elle lui présenta des excuses :

— Oh, Deborah, je suis désolée.

— Ce n'est rien, dit Deborah.

— Je n'avais pas l'intention de... Je ne pensais ni à toi ni... à qui tu sais.

A Tommy, songea Deborah. Et à la fortune de Tommy. L'argent n'avait jamais compté pour elle mais il avait toujours été là. Formidable quand on voyait ça de l'extérieur. Mais vu de l'intérieur ce n'était pas la même chanson.

— Ce n'est rien.

— C'est seulement que... fit China. Tu crois vraiment que j'ai... avec lui ?

— Elle n'a fait que répéter ce qu'elle a entendu, Chine, remarqua Cherokee. Il faut bien qu'on sache ce que les gens pensent.

— Ecoute, Cherokee, répliqua China en pivotant vers lui, ferme-la. Tu ne sais pas ce que tu... Ferme-la, d'accord ?

— J'essaie seulement de...

— Eh bien, arrête. Et arrête de me couver par la même occasion. Je ne peux même pas respirer. Je ne peux pas faire un pas sans que tu sois derrière moi.

— Ecoute, personne n'a envie que tu morfles dans cette histoire, dit Cherokee.

Elle rit, mais son rire se fracassa net ; elle arrêta le sanglot qui lui montait à la gorge en se plaquant un poing sur la bouche.

— Tu es cinglé ou quoi ? s'écria-t-elle. Tout le monde veut que je morfle. Il leur faut une victime. J'ai le profil.

— C'est pour ça que nos amis sont là. Pour te tirer d'affaire. (Cherokee adressa un sourire à Deborah.) Et des amis avec des fleurs. Où les as-tu trouvées, Debs ?

— Au marché. (Impulsivement, elle les tendit à China.) Ça manque de gaieté dans cet appartement.

China regarda les fleurs puis Deborah.

— Tu es la meilleure amie que j'aie jamais eue.

— Tu m'en vois ravie.

China prit les fleurs. Son expression s'adoucit.

— Tu veux bien nous laisser un peu seules, Cherokee ? dit-elle à son frère.

— Bien sûr, je vais mettre ça dans l'eau.

Il ramassa les sacs d'épicerie, glissa les fleurs sous son bras. Et avec un : « A plus », qui signifiait plutôt : « Bonne chance », il s'éloigna, reprenant le chemin de la jetée.

— Son attitude part d'une bonne intention, dit China. Il se fait un sang d'encre. Mais ce n'est pas de tout repos de l'avoir constamment sur le dos. La situation est assez compliquée sans qu'il me faille en plus m'accrocher avec lui.

Elle se passa les bras autour du corps et c'est alors que Deborah remarqua qu'elle ne portait qu'un pull. Sa cape devait être restée au commissariat, bien sûr. Cette cape qui était au cœur du problème.

— Où avais-tu laissé ta cape ce soir-là ?

China observa l'eau un moment avant de répondre.

— La nuit de la réception ? Dans ma chambre, je suppose. Je ne sais plus. Je suis rentrée et sortie à plusieurs reprises ce jour-là. J'ai dû la rapporter là-haut, en tout cas, parce que, quand on a bouclé nos bagages le matin de notre départ, elle était posée sur une chaise. J'en suis quasiment sûre. Près de la fenêtre.

— Et tu ne te souviens pas de l'avoir mise sur cette chaise ?

— J'ai dû le faire machinalement. Je n'ai jamais été une malade de l'ordre, tu me connais.

— Quelqu'un aurait donc pu la prendre, la mettre ce matin-là quand Guy Brouard est allé nager, et la ranger ensuite sur cette chaise.

— C'est possible. Mais je ne vois pas comment. Ni même quand.

— Est-ce qu'elle était là quand tu t'es mise au lit ?

— Peut-être. (Elle fronça les sourcils.) Je suis incapable de le dire.

— Valerie Duffy jure t'avoir vue le suivre, China. (Deborah avait parlé aussi doucement que possible.) Ruth Brouard prétend t'avoir cherchée partout dans la maison après avoir vu quelqu'un qu'elle a pris pour toi par la fenêtre.

— Tu les crois ?

— La question n'est pas là. Mais plutôt de savoir s'il ne se serait pas produit antérieurement quelque chose qui pourrait amener la police à penser que ce qu'elles disent est acceptable.

— « Quelque chose qui se serait produit ? »

— Entre toi et Guy Brouard.

— Nous y revoilà.

— Il ne s'agit pas de ce que je pense. Mais de ce que la police...

— Laisse tomber, l'interrompit China. Viens.

Elle ouvrit la marche, la ramenant le long de la jetée vers le port. Arrivée à la hauteur de l'Esplanade, elle traversa sans même un coup d'œil pour la circulation. Elle se fraya un chemin au milieu de plusieurs bus garés devant la gare et emprunta un itinéraire tout en zigzags pour rejoindre Constitution Steps, qui dessinait un point d'interrogation à l'envers au flanc d'une des collines. Cet escalier, comme celui que Deborah avait suivi un peu plus tôt pour descendre au marché, les conduisit jusqu'à Clifton Street et aux Queen Margaret Apartments. China se dirigea vers la façade arrière de l'immeuble, où se situait l'appartement B. Elle attendit d'être assise à la petite table de la cuisine avant de reprendre la parole.

— Tiens, installe-toi, et lis. Il n'y a que comme ça que tu me croiras. Après tu pourras tout vérifier en détail si ça te chante.

— Mais, China, je te crois. Tu n'as pas besoin de...

— Ne me dis pas de quoi j'ai besoin, insista China. Tu crois qu'il y a une chance que je mente.

— Pas que tu mentes...

— Que j'aie interprété quelque chose de travers, plutôt. Mais non, je suis sûre que non. Il n'y a rien que j'aie pu interpréter de travers. Et rien que quiconque ait pu mal interpréter. Pour la bonne raison qu'il ne s'est absolument rien passé entre Guy Brouard et moi. Pas plus qu'entre moi et quelqu'un d'autre. Fais-moi plaisir, lis. Comme ça tu seras sûre.

China brandissait le bloc-notes dans lequel elle avait consigné ses faits et gestes pendant son séjour au Reposoir.

— Je te crois, dit Deborah.

— Lis, se borna à répéter China.

Deborah comprit qu'il lui fallait s'exécuter, que son amie ne la laisserait pas tranquille tant qu'elle n'aurait pas lu ses notes. Elle s'assit donc à la table, prit le bloc tandis que China s'approchait du plan de travail où Cherokee avait déposé les sacs d'épicerie et les fleurs avant de sortir.

China n'avait rien omis : Deborah s'en aperçut dès qu'elle commença à lire. Elle avait fait preuve d'une mémoire époustouflante. Fait état de ses moindres conversations et échanges avec les Brouard. Et quand elle ne s'était pas trouvée en compagnie de Guy Brouard, de sa sœur ou des deux, elle avait également rapporté ses faits et gestes. Quand elle n'était pas avec les Brouard, le plus souvent, c'est qu'elle était avec Cherokee ou seule pour photographier la propriété.

Elle avait noté l'endroit où s'étaient tenus échanges et conversations. Aussi était-il possible de suivre ses moindres allées et venues. C'était une bonne chose car ainsi ses interlocuteurs pourraient confirmer.

Séjour, avait-elle noté, *regardé vieilles photos du*

Reposoir. Etaient présents : Guy, Ruth, Cherokee et Paul F. Suivaient l'heure et la date.

Salle à manger, déjeuner avec Guy, Ruth, Cherokee, Frank O., Paul F. A. A. nous rejoint au dessert en compagnie de Jemima et de Stephen. Me lance des piques. En lance encore plus à Paul F.

Bureau, avec Guy, Frank O. et Cherokee, discussion à propos du musée. Frank O. nous laisse. Cherokee l'accompagne pour rencontrer son père et voir le moulin. Je reste avec Guy. Nous bavardons. Ruth arrive avec A. A. Jemima est dehors avec Stephen et Paul F.

Galerie, en haut de la maison, avec Guy. Guy me montre ses toiles. Il pose pour moi. Arrivée d'Adrian. Présentations.

Dans la propriété, Guy et moi. Je lui fais part de mon désir de prendre des photos. Je lui parle de la revue Architectural Digest. *Je lui explique mes intentions. Ça l'intéresse. Un magazine américain, très cool. Je visite les bâtiments et les jardins.*

Chambre de Cherokee, lui et moi. On discute pour savoir si on reste ou si on part.

Et ainsi de suite. C'était un compte rendu fidèle et détaillé de ce qui s'était passé les jours précédant la mort de Guy Brouard. Deborah lut le document, essayant de voir s'il n'y avait pas des épisodes qu'une tierce personne mal intentionnée aurait pu utiliser pour mettre China dans la situation où elle se trouvait actuellement.

— Qui est Paul F. ? demanda Deborah.

China expliqua : un protégé de Guy Brouard. Guy Brouard jouait le rôle d'un grand frère. Un truc courant aux Etats-Unis. Est-ce que ça existait en Angleterre, le concept de grand frère ? Un homme d'âge mûr veillant sur un gamin privé de figure paternelle digne de ce nom ? Paul Fielder ne prononçait jamais plus de dix mots d'affilée. Il se contentait de regarder Guy avec des yeux écarquillés et de le suivre comme un toutou.

— Quel âge a-t-il, ce Paul ?

— C'est un ado. Il vient d'un milieu défavorisé, à en juger par ses vêtements. Et par sa bicyclette. Il se pointait là-bas presque tous les jours sur ce malheureux engin, un vrai tas de ferraille. Il était toujours bien accueilli. Son chien aussi.

L'ado, les vêtements, le chien. La description collait avec celle du jeune homme que Simon et elle avaient rencontré en allant à la baie.

— Est-ce qu'il assistait à la réception ? voulut savoir Deborah.

— Quoi, la veille ? (Deborah hochant la tête, China poursuivit :) Bien sûr. Tout le monde y était. C'était l'événement mondain de la saison.

— Combien de personnes ?

— Trois cents environ.

— Tout ça dans une même pièce ?

— Pas exactement. Les gens allaient et venaient d'une pièce à l'autre. Les traiteurs et le personnel également. Il y avait quatre bars. Ça entrait, ça sortait.

— On aurait pu te piquer ta cape, alors.

— Je suppose. Mais elle était là quand j'en ai eu besoin, Debs. Quand Cherokee et moi sommes partis le lendemain matin.

— Tu n'as vu personne en quittant le manoir ?

— Pas un chat.

Elles se turent. China rangea l'épicerie dans le petit placard. Elle chercha quelque chose pour y mettre les fleurs et opta finalement pour une cruche. Deborah la regardait, se demandait comment formuler la question de façon que son amie ne la juge pas bizarre.

— Les jours précédents, reprit Deborah, est-ce que tu as accompagné Guy Brouard, le matin, quand il est parti nager ? Pour le regarder, peut-être ?

China fit non de la tête.

— Je savais qu'il nageait dans la baie. Tout le monde l'admirait. L'eau glaciale, l'heure matinale. Ça lui plaisait de savoir qu'il nous impressionnait avec ses séances de natation par tous les temps. Mais je ne suis jamais allée le regarder.

— Quelqu'un d'autre alors y allait ?

— Sa copine, je crois. Il m'a semblé entendre des choses du style : « Anaïs, vous ne pouvez pas lui faire entendre raison ? » Et Anaïs répondait : « J'essaie quand je suis là. »

— Elle n'y était pas allée ce matin-là ?

— Je ne sais même pas si elle avait passé la nuit au manoir. En tout cas elle n'y a jamais passé la nuit pendant notre séjour, à Cherokee et moi.

— Et ça lui arrivait ?

— Oui. Elle n'a jamais perdu une occasion de me le faire savoir. Il se peut qu'elle soit restée pour la nuit après la réception, mais rien n'est moins sûr.

Que China refuse de formuler ce qu'elle savait de façon à diriger les soupçons vers quelqu'un d'autre parut réconfortant à Deborah. En tout cas, cela voulait dire que son amie avait du caractère.

— China, je crois que la police aurait pu pousser ses recherches dans d'autres directions.

— Tu crois ?

— Oui.

A ces mots, China parut renoncer à contenir l'émotion qu'elle refoulait depuis que Deborah les avait surpris, son frère et elle, dans l'épicerie.

— Merci, Debs.

— Inutile de me remercier.

— Mais si. Merci d'être venue, merci d'être mon amie ; sans Simon et toi, je faisais une victime toute désignée. A propos, tu crois que je vais le rencontrer, Simon ? J'aimerais tellement le voir !

— Bien sûr. Lui aussi a hâte de te voir.

China revint vers la table et prit le bloc. Elle l'examina un moment, avec l'air de réfléchir, puis le tendit impulsivement à Deborah.

— Remets-le-lui. Dis-lui de l'éplucher. Dis-lui qu'il peut me cuisiner quand il voudra, aussi souvent qu'il le jugera nécessaire. Il faut absolument qu'il découvre la vérité.

Deborah prit le document et promit de le donner à son mari.

En quittant l'appartement, elle se sentait plus légère. Dehors, elle fit le tour de l'immeuble. Elle trouva Cherokee appuyé contre une barrière de l'autre côté de la rue, en face d'un hôtel fermé pour l'hiver. Il avait relevé le col de sa veste et buvait dans un gobelet quelque chose de chaud tout en observant les Queen Margaret Apartments tel un flic en planque. Ayant repéré Deborah, il s'approcha.

— Alors, comment ça s'est passé ? Elle a été à cran toute la journée.

— Ça va. Un peu angoissée, mais qui ne le serait pas à sa place ?

— Je voudrais pouvoir me rendre utile. J'essaie, mais elle monte sur ses grands chevaux. C'est pas bon pour elle de rester là toute seule. C'est pour ça que je m'incruste. Je lui propose des activités. Sortir. Faire un tour en voiture, faire une promenade. Regarder CNN pour savoir ce qui se passe à la maison. Mais c'est comme si je crachais en l'air.

— Elle a peur. Et elle n'a pas envie que tu saches à quel point.

— Mais je suis son frère.

— C'est peut-être pour ça.

Il réfléchit, vida son gobelet, l'écrasa entre ses doigts.

— C'était elle qui s'occupait de moi quand on était

gamins. Quand maman était... Quand elle... Les manifs. Les causes à défendre. Elle n'était pas toujours absente mais dès qu'il s'agissait de s'attacher à un séquoia ou de brandir une pancarte pour une raison ou une autre, elle nous plantait là. Des semaines entières, parfois. La plus forte de nous deux à cette époque, c'était Chine. Pas moi.

— Tu as une dette envers elle, alors ?

— Et une grosse, ouais. C'est pour ça que je veux lui donner un coup de main.

Deborah réfléchit, mettant en balance ce désir d'aider et la situation dans laquelle se trouvait son amie. Elle consulta sa montre, décida qu'ils avaient le temps.

— Viens, dit-elle. Il y a quelque chose que tu peux faire.

12

En pénétrant dans le petit salon du manoir, Saint James se trouva en face d'un énorme métier semblable à ceux qu'on utilise pour la tapisserie. Toutefois, ce n'était pas un métier à tisser mais plutôt un métier permettant de faire de la tapisserie à l'aiguille, à une échelle incroyable. Ruth Brouard ne souffla mot tandis que son visiteur observait le bâti et la grosse toile tendue dessus, son regard naviguant du métier à un ouvrage accroché au mur en bonne place, lequel n'était pas sans rappeler celui qu'il avait vu un peu plus tôt dans sa chambre.

L'énorme tapisserie à l'aiguille en cours de réalisation semblait retracer la chute de la France pendant la Seconde Guerre mondiale – l'histoire, commencée avec la ligne Maginot, se terminait par une scène représentant une femme qui bouclait ses valises. Deux enfants l'observaient, un petit garçon et une petite fille. Debout derrière eux, un vieillard à barbe et châle de prière tenait un livre ouvert dans la main. Une femme âgée en pleurs réconfortait un homme qui aurait pu être son fils adulte.

— Remarquable travail, opina Saint James.

Sur un secrétaire, Ruth Brouard posa une enveloppe qu'elle tenait lorsqu'elle avait ouvert la porte.

— Pour moi c'est une forme de thérapie, et beaucoup moins coûteuse que la psychanalyse.

— Combien de temps cela vous a-t-il pris ?

— Huit ans. Mais je ne travaillais pas aussi vite à l'époque. Je n'étais pas pressée par le temps.

Saint James l'observa. Il lisait la maladie dans ses mouvements étudiés, dans ses traits tirés. Mais il n'avait pas envie d'y faire allusion tant elle avait l'air décidée à jouer la comédie de la bonne santé.

— Vous avez prévu d'en réaliser combien ? demanda-t-il en reportant son attention sur l'ouvrage inachevé qui était tendu sur le métier.

— Autant qu'il en faudra pour raconter toute l'histoire. Celle-ci était la première de la série. Le travail manque un peu de finesse. Je me suis améliorée avec la pratique.

— Elle raconte une histoire importante.

— En effet, oui. Que vous est-il arrivé ? Excusez ce manque de tact, mais j'ai dépassé le stade des politesses mondaines. Vous ne m'en tiendrez pas rigueur, j'espère.

Il lui en aurait voulu si la question avait été posée par quelqu'un d'autre. Mais elle semblait capable de comprendre, sa question n'était pas dictée par une vaine curiosité et cela faisait d'elle une âme sœur. Peut-être, songea Saint James, parce qu'elle était manifestement en train de mourir.

— Accident de voiture, dit-il.

— Quand ça ?

— J'avais vingt-quatre ans.

— Je suis désolée.

— Il ne faut pas. Nous étions ivres tous les deux.

— Vous et la jeune femme ?

— Non. Un vieux camarade d'école.

— Qui était au volant, je suppose. Et qui s'en est tiré sans une égratignure.

— Vous êtes une sorcière, miss Brouard, dit Saint James avec un sourire.

— J'aimerais bien, fit-elle en lui rendant son sourire. J'en aurais jeté, des sorts, au fil des années.

— A un homme, le veinard ?

— A mon frère.

Elle tourna la chaise vers la pièce et s'assit. Du geste, elle lui désigna un fauteuil. Saint James le prit, attendant qu'elle lui dise pourquoi elle avait souhaité le voir une seconde fois.

Elle ne tarda pas à entrer dans le vif du sujet. Est-ce que Mr Saint James, lui demanda-t-elle, connaissait quelque chose aux lois sur l'héritage en vigueur dans l'île de Guernesey ? Connaissait-il les conditions restrictives que ces lois imposaient à ceux qui désiraient disposer de leur argent et de leurs biens après leur mort ? C'était un système assez complexe, lui dit-elle, qui avait son origine dans le droit coutumier normand. La caractéristique essentielle en était que le législateur s'était soucié en priorité de garder les biens familiaux au sein de la famille et fait en sorte qu'on ne puisse en aucun cas déshériter un enfant[1]. Les enfants héritaient d'un certain pourcentage des biens des parents, quelles que soient leurs relations avec ces derniers.

— Mon frère appréciait un tas de choses ici, poursuivit Ruth Brouard. Le climat, l'atmosphère, le sens de la communauté – les gens se serrent les coudes. Les lois fiscales, les banques – il y a de très bonnes banques dans les îles Anglo-Normandes. Sauf une chose : le fait que le système lui dictait la répartition de ses biens après sa mort.

— C'est compréhensible.

— Alors il a cherché à contourner l'obstacle. Il a cherché une échappatoire juridique. Et il l'a trouvée, ce qui n'étonnera pas ceux qui le connaissaient.

1. Dans les pays anglo-saxons, il est possible de déshériter ses enfants. Ils n'ont pas de part réservataire. (*N.d.T.*)

Et Ruth Brouard expliqua qu'avant de s'installer à Guernesey son frère avait mis tous ses biens à son nom à elle. Il n'avait gardé pour lui qu'un seul compte en banque qu'il avait provisionné de façon substantielle pour pouvoir réaliser des placements et vivre largement. Quant au reste, tout ce qu'il possédait – propriétés, actions, obligations, comptes, entreprises – avait été mis au nom de Ruth. A une condition : qu'une fois qu'ils seraient installés à Guernesey elle accepte de signer un testament qu'il rédigerait devant un notaire. Comme elle n'avait ni mari ni enfants, elle pourrait disposer de ses biens à sa guise, et de cette façon son frère pourrait faire de ses biens ce qu'*il* voulait étant donné qu'elle rédigerait un testament qu'il lui inspirerait. C'était une façon astucieuse de tourner la difficulté.

— Mon frère avait perdu le contact avec ses deux plus jeunes enfants depuis des années. Et il ne voyait pas pourquoi il serait forcé de laisser une fortune à chacune de ses deux filles sous prétexte qu'il les avait engendrées – ce que la loi ici lui imposait. Il les avait entretenues jusqu'à l'âge adulte. Il les avait envoyées dans les meilleures écoles, s'arrangeant pour en faire entrer une à Cambridge et l'autre à la Sorbonne. En retour, il n'avait rien reçu : pas même un merci. Alors il avait décrété que ça suffisait comme ça. Et il avait cherché un moyen de léguer quelque chose à ceux qui lui avaient tant donné quand ses propres enfants l'avaient négligé : de l'amitié, de l'amour. Il pouvait se montrer généreux envers ces gens-là à condition que tout passe par moi. C'est ce qu'il a fait.

— Et son fils ?

— Adrian ?

— Votre frère voulait également le déshériter ?

— Il ne voulait déshériter complètement aucun

d'eux. Il voulait simplement réduire la part que la loi exigeait qu'il leur lègue.

— Qui était au courant ?

— Autant que je sache, Guy, Dominic Forrest, c'est-à-dire le notaire, et moi. (Elle tendit la main vers l'enveloppe mais ne l'ouvrit pas tout de suite. Elle la posa sur ses genoux.) J'ai accepté en partie pour tranquilliser Guy. Il souffrait énormément du genre de relations que ses ex-épouses lui avaient imposées avec ses enfants, je me suis dit : « Pourquoi ne pas le laisser coucher sur son testament ceux qui l'ont entouré quand sa propre famille refusait de l'approcher ? » Je ne m'attendais pas...

Elle hésita, comme si elle se demandait jusqu'où elle devait aller dans ses révélations. Puis, comme si la contemplation de l'enveloppe l'avait aidée à se décider, elle poursuivit :

— Je n'imaginais pas survivre à mon frère. Je me suis dit que quand je finirais par lui parler de mon... état de santé, il me suggérerait de récrire mon testament et de tout lui léguer. La loi l'aurait de nouveau tracassé, mais je pense qu'il aurait préféré ça plutôt que de se retrouver en possession d'un unique compte en banque et de quelques actions, sans aucun moyen de regarnir ni son compte ni son portefeuille au cas où il en aurait eu besoin.

— Je vois, acquiesça-t-il. Je vois comment cela devait fonctionner. Mais j'imagine que ce n'est pas comme ça que ça a marché ?

— Je ne lui avais pas parlé de ma... santé. Je le surprenais parfois à me regarder. Je me disais : Il est au courant. Mais jamais il n'a abordé de front le sujet. Et moi non plus. Je me disais : Demain, je lui en parlerai demain. Mais je ne m'y suis jamais résolue.

— Aussi, quand il est décédé subitement...

— Les gens avaient des espérances.

— Et maintenant ?

— Maintenant il y a du ressentiment dans l'air et ça se comprend.

Saint James hocha la tête. Il jeta un coup d'œil à la grande tapisserie à l'aiguille, accrochée au mur, qui représentait un aspect si important de la vie des Brouard. La mère qui faisait ses valises pleurait, les enfants se cramponnaient à elle, terrorisés. Par la fenêtre, on apercevait les chars nazis qui traversaient en grondant une prairie lointaine et une division de soldats marchant au pas de l'oie qui avançait le long d'une rue étroite.

— Ce n'est sans doute pas pour me demander conseil que vous m'avez fait venir, dit Simon. Car j'ai l'impression que vous savez ce que vous allez faire.

— Oui. Je dois tout à mon frère et je suis une femme qui paye ses dettes. Effectivement ce n'est pas pour que vous me disiez quoi faire concernant mon propre testament, maintenant que Guy est mort, que je vous ai demandé de venir. Absolument pas.

— Alors en quoi puis-je vous aider ?

— Jusqu'à aujourd'hui, dit-elle, je connaissais exactement les dispositions des testaments de Guy.

— Les testaments ? Il y en avait plusieurs ?

— Il récrivait son testament plus fréquemment que la moyenne des gens. Et chaque fois qu'il venait d'en rédiger un nouveau, il me faisait venir chez son notaire pour que j'en prenne connaissance. Il n'y manquait jamais. Le jour où le testament devait être signé, nous nous rendions à l'étude de Mr Forrest. Nous examinions les papiers, nous regardions si des changements étaient nécessaires dans mon propre testament, du fait des modifications qu'il avait apportées au sien, nous signions les documents, après quoi nous allions déjeuner.

— Mais ce n'est pas comme ça que les choses se sont passées lorsqu'il a rédigé ce dernier testament.

— Non.

— Peut-être qu'il ne l'avait pas encore écrit, suggéra Simon. Il ne s'attendait manifestement pas à mourir.

— Ce dernier testament a été rédigé en octobre, Mr Saint James. Il y a donc plus de deux mois de cela. Je ne me suis pas absentée à l'époque. Guy non plus. Pour que le testament en question soit valable juridiquement, il a fallu qu'il se rende à Saint Peter Port pour signer les papiers. Le fait qu'il ne m'a pas emmenée avec lui indique qu'il ne voulait pas que je sois au courant de ses intentions.

— Et quelles étaient ses intentions ?

— Rayer de son testament Anaïs Abbott, Frank Ouseley et les Duffy. Il ne m'en a pas soufflé mot. Quand je m'en suis aperçue, je me suis dit qu'il n'était peut-être pas impossible qu'il m'ait caché autre chose.

Cette fois, aucun doute : Saint James allait savoir pourquoi elle avait demandé à le revoir. Ruth Brouard ouvrit l'enveloppe posée sur ses genoux. Elle en sortit le contenu. Saint James vit qu'il y avait là notamment le passeport de Guy Brouard, que Ruth lui tendit.

— Ça, c'est son premier secret. Regardez le dernier tampon, le plus récent.

Saint James feuilleta le livret et vit que, contrairement à ce que Ruth Brouard lui avait affirmé pendant leur conversation précédente, son frère s'était rendu en Californie au mois de mars, via l'aéroport international de Los Angeles.

— Il ne vous en a pas parlé ?

— Bien sûr que non. Je vous l'aurais dit.

Elle lui tendit ensuite une liasse de documents. Facturettes de cartes de crédit, notes d'hôtel et de restaurants, reçus d'agences de location de voiture. Guy

Brouard avait passé cinq nuits au Hilton d'Irvine. Il avait mangé à Il Fornaio à Irvine ainsi que chez Scott Sea Food à Costa Mesa, et au Citrus Grille à Orange. Il avait rencontré un certain William Kiefer, avocat à Tustin, à qui il avait versé mille dollars échelonnés sur cinq jours en paiement de trois rendez-vous, et il avait conservé la carte de cet avocat ainsi qu'un reçu d'un cabinet d'architectes du nom de Southby, Strange, Willows & Ward. *Jim Ward.* Ce nom avait été griffonné au bas du reçu avec un numéro de portable et un numéro de téléphone fixe.

— On dirait qu'il s'est chargé personnellement des dispositions à prendre pour le musée. Ça colle avec ce que l'on sait de ses projets.

— Oui, convint Ruth. Mais il ne m'en a pas soufflé mot. Pas un traître mot de ce voyage. Vous comprenez ce que ça signifie ?

Saint James songea que le frère de Ruth avait eu envie d'être tout simplement un peu tranquille. Il était peut-être parti accompagné et n'avait pas souhaité que sa sœur le sache. Toutefois, lorsque Ruth poursuivit, il se rendit compte que ces cachotteries et ce voyage incognito la confortaient dans ce qu'elle pensait déjà.

— La Californie, Mr Saint James. Elle vit en Californie. C'est donc qu'il la connaissait avant qu'elle vienne à Guernesey. Elle avait déjà tout manigancé quand elle est venue ici.

— Je vois, vous parlez de miss River. Mais elle ne vit pas dans cette partie de la Californie. Elle est de Santa Barbara.

— Et c'est loin, Santa Barbara ?

Saint James ne le savait pas car il n'était jamais allé en Californie et il ne connaissait des villes californiennes que Los Angeles et San Francisco – situées aux deux extrémités de l'Etat. Ce qu'il savait, c'est que la Californie était vaste et qu'elle était équipée d'un réseau d'autoroutes invraisemblable où la circulation était infernale. Deborah saurait s'il était possible que Guy Brouard ait fait un saut à Santa Barbara lors de son passage là-bas. A l'époque où elle habitait en Californie, elle s'était pas mal déplacée. Non seulement avec Tommy mais aussi avec China.

China. Il se rappela alors que sa femme lui avait parlé de ses séjours chez la mère de China, et chez le frère de China également. Dans une ville qui portait le nom d'une couleur. Orange. Ville où se trouvait le Citrus Grille, où Guy Brouard avait pris un repas. Et c'était Cherokee River, et non sa sœur, qui vivait quelque part dans la région. Dans ce cas, n'était-il pas possible que ce soit Cherokee et non China qui ait connu Guy Brouard avant de se rendre à Guernesey ?

Songeant à ce que cela impliquait, Saint James dit à Ruth :

— Où les River logeaient-ils au manoir ?

— Au second étage.

— Et leurs chambres donnaient sur... ?

— La façade, le sud.

— Ils avaient donc vue sur l'allée centrale ? Les arbres ? Le cottage des Duffy ?

— Oui, pourquoi ?

— Qu'est-ce qui vous a poussée à regarder par la fenêtre ce matin-là, miss Brouard ? Quand vous avez vu la silhouette qui suivait votre frère. Qu'est-ce qui a bien pu vous inciter à regarder dehors ? Etait-ce dans vos habitudes ?

Elle réfléchit.

— Généralement je n'étais pas levée quand Guy quittait la maison. Je crois que ça a dû être... (Elle avait l'air pensif. Elle croisa ses mains maigres sur l'enveloppe. Sa peau était parcheminée.)... un bruit, Mr Saint James. Ça m'a réveillée, ça m'a même fait peur parce que j'ai cru qu'on était au beau milieu de la nuit et qu'un rôdeur s'était introduit dans la maison. Il faisait tellement sombre ! Mais quand j'ai regardé l'horloge, j'ai vu que c'était l'heure à laquelle Guy se préparait pour aller nager. J'ai tendu l'oreille, je l'ai entendu bouger dans sa chambre. Alors je me suis dit que le bruit venait de lui. (Voyant la direction dans laquelle Saint James allait s'engager, elle ajouta :) Mais ça aurait pu venir d'ailleurs. Pas de la chambre de Guy. De quelqu'un qui était déjà debout. De quelqu'un qui allait se poster près des arbres.

— Possible.

— Et leurs chambres étaient au-dessus de la mienne. Les chambres des River. A l'étage au-dessus. Alors vous voyez...

— C'est possible.

Mais Saint James ne voyait pas que cela. Il comprenait qu'on pouvait se focaliser sur des données fragmentaires et en laisser d'autres de côté. Aussi dit-il :

— Et Adrian, où couchait-il ?

— Il n'aurait pas pu...

— Est-ce qu'il était au courant pour les testaments ? Le vôtre et celui de votre frère ?

— Mr Saint James, je vous assure qu'il n'aurait pas pu... Croyez-moi, il ne pourrait pas...

— A supposer qu'il ait été au courant des lois et qu'il n'ait pas su que son père avait tout fait pour l'empêcher d'hériter d'une fortune, de quoi croyait-il hériter ?

— De la moitié de la fortune de Guy divisée en trois, entre ses deux sœurs et lui, dit Ruth de mauvais gré.

— Ou d'un tiers de la totalité si son père avait légué tout ce qu'il possédait uniquement à ses enfants ?

— Oui, mais...

— Une fortune considérable, remarqua Saint James.

— Oui, mais il faut me croire. Jamais Adrian n'aurait touché à un cheveu de la tête de son père. Pour rien au monde. Et certainement pas pour un héritage.

— Il a de l'argent en propre, alors ?

Elle ne répondit pas. L'horloge tictaquait sur la cheminée. On aurait dit une bombe. Ruth gardait un silence éloquent.

— Et votre testament, miss Brouard ? De quoi étiez-vous convenue avec votre frère ? Comment voulait-il que vous répartissiez les biens mis à votre nom ?

Elle s'humecta la lèvre inférieure. Sa langue était presque aussi pâle que le reste de sa personne.

— Adrian est un garçon plutôt perturbé, Mr Saint James. Pendant presque toute sa vie, il a été tiraillé entre ses parents. Leur mariage a été un fiasco, et Margaret s'est servie d'Adrian pour se venger. Elle ne s'est pas calmée quand elle s'est remariée, et bien remariée – Margaret est la spécialiste des bons mariages –, elle n'a jamais oublié que Guy l'avait trahie et elle lui en a toujours voulu de ce qu'elle n'a pas été suffisamment maligne pour le prendre la main dans le sac. Car c'est ça qu'elle voulait, je crois, plus que tout : surprendre mon frère au lit avec une autre, leur sauter dessus comme une furie. Mais les choses ne se sont pas passées ainsi. Ça a été plus sordide... Elle a découvert un jour... Quoi, je l'ignore. Toujours est-il qu'elle n'a pas réussi à le digérer. Et elle en a fait baver à Guy de l'avoir humiliée. Pour ça, elle s'est servie d'Adrian. Se faire manipuler comme ça, le pauvre, vous imaginez... Ça ne l'a pas aidé à se développer normalement. Mais ce n'est pas pour autant qu'Adrian est un meurtrier.

— Vous lui avez tout laissé à titre de compensation, alors ?

— Non, j'ai fait ce que souhaitait mon frère.

— C'est-à-dire ?

Le Reposoir avait été légué aux habitants de Guernesey pour qu'ils en aient la jouissance, et un fidéicommis avait été mis en place pour assurer l'entretien de la propriété, des dépendances et bâtiments annexes, du mobilier. Tout le reste – les propriétés en Espagne, en France et en Angleterre, les actions, les obligations, les comptes en banque, toutes ses affaires personnelles qui à sa mort ne servaient ni à meubler le manoir ni à décorer les jardins – serait vendu aux enchères et le produit de la vente alimenterait le fidéicommis.

— Je lui ai donné mon accord parce que c'est ce qu'il voulait, dit Ruth Brouard. Il m'avait promis de coucher ses enfants sur son testament, et il a tenu parole. Pas aussi généreusement que si les choses s'étaient passées normalement, bien sûr. Mais il les a couchés sur son testament.

— Comment ?

— Il a divisé ses biens en deux parts égales. Ses trois enfants ont hérité de la première moitié, répartie équitablement entre eux. La seconde moitié a été léguée à deux adolescents de Guernesey.

— Ce qui fait qu'ils touchent plus d'argent que ses propres enfants.

— Oui, c'est exact.

— Qui sont ces adolescents ?

Paul Fielder et Cynthia Moullin, lui dit-elle. Son frère s'était institué leur mentor. Le jeune homme, il l'avait connu par l'intermédiaire d'un programme de parrainage mis sur pied par un établissement secondaire local. La jeune fille, il l'avait remarquée grâce à son père, Henry Moullin, un maître verrier qui avait construit la serre et remplacé les fenêtres du Reposoir.

— Ces familles sont assez pauvres, surtout les Fielder, conclut Ruth. Guy s'en est vite rendu compte, et comme il aime les enfants, il a voulu faire quelque chose pour eux. Quelque chose que leurs propres parents ne seraient jamais en mesure de faire.

— Mais pourquoi avoir agi à votre insu ? Pourquoi tenir ces dispositions secrètes ?

— Je ne sais pas, je ne comprends pas.

— Vous l'auriez désapprouvé ?

— Je l'aurais peut-être mis en garde. Je lui aurais peut-être dit qu'il allait causer bien des remous.

— Au sein de sa famille ?

— Pas seulement. Chez Paul et Cynthia également, qui ont des frères et sœurs.

— Lesquels ne figurent pas sur le testament de votre frère ?

— Exactement. Un legs laissé à l'un et pas aux autres... Il y avait là de quoi créer des dissensions graves au sein des familles.

— Est-ce qu'il vous aurait écoutée, miss Brouard ?

Elle fit non de la tête. Elle avait l'air très triste.

— C'était un des points faibles de mon frère. Guy n'écoutait jamais personne.

Margaret Chamberlain était bien incapable de se rappeler quand elle avait été aussi furieuse et aussi décidée à se venger. Peut-être le jour où les fredaines de Guy avaient cessé d'être des soupçons pour devenir une réalité incontournable qu'elle avait reçue comme un coup de poing à l'estomac. Mais ce jour-là était loin et il s'était passé tellement de choses dans l'intervalle – trois autres mariages et trois autres enfants, pour être précis – qu'il n'était plus qu'un souvenir terni qu'elle se gardait bien de raviver. Néanmoins, elle reconnaissait que la rage qui la consumait à présent n'était pas sans ressembler à sa fureur d'antan.

Quand elle était dans cet état-là, elle avait du mal à décider où frapper en priorité. Elle savait qu'il lui fallait s'expliquer avec Ruth, les dispositions du testament de Guy étaient tellement invraisemblables qu'elles ne pouvaient avoir qu'une seule explication. Une explication qui, elle était prête à le jurer, s'épelait R-u-t-h. Outre Ruth, il y avait les deux bénéficiaires de la *moitié* de ce qui était censé constituer l'héritage global de Guy. Pas question que Margaret laisse deux étrangers – des moins que rien qui n'avaient même pas une goutte de sang en commun avec Guy – partir avec une somme plus considérable que celle que ce salopard avait léguée à son propre fils.

Elle ne pouvait pas compter sur Adrian pour lui fournir des éclaircissements. Il s'était retiré dans sa chambre et, quand elle l'accula, exigeant de savoir qui, où et pourquoi, il se borna à lui dire :

— Ce sont des gamins. Des ados qui regardaient papa comme il croyait que sa progéniture aurait dû le regarder. Mes sœurs et moi, on a refusé de jouer ce jeu. Pas eux. C'est bien le genre de papa. Toujours prêt à récompenser ceux qui lui donnaient des signes d'affection.

— Où sont-ils ? Où est-ce que je peux les trouver ?

— Il habite le Bouet, je ne sais pas où exactement. C'est un quartier où il y a un tas de logements sociaux.

— Et l'autre ?

Ça, c'était beaucoup plus facile. Les Moullin habitaient à la Corbière, au sud-ouest de l'aéroport, dans la paroisse de Forrest. La maison la plus extravagante de l'île. Un truc dingue. Baptisée la Maison aux Coquillages. Quand on était aux abords de la Corbière, impossible de la rater.

— Très bien, allons-y, dit Margaret à son fils.

Adrian lui signifia qu'il n'allait nulle part.

— Qu'est-ce que tu comptes faire ?

— Leur montrer de quel bois je me chauffe. Leur expliquer que s'ils s'imaginent pouvoir te dépouiller de ce qui te revient de droit...

— Ne te fatigue pas. (Il fumait comme un pompier,

faisant les cent pas sur le tapis persan.) C'est ce que papa souhaitait. C'est son dernier... sa dernière gifle.

— Cesse de te vautrer là-dedans, Adrian, ordonna Margaret, incapable de se retenir. (Songer que son fils pouvait accepter d'avaler des couleuvres sous prétexte que son père en avait décidé ainsi, c'était impensable pour elle.) Il ne s'agit pas seulement des desiderata de ton père. Les droits du sang, ça compte. Et si l'on va par là, il y a également les droits de tes sœurs qui entrent en ligne de compte. Tu ne vas pas me dire que JoAnna va rester les bras croisés lorsqu'elle saura comment ton père a traité ses filles ! Si on ne prend pas le taureau par les cornes, voilà une affaire qui risque de traîner des années devant les tribunaux. On va donc s'attaquer en priorité aux deux bénéficiaires. Et ensuite on ira trouver Ruth.

Changeant d'itinéraire pour une fois, Dieu merci, il se dirigea vers la commode. Ecrasa sa cigarette dans un cendrier qui empuantissait la pièce. Il en alluma aussitôt une autre.

— Ne compte pas sur moi pour t'accompagner. Je ne me mêle pas de ça, maman.

Margaret refusa de le croire, pour l'instant du moins. Elle se dit qu'il était déprimé. Humilié. Qu'il avait du chagrin. Pas à cause de Guy. A cause de Carmel. Parce que Guy la lui avait soufflée. Qu'il soit maudit d'avoir ainsi trahi son seul fils. Mais cette même Carmel, il y avait gros à parier qu'elle reviendrait au trot en demandant pardon une fois qu'Adrian aurait pris sa juste place à la tête de la fortune paternelle. Margaret n'en doutait pas un seul instant.

Adrian ne souffla mot tandis que sur un : « Comme tu voudras », Margaret fouillait dans ses affaires. Il ne protesta pas en la voyant sortir ses clefs de voiture de la veste qu'il avait laissée sur une chaise.

— Reste à l'écart pour l'instant si ça te chante.

Et là-dessus elle s'en alla. Dans la boîte à gants de la Range Rover, elle dénicha une carte de l'île. Le genre de document que les sociétés de location de voiture mettent à la disposition de leurs clients et qui indique essentiellement l'emplacement de leurs agences alors que tout le reste est illisible. Mais comme l'agence était située à l'aéroport et que la Corbière n'en était pas loin, elle réussit à localiser le hameau non loin du rivage sud de l'île, le long d'un sentier large comme un ruban.

Elle emballa le moteur, donnant libre cours à sa colère, et se mit en route. Ça ne devait pas être sorcier de retrouver le chemin de l'aéroport et ensuite de prendre à gauche dans la rue de la Villiaze. Elle n'était pas idiote. Elle savait lire les panneaux. Elle ne se perdrait pas.

Encore eût-il fallu qu'il y ait des panneaux. Margaret s'aperçut bientôt que, dans l'île, ils n'étaient pas faciles à repérer, placés plutôt bas et dissimulés le plus souvent derrière des branches de lierre. Elle constata également qu'il valait mieux savoir vers quelle paroisse se diriger si on ne voulait pas se retrouver au beau milieu de Saint Peter Port puisque c'était là, d'évidence, que semblaient mener toutes les routes.

Quatre tentatives plus tard, moite de transpiration, elle finit par localiser l'aéroport. Seulement, manque de chance, elle dépassa la rue de la Villiaze sans même la remarquer tellement elle était discrète. Margaret était habituée à rouler en Angleterre, où les routes principales ressemblent à des routes principales. Sur sa carte, la rue qu'elle cherchait étant colorée en rouge, elle se dit qu'elle devait être signalée par un grand panneau lui indiquant qu'elle était arrivée à destination. Malheureusement, elle se retrouva au milieu de l'île à une intersection triangulaire, non loin d'une église, et c'est alors qu'elle songea qu'elle était peut-être allée trop loin. Elle se gara sur l'étroite bande de terre qui tenait lieu de bas-côté, examina la carte et constata avec un agacement croissant qu'elle avait dépassé le point qu'elle souhaitait atteindre, et qu'il allait lui falloir rebrousser chemin.

C'est à ce moment-là qu'elle finit par maudire son fils, ce dégonflé, cette chiffe molle, ce pathétique spécimen... Non, non. Certes, il aurait mieux valu qu'elle l'ait avec elle, ainsi il aurait pu la conduire à bon port sans tous ces détours. Mais il fallait qu'Adrian récupère du coup que lui avait porté la saloperie de testament de son monstre, de son salopard de père – et s'il lui fallait une heure ou deux pour se remettre, eh bien soit, songea Margaret. Elle se débrouillerait toute seule.

Elle se demanda toutefois si ce n'était pas ce qui était arrivé à Carmel Fitzgerald : la jeune femme avait peut-être compris qu'il y aurait des moments où il lui faudrait se débrouiller seule, des moments pendant lesquels Adrian se retirait dans sa chambre, ou pire. Dieu sait que Guy était capable de faire rentrer dans sa coquille, voire de pousser à se haïr un être doté d'un tempérament délicat. Et si cela s'était produit pendant le séjour de Carmel et Adrian au Reposoir, qu'avait pensé la jeune femme ? Elle avait dû se trouver démunie face aux avances d'un homme si manifestement dans son élément, si viril, si capable. Elle avait dû se sentir drôlement vulnérable, songea Margaret. Guy s'en était bien sûr rendu compte et il avait agi en conséquence sans le moindre scrupule.

Mais, nom d'un chien, il allait payer pour ce coup-là. Il n'avait pas pu payer de son vivant. Il allait payer maintenant.

Margaret était tellement obnubilée par sa décision qu'elle faillit rater la rue de la Villiaze une seconde fois. Toutefois, à la dernière minute, elle aperçut un étroit chemin qui bifurquait vers la droite non loin de l'aéroport. Elle s'y engagea, dépassa un pub, un hôtel, se retrouva en pleine campagne, filant entre des haies enserrant des fermes et des champs dénudés. Autour d'elle ce furent bientôt des chemins secondaires cahoteux ressemblant à des pistes pour tracteurs. Alors qu'elle se demandait si elle n'allait pas en emprunter un dans l'espoir d'aboutir quelque part, elle atteignit un croisement et, miracle, tomba sur un panneau pointant vers la droite avec ces mots : la Corbière.

Margaret marmonna des remerciements au dieu des automobilistes qui avait réussi à la guider jusque-là, et se lança dans un sentier en tout point semblable aux autres. S'il lui avait fallu croiser une voiture, l'un des deux véhicules aurait dû faire marche arrière. Heureusement, la chance était avec elle : elle ne croisa pas d'automobile sur la route qui longeait une ferme chaulée et deux cottages de pierre couleur chair.

Au bout d'un moment elle arriva en vue de la Maison aux Coquillages. Ainsi qu'Adrian le lui avait dit, il aurait fallu être aveugle pour la rater. Le bâtiment était en stuc peint en jaune. Les coquillages d'où il tirait son nom décoraient l'allée centrale, le mur d'enceinte et le jardin. Margaret n'avait jamais rien vu d'aussi affligeant : cela ressemblait à l'œuvre d'un dément. Conques, ormeaux et Saint-Jacques composaient les bordures enserrant des massifs où rameaux, branches et tiges métalliques recouverts de coquillages figuraient les fleurs. Au centre de la pelouse, un bassin au fond et aux parois tapissés eux aussi de coquillages abritait des poissons rouges qui – heureusement – n'avaient rien de factice. Autour du bassin, sur des socles incrustés de coquilles, des statues constituées de conques. Deux tables que jouxtaient deux chaises à base de coquillages supportaient service à thé et vaisselle pareillement encoquillés. Le long de la façade s'alignaient une caserne de pompiers, une école, une grange et une église en miniature de ce blanc luisant qui avait dû valoir à maints mollusques de perdre la vie. De quoi, conclut Margaret en descendant de la Range Rover, vous dégoûter à jamais de la bouillabaisse.

Ce monument de vulgarité la fit frissonner. Cela lui rappelait trop de souvenirs désagréables : les vacances d'été de son enfance sur la côte de l'Essex, les accents populaires, les frites graisseuses dont on s'empiffrait, les chairs flasques qu'on s'échinait à faire hideusement rougir, histoire de montrer aux voisins qu'on avait mis de côté de quoi se payer un séjour à la mer.

Margaret chassa toutes ces pensées, la vue de ses parents enlacés sur les marches d'une petite cabine de plage et tenant une bouteille de bière à la main. Leurs baisers baveux, les fous rires de sa mère et tout ce qui s'ensuivait.

Ça suffit, songea Margaret. Elle remonta l'allée d'un pas décidé. Elle lança un bonjour plein d'assurance. Suivi d'un deuxième, puis d'un troisième. Mais personne ne sortit de la maison. Il y avait pourtant des outils de jardinage dehors, même si on pouvait se demander à quoi ils servaient dans ce décor. Quoi qu'il en soit, leur présence indiquait qu'il y avait quelqu'un à la maison, quelqu'un qui travaillait au jardin. Aussi s'approcha-t-elle de la porte d'entrée. A ce moment-là, un homme chargé d'une pelle tourna le coin de la maison. Il portait un jean raide de crasse qui aurait tenu debout tout seul. Malgré le froid, il n'avait pas de veste, juste une chemise bleue délavée sur laquelle on pouvait lire brodés en rouge les mots *Verrerie Moullin*. L'indifférence au climat se manifestait dans toute sa tenue, jusqu'à ses pieds. Il était en effet chaussé de simples sandales. Seule concession à l'hiver : des chaussettes. Des chaussettes pleines de trous laissant passer son gros orteil droit.

A la vue de Margaret, il s'immobilisa sans un mot. Elle fut étonnée de constater qu'elle le reconnaissait : c'était le Heathcliff enrobé qu'elle avait aperçu à la réception après les obsèques de Guy. Son teint foncé lui venait de ce qu'il avait été buriné par les intempéries jusqu'à ressembler à du cuir. Ses yeux étaient hostiles ; il avait les mains couvertes de coupures : les unes cicatrisées, les autres non. Margaret aurait pu être intimidée par l'animosité qui se dégageait de sa personne mais elle-même avait de l'animosité à revendre, et de toute façon elle n'était pas femme à prendre facilement peur.

— Je suis à la recherche de Cynthia Moullin, dit-elle aussi aimablement que possible. Pouvez-vous me dire où je pourrais la trouver, s'il vous plaît ?

— Pourquoi ?

Il se dirigea avec sa pelle vers la pelouse, où il se mit à creuser au pied d'un arbre. Margaret se hérissa. L'accent snob et le ton comminatoire qu'elle avait acquis à force de ténacité faisaient généralement obéir au doigt et à l'œil ceux à qui elle s'adressait.

— Ou vous pouvez ou vous ne pouvez pas m'aider à la trouver. Vous ne comprenez pas ce qu'on vous dit ?

— C'est surtout que je m'en fiche.

Son accent était si épais qu'on l'aurait dit sorti d'une pièce historique en costumes.

— Il faut absolument que je lui parle. Mon fils m'a dit qu'elle habitait... ici. (Elle fit un gros effort pour que le mot *ici* ne donne pas l'impression d'être l'équivalent de *ce trou à rats*.) S'il m'a induite en erreur, soyez assez aimable de me le dire. Je ne serai que trop heureuse de vous laisser en paix.

— Votre fils, qui ça ?

— Adrian Brouard. Le fils de Guy. Vous connaissez Guy, non ? Je vous ai vu à ses obsèques.

Ces dernières remarques parurent retenir son attention car il releva le nez, examinant Margaret de la tête aux pieds. Après quoi il traversa la pelouse pour atteindre la véranda et y prendre un seau. Ce dernier était plein de granulés qu'il versa dans le trou fraîchement creusé au pied du tronc. Il reposa le seau, s'approcha de l'arbre suivant, se remit à creuser.

— Ecoutez, reprit Margaret, je cherche Cynthia Moullin. J'aimerais lui parler, c'est urgent. Si vous savez où je peux la trouver... Elle habite dans cette maison, n'est-ce pas ? C'est bien la Maison aux Coquillages ?

Question ridicule. Car si tel n'était pas le cas, cela signifiait qu'il existait ailleurs une demeure encore plus cauchemardesque que celle-ci. Et ça, Margaret avait du mal à le concevoir.

— Z'êtes la première, alors, dit l'homme avec un hochement de tête. J'me suis toujours demandé quelle touche elle avait, la première. C'est révélateur, chez un homme, la première. Ça explique ses choix suivants.

Margaret avait un mal fou à le comprendre, à cause de son accent. Elle comprit cependant que ce minable faisait allusion, d'une façon qui était tout sauf flatteuse, aux relations sexuelles qu'elle avait eues avec Guy. Ah, mais pas question qu'il joue à ce petit jeu. C'est elle qui menait la conversation. Les hommes ramenaient toujours tout à des histoires de cul. C'était selon eux un moyen efficace de déstabiliser leurs interlocutrices. Mais Margaret Chamberlain n'était pas la première venue. Elle rassemblait ses esprits pour lui faire une réflexion bien sentie quand un portable sonna, qu'il fut forcé de sortir de sa poche, d'ouvrir, lui montrant bientôt qu'il était un imposteur.

— Henry Moullin, dit-il au téléphone sans la

moindre trace d'accent. (Puis il écouta une minute. Et de sa voix méconnaissable :) Il faut d'abord que je vienne prendre des mesures, madame. Impossible de vous dire combien de temps ce genre de chantier peut durer tant que je n'ai pas vu les lieux.

Il écouta de nouveau, sortit un agenda noir d'une autre de ses poches. Il nota un rendez-vous, ajoutant : « Certainement, on fait comme ça, Mrs Miciak. » Après quoi il remit le téléphone en place et regarda Margaret d'un air innocent comme s'il n'avait pas essayé de la mener en bateau en se faisant passer pour un vulgaire péquenot.

— Ah, fit Margaret, sarcastique, maintenant que je sais à quoi m'en tenir, vous allez peut-être pouvoir répondre à ma question. Me dire où je peux trouver Cynthia. Je suppose que vous êtes son père.

Sans aucune gêne, il dit :

— Cyn n'est pas là, Mrs Brouard.

— Chamberlain, corrigea Margaret, glaciale. Où est-elle ? Il faut absolument que je lui parle. De toute urgence.

— C'est impossible. Elle est à Aurigny chez sa grand-mère.

— Et cette grand-mère n'a pas le téléphone ?

— Il est en dérangement.

— Je vois. Eh bien, c'est peut-être aussi bien comme ça, Moullin. Nous allons pouvoir régler cette affaire tous les deux et vous n'aurez pas à la mettre au courant. Comme cela elle ne sera pas déçue.

Moullin sortit de sa poche un tube de crème qu'il pressa contre sa paume. Il la dévisagea tout en passant la pommade sur ses mains.

— Vous feriez mieux de me dire de quoi il s'agit, fit-il d'un ton si violemment viril qu'elle trouva cela à la fois déconcertant et quelque peu... excitant.

En une fraction de seconde, elle eut l'impression de

se retrouver dans la peau d'une faible femme, voire d'une pauvre femelle sans défense, chose qu'elle n'aurait jamais crue possible. Il ébaucha un pas dans sa direction, elle esquissa aussitôt un pas en arrière. Les lèvres de Moullin remuèrent imperceptiblement : il avait l'air de s'amuser. Un frisson traversa Margaret. Ne ressemblait-elle pas à une héroïne de mauvais roman rose à deux doigts de succomber ?

Cela la mit tellement en colère qu'elle retrouva son punch :

— Il s'agit d'une affaire que nous pouvons résoudre ensemble, Mr Moullin. Je ne pense pas que vous souhaitiez vous lancer dans une bataille juridique interminable. Je me trompe ?

— Une bataille juridique ? A quel sujet ?

— Au sujet des dispositions du testament de mon ex-mari.

Une petite lueur s'alluma dans son regard : son intérêt croissait. Margaret, qui n'avait pas les yeux dans sa poche, s'en aperçut et se dit qu'un compromis pouvait sans doute être trouvé : ils pouvaient peut-être se mettre d'accord sur une somme moins importante, ce qui leur éviterait de dépenser de l'argent en honoraires d'avocats, lesquels se font souvent un plaisir de faire traîner les choses en longueur.

— Je n'ai pas l'intention de vous mentir, Mr Moullin. Votre fille s'est vu léguer une fortune par mon ex-mari. Mon fils, qui est l'aîné des enfants de Guy et son seul héritier mâle, a touché, lui, beaucoup moins. Vous serez d'accord avec moi, j'en suis sûre : l'injustice est flagrante. C'est pourquoi j'aimerais remettre les pendules à l'heure sans passer par le circuit juridique.

Margaret n'avait pas réfléchi aux réactions que cet homme pourrait avoir en apprenant l'héritage qui venait d'échoir à sa fille. En fait, elle ne s'était pas souciée du tout de ses réactions. Elle ne pensait qu'à une chose : clarifier la situation à l'avantage d'Adrian par tous les moyens. Une personne raisonnable, s'était-elle dit, tomberait d'accord avec elle lorsqu'elle lui aurait expliqué de quoi il retournait, enrobant ses explications de fines allusions à un éventuel procès.

Henry Moullin resta muet dans un premier temps. Il se détourna, se remit à creuser, mais sa respiration s'était modifiée. Elle était rauque et son rythme s'accélérait. Il sauta sur la pelle, l'enfonça dans le sol. Une, deux, trois fois. Tandis qu'il procédait ainsi, sa nuque passa de la couleur du cuir à un rouge si profond que Margaret craignit un instant qu'il n'ait une attaque. Puis il dit : « Ma fille, bon sang », et arrêta de creuser. Il s'empara du seau et jeta les granulés à la volée dans le second trou, d'où ils débordèrent.

— Il se figure qu'il peut... Pas un instant... Pas un seul instant, nom de Dieu...

Et, avant que Margaret ait pu lui exprimer, fût-ce hypocritement, sa sympathie devant sa détresse manifeste à la pensée que Guy se soit mêlé de ses affaires et de celles de sa fille, Henry Moullin empoigna de nouveau la pelle. Cette fois il la brandit dans sa direction et marcha droit sur elle.

Margaret poussa un cri, recula intérieurement et se reprocha sa réaction, tout en lui en voulant de la faire reculer et en cherchant un moyen de s'échapper. Mais la seule façon de fuir était de sauter par-dessus la caserne de pompiers, la chaise longue, la table ou le bassin incrusté de coquillages. Alors qu'elle s'apprêtait à opter pour la chaise, Henry Moullin la bouscula et fonça sur la caserne de pompiers. Il se mit à taper dessus comme un sourd. « Nom de Dieu. » Des fragments de coquillages volaient partout. Il détruisit la caserne en trois coups violents. Puis il s'approcha de la grange et de l'école tandis que Margaret, sidérée par cette crise, le suivait des yeux.

Sans ajouter un seul mot, il se jeta sur les objets et les constructions les uns après les autres : l'école, la table, les chaises, le bassin, le jardin avec ses fleurs artificielles. Sa fureur ne semblait pas avoir de limites. Il ne s'arrêta que lorsqu'il fut au bout de l'allée menant à la porte d'entrée. Là, il jeta sa pelle contre la maison. Elle faillit heurter l'une des fenêtres grillagées et retomba avec un bruit sourd sur l'allée.

L'homme haletait. Certaines de ses coupures s'étaient rouvertes. Il s'était de nouveau blessé avec des fragments de coquillages et des éclats de ciment qui avaient servi à les assembler. Son jean crasseux était blanc de poussière et, lorsqu'il s'essuya les mains dessus, le sang y laissa de fines traînées.

— Non ! s'écria Margaret sans même réfléchir. Ne le laissez pas vous mettre dans cet état, Henry Moullin.

Il la dévisagea, le souffle court, cillant comme si cela pouvait lui éclaircir les idées. Toute son agressivité parut s'évanouir. Il embrassa d'un coup d'œil les dégâts qu'il venait de causer et dit :

— Ce salopard en avait deux, déjà.

Les filles de JoAnna, songea Margaret. Guy avait des filles. Mais il avait raté l'occasion de leur servir de père. Comme il n'était pas homme à prendre cette opportunité manquée à la légère, il avait remplacé ses enfants abandonnés par d'autres, plus prompts à fermer les yeux devant des faiblesses que ses descendants légitimes, eux, ne pouvaient pardonner. Car ils étaient pauvres, ces étrangers, et lui riche. Avec de l'argent on pouvait tout acheter : amour, affection, respect.

— Il faut vous occuper de vos mains, dit Margaret. Vous vous êtes coupé. Vos mains saignent. Non, ne les essuyez pas...

Mais il s'essuya malgré tout, maculant encore plus son jean et, comme si cela n'était pas suffisant, frottant ses coupures sur sa chemise imprégnée elle aussi de poussière.

— On n'en veut pas, de son sale argent. On n'en a pas besoin. On n'en veut pas. Vous pouvez le brûler en plein Trinity Square, pour ce qu'il nous intéresse.

Margaret songea qu'il aurait dû commencer par là, ce qui leur aurait permis de faire l'économie d'une scène et de sauver le jardin de la destruction.

— Heureuse de vous l'entendre dire, Mr Moullin. Voyez-vous, ce n'est que justice par rapport à Adrian...

— Mais c'est l'argent de Cyn, n'est-ce pas ? poursuivit Henry Moullin, anéantissant ses espoirs aussi efficacement qu'il avait démoli le décor de coquillages qui les entourait. Et si Cyn en veut, de cet argent...

Il s'approcha de la pelle qui gisait par terre devant la porte. Il s'en empara. Il ramassa également un râteau et une pelle à poussière. Une fois qu'il eut rassemblé les outils, il jeta un coup d'œil autour de lui comme pour se demander à quoi ils lui avaient servi.

Il regarda Margaret et elle constata que ses yeux étaient rouges de chagrin.

— Il vient chez moi. Je vais chez lui. On travaille côte à côte pendant des années. Et le voilà qui me sort : « Vous êtes un artiste, Henry. Vous n'allez pas construire des serres toute votre vie. » Il me dit : « Arrêtez de faire ce boulot, mon vieux. Je crois en vous. Je vous aiderai. Laissez-moi vous donner un coup de pouce. Qui ne tente rien n'a rien, bon Dieu. » Et moi je l'ai cru. J'étais partant pour changer de vie. Pour mes filles, oui, pour mes filles. Mais aussi pour moi. En quoi est-ce un péché ?

— Ce n'est pas un péché, dit Margaret, nous voulons tous ce qu'il y a de mieux pour nos enfants. Moi aussi. C'est pourquoi je suis là. A cause d'Adrian, mon fils et celui de Guy. A cause de ce que Guy lui a fait.

On l'a dépouillé de ce qui devait lui revenir, Mr Moullin. C'est mal : vous vous en rendez compte, non ?

— On s'est tous fait avoir, on a tous été floués. Votre ex-mari était très fort à ce jeu. Pendant des années il nous a fait miroiter toutes sortes de rêves aux uns et aux autres. Oh, il n'a rien fait de mal. Jamais il n'a enfreint la loi, l'ami Brouard. Mais c'est moralement que son attitude était répréhensible. Il nous mettait en situation de lui manger dans la main sans qu'on sache qu'il y avait mis du poison.

— Et vous ne voulez pas réparer le mal qu'il a fait ? dit Margaret. Parce que vous le pouvez. Il vous suffirait de parler à votre fille, de lui expliquer. Nous n'irions pas jusqu'à demander à Cynthia de renoncer à la totalité de ce qu'il lui a légué. Nous voulons juste que les legs soient un peu moins disproportionnés. Qu'il soit tenu compte de ce qu'Adrian est son fils par le sang. Contrairement à votre fille qui, de ce point de vue-là, ne lui est rien.

— C'est ce que vous souhaitez ? C'est ça qui, d'après vous, va rétablir l'équilibre ? Mais vous êtes comme lui, alors ! Pour vous, l'argent efface tous les péchés. Eh bien, c'est faux, le fric n'effacera jamais rien.

— Vous ne lui parlerez pas ? Vous ne lui expliquerez pas la situation ? Vous préférez qu'on porte l'affaire devant les tribunaux ?

— Vous ne comprenez pas, n'est-ce pas ? Il est hors de question que je parle à ma fille. Que je lui explique quoi que ce soit.

Se retournant, il emporta ses outils vers l'endroit d'où il était arrivé avec la pelle quelques minutes plus tôt. Il disparut derrière la maison.

Margaret resta plantée là un moment. Pour la première fois de sa vie elle était à court de mots. Elle se sentait presque submergée par la violence de la haine que Henry Moullin venait d'exprimer. C'était comme un courant qui l'aspirait et auquel elle n'avait pratiquement aucun espoir d'échapper.

Aussi bizarre que cela puisse paraître, elle avait l'impression d'être sur la même longueur d'onde que cet homme débraillé. Elle comprenait l'épreuve qu'il traversait. Vos enfants étaient vos enfants, ils n'appartenaient à personne autant qu'à vous. Un enfant, ce n'était pas la même chose qu'un époux, des parents, des frères et sœurs, des partenaires. Un enfant, c'était un prolongement de votre chair et de votre âme. Et ce n'était pas un intrus, un étranger qui pouvait espérer briser un lien de cette nature.

Mais si un intrus tentait ou, ce qu'à Dieu ne plaise, réussissait... ?

Nul n'était mieux placé que Margaret Chamberlain pour savoir jusqu'où un père pouvait aller pour préserver les relations qu'il avait avec son enfant.

13

Une fois de retour à Saint Peter Port, Saint James passa d'abord à l'hôtel, mais la chambre était vide et sa femme n'avait pas laissé de message à la réception. Alors il poussa jusqu'au commissariat, où il interrompit l'inspecteur principal Le Gallez qui était en train d'engloutir une baguette garnie de crevettes en sauce. Le policier l'emmena dans son bureau, lui offrant un morceau de son sandwich, que Saint James refusa, et une tasse de café, qu'il accepta. Il lui proposa également des biscuits au chocolat mais, comme ils n'avaient pas l'air de la première fraîcheur, Saint James se contenta du café.

Il informa Le Gallez du contenu des testaments des Brouard, frère et sœur. Le Gallez l'écoutait en mastiquant et en prenant des notes dans un bloc. Tout en parlant, Simon le vit souligner Fielder et Moullin, et ajouter un point d'interrogation à côté du second nom. Le Gallez interrompit son compte rendu pour lui dire que, s'il connaissait les relations du défunt avec Paul Fielder, en revanche il n'avait jamais entendu le nom de Cynthia Moullin. Il prit également note des grandes lignes des testaments des Brouard et écouta poliment Saint James lui exposer une théorie qu'il avait échafaudée en rentrant en ville.

Le testament antérieur auquel Ruth Brouard avait fait allusion mentionnait comme bénéficiaires des personnes qui avaient été rayées du dernier document :

Anaïs Abbott, Frank Ouseley, Kevin et Valerie Duffy ainsi que les enfants de Guy Brouard. S'en tenant aux termes de ce document, Ruth Brouard avait demandé à toutes les personnes qui s'y trouvaient citées d'assister à la lecture du testament. Si, comme Saint James le fit remarquer à Le Gallez, l'un de ces bénéficiaires avait eu connaissance du précédent testament, il avait un mobile pour supprimer Guy Brouard : ramasser plus tôt que prévu ce qui lui revenait.

— Fielder et Moullin ne figuraient pas dans le testament antérieur ? voulut savoir l'inspecteur.

— Elle n'a pas mentionné leurs noms. Et comme ni l'un ni l'autre n'étaient présents à la lecture du testament, on peut en conclure que les legs qui leur ont été faits ont pris miss Brouard au dépourvu.

— Mais eux ? Brouard leur en avait peut-être parlé. Du coup, ils se retrouvent également avec un mobile. Vous n'êtes pas de cet avis ?

— C'est possible.

Mais peu probable, songea-t-il, compte tenu du fait qu'il s'agissait de deux adolescents. Toutefois, il fut soulagé de constater que Le Gallez, pour le moment du moins, songeait à autre chose qu'à la culpabilité de China River. Voyant s'élargir le champ des réflexions de l'inspecteur, Saint James n'avait pas envie de tenter quoi que ce soit qui puisse remettre Le Gallez dans ses précédentes dispositions d'esprit. Toutefois il savait que sa conscience ne le laisserait pas en repos s'il n'était pas tout à fait honnête avec son interlocuteur. « D'un autre côté... » Saint James parlait un peu à contrecœur – sa loyauté envers sa femme semblait appeler une loyauté identique envers les amis de celle-ci. Bien que sachant comment le policier était susceptible de réagir, il lui remit néanmoins les documents que Ruth Brouard lui avait confiés pendant leur dernière conversation. L'inspecteur examina le passeport de Guy Brouard, les facturettes de cartes de crédit et les reçus. Il passa un moment à étudier la note du Citrus Grille, tapotant dessus avec son crayon tout en mordant à nouveau dans son sandwich. Après réflexion, il fit pivoter son fauteuil et tendit le bras vers un classeur. Il en sortit des notes soigneusement tapées à la machine dans lesquelles il fouilla jusqu'à ce qu'il découvre son bonheur.

— Les codes postaux, dit-il à Saint James. Ils commencent tous deux par 92. 928 et 926.

— Et l'un d'eux est celui de Cherokee River, je présume ?

— Vous le saviez déjà ?

— Je sais qu'il habite non loin de l'endroit où Brouard s'est rendu en Californie.

— C'est le second code, le sien. Le 926. L'autre est celui de ce restaurant, le Citrus Grille. Qu'est-ce que vous en concluez ?

— Qu'à un moment donné Guy Brouard et Cherokee River se sont trouvés dans le même comté.

— Rien d'autre ?

— Quoi ? La Californie est vaste. Les comtés sont probablement vastes. Je ne pense pas que d'après les codes postaux on puisse établir que Brouard et River se sont rencontrés avant que River vienne à Guernesey avec sa sœur.

— Vous ne trouvez pas que c'est une drôle de coïncidence, tout de même ? Vous ne trouvez pas qu'il y a de quoi éveiller les soupçons ?

— Oui, si on se base uniquement sur les faits dont nous disposons pour le moment : le passeport, les facturettes, les reçus, l'adresse de Cherokee River. Mais un avocat ayant un code postal identique a engagé River pour livrer des plans à Guernesey. Il semble donc raisonnable de supposer que c'est pour rencontrer cet avocat que Guy Brouard s'est rendu en Californie, de même qu'il a rencontré l'architecte – qui avait probablement lui aussi le même code postal. Et non pour voir Cherokee River. Je ne crois pas qu'ils se connaissaient avant l'arrivée de River et de sa sœur au Reposoir.

— Mais vous serez d'accord avec moi pour dire qu'on ne peut pas écarter cette éventualité ?

— On ne peut rien écarter.

Ce qui, Saint James le savait, incluait la bague que Deborah et lui avaient rapportée de la baie. Il interrogea Le Gallez au sujet de la bague, au sujet d'empreintes possibles sur cette bague, d'une empreinte partielle que la police pourrait exploiter. L'aspect de la bague laissait entendre qu'elle n'avait pas séjourné longtemps sur la plage, souligna-t-il. Mais l'inspecteur avait certainement tiré la même conclusion que lui en l'examinant.

Le Gallez repoussa son sandwich et s'essuya les doigts avec une serviette en papier. Il prit un gobelet de café qu'il pressa entre ses paumes avant de se décider à parler. Il ne prononça que deux mots, et Saint James en eut un coup au cœur, n'osant songer à ce qu'ils impliquaient.

— Quelle bague ?

Du bronze, du cuivre ou un métal encore plus ordinaire, lui dit Saint James. Une tête de mort avec des tibias croisés et les chiffres 39-40 gravés ainsi qu'une inscription en allemand. Il l'avait fait envoyer au commissariat en précisant qu'elle devait être remise à l'inspecteur Le Gallez en personne.

Il n'ajouta pas que c'était sa femme qu'il avait chargée de cette mission parce qu'il se raidissait dans l'attente de l'inévitable.

— Je ne l'ai pas vue, cette bague, lui dit Le Gallez, qui prit son téléphone pour appeler la réception afin de s'assurer qu'elle n'était pas restée en souffrance derrière le comptoir de l'accueil.

Il s'entretint avec le planton de garde, lui décrivit l'objet. Il eut un grognement lorsque l'agent lui répondit, puis il braqua les yeux vers Saint James tandis qu'il écoutait son interlocuteur. Finalement, il dit :

— Montez-la-moi, mon vieux.

Ce qui permit à Saint James de respirer de nouveau normalement. Puis il ajouta :

— Nom d'un chien, Jerry, ce n'est pas auprès de moi qu'il faut vous plaindre de cette saleté de fax. Allez pleurer ailleurs et finissons-en.

Là-dessus il raccrocha brutalement avec un juron qui fit reperdre à Saint James sa tranquillité d'esprit.

— Pas la moindre bague en vue. Vous voulez m'en dire davantage ?

— Il y a peut-être eu un malentendu.

Ou un accident de voiture, voulut ajouter Saint James tout en se disant que c'était impossible puisqu'il avait emprunté le même trajet que sa femme pour revenir du Reposoir et qu'il n'avait pas aperçu la moindre trace de verre brisé sur la route pouvant suggérer qu'un accident avait empêché Deborah de s'acquitter de sa mission. Non que quiconque conduisît suffisamment vite dans l'île pour qu'il y eût un accident. Une collision peut-être, une simple histoire de tôle froissée. Cela n'irait pas chercher plus loin. Ce n'était pas un accrochage qui l'aurait empêchée d'apporter la bague à Le Gallez comme il le lui avait demandé.

— Un malentendu, répéta Le Gallez d'un ton nettement moins aimable. Je vois, Mr Saint James, il y a un malentendu.

Il leva le nez tandis qu'une silhouette apparaissait dans l'encadrement de la porte, celle d'un policier en uniforme qui tenait une liasse de papiers à la main. Le Gallez lui fit signe de reculer. Il se leva de son siège pour fermer la porte de son bureau. Il se tourna vers Saint James, bras croisés sur la poitrine.

— Ça ne m'ennuie pas trop que vous fouiniez, Mr Saint James. Nous sommes dans un pays libre. Et si vous voulez vous entretenir avec telle ou telle personne et que celle-ci n'y voit pas d'inconvénient, moi non plus. Mais si vous vous mettez à faire joujou avec les preuves, alors là, c'est différent.

— Je comprends. Je...

— Vraiment ? Je ne crois pas. Quand vous êtes venu chez moi, vous aviez une idée derrière la tête. Si vous vous figurez que je ne m'en suis pas rendu compte, vous vous mettez le doigt dans l'œil. Je veux cette bague. Je la veux tout de suite. On s'occupera plus tard de savoir où elle est allée se perdre avant d'atterrir chez moi. Et de la raison pour laquelle vous avez cru bon de vous en emparer momentanément. Parce que vous savez pertinemment ce que vous auriez dû en faire. Je suis assez clair ?

Saint James ne s'était pas fait remonter les bretelles depuis l'adolescence et cette mercuriale, qui lui rappelait les réprimandes de ses instituteurs indignés, n'avait rien d'agréable. Il en frissonna de mortification, d'autant qu'il savait l'avoir méritée. Mais, méritée ou non, cela ne rendait pas l'expérience moins pénible pour autant et cela n'atténuait pas le coup que cet incident risquait de porter à sa réputation s'il ne remédiait pas à la situation rapidement et efficacement.

— Inspecteur, j'ignore ce qui s'est passé. Mais je vous présente toutes mes excuses. La bague...

— Je ne veux pas de vos excuses à la noix, aboya Le Gallez. Ce que je veux, c'est la bague.

— Vous allez l'avoir.

— J'y compte bien, nom de nom.

L'inspecteur ouvrit violemment la porte. Saint James ne se rappelait pas avoir jamais été congédié aussi cavalièrement. Il sortit dans le couloir où se tenait planté le policier en uniforme avec ses papiers. L'homme détourna les yeux, gêné, et s'engouffra dans le bureau de son patron.

Le Gallez claqua la porte derrière lui. Mais pas avant d'avoir lâché :

— Sale petit estropié.

La quasi-totalité des brocanteurs de Guernesey étaient installés à Saint Peter Port, ainsi que Deborah put bientôt le constater. Comme il fallait s'y attendre, c'est dans la vieille ville, non loin du port, qu'ils avaient pignon sur rue. Plutôt que d'aller leur rendre aussitôt visite, elle suggéra à Cherokee de commencer par leur passer des coups de fil. Ils retournèrent donc au marché, et de là ils traversèrent pour atteindre Town Church. Non loin se trouvait la cabine téléphonique dont ils avaient besoin. Tandis que Cherokee attendait et la suivait des yeux, Deborah se mit à glisser des pièces dans l'appareil et à téléphoner aux magasins jusqu'à ce qu'elle réussisse à tomber sur ceux qui proposaient des souvenirs de guerre. Il semblait logique de commencer par là puis d'élargir le champ de leurs investigations si nécessaire.

Deux magasins seulement en proposaient. Tous deux dans Mill Street, une petite rue pavée piétonne qui remontait la colline depuis le marché à la viande. La ruelle ressemblait aux Shambles de York, légèrement plus large mais tout aussi évocatrice d'un passé où roulaient des charrettes tirées par des chevaux – seul moyen de transport à l'époque.

Les petites boutiques qui bordaient Mill Street reflétaient une période qui se caractérisait par une décoration sobre, des fenêtres et des portes sans chichis. Les immeubles qui les abritaient auraient pu être des maisons individuelles habitées par des particuliers – trois étages, fenêtres mansardées, cheminées alignées sur les toits tels des soldats à la parade.

Il n'y avait guère de monde dans ce secteur qui était un peu éloigné du quartier des commerces et de celui des banques, de High Street et du Pollet. Deborah eut l'impression, tandis que Cherokee et elle cherchaient le magasin correspondant au premier nom et à l'adresse qu'elle avait griffonnés au dos d'un formulaire de chèque, que même le plus optimiste des commerçants avait des chances de faire faillite en ouvrant une échoppe dans ces parages. Bon nombre d'immeubles étaient vides, et aux fenêtres il y avait des pancartes À LOUER OU À VENDRE. Lorsqu'ils eurent localisé le premier des deux magasins qu'ils cherchaient, ils constatèrent que la vitrine s'ornait d'une pancarte CESSATION D'ACTIVITÉ, de guingois, que les propriétaires successifs semblaient s'être refilée de l'un à l'autre.

John Steven Mitchell Antiques n'offrait pas grand-chose en matière de souvenirs de guerre. En raison peut-être de sa fermeture imminente, la boutique ne contenait qu'une vitrine d'objets militaires. Essentiellement des médailles ainsi que trois dagues, cinq pistolets et deux casquettes de la Wehrmacht. Déçue par ce maigre étalage, Deborah se dit néanmoins que, comme tout ce qui était exposé était d'origine allemande, il ne fallait peut-être pas désespérer.

Cherokee et elle étaient penchés au-dessus de la vitrine dont ils étudiaient le contenu lorsque le propriétaire du magasin – vraisemblablement John Steven Mitchell en personne – les rejoignit. Ils l'avaient apparemment interrompu en pleine vaisselle, à en juger par son tablier taché et ses mains humides. Il leur proposa aimablement son aide tout en s'essuyant les mains avec un torchon sale.

Deborah sortit la bague que Simon et elle avaient

récupérée, prenant soin de ne pas poser les doigts dessus et demandant à John Steven Mitchell de ne pas la toucher. Reconnaissait-il cette bague ? Que pouvait-il leur en dire ?

Mitchell alla chercher ses lunettes sur une caisse enregistreuse et se pencha au-dessus de la bague que Deborah avait posée sur la vitrine de souvenirs militaires. Il prit une loupe, examina l'inscription.

— Rempart de l'Occident, murmura-t-il. 39-40. (Il marqua une pause comme s'il réfléchissait.) C'est la traduction de *die Festung im Westen*. Et l'année... On dirait un souvenir d'un ouvrage défensif quelconque. Mais cela pourrait être une référence métaphorique à l'assaut mené contre le Danemark. D'un autre côté, la tête de mort et les tibias croisés sont caractéristiques des Waffen SS.

— Mais ce n'est pas quelque chose qui date de l'Occupation ? demanda Deborah.

— Cela a dû être abandonné à ce moment-là, quand les Allemands se sont rendus aux Alliés. Mais ça n'était pas directement lié à l'Occupation. Les dates ne correspondent pas. Et l'expression *die Festung im Westen* n'a pas de sens ici.

— Pourquoi ?

Cherokee, qui avait fixé non sans une certaine fascination la bague que Mitchell examinait, releva la tête.

— A cause des implications, répondit Mitchell. Ils ont construit des tunnels, bien sûr. Des fortifications, des tours d'observation, des hôpitaux, tout le bataclan. Même un chemin de fer. Mais pas un vrai rempart. Et même s'ils l'avaient fait, cette bague commémore un événement survenu un an avant le début de l'Occupation. (Il se baissa de nouveau avec sa loupe.) Je n'ai jamais rien vu de semblable. Vous songez à vous en défaire ?

Non, non, lui dit Deborah. Ils essayaient seulement

de savoir d'où elle venait car il était évident qu'elle n'était pas restée à l'air libre depuis 1945. Ils s'étaient dit que les magasins de brocante étaient un point de départ logique pour obtenir des renseignements.

— Je vois, commenta Mitchell.

Eh bien, si c'étaient des renseignements qu'ils voulaient, ils feraient bien de s'adresser aux Potter, un peu plus haut dans la rue. Potter & Potter Antiques, Jeanne et Mark, mère et fils. Elle était expert en porcelaine et ne leur serait pas d'un grand secours. Mais lui était un puits de science pour tout ce qui touchait à l'armée allemande et à la Seconde Guerre mondiale.

Deborah et Cherokee se retrouvèrent rapidement dans Mill Street et continuèrent vers le haut, dépassant une ruelle encaissée entre deux immeubles qui s'appelait Back Lane. Juste après cette ruelle, ils découvrirent Potter & Potter. Contrairement à celle de Mitchell, cette boutique avait l'air prospère.

Potter mère tenait le magasin. Elle était assise dans un rocking-chair, les pieds chaussés de pantoufles et posés sur un coussin, et elle avait les yeux rivés sur un écran de télé pas plus grand qu'un carton à chaussures. Elle regardait un film : Audrey Hepburn et Albert Finney roulant dans la campagne à bord d'une MG de collection. Une voiture qui n'était pas sans ressembler à celle de Simon, se dit Deborah. Et pour la première fois depuis qu'elle avait pris la décision de ne pas se rendre au commissariat et de se mettre en quête de China River, elle éprouva un petit pincement. Ce n'était pas à proprement parler de la culpabilité : elle savait qu'elle n'avait pas de raison de se sentir coupable. Mais c'était désagréable, comme un mauvais goût psychique dont elle aurait voulu se débarrasser. Qu'est-ce que cela pouvait bien signifier ? Franchement, c'était pénible, alors qu'elle était en train de faire quelque chose d'important, de sentir qu'autre chose requérait son attention.

Cherokee, comme elle ne tarda pas à le constater, avait rallié le rayon militaire du magasin, qui était considérable. Contrairement à John Steven Mitchell Antiques, Potter & Potter proposait de tout aux amateurs, des vieux masques à gaz aux ronds de serviette nazis. Ils avaient même des armes antiaériennes ainsi qu'un vieux projecteur de cinéma et un film, *Eine gute Sache*. Cherokee s'était rendu droit vers une vitrine équipée d'étagères électriques qui se soulevaient et s'abaissaient les unes après les autres quand on appuyait sur un bouton. C'était là que les Potter rangeaient médailles, insignes, badges d'uniformes. Tout en passant en revue le contenu de chaque étagère, Cherokee tapait nerveusement du pied par terre, montrant par là qu'il était bien décidé à découvrir quelque chose qui pourrait être utile à sa sœur.

Mrs Potter s'arracha à la contemplation d'Audrey et Albert. C'était une femme grassouillette avec des yeux d'hyperthyroïdienne à l'expression amicale.

— Est-ce que je peux vous aider, mon petit ?

— Vous vous y connaissez en objets militaires ?

— C'est Mark qu'il vous faut.

Elle se traîna vers une porte entrebâillée qu'elle ouvrit, révélant un escalier. Elle marchait avec difficulté, comme une femme qui aurait eu grand besoin d'une prothèse de la hanche, se cramponnant aux meubles et au mur, au passage. Elle appela son fils. Il y avait des clients, il ferait bien de laisser tomber son ordinateur pour le moment.

— Internet, confia-t-elle à Deborah, c'est aussi mauvais que l'héroïne.

Mark Potter descendit avec bruit l'escalier, il n'avait pas l'air du tout d'un accro à quoi que ce soit. Malgré la saison, il était très bronzé et ses gestes trahissaient une vitalité rayonnante.

Que pouvait-il faire pour eux ? Que cherchaient-ils ? Il recevait régulièrement de la marchandise.

— Les gens meurent mais leurs collections demeurent. Tant mieux pour nous.

Aussi, s'ils cherchaient quelque chose qu'il n'avait pas en magasin, il se ferait fort de le leur procurer.

Deborah ressortit la bague. Le visage de Mark Potter s'éclaira.

— Encore une ! s'écria-t-il. C'est extraordinaire ! Je n'en ai vu qu'une depuis que je fais ce boulot. Et maintenant voilà qu'on m'en apporte une autre. Comment est-elle tombée entre vos mains ?

Jeanne Potter rejoignit son fils de l'autre côté de la vitrine sur laquelle Deborah avait posé le bijou en leur demandant de ne pas y toucher.

— On jurerait la petite sœur de celle que tu as vendue, mon grand. (Et à Deborah :) Elle traînait dans la boutique depuis un sacré bout de temps. Elle était plutôt ternie. Comme la vôtre. J'ai cru qu'on ne s'en débarrasserait jamais. C'est pas courant, les gens qui aiment ce genre de choses.

— Ça remonte à quand, la vente ? questionna Deborah. C'est récent ?

Les Potter se concertèrent du regard.

— Dix jours ? Deux semaines ? avança Mark.

— Qui vous l'a achetée ? demanda Cherokee. Vous vous en souvenez ?

— Parfaitement, dit Mark Potter.

— Pas étonnant, mon grand, ajouta sa mère avec un sourire. Tu as l'œil, toi.

— Mais non, répondit Potter en lui rendant son sourire. Arrête de me charrier, espèce de vieille folle. (Puis, s'adressant à Deborah :) Une Américaine. Je m'en souviens parce qu'il n'y a pas beaucoup d'Américains à Guernesey et jamais à cette époque de l'année. Pourquoi viendraient-ils jusqu'ici ? Ils ont d'autres destinations que les îles Anglo-Normandes.

Deborah entendit Cherokee souffler.

— Vous êtes certain qu'elle était américaine ?

— Californienne, oui. J'ai entendu son accent et je lui ai posé la question. maman aussi.

— On a parlé stars de cinéma, expliqua Jeanne Potter. Moi-même je n'y suis jamais allée, mais j'ai toujours pensé que si on vivait en Californie, on les croisait dans les rues. Elle m'a dit que non, que c'était pas le cas.

— Harrison Ford, précisa Mark Potter. Ça te plairait de le croiser. Ne mens pas, maman.

— Je l'aime bien, Harrison, convint Jeanne Potter en riant. Cette petite cicatrice au menton, c'est super viril.

— Tu es une coquine, observa Mark. Qu'est-ce que papa aurait pensé ?

— A quoi ressemblait-elle, cette Américaine ? s'interposa Cherokee.

Ils ne l'avaient pas bien vue car elle avait la tête couverte. Selon Mark, d'une écharpe ; d'après sa mère, d'une capuche. Lesquelles dissimulaient ses cheveux et son front. Comme le magasin n'était pas très éclairé et qu'il pleuvait sans doute ce jour-là... Difficile de dire de quoi elle avait l'air. Une chose était sûre en tout cas : elle était entièrement vêtue de noir – si ce détail pouvait leur être utile. Et elle portait un pantalon de cuir, se rappela Jeanne Potter. Même qu'il lui avait tapé dans l'œil, ce pantalon. C'est exactement le genre de vêtement qu'elle aurait aimé porter à cet âge-là, seulement ça n'existait pas à son époque, et de toute façon elle n'avait pas la silhouette qu'il fallait.

Deborah ne croisa pas le regard de Cherokee mais

c'était inutile. Elle lui avait dit où Simon et elle avaient trouvé la bague, aussi se doutait-elle que ce nouvel élément devait le plonger dans le désespoir. Refusant de se laisser abattre, il demanda aux Potter s'il y avait un autre endroit sur l'île où on aurait pu trouver un objet comme celui-ci – une autre bague comme celle-ci, précisa-t-il.

Les Potter réfléchirent, et ce fut Mark qui répondit. Il n'y avait qu'un seul autre endroit : il leur en indiqua le nom. Sa mère confirma qu'en effet, dans la Talbot Valley, il y avait un collectionneur d'articles de ce genre. Il en possédait à lui seul plus que tous les autres insulaires réunis. Il répondait au nom de Frank Ouseley, ajouta Jeanne Potter, et il habitait avec son père dans un endroit qui s'appelait le Moulin des Niaux.

Ça n'avait pas été facile pour Frank de parler à Nobby Debiere du coup d'arrêt qui risquait fort d'être porté à la construction du musée. Cependant il l'avait fait, conscient de ce qu'il devait à un homme qu'il n'avait pas assez soutenu quand il n'était encore qu'un adolescent. Après cela il allait lui falloir s'entretenir avec son père. Il lui devait beaucoup à lui aussi mais c'était de la folie de le laisser croire que leurs rêves pouvaient encore se concrétiser aux abords de Saint Saviour Church.

Il pourrait bien sûr parler à Ruth du projet. Ou bien à Adrian Brouard, à ses sœurs – à condition de réussir à les trouver –, à Paul Fielder et à Cynthia Moullin. Le notaire n'avait pas précisé la somme dont ces gens devaient hériter – banquiers et comptables s'employant pour l'instant à la calculer. Mais elle devait être importante parce qu'il était impossible de croire que Guy avait pu disposer du Reposoir, de son contenu et de ses autres propriétés sans assurer son propre avenir avec un compte en banque considérable et un portefeuille d'actions avec lequel regarnir ce compte quand le besoin s'en ferait sentir. Guy était beaucoup trop avisé pour ça.

Parler à Ruth serait le moyen le plus efficace de faire avancer le projet. Il y avait toutes les chances que ce soit elle la propriétaire légale du Reposoir – même si l'on pouvait se poser la question de savoir par quel tour de passe-passe elle l'était devenue. Et si tel était le cas, on pouvait peut-être, en la manipulant, la persuader de tenir les promesses de son frère. L'amener à construire une version moins grandiose du musée de la Guerre Graham-Ouseley sur les terres mêmes du Reposoir. Ce qui permettrait de revendre le terrain acquis pour sa construction près de Saint Saviour et de débloquer des fonds pour la réalisation du bâtiment. D'un autre côté, il pouvait essayer de parler aux héritiers de Guy et de tâcher d'obtenir d'eux l'argent nécessaire en les persuadant de construire ce qui deviendrait un mémorial à leur bienfaiteur.

Frank savait qu'il pouvait le faire, qu'il devait le faire. S'il avait été un autre, il se serait sans doute attelé à la tâche. Mais la création d'un bâtiment destiné à abriter plus d'un demi-siècle de souvenirs militaires n'était pas la seule considération à prendre en compte. Certes, ce bâtiment aurait contribué à l'édification des habitants de Guernesey, il aurait permis à Nobby Debiere d'asseoir sa réputation d'architecte. Mais la vérité, c'est que l'univers personnel de Frank allait se trouver nettement mieux sans musée.

C'est pourquoi il ne parlerait pas à Ruth de poursuivre la noble tâche entreprise par son frère. Il ne coincerait pas non plus les autres dans l'espoir de leur extorquer des fonds. Pour Frank, l'affaire était terminée. Le musée était aussi mort que Guy Brouard.

Frank engagea sa vieille Peugeot sur la piste qui conduisait au Moulin des Niaux. Tout en cahotant sur les cinquante mètres qui menaient chez lui, il remarqua que la piste était envahie par la végétation. Les ronciers recouvraient l'asphalte. Il y aurait abondance de mûres l'été venu mais plus de route pour atteindre les Niaux s'il ne se décidait pas à couper les branches et à tailler dans le lierre, le houx et les fougères.

Il pouvait dès maintenant s'occuper de cette végétation envahissante. Ayant enfin pris sa décision, ayant enfin tiré métaphoriquement un trait dans le sable, il se retrouvait jouissant d'une liberté qui lui avait manqué sans qu'il s'en rende compte. Cette liberté qui élargissait son univers lui permettait même de penser à faire quelque chose d'aussi banal que de tailler des buissons. C'était bizarre, les obsessions. Le reste du monde disparaissait quand on s'abandonnait à l'étreinte redoutable d'une fixation.

Il franchit la grille de la propriété juste après la roue hydraulique, faisant crisser les gravillons de l'allée. Il se gara près des cottages, le capot de la Peugeot dirigé vers le cours d'eau que l'on entendait mais que l'on ne pouvait voir car il était masqué par un bouquet d'ormes emmitouflés de lierre. Le lierre qui traînait jusqu'à terre formait un écran cachant la route principale. Mais dans le même temps ce rideau dissimulait un cours d'eau que l'on ne pouvait plus apercevoir du jardin – où des chaises longues auraient pu permettre de s'asseoir en été et au printemps pour profiter de la vue. Il y avait également pas mal de travail en retard du côté des cottages. Décidément, constata Frank, il avait laissé la propriété aller à vau-l'eau depuis sa rencontre avec Guy Brouard.

Une fois à l'intérieur, il trouva son père installé dans son fauteuil, les pages du *Guernsey Press* étalées par terre autour de lui telles des cartes à jouer surdimensionnées. A la vue du journal, Frank se rendit compte qu'il avait oublié de demander à Mrs Petit de le cacher.

Il passa donc un mauvais moment en rassemblant les pages, les parcourant à la recherche d'une mention de la mort de Guy. N'en trouvant pas, il respira plus librement. Demain il en irait autrement : les journalistes rendraient compte des obsèques ; mais pour aujourd'hui il était tranquille.

Il se rendit dans la cuisine, où il remit le journal en place et entreprit de préparer le thé. Lors de sa dernière visite à Graham, Mrs Petit lui avait apporté une tourte avec un petit mot. *Poulet-poireaux, régalez-vous !* disait une carte passée dans les dents de plastique d'une fourchette piquée dans la pâte.

Voilà qui ferait rudement bien l'affaire, songea Frank. Il remplit la bouilloire, sortit la boîte de thé. Versa de l'English Breakfast dans la théière.

Il disposait les assiettes et les couverts sur les sets de table quand il entendit son père s'ébrouer dans le séjour. Frank l'entendit grogner, pousser un hoquet étonné d'homme qui, s'étant laissé surprendre par le sommeil, se réveille dans un sursaut.

— Il est quelle heure ? s'écria Graham Ouseley. C'est toi, Frank ?

Frank se dirigea vers la porte. Son père avait le menton mouillé par un filet de salive.

— Je prépare le thé.

— Y a longtemps que t'es rentré ?

— Quelques minutes. Tu dormais. Je n'ai pas voulu te réveiller. Ça s'est bien passé avec Mrs Petit ?

— Elle m'a accompagné aux cabinets. J'aime pas que les femmes viennent aux WC avec moi, Frank. (Graham tripota la couverture qui lui recouvrait les genoux.) Où t'étais passé depuis tout ce temps ? Quelle heure il est ?

Frank jeta un coup d'œil au vieux réveil sur la cuisinière. Il fut surpris de constater qu'il était quatre heures passées.

— Je vais donner un coup de fil à Mrs Petit, lui dire que ce n'est plus la peine qu'elle repasse ici, dit-il.

Lorsque ce fut fait, il vit que son père dodelinait de nouveau de la tête. La couverture avait glissé par terre, Frank la ramena autour des jambes fluettes de Graham et régla son fauteuil de façon à empêcher sa tête de retomber sur sa poitrine osseuse. Avec un mouchoir, il lui essuya le menton. La vieillesse, quelle saloperie. Passé soixante-dix ans, c'était la dégringolade.

Il prépara le thé – lequel était en fait le dîner, qu'ils prenaient tôt, à la manière des fermiers. Il fit chauffer la tourte, en coupa des parts. Il prépara la salade, beurra du pain. Lorsqu'il eut disposé la nourriture sur la table et que le thé fut prêt, il alla chercher Graham, l'aida à gagner la cuisine. Il aurait pu le servir sur un plateau dans son fauteuil mais il préférait l'avoir en face de lui pour la conversation qui s'imposait. Etre face à face, c'était se parler d'homme à homme : deux hommes, deux adultes, et non un père et son fils.

Graham mangeait la tourte au poulet et aux poireaux avec appétit, la cuisine de Mrs Petit l'aidant à oublier qu'elle lui avait fait l'affront de l'accompagner aux cabinets. Il se resservit même – chose rare pour un homme qui mangeait généralement moins qu'une adolescente.

Frank décida de le laisser déguster son repas tranquille avant de lui annoncer la nouvelle. Ils dînèrent donc pratiquement en silence, Frank se demandant comment amorcer la conversation, Graham faisant des commentaires sporadiques sur la nourriture et surtout sur la sauce, la meilleure qu'il eût jamais mangée depuis que la maman de Frank avait disparu. C'était le terme qu'il utilisait pour désigner la mort par noyade de Grace Ouseley. La tragédie qui s'était déroulée au réservoir – Graham et Grace se débattant dans l'eau et lui seul sortant vivant de l'aventure – s'était estompée avec le temps.

De sa femme et de la nourriture, les pensées de Graham s'orientèrent vers la guerre et plus précisément vers les colis de la Croix-Rouge que les insulaires avaient fini par recevoir lorsque le manque de vivres à Guernesey avait forcé la population à se contenter d'ersatz innommables de café et de sucre. Le Canada avait été follement généreux en leur envoyant, « rends-toi compte, fiston », des biscuits au chocolat, un régal, avec du vrai thé. Et aussi des sardines, du lait en poudre, des boîtes de saumon, des pruneaux, du jambon, du corned-beef. Ah, quel jour formidable que celui où les colis de la Croix-Rouge avaient démontré aux habitants de Guernesey que l'île, bien que petite, n'avait pas été oubliée du reste du monde !

— Quel bien ça nous a fait ! poursuivit Graham. Les Boches voulaient sans doute qu'on pense que leur saloperie de Führer allait marcher sur l'eau et multiplier les pains, une fois qu'il se serait emparé du monde. Mais on serait morts, nous autres, Frankie, plutôt que d'accepter de lui ne serait-ce qu'une saucisse.

Graham avait une tache de sauce sur le menton et Frank se pencha pour l'essuyer.

— Les temps étaient durs, observa Frank.

— Mais les gens aujourd'hui n'en ont pas suffisamment conscience. Oh, bien sûr, ils pensent aux Juifs, aux gitans. Ils pensent à la Hollande, à la France. Au Blitz. Ah, putain, oui, ça, ils y pensent, au Blitz, que la noblesse anglaise... ces putains d'Anglais dont le putain de roi nous avait *abandonnés* aux Allemands avec un adieu-je-sais-que-vous-vous-entendrez-avec-l'ennemi-mes-amis...

Graham avait un morceau de tourte sur sa fourchette qu'il brandissait en tremblant. La fourchette resta en suspens dans l'air tel un bombardier allemand prêt à lâcher sa cargaison.

Frank se pencha et guida doucement la fourchette vers la bouche de son père. Graham avala, se mit à mâcher et parler en même temps.

— Ils la vivent toujours, cette période, les Anglais. Londres a été bombardée, faut surtout pas que le monde l'oublie. Tandis que nous... merde. Nous, pour le souvenir que le monde en a gardé, c'est comme si on avait juste subi un petit *dérangement*. Que le port ait été bombardé – résultat, vingt-neuf morts, Frankie, et pas l'ombre d'une arme pour se défendre –, que ces pauvres Juives aient été expédiées dans les camps, que les Boches aient exécuté à tour de bras tous ceux qu'ils s'amusaient à qualifier d'espions : ça ne compte pas. Ça n'a laissé aucune trace dans les mémoires. Rien. Le monde nous a oubliés. Mais nous allons remédier à cela, n'est-ce pas, fiston ?

Voilà, le moment était venu, songea Frank. Pas besoin d'entrée en matière. Il n'avait qu'une chose à faire : saisir l'occasion. Il décida de se lancer.

— Ecoute, papa, y a du nouveau. Je n'ai pas voulu t'en parler plus tôt. Je sais combien le musée compte pour toi et je ne voulais pas démolir ton rêve.

Graham inclina la tête et tendit vers son fils ce qui, d'après lui, était sa meilleure oreille.

— Répète un peu ?

Frank savait pertinemment que l'ouïe de son père fonctionnait à la perfection sauf quand on lui disait quelque chose qu'il préférait ne pas entendre. Il poursuivit donc. Guy Brouard, dit-il à son père, était mort quelques jours plus tôt. Sa mort avait été brutale. Il avait été fauché en pleine santé. Il n'avait absolument pas pensé à son décès, et il n'avait pas réfléchi à l'impact que sa mort risquait d'avoir sur leur projet de musée.

— Quoi ? s'exclama Graham en secouant la tête. Guy est *mort* ? Dis-moi que c'est pas vrai, mon garçon.

Malheureusement, si, fit Frank. Et, pour une raison inconnue de lui, Guy Brouard n'avait pas paré aux éventualités comme on aurait pu le penser. Dans son testament il n'avait pas laissé un centime pour le musée de la Guerre. Conclusion, le projet allait devoir être gelé.

— Hein ? éructa Graham en avalant sa bouchée et en soulevant son thé au lait d'une main qui tremblait. Ils avaient posé des mines. Des *Schrapnellemine*. Des charges de démolition. Des mines Riegel. Planté des piquets pour en indiquer l'emplacement. Tu te rends compte ? Des petites pancartes jaunes nous interdisant de poser le pied sur notre sol. Faut que ça se sache, mon garçon. Faut que le monde sache les saletés qu'on mangeait en guise de confiture.

— Je sais. Il ne faut pas que les gens oublient.

Frank n'avait plus d'appétit. Il repoussa son assiette vers le milieu de la table et orienta sa chaise de façon à parler directement dans l'oreille de son père.

— Ecoute-moi bien, papa. Les choses ont changé. Il faut faire une croix sur le musée. On n'a pas un sou. On dépendait financièrement de Guy ; or il n'a rien prévu pour la construction de ce bâtiment. Je sais que tu m'entends. Je suis désolé d'avoir à t'annoncer ça, vraiment désolé. Je ne t'en aurais pas parlé – je ne voulais pas te dire que Guy était mort – mais après la lecture de son testament, je me suis dit que j'avais pas le choix. Désolé.

Il se dit que lui-même était désolé alors que ce n'était qu'en partie vrai.

En essayant de porter sa tasse à ses lèvres, Graham se renversa du thé chaud sur la poitrine. Frank se pencha pour l'aider à tenir sa tasse mais Graham se dégagea, s'éclaboussant de plus belle. Comme il portait un gilet épais boutonné sur sa chemine de flanelle, il ne se brûla pas.

— Toi et moi, marmonna Graham, l'œil vague, on avait un projet, Frankie.

Frank n'aurait pas cru qu'il se sentirait aussi malheureux en voyant tomber les défenses de son père. Il avait l'impression de voir un Goliath à genoux devant lui.

— Papa, pour rien au monde je ne voudrais te faire de peine. Et si je savais comment bâtir ce musée sans l'aide de Guy, je le ferais. Mais je ne vois pas. Le coût est trop élevé. Il n'y a qu'une solution : renoncer.

— Faut que les gens sachent, protesta Graham Ouseley d'une voix faible, se désintéressant de son thé comme de la nourriture. Personne ne doit oublier.

— Entièrement d'accord. (Et, cherchant à amortir le choc, après un moment de réflexion, Frank ajouta :) Avec le temps, on trouvera peut-être un moyen.

Graham se voûta et balaya la cuisine d'un coup d'œil circulaire en somnambule qui vient de se réveiller et est encore en pleine confusion. Laissant retomber ses mains sur ses genoux, il se mit à triturer sa serviette. Ses lèvres formèrent des mots sans les prononcer. Son regard embrassa les objets familiers et il parut s'y cramponner pour y puiser un peu de réconfort. Il se recula de la table et Frank se leva, croyant que son père cherchait à atteindre les toilettes, son lit ou son fauteuil du salon. Mais, alors qu'il prenait le vieillard par le coude, ce dernier résista. Ce qu'il voulait en fin de compte se trouvait sur le plan de travail où Frank l'avait posé après l'avoir soigneusement replié. Le *Guernsey Press*.

Graham s'empara du quotidien et le plaqua contre sa poitrine.

— C'est bon, dit-il à Frank. Ce n'est pas comme ça

que j'envisageais les choses, mais le résultat sera le même. C'est tout ce qui compte.

Frank se demanda quel lien il y avait entre l'écroulement de leurs projets et le journal local.

— Le journal couvrira vraisemblablement notre affaire, dit-il sans trop de conviction. Peut-être que ça intéressera un ou deux expatriés pour raisons fiscales. Que ça les incitera à mettre la main au porte-monnaie. Mais de là à savoir si on récoltera suffisamment d'argent pour... Faut pas trop compter là-dessus, papa. Et d'ailleurs, même si elle devait être fructueuse, la collecte s'étalerait sur des années.

Il se garda d'ajouter qu'à quatre-vingt-douze ans son père n'avait plus tellement de temps devant lui.

— Je vais leur téléphoner, dit Graham. Ça va les intéresser. Dès qu'ils sauront de quoi il s'agit, ils viendront. Ils accourront, même.

Il alla jusqu'à faire trois pas hésitants en direction du téléphone et souleva le combiné comme s'il comptait passer son coup de fil séance tenante.

— Ça m'étonnerait que la rédaction réagisse aussi vite, objecta Frank. Oh, ils pondront probablement un papier un de ces jours. Sur le plan humain, c'est une histoire qui ne manque pas d'intérêt. Mais je ne sais pas si tu fais bien de mettre tes espoirs...

— Le moment est venu, s'entêta Graham. Je me suis fait une promesse. Je me suis dit qu'avant de mourir je la tiendrais. Y a ceux qui ont gardé la foi et ceux qui l'ont perdue. Et le moment est venu. Avant que je meure, Frank. (Il fouilla parmi les revues posées sur le plan de travail sous une pile de courrier.) Où est passé cet annuaire ? C'est quoi, le numéro, mon garçon ? On va le passer, ce coup de fil.

Mais Frank était focalisé sur ceux qui gardent la foi et ceux qui la perdent, et sur ce que son père entendait par là. Il y avait mille façons dans la vie de faire l'un et l'autre mais en temps de guerre, dans un pays occupé, il n'y en avait qu'une. Pesant ses mots, il dit :

— Papa, je ne crois pas... (Seigneur, songea-t-il, comment empêcher son père de s'engager dans une voie aussi risquée ?) Ecoute, ce n'est pas une bonne façon de s'y prendre. Et c'est beaucoup trop tôt.

— Mais le temps file, dit Graham. Le temps me glisse entre les doigts. J'ai juré sur leur tombe. Ils sont morts pour *GIFT* et personne n'a payé. Maintenant ils vont payer. C'est comme ça.

Il extirpa l'annuaire d'un tiroir contenant des torchons et des sets de table, et, bien qu'il ne fût pas spécialement volumineux, il poussa malgré tout un grognement pour le soulever et le déposer sur le comptoir. Il commença à le feuilleter, le souffle court, tel un coureur de fond qui aperçoit la ligne d'arrivée.

Dans un dernier effort pour le freiner, Frank dit :

— Papa, il nous faut des preuves.

— On en a, des putains de preuves. Elles sont là.

Et il pointa vers son crâne un doigt tout tordu, doigt qui avait été amoché pendant la guerre alors qu'il tentait de fuir la Gestapo venue arrêter les hommes de *GIFT* qu'un insulaire avait trahis.

Deux des quatre responsables de la lettre d'information étaient morts en prison, un autre en tentant de s'évader. Seul Graham avait survécu. Mais pas indemne. Et non sans se souvenir des trois hommes morts pour la liberté, par la faute d'un mouchard jamais identifié. L'accord tacite passé entre les politiques anglais et les politiques de Guernesey avait interdit enquêtes et châtiments une fois la guerre terminée. Le passé était le passé. Et, les preuves ayant été jugées insuffisantes pour « justifier l'ouverture d'une procédure criminelle », ceux dont l'égoïsme avait provoqué la mort de leurs semblables avaient continué de vivre sans que leur passé les rattrape. Alors que, par leurs actes, ils avaient causé la fin d'individus qui leur étaient supérieurs. Un aspect du musée aurait permis de remettre les pendules à l'heure. Sans le département collaboration, les choses resteraient en l'état : la trahison ne subsisterait que dans l'esprit de ceux qui l'avaient commise et dans la mémoire de ceux qui en avaient pâti. Les autres continueraient de vivre sans savoir qui avait payé le prix de la liberté dont ils jouissaient actuellement.

— Mais, papa, insista Frank tout en sachant qu'il dépensait en vain sa salive, on ne se contentera pas de ta parole. On te demandera des faits. Tu en es conscient.

— Eh bien, arrange-toi pour les extirper de ce fatras, dit Graham avec un mouvement de tête vers le mur pour indiquer les cottages mitoyens qui abritaient leurs collections. Arrange-toi pour les tenir à leur disposition quand ils viendront, ces preuves. Mets-toi au travail, mon petit.

— Mais, papa...

— Non ! (Graham abattit son poing fragile sur l'annuaire et brandit le combiné sous le nez de son fils.) Tu vas t'atteler à la tâche tout de suite. Pas de bêtises, Frank. Des noms, je vais en donner.

14

Deborah et Cherokee n'échangèrent que quelques mots en regagnant Queen Margaret Apartments. Le vent s'était levé, une pluie fine tombait : excuse toute trouvée à leur silence. Deborah s'était abritée sous un parapluie et Cherokee, la tête rentrée dans les épaules, avait relevé le col de son manteau. Ils repassèrent par Mill Street, traversèrent la petite place à l'intersection de Market Street et de Fountain Street. Le quartier était désert. Il n'y avait là qu'une camionnette jaune garée au milieu de Market Street, à bord de laquelle on chargeait une vitrine de boucher récupérée sur un des étals – signe que le marché à la viande n'était plus très actif. L'un des déménageurs trébucha et le meuble lui échappa. Le verre se brisa ; la paroi fut esquintée. Son collègue le traita de bougre d'empoté.

— C'est malin ! On va le sentir passer ! s'écria-t-il.

Deborah et Cherokee n'entendirent pas la réponse de son camarade car, ayant tourné le coin, ils commençaient à gravir Constitution Steps. Toutefois, ils ne purent s'empêcher de penser sans se le dire qu'eux aussi allaient le sentir passer. Que ce qu'ils avaient fait aller leur coûter cher.

Ce fut Cherokee qui rompit le silence. A mi-colline, il marqua une pause, appela Deborah. Elle s'immobilisa, se tourna vers lui et constata que la pluie s'était déposée sur ses cheveux bouclés en fines gouttes perlées qui accrochaient la lumière. Il frissonnait. Là où ils se tenaient, ils étaient protégés du vent. Mais même si tel n'avait pas été le cas, Cherokee portait une grosse veste. Deborah songea que ce n'était donc pas de froid qu'il tremblait.

— Ce n'est sûrement rien, dit-il, confirmant l'impression de Deborah.

Elle ne lui demanda pas d'explications : il y avait peu de chances qu'il pense à autre chose. Elle dit :

— Il va quand même falloir lui poser la question.

— Y paraît qu'il y en a d'autres dans l'île. Que le type dont ils nous ont indiqué le nom – celui qui habite Talbot Valley, c'est ça ? – possède une collection impressionnante d'objets datant de la guerre. Je le sais, je l'ai vue.

— Quand ?

— Je ne sais plus exactement. Il se trouvait à déjeuner au manoir et il en parlait avec Guy. Il m'a proposé de me la montrer. Je me suis dit : après tout pourquoi pas ? et j'y suis allé. On était deux à y aller.

— Qui d'autre ?

— Le filleul de Guy. Paul Fielder.

— Tu as vu des bagues comme celle-ci, alors ?

— Non, mais ça ne veut rien dire. Y avait un tel bazar partout. Des cartons, des sacs, des armoires, des étagères, tout ça entassé en vrac dans deux maisons. A supposer qu'il ait possédé une bague comme celle-là et qu'elle ait disparu pour une raison ou une autre... Merde, il ne s'en apercevrait même pas. Il ne peut pas avoir recensé toutes ces saloperies.

— Tu veux dire que Paul Fielder aurait pu la piquer pendant que vous étiez sur place ?

— Non. Simplement qu'il doit y en avoir une autre parce que je ne vois pas comment China... (Il fourra ses mains dans ses poches, détourna les yeux, les reporta vers Clifton Street, les Queen Margaret

Apartments, et sa sœur qui l'attendait dans l'appartement B.) China n'a fait de mal à personne. Tu le sais, je le sais. Cette bague... doit appartenir à quelqu'un d'autre.

Il avait un ton décidé. Mais décidé à quoi ? Deborah ne voulut pas le lui demander. En tout cas, une chose était sûre : ils n'allaient pas pouvoir faire l'économie d'une conversation avec China ; la confrontation était inévitable. Il fallait éclaircir cette histoire de bague.

— On ferait bien de continuer, dit-elle. Dans une minute ou deux il va tomber des cordes.

China suivait un match de boxe à la télé. L'un des boxeurs prenait une véritable déculottée. Manifestement il aurait fallu arrêter le combat. Mais la foule en délire ne l'entendait pas de cette oreille : elle voulait du sang. China semblait étrangère au spectacle. Son visage était sans expression.

Cherokee s'approcha du téléviseur, changea de chaîne. Il tomba sur une course cycliste se déroulant dans un pays inondé de soleil qui aurait pu être la Grèce mais certainement pas cette île glaciale. Il coupa le son, laissa l'image. Il s'approcha de sa sœur.

— Ça va ? Besoin de quelque chose ?

Il effleura de la main l'épaule de China. Elle s'ébroua.

— Ça va. (Et, avec un petit sourire :) Je cogitais.

— C'est pas bon, dit-il en lui rendant son sourire. Regarde où ça m'a mené. Si j'avais pas cogité, comme tu dis, on serait pas dans ce merdier maintenant.

— Ouais, fit-elle avec un haussement d'épaules.

— T'as mangé ?

— Cherokee...

— Bon bon, fais comme si je t'avais pas posé la question.

China parut soudain se rendre compte que Deborah était là.

— Je croyais que tu étais allée remettre à Simon la liste de mes faits et gestes.

C'était une façon simple d'aborder le sujet de la bague, aussi Deborah n'hésita-t-elle pas.

— Elle n'est pas complète, cette liste.

— Comment ça ?

Deborah mit son parapluie dans un porte-parapluies près de la porte et s'approcha du canapé, où elle s'assit à côté de son amie. Cherokee attrapa une chaise et les rejoignit : ils formaient ainsi un triangle isocèle parfait.

— Tu n'as mentionné nulle part Potter & Potter, remarqua Deborah. Dans Mill Street. Or tu es allée dans cette boutique et tu as acheté une bague au fils Potter. Ça t'était sorti de l'esprit ?

China jeta un regard à son frère comme pour quêter un complément d'explications mais Cherokee resta coi. Elle se retourna vers Deborah :

— Je n'ai pas dressé la liste des magasins où je suis allée, c'est vrai. Je ne pensais pas que... Je suis allée plusieurs fois chez Boots, j'ai dû entrer une ou deux fois dans un magasin de chaussures. J'ai acheté un journal et des pastilles de menthe. La batterie de mon appareil photo était à plat, je l'ai remplacée. Je suis allée en chercher une dans un magasin qui donne sur la grand-rue. Mais c'est exact, je ne l'ai pas noté. Il doit y avoir d'autres magasins que j'ai oublié de mentionner. Pourquoi ?

S'adressant à son frère elle ajouta :

— Qu'est-ce qui se passe ?

Pour toute réponse, Deborah sortit la bague. Elle déplia le mouchoir qui la contenait et tendit la main de façon que China voie le bijou dans son nid de tissu.

— On a retrouvé ça sur la plage, dit-elle, là où Guy Brouard est mort.

China n'essaya pas de toucher la bague, comme si elle savait ce que signifiait le fait que Deborah l'avait enveloppée dans un mouchoir et qu'elle avait été retrouvée non loin d'une scène de crime. Toutefois elle l'examina. Assez longuement. Elle était déjà si pâle qu'il était difficile de dire si elle avait encore pâli. Mais elle se mordit les lèvres et, quand elle reporta les yeux sur Deborah, celle-ci vit qu'elle avait incontestablement l'air effrayée.

— Tu veux savoir si je l'ai tué ? C'est ça la question que tu veux me poser ?

— Le type du magasin, Mr Potter, répondit Deborah, nous a dit qu'une Américaine lui en avait acheté une semblable. Une Californienne, même. Qui portait un pantalon de cuir et une sorte de cape avec une capuche sur la tête. Cette Américaine et la mère de Mr Potter ont bavardé, parlé stars de cinéma. Mrs Potter et son fils se souviennent que cette femme leur a dit qu'on ne croisait en général pas d'acteurs de cinéma dans...

— Très bien, coupa China. Inutile d'insister. J'ai acheté la bague. Une bague. Celle-là. Je ne sais pas. Je leur ai acheté une bague.

— Comme celle-ci ?

— Evidemment.

— Ecoute, Chine, faut qu'on sache...

— Tu ne vois pas que je coopère ! hurla China à son frère. Je coopère comme une bonne petite. Je suis passée en ville, j'ai vu cette bague, je l'ai trouvée parfaite, je l'ai achetée.

— Parfaite pour qui ? voulut savoir Deborah.

— Pour Matt. Je l'ai achetée pour Matt.

China parut gênée d'admettre qu'elle avait acheté un cadeau à l'homme qu'elle avait déclaré ne plus vouloir voir. Consciente de l'effet que cette déclaration devait produire sur ses interlocuteurs, elle poursuivit :

— Elle était horrible, c'est justement ça qui m'a plu. Son côté poupée vaudoue. Cette tête de mort et ces os. Le poison. La mort. Un bon moyen de lui faire comprendre ce que je ressentais à son égard.

A ces mots, Cherokee se leva, se dirigea vers le téléviseur où les grimpeurs s'activaient au bord d'une falaise. A leurs pieds la mer, et le soleil qui se reflétait dessus. Il éteignit l'appareil et retourna s'asseoir. Sans regarder sa sœur ni Deborah.

China ne tarda pas à réagir devant ce que ce silence impliquait :

— Bon, d'accord, c'est idiot. C'était une façon de faire durer les choses alors qu'on avait coupé les ponts. C'est comme si je sollicitais une réaction de sa part. Je sais, c'est bête. Mais voilà.

— Qu'est-ce que tu en as fait ? Le jour où tu l'as achetée ? s'enquit Deborah.

— Que veux-tu dire ?

— Les Potter l'ont mise dans un écrin ? Dans une pochette ? Tu as mis l'écrin, la pochette dans ta poche ?

China réfléchit, Cherokee leva le nez de ses chaussures. Comprenant où Deborah voulait en venir, il dit :

— Essaie de te souvenir, Chine.

— Je ne sais pas. J'ai dû la fourrer dans mon sac. C'est ce que je fais quand j'achète quelque chose de petit.

— Et après ? Une fois arrivée au Reposoir ? Qu'en as-tu fait ?

— Je ne sais pas. Si elle était dans mon sac, j'ai dû l'y laisser et l'y oublier. Sinon je l'ai peut-être rangée dans ma valise. Ou posée sur la coiffeuse.

— Où quelqu'un aurait pu la voir, murmura Deborah.

— A condition que ce soit la même bague, observa Cherokee.

Evidemment, songea Deborah. Si la bague qu'elle tenait n'était que la petite sœur de celle que China avait achetée, cela constituait une sacrée coïncidence. Voulant en avoir le cœur net, elle dit :

— Tu as mis la bague dans tes affaires quand tu as quitté le manoir ? Elle est dans tes affaires maintenant ?

China sourit d'un air ironique.

— Comment veux-tu que je sache, Debs ? C'est les flics qui ont mes affaires. Ou du moins tout ce que j'ai emporté avec moi. Si j'ai mis la bague dans ma valise en rentrant au Reposoir, elle est avec le reste.

— Il faudra vérifier, dit Deborah.

Cherokee désigna d'un signe de tête la bague que Deborah tenait au creux de sa paume.

— Et ça ?

— Je vais la remettre à la police.

— Qu'est-ce qu'ils vont en faire ?

— Tâcher de relever des empreintes dessus, j'imagine. Des partielles.

— Si oui, qu'est-ce qui se passe ? Je veux dire : si l'empreinte est celle de Chine... Si la bague est la même... Ils ne vont pas se dire que c'est un coup monté, qu'on l'a cachée pour faire porter le chapeau à China ?

— Possible qu'ils pensent ça, dit Deborah.

Elle garda pour elle ce qu'elle savait : l'intérêt de la police était de trouver un coupable et de classer l'affaire. Le reste, elle s'en lavait les mains, ce n'était pas de son ressort. Si China n'avait pas en sa possession de bague identique à celle-ci et si ses empreintes se trouvaient sur celle que Deborah avait récupérée, la police n'était pas tenue de faire plus que de consigner ces deux faits et de passer le dossier à qui de droit, c'est-à-dire à l'accusation. Il appartiendrait alors à l'avocat de China de proposer une autre interprétation pendant son procès pour meurtre.

China et Cherokee devaient certainement le savoir,

se dit Deborah. Ce n'étaient pas des innocents. Le père de China était à plusieurs reprises sorti des clous et ses démêlés avec la justice californienne avaient dû permettre à sa fille et à son beau-fils d'acquérir des rudiments de droit.

— Debs, dit Cherokee, allongeant si bien la syllabe qu'elle eut l'impression qu'il la suppliait, est-ce qu'il y a... (Il regarda sa sœur comme s'il pesait sa réaction à ce qu'il n'avait pas encore formulé.) Se peut-il... Merde, pas commode, ma question. Serait-il possible que tu perdes cette bague ?

— Que je perde... ?

— Non, Cherokee, fit China.

— Laisse-moi poursuivre, dit-il à sa sœur. Debs, si cette bague est bien celle que China a achetée, et il y a une chance pour que ce soit le cas... Pourquoi faudrait-il que les flics apprennent que tu l'as trouvée ? Tu ne peux pas la jeter dans une bouche d'égout ? (Se rendant compte de l'énormité de ce qu'il demandait à Deborah, il poursuivit précipitamment :) Ecoute, les flics sont déjà persuadés que c'est elle qui a fait le coup. S'ils relèvent ses empreintes sur le bijou, ça sera encore un moyen supplémentaire pour eux de l'épingler. Mais si tu la perdais, si elle tombait de ta poche pendant que tu retournes à l'hôtel...

Il la regarda, plein d'espoir, une main tendue comme s'il souhaitait qu'elle dépose la maudite bague sur sa paume. Deborah se sentit comme hypnotisée par ce regard, par l'espoir qu'il exprimait. C'était un regard qui lui rappelait tout ce qu'elle avait vécu en compagnie de China River et elle n'arrivait pas à s'en détacher.

— Parfois, poursuivit Cherokee, le bien, le mal, tout ça s'embrouille. Le bien s'avère être un mal, et le mal...

— N’y pense plus, fit China. Cherokee, n’y pense plus.

— Mais ça serait quand même pas la mer à boire.

— *N’y pense plus*, je te dis. (China referma les doigts autour du mouchoir que Deborah tenait dans sa main.) Fais ce que tu dois faire, Deborah. (Et à son frère :) Elle n’est pas comme toi. Ce n’est pas aussi facile que ça pour elle.

— Mais ils se comportent comme des salauds. Faut qu’on fasse pareil.

— Non, dit China, qui ajouta à l’adresse de Deborah : Tu es venue m’aider. Je t’en suis reconnaissante. Fais ce que tu dois faire.

Deborah hocha la tête mais elle eut bien du mal à dire : « Désolée. » Elle ne pouvait s’empêcher de penser qu’elle les avait laissés tomber.

Saint James ne se serait pas cru homme à se laisser gagner par l’inquiétude. Depuis le jour où il s’était réveillé dans un lit d’hôpital – ne se souvenant de rien sinon du dernier petit verre de tequila qu’il aurait mieux fait de ne pas avaler –, où il avait rencontré le regard de sa mère et lu sur son visage la nouvelle que le neurologue devait lui annoncer une heure plus tard, il avait contrôlé ses réactions avec la fermeté d’un militaire. Il s’était considéré comme un survivant : le pire s’était produit et il ne s’était pas effondré. Il avait été mutilé, il s’était retrouvé handicapé et abandonné par la femme qu’il aimait, et il était sorti psychiquement entier de ce désastre. *Si je peux surmonter ça, je peux tout surmonter*.

Aussi fut-il pris au dépourvu par la sensation de malaise qu’il éprouva en apprenant que sa femme n’avait pas remis la bague à l’inspecteur Le Gallez comme il le lui avait demandé. Et il se trouva finalement déboussolé par l'ampleur que prit cette inquiétude lorsque, les minutes passant, il constata que Deborah ne rentrait toujours pas.

Dans un premier temps il fit les cent pas autour de la chambre et sur le petit balcon. Puis il se jeta dans un fauteuil pendant cinq minutes en se demandant ce que ce retard signifiait. Cela ne réussit qu'à accroître son angoisse. Alors, attrapant son manteau, il quitta finalement l'hôtel, décidé à partir à sa recherche. Il traversa sans trop savoir quelle direction prendre, soulagé que la pluie se soit un peu calmée, ce qui lui faciliterait les choses. Il se dit qu'il allait descendre la colline. C'est ce qu'il fit, contournant le mur qui enserrait un jardin en forme de fosse aux ours, inséré dans le paysage en face de l'hôtel. Au bout du jardin, le mémorial de l'île. Saint James l'atteignait lorsqu'il vit sa femme tourner le coin à la hauteur de la digne façade grise de la Higher Court House.

Deborah agita la main dans sa direction. Tandis qu'elle s'approchait, il s'efforça de se calmer.

— Tu es rentré, dit-elle avec un sourire en le rejoignant.

— Comme tu vois.

Le sourire de Deborah s'évanouit. Au son de sa voix, elle comprit qu'il se passait quelque chose. Pas étonnant. Elle le connaissait quasiment depuis toujours. Lui avait cru la connaître, mais il découvrait qu'entre ce qu'il pensait et ce qui était, un fossé commençait à prendre les proportions d'un gouffre.

— Qu'y a-t-il ? Qu'est-ce qui ne va pas, Simon ?

Il l'empoigna par le bras. Il serrait trop fort mais ne pouvait s'en empêcher. Il l'entraîna vers le jardin en contrebas, lui fit descendre les marches.

— Qu'as-tu fait de cette bague ?

— Comment ça ? Rien. Je l'ai...

— Tu devais l'apporter immédiatement à Le Gallez.

— Mais c'est ce que je suis en train de faire. J'allais justement au commissariat. Mais, Simon, enfin...

— Tu veux dire que tu l'apportais là-bas seulement maintenant ? Ça fait des heures qu'on l'a retrouvée.

— Tu ne m'as jamais dit... Simon, qu'est-ce qui te prend ? Arrête. Lâche-moi. Tu me fais mal.

Elle se dégagea, resta plantée devant lui, les joues écarlates. Une allée faisait le tour du jardin ; elle la prit alors que cette allée ne menait nulle part sinon au mur d'enceinte. Des flaques d'eau noire reflétaient un ciel qui s'assombrissait rapidement. Deborah marcha dedans sans hésiter, ni remarquer qu'elle se trempait les jambes.

Saint James la suivit. Il était encore plus furieux de la voir s'éloigner comme ça. Elle ne ressemblait plus à la Deborah qu'il connaissait ; ça, c'était impensable. S'il devait se lancer à sa poursuite, elle gagnerait forcément. Il n'avait de chances de l'emporter que dans une joute verbale. C'était la faute à ce maudit handicap qui l'avait affaibli et ralenti dans ses mouvements. Il se mit d'autant plus en colère qu'il imagina l'effet qu'il devait produire sur un observateur posté dans la rue surplombant le parc encaissé : elle, s'éloignant à grandes enjambées assurées, lui, la poursuivant en boitant tel un mendiant. Il était pathétique.

Elle atteignit l'extrémité du petit parc. Elle était dans l'angle où un pyracantha chargé de baies rouges déployait ses lourdes branches qui retombaient contre le dossier d'un banc. Au lieu de s'asseoir, elle resta debout et arracha une poignée de baies qu'elle lança machinalement par terre.

Ce geste enfantin le mit encore plus hors de lui : il eut l'impression d'être ramené à l'époque où il avait vingt-trois ans et elle douze. Elle avait un jour fait une crise d'hystérie préadolescente à propos d'une coupe de cheveux. Il lui avait arraché les ciseaux in extremis avant qu'elle ne s'acharne de plus belle sur sa chevelure, dans son désir de s'enlaidir, de se punir d'avoir pu penser qu'une coupe de cheveux allait modifier sa façon de réagir aux petits boutons qui lui étaient venus au menton – symbole de la métamorphose qu'elle subissait. « C'est qu'elle a un sacré caractère, notre petite Deb, avait commenté son père. Elle aurait bien besoin d'une présence féminine. » Mais il ne s'était jamais préoccupé de la lui donner.

Comme ce serait pratique, songea Saint James, de faire porter la responsabilité de tout ça à Joseph Cotter. De se dire que si Deborah et lui en étaient à ce stade, c'est parce que son père avait tenu à rester veuf. Cela faciliterait les choses. Il n'aurait pas à chercher plus loin la raison pour laquelle Deborah s'était comportée d'une façon aussi invraisemblable.

Il tendit le bras vers elle. Bêtement, il dit la première chose qui lui traversa l'esprit.

— Ne te sauve plus jamais comme ça, Deborah.

Elle pivota vers lui, une poignée de baies à la main.

— Ne t'*avise* pas... Ne me parle plus *jamais* sur ce ton !

Il essaya de se calmer. Une dispute, voilà tout ce qui sortirait de cette rencontre si l'un d'eux ne se décidait pas à se calmer. Et il était peu probable que ce soit Deborah qui mette de l'eau dans son vin. Alors, d'un ton aussi posé que possible – c'est-à-dire en fait juste un peu moins agressif que celui qu'il avait utilisé précédemment –, il dit :

— Je veux une explication.

— Tu veux une explication ? Excuse-moi, je n'ai pas envie de t'en donner.

Et elle jeta les baies dans l'allée. Comme on jette un gant, songea-t-il. S'il le ramassait, ce serait la guerre entre eux, la guerre ouverte. Il était furieux mais il ne voulait pas la guerre. Il avait assez de présence d'esprit pour réaliser qu'un conflit serait inutile.

— Cette bague constitue une preuve. Et les preuves, il faut les remettre à la police. Si elles ne vont pas directement chez...

— Comme si les preuves atterrissaient toutes directement dans les bureaux de la police, répliqua-t-elle. Tu sais très bien que non. La moitié du temps les flics récupèrent des objets dont personne ne sait que ce sont des preuves, pour commencer. Conclusion, ils transitent par une demi-douzaine d'endroits avant de parvenir entre leurs mains. Tu le sais, Simon.

— Ce n'est pas une raison pour retarder davantage le processus, contra-t-il. Où es-tu allée traîner avec cette bague ?

— C'est un interrogatoire ? Tu te rends compte de la façon dont tu me parles ?

— Ce qui me préoccupe pour le moment, c'est le fait qu'une pièce à conviction que je croyais entre les mains de Le Gallez n'y était pas quand je lui en ai parlé. Tu vois ce que ça signifie ?

— Je vois.

Elle releva le menton. Elle avait l'air triomphante. Elle avait le ton d'une femme qui voit un homme s'engager dans le champ de mines qu'elle a disposées autour de lui.

— Je vois que tu es surtout furieux d'avoir eu l'air d'un imbécile.

— Faire de l'obstruction dans une enquête de police n'est pas une plaisanterie. C'est un délit.

— Mais je ne faisais pas d'obstruction. Je l'ai, cette satanée bague.

Elle plongea la main dans son sac à bandoulière, sortit la bague enveloppée du mouchoir, empoigna son mari par le bras, aussi fort que lui l'avait empoignée précédemment, et elle fourra la bague dans sa paume.

— Tiens, tu es content ? Apporte-la à ce cher inspecteur Le Gallez. Dieu sait ce qu'il va penser si tu ne te précipites pas chez lui au trot, Simon.

— Pourquoi est-ce que tu te conduis comme ça ?

— Moi ? Et toi ?

— Je t'avais donné des instructions. On tient une preuve. On le savait et...

— Non, dit-elle. C'est faux. On ne le savait pas. On s'en doutait, c'est tout. Et c'est sur la foi de ce soupçon que tu m'as demandé d'apporter la bague au commissariat. S'il était si important que la police mette la main dessus au plus vite, tu aurais mieux fait de la porter en ville toi-même au lieu d'aller traînasser je ne sais où.

L'irritation de Saint James grandit encore.

— Tu sais très bien que je suis allé parler à Ruth Brouard. Etant donné qu'elle est la sœur de la victime, étant donné qu'elle avait demandé à me voir, j'avais de bonnes raison de m'attarder au Reposoir.

— Parfait, tandis que ce dont je m'occupais, moi, c'était une broutille.

— Ce dont tu étais *censée* t'occuper...

— Ah, ça suffit ! Ce dont je m'occupais, moi, c'était de ça. China a pensé que ça pourrait nous être utile. (Elle plongea la main dans son sac une seconde fois et en sortit un bloc-notes.) J'ai aussi découvert un certain nombre de choses à propos de la bague, poursuivit-elle avec une politesse exagérée. Je suis disposée à t'en parler si tu penses que ça peut être important, Simon.

Il lui prit le bloc des mains. Il parcourut des yeux les dates, les lieux, les descriptions, écrits vraisemblablement de la main de China River.

— Elle m'a demandé de te le remettre. Et c'est elle qui a acheté la bague.

— Quoi ? fit-il en levant les yeux du document.

— Tu as bien entendu. La bague ou sa petite sœur...

China l'a achetée dans un magasin de Mill Street. Qu'on a réussi à localiser, Cherokee et moi. Après ça, on est allés lui poser des questions. Elle a reconnu l'avoir achetée pour son petit ami. Enfin, son ex. Matt.

Deborah lui raconta l'histoire. Les magasins de brocante, les Potter, ce que China avait fait de la bague, la possibilité qu'une autre bague comme celle-ci provienne de la Talbot Valley. Elle termina par ces mots :

— Cherokee dit qu'il a vu la collection. Qu'un certain Paul Fielder était avec lui.

— Cherokee ? répéta Saint James d'un ton abrupt. Il était présent quand tu as fait ces recherches concernant la bague ?

— Je crois te l'avoir dit, oui.

— Alors il sait tout ?

— Je crois qu'il en a le droit.

Saint James se maudit en silence ; il maudit sa femme, la situation, le fait qu'il s'était engagé dans cette aventure pour des raisons sur lesquelles il préférait ne pas s'appesantir. Deborah n'était pas idiote mais manifestement elle était dépassée par les événements. S'il le lui disait, il risquait d'envenimer les choses. S'il se taisait, il courait le risque de compromettre toute l'enquête. Il n'avait pas le choix.

— Pas très prudent de ta part, Deborah.

Le ton sur lequel il avait parlé heurta sa femme, qui rétorqua sèchement :

— Pourquoi ?

— Tu aurais dû me le dire.

— Te dire quoi ?

— Que tu avais l'intention de révéler...

— Je n'ai pas...

— Il était là quand tu as retrouvé la provenance de la bague, c'est bien ce que tu m'as dit ?

— Il voulait m'aider. Il est mort d'inquiétude. Il se sent responsable ; c'est lui qui a tenu à faire ce voyage en Europe et sa sœur risque d'être jugée pour meurtre. Quand j'ai quitté China, tu aurais dû voir sa tête... Il souffre pour elle. Il voulait se rendre utile, je n'ai pas cru mal faire en le laissant m'accompagner.

— Il est suspect, Deborah, tout comme sa sœur. Si ce n'est pas elle qui a tué Brouard, c'est quelqu'un d'autre. Or il faisait partie des gens qui séjournaient au manoir.

— Tu ne penses pas... Il n'a pas... Pour l'amour du ciel ! Il est venu à Londres. Il est allé à l'ambassade. Il a accepté de rencontrer Tommy. Il cherche désespérément quelqu'un qui puisse prouver l'innocence de sa sœur. Tu crois vraiment qu'il se donnerait tout ce mal, qu'il lèverait même le petit doigt si c'était lui le meurtrier ? Pourquoi ?

— Je n'ai pas de réponse.

— Ah. Malgré tout tu insistes...

— J'ai ça, l'interrompit-il.

Il s'en voulut tout en laissant cependant un frisson de plaisir le parcourir : il l'avait acculée et maintenant il allait lui porter le coup décisif, lui démontrer qui avait raison et qui avait tort. Il lui parla des papiers qu'il avait remis à Le Gallez et de ce qu'ils révélaient quant à la destination de Guy Brouard lors d'un voyage en Amérique que ce dernier avait effectué à l'insu de sa sœur. Aucune importance qu'il ait pendant sa discussion avec Le Gallez soutenu le contraire de ce qu'il racontait maintenant à sa femme, concernant la possibilité d'un lien entre le voyage de Brouard en Californie et Cherokee River. L'important pour Saint James était de bien faire comprendre à Deborah qu'en matière de meurtre, c'était lui le plus fort. Son domaine à elle était celui de la photographie, des images qu'on manipule dans une chambre noire. Le sien, en revanche, était celui de la science. C'est-à-dire des faits. La photo n'était qu'un autre terme pour désigner la fiction. Elle ferait bien de s'en souvenir la prochaine fois qu'elle déciderait de se lancer dans une voie dont elle ignorait tout.

Lorsqu'il eut terminé, elle dit :

— Je vois, je suis désolée pour la bague.

— Je suis sûr que tu as fait ce que tu as estimé être bien, concéda Saint James avec la magnanimité d'un mari qui vient de reprendre sa juste place dans le couple. Je vais m'empresser de l'apporter à Le Gallez et lui expliquer ce qui s'est passé.

— Très bien. Je t'accompagne, si tu veux. Je lui expliquerai tout moi-même.

Il lui fut reconnaissant de sa proposition, qui montrait qu'elle était consciente d'avoir mal agi.

— Ce n'est pas nécessaire, lui dit-il gentiment. Je m'en charge, mon amour.

— Tu es vraiment sûr ?

Il aurait dû savoir ce que cachait ce ton, au lieu de quoi, comme un imbécile qui croit qu'il peut être plus fort qu'une femme, il dit :

— Je serai ravi de le faire, Deborah.

— C'est bizarre. Je n'aurais pas cru.

— Quoi ?

— Que tu raterais l'occasion de voir Le Gallez me passer un savon. Ç'aurait été amusant. Ça m'étonne que tu veuilles manquer ça.

Elle lui décocha un sourire amer et s'éloigna brusquement.

L'inspecteur principal Le Gallez montait dans sa voiture garée dans la cour du commissariat lorsque Saint James franchit la grille. La pluie s'était remise à tomber quand Deborah l'avait laissé dans le jardin encaissé et, bien que dans sa hâte il eût quitté l'hôtel sans parapluie, il s'abstint de suivre Deborah afin d'aller en emprunter un à la réception. Suivre Deborah à ce moment-là, ç'aurait été l'importuner. Et il n'avait aucune raison de se montrer importun.

La conduite de sa femme était inqualifiable. Certes, elle avait réussi à recueillir des éléments qui pouvaient s'avérer précieux. La découverte de la provenance de la bague représentait un gain de temps pour tout le monde ; la découverte d'une autre origine possible constituait autant de munitions susceptibles d'amener les policiers à douter de la culpabilité de China River. Toutefois cela n'excusait pas la façon furtive et malhonnête dont elle avait conduit sa petite enquête. Si elle tenait à s'embarquer dans une direction de son cru, il valait mieux qu'elle lui en parle d'abord ; cela lui éviterait de passer pour un parfait imbécile aux yeux de l'enquêteur chargé de l'affaire. Quoi qu'elle ait fait, quoi qu'elle ait découvert, quoi qu'elle ait appris de la bouche de China River, il n'en restait pas moins qu'elle avait partagé avec le frère de cette dernière une quantité de renseignements importants. Simon avait été obligé de lui faire prendre conscience de l'imprudence de ses actes.

Fin de l'histoire, songea Saint James. Il avait agi comme il en avait le droit et le devoir. Toutefois il n'allait pas la suivre. Mais plutôt lui donner le temps de se calmer et de réfléchir. Ce n'étaient pas quelques gouttes de pluie qui allaient l'arrêter dès lors qu'il s'agissait de faire son éducation.

Dans la cour du commissariat, Le Gallez s'immobilisa en le voyant, laissant la portière de son Escort ouverte. Deux sièges pour bébé étaient fixés à la banquette arrière. Vides.

— Des jumeaux, dit abruptement Le Gallez lorsqu'il constata que Saint James louchait dessus. Des jumeaux de huit mois.

Et, comme si cette remarque ne reflétait qu'accidentellement un sentiment de camaraderie qu'il n'éprouvait pas, il enchaîna :

— Où est-elle ?

— Je l'ai.

Saint James ajouta tout ce que Deborah lui avait raconté concernant la bague. Il termina par ces mots :

— China River ne se rappelle pas où elle l'a mise. D'après elle, si cette bague n'est pas celle qu'elle a achetée, la sienne devrait se trouver dans ses affaires qui sont chez vous.

Le Gallez ne demanda pas tout de suite à voir la bague. Au lieu de cela, il claqua la portière de sa voiture en disant : « Suivez-moi », et il pénétra à l'intérieur du commissariat.

Saint James le suivit. Le Gallez l'entraîna à l'étage dans une pièce exiguë qui semblait faire office de laboratoire de police scientifique. Des photos noir et blanc d'empreintes de pas étaient accrochées au mur et, sous ces photos, le matériel permettant de relever des empreintes latentes avec des vapeurs de cyanoacrylate. Sur une porte marquée CHAMBRE NOIRE un voyant rouge était allumé, indiquant que la pièce était occupée. Le Gallez frappa trois fois, aboya :

— Des empreintes, Mc Quinn. Passez-la-moi, dit-il à Saint James.

Saint James lui tendit la bague. Le Gallez remplit les formulaires nécessaires. Mc Quinn émergea du local tandis que l'inspecteur signait les papiers, y ajoutant une série de points. En deux temps trois mouvements, ce qui passait pour le service de police scientifique de l'île au grand complet fut réquisitionné pour traiter la preuve retrouvée dans la baie où Guy Brouard avait péri.

Le Gallez laissa Mc Quinn à ses vapeurs de colle. Il se dirigea ensuite vers le local des scellés et demanda au responsable la liste des effets de China River. Il la parcourut et dit à Saint James – qui n'en fut pas autrement étonné – qu'il n'y avait pas de bague parmi les affaires que la police avait emportées.

Le Gallez aurait dû se montrer satisfait, songea Saint James. Voilà qui poussait encore plus China River vers le précipice. Pourtant, au lieu d'avoir l'air satisfait, l'inspecteur paraissait contrarié. Il semblait se dire qu'une pièce du puzzle ne collait pas.

Le Gallez dévisagea Saint James. Il parcourut de nouveau la liste des scellés. Le responsable lui dit :

— Ça n'y est pas, Lou. Ça n'y est toujours pas. J'ai tout revérifié. Y a rien qui correspond.

Saint James comprit que Le Gallez ne cherchait pas seulement une bague. L'inspecteur avait trouvé autre chose, qu'il ne lui avait pas révélé lors de leur entretien précédent. Il examina Saint James comme s'il se demandait ce qu'il souhaitait au juste lui apprendre. Après un « Bon sang », il ajouta :

— Suivez-moi.

Ils gagnèrent son bureau, dont il ferma la porte, et il indiqua un siège à Saint James. Lui-même prit place dans son fauteuil. Se frottant le front, il tendit la main vers un téléphone. Il appuya sur une série de touches et, quand on lui répondit à l'autre bout de la ligne, il dit :

— Le Gallez. Du nouveau ?... Merde. Continuez à chercher. Fouillez le périmètre. Je sais combien de gens ont eu l'occasion de tout bouleverser dans le secteur, Rosumek. Que vous le croyiez ou non, savoir compter est indispensable quand on occupe un poste comme le mien. Au travail.

Il reposa le combiné.

— Seriez-vous en train de fouiller la propriété ? demanda Saint James. (Et, sans attendre de confirmation :) Mais vous auriez annulé si c'était cette bague que vous cherchiez.

Réfléchissant un instant, il vit qu'il n'y avait qu'une conclusion possible :

— Vous avez reçu un rapport d'Angleterre. L'autopsie. Y aurait-il des éléments qui justifient une fouille ?

— Vous avez oublié d'être bête.

Le Gallez attrapa un classeur et en extirpa plusieurs feuillets agrafés.

— La toxicologie, dit-il.

— Quelque chose d'anormal dans le sang ?

— Un opiacé.

— Un opiacé ? Au moment de la mort ? Qu'est-ce que ça signifie ? Qu'il était inconscient quand il s'est étouffé avec cette pierre ?

— Ça m'en a tout l'air.

— Mais ça ne peut que signifier...

— Que nous ne sommes pas au bout de nos peines, compléta Le Gallez.

Il n'avait pas l'air content et ça n'avait rien d'étonnant. Compte tenu de ce fait nouveau, si on voulait que tout se tienne, il fallait que, soit la victime, soit le suspect numéro un ait un lien avec l'opium ou l'un de ses dérivés. Faute de quoi Le Gallez n'avait plus d'éléments contre China River.

— Quelle serait la provenance de cet opiacé ? Brouard aurait été un junkie ? demanda Saint James.

— Qui se shootait avant d'aller nager ? Qui se ravitaillait chez le dealer du coin ? C'est peu vraisemblable, à moins qu'il n'ait voulu se noyer.

— Des marques de piqûres sur ses bras ?

Le Gallez le fusilla d'un regard qui signifiait : « Vous nous prenez pour des imbéciles. »

— Des traces de substances opiacées dans le sang ? Une substance qu'il aurait ingérée la veille ? Vous avez raison, il ne prendrait pas un narcotique avant d'aller nager, c'est idiot.

— Ce qui est idiot, c'est qu'il en ait pris tout court.

— Alors on l'aurait drogué ? Comment ?

Le Gallez avait l'air mal à l'aise. Il reposa les papiers sur son bureau.

— Brouard s'est étouffé. Quoi qu'il ait pu avoir dans le sang, il est mort étouffé. Etouffé avec cette pierre. Ne l'oublions pas.

— Au moins on voit comment la pierre s'est logée dans sa gorge. Si on l'avait drogué, s'il avait perdu conscience, ça ne devait pas être bien difficile de lui faire avaler cette pierre et de le laisser s'étouffer avec. La seule question, c'est de savoir comment on s'y est pris pour le droguer. Il n'est pas resté tranquillement assis pendant qu'on lui faisait une piqûre. Est-ce qu'il était diabétique ? Est-ce qu'on aurait substitué de la drogue à son insuline ? Non ? Alors ? Est-ce qu'il l'aurait bue ?

Saint James vit les yeux de Le Gallez se plisser.

— Vous croyez qu'il l'a bue ? reprit-il.

Il comprit alors pourquoi l'inspecteur se montrait soudain si désireux de lui communiquer les derniers éléments dont il disposait malgré les difficultés que Deborah lui avait causées en ne lui apportant pas tout de suite la bague. C'était une manière de compensation : une façon de s'excuser sans le dire de son mouvement d'humeur, compte tenu de la volonté manifeste de Saint James de ne pas lui mettre de bâtons dans les roues.

— Quelque chose a dû vous échapper sur la scène de crime, dit lentement Saint James en réfléchissant. Quelque chose qui ne payait pas de mine.

— Rien ne nous a échappé, rétorqua Le Gallez. Elle a été testée comme tout le reste.

— Quoi donc ?

— La Thermos de Brouard. Sa dose quotidienne de thé vert au ginkgo. Il en buvait tous les matins après sa baignade.

— Sur la plage ?

— Oui, sur cette putain de plage. Il ne pouvait pas s'en passer. C'est dans le thé qu'on a dû mettre la drogue.

— Mais vous n'en avez pas retrouvé la trace quand vous l'avez analysé ?

— Tout ce qu'on a retrouvé, c'est de l'eau de mer. On s'est dit que Brouard avait rincé la Thermos.

— Ça, quelqu'un s'en est sûrement chargé. Qui a trouvé le corps ?

— Duffy. Il était descendu jusqu'à la baie parce que Brouard n'était pas rentré et que sa sœur avait téléphoné pour voir si, par hasard, il ne s'était pas arrêté au cottage pour boire une tasse de thé. Il le trouve allongé tout froid, il remonte en courant pour alerter les urgences, se disant que son patron a eu une crise cardiaque. Et pourquoi pas ? Brouard a près de soixante-dix ans, ne l'oublions pas.

— Au milieu de ces allées et venues, Duffy aurait trouvé le moyen de rincer la Thermos ?

— Il aurait pu, oui. Toutefois, s'il a tué Brouard, c'est avec la complicité – active ou passive – de sa femme. Dans un cas comme dans l'autre, cela fait d'elle la meilleure menteuse que j'aie jamais vue. Parce qu'elle dit qu'il était en haut, et elle dans la cuisine, quand Brouard est parti nager. « Duffy n'a pas quitté la maison, il n'est sorti que pour aller chercher Brouard dans la baie. » Je la crois.

Saint James jeta un coup d'œil au téléphone, songeant à l'appel que Le Gallez venait de passer et à la fouille à laquelle il avait fait allusion.

— Si vous ne cherchez pas à savoir comment il a été drogué – si vous êtes convaincu que la drogue vient de la Thermos –, vous devez chercher le récipient qui contenait l'opiacé avant qu'il soit utilisé.

— Si on l'a mis dans le thé, dit Le Gallez, et je ne vois pas à quel autre endroit on pourrait l'avoir mis, c'est qu'il s'agissait d'un liquide ou d'une poudre soluble.

— Ce qui laisse à penser que la drogue se trouvait dans un flacon, dans une fiole. Bref, dans un récipient quelconque sur lequel il doit y avoir des empreintes. Du moins on peut l'espérer.

— Flacon qui pourrait se trouver n'importe où.

Saint James vit dans quel pétrin se trouvait l'inspecteur principal : non seulement il avait à fouiller une propriété immense mais il avait maintenant des centaines de suspects, étant donné que, la nuit précédant la mort de Guy Brouard, le Reposoir grouillait d'invités dont n'importe lequel aurait pu assister à la réception avec l'intention de commettre un meurtre. Car, malgré la présence des cheveux de China River sur le corps de Guy Brouard, malgré l'image d'un inconnu embusqué au petit matin sous les arbres dans la cape de China River, malgré la bague à tête de mort égarée sur la plage – une bague achetée par China River elle-même –, l'opiacé ingéré par Guy Brouard racontait une histoire que Le Gallez allait bien être forcé d'écouter.

Il n'appréciait pas la situation dans laquelle il se trouvait : jusqu'à maintenant les preuves en sa possession suggéraient que China River était le meurtrier, mais la présence du narcotique dans le sang de la victime indiquait une préméditation qui était en contradiction directe avec le fait qu'elle n'avait fait la connaissance de Brouard qu'une fois arrivée sur l'île.

— Si c'est China River qui a fait le coup, dit Saint James, il lui a fallu apporter le produit dans ses bagages. Elle ne pouvait espérer en trouver ici à Guernesey, ne connaissant pas les lieux, ne sachant pas où se ravitailler. Et à supposer qu'elle ait espéré s'en procurer ici et qu'elle se soit renseignée à droite et à gauche jusqu'à ce qu'elle réussisse à en trouver, la question n'en reste pas moins posée : pourquoi a-t-elle fait ça ?

— On n'a rien retrouvé dans ses affaires qui aurait pu servir à transporter le produit, dit Le Gallez comme si Saint James n'avait pas soulevé un point important. Pas de flacon, pas de pot, pas de fiole, rien. Sans doute l'a-t-elle jeté. Si nous le retrouvons, il y aura sûrement des traces résiduelles de l'opiacé. Ou des empreintes. Ne serait-ce qu'une seule. On ne peut pas tout prévoir quand on tue quelqu'un. On croit que si. Mais le meurtre n'est pas une chose qui vous vient naturellement. Sauf si on est un psychopathe. Les gens qui jouent à ce petit jeu se mélangent les pinceaux, leur mémoire les trahit. Un détail. Quelque part.

— Mais ça nous ramène au pourquoi. China River n'a pas de mobile. Sa mort ne lui rapporte rien.

— Tout ce qui m'intéresse, c'est de retrouver le flacon avec ses empreintes dessus. Le reste n'est pas mon problème, rétorqua Le Gallez.

Cette remarque reflétait le travail de la police sous son jour le plus détestable : cette tendance fâcheuse qu'ont les enquêteurs à dénicher d'abord un coupable et à interpréter ensuite les faits de façon qu'ils collent avec le présumé coupable. Certes, la police de Guernesey avait une cape, des cheveux, des témoignages de personnes ayant vu quelqu'un suivre Guy Brouard jusqu'à la baie. En outre, elle se trouvait en possession d'une bague achetée par le principal suspect et retrouvée sur la scène de crime. Mais la police disposait également d'un autre élément qui aurait dû mettre des bâtons dans les roues de sa théorie. Le fait que le rapport de la toxicologie ne l'amenait pas à changer d'avis expliquait pourquoi des innocents se retrouvaient en prison et pourquoi la foi du public en une justice équitable s'était muée en cynisme.

— Inspecteur Le Gallez, reprit Saint James avec

prudence, d'un côté, nous avons un multimillionnaire qui meurt et un suspect à qui sa mort ne rapporte rien. De l'autre, des membres de son entourage qui s'attendaient à hériter. Un fils privé de ses droits, une petite fortune léguée à deux adolescents n'ayant aucun lien de parenté avec le défunt, et un groupe de personnes qui comptaient sur Brouard pour construire un musée, et dont les espoirs ont été déçus. Il me semble que ce ne sont pas les mobiles qui manquent. Les ignorer...

— Il est allé en Californie. Il a dû la rencontrer là-bas. C'est là que se trouve le mobile.

— Mais vous avez vérifié les allées et venues des autres ?

— Aucun d'entre eux ne s'est rendu en...

— Je ne vous parle pas de la Californie, coupa Saint James. Je vous parle du matin du meurtre. Avez-vous vérifié où se trouvaient les autres ? Adrian Brouard, les gens du musée, les ados, les familles des ados avides de mettre la main sur l'argent, l'entourage de Brouard, sa maîtresse, les enfants de cette dernière ?

Le Gallez garda un silence éloquent.

— China River était au manoir, c'est vrai, poursuivit Saint James. Il est vrai également qu'elle a pu rencontrer Guy Brouard en Californie, ce qui reste à vérifier. Ou alors c'est son frère qui l'aura rencontré et les aura présentés l'un à l'autre. Mais en dehors de ce lien – qui n'existe peut-être pas, d'ailleurs – est-ce que vous trouvez que China River se comporte comme une meurtrière ? S'est-elle jamais comportée comme telle ? Que je sache, elle n'a pas fait la moindre tentative pour fuir Guernesey. Elle est partie comme prévu avec son frère, ce matin-là, sans se donner la peine de cacher sa destination. Elle ne gagnait absolument rien à la mort de Brouard, elle n'avait aucune raison de vouloir sa mort.

— Pour autant que nous le sachions, glissa Le Gallez.

— Pour autant que nous le sachions. Mais lui coller ce meurtre sur le dos sur la foi d'éléments que n'importe qui aurait pu déposer là pour la compromettre... Inspecteur, j'espère que vous vous en rendez compte, l'avocat de China River va démolir votre théorie en moins de deux, faute de preuves.

— Je ne crois pas, dit Le Gallez en toute simplicité. D'après l'expérience que j'en ai, Mr Saint James, il n'y a pas de fumée sans feu.

— Votre conviction est intacte, alors.

— Tant que nous n'aurons pas retrouvé le flacon, oui. Après, nous verrons.

Saint James comprit qu'il était inutile de poursuivre la discussion. L'inspecteur n'en démordrait pas. Il n'y avait donc qu'une seule chose à faire : coincer le véritable meurtrier. Pour cela, deux façons de s'y prendre : primo, découvrir la provenance de la substance toxique décelée dans le sang de Brouard ; secundo, s'attacher à découvrir le mobile du meurtre.

15

Généralement, Paul Fielder était réveillé par la sonnerie de son réveil. Un vieux machin noir en fer tout écaillé qu'il remontait et réglait tous les soirs avec le plus grand soin, de crainte que l'un de ses petits frères ne l'ait tripoté pendant la journée.

Le lendemain matin, toutefois, il fut réveillé par le téléphone, auquel succéda un bruit de pas lourds dans l'escalier. Reconnaissant la démarche pesante, il ferma les yeux pour le cas où Billy ferait irruption dans sa chambre. Pourquoi son frère était-il debout de si bonne heure ? Mystère. A moins qu'il ne se soit pas couché de la nuit. Ce ne serait pas la première fois. Billy restait parfois planté devant la télévision jusqu'à la fin des programmes et ensuite il traînait dans le séjour, fumant, écoutant des disques sur la vieille chaîne de leurs parents. Il mettait le son plutôt fort mais personne ne lui disait de le baisser. Il y avait belle lurette qu'à la maison on avait cessé de faire des remarques à Billy tellement on avait peur qu'il ne pique une crise.

La porte de la chambre s'ouvrit avec fracas. Paul garda les yeux fermés. Dans le lit en face du sien, son petit frère poussa un cri étranglé et, l'espace d'un instant, Paul éprouva le soulagement coupable de qui se dit qu'il va échapper à la torture, que c'est un autre qui va y avoir droit. Mais ce cri s'avéra n'être qu'un cri de surprise, et pas de douleur ; l'ouverture brutale de la porte fut en effet bientôt suivie d'une grande claque sur l'épaule de Paul.

— Alors, pauvre noix, dit la voix de Billy, tu crois que je sais pas que tu fais semblant ? Lève-toi. Tu vas avoir de la visite.

Paul gardant les yeux obstinément clos, Billy ulcéré l'empoigna par les cheveux et lui souleva la tête de l'oreiller. Soufflant au visage de Paul l'haleine âcre du petit matin, Billy dit :

— Tu veux une pipe, petit branleur ? Pour te réveiller ? C'est par les mecs que tu préfères te faire sucer. (Il secoua la tête de Paul et la laissa retomber.) T'es vraiment pathétique. Je parie que tu l'as en l'air et que tu sais pas quoi en faire. Voyons si je me trompe.

Paul sentit les mains de son frère sur les couvertures. Effectivement il avait la trique. Comme toujours le matin. D'après les conversations qu'il avait surprises à l'école, il avait cru comprendre que c'était normal et ça l'avait rudement soulagé parce qu'il commençait à se demander pourquoi il se réveillait tous les matins en bandant.

Il poussa un cri étranglé qui n'était pas sans ressembler à celui de son petit frère et se cramponna à la couverture. Quand il devint évident que Billy allait mettre sa menace à exécution, il sauta hors du lit et fonça vers la salle de bains. Il claqua la porte et tira le verrou. Billy se mit à taper au battant.

— Ça y est, il s'astique, glousse-t-il. Tout seul, c'est nettement moins marrant.

Paul ouvrit le robinet de la baignoire et tira la chasse. Tout était bon pour masquer la voix de son frère.

Par-dessus le bruit de l'eau il entendit des cris devant la porte puis le rire de dément de Billy, suivi de coups insistants. Paul ferma le robinet et se planta près de la baignoire. Il reconnut la voix de son père.

— Ouvre, Paulie, faut que je te parle.

Paul ouvrit la porte et se trouva devant son père en tenue de travail qui s'apprêtait à rejoindre le chantier. Il portait un jean sale, des bottes crottées et une épaisse chemise de flanelle qui empestait la sueur. Il aurait dû être en tenue de boucher, songea Paul, la gorge serrée de tristesse. Veste blanche, tablier blanc par-dessus le pantalon bien propre. Il aurait dû partir travailler au marché. Disposer la viande sur son étal. Mais les étals, c'était fini. Le marché à la viande était mort et plus rien ne le ressusciterait.

Paul aurait voulu claquer la porte au nez de son père. Ne plus voir ses vêtements sales, ni son visage pas rasé. Mais, sans lui en laisser le temps, sa mère apparut à son tour dans l'encadrement, traînant avec elle l'odeur du bacon frit qui constituait une partie du petit déjeuner qu'elle tenait à ce que le père de Paul avale chaque jour pour se donner des forces.

— Va t'habiller, Paulie, dit-elle par-dessus l'épaule de son mari. Y a un notaire qui va venir te voir.

— Tu sais de quoi il s'agit, Paul ? s'enquit son père.

Paul secoua la tête. Un notaire ? Pour lui ? Il devait y avoir une erreur.

— T'as pas séché les cours ? insista son père.

Paul fit non de la tête, mentant sans vergogne. Il allait à l'école quand il n'avait pas de choses plus pressantes à faire. Il repensa à Mr Guy et à ce qui lui était arrivé. Alors le chagrin le submergea.

Sa mère parut se rendre compte qu'il n'était vraiment pas dans son assiette car elle prit dans la poche de sa robe de chambre matelassée un mouchoir en papier qu'elle lui fourra dans la main.

— Dépêche-toi, mon grand. Ol, viens finir de déjeuner.

Ils laissèrent Paul se préparer à recevoir son visiteur.

On entendit bientôt hurler la télévision : Billy était passé à autre chose.

Une fois seul, Paul fit le maximum. Il se lava le visage et les dessous de bras. Il revêtit ses vêtements de la veille. Il se brossa les dents, se peigna les cheveux. Puis il se regarda dans la glace. Qu'est-ce que ça pouvait bien signifier ? La femme, le livre, l'église et les ouvriers. Elle tenait une plume d'oie : le bout de la plume était dirigé vers le livre, et les plumes vers le ciel. Qu'est-ce que cela signifiait ? Rien peut-être, mais il n'arrivait pas à y croire.

« Tu es capable de garder un secret, mon prince ? »

Il descendit au rez-de-chaussée. Son père mangeait et Billy fumait, vautré sur une chaise, les pieds sur la poubelle de la cuisine. Il avait une tasse de thé à portée de main, il la souleva lorsque Paul pénétra dans la pièce, le saluant d'un sourire torve.

— Bonne branlette, Paulie ? T'as nettoyé le siège des chiottes, au moins ?

— Surveille ton langage, dit Ol Fielder à son aîné.

— Oooooh, je suis mort de trouille.

— Des œufs, Paulie ? demanda sa mère. Comment tu les veux : sur le plat ? Durs ?

— C'est son dernier repas avant qu'on l'embarque, fit Billy avec un ricanement. Si tu te branles en taule, tu risques d'avoir du succès auprès des mecs.

Les cris perçants de la petite dernière, en provenance de l'escalier, interrompirent cette conversation. La maman de Paul tendit la poêle à son père, lui demandant de surveiller les œufs, et elle alla chercher l'unique fille de la maison. Lorsque celle-ci fit son entrée dans la cuisine, calée sur la hanche de sa mère, on eut fort à faire pour la calmer.

La sonnette retentit tandis que les deux benjamins descendaient l'escalier avec bruit et prenaient place à table.

Ol Fielder alla ouvrir et bientôt il cria à Paul de venir dans le séjour.

— Toi aussi, Mave, ajouta-t-il à l'adresse de sa femme.

Entendant cela, Billy se crut autorisé à suivre le mouvement.

Paul hésita sur le seuil. Les notaires, il ne savait pas trop ce que c'était. Le plus souvent, synonyme d'embêtements. Peut-être des ennuis en perspective pour lui. Le notaire s'avéra répondre au nom de Dominic Forrest. Son regard passa de Billy à Paul : il se demandait manifestement qui était qui. Billy le tira d'embarras en poussant Paul devant lui.

— C'est lui que vous voulez. Qu'est-ce qu'il a fait ?

Ol Fielder fit les présentations. Mr Forrest chercha des yeux un endroit où s'asseoir. Mave Fielder retira une pile de linge du plus gros des fauteuils en lui disant de s'asseoir alors qu'elle-même restait debout. Personne ne semblait savoir quoi faire. On dansait d'un pied sur l'autre. On entendit un estomac gargouiller. Le bébé gigota dans les bras de sa mère.

Mr Forrest posa sa serviette sur un tabouret. Voyant que personne ne s'asseyait, il resta debout. Après avoir fouillé dans ses papiers, il s'éclaircit la gorge.

Paul, apprit-il à ses parents et à son frère aîné, figurait en qualité de bénéficiaire dans le testament du défunt Guy Brouard. Les Fielder connaissaient-ils les lois sur l'héritage ? Non ? Dans ce cas, il allait les leur expliquer.

Paul écouta mais sans comprendre grand-chose. Ce n'est qu'en examinant ses parents et en entendant Billy dire : « Quoi quoi ! Merde ! » qu'il comprit qu'il se passait quelque chose d'extraordinaire. Toutefois, c'est seulement quand sa mère s'écria « Paulie va être riche ? » qu'il réalisa que c'était lui qui était concerné.

Billy s'exclama « Putain de merde ! » et il pivota

vers Paul. Il aurait peut-être poursuivi sur ce ton si Mr Forrest n'avait commencé à donner du « Mr Paul » à son frère, ce qui sembla fortement l'impressionner. En tout cas, il assena une violente poussée à Paul et sortit de la pièce. Il quitta la maison en claquant la porte.

Son père, lui, souriait.

— Ça, c'est une bonne nouvelle. Félicitations, fiston.

— Doux Jésus, murmurait sa mère.

Mr Forrest parlait d'expert-comptable, de déterminer les montants exacts pour savoir qui héritait de combien. Il parlait des enfants de Mr Guy, de la fille de Henry Moullin, Cyn. Il expliquait comment Mr Guy avait disposé de ses biens et pourquoi, et il disait que si Paul avait besoin de conseils en matière d'investissements, de placements, d'assurances, de prêts bancaires, etc., il pouvait téléphoner aussitôt à Mr Forrest, qui se ferait un plaisir de lui fournir des éclaircissements.

Il pêcha des cartes de visite dans sa poche et en fourra une dans la main de Paul et une autre dans celle de son père. Ils devaient lui téléphoner une fois qu'ils auraient fait une liste des questions à lui poser. Parce que des questions, ils allaient s'en poser. Il y en avait toujours dans des cas comme celui-ci.

Mave Fielder posa la première. S'humectant les lèvres, elle regarda nerveusement son mari et, calant bien le bébé sur sa hanche, elle dit :

— Combien... ?

— Ah, dit Mr Forrest.

Il ne le savait pas encore. Il fallait établir un état de la situation financière. Lorsque ce serait fait, il connaîtrait le chiffre exact. Mais à titre indicatif il voulait bien leur donner une idée... A condition qu'ils ne se basent pas dessus et n'agissent pas à la légère, ajouta-t-il vivement.

— Tu veux savoir, Paulie ? demanda son père. Ou tu préfères attendre qu'ils aient déterminé le montant exact ?

— Je crois qu'il aimerait mieux savoir tout de suite, dit Mave Fielder. A sa place, je voudrais savoir. Pas toi, Paul ?

— C'est à Paulie de décider. Qu'est-ce que tu en penses, fiston ?

Paul regarda ces visages brillants et souriants. Il savait la réponse qu'il était censé donner. Il voulait la donner parce que ce serait important pour ses parents d'apprendre de bonnes nouvelles. Il hocha donc la tête, accueillant un avenir qui s'élargissait soudain au-delà de toutes leurs espérances.

Il n'y avait absolument rien de certain tant que les comptes ne seraient pas faits, répéta Mr Forrest. Mais, étant donné que Mr Brouard avait été un homme d'affaires avisé, on pouvait sans trop se tromper dire que la part d'héritage de Paul se monterait à quelque sept cent mille livres.

— Jésus, Marie, Joseph, fit Mave Fielder dans un souffle.

— Sept cent mille...

Ol Fielder secoua la tête comme pour s'éclaircir les idées. Puis son visage – le visage triste d'un homme qui a échoué – s'éclaira d'un sourire éclatant.

— Sept cent mille livres ? Sept cent mille... ! Tu te rends compte, Paulie ! Tout ce que tu vas pouvoir faire avec ça.

Paul forma silencieusement les mots *sept cent mille* mais c'était du chinois pour lui. Il était cloué au sol, dépassé par les responsabilités qui lui incombaient désormais.

Songe à ce que tu vas pouvoir faire.

Cela lui rappela Mr Guy, les mots qu'il avait prononcés tandis que, au sommet du manoir, ils contemplaient la splendeur printanière des arbres en feuilles et les jardins qui renaissaient à la vie.

« On attend beaucoup de celui qui a beaucoup reçu. Savoir cela vous aide à garder les pieds sur terre, mon prince. Vivre selon ce principe, c'est là qu'est la difficulté. Y arriverais-tu, mon fils, si tu te trouvais dans ce cas ? Par quoi commencerais-tu ? »

Paul ne savait pas. Il n'avait su quoi répondre et il ne savait que dire maintenant non plus. Mais il avait sa petite idée à cause de ce que Mr Guy lui avait donné. Pas directement, parce que Mr Guy ne faisait jamais les choses directement, ainsi que Paul avait pu le constater.

Il laissa ses parents et Mr Forrest parler de son miraculeux héritage. Il regagna sa chambre, où il avait planqué son sac à dos. Le derrière en l'air, les mains par terre, il s'agenouilla pour le sortir de sous son lit et à ce moment-là il entendit les griffes de Taboo sur le lino du couloir. Le chien entra en reniflant dans la pièce.

Paul se rappela qu'il lui fallait fermer la porte et, pour plus de sûreté, il poussa l'une des deux commodes devant le battant. Taboo sauta sur le lit, à la recherche de l'odeur de Paul, et, quand il l'eut trouvée, s'allongea, observant son maître qui sortait le sac de sa cachette, en ôtait la poussière et en défaisait les boucles de plastique.

Paul s'assit près du chien. Taboo posa sa tête sur la cuisse de Paul. Paul savait qu'il était censé lui gratter les oreilles. Il s'exécuta mais sans s'éterniser. Témoigner son affection à l'animal ne faisait pas ce matin partie de ses priorités.

Il ne comprenait pas ce qu'on lui avait donné. La première fois qu'il l'avait déroulée, il avait constaté que ce n'était pas exactement la carte au trésor à laquelle il s'attendait mais il s'était dit que c'était une sorte de carte car Mr Guy ne l'aurait pas mise là si ça avait été autre chose. Il s'était alors souvenu en étudiant sa trouvaille que Mr Guy parlait souvent par énigmes. Lorsqu'il évoquait, par exemple, un canard rejeté par le reste de ses congénères, c'était pour faire référence à Paul et à ses copains d'école. Lorsqu'il parlait d'une voiture qui vomissait de la fumée noire, c'était pour évoquer un corps mis à mal par une nourriture déséquilibrée, le tabac et le manque d'exercice. C'était ainsi que s'exprimait Mr Guy, qui avait le prêchi-prêcha en horreur. Paul ne s'était toutefois pas attendu que ses messages soient aussi énigmatiques que sa conversation.

La femme qui était devant lui tenait une plume d'oie. N'était-ce pas une plume d'oie ? Ça y ressemblait, en tout cas. Elle tenait un livre ouvert sur les genoux. Derrière elle se dressait un vaste édifice au pied duquel s'affairaient des ouvriers. L'édifice ressemblait à une cathédrale, et elle, elle avait l'air... difficile à dire. Abattue peut-être. Infiniment triste. Elle écrivait dans le livre comme si elle consignait... Quoi donc ? Ses pensées ? Le travail en cours ? Quel travail ? Derrière elle on édifiait un bâtiment. Une femme, un livre, une plume d'oie et un édifice en construction : tel était l'ultime message de Mr Guy.

« Tu en sais plus que tu ne penses, mon petit. Tu peux faire tout ce que tu veux. »

Mais avec ça ? Que faire de ça ? Les seuls bâtiments associés à Mr Guy dont Paul avait connaissance étaient ses hôtels, le manoir et le musée que Mr Ouseley et lui envisageaient de construire. Les seules femmes qui, à la connaissance de Paul, étaient liées à Mr Guy étaient Anaïs Abbott et la sœur de Mr Guy. Il était peu probable que le message ait un rapport avec Anaïs Abbott et il était encore plus improbable que Mr Guy ait voulu lui faire parvenir indirectement un message concernant l'un de ses hôtels ou le manoir. Le message ne pouvait donc concerner que la sœur de Mr Guy et le musée Ouseley.

Peut-être que le livre sur les genoux de la femme rendait compte de la construction du musée. Et le fait que Mr Guy ait confié ce message à Paul alors qu'il aurait très bien pu le transmettre à quelqu'un d'autre signifiait qu'il contenait les instructions de Mr Guy pour l'avenir. Et l'héritage que Mr Guy avait laissé à Paul collait avec le message : Ruth Brouard veillerait à ce que le projet soit réalisé et c'était avec l'argent de Paul qu'il le serait.

Ça devait être ça. Paul le sentait. Son instinct le lui soufflait. Or Mr Guy lui avait souvent parlé de l'importance des impressions.

« Fais confiance à ton instinct, mon garçon. C'est à l'intérieur de toi que réside la vérité. »

Paul se dit avec un frisson de plaisir qu'*à l'intérieur* signifiait plus qu'à l'intérieur de son cœur et de son âme. Cela signifiait également à l'intérieur du dolmen. Il lui fallait faire confiance à ce qu'il avait trouvé à l'intérieur de la chambre. Eh bien, c'est ce qu'il ferait.

Etreignant Taboo, il eut l'impression qu'on lui ôtait une chape de plomb des épaules. Il errait dans le noir depuis qu'il avait appris le décès de Mr Guy. Maintenant il avait un rayon de lumière. Mais plus encore : une direction vers laquelle aller.

Ruth n'eut pas besoin d'entendre le verdict du cancérologue. Elle le lut sur son visage, et particulièrement sur son front plus ridé que d'habitude. Elle comprit qu'il essayait de chasser les sentiments qui accompagnent invariablement un échec imminent. Elle se demanda quel effet cela pouvait faire d'exercer un métier qui vous obligeait à être témoin du décès d'innombrables patients. Après tout, les médecins étaient censés guérir et se réjouir de la victoire remportée sur la maladie et les accidents. Mais les cancérologues se battaient avec des armes souvent insuffisantes contre un ennemi qui ne faisait pas de quartier et n'obéissait à aucune règle. Le cancer, songeait Ruth, était un terroriste. Il ne lançait pas de subtils signaux avant-coureurs : il détruisait instantanément. Le mot seul était déjà synonyme de destruction.

— On est allés aussi loin qu'on a pu avec le dernier produit que je vous ai prescrit, dit le médecin. Mais il vient un moment où il faut passer à un antalgique plus puissant. Je crois que ce moment est arrivé, Ruth. L'hydromorphone ne suffit plus. Nous ne pouvons pas augmenter la dose. Il va falloir changer de produit.

— Vous n'avez pas une autre solution à me proposer ? s'enquit Ruth d'une voix faible qui lui fit horreur dans la mesure où elle trahissait sa détresse. (Elle était censée pouvoir se cacher du feu et, si elle n'y arrivait pas, cacher le feu aux yeux du monde. Elle se força à sourire.) Ça ne serait pas si affreux si ça ne faisait que me lancer. Il y aurait un temps de répit entre les phases d'élancement, si vous voyez ce que je veux dire. Je pourrais penser à ce répit et, pendant ces brèves pauses, penser à ma vie d'avant.

— On pourrait vous refaire de la chimio.

— Pas question.

— Alors il faut passer à la morphine. C'est la seule solution.

Il l'observa de derrière son bureau et le voile qui lui avait obscurci le regard sembla disparaître l'espace d'un instant. Elle eut l'impression de l'avoir nu en face d'elle. Un homme qui vivait dans ses tripes la souffrance de ses semblables.

— Vous avez peur de quoi, exactement ? dit-il

d'une voix douce. De la chimio ou des effets secondaires ?

— Ni l'un ni l'autre.

— Et la morphine, qu'est-ce qui vous fait peur là-dedans ? L'idée de devenir accro ?

Elle fit non de la tête.

— Alors c'est le fait que la morphine s'utilise à la dernière extrémité ? Vous avez peur de ce que le recours à la morphine signifie ?

— Non, pas du tout. Je sais que je suis en train de mourir, ce n'est pas ça que je redoute. Revoir maman et papa après si longtemps, voir Guy, pouvoir lui dire combien je suis désolée...

Qu'y avait-il à craindre là-dedans ? Ruth voulait pouvoir être maîtresse de la fin de sa vie et elle connaissait les effets de la morphine, tout le monde les connaissait. A la fin cette substance vous volait ce que vous tentiez précisément et courageusement de lâcher dans un soupir.

— Il n'est pas nécessaire de mourir dans de telles souffrances, Ruth. La morphine...

— Je veux partir consciente. Je ne veux pas être un mort-vivant dans un lit.

— Ah. (Le médecin posa ses mains à plat sur son bureau, les croisa. La lumière fit briller sa chevalière.) Vous vous êtes fait une certaine image de la morphine, n'est-ce pas ? La patiente comateuse, la famille réunie autour du lit qui la surprend dans toute sa vulnérabilité. Elle est allongée, immobile, pas même consciente, incapable de communiquer.

Ruth sentit les larmes lui venir aux yeux et lutta pour les refouler. De peur de ne pas y arriver, elle se contenta de hocher la tête.

— C'est une image qui date, lui dit le cancérologue. Evidemment, si c'est ce que le patient désire, cette image peut rester réalité : nous pouvons soigneusement orchestrer la descente dans le coma – descente se terminant par la mort. Mais nous pouvons aussi doser le produit de façon que la douleur soit atténuée et que le patient conserve sa lucidité.

— Mais si la douleur est trop vive, il faut augmenter la dose. Je connais les effets de la morphine. Vous n'allez pas me dire qu'elle n'affaiblit pas le patient.

— Si ça vous endort trop, on vous prescrira quelque chose pour contrebalancer ces effets. Du méthylphénidate, un stimulant.

— Encore des drogues.

Sa voix trahissait une amertume qui était aussi vive que la douleur qui lui rongeait les os.

— Vous voyez une autre possibilité, Ruth ?

Il n'y avait pas de réponse simple à cette question. Soit elle se donnait la mort, soit elle supportait la torture en martyre chrétienne, soit elle prenait de la morphine. Ce serait à elle de décider.

Elle était entrée à l'Amiral de Saumarez, où un bon feu brûlait dans la cheminée. L'auberge était à quelques pas de Berthelot Street. Ruth dénicha une petite table et prit place avant de commander un café. Elle le but lentement, savourant l'arôme amer tout en regardant les flammes attaquer voracement les bûches.

Elle n'était pas censée se retrouver dans cette situation. Petite fille, elle avait pensé qu'elle se marierait un jour pour fonder une famille comme les autres gamines. Devenue une femme qui avait atteint la trentaine puis la quarantaine sans que cela se produise, elle s'était dit qu'elle pouvait être utile au frère qui était tout pour elle. Elle s'était dit qu'elle n'était pas destinée à autre chose. Alors, elle vivrait pour Guy.

Mais, ce faisant, elle avait été mise en face du mode de vie de Guy, qu'elle avait eu du mal à accepter. Elle y était parvenue avec le temps, se disant que ce qu'il faisait n'était qu'une façon de réagir à la disparition de ses parents et aux écrasantes responsabilités dont il s'était trouvé investi. Elle avait fait partie de ces responsabilités. Il l'avait assumée sans rechigner. Elle lui devait beaucoup. C'est pourquoi elle avait fermé les yeux jusqu'au moment où elle avait senti qu'elle ne pourrait plus y arriver.

Elle se demandait pourquoi les gens réagissaient comme ils le faisaient à leur vécu, et principalement à leur enfance. Ce qui pour l'un était un défi devenait pour l'autre une excuse ; mais dans un cas comme dans l'autre, c'était dans l'enfance qu'il fallait aller chercher ce qui les poussait à agir. Ce précepte simple s'appliquait particulièrement à son frère : son désir de réussir, de prouver sa valeur était déterminé par les persécutions et les deuils qu'il avait subis. Sa soif perpétuelle de conquêtes féminines ne faisait que refléter une enfance privée d'amour maternel ; ses échecs en tant que père venaient tout bonnement de ce que ses relations avec son propre père avaient été interrompues avant même de pouvoir s'épanouir. Elle savait tout cela. Elle y avait réfléchi. Cependant, si elle s'était penchée sur la façon dont ces préceptes gouvernaient la vie de Guy, elle ne s'était jamais interrogée sur la manière dont ils influaient sur celle des autres.

Sur la sienne, par exemple : une existence tout entière dominée par la peur. Les gens disaient qu'ils reviendraient et ils n'en faisaient rien. Telle était la toile de fond sur laquelle elle avait joué son rôle dans le drame qui était devenu sa vie. On ne pouvait pas fonctionner dans un climat aussi anxiogène ; alors on cherchait des moyens de faire comme si la peur n'existait pas. Un homme risquait de vous planter là, alors mieux valait s'accrocher à l'homme qui ne vous abandonnerait pas. Un enfant grandissait, changeait, fuyait le nid familial, alors pour éviter de se retrouver confrontée à cette situation mieux valait ne pas en avoir. L'avenir risquait de comporter des défis susceptibles de vous projeter dans l'inconnu, alors mieux valait se réfugier dans le passé. Faire de sa vie un hommage au passé, en devenir le chantre, le célébrer. Et ainsi vivre hors de la peur, ce qui était aussi une façon de vivre hors de la vie.

Etait-ce si mal ? Ruth se disait que non, surtout lorsqu'elle passait en revue les échecs auxquels ses tentatives pour vivre dans la vie l'avaient conduite.

« Je veux savoir ce que vous avez l'intention de faire, avait lancé Margaret. Adrian a été dépouillé de ce qui lui revient de droit – je veux savoir ce que vous comptez faire. Je n'ai pas envie de savoir par quelle astuce juridique Guy a réussi ce joli coup. Cela ne m'intéresse pas. Je veux seulement savoir comment vous comptez vous y prendre pour redresser la situation. Je ne vous demande pas si vous comptez la redresser mais *comment*. Car je crois que vous savez où tout ça va nous mener si vous n'agissez pas.

— Guy voulait...

— Je me fous éperdument de ce que Guy voulait. Je le sais : je sais ce qu'il a toujours voulu. (Margaret avait marché vers Ruth qui, assise à sa coiffeuse, essayait de mettre un peu de couleur sur son visage.) Elle est assez jeune pour être sa fille, Ruth. Plus jeune même que ses propres filles. C'est ça qu'il visait, ce coup-ci. »

Ruth tremblait tellement qu'elle n'arrivait pas à ouvrir son tube de rouge à lèvres. Margaret s'en était aperçue et s'était exclamée d'une voix rauque :

« Seigneur, vous étiez au courant ! Vous saviez qu'il avait l'intention de la séduire et vous n'avez pas levé le petit doigt pour l'en empêcher. A vos yeux, ce salopard de Guy ne pouvait pas mal agir et peu importe qui payait les pots cassés. »

Ruth, je le veux. Elle le veut également.

« Quelle importance au fond qu'elle n'ait été que la dernière d'une longue série de femmes que Guy voulait absolument avoir ? Quelle importance si en la prenant il commettait une trahison dont personne ne pouvait se remettre ? Il prétendait toujours qu'il leur faisait une faveur. Il élargissait leur monde, il les prenait sous son aile, il les arrachait à une situation épouvantable et nous savons ce qu'était cette situation. Alors qu'en réalité tout ce qu'il faisait, c'était se remonter le moral de la façon la plus simple possible. Vous le saviez. Vous l'avez vu agir. Et vous n'avez pas bronché. Comme si vous n'aviez de responsabilité qu'envers vous-même. »

Ruth avait laissé retomber sa main, qui tremblait beaucoup trop pour lui servir à quoi que ce soit. Oui, Guy s'était mal conduit. Elle en convenait. Mais il n'avait rien planifié... rien manigancé... ni même songé à... Non. Ce n'était pas un monstre. C'est simplement qu'un jour les écailles lui étaient tombées des yeux, il s'était soudain rendu compte de sa présence, il s'était soudain dit qu'il la lui fallait parce que : *Cette fois, c'est la bonne, Ruth*. Aux yeux de Guy, c'était toujours la bonne ; c'était ainsi qu'il se justifiait. Margaret n'avait donc pas tort : Ruth avait senti le danger.

« Vous regardiez ? » lui avait demandé Margaret.

Elle se tenait derrière Ruth, étudiant son reflet dans la glace, mais elle fit le tour du meuble pour se planter devant sa belle-sœur et lui retirer le rouge à lèvres des mains.

« C'est comme ça que ça se passait ? Au lieu de rester dans la coulisse à tirer l'aiguille, petit Boswell de la broderie. Vous faisiez le voyeur ? Tel un Polonius femelle tapi derrière la tenture ?

— Non ! s'écria Ruth.

— Vous ne vouliez pas être impliquée. Quoi qu'il fasse.

— Ce n'est pas vrai. » Tout cela était insupportable : ses souffrances physiques, le meurtre de son frère, l'anéantissement de tous ces rêves sous ses yeux, le fait qu'elle aimait des gens qui étaient en conflit les uns avec les autres, le spectacle de la roue de la passion de Guy qui tournait sans cesse. Ne s'arrêtant pas même à la fin. Pas même après : *Cette fois-ci, c'est la bonne, Ruth*. Car ça n'avait pas été la bonne. Mais il lui fallait se répéter que ça l'était, faute de quoi il aurait été obligé de se regarder en face tel qu'il était vraiment : un vieil homme qui avait essayé sans jamais y parvenir de récupérer d'un chagrin qu'il ne s'était pas autorisé à ressentir. Il n'en avait pas eu le loisir à cause du « Prends soin de ta petite sœur », injonction gravée sur un blason de famille qui n'existait que dans son esprit. Comment aurait-elle pu lui demander des comptes ? Qu'aurait-elle pu exiger de lui ? Quelles menaces aurait-elle pu brandir ?

Aucune. Elle ne pouvait qu'essayer de le raisonner. Et lorsque les raisonnements avaient échoué dès l'instant où il lui avait dit : *C'est la bonne*, comme s'il ne l'avait pas déjà dit une dizaine de fois, elle avait compris qu'il lui faudrait s'y prendre autrement pour l'arrêter. S'engager dans une direction inconnue d'elle à ce jour pour lui faire prendre conscience de ses actes. Perspective effrayante mais nécessaire.

Margaret avait donc tort sur ce point. Elle n'avait pas joué les Polonius qui rôdent derrière les rideaux, tendent l'oreille et jouissent par procuration de ce qu'ils n'ont jamais connu eux-mêmes. Elle avait essayé de raisonner son frère. Et quand cela avait échoué, elle était passée à l'action.

Et maintenant... ? Il lui fallait affronter les conséquences de ses actes.

Ruth savait qu'il lui fallait réparer. Margaret voulait

lui faire croire qu'en rendant à Adrian la part d'héritage qui aurait dû lui revenir elle se ferait pardonner. Mais c'est parce que Margaret était Margaret et qu'elle voulait ce que toute personne rationnelle désirait : une solution rapide à un problème qui durait depuis des années. Comme si, songea Ruth, une infusion d'argent pouvait guérir Adrian des dysfonctionnements qui l'accablaient.

A l'auberge de l'Amiral de Saumarez, Ruth finit son café et laissa de l'argent sur la table. Elle enfila tant bien que mal son manteau, s'escrimant sur les boutons, s'affairant à nouer son écharpe. Dehors, il tombait une petite pluie fine mais un pan de ciel dégagé du côté de la France annonçait une amélioration probable. Ruth espéra que ce serait le cas : elle n'avait pas pris de parapluie pour venir en ville.

Pour remonter Berthelot Street, elle eut du mal. Elle se demanda combien de temps elle pourrait se déplacer seule et combien de mois, voire de semaines, il lui restait avant de se retrouver clouée au lit pour l'ultime compte à rebours. Pas longtemps, espéra-t-elle.

Presque au sommet de Berthelot Street, New Street obliquait vers la droite en direction de la Royal Court House. C'était là que se trouvait l'étude de Dominic Forrest.

En y entrant, Ruth découvrit que le notaire rentrait de ses visites du matin. Il lui dit qu'il la recevrait si ça ne l'ennuyait pas d'attendre une quinzaine de minutes. Il devait rappeler deux personnes d'urgence. Est-ce qu'elle aimerait boire un café ?

Ruth refusa. Elle ne s'assit pas car elle n'était pas sûre de pouvoir se relever. Elle prit un exemplaire de *Country Life* qu'elle se mit à feuilleter, regardant les photos sans les voir.

Mr Forrest vint la chercher dans le quart d'heure qui suivit, comme promis. Il avait une physionomie grave lorsqu'il l'appela et elle se demanda s'il n'était pas resté sur le seuil de son bureau à l'examiner, calculant le temps qui lui restait à vivre. Ruth avait l'impression que dans son entourage les gens étaient de plus en plus nombreux à la considérer de cette façon. Plus elle s'efforçait de paraître normale et plus les gens l'observaient comme dans l'attente que son mensonge soit démasqué.

Dominic Forrest attendit poliment tandis que Ruth prenait un siège dans son bureau, sachant que cela paraîtrait bizarre qu'elle reste debout pendant toute la durée de leur entretien. Il lui demanda si cela ne la dérangeait pas qu'il prenne un café. Il y avait des heures qu'il était à pied d'œuvre et il avait bien besoin d'un coup de fouet. Désirait-elle une tranche de gâche ?

Ruth dit que non, qu'elle venait de faire une pause café à l'Amiral de Saumarez. Elle attendit que Mr Forrest ait sa tasse et sa tranche de gâteau avant d'aborder le motif de sa visite.

Elle informa le notaire de la confusion dans laquelle le testament de Guy l'avait plongée. Comme Mr Forrest le savait, elle avait assisté à la signature des testaments précédents et elle avait eu un choc en apprenant les changements qu'il avait apportés aux legs : rien pour Anaïs Abbott et ses enfants, aucune mention du musée ni des Duffy. Et constater que Guy avait laissé moins d'argent à ses enfants qu'à ses deux... elle chercha ses mots, finit par opter pour *protégés*. Franchement, elle était abasourdie.

Dominic Forrest hocha solennellement la tête. Il reconnut s'être posé des questions quand on lui avait demandé de lire le testament en présence de gens dont il savait qu'ils n'étaient pas les légataires de Guy Brouard. C'était tout à fait irrégulier. Mais il s'était dit que Ruth avait tenu à s'entourer d'amis et de proches en cette circonstance douloureuse. Maintenant il voyait que Ruth elle-même avait été laissée dans l'ignorance des dernières intentions de son frère.

— J'avoue m'être interrogé en ne vous voyant pas à la signature des documents. Alors que vous aviez toujours été présente par le passé. Je me suis dit que vous ne vous sentiez peut-être pas bien. Mais je n'ai pas osé...

Il haussa les épaules en signe de gêne. Lui aussi savait, songea Ruth. Sans doute que Guy était également au courant. Mais, comme la plupart des gens, il ne savait que dire.

— Il m'a toujours confié la teneur de ses testaments, expliqua-t-elle. Je n'arrive pas à comprendre pourquoi il a tenu secrète cette dernière version.

— Il ne voulait peut-être pas vous perturber, remarqua Forrest. Il se doutait que vous ne seriez pas d'accord avec les changements qu'il avait apportés au document. Avec le fait qu'il avait transféré une partie de l'argent hors de la famille.

— Non, ça ne peut pas être ça. Car dans les autres testaments il procédait de même.

— Mais le partage n'était pas calculé sur la base de cinquante cinquante. Et dans les versions antérieures, ses enfants héritaient d'une somme supérieure à celle que recevaient les autres bénéficiaires. Guy s'est sans doute dit que ça vous ferait bondir.

— J'aurais protesté, convint Ruth. Mais cela n'aurait pas changé grand-chose. Mes réactions n'ont jamais eu le moindre impact sur Guy.

— Oui, mais c'était avant.

Forrest fit un petit geste de la main. Ruth comprit qu'il voulait dire avant le cancer.

Effectivement. Ça se tenait. La sachant mourante, Guy aurait tenu compte des souhaits d'une sœur qui n'en avait plus pour longtemps. Même lui se serait laissé fléchir. Et, se rendant à ses arguments, il aurait légué à chacun de ses trois enfants une somme qui égalait, si elle ne dépassait pas, celle qu'il avait destinée aux deux adolescents. Or c'était exactement ce que Guy n'avait pas voulu faire. Il y avait belle lurette que ses filles ne comptaient plus pour lui ; son fils n'avait été qu'une longue déception. Il voulait coucher sur son testament ceux qui avaient répondu à son amour comme il pensait que cela devait se faire. Alors il avait respecté les lois sur l'héritage, légué à ses enfants les cinquante pour cent auxquels ils avaient droit – ce qui lui permettait par ailleurs de disposer du reste.

Mais penser qu'il avait agi à son insu... Ruth avait l'impression d'avoir été larguée dans l'espace, un espace peuplé de tempêtes, sans rien à quoi se raccrocher. Car Guy l'avait laissée dans l'ignorance de ses intentions. Guy, son frère et son rocher. Elle savait qu'il avait effectué un voyage en Californie sans lui en souffler mot. Et venait de découvrir qu'il avait eu recours à une astuce juridique pour punir les jeunes gens qui l'avaient déçu et récompenser les autres.

— Il était très ferme quand il m'a fait part de ses intentions pour ce dernier testament, dit Forrest comme pour la rassurer. Et la façon dont il était rédigé aurait permis à ses enfants de toucher une somme substantielle, quelle que soit la part des autres bénéficiaires. Vous vous en souvenez, quand il est arrivé ici, il y a dix ans, il a démarré avec deux millions de livres. Investie sagement, cette somme aurait pu se transformer en une fortune suffisante pour contenter tout le monde.

Bien que frappée au cœur d'apprendre ce que son frère avait fait et qui avait blessé tant de monde, Ruth n'en remarqua pas moins les *aurait* et les *aurait pu* de Forrest. Elle eut l'impression qu'il était soudain très loin d'elle et que l'espace dans lequel on l'avait propulsée l'éloignait de plus en plus du reste de l'humanité.

— Y a-t-il autre chose que j'aie besoin de savoir, Mr Forrest ?

Dominic Forrest parut réfléchir.

— Besoin ? Je ne dirais pas cela comme ça. Mais d'un autre côté, considérant les enfants de Guy et la façon dont ils vont réagir... Je crois qu'il vaudrait mieux que vous soyez prête.

— A quoi ?

Le notaire prit un morceau de papier posé près du téléphone, sur son bureau.

— J'ai reçu un message du comptable, vous vous souvenez des coups de téléphone que je devais passer ? Eh bien, c'était l'un de ceux que je devais donner.

— Et alors ?

Ruth vit à sa façon de regarder le papier que Forrest hésitait. Elle ne put s'empêcher de songer à l'hésitation de son médecin lorsqu'il rassemblait ses forces pour lui annoncer une mauvaise nouvelle. Effectivement il allait lui falloir se tenir prête même s'il n'en restait pas moins qu'elle devait faire un effort considérable sur elle-même pour ne pas sortir de la pièce en courant.

– Eh bien, Ruth, il reste très peu d'argent. Un peu moins de deux cent cinquante mille livres. Une somme encore assez coquette. Mais quand on considère qu'au départ il avait quelque chose comme deux millions de livres... C'était un homme d'affaires hors pair. Qui savait quand, dans quoi et comment investir. Il devrait y avoir beaucoup plus que ça dans la succession.

— Qu'est-il arrivé... ?

— Au reste de l'argent ? compléta Forrest. Je n'en sais rien. Quand le comptable m'a fait son rapport, je lui ai dit qu'il devait y avoir une erreur. Il revérifie mais il m'a dit que tout avait l'air correct.

— Qu'est-ce que ça signifie ?

— Apparemment, il y a dix mois, Guy a vendu une partie importante de ses holdings. Cela représentait plus de trois millions et demi de livres à l'époque.

— Il a mis cette somme à la banque ?

— Elle ne s'y trouve pas.

— Il a effectué un achat ?

— Aucune trace d'achat.

— Alors quoi... ?

— Je ne sais pas. Tout ce que je peux vous dire, c'est que j'ai découvert il y a seulement dix minutes que cet argent a disparu et qu'il ne reste qu'un quart de million de livres.

— Vous étiez son notaire. Vous deviez savoir...

— Je viens de passer une partie de la matinée à prévenir les bénéficiaires qu'ils devaient chacun hériter d'une somme se montant à sept cent mille livres, peut-être davantage. Croyez-moi, Ruth, je ne savais pas que l'argent avait disparu.

— Est-ce que quelqu'un l'aurait volé ?

— Je vois mal comment.

— Escroqué, à la banque ?

— Comment ?

— Est-ce qu'il aurait pu le donner ?

— Oui. Et le comptable cherche des traces d'un don éventuel. Logiquement, la personne à qui il aurait pu faire don d'une fortune en douce, c'est son fils. (Il haussa les épaules.) Pour l'instant, nous nageons.

— Si Guy a donné de l'argent à Adrian, observa Ruth, s'adressant plus à elle-même qu'au notaire, il s'est bien gardé de me le dire. Ni l'un ni l'autre ne m'en a parlé. Et sa mère, Margaret, n'est pas au courant.

— En attendant d'en savoir davantage, tout ce que nous pouvons dire, c'est que les légataires vont hériter d'une somme nettement inférieure à ce qu'elle aurait pu être. En conséquence, attendez-vous à des remous.

— Inférieure, oui, je n'avais pas pensé à ça.

— Eh bien pensez-y. Dans l'état actuel des choses, les enfants de Guy héritent de moins de soixante mille livres chacun, ses deux protégés héritent chacun de quatre-vingt-sept mille livres, alors que la propriété où vous résidez et les biens valent des millions. Quand tout ça aura été éclairci, attendez-vous à ce qu'on exerce des pressions sur vous pour que vous redressiez la situation. Tant que ça n'aura pas été fait, tenez-vous-en à ce que nous savons des souhaits de Guy concernant la succession.

— Nous ne sommes pas au bout de nos découvertes, murmura Ruth.

Forrest posa ses notes sur son bureau.

— C'est bien mon avis, en effet, affirma-t-il.

16

Le récepteur contre l'oreille, Valerie Duffy écoutait sonner le téléphone à l'autre bout de la ligne. A voix basse, elle dit : « Réponds, mais réponds donc. » Mais la sonnerie continuait de retentir. Elle ne voulait pas couper, pourtant elle finit par s'y résoudre. Un instant plus tard, s'étant persuadée qu'elle s'était trompée de numéro, elle le recomposa. De nouveau, elle eut la sonnerie.

Dehors, la police poursuivait ses recherches. Les policiers n'avaient pas fait les choses à moitié dans le manoir avant de s'attaquer aux bâtiments annexes et aux jardins. Valerie se dit que bientôt ils viendraient fouiller le cottage. Pour une raison bien simple : il était situé sur les terres du Reposoir et le sergent qui dirigeait l'opération avait reçu des ordres très stricts : « Mes hommes doivent passer toute la propriété au peigne fin, madame. »

Elle ne voulait pas trop savoir ce qu'ils cherchaient, toutefois elle en avait une assez bonne idée. Effectivement, un agent était descendu, portant les médicaments de Ruth dans un sac à scellés. C'est seulement en faisant valoir auprès du constable l'importance cruciale de ces médicaments pour Ruth que Valerie avait pu le persuader de ne pas emporter la totalité des gélules qui se trouvaient dans la maison. Il n'avait pas besoin de tous les médicaments, avait-elle argué. Miss Brouard souffrait atrocement, et sans ses antidouleur...

« Il y a des antidouleur dans le tas ? » l'avait interrompue le constable en secouant le sac.

Certainement. Ils n'avaient qu'à lire les étiquettes où figurait la mention *antidouleur*, qu'ils avaient d'ailleurs sûrement remarquée quand ils avaient sorti les médicaments de la pharmacie.

« On a reçu des instructions, madame », s'était borné à répondre le constable. Valerie en avait déduit qu'ils devaient faire main basse sur tous les produits qu'ils trouveraient, de quelque nature qu'ils soient.

Elle demanda à l'agent s'il pouvait laisser l'ensemble des gélules au manoir. « Prenez un échantillon de chaque et laissez le reste ici, lui avait-elle suggéré. Vous pouvez bien faire ça pour miss Brouard. Sans ses produits, elle va être bien malheureuse. »

Le constable avait accepté mais à contrecœur. Tandis que Valerie pivotait pour retourner à la cuisine, elle avait senti ses yeux lui vriller le dos et compris qu'elle était devenue un objet de soupçon. C'est pour cela qu'elle n'avait pas voulu passer son appel du manoir. Elle s'était rendue au cottage et, plutôt que d'appeler de la cuisine, où elle ne pouvait voir ce qui se passait au Reposoir, elle avait appelé de la chambre à l'étage. Elle s'était assise sur le lit du côté de Kevin, près de la fenêtre, ce qui lui permettait – tout en observant le manège des policiers qui se séparaient en plusieurs groupes pour se diriger vers les jardins et les différents bâtiments – de respirer l'odeur de son mari. Laquelle imprégnait encore une chemise qu'il avait abandonnée sur le bras d'un fauteuil.

Réponds, songea-t-elle. Réponds, *mais réponds donc*. La sonnerie persistait.

Tournant le dos à la fenêtre, elle se pencha au-dessus du téléphone, essayant de lui insuffler sa volonté. Si elle laissait sonner suffisamment longtemps, ce bruit agaçant finirait par décider quelqu'un à répondre.

Kevin ne serait pas content. Il lui dirait : « Pourquoi est-ce que tu fais ça, Val ? » Elle serait incapable de lui donner une réponse directe et franche parce que depuis trop longtemps il y avait trop de choses qui l'en empêchaient.

Réponds, réponds, mais réponds donc.

Il était parti de bonne heure. Le temps se gâtait de plus en plus et il fallait qu'il répare les fenêtres de la façade de la maison de Mary Beth : un défaut d'étanchéité. Compte tenu de l'exposition de la maison – qui donnait à l'ouest sur Portelet Bay –, Mary Beth allait avoir un sacré problème quand les pluies arriveraient. Les fenêtres du séjour étaient défectueuses, la pluie esquinterait sa moquette, sans compter que du moisi se formerait dessus. Et les deux filles de Mary Beth étaient allergiques à l'humidité. En haut, c'était pire, car les fenêtres étaient celles des chambres des petites. Pas question que les nièces de Kevin couchent dans une pièce où la pluie s'infiltrait et suintait le long du papier peint. En sa qualité de beau-frère, Kevin avait des responsabilités et il n'était pas question qu'il les néglige. De toute manière, il n'était pas homme à négliger ses responsabilités, *quelles qu'elles soient*.

Il était donc parti réparer les fenêtres de sa belle-sœur. Pauvre Mary Beth Duffy, si démunie, songea Valerie. Précipitée dans un veuvage prématuré à cause de la malformation cardiaque qui avait emporté son mari alors qu'il sortait d'un taxi pour entrer dans un hôtel au Koweït. Ça avait été l'affaire d'une minute pour Corey. Kevin avait le même problème que son jumeau mais ni l'un ni l'autre ne le savait avant que Corey meure dans cette rue sous ce soleil écrasant et cette chaleur de plomb. Ainsi, Kevin devait sa vie à la mort de Corey. Un problème congénital chez l'un suggérait la possibilité du même problème chez l'autre.

Kevin avait un appareil magique dans la poitrine, appareil qui aurait sauvé Corey si l'on avait soupçonné qu'il avait quelque chose au cœur.

Valerie savait que son mari se sentait doublement responsable de la femme de son frère et de ses enfants. Tandis qu'elle essayait de se souvenir qu'il ne faisait qu'assumer des responsabilités qui n'auraient pas été les siennes si Corey n'était pas mort, elle ne pouvait s'empêcher de consulter le réveil à côté du lit et de se demander combien de temps il fallait pour réparer quatre ou cinq fenêtres.

Les fillettes seraient à l'école – les deux nièces de Kev –, Mary Beth serait reconnaissante. Sa gratitude, ajoutée à son chagrin, pouvait composer un mélange détonant capable de lui monter à la tête : « Aide-moi à oublier, Kev. »

Le téléphone continuait de sonner avec insistance. Valerie écoutait, tête basse. Elle appuya ses doigts contre ses yeux.

Elle savait bien comment cela fonctionnait, la séduction, entre un homme et une femme. Cent fois elle en avait été témoin. Tout commençait par des échanges de regards : regards de côté, regards entendus. Cela se précisait doucement par des contacts furtifs à l'explication anodine. Doigts qui se frôlent quand on se passe une assiette. Main qui se pose sur un bras pour souligner la drôlerie d'une remarque. Après cela, une rougeur trahissait un désir au fond des yeux. Enfin venaient les raisons de s'attarder, de voir la bien-aimée, de se faire voir d'elle et désirer.

Comment en étaient-ils tous arrivés là ? se demanda-t-elle. Où tout cela les mènerait-il si personne ne parlait ?

Elle n'avait jamais été capable de mentir de façon convaincante. Quand on la mettait sur le gril, elle feignait l'ignorance, elle tournait les talons ou alors elle disait la vérité. Regarder quelqu'un dans les yeux et l'induire délibérément en erreur dépassait largement ses capacités à jouer la comédie. Quand on lui demandait : « Qu'est-ce que tu sais à ce sujet, Val ? », elle n'avait que deux solutions : s'enfuir ou parler.

Elle avait été absolument certaine de ce qu'elle avait vu de sa fenêtre le matin de la mort de Guy Brouard. Elle en était toujours persuadée, même maintenant. Elle en avait été certaine sur le moment parce que cela lui avait semblé naturel, ça correspondait aux habitudes de Guy Brouard : son passage le matin pour se rendre à la baie où chaque jour il nageait, moins pour faire de l'exercice que pour se rassurer sur une virilité qui finissait par se faner avec le temps. Quelques instants plus tard, une silhouette de femme l'avait suivi. Valerie était certaine de l'identité de cette femme ; elle avait bien vu comment Guy Brouard se comportait avec l'Américaine – charmant, charmé, la traitant avec la courtoisie du Vieux Monde et la familiarité du Nouveau. Et elle connaissait l'impact que ces manières pouvaient avoir sur une femme, ce qu'elles étaient capables de lui faire faire.

Mais de là à le tuer ? C'était le problème. Autant elle pouvait croire que China River l'avait suivi jusqu'à la baie probablement parce qu'ils s'y étaient donné rendez-vous, autant elle croyait que des tas de choses s'étaient passées entre eux avant ce matin-là, autant elle n'arrivait pas à croire que l'Américaine avait tué Guy Brouard. Tuer un homme, qui plus est de cette façon, n'était pas l'œuvre d'une femme. Les femmes tuaient une rivale pour conserver l'amour d'un homme. Elles ne tuaient pas l'homme.

Si l'on suivait ce raisonnement, c'est China River qui avait été en danger. Anaïs Abbott n'avait pas dû être spécialement ravie de voir son amant se mettre en frais pour quelqu'un d'autre qu'elle-même. Et Valerie se demanda s'il n'y avait pas d'autres personnes qui, en observant China River et Guy Brouard, avaient vu dans leur entente presque immédiate se dessiner les prémices d'une liaison. Y avait-il d'autres personnes qui avaient considéré China River non comme une simple étrangère de passage au Reposoir mais comme un obstacle à la réalisation de projets qui semblaient en voie de se concrétiser avant son arrivée à Guernesey ? Mais si tel était le cas, pourquoi tuer Guy Brouard ?

Réponds, *mais réponds donc*, dit Valérie au téléphone.

Puis soudain :

— Val, qu'est-ce que la police fabrique par ici ?

Valerie laissa tomber le récepteur sur ses genoux. Pivota. Kevin était debout dans l'encadrement de la porte de leur chambre, la chemise à moitié déboutonnée comme s'il s'apprêtait à se changer. L'espace d'un moment elle se demanda pourquoi – son odeur est dessus, Kev ? – avant de constater qu'il sortait de la penderie un vêtement plus chaud : un gros pull de pêcheur en laine qu'il mettait pour travailler dehors.

Kevin regarda le téléphone sur ses genoux. Regarda sa femme. On entendait la sonnerie faiblement à l'autre bout de la ligne. Valerie empoigna le combiné et le reposa sur son support. Et c'est alors qu'elle remarqua ce dont elle n'avait pas pris conscience auparavant : ses mains lui faisaient mal. Les articulations. Elle remua les doigts mais fit une grimace, et se demanda pourquoi elle n'avait pas remarqué la douleur sourde plus tôt.

— Tu as mal ? dit Kevin.

— Ça va et ça vient.

— Tu appelais le médecin ?

— Comme si ça pouvait changer quoi que ce soit. Vous n'avez rien, n'arrête-t-il pas de me dire. Vous n'avez pas d'arthrite, Mrs Duffy. Et ces gélules qu'il me donne... Si ça se trouve, c'est du sucre, Kev. Il me les prescrit uniquement pour me faire plaisir. Pourtant la douleur est réelle. Il y a des jours où je n'arrive même pas à bouger les doigts.

— Tu veux voir un autre médecin ?

— Pas facile de trouver quelqu'un en qui j'aie confiance.

Ça, c'était bien vrai, songea-t-elle. Et qui lui avait appris le soupçon et le doute ?

— Je parlais du téléphone, reprit Kevin en enfilant le pull de laine grise. Tu essaies de mettre la main sur un autre médecin ? Si la douleur augmente, tu ne peux pas rester comme ça.

— Oh. (Afin d'éviter le regard de son mari, Valerie regarda le téléphone qu'elle avait posé sur la table de nuit.) Oui oui, j'essayais de... Mais je n'ai pas réussi à le joindre. (Elle eut un sourire.) C'est vraiment un monde : les téléphones des médecins restent muets même à leur cabinet. (Elle s'administra une claque décidée sur la cuisse, et se leva du lit.) Je vais aller chercher ces gélules. Si la douleur est dans ma tête, comme le médecin a l'air de le penser, elles réussiront peut-être à faire avaler ça à mon corps.

Cela lui donnait le temps de se ressaisir. Elle alla donc chercher les médicaments dans la salle de bains, descendit à la cuisine pour pouvoir, comme d'habitude, les avaler avec du jus d'orange. Il n'y avait rien là qui puisse surprendre Kevin. Lorsqu'il la rejoignit en bas, elle était prête, elle s'était composé un visage. D'un ton enjoué elle dit :

— Alors ça va, chez Mary Beth ? Les fenêtres, c'est réparé ?

— Elle se fait du souci concernant Noël. Son premier Noël sans Corey.

— Evidemment, c'est dur. Il n'a pas fini de lui manquer. Je me mets à sa place : tu me manquerais, Kev.

Valerie prit un torchon propre dans un tiroir et se mit à essuyer les plans de travail. Ils n'en avaient nul besoin mais il lui fallait absolument trouver une occupation pour empêcher la vérité de jaillir. S'occuper lui permettrait de s'assurer que sa voix, son corps ne la trahiraient pas. Et c'était ce qu'elle voulait : se savoir en sécurité, savoir que ses sentiments ne transparaîtraient pas.

— Te voir doit être une sacrée épreuve pour elle. Quand elle t'a en face d'elle, elle doit avoir l'impression de voir Corey.

Kevin ne répondant pas, elle fut bien forcée de le regarder.

— C'est surtout pour les petites qu'elle se fait du mauvais sang. Elles ont demandé au père Noël de leur ramener leur papa. Mary Beth se demande comment elles réagiront quand elles verront qu'il ne revient pas.

Valerie se mit à frotter un coin du comptoir où une casserole trop chaude avait laissé un rond noir. Frotter n'y changerait pas grand-chose : la trace était trop vieille. Elle aurait dû s'en occuper plus tôt.

— Qu'est-ce que la police fabrique ici, Val ? reprit Kevin.

— Ils fouillent la propriété.

— Qu'est-ce qu'ils cherchent ?

— Ils ne me l'ont pas dit.

— Ça a un rapport avec... ?

— Oui, bien sûr. Ils ont embarqué les médicaments de Ruth...

— Ils ne pensent tout de même pas que *Ruth*...

— Non. Je ne sais pas. Je ne crois pas.

Valerie arrêta de frotter, plia son torchon. La tache était restée telle quelle.

— C'est bizarre que tu sois au cottage à cette heure-ci, observa Kevin. Normalement tu es au manoir, à préparer les repas.

— J'ai préféré ne pas rester dans leurs pattes, dit-elle, faisant référence aux policiers.

— Ils te l'ont demandé ?

— Non, j'ai cru bien faire.

— Ils vont fouiller le cottage, s'ils ont fouillé le manoir. (Il jeta un regard en direction de la fenêtre comme s'il pouvait voir la grande bâtisse depuis la cuisine, ce qui était impossible.) Je me demande ce qu'ils cherchent.

— J'en sais rien, redit-elle, la gorge serrée.

Devant le cottage, un chien se mit à aboyer. Les aboiements se muèrent en gémissements. On entendit crier. Valerie et son mari se précipitèrent dans le séjour, dont les fenêtres donnaient sur l'allée. Non loin de la sculpture de bronze représentant des nageurs et des dauphins, ils virent que Paul Fielder et Taboo étaient aux prises avec la police locale en la personne d'un constable coincé contre un arbre tandis que le chien avait les dents plantées dans son pantalon. Paul laissa tomber sa bicyclette et, se précipitant, se mit à tirer le chien en arrière pour lui faire lâcher prise. Le constable s'avança, cramoisi.

— J'y vais, dit Valerie. Je ne veux pas que Paul ait des ennuis.

Elle attrapa son manteau, qu'elle avait laissé sur le dos d'un fauteuil quand elle était arrivée. Elle se dirigea vers la porte.

Kevin attendit pour parler qu'elle ait la main sur la poignée, et il prononça simplement son prénom.

Elle se retourna pour le regarder : visage buriné, mains calleuses, yeux indéchiffrables. Lorsqu'il poursuivit, elle entendit la question mais ne put se résoudre à y répondre.

— Y a-t-il quelque chose que tu aies envie de me dire, Val ?

Elle lui adressa un grand sourire et fit non de la tête.

Deborah était assise sous le ciel argenté non loin de l'imposante statue de Victor Hugo, dont la cape et l'écharpe de granit flottaient pour l'éternité au vent qui soufflait de sa France natale. Elle était seule dans Candie Gardens, ayant gravi la colline directement après avoir quitté l'hôtel. Elle avait mal dormi, consciente jusqu'au malaise de la proximité du corps de son mari et bien décidée à ne pas rouler contre lui pendant la nuit. Difficile de trouver le sommeil dans ces conditions : elle s'était levée avant l'aube et elle était sortie se promener.

Après son tête-à-tête mouvementé avec Simon, la veille au soir, elle était retournée à l'hôtel. Mais là, elle s'était sentie comme une petite fille coupable. Furieuse de se laisser gagner ne fût-ce que par un début de remords alors qu'elle savait n'avoir rien fait de mal, elle ressortit rapidement pour ne rentrer qu'après minuit lorsqu'elle fut à peu près certaine de trouver Simon endormi.

Elle était allée rendre visite à China.

« Simon est impossible.

— Impossibles, c'est la définition même des hommes. »

China avait fait entrer Deborah et elles avaient préparé des pâtes, China s'affairant devant la cuisinière tandis que Deborah restait appuyée contre l'évier.

« Raconte-moi tout, lui avait dit China. Je vais panser tes bobos.

— C'est à cause de cette stupide bague, répondit Deborah. Il s'est mis dans un état épouvantable. »

Elle avait entrepris de tout raconter à China tandis que cette dernière versait un pot de sauce tomate dans une casserole et commençait à remuer.

« A l'entendre on croirait que j'ai commis un crime, avait-elle conclu.

— C'était stupide de toute façon, avait opiné China. Je ne sais pas pourquoi je l'ai achetée. Un coup de tête. Ce n'est pas toi qui ferais un truc pareil.

— Simon a pourtant l'air de trouver qu'en apportant la bague ici j'ai agi bien impulsivement.

— Ah oui ? »

China avait regardé un moment les pâtes qui cuisaient avant de répondre. « Alors je comprends qu'il ne soit pas pressé de faire ma connaissance.

— Ce n'est pas ça, avait protesté Deborah. Il ne faut pas que tu... Tu vas le rencontrer. Il a hâte de... Je lui ai tellement parlé de toi.

— Ouais ? » China avait relevé le nez pour la fixer. Deborah s'était sentie mal à l'aise sous ce regard. « Tu vivais ta vie. Rien de mal à ça. Ces trois ans en Californie n'ont pas été roses. Je comprends pourquoi tu n'as pas envie de réveiller ces vieux souvenirs. Et garder le contact... cela aurait été une façon de te souvenir, non ? Que veux-tu, ce sont des choses qui arrivent en amitié. On est proches et puis on s'éloigne. Les choses changent. Les besoins affectifs aussi. Et les gens évoluent. C'est comme ça. Tu m'as manqué, pourtant.

— On n'aurait jamais dû se perdre de vue.

— Pas facile de garder le contact avec quelqu'un qui ne vous écrit ni ne vous téléphone. » China lui avait adressé un sourire. Un sourire triste.

« Désolée, China. J'ignore pourquoi je ne t'ai pas écrit, j'en avais l'intention mais le temps a passé... J'aurais dû. T'écrire, t'envoyer un mail, te téléphoner.

— Battre le tam-tam.

— Oui. Tu as dû avoir l'impression... Penser que je t'avais oubliée. Mais non. Comment aurais-je pu t'oublier après tout ce qui s'est passé ?

— J'ai bien reçu ton faire-part. »

Mais pas d'invitation au mariage, en revanche, avait pensé China sans le dire.

Deborah avait paru saisir le sous-entendu et cherché un moyen d'expliquer ses réactions.

« Je me suis dit que tu trouverais ça bizarre. Après Tommy. Après tout ce qui s'est passé, voilà soudain que j'épouse quelqu'un d'autre. Je n'ai pas... Je n'ai pas su comment t'expliquer.

— Tu te sentais obligée de t'expliquer ? Pourquoi ?

— Parce que ça avait l'air tellement... » Deborah aurait voulu trouver le mot juste pour décrire son passage des bras de Tommy dans ceux de Simon et le faire comprendre à quelqu'un qui ne connaissait pas l'histoire de son amour pour Simon et de leur séparation. C'était trop personnel, trop douloureux pour qu'elle en parle à quiconque pendant son séjour en Amérique. Sur ces entrefaites, Tommy avait débarqué, comblant un vide dont il ignorait l'existence. C'était trop compliqué. Ça l'avait toujours été. Peut-être était-ce pour cela qu'elle avait considéré que China, appartenant à une période américaine où Tommy avait joué un rôle, devait être reléguée dans le passé quand Tommy était sorti de sa vie.

« Je ne t'ai pas beaucoup parlé de Simon, si ?

— Tu n'as jamais prononcé son nom. Tu passais ton temps à guetter le courrier et tu sursautais chaque fois que le téléphone sonnait. Mais comme ni la lettre ni le coup de fil n'arrivaient, tu disparaissais l'espace d'une heure ou deux. Je me suis dit que tu avais dû laisser quelqu'un en Angleterre mais je n'ai pas voulu te poser de questions. Me disant que tu m'en parlerais le moment venu. Apparemment il n'est jamais venu. Dommage. (China avait versé les pâtes dans une passoire. Elle s'était détournée de l'évier dans un nuage de vapeur.) On aurait pu partager ça. C'est vraiment dommage que tu n'aies pas eu assez confiance en moi.

— Pas assez... ? Mais c'est faux. Pense à tout ce qui s'est passé, je te faisais entièrement confiance.

— L'avortement, certes. Mais ça, c'était un truc physique. Tes émotions, tu ne les as jamais confiées à personne. Même quand tu as épousé Simon. Même maintenant que tu viens de te disputer avec lui. Une amie, c'est fait pour partager, Debs. Ce n'est pas uniquement un gadget. Comme un Kleenex qu'on prend quand on a besoin de se moucher.

— C'est ça que tu crois avoir été pour moi ? Ce que tu crois être ? »

China avait haussé les épaules, et d'un air triste, avait avoué : « Je ne sais pas. »

Dans Candie Gardens, Deborah passait en revue sa soirée avec China. Cherokee ne s'était pas montré. « Il m'a dit qu'il allait au cinéma mais tel que je le connais il doit être dans un bar, à baratiner une nana. » Elle n'avait donc pas eu de prétexte pour éviter de réfléchir à ce qui était arrivé à leur amitié.

A Guernesey, les rôles étaient inversés, et cela créait une gêne entre elles. China avait longtemps materné Deborah, prenant en charge une étrangère qui avait débarqué en Californie alors qu'elle était sous le choc d'un amour non payé de retour. Sous la pression des circonstances, l'Américaine était maintenant devenue une sorte de mendiante, dépendante de la bonté des autres. Et Deborah, qui avait toujours été dorlotée par China, avait endossé le manteau du Samaritain. Ce renversement des rôles les déstabilisait ; elles étaient encore plus perturbées que si elles n'avaient éprouvé que le chagrin de s'être perdues de vue pendant toutes ces années. Aussi, ni l'une ni l'autre ne savait que faire ni que dire. Même si toutes les deux ressentaient la même chose sans parvenir à l'exprimer. Elles se souciaient l'une de l'autre mais elles étaient en même temps un peu sur la défensive. Elles essayaient de se retrouver, de repartir du bon pied, et pour cela il leur fallait faire table rase du passé.

Deborah se leva de son banc tandis qu'un rayon de soleil venait éclairer la piste cendrée menant à la grille du jardin. Elle suivit cette piste entre pelouse et buissons, et contourna un bassin où nageaient des poissons rouges, version miniature de ceux du jardin japonais du Reposoir.

Il commençait à y avoir de la circulation, les piétons se hâtaient, cherchant à rejoindre le centre et le port. La plupart traversaient pour atteindre Ann's Place. Deborah leur emboîta le pas, tourna à l'angle et arriva en vue de son hôtel.

Dehors elle aperçut Cherokee, appuyé de la hanche contre le mur d'enceinte du jardin encaissé. Les yeux rivés sur la façade de l'hôtel, il mangeait quelque chose qui était enveloppé dans une serviette en papier et buvait dans un gobelet fumant.

Elle s'approcha. Il était si absorbé qu'il ne l'entendit pas arriver et sursauta quand elle le héla et lui tapota le bras. La reconnaissant, il sourit.

— Ça marche, la télépathie. J'étais en train de te demander de sortir.

— Le téléphone, c'est encore mieux. Qu'est-ce que tu manges ?

— Un croissant au chocolat. Tu en veux ?

Il le lui tendit. Elle posa sa main sur la sienne.

— Et tout frais en plus. Délicieux.

Elle se mit à mastiquer.

Il lui tendit le gobelet d'où s'exhalait le parfum du café chaud. Elle en but une gorgée. Il lui adressa un nouveau sourire.

— Très bien, Debs.

— Quoi ?

— Mais ça.

— Quoi donc ?

— Notre mariage. Dans certaines des tribus les plus primitives d'Amazonie tu serais devenue ma femme.

— Ce qui signifierait ?

— Viens en Amazonie, tu verras. (Il mordit dans le croissant tout en la détaillant.) Je me demande où j'avais la tête en ce temps-là. Quand je pense que je ne me suis pas rendu compte à quel point tu étais sexy... C'est sans doute parce que tu étais prise.

— Je le suis toujours.

— Non. Les femmes mariées, ça ne compte pas.

— Pourquoi ?

— Pas facile à expliquer.

Elle s'appuya à son tour contre le mur, lui prit son café des mains et s'en octroya une nouvelle gorgée.

— Essaye toujours.

— Oh, c'est un truc de mec. Les règles de base. Tu peux faire des avances à une femme si elle est célibataire ou mariée. Célibataire parce qu'elle est disponible et qu'elle ne crache pas sur les hommes qui lui laissent entendre qu'elle est bandante. Mariée parce que son mari ne lui prête peut-être plus assez attention. Si tel n'est pas le cas, fais-lui confiance : elle arrivera vite à te le faire savoir. Ce qui t'évitera de perdre ton temps et ta salive. Mais la femme qui est amoureuse d'un mec sans être mariée avec lui, il ne faut pas y toucher. Les avances la laissent de glace. Et quand on s'amuse à lui en faire, faut pas s'étonner si son mec prend le mors aux dents.

— C'est la voix de l'expérience qui parle, observa Deborah.

Il haussa les épaules.

— China te croyait dans un bar en train de draguer, hier soir.

— Elle m'a dit que tu étais passée. Pourquoi ?

— Simon et moi, on a eu des mots, figure-toi.

— Des mots ? Ah, génial ! Je vais pouvoir te faire des avances. Tiens, reprends un peu de ce croissant, bois encore un peu de café.

— Pour sceller notre union amazonienne ?

— Ça y est, tu penses comme une Sud-Américaine.

Ils éclatèrent de rire.

— Tu aurais dû venir plus souvent dans le comté d'Orange, dit Cherokee. Ça aurait été sympa.

— Tu m'aurais draguée ?

— Non. C'est maintenant que je te drague.

Deborah s'esclaffa. Il la taquinait, bien sûr. Il ne la désirait pas plus qu'il ne désirait sa propre sœur. Mais le courant passait entre eux – chargé de cette électricité qui colore parfois les relations homme-femme. Et ce n'était pas désagréable, il lui fallait le reconnaître. Elle se demanda depuis combien de temps cette électricité avait disparu de son couple. Avait-elle même disparu ? Elle se posait des questions.

— J'aimerais avoir ton avis, Debs, poursuivit Cherokee. Je n'ai pas fermé l'œil la nuit dernière. Je n'arrivais pas à prendre une décision.

— A quel sujet ?

— Maman. China ne veut pas qu'elle soit mêlée à son affaire. Elle ne veut pas que je la mette au courant. Mais c'est notre mère : elle a quand même le droit d'être informée. China prétend qu'elle ne lui sera d'aucun secours, et c'est vrai. Mais ça ne l'empêche pas de venir. Je pensais lui téléphoner. Qu'est-ce que tu en dis ?

Deborah réfléchit. Dans le meilleur des cas, les relations de China avec sa mère avaient ressemblé à une trêve entre deux armées ennemies. Et dans le pire, à une bataille rangée. La haine de China pour sa mère plongeait ses racines dans une enfance affectivement carencée. Ces carences venaient de ce que, passionnée de politique, d'écologie et de problèmes de société, Andromeda River ne s'était pas particulièrement souciée de ses enfants ni de la vie qu'elle leur faisait mener. Elle n'avait eu que très peu de temps à consacrer à Cherokee et China, qui avaient passé leurs années de préadolescence dans des motels aux murs épais comme du papier à cigarettes avec pour seul luxe une glacière installée près du bureau du gérant. Deborah le savait depuis qu'elle la connaissait : China en voulait terriblement à sa mère des conditions dans lesquelles elle avait fait vivre ses enfants pendant qu'elle passait son temps à brandir des pancartes de soutien aux animaux en danger, aux plantes en danger et même aux enfants en danger. Sans se rendre compte que l'existence qu'elle imposait à sa progéniture n'était pas sans ressembler à celle des petits défavorisés qu'elle défendait si bien.

— Peut-être que tu devrais attendre quelques jours, suggéra Deborah. China est à cran... Qui ne le serait à sa place ? Si elle ne veut pas de sa mère, il vaut peut-être mieux respecter ses désirs. Pour l'instant du moins.

Cherokee se tourna de façon à lui faire face.

— Tu crois qu'au lieu de s'arranger, la situation va empirer, n'est-ce pas ?

— C'est à cause de la bague. Je regrette qu'elle l'ait achetée.

— Et moi donc.

— Cherokee, que s'est-il passé entre elle et Matt Whitecomb ?

Cherokee s'appuya de nouveau contre le mur. Il regarda l'hôtel et parut se perdre dans la contemplation des fenêtres du premier étage, dont les rideaux étaient encore tirés.

— Ça ne menait nulle part, leur histoire. Ça s'enlisait. Et elle ne s'en rendait pas compte. C'était ce que c'était, sans plus. Mais elle, cela ne lui suffisait pas. Alors elle a essayé de se faire croire que c'était plus sérieux que ça ne l'était.

— Une liaison de treize ans, ça n'était pas grand-chose ? Comment est-ce possible ?

— Les hommes sont des cons, laissa tomber Cherokee en avalant le reste de son café. Bon, je ferais mieux de rentrer, tu ne crois pas ?

— Si.

— Toi et moi, Debs, faut qu'on se décarcasse pour la sortir de là.

Il tendit la main et l'espace d'un instant ce fut comme s'il avait l'intention de lui caresser les cheveux ou le visage mais il laissa retomber sa main sur l'épaule de Deborah, qu'il pressa. Puis il s'éloigna à grands pas en direction de Clifton Street, proche de la Royal Court House, où China passerait en jugement s'ils n'agissaient pas rapidement.

Deborah regagna son hôtel. Dans la chambre, elle trouva Simon plongé dans son rituel matinal quotidien. En général, il faisait appel à elle – ou à son père – car il avait du mal à manipuler seul les électrodes. Là, pourtant, il semblait avoir réussi à les positionner à peu près correctement. Allongé sur le lit avec un exemplaire du *Guardian* de la veille, il lisait tandis que le courant stimulait spasmodiquement les muscles de sa jambe pour les empêcher de s'atrophier.

C'était là, elle le savait, un vieux réflexe de vanité. Mais aussi la manifestation de l'espoir qu'on finirait par trouver le moyen de le faire remarcher normalement. Quand ce jour arriverait, il voulait que sa jambe soit à la hauteur.

Elle avait le cœur gros quand elle le surprenait dans un moment comme celui-ci. Il le savait. Et comme il détestait tout ce qui ressemblait à de la pitié, elle ne manquait jamais de faire comme si elle le trouvait en train de se brosser les dents.

— Quand je me suis aperçu que tu n'étais plus là,

j'ai eu un moment de panique. Je me suis dit que tu avais passé la nuit dehors.

Elle retira son manteau, s'approcha de la bouilloire électrique, qu'elle remplit d'eau, et la brancha. Elle mit deux sachets dans la théière.

— J'étais furieuse. Mais pas suffisamment pour coucher dans la rue. Je suis allée voir China.

— Je pensais bien que ce n'était pas à la belle étoile que tu aurais fini la nuit.

Elle lui jeta un coup d'œil mais il examinait une page du journal.

— On a parlé du passé. Tu dormais quand je suis rentrée. Je n'ai pas réussi à fermer l'œil. Je sautais comme une carpe dans le lit. Je me suis levée de bonne heure et je suis allée me promener.

— Il fait beau ?

— Froid et gris. On se croirait à Londres.

— On est en décembre.

— Hmmmm, répondit-elle alors qu'intérieurement elle pestait : « Quelle conversation ridicule ! C'est comme ça que ça se finit dans les couples ? »

Comme s'il lisait dans ses pensées et voulait lui montrer qu'elle avait tort, Simon dit :

— Apparemment, c'est sa bague. Il n'y en avait pas d'autre dans ses affaires au commissariat. Ils ne peuvent pas en être certains, bien sûr, tant qu'ils...

— Est-ce que ses empreintes sont dessus ?

— Je ne sais pas encore.

— Alors...

— Il nous faut attendre.

— Tu la crois coupable, hein ? dit Deborah avec de l'amertume dans la voix. (Elle avait eu beau essayer de réagir comme lui – s'efforcer d'être rationnelle, se concentrer uniquement sur les faits sans les laisser déteindre sur ses émotions –, elle avait échoué.) Tu peux dire qu'on va sacrément l'aider.

— Deborah, dit doucement Simon, viens ici, assieds-toi sur le lit.

— J'ai horreur que tu me parles sur ce ton.

— Tu es en colère à cause d'hier. Je m'y suis mal pris. Je me suis conduit comme une brute. J'ai été odieux. Je le reconnais. Je te présente mes excuses. Est-ce qu'on peut passer à autre chose ? J'aimerais te faire part de ce que j'ai appris. Je voulais te le dire hier soir mais... j'ai été impossible. Tu as eu mille fois raison de disparaître.

Simon reconnaissait avoir commis une erreur. Jamais il n'était allé aussi loin. C'était un événement. Deborah s'approcha du lit, s'assit au bord du matelas.

— La bague lui appartient peut-être mais ça ne signifie pas qu'elle était là, Simon.

— Je suis d'accord.

Il expliqua à quoi il avait employé son temps après leur séparation devant le jardin encaissé. Le décalage horaire entre Guernesey et la Californie lui avait permis de contacter l'avocat qui avait engagé Cherokee River pour transporter les plans outre-Atlantique. William Kiefer avait commencé par se réfugier derrière le sacro-saint secret professionnel. Mais il était revenu à de meilleurs sentiments en apprenant que son client avait été assassiné sur une plage de Guernesey.

Guy Brouard, avait expliqué Kiefer à Simon, l'avait engagé pour lui confier une série de missions sortant sérieusement de l'ordinaire. Il voulait que Kiefer déniche quelqu'un de parfaitement fiable qui serait prêt à acheminer des plans depuis le comté d'Orange jusqu'à Guernesey. Kiefer avait dit à Simon qu'au début cette mission lui avait paru être une connerie. Même si ce n'était pas le terme qu'il avait utilisé lors de son entretien avec Mr Brouard. Pourquoi ne pas faire appel à une entreprise spécialisée dans ce type de services, ce qui lui coûterait nettement moins cher ? Il pouvait contacter Fedex, DHL, UPS. Mais Guy Brouard était un étrange personnage, mélange d'autorité, d'excentricité et de paranoïa. Il avait les fonds nécessaires pour procéder à sa guise, et il entendait bien parvenir à ses fins. Il aurait bien transporté les plans lui-même mais il n'était dans le comté d'Orange que le temps de donner des instructions concernant ces plans. Il ne pouvait rester jusqu'à leur exécution.

Il voulait que l'acheminement soit confié à quelqu'un de responsable. Il était prêt à payer le prix. Et il n'avait pas confiance dans un homme seul, apparemment. Car il avait un fils qui était un bon à rien, ce qui l'incitait à penser que les jeunes gens n'étaient pas dignes de confiance. Par ailleurs, il ne voulait pas non plus d'une femme se rendant seule en Europe – cette idée ne lui plaisait pas. Il n'avait pas envie de se sentir responsable au cas où quelque chose lui arriverait. Il avait des idées assez démodées sur la question. Bref, il avait décidé de confier la mission à un homme et à une femme qui se feraient passer pour mari et femme.

Brouard, avait ajouté Kiefer, était suffisamment excentrique pour offrir la somme de cinq mille dollars pour le job. Et par ailleurs assez radin pour ne procurer à ses coursiers que des billets d'avion en classe touriste. Le couple devant pouvoir quitter les Etats-Unis aussitôt que les plans seraient prêts, Kiefer s'était dit que, pour le recruter, le mieux serait de passer une petite annonce à l'université de Californie et de voir venir.

En attendant, Brouard lui avait réglé ses honoraires, auxquels il avait ajouté la somme de cinq mille dollars prévue pour les coursiers. Comme les chèques n'étaient pas des chèques en bois, et bien que Kiefer trouvât ce scénario particulièrement tordu, il s'était assuré qu'il n'y avait rien d'illicite dans la transaction, vérifiant que l'architecte était bien un architecte et non un fabricant d'armes, de plutonium, un dealer ou un fournisseur de substances toxiques destinées à la guerre bactériologique.

Parce que évidemment des individus de ce genre n'allaient pas s'amuser à faire acheminer leurs produits par une société ayant pignon sur rue.

L'architecte – un homme du nom de Jim Ward – avait été au lycée avec Kiefer. Il lui confirma sans peine l'histoire : il était effectivement en train de réaliser des plans pour le compte de Mr Guy Brouard, habitant le Reposoir, à Saint Martin, Guernesey. Des plans que Brouard tenait à recevoir le plus vite possible.

Alors, rassuré, Kiefer avait tout mis en branle de son côté. Un grand nombre de candidats s'étaient proposés pour la mission, et parmi eux il avait choisi un certain Cherokee River. Il était plus âgé que les autres, expliqua Kiefer, et de surcroît marié.

— Dans l'ensemble, conclut Simon, William Kiefer a confirmé l'histoire des River de A à Z. Certes, c'était une curieuse de façon de procéder ; mais j'ai l'impression que Brouard aimait faire les choses de façon peu orthodoxe. Histoire peut-être de déstabiliser les gens. Afin de garder le contrôle. C'est important pour les riches. C'est généralement comme ça qu'ils deviennent riches, d'ailleurs.

— Est-ce que la police sait tout ça ?

Il fit non de la tête.

— Mais Le Gallez a tous les papiers. Il ne va pas tarder à être au courant.

— Tu crois qu'il va la libérer ?

— Parce que l'histoire qu'elle a racontée tient la route ? (Simon tendit le bras vers l'appareil. Il le mit hors tension et commença à enlever les fils.) Je ne crois pas, Deborah. A moins qu'il ne déniche quelque chose qui le mette sur la piste de quelqu'un d'autre.

Il ramassa ses béquilles et passa ses jambes par-dessus le bord du lit.

— Et il y a autre chose ? Qui permettrait d'orienter les soupçons dans une autre direction ?

Il ne répondit pas. Il prit son temps pour installer la prothèse, appuyée près du fauteuil sous la fenêtre. Deborah eut l'impression que les réglages n'en finissaient pas ce matin et qu'il passait un temps fou à se mettre debout, s'habiller et reprendre le fil de la conversation.

— Je te sens préoccupée, Deborah.

— China se demande pourquoi... tu n'as pas l'air très pressé de la rencontrer. Elle se figure que tu as une raison de garder tes distances. C'est vrai ?

— A première vue, elle fait une coupable idéale : Brouard et elle ont évidemment passé du temps en tête à tête. N'importe qui a pu lui piquer sa cape, s'introduire dans sa chambre pour y prendre des cheveux et emprunter ses chaussures. Seulement la préméditation exige un mobile. Et de quelque façon qu'on examine la chose, elle n'en avait pas.

— Pourtant la police...

— Non. Ils savent qu'ils n'ont pas de mobile. Alors ça nous laisse le champ libre.

— La possibilité d'en trouver un pour quelqu'un d'autre ?

— Oui. Pourquoi les gens commettent-ils un meurtre avec préméditation ? Vengeance, jalousie, chantage, intérêt. C'est de ce côté que nous devons orienter nos efforts.

— Mais la bague, Simon, si c'est celle de China ?

— Alors, il va falloir qu'on fasse sacrément vite.

17

Margaret Chamberlain tenait le volant d'une poigne de fer tout en regagnant le Reposoir. Cela lui permettait de se concentrer sur l'instant et de se focaliser sur la conduite de la Range Rover tandis qu'elle longeait Belle Greve Bay, ce qui lui évitait ainsi de repenser à sa rencontre avec la famille Fielder.

Elle n'avait pas eu beaucoup de mal à les trouver : il n'y avait que deux Fielder dans l'annuaire. L'un d'eux habitait Aurigny. L'autre, rue des Lierres dans un secteur situé entre Saint Peter Port et Saint Samson. Il n'avait pas été difficile de repérer le coin sur la carte. Toutefois, pour le trouver dans la réalité, ç'avait été une autre paire de manches parce que dans ce quartier – nommé le Bouet – les panneaux de signalisation n'étaient pas nombreux.

Le Bouet s'avéra être un endroit qui rappela un peu trop à Margaret son lointain passé de fille d'une famille de six enfants où l'on avait du mal à joindre les deux bouts. Le Bouet, c'était l'endroit où vivaient les gens les plus défavorisés de l'île, dans des maisons qui ressemblaient à toutes celles qu'occupait, dans toutes les villes d'Angleterre, une humanité submergée. Ce n'étaient que HLM hideuses aux portes étriquées et aux fenêtres en aluminium piqué de rouille. Des sacs-poubelle pleins à ras bord tenaient lieu de buissons, et les pelouses anémiques, au lieu d'être ponctuées de massifs de fleurs, regorgeaient de détritus.

Tandis que Margaret descendait de voiture, elle constata que deux chats se battaient pour s'emparer d'un reste de côte de porc qui gisait dans le caniveau. Un chien fouillait dans une poubelle renversée. Des mouettes se disputaient une miche de pain entamée. Elle frissonna à ce spectacle tout en se disant qu'elle aurait un avantage certain dans la conversation qui allait s'engager. A l'évidence, les Fielder n'avaient pas les moyens de recourir aux services d'un notaire pour se faire expliquer leurs droits. Il ne devrait donc pas être difficile de leur arracher ce qui revenait légitimement à Adrian.

Elle fut prise au dépourvu par le phénomène qui lui ouvrit la porte lorsqu'elle eut frappé. Un monument d'hostilité masculine : mal peigné, mal lavé, grossier. A son vibrant : « Bonjour ! Est-ce que les parents de Paul Fielder habitent ici ? », il répondit par un : « P'têt' ben qu'oui, p'têt' ben qu'non. » Puis il braqua les yeux sur ses seins dans l'intention manifeste de la déstabiliser.

— Vous n'êtes pas Mr Fielder ? dit-elle. Vous n'êtes pas le père...

Mais non, il ne pouvait pas l'être. Malgré sa précocité sexuelle, il ne devait pas avoir plus de vingt ans.

— Un de ses frères alors ? J'aimerais parler à vos parents s'ils sont là. Dites-leur que c'est au sujet de votre frère. Paul Fielder est votre frère, non ?

Il quitta momentanément sa poitrine des yeux.

— Le petit con, dit-il en s'écartant.

Margaret prit cela pour une invitation à entrer et, lorsque le grossier personnage eut disparu dans les profondeurs de la maison, elle se dit que c'était également une invitation à le suivre. Elle se retrouva en tête à tête avec lui dans une cuisine exiguë qui sentait le bacon rance ; il alluma une cigarette au brûleur de la cuisinière à gaz et pivota vers elle tout en inhalant la fumée.

— Qu'est-ce qu'il a fait ?

— Il a hérité d'une coquette somme d'argent que lui a léguée mon mari, ou plutôt mon ex-mari. Au détriment de mon fils, à qui cet argent devait revenir. J'aimerais faire l'économie d'un procès. Et je suis venue voir si vos parents sont dans les mêmes dispositions d'esprit.

— Ah oui ? jeta le frère Fielder.

Il remonta son jean crasseux sur ses hanches, remua d'un pied sur l'autre et lâcha un pet puissant.

— Excusez-moi, dit-il. J'oublie toujours qu'il faut être correct devant les dames.

— Vos parents ne sont pas là ?

Margaret passa son sac sous son bras comme pour lui faire comprendre que la conversation allait bientôt toucher à son terme.

— Si vous voulez bien leur dire...

— P'têt' qu'ils sont en haut. Ils aiment bien tirer leur coup le matin. Et vous ? Z'êtes du matin aussi ?

Margaret décida que l'entretien avec ce voyou avait suffisamment duré.

— Dites-leur que Margaret Chamberlain, ex-Brouard, est passée... Je leur téléphonerai.

Et elle se détourna pour repartir par où elle était venue.

— Margaret Chamberlain, ex-Brouard, répéta le frère Fielder. J'sais pas si j'vais arriver à me rappeler tout ça. On en a plein la bouche, dites donc.

Margaret s'immobilisa :

— Si vous avez un morceau de papier, je vais vous le noter.

Elle était dans le couloir entre la porte d'entrée et la cuisine, et le jeune homme la rejoignit. Lorsqu'il fut près d'elle dans ce corridor étroit, il lui sembla plus menaçant qu'auparavant, et le silence qui enveloppait la maison lui parut soudain s'amplifier.

— Oh, c'est pas un papier qui va me servir de pense-bête. Ça sert pas à grand-chose, les papiers.

— Dans ce cas... je les appellerai, je leur expliquerai de quoi il s'agit.

Margaret se retourna, bien que peu rassurée de le perdre de vue, et poursuivit son chemin vers la sortie.

Il la rattrapa et lui emprisonna la main qu'elle venait de poser sur la poignée. Elle sentit son souffle brûlant sur son cou. Il s'approcha. Elle se trouva plaquée contre la porte. Une fois qu'elle fut là, il lui lâcha la main et tâtonna jusqu'à ce qu'il trouve son entrejambe. Il serra et l'attira contre lui. De son autre main, il lui attrapa le sein gauche, qu'il pressa. Ce fut l'affaire d'une seconde.

— Avec ça, je risque pas d'oublier, marmonna-t-il.

Margaret bizarrement ne pensait qu'à une chose : Qu'avait-il fait de la cigarette qu'il venait d'allumer ? L'avait-il entre les doigts ? Avait-il l'intention de la brûler ?

Cette idée était tellement ridicule, compte tenu du fait que la brûler était évidemment la dernière des choses à laquelle pensait ce voyou, qu'elle la poussa à agir. Elle lui enfonça son coude dans les côtes et lui planta le talon de sa botte dans le pied. Au moment où il lâchait prise, elle le repoussa et sortit. Elle aurait voulu rester, lui flanquer un bon coup de genou dans les couilles, ça la démangeait, mais elle avait beau être une tigresse quand elle était en colère, elle n'était pas folle. Elle se précipita vers sa voiture.

Tout en se dirigeant vers le Reposoir, elle constata que son corps était parcouru par une décharge d'adrénaline, laquelle se transformait en rage. Cette rage, elle la dirigea contre le misérable spécimen d'humanité sur lequel elle était tombée au Bouet. Comment avait-il osé... ? Pour qui se prenait-il... ? Qu'est-ce qu'il comptait... ? Elle aurait pu le tuer, nom de Dieu... Mais cela ne dura qu'un moment. Cette rage s'éteignit lorsqu'elle comprit ce qui aurait pu se passer et, du coup, sa fureur trouva un autre destinataire : son fils.

Il ne l'avait pas accompagnée. Il l'avait laissée aller seule chez Henry Moullin la veille, et il l'avait également laissée tomber ce matin.

C'était fini, décida Margaret. Bon sang, c'était fini. Plus question de s'occuper des affaires d'Adrian sans qu'il paye un peu de sa personne ou qu'il la remercie. Elle s'était battue à sa place depuis sa naissance ; cette fois c'était terminé.

Arrivée au Reposoir, elle claqua la portière de la Range Rover et se dirigea à grands pas vers la maison, dont elle claqua également la porte. Ces claquements ponctuaient son monologue intérieur. C'était fini. Clac. Il se débrouillerait seul, nom de Dieu. Clac.

Le traitement qu'elle venait d'infliger à la lourde porte n'éveillant aucun écho au manoir, sa colère monta encore de plusieurs crans. Elle traversa le hall comme une furie, les talons de ses bottes martelant rageusement les dalles de pierre. Elle ne fit qu'un bond jusqu'à la chambre d'Adrian. La seule chose qui la retenait de faire irruption dans la pièce était la crainte de porter des traces de l'affront qu'elle venait de subir. Et également la peur de surprendre Adrian se livrant à quelque crapuleuse activité solitaire.

Peut-être que c'était cela qui avait poussé Carmel Fitzgerald à se réfugier dans les bras accueillants du père d'Adrian. A une ou deux reprises, Carmel avait dû tomber sur Adrian recourant à ses détestables manœuvres pour se détendre les nerfs quand il était sous pression. Et, très gênée, elle était peut-être allée chercher auprès de Guy un réconfort et des explications qu'il avait dû se faire un plaisir de lui fournir.

Il est un peu bizarre, mon fils, ce n'est pas tout à fait un homme, ma chère.

Oh ça, c'était bien vrai, songea Margaret. Sa seule chance de normalité lui était passée sous le nez, son père la lui ayant soufflée. Et ce qui était d'autant plus énervant, c'est qu'il n'avait à s'en prendre qu'à lui-même. Quand Adrian se déciderait-il donc à se transformer en l'homme qu'elle voulait qu'il soit ?

Dans le couloir du premier étage, un miroir doré était accroché au-dessus d'une commode en acajou. Margaret s'arrêta devant lui pour s'y examiner. Son regard se porta sur sa poitrine ; elle s'attendait presque à distinguer la trace des doigts crasseux du frère Fielder sur son pull de cachemire jaune. Elle sentait encore ses mains. Son souffle. Monstre. Abruti. Psychopathe. Voyou.

Elle frappa deux fois sans douceur à la porte d'Adrian. Elle l'appela, tourna la poignée, entra. Il était au lit. Mais il ne dormait pas. Il était allongé, le regard rivé sur la fenêtre ouverte, aux rideaux largement tirés sur la grisaille du jour.

Le cœur de Margaret sauta dans sa poitrine, sa colère l'abandonna. Aucun être normal ne serait resté au lit dans ces conditions.

Margaret frissonna. Elle se précipita vers la fenêtre pour en inspecter le rebord et regarder le sol en contrebas. Elle pivota vers le lit. Adrian avait sa couette remontée jusqu'au menton, ses membres formaient des bosses sous le tissu. Le regard de Margaret atteignit ses pieds. Elle se dit qu'elle allait vérifier. Il fallait qu'elle sache à quoi s'en tenir.

Il n'émit pas un mot de protestation lorsqu'elle souleva la couette. Il ne fit pas un mouvement tandis qu'elle examinait la plante de ses pieds à la recherche de signes indiquant qu'il était sorti pendant la nuit. L'état des rideaux et de la fenêtre suggérait qu'il avait encore fait une crise. Jamais auparavant il n'avait grimpé sur un rebord de fenêtre ou sur un toit au beau milieu de la nuit, mais son subconscient n'obéissait pas aux mêmes règles que celles qui régissent l'esprit des gens normaux.

« Les somnambules ne se mettent généralement pas en danger, avait-on expliqué à Margaret. Ils font, la nuit, ce qu'ils font le jour. »

Justement, songea Margaret, amère, c'était bien le problème.

Si Adrian avait déambulé hors de sa chambre au lieu de se contenter de l'arpenter dans son sommeil, en tout cas il n'y en avait pas trace sur ses pieds. Elle raya donc la crise de somnambulisme de la liste des problèmes dont avait pu souffrir son fils, et décida d'inspecter le lit. Elle passa sans ménagement ses mains sous ses hanches, cherchant des endroits humides sur les draps et le matelas. A son grand soulagement, il n'y en avait pas. Il n'avait pas non plus fait de coma éveillé – une de ces transes dans lesquelles il s'enfonçait périodiquement.

A une certaine époque, elle aurait pris des gants, elle y serait allée doucement. C'était son pauvre petit, son fils chéri, si différent des autres, qui eux étaient vigoureux. Il était si sensible, réagissant au quart de tour à son environnement. Elle le faisait émerger de cet état crépusculaire en lui caressant doucement les joues. Elle lui massait le crâne pour qu'il reprenne conscience, elle le ramenait sur terre à force de doux murmures.

Mais pas question de douceur, à présent. Le frère Fielder avait tari en elle le lait de la tendresse maternelle. Si Adrian l'avait accompagnée au Bouet, rien ne serait arrivé. Il avait beau être au-dessous de tout en tant que mâle, sa présence en tant qu'être humain, en tant que témoin, chez les Fielder, aurait sûrement empêché le voyou de se jeter sur elle.

Margaret empoigna la couette, la jeta par terre et

retira brutalement l'oreiller de sous la tête d'Adrian. Comme il cillait, elle lui dit :

— Ça suffit. Prends-toi en charge et tout de suite.

Adrian regarda sa mère, la fenêtre ; sa mère de nouveau et la couette par terre. Le froid ne le faisait pas frissonner. Il ne bougea pas.

— Sors de ce lit ! s'écria Margaret.

A ces mots, il reprit ses esprits.

— Est-ce que je... ? dit-il en faisant référence à la fenêtre.

— Qu'est-ce que tu crois ? Ecoute, j'ai pris une décision. Nous allons engager un notaire. Et je veux que tu m'accompagnes.

Elle se dirigea vers la penderie pour y prendre sa robe de chambre. Elle la lui lança à la tête et ferma la fenêtre tandis qu'il s'extirpait finalement des draps.

Lorsqu'elle se retourna, il l'observait. Elle comprit à son expression qu'il avait retrouvé toute sa lucidité et qu'il se rendait compte qu'elle avait fait irruption dans sa chambre. C'était comme s'il prenait lentement conscience de l'examen auquel elle avait soumis son corps et son environnement. Il allait lui donner du fil à retordre mais Margaret savait qu'elle était de taille à lui tenir tête.

— Tu as frappé, maman ?

— Ne sois pas ridicule, Adrian. Qu'est-ce que tu crois ?

— Je t'ai posé une question. Réponds.

— Je t'interdis de parler à ta mère sur ce ton. Est-ce que tu sais seulement par quoi je viens de passer ? Où je suis allée ? Pourquoi ?

— Je veux savoir si tu as frappé, maman.

— Ecoute-toi un peu. Tu te rends compte de quoi tu as l'air ?

— Ne détourne pas la conversation. J'ai le droit...

— Oui, tu as des droits. D'ailleurs qu'est-ce que tu

crois que je fais depuis l'aube ? Je m'occupe de tes droits. J'essaye, pour les remerciements que j'en retire, de faire entendre raison aux gens qui t'ont dépouillé.

— Je veux savoir...

— On dirait un môme qui pleurniche. Arrête. Oui, j'ai frappé, j'ai cogné, j'ai crié. Et si tu te figures que j'allais tourner les talons et attendre que tu redescendes sur terre, alors là, tu te mets le doigt dans l'œil. Je suis fatiguée de me décarcasser pour toi pendant que tu restes inerte. Habille-toi. Tu vas me faire le plaisir de te remuer. Et tout de suite. Sinon j'arrête de prendre tes affaires en main.

— Arrête.

Margaret se dirigea vers son fils, soulagée qu'il ait hérité de la taille de son père, et pas de la sienne : elle faisait bien cinq centimètres de plus que lui. Elle les mit à profit.

— Tu es impossible. Tu te complais dans ton malheur. Est-ce que tu t'en rends compte ? Tu te rends compte que c'est répugnant, cette attitude ? Tu te rends compte de l'effet que ça peut produire sur une femme ?

Il s'approcha de la commode, où il avait posé un paquet de Benson & Hedges. Il en sortit une et l'alluma. Il tira dessus et resta silencieux un moment. L'indolence de ses mouvements la poussa à bout.

— Adrian !

Margaret s'entendit hurler et fut horrifiée tant sa voix ressemblait à celle de sa mère : cette voix de femme de ménage où transparaissaient du désespoir et de la peur camouflés tous deux sous le nom de rage.

— Réponds-moi, bon sang ! Je refuse que tu te conduises comme ça. Je suis venue à Guernesey pour assurer ton avenir et je n'ai pas l'intention de te laisser planté là et de te laisser me traiter comme...

— Quoi ? (Il pivota vers elle.) Comme quoi ?

Comme un meuble qu'on trimballe de pièce en pièce ? Comme tu me traites ?

— Je ne te...

— Tu me prends pour un con ? Tu crois peut-être que je ne sais pas ce que tu as dans ta petite tête ? Tout ce qui t'intéresse, c'est ce que tu veux, ce que tu as prévu.

— Comment peux-tu dire ça ? J'ai travaillé, je me suis décarcassée, j'ai organisé, j'ai arrangé, j'ai consacré la moitié de ma vie à faire de la tienne quelque chose dont tu puisses être fier. A faire de toi l'égal de tes frères et de tes sœurs. A faire de toi un homme.

— Me fais pas rire. Tu t'es surtout échinée à faire de moi un bon à rien. Une lavette. Et maintenant que j'en suis une, tu n'as qu'une idée : te débarrasser de moi. Tu crois peut-être que je suis aveugle ? Que je ne le sais pas ? C'est ça qui te préoccupe. C'est la seule chose à laquelle tu penses depuis ta descente d'avion.

— Non seulement c'est faux, mais c'est méchant, ce que tu dis. Tu es un ingrat et...

— Mettons les choses au clair. Si tu tiens tellement à me voir récupérer cet argent, c'est pour pouvoir te débarrasser de moi. « Tu n'as plus d'excuses, Adrian. Tu as les moyens maintenant. Débrouille-toi tout seul. »

— Ce n'est pas vrai.

— Tu crois que je ne sais pas que je suis un raté ? Un poids mort ?

— Je t'interdis de dire ça. Ne dis jamais une chose pareille !

— Une fois en possession d'une fortune, finies les excuses. Je quitte ta maison, je sors de ta vie. J'ai même suffisamment d'argent pour me payer une piaule chez les dingos le cas échéant.

— Je veux que tu aies ce qui te revient. Bon sang, est-ce si difficile à comprendre ?

— Je comprends, répondit-il. Crois-moi. Mais qu'est-ce qui te fait penser que je n'ai pas ce qui me revient ? Déjà, maman. Maintenant.

— Tu es son fils.

— Oui. Justement, son fils.

Adrian la fixa sans ciller un long moment. Margaret se dit qu'il lui adressait peut-être un message dont l'intensité, si elle n'était pas exprimée avec des mots, n'en était pas moins perceptible dans son regard. Elle eut soudain l'impression qu'ils étaient devenus des étrangers l'un pour l'autre. Deux personnes au passé sans rapport avec le moment présent. Moment pendant lequel leurs vies s'étaient croisées par hasard.

Toutefois cette sensation d'étrangeté et de distance lui procurait un certain sentiment de sécurité. Eût-elle éprouvé autre chose, elle aurait couru le risque de laisser l'impensable envahir ses pensées.

— Habille-toi, Adrian, dit Margaret d'un ton calme. Nous allons en ville engager un notaire et nous n'avons pas de temps à perdre.

— Je suis somnambule, dit-il, l'air presque brisé. Je fais toutes sortes de trucs bizarres.

— Ce n'est certes pas le moment de parler de ça.

Saint James et Deborah se séparèrent après leur conversation dans la chambre. Elle allait voir s'il n'existait pas une autre bague semblable à celle qu'ils avaient trouvée sur la plage. Lui allait rencontrer les bénéficiaires du testament de Guy Brouard. Leurs objectifs étaient identiques : découvrir un mobile au meurtre. Mais leurs approches seraient différentes.

Ayant reconnu que, s'il y avait des signes évidents de préméditation, celle-ci ne pouvait être le fait des River, Saint James laissa Cherokee accompagner

Deborah chez Frank Ouseley. Tout bien réfléchi, elle était plus en sécurité avec un homme si jamais elle se trouvait en présence du meurtrier. Lui, de son côté, irait seul rencontrer ceux des bénéficiaires qui avaient été le plus concernés par le testament de Guy Brouard.

Il commença par se rendre à la Corbière, où la demeure des Moullin se trouvait dans un virage au bout d'un des étroits sentiers qui serpentaient à travers l'île entre des haies dénudées et de hauts talus couverts de lierre et d'herbes épaisses. Il ne connaissait que le nom du village où les Moullin habitaient mais il n'eut pas de mal à les localiser. Il s'arrêta devant une grande ferme jaune à l'entrée du minuscule hameau pour interroger une femme qui, faisant preuve d'un bel optimisme, étendait son linge dans l'air brumeux.

— Oh, mais c'est la Maison aux Coquillages que vous cherchez, mon petit, dit-elle en désignant l'est du doigt. Prenez la route après le virage.

Il ne pouvait la rater.

Effectivement.

Dans l'allée, Saint James examina les lieux un moment avant d'aller plus loin. Il fronça les sourcils devant le curieux spectacle qui s'offrait à lui : le jardin n'était plus qu'un tas de ruines où se mêlaient coquillages, fil de fer et béton. Quelques objets avaient échappé au massacre, donnant un aperçu de l'aspect originel de l'endroit. Un puits recouvert de coquillages était resté intact sous un énorme marronnier, et une chaise longue mi-béton, mi-coquillages, supportait un oreiller encoquillé sur lequel on pouvait lire, composé à l'aide d'éclats de verre indigo, ces mots : *Papa sait tout*. Le reste n'était que décombres. On aurait dit qu'une armée de marteaux avait fracassé le terrain entourant la villa trapue.

A côté de la maison se dressait une grange d'où jaillissait de la musique : Frank Sinatra susurrant en italien. Saint James s'orienta dans cette direction. La porte de la grange étant partiellement ouverte, il aperçut l'intérieur chaulé qu'éclairaient des rangées de tubes fluorescents suspendus au plafond.

Il lança un « Bonjour » qui resta sans réponse, entra et se retrouva dans l'atelier d'un verrier. Où étaient apparemment fabriquées deux catégories d'objets : du verre destiné à équiper serres et jardins d'hiver, et des verreries d'art. De gros sacs de produits chimiques avaient été entassés non loin d'un four éteint. Contre le four étaient appuyées des cannes à souffler le verre, et sur les étagères, les produits de ce travail. Des pièces décoratives aux couleurs éclatantes. Grandes assiettes posées sur des supports, vases, sculptures. Les objets auraient été plus à leur place dans un restaurant Conran à Londres que dans une grange à Guernesey. Saint James les embrassa d'un regard surpris. Leur aspect – pas un gramme de poussière, impeccablement propres – contrastait avec l'état du four, des cannes et des sacs de produits que recouvrait une épaisse couche de saleté.

Le verrier était tellement absorbé qu'il n'entendit rien. Il travaillait à un large établi du côté de la grange qui était consacré aux serres. Devant lui, les plans d'un jardin d'hiver tarabiscoté. Que côtoyaient des dessins d'autres projets encore plus élaborés. Au moment de couper le verre qui était posé en travers de l'établi, il consulta non pas les plans ou les dessins mais une vulgaire serviette en papier sur laquelle étaient gribouillés des chiffres.

Ce devait être Moullin, songea Saint James, le père d'un des protégés de Brouard. Il l'appela, haussant le ton cette fois. Moullin releva la tête. Il retira des boules de ses oreilles, ce qui expliquait pourquoi il n'avait pas entendu Saint James arriver mais n'expliquait pas en revanche pourquoi il laissait Sinatra s'égosiller.

Il s'approcha de la source de la musique – un lecteur

de CD –, où Frank avait quitté l'Italie pour attaquer *Luck be a lady tonight*. Moullin lui coupa le sifflet au beau milieu d'une phrase. Il attrapa une serviette de bain décorée de baleines qui crachaient de l'eau et en recouvrit le lecteur en disant :

— La musique, c'est pour qu'on sache où me trouver. Seulement ce gars-là me tape sur le système. Alors je me bouche les oreilles.

— Mettez un autre CD.

— Je déteste la musique sous toutes ses formes. Alors ça ou autre chose... Qu'est-ce que je peux faire pour vous, Mr... ?

Saint James se présenta et lui tendit sa carte. Moullin la parcourut et la lança sur l'établi, où elle atterrit près de la serviette en papier. Son visage devint aussitôt circonspect. Il avait évidemment bien noté la profession de Saint James et il était peu probable qu'il pense qu'un expert en police scientifique qui venait de Londres était passé lui rendre visite dans l'intention de se faire construire une serre.

— Votre jardin est dans un triste état, remarqua Saint James. Je ne me doutais pas qu'il y avait des vandales ici.

— Vous êtes venu évaluer les dégâts ? répliqua Moullin. Ça fait partie de votre boulot, peut-être ?

— Avez-vous téléphoné à la police ?

— Pas la peine.

Moullin prit un mètre métallique dans sa poche et l'appliqua contre la plaque de verre qu'il venait de couper. Il fit une petite marque sur le verre, qu'il posa contre le mur à côté des autres plaques qu'il avait déjà mesurées.

— Le vandale, dit-il, c'est moi. Il était temps que je me décide à faire quelque chose.

— Pour améliorer votre habitat ?

— Non, ma vie. Mes filles ont commencé le jardin quand ma femme nous a quittés.

— Vous avez plus d'une fille ?

Moullin parut peser la question avant de répondre.

— J'en ai trois.

Il se tourna, prit une autre plaque de verre. Il la posa sur l'établi, se pencha dessus en homme qui ne veut pas être dérangé dans son travail. Saint James en profita pour s'approcher. Il jeta un coup d'œil aux plans et aux dessins. Dans un cartouche, sous les plans du jardin d'hiver sophistiqué, il lut : Yates, Dobree Lodge, Le Vallon. Les autres documents représentaient des fenêtres stylisées. Celles du musée de la Guerre Graham-Ouseley.

Saint James regarda travailler Henry Moullin un moment avant de poursuivre. Lourdement charpenté, l'homme avait l'air vigoureux, en pleine forme. Il avait des mains musclées, couvertes de pansements.

— Vous vous êtes drôlement esquinté, observa Saint James. Les risques du métier ?

— C'est ça, dit Moullin en coupant le verre avec une sûreté de geste qui laissait clairement entendre qu'il mentait.

— Vous fabriquez des fenêtres. Pas seulement des serres ?

— Comme vous pouvez le voir. (De la tête, il désigna le mur où étaient punaisés les dessins.) Le verre, c'est mon rayon, Mr Saint James. Je suis verrier.

— C'est à ce titre que Guy Brouard vous a remarqué ?

— En effet.

— Vous deviez réaliser les fenêtres du musée ? On vous en avait passé commande ferme ? Ou vous comptiez proposer un projet à Mr Brouard ?

— Je faisais tout ce qui était verre pour les Brouard.

J'ai démonté les serres originelles, conçu le jardin d'hiver, remplacé les vitres qui en avaient besoin au manoir. Le verre, c'est mon truc. Le musée, je l'aurais sans doute fait aussi.

— Mais vous n'êtes pas le seul verrier de l'île. Pas avec toutes ces serres. Ça ne serait pas possible.

— Je ne suis pas le seul, convint Moullin. Je suis le meilleur. Et Brouard le savait.

— Il était donc logique de faire appel à vos services pour le musée ?

— On peut dire ça comme ça.

— Si j'ai bien compris, toutefois, personne ne savait à quoi allait ressembler le bâtiment. Avant la réception. Je suppose donc que vous les avez dessinées de façon qu'elles collent avec les plans de l'architecte local ? J'ai vu sa maquette, à propos. Et vos dessins me semblent convenir à son projet.

Moullin raya un autre chiffre sur sa serviette en papier et dit :

— Vous êtes venu ici pour parler fenêtres ?

— Pourquoi une ? fit soudain Saint James.

— Une quoi ?

— Une fille. Vous en avez trois mais Brouard n'en a couché qu'une sur son testament. Cynthia. C'est l'aînée ?

Moullin prit une autre plaque de verre, qu'il coupa à deux reprises, puis avec son mètre il vérifia si le résultat était correct avant de répondre.

— Cyn est l'aînée.

— Pourquoi l'a-t-il distinguée selon vous ? Au fait, elle a quel âge ?

— Dix-sept ans.

— L'école, c'est fini pour elle ?

— Elle fait ses études à Saint Peter Port. Brouard la voyait bien allant à l'université. Elle est suffisamment intelligente pour ça mais il n'y a pas d'établissement d'enseignement supérieur ici. Il aurait fallu qu'elle aille en Angleterre. Or l'Angleterre, ça coûte de l'argent.

— Vous n'en aviez pas, je suppose, et elle non plus. « Avant la mort de Brouard. » La phrase resta suspendue entre eux telle la fumée d'une cigarette invisible.

— Exact. C'était une question d'argent. On peut dire qu'on a de la chance. (Moullin se détourna de l'établi pour faire face à Saint James.) C'est tout ce que vous voulez savoir ou il y a autre chose ?

— Vous avez une idée de la raison pour laquelle une seule de vos filles figure sur le testament ?

— Aucune.

— Vos deux autres filles aimeraient bien, elles aussi, j'imagine, faire des études supérieures.

— C'est vrai.

— Alors ?

— Elles n'étaient pas encore en âge d'aller à l'université. Chaque chose en son temps.

— Mr Brouard ne s'attendait pas à mourir. A soixante-neuf ans, ce n'était plus un jeune homme. Mais d'après ce qu'on m'a dit, il était encore en pleine forme, n'est-ce pas ? Alors, si Brouard voulait que votre aînée fasse des études avec l'argent qu'il lui léguait... Quand est-ce qu'elle était censée les faire, ces études ? Il en avait bien encore pour vingt ans. Si ce n'est davantage.

— A moins que nous ne lui donnions le coup de grâce, bien sûr, rétorqua Moullin. C'est là que vous voulez en venir ?

— Où est votre fille, Mr Moullin ? A la maison ?

— Voyons, mon vieux : elle a dix-sept ans.

— Elle est là ? Je peux lui parler ?

— Elle est à Aurigny.

— Qu'est-ce qu'elle fabrique là-bas ?

— Elle s'occupe de sa grand-mère. Elle se cache des flics. Comme vous voulez. Moi, je m'en fous.

Il se replongea dans son travail mais Saint James constata qu'il avait une petite veine sur la tempe qui battait très vite, et, lorsqu'il fit une nouvelle découpe, il dérapa. Il marmonna un juron et jeta le verre brisé à la poubelle.

— On ne peut pas se permettre de commettre trop d'erreurs dans votre boulot, remarqua Saint James. Ça doit finir par être ruineux.

— Vous me déconcentrez. S'il n'y a rien d'autre, j'ai du travail, et pas des masses de temps devant moi.

— Je comprends pourquoi Mr Brouard a laissé de l'argent à Paul Fielder. Brouard était son parrain via cette organisation qui s'appelle GAYT. Vous en avez entendu parler, bien sûr. Est-ce que c'est par GAYT que votre fille en est venue à faire sa connaissance ?

— Cyn n'avait pas de relations avec lui, dit Moullin, que ce soit par GAYT ou autrement.

Malgré ce qu'il venait de déclarer, il décida d'arrêter de travailler. Il commença à remettre ses outils en place et il attrapa une balayette pour débarrasser l'établi des minuscules fragments de verre.

— Il marchait au caprice, Brouard. C'est comme ça que ça s'est passé avec Cyn. Un caprice, un jour ; un autre, le lendemain. Je peux faire ci, je peux faire ça. Je peux faire tout ce que je veux parce que j'ai de quoi jouer au père Noël. C'est tombé sur Cyn : elle a eu du pot. Comme aux chaises musicales : c'est tombé sur elle quand la musique s'est arrêtée. Un autre jour ç'aurait pu être une de ses sœurs. Le mois d'après, ç'aurait pu n'être ni elle ni ses sœurs. C'était comme ça. Il la connaissait un peu plus que les deux autres parce qu'elle m'accompagnait au Reposoir quand j'y travaillais. Ou qu'elle allait voir sa tante.

— Sa tante ?

— Val Duffy, ma sœur, elle me donne un coup de main avec les petites.

— Comment ?

— Comment ça, « comment » ? lança Moullin, dont la patience commençait à s'émousser. Les filles ont besoin d'une femme. Pour leur expliquer... Ce n'est peut-être pas la peine que je vous fasse un dessin, si ? Cyn allait chez sa tante et elles parlaient. Entre femmes.

— Des changements qui s'opéraient dans son corps ? De ses problèmes avec les garçons ?

— J'en sais rien. Je ne fourrais pas mon nez dans leurs affaires. Trop content que Cyn ait une femme à qui se confier et que cette femme soit ma sœur.

— Une sœur qui vous aurait averti s'il y avait eu quelque chose qui clochait ?

— Il n'y avait rien qui clochait.

— Mais il faisait des caprices.

— Quoi ? s'écria Moullin, dont le front se rida.

— Brouard. Vous avez dit qu'il avait des caprices. Cynthia en faisait partie ?

Moullin vira à l'écarlate. Il fit un pas vers Saint James.

— Bon sang, je devrais... (Il s'arrêta au prix d'un gros effort.) On parle d'une jeune fille, dit-il. Pas d'une femme. Une jeune fille.

— Les vieux qui s'amourachent d'adolescentes, ça existe, vous savez.

— Vous déformez mes propos.

— Alors expliquez-vous.

Moullin recula. Il regarda de l'autre côté de la pièce où étaient ses verreries.

— Il avait des caprices. Quand quelque chose lui tapait dans l'œil, il versait dessus de la poudre magique. Puis quelque chose d'autre attirait son attention, et la poudre magique, il la versait ailleurs. C'est comme ça qu'il fonctionnait.

— La poudre magique, l'argent, vous voulez dire ?

Moullin fit non de la tête : « Pas toujours. »

— Alors quoi ?

— La foi, dit-il.

— Quelle sorte de foi ?

— La foi en vous-même. Pour ça, il était fort. Le problème, c'est que vous vous mettiez à espérer quelque chose.

— De l'argent.

— Une promesse. C'est comme si on vous disait : voilà comment je peux vous aider si vous travaillez suffisamment dur. Mais d'abord il vous faut bosser, après on verra. Seulement, il ne le disait pas. L'idée faisait son chemin dans l'esprit des gens.

— Dans le vôtre aussi ?

Dans un soupir, Moullin opina :

— Dans le mien aussi.

Saint James considéra ce qu'il avait appris concernant Guy Brouard : ses secrets, ses projets d'avenir, ce que chacun avait cru concernant l'homme et les projets en question. Peut-être, songea Saint James pour la première fois, que certains aspects de la personnalité du mort – qui auraient pu n'être que le reflet de la nature capricieuse d'un riche capitaine d'industrie – étaient au contraire la manifestation d'un comportement beaucoup plus préjudiciable. Un curieux jeu de pouvoir. Au terme duquel un homme d'influence qui avait lâché les rênes d'une florissante entreprise gardait une forme de contrôle sur les individus, contrôle dont l'exercice était le but ultime du jeu. Les gens devenaient des pièces d'échecs. L'échiquier était leur vie. Le joueur, Guy Brouard. Etait-ce suffisant pour inciter quelqu'un à le tuer ?

Saint James se dit que la réponse résidait dans ce que chacun avait fait à la suite de la foi que Brouard avait affirmé avoir en lui. Il fit des yeux le tour de la grange et vit une partie de la réponse dans les pièces de verre qui étaient soigneusement entretenues, et dans le four et les cannes qui ne l'étaient pas.

— Il vous a donné foi en vous en tant qu'artiste. C'est ça ? Il vous a encouragé à réaliser votre rêve ?

Moullin resta un moment sans répondre. Puis il marcha soudain vers la porte de la grange, éteignit l'électricité et se tint dans la lumière du jour. Il avait quelque chose de massif avec ses vêtements épais et sa force de taureau. Saint James songea qu'il n'avait pas dû avoir beaucoup de mal à détruire le travail de ses filles dans le jardin.

Il le suivit. Une fois dehors, Moullin poussa la porte de la grange et tira le verrou.

— Son truc, c'était de faire croire aux gens qu'ils valaient mieux que ce qu'ils étaient. Si, à partir de là, ils décidaient d'agir, de prendre des mesures qu'ils n'auraient jamais prises s'il ne les y avait pas encouragés... c'était leur problème. Ça ne concernait qu'eux.

— En général, les gens n'essaient pas de se dépasser s'ils n'ont pas une petite idée de la réussite.

Henry Moullin jeta un coup d'œil au jardin où les coquillages brisés poudraient la pelouse telle de la neige.

— Les idées, il en avait à la pelle. Il les lançait et nous... on le croyait.

— Est-ce que vous connaissiez les dispositions du testament de Mr Brouard ? demanda Saint James. Est-ce que votre fille les connaissait ?

— Vous voulez savoir si on l'a tué ? Si on s'est dépêchés de lui régler son compte avant qu'il ne décide de faire profiter quelqu'un d'autre de ses largesses ?

Moullin plongea la main dans sa poche. Il en sortit un lourd trousseau de clefs. Il s'engagea dans l'allée menant à la maison, faisant crisser les graviers et les coquillages sous ses pieds. Saint James lui emboîta le pas, non parce qu'il s'attendait que Moullin s'étende sur le sujet qu'il venait de mettre sur le tapis, mais parce qu'il avait aperçu parmi les clefs du verrier un objet dont il voulait s'assurer que c'était bien ce qu'il pensait.

— Le testament, dit-il. En connaissiez-vous les dispositions ?

Moullin ne répondit pas ; arrivé devant la véranda, il avait glissé sa clef dans la serrure. Il pivota pour répondre.

— Nous ignorions tout de ce testament, dit-il. Je vous souhaite une bonne journée.

Il se tourna de nouveau vers la porte et entra. On entendit claquer le verrou derrière lui. Mais Saint James avait réussi à voir ce qui l'intriguait. Une petite pierre avec un trou au milieu, accrochée à l'anneau qui servait de porte-clefs à Henry Moullin.

Saint James s'écarta de la maison de quelques pas. Il n'était pas idiot au point de penser que Henry Moullin lui avait tout dit ; mais il savait qu'il ne pouvait aller plus loin pour l'instant. Il resta toutefois dans l'allée, examinant la Maison aux Coquillages : rideaux tirés, portes verrouillées, jardin saccagé. Il se demanda ce que ça voulait dire d'avoir des caprices. Il se demanda de quels pouvoirs jouissait une personne qui était au courant des rêves d'autrui.

Alors qu'il était planté là, l'esprit ailleurs, il lui sembla remarquer du mouvement. En en cherchant la provenance, il vit que cela venait de derrière une fenêtre.

Dans la maison une silhouette derrière la vitre remit les rideaux en place. Mais pas avant que Saint James ait aperçu des cheveux blonds et une silhouette. En d'autres circonstances il se serait dit qu'il se trouvait devant un fantôme. Mais le corps bien réel d'une femme, elle aussi bien réelle, fut éclairé brièvement par-derrière par une lumière qui brillait dans la pièce.

18

Paul Fielder fut soulagé de voir Valerie Duffy traverser la pelouse à toute allure. Les pans de son manteau noir s'écartèrent tandis qu'elle courait. Il respira plus librement. Le fait qu'elle n'ait pas pris le temps de le boutonner montrait qu'elle était de son côté. Toutefois, même si son manteau n'avait pas été ouvert, ses paroles l'auraient rassuré.

— Dites donc, s'écria-t-elle tandis que le constable attrapait Paul par l'épaule et que Taboo se jetait sur la jambe du policier, qu'est-ce que vous faites ? C'est Paul. Il est chez lui, ici.

— Pourquoi est-ce qu'il ne décline pas son identité, alors ?

Le constable avait une moustache de morse, comme Paul put le constater, et des miettes de céréales de son petit déjeuner y étaient restées accrochées, qui tremblotaient quand il parlait. Paul regardait, fasciné, le flocon d'avoine osciller de-ci de-là tel un alpiniste suspendu à son rocher.

— Je viens de vous le dire, son nom, fit Valerie Duffy. Paul Fielder. Et on le connaît bien par ici. Taboo, ça suffit. Lâche le monsieur.

Prenant le chien par la laisse, elle tira dessus pour qu'il abandonne la jambe de l'officier.

— Je devrais vous embarquer pour voies de fait.

L'homme relâcha Paul avec une poussée, si bien que

celui-ci alla heurter Valerie. Taboo se remit à donner de la voix.

Paul se jeta à genoux près du petit chien, passa les bras autour de son corps et enfouit le visage dans les poils de son cou. Taboo cessa d'aboyer. Il continua cependant de gronder.

— La prochaine fois, dit Moustache de Morse, vous me donnez votre nom, mon garçon. Sinon je vous expédie au trou si vite que... Quant à cet animal, je sais pas ce qui me retient de le faire piquer. Regardez-moi un peu ce pantalon. Il a fait un trou dedans. Ça aurait pu être ma jambe. Ça aurait pu saigner. Est-ce qu'il a été vacciné seulement ? Et ses papiers, vous les avez ? Donnez-les-moi.

— Faites pas l'imbécile, Trev Addison, lança Valerie d'une voix sèche. Oh, je vous connais. J'étais en classe avec votre frère. Vous savez très bien qu'on ne se promène pas avec les papiers de son chien sur soi. Vous avez eu la trouille, le petit aussi, Taboo également. Inutile d'en faire tout un plat.

En s'entendant appeler par son nom, le constable parut se calmer. Son regard passa de Paul au chien puis à Valerie, il rajusta son uniforme et épousseta son pantalon en disant :

— On a des ordres.

— Certainement, dit Valerie, et je n'ai pas l'intention de vous empêcher de les suivre. Mais venez avec moi, je vais vous réparer ça. C'est l'affaire d'une minute et on n'en parlera plus.

Trev Addison jeta un coup d'œil vers l'allée où l'un de ses collègues fouillait les buissons, plié en deux. C'était un travail éreintant. Quiconque aurait eu l'occasion de faire une pause de dix minutes aurait sauté dessus. Le constable hésita pourtant quelque peu :

— Je sais pas si je dois...

— Allez, venez, insista Valerie, je vous ferai une tasse de thé.

— Une minute, vous dites ?

— J'ai deux grands fils, Trev. Le raccommodage, je fais ça les doigts dans le nez.

— Bon, alors très bien. (Et, s'adressant à Paul :) Et restez pas dans nos pattes, hein ? Faut qu'on quadrille la propriété.

— Va au manoir, mon chéri, dit Valerie à Paul. Prépare-toi un chocolat. Tu trouveras des biscuits au gingembre tout frais à la cuisine.

Elle lui adressa un petit signe de tête et retraversa la pelouse, suivie de Trev Addison. Paul attendit, figé, qu'ils disparaissent à l'intérieur du cottage des Duffy. Il s'aperçut que son cœur battait à grands coups ; il posa son front contre l'échine de Taboo. L'odeur de chien mouillé était aussi agréable et rassurante que la main de sa mère contre sa joue chaque fois que, petit garçon, il avait eu de la fièvre.

Les battements de son cœur ralentissant enfin, il releva la tête. Quand le policier l'avait attrapé, son sac à dos était tombé de ses épaules et il gisait maintenant par terre. Il le ramassa et s'éloigna au petit trot pour gagner le Reposoir.

Il passa par-derrière comme à son habitude. Il y avait de l'agitation. Paul n'avait jamais vu autant de policiers en un seul lieu auparavant si ce n'est à la télévision ; il marqua une pause à l'entrée du jardin d'hiver pour essayer de deviner ce qu'ils fabriquaient. Ils avaient entrepris une fouille, c'était évident. Mais que cherchaient-ils ? Quelqu'un avait dû perdre un objet de valeur le jour des obsèques. Quand tout le monde était retourné au manoir pour l'enterrement et la réception. Pourtant, même si ça semblait probable, ce qui l'était moins, c'était que la moitié des forces de police de l'île se soient mises à la recherche de l'objet en question. Sans doute appartenait-il à quelqu'un de très important. Or la personne la plus influente de l'île était décédée. Alors qui d'autre ? Paul ne savait pas, il ne voyait pas. Il entra dans la maison en passant par la porte du jardin d'hiver, qui n'était jamais fermée. Taboo le suivait, ses pattes cliquetant sur les briques. L'atmosphère était tiède et humide à l'intérieur, ce qui n'était pas désagréable, et le bruit de l'eau qui gouttait avait quelque chose d'hypnotique : Paul aurait bien aimé s'asseoir pour l'écouter un moment. Mais pas question de s'attarder. On lui avait dit d'aller se préparer un chocolat, c'est ce qu'il allait faire de ce pas. Car, dès qu'il s'agissait du Reposoir, Paul s'en tenait exactement à ce qu'on lui disait. C'était comme ça qu'il conservait le privilège de venir au manoir. Un privilège auquel il tenait comme à la prunelle de ses yeux.

« Conduis-toi bien avec moi, je me conduirai bien avec toi. C'est là l'important, mon prince. »

C'était une autre des raisons pour lesquelles Paul savait ce qu'il était censé faire. Pas seulement en ce qui concernait le chocolat et les biscuits mais aussi l'héritage. Ses parents étaient montés dans sa chambre une fois le notaire parti. Ils avaient frappé à sa porte. Son père avait dit : « Paulie, va falloir qu'on cause, fiston. » Sa mère avait ajouté : « T'es riche, mon chéri. Pense à ce que tu vas pouvoir faire avec tout cet argent. » Il les avait laissés entrer. Ils lui avaient parlé, mais bien qu'il ait vu bouger leurs lèvres et capté ici un mot, là une phrase, il avait déjà décidé ce qu'il devait faire. Et pour cela il s'était rendu directement au Reposoir.

Il se demanda si miss Ruth était à la maison. Il n'avait pas pensé à vérifier si sa voiture était là. C'était elle qu'il voulait voir. Si elle n'était pas là, il attendrait.

Il gagna la cuisine : longeant le hall de pierre, franchissant la porte, enfilant un couloir. Le silence régnait dans la maison. Soudain un craquement du plancher au-dessus de sa tête lui permit de comprendre que miss Ruth était probablement chez elle. Mais il n'allait pas partir à sa recherche ; il avait assez de bon sens pour savoir qu'il ne lui fallait pas tournicoter dans la maison. Aussi, quand il atteignit la cuisine, s'y réfugia-t-il. Il boirait son chocolat, mangerait ses biscuits et, le temps qu'il ait fini, Valerie serait là, qui lui donnerait le feu vert pour monter voir miss Ruth.

Paul était venu assez souvent dans la cuisine pour savoir où se trouvaient les choses. Il installa Taboo sous la grande table au milieu de la pièce, installa le sac à dos en guise d'oreiller et se dirigea vers l'office.

Comme le reste du Reposoir, c'était un endroit magique, plein d'odeurs qu'il n'arrivait pas à identifier toutes, rempli de boîtes et de pots contenant des aliments et des condiments dont il n'avait jamais entendu parler. Il adorait quand Valerie l'envoyait à l'office lui chercher un ingrédient pour sa cuisine. Il aimait faire durer l'expérience autant que possible, humant le mélange d'extraits, d'épices et d'herbes. Cela le transportait dans un monde totalement différent de son univers familier.

Il s'attarda dans la pièce. Il déboucha des flacons, les approcha de son nez pour les renifler. Vanille, lut-il sur une étiquette. Orange, amande, citron. Les parfums étaient si forts qu'en inhalant il eut l'impression qu'ils lui montaient à la tête. Ils le transportaient dans des pays qu'il n'avait jamais vus, lui faisaient côtoyer des gens qu'il ne connaîtrait jamais.

Des extraits, il passa aux épices, respirant d'abord la cannelle. Arrivé au gingembre, il en prit une pincée à peine plus grosse que le bout de son petit doigt. Il la posa sur sa langue, sentit l'eau lui venir à la bouche. Il sourit et goûta ensuite la muscade, le cumin, le curry, les clous de girofle. Après vint le tour des herbes, puis des vinaigres, puis des huiles. De là, il huma la farine, le sucre, le riz et les haricots secs. Il prit des boîtes, lut le texte qui était au dos. Il posa des paquets de pâtes contre sa joue et frotta leur emballage de Cellophane contre sa peau. Jamais il n'avait vu une telle abondance. C'était merveilleux.

Avec un soupir de contentement, il s'empara de la boîte de cacao et revint à la cuisine. Il posa la boîte sur le plan de travail et alla chercher le lait dans le réfrigérateur. Il prit une casserole et y versa la valeur d'une tasse de lait qu'il mit à chauffer. C'était la première fois qu'on l'autorisait à se servir de la cuisine, c'était un rare privilège, et il ne fallait pas que Valerie Duffy regrette de le lui avoir accordé.

Il alluma le brûleur, prit une cuiller pour mesurer la poudre de cacao. Les biscuits au gingembre étaient sur le plan de travail, sur la grille où ils refroidissaient au sortir du four. Il en prit un pour Taboo et le lui donna. Il en prit deux pour lui et en fourra un dans sa bouche. L'autre, il le dégusterait avec son chocolat.

Une horloge fit entendre un « bong » sonore dans la maison. Des pas retentirent dans le couloir directement au-dessus de sa tête. Une porte s'ouvrit, une lumière s'alluma, quelqu'un commença à descendre l'escalier menant à la cuisine.

Paul sourit. Miss Ruth. En l'absence de Valerie, elle était bien obligée de venir chercher son café du milieu de la matinée. Et il était là, ce café, fumant dans le récipient de verre sous la cafetière. Paul alla chercher un autre mug, une cuiller et le sucre, préparant le nécessaire pour miss Ruth, imaginant ses yeux écarquillés de surprise, ses lèvres formant un O et sa voix : « Paul, comme c'est gentil », quand elle le verrait s'activer ainsi.

Il se baissa et retira le sac de sous la tête de Taboo. Le chien releva le nez, les oreilles pointées vers l'escalier, un grognement sourd dans la gorge, suivi d'un jappement et enfin d'un aboiement sonore. Quelqu'un dit : « Qu'est-ce qui se... ? » dans l'escalier.

Cette voix n'appartenait pas à miss Ruth. Mais à une femme taillée en Viking qui fit son apparition au pied des marches. Apercevant Paul, elle lança :

— Qui êtes-vous ? Comment êtes-vous entré ? Qu'est-ce que vous fabriquez ici ? Où est Mrs Duffy ?

Ce feu roulant de questions avait surpris Paul tenant un biscuit au gingembre à la main. Il sentit ses yeux s'écarquiller, il haussa les sourcils. Au même instant Taboo jaillit de sous la table, aboyant comme un doberman et montrant les crocs. Il avait les pattes écartées, les oreilles ramenées en arrière. Il n'aimait pas les gens qui parlaient fort.

La femme viking recula. Taboo lui fonça dessus avant que Paul ait le temps de le retenir par son collier. Elle se mit à hurler : « Eloignez-le, bon sang, éloignez-le ! », comme si elle était persuadée que le petit chien lui en voulait véritablement.

Ses cris déclenchèrent chez Taboo des aboiements encore plus violents. Et juste à cet instant, le lait qui chauffait sur la cuisinière déborda.

C'en était trop pour un seul homme – le chien, la femme, le lait, le biscuit dont on aurait pu penser qu'il l'avait chipé, seulement ce n'était pas le cas parce que Valerie lui avait dit qu'il pouvait en prendre un, et même s'il en avait pris trois, ça n'avait pas d'importance, ce n'était pas un crime.

Pssshh. Le lait coula sur le brûleur sous la casserole. L'odeur du lait entrant en contact avec la chaleur jaillit dans l'air tel un vol d'oiseau. Taboo aboya. La femme se mit à crier. Paul était transformé en bloc de béton.

— Espèce d'idiot ! (La voix de la femme viking

résonnait tel du métal heurtant le métal.) Ne restez pas planté là, pour l'amour du ciel !

Pendant ce temps le lait continuait de brûler derrière lui. Elle recula vers le mur. Elle tourna la tête, de peur de voir l'animal se jeter sur elle et la dévorer alors qu'il était en réalité plus terrorisé qu'elle. Toutefois au lieu de s'évanouir ou d'essayer de fuir, elle se mit à hurler : « Adrian, Adrian ! Adrian, pour l'amour du ciel ! » Et comme elle ne lui prêtait plus attention, Paul retrouva l'usage de ses membres. Il se précipita et empoigna Taboo, laissant tomber son sac à dos par terre. Il entraîna le chien vers la cuisinière et tâtonna à la recherche du bouton pour éteindre le feu sous le lait. Pendant ce temps-là le chien continuait d'aboyer, la femme de crier, et quelqu'un descendit l'escalier dans un vacarme infernal.

Paul souleva la casserole de la cuisinière pour l'emporter jusqu'à l'évier. Mais comme d'une main il tenait le chien qui essayait de s'échapper, autant dire que ce n'était pas une mince affaire. Il lâcha le manche en voulant laisser filer le chien, rata son coup. Le liquide brûlé, au lieu de finir dans l'évier, atterrit sur le sol, et Taboo se retrouva à quelques centimètres de la femme viking. L'air décidé à se l'offrir pour son déjeuner. Paul plongea vers lui, le tira, l'écarta. Taboo continuait à aboyer comme un possédé.

C'est sur ces entrefaites qu'Adrian Brouard déboula dans la pièce. Au milieu du vacarme, il dit :

— Qu'est-ce que... Taboo ! Ça suffit ! Tais-toi !

La femme viking s'exclama :

— Tu connais ce monstre ?

Paul se demanda si elle faisait allusion à lui-même ou au chien.

— C'est Paul Fielder, dit Adrian. Papa...

— Ça ? (La femme tourna son regard vers Paul.) Ce

sale petit... dit-elle, ne trouvant pas le terme capable de convenir à l'intrus.

— Ça, confirma Adrian.

Il était descendu en pantalon de pyjama et pantoufles, comme s'il avait été surpris en train de s'habiller. Paul se demanda comment on pouvait ne pas être vêtu à cette heure de la journée.

« Attaque la journée avec enthousiasme, mon prince. Qui sait s'il y en aura une autre ? »

Les yeux de Paul s'embuèrent. Il entendait la voix de Guy Brouard. Il sentait sa présence aussi vivement que si ce dernier avait fait irruption dans la cuisine. Il aurait réglé l'incident en un instant ; une main tendue à Taboo et l'autre à Paul. Et d'une voix apaisante, il aurait dit : « Voyons, que se passe-t-il ? »

— Fais taire cet animal, dit Adrian à Paul, bien que les aboiements de Tabou ne fussent plus qu'un grondement. Si jamais il mord ma mère, tu n'as pas fini d'avoir des ennuis.

— Et autrement plus sérieux que ceux que vous avez en ce moment, jeta la mère d'Adrian d'un ton sec. Et Dieu sait que vous en avez. Où est passée Mrs Duffy ? C'est elle qui vous a laissé entrer ? (Là-dessus, elle se mit à crier :) Valerie, Valerie Duffy, venez un peu ici.

Taboo n'aimait pas du tout qu'on crie mais la pauvre femme ne l'avait pas encore compris. L'entendant hausser le ton, il se remit à aboyer. Il n'y avait pas d'autre solution que de le faire sortir de la pièce mais Paul ne pouvait à la fois l'entraîner dehors, nettoyer par terre et prendre son sac à dos. Il eut l'impression que ses intestins allaient le trahir tellement l'anxiété le tenaillait. Il sentit son cerveau se dilater. Dans un moment il allait exploser par tous les bouts : cela suffit à le décider.

Derrière les Brouard, un couloir menait à une porte

qui donnait sur le potager. Paul commença à entraîner Taboo par là tandis que la femme viking disait :

— Ne vous imaginez surtout pas que vous allez partir sans avoir nettoyé par terre, sale petite canaille.

Taboo gronda. Les Brouard reculèrent. Paul réussit à le remorquer dans le couloir, et il poussa le chien vers le jardin. Il referma la porte sur lui tandis que Taboo jappait et protestait. Paul savait que le chien essayait seulement de le protéger. Il savait également que quiconque était doté d'un soupçon de bon sens l'aurait compris. Mais le bon sens n'était pas une denrée très répandue dans le monde. C'est d'ailleurs ce qui rendait les gens dangereux : ils avaient peur et ils agissaient en sournois.

Il fallait qu'il s'éloigne d'eux. Comme elle n'était pas descendue voir la raison de ce tapage, Paul comprit que miss Ruth ne devait pas être à la maison. Il lui faudrait revenir quand le terrain serait dégagé. Toutefois il ne pouvait pas laisser derrière lui les vestiges de sa rencontre désastreuse avec les Brouard. Ce ne serait pas correct.

Il retourna à la cuisine, s'arrêta sur le seuil. Il vit que, malgré les paroles de la femme viking, Adrian et elle s'étaient mis au travail, essuyant le sol et nettoyant la plaque de cuisson. Une odeur de lait brûlé imprégnait encore l'air.

— ... un terme à tout ça, disait la mère d'Adrian. Il va entendre parler de moi, tu peux en être sûr. S'il se figure qu'il peut pénétrer ici sans permission... comme si la maison lui appartenait... comme s'il n'était pas un sale petit...

— Maman.

Adrian, comme Paul put le constater, l'avait aperçu. Et à ce seul mot, la femme viking se rendit elle aussi compte qu'il était là. Elle nettoyait la cuisinière mais elle se redressa, le torchon à la main, dont elle fit une boule de ses gros doigts couverts de bagues. Elle l'examina de la tête aux pieds, d'un tel air de dégoût que Paul, frissonnant, comprit qu'il lui fallait filer aussitôt. Mais pas question de partir sans le sac à dos ni le message qu'il contenait concernant le plan et le rêve.

— Dites à vos parents que nous allons contacter un notaire, annonça la femme viking. Si vous vous imaginez que vous allez rafler l'argent d'Adrian, vous faites erreur. J'ai l'intention de vous poursuivre devant les tribunaux. Et quand j'en aurai fini avec vous, l'argent que vous comptiez extorquer au père d'Adrian se sera envolé en fumée. Vous me comprenez ? Vous ne gagnerez pas. Maintenant, sortez. Je ne veux pas vous revoir ici. Sinon j'appelle la police. Et je fais piquer votre saleté de bâtard.

Paul resta sans bouger. Il ne partirait pas sans son sac mais il ne savait comment l'atteindre. Il gisait là où il l'avait laissé choir, près d'un pied de table au centre de la pièce. Seulement entre lui et le sac se tenaient les Brouard. Et leur présence était synonyme de danger.

— Vous avez entendu ? fit la femme viking. Je vous ai dit de sortir. Vous n'avez pas d'ami ici, malgré ce que vous pensez. Vous n'êtes pas le bienvenu dans cette maison.

Paul se rendit compte qu'un moyen d'atteindre le sac était de se faufiler sous la table ; c'est donc ce qu'il fit. Sans laisser à la mère d'Adrian le temps de finir sa phrase, il s'était mis à quatre pattes et traversait la pièce en crabe.

— Où est-ce qu'il va ? s'écria-t-elle. Qu'est-ce qu'il fabrique ?

Adrian parut comprendre où Paul voulait en venir. Il s'empara du sac au moment où les doigts de Paul se refermaient dessus.

— Seigneur, ce petit voyou a volé quelque chose !

s'écria la femme viking. Ça dépasse les bornes. Arrête-le, Adrian.

Adrian fit une tentative. Mais les images que le mot *voler* éveillait dans le cerveau de Paul – le sac qu'on allait fouiller, la découverte, les questions, la police, une cellule, l'inquiétude, la honte – décuplèrent ses forces. Paul tira si violemment qu'il fit perdre l'équilibre à Adrian Brouard. Ce dernier bascula en avant, heurta la table, se retrouva à genoux et se cogna le menton contre le bois. Sa mère hurla, ce qui fournit à Paul l'ouverture dont il avait besoin. Il sauta sur le sac et bondit sur ses pieds. Il fonça en direction du couloir. Le potager était entouré d'un mur percé d'une grille ouvrant sur les jardins. Il y avait des tas d'endroits où se cacher au Reposoir, que les Brouard, il l'aurait parié, ne connaissaient pas. C'est pourquoi il savait que s'il réussissait à atteindre le potager il serait en sécurité.

Il se jeta tête baissée dans le couloir tandis que la femme viking criait dans son dos : « Tu n'as rien, mon chéri ? Cours-lui après, Adrian ! Rattrape-le. » Mais Paul fut plus rapide que le tandem. La dernière phrase qu'il entendit fut : « Il a caché quelque chose dans son sac ! » Là-dessus la porte se referma derrière lui et il fila avec Taboo vers la grille du jardin.

La Talbot Valley surprit Deborah. Cela ressemblait à un vallon miniature qu'on aurait transporté du Yorkshire – où Simon et elle s'étaient rendus en voyage de noces. Une rivière avait creusé la vallée des milliards d'années auparavant. L'un de ses versants était tapissé de pâturages verdoyants où, abritées du soleil comme du froid grâce à des bouquets de chênes, paissaient les vaches de l'île avec leur robe fauve si caractéristique. La route courait sur l'autre versant – une colline escarpée retenue par des murets de granit. Le coin était aussi différent du reste de l'île que le Yorkshire des South Downs.

Ils étaient à la recherche d'un petit chemin. Les Niaux. Cherokee, qui était déjà venu, savait à peu près où il se trouvait. Néanmoins il avait une carte étalée sur les genoux et tenait le rôle du navigateur. Ils faillirent dépasser l'endroit qu'ils souhaitaient atteindre. Quand soudain, Cherokee s'exclama : « Tourne là ! », alors qu'ils apercevaient une trouée dans une haie.

— C'est dingue, ces rues ! Chez nous on appellerait ça des allées.

C'était faire beaucoup d'honneur à ce tronçon de sentier pavé que de le doter du nom de rue. Au sortir de la route principale, il plongeait pour déboucher dans une autre dimension où tout n'était que végétation touffue, air humide, cours d'eau se frayant un chemin au milieu des rochers. Cinquante mètres plus bas, un vieux moulin à eau apparut sur leur droite. Il se dressait à peu de distance de la route, surmonté d'une écluse drapée dans la verdure.

— C'est là, dit Cherokee en rangeant la carte dans la boîte à gants. Ils habitent le cottage du bout de la rangée. Les autres... (Il fit un geste en direction des bâtiments qu'ils longeaient tandis que Deborah arrêtait la voiture dans la cour devant le moulin.)... il y entrepose ses souvenirs de guerre.

— Il doit en avoir une sacrée quantité, observa Deborah car outre le cottage qui servait de domicile à Frank Ouseley il y en avait deux autres.

— C'est le moins qu'on puisse dire. Tiens, c'est la voiture d'Ouseley. Si ça se trouve, l'oiseau est au nid. On a de la chance.

De la chance, ils en allaient en avoir besoin, songea Deborah. La présence d'une bague sur la plage où Guy Brouard était mort – une bague identique à celle que

China River avait achetée, une bague qui était également identique à celle qu'on ne retrouvait pas dans ses affaires –, c'était mauvais pour China. Deborah et Cherokee comptaient sur Frank Ouseley pour qu'il reconnaisse la description de cette bague et se rende compte qu'on lui en avait volé une exactement semblable.

Un feu brûlait non loin de là. Un feu de bûches. Deborah et Cherokee en humèrent le parfum en s'approchant de la porte du cottage.

— Ça me rappelle le canyon, dit Cherokee. L'hiver. Jamais on ne se croirait dans le comté d'Orange. Tous ces chalets, tous ces feux. Parfois même il y a de la neige à Saddleback Mountain. C'est la meilleure période. Dire que c'est maintenant que je m'en rends compte.

— Tu as changé d'avis ? Tu n'as plus envie de vivre sur un bateau, alors ?

— Merde, dit-il tristement. J'ai cessé de penser au bateau après quinze minutes passées à la prison de Saint Peter Port. (Il s'arrêta devant le carré de béton qui servait de terrasse au cottage.) Tout ça, c'est ma faute. Si China en est là, c'est parce qu'il n'y a que le fric facile qui m'intéresse. J'ai eu tort. Il faut absolument que je la sorte de ce pétrin. Si je n'y arrive pas... (Il poussa un soupir et son souffle fit naître un petit panache dans l'air.) Elle a une trouille bleue, Debs. Moi aussi. C'est pour ça que je voulais appeler maman. C'est pas qu'elle nous aurait beaucoup aidés, peut-être même au contraire, mais...

— Une mère, ça reste une mère, affirma Deborah en lui pressant le bras. Ça va marcher, tu vas voir.

Il posa la main sur la sienne et la serra.

— Merci, dit-il. Tu es... Je regrette... (Il sourit.) Ça n'a pas d'importance.

— Tu ne comptais pas me faire du charme, Cherokee ? jeta-t-elle en haussant un sourcil.

— Et comment ! dit-il en éclatant de rire.

Ils frappèrent à la porte puis sonnèrent. Malgré le brouhaha d'un téléviseur et la présence de la Peugeot dans la cour, personne ne se manifesta. Cherokee supposa que Frank était peut-être occupé à mettre de l'ordre dans ses collections et se dirigea vers les cottages adjacents tandis que Deborah frappait de nouveau. Une voix chevrotante s'écria : « Un peu de patience, j'arrive. » Elle dit à Cherokee : « On vient. » Il la rejoignit, et on entendit une clef tourner dans la serrure.

Un vieil homme ouvrit la porte. Un très vieil homme. Ses lunettes épaisses et luisantes étaient tournées vers eux ; d'une main frêle, il se tenait au mur. Il semblait tenir debout grâce au mur et à sa volonté mais on voyait bien qu'il faisait un effort démesuré pour empêcher son menton de retomber sur sa poitrine. Il aurait dû utiliser un déambulateur ou au moins une canne mais il n'avait ni l'un ni l'autre.

— Ah, vous voilà, dit-il, cordial. Vous n'êtes pas en retard. C'est très bien. Entrez, entrez.

Manifestement il guettait quelqu'un d'autre. Quant à Deborah, elle s'attendait à se trouver en présence d'un homme beaucoup plus jeune. Cherokee éclaira sa lanterne lorsqu'il dit :

— Est-ce que Frank est là, Mr Ouseley ? Sa voiture est dehors.

Le vieil homme était donc le père de Frank Ouseley.

— Ce n'est pas Frank que vous voulez voir, dit le vieillard. C'est moi. Graham. Frank est allé rapporter son moule à Mrs Petit. Avec un peu de chance, elle nous préparera une autre tourte au poulet et aux poireaux un de ces jours. J'y compte bien.

— Il va revenir bientôt, Frank ? voulut savoir Deborah.

— Oh, nous avons largement le temps de nous occuper de nos affaires avant son retour, déclara Graham Ouseley. Ne vous inquiétez pas pour ça. Frankie n'approuve pas la démarche que je m'apprête à faire, autant vous le dire. Mais je me suis promis à moi-même de faire le nécessaire avant de mourir. Et j'ai bien l'intention de tenir ma promesse. Avec ou sans sa bénédiction.

D'un pas mal assuré, il pénétra dans un séjour surchauffé, prit une télécommande posée sur le bras d'un fauteuil, la dirigea vers le téléviseur, sur l'écran duquel un cuisinier découpait des bananes en rondelles, et il éteignit.

— On va s'installer dans la cuisine. J'ai du café.

— En fait, nous sommes venus...

— Ça ne me dérange pas, coupa le vieil homme. On a le sens de l'hospitalité chez les Ouseley.

Il n'y avait donc d'autre solution que de le suivre dans la cuisine. C'était une pièce de petites dimensions, rendue plus exiguë encore par le capharnaüm qu'elle contenait. Piles de journaux, lettres, documents et autres prospectus voisinaient avec les ustensiles de cuisine, la vaisselle, les couverts et les outils de jardin – qui n'avaient normalement pas leur place en cet endroit.

— Asseyez-vous, leur dit Graham Ouseley en s'approchant tant bien que mal d'une cafetière à piston qui contenait quelques centimètres d'un liquide à l'aspect huileux qu'il vida sans plus de cérémonie dans l'évier.

D'une étagère surchargée, il délogea une boîte en fer ; d'une main tremblante, il plongea une cuiller dans le café moulu, qu'il versa tant bien que mal dans la cafetière, et il en fit tomber en partie par terre.

Traînant les pieds, il traversa la cuisine pour aller

prendre la bouilloire sur la cuisinière. Il la remplit d'eau et la mit à bouillir. Lorsqu'il eut fini ses préparatifs, il rayonnait de fierté :

— Et voilà, annonça-t-il en se frottant les mains. (Puis, sourcils froncés :) Quoi, encore debout ?

S'ils étaient encore debout, c'était parce que à l'évidence ils n'étaient pas les invités que le vieillard attendait. Mais comme son fils n'était pas là – même s'il ne devait pas tarder – Deborah et Cherokee échangèrent un regard : « Pourquoi pas ? » Ils allaient prendre un café avec le vieil homme.

Deborah se sentit néanmoins par correction obligée de dire :

— Frank doit bientôt rentrer, Mr Ouseley ?

A quoi il répondit, maussade :

— Vous tracassez pas pour Frank. Asseyez-vous. Vous avez votre bloc ? Non ? Seigneur, vous avez une mémoire d'éléphant.

Il s'installa sur l'une des chaises et desserra sa cravate. Pour la première fois, Deborah remarqua qu'il était vêtu avec soin, costume de tweed et gilet, et que ses chaussures avaient été cirées.

— Frank, leur dit Graham Ouseley, est un inquiet de naissance. Il se demande ce qui va sortir de notre entretien. Moi, je ne me tracasse pas. J'en ai déjà vu de toutes les couleurs, vous savez. Et je leur dois bien ça, aux morts : demander des comptes aux vivants. C'est notre devoir, et j'entends bien faire le mien avant de mourir. J'ai quatre-vingt-douze ans. Qu'est-ce que vous dites de ça ?

Deborah et Cherokee firent entendre un murmure étonné. Sur le feu, la bouilloire se mit à siffler.

— Laissez-moi faire, dit Cherokee.

Et, sans laisser à Graham Ouseley le temps de protester, il se leva :

— Racontez-nous votre histoire, Mr Ouseley. Je

vais préparer le café, dit-il en décochant au vieillard un sourire encourageant.

Cela parut tranquilliser pleinement Graham car il ne bougea pas tandis que Cherokee faisait la maîtresse de maison, rassemblant tasses, cuillers et sucre. Tandis qu'il apportait le tout sur la table, Graham Ouseley se laissa aller contre le dossier de sa chaise.

— C'est une sacrée histoire, vous savez. Laissez-moi vous la raconter.

L'histoire remontait à cinquante ans en arrière, à l'époque où les Allemands avaient occupé les îles Anglo-Normandes. Cinq années durant lesquelles ils avaient vécu sous la botte, cinq années durant lesquelles ils s'étaient efforcés de se montrer plus malins que ces salauds de Boches et de vivre dignement malgré les contraintes et les interdictions diverses. Les véhicules étaient confisqués, y compris les bicyclettes, les postes de radio étaient déclarés *verboten* ; on déportait des résidents, on passait par les armes ceux qu'on qualifiait d'espions. Il y avait des camps où des prisonniers russes et ukrainiens travaillaient à construire des fortifications pour les nazis. Il y avait des morts dans les camps de travail européens où étaient expédiés ceux qui avaient osé défier la règle allemande. On se penchait sur des documents remontant jusqu'aux grands-parents pour savoir s'il n'y avait pas du sang juif à extirper de la population. Et les collabos étaient nombreux parmi les honnêtes gens de Guernesey : des monstres prêts à vendre leur âme et leurs camarades en échange de promesses des Allemands.

— Jalousie, dépit, poursuivit Graham Ouseley. Ils nous vendaient aussi pour ça. Ils réglaient des vieux comptes en chuchotant un nom à ces démons de nazis.

Heureusement, la plupart du temps, c'était un étranger qui trahissait : un Hollandais installé à Saint Peter Port qui venait à apprendre que quelqu'un cachait une radio, un pêcheur irlandais de Saint Sampson qui avait assisté de nuit à l'arrivée d'un bateau britannique près de Petit Port Bay. Même si cela était sans excuses, même si cela ne pouvait se pardonner, le fait que le collabo soit un étranger rendait la trahison moins amère que si elle avait été le fait d'un insulaire. Mais les insulaires, cela leur arrivait aussi de trahir. Et c'est ce qui s'était passé avec *GIFT*.

— *GIFT* ? interrogea Deborah.

GIFT, leur expliqua Graham Ouseley, était un sigle. *Guernesey Independent From Terror*. C'était le bulletin clandestin de l'île et la seule source d'informations valable concernant les activités alliées pendant la guerre. Ce bulletin était rédigé à partir des infos récupérées la nuit par des récepteurs de contrebande réglés sur la BBC. Les nouvelles étaient tapées à la machine sur des feuilles volantes, à la chandelle, derrière les fenêtres calfeutrées du presbytère de Saint-Pierre-du-Bois, et distribuées de la main à la main à ceux qui étaient suffisamment avides de savoir ce qui se passait à l'extérieur pour risquer d'être interrogés par les nazis – avec tout ce que cela pouvait comporter de conséquences dramatiques.

— Y avait des collabos parmi eux, déclara Graham Ouseley. On aurait dû s'en douter, nous autres. Faire plus attention. On n'aurait pas dû leur faire confiance. Mais ils étaient des nôtres. (Il se frappa la poitrine du poing.) Vous comprenez ? Des *nôtres*.

Les quatre responsables de *GIFT* avaient été arrêtés sur dénonciation d'un des collabos, leur expliqua-t-il. Trois d'entre eux étaient morts à la suite de ça – deux en prison, et l'autre en tentant de s'évader. Un seul – Graham Ouseley – avait survécu à deux années d'emprisonnement dont il était sorti réduit à l'état de loque humaine et tuberculeux.

Mais ils n'avaient pas détruit seulement les fondateurs de *GIFT*, les collabos qui les avaient trahis, dit Ouseley. Ils avaient tuyauté les Allemands sur ceux qui hébergeaient des espions britanniques, sur ceux qui cachaient des prisonniers russes évadés, sur ceux dont le seul crime était de tracer à la craie le V de la victoire sur les sièges des motos des soldats nazis tandis qu'ils buvaient, le soir, dans les bars des hôtels. Les collabos n'avaient jamais été mis en demeure de payer pour leurs forfaits, et ça, c'était resté sur le cœur de ceux qui avaient souffert par leur faute. Des gens étaient morts, des gens avaient été exécutés, des gens étaient allés en prison, certains n'étaient jamais revenus et pendant cinquante ans personne n'avait dénoncé publiquement les responsables.

— Ils ont du sang sur les mains, expliqua Graham Ouseley. Et j'ai bien l'intention de le leur faire payer. Oh, ils ne se laisseront pas faire. Ils nieront. Mais quand les preuves de leurs forfaits seront produites... Voilà comment je vais m'y prendre. D'abord je vais donner leurs noms dans le journal, je les laisserai nier tant qu'ils voudront et engager des avocats. Puis je produirai la preuve de ce que j'ai avancé et je les regarderai se tordre dans tous les sens comme ils auraient dû le faire quand les Allemands se sont finalement rendus aux Alliés. C'est à ce moment-là que tout aurait dû être dévoilé. Les collabos, les profiteurs, tout.

Le vieil homme s'excitait tout seul, il avait de la salive au coin des lèvres. Deborah commença à avoir peur pour son cœur, d'autant que sa peau prenait une inquiétante nuance bleuâtre. Il était temps de lui faire comprendre qu'ils n'étaient pas ceux qu'il attendait. Ces derniers étant apparemment des journalistes venus recueillir son témoignage pour le journal local.

— Mr Ouseley, dit-elle, j'ai bien peur...

— Non !

Il recula sa chaise avec une vigueur surprenante, renversant du café et du lait.

— Venez avec moi si vous ne me croyez pas. Mon fils Frank et moi, on a la preuve, vous entendez ?

Il se mit péniblement debout, et Cherokee se précipita pour l'aider. Graham le repoussa et s'avança tant bien que mal vers la porte. Ils n'avaient d'autre solution que de le suivre, de le calmer, d'espérer que son fils reviendrait avant que le vieil homme ne subisse le contrecoup de ses efforts.

Saint James s'arrêta d'abord chez les Duffy. Il ne fut pas étonné de n'y trouver personne. En pleine journée, Valerie et Kevin devaient travailler : lui sur les terres, elle au manoir. C'était à elle qu'il voulait parler. Le non-dit qu'il avait perçu au cours de sa précédente conversation avec elle se devait d'être explicité maintenant qu'il savait qu'elle était la sœur de Henry Moullin.

Comme il s'y attendait, il la trouva au manoir, dont la police, toujours occupée à fouiller les lieux, le laissa approcher lorsqu'il eut décliné son identité. Elle vint ouvrir la porte, une pile de draps coincée sous le bras.

Saint James ne perdit pas de temps en politesses. Celles-ci auraient détruit l'effet de surprise et permis à Valerie de rassembler ses idées. Il attaqua donc :

— Pourquoi avoir omis de me dire, la dernière fois que nous nous sommes vus, qu'il y avait une autre femme blonde ?

Valerie Duffy ne répondit pas mais il vit à ses yeux qu'elle était désorientée. Elle détourna le regard, comme cherchant son mari. Manifestement elle aurait bien aimé avoir son soutien. Or Saint James était décidé à ce qu'elle ne l'ait pas.

— Je ne comprends pas, dit-elle d'une voix faible.

Elle posa les draps par terre près de la porte et recula à l'intérieur.

Il la suivit dans le hall de pierre où l'air était glacial et encore imprégné d'une odeur de feu de bois. Elle s'arrêta près de l'immense table de réfectoire qui occupait le centre de la pièce et commença à ramasser des feuilles séchées et des baies tombées d'un bouquet d'où pointaient de grandes bougies blanches.

— Vous avez prétendu avoir vu une femme blonde suivre Guy Brouard jusqu'à la baie le matin de sa mort, insista Saint James.

— L'Américaine...

— C'est ce que vous aimeriez nous faire croire.

— Je l'ai vue, dit-elle en relevant les yeux.

— Vous avez vu quelqu'un. Mais il y a d'autres possibilités. Vous avez simplement omis de les mentionner.

— Mrs Abbott est blonde.

— Ainsi que votre nièce Cynthia.

Valerie continua de fixer Saint James, ce qui était tout à son honneur. Elle ne souffla mot, attendant de savoir ce que lui-même savait, ce qui était très astucieux de sa part. Ce n'était pas une imbécile, cette Valerie Duffy. Et ce n'était pas parce qu'elle était la gouvernante de Ruth Brouard qu'il fallait la sous-estimer.

— J'ai parlé à Henry Moullin, dit-il. Je crois avoir aperçu votre nièce. Il a voulu me faire croire qu'elle était à Aurigny chez sa grand-mère. Mais j'ai l'impression que si cette petite a une grand-mère, ce n'est pas à Aurigny que je vais la trouver. Pourquoi est-ce que votre frère tient Cynthia cloîtrée, Mrs Duffy ? Est-ce qu'il l'a enfermée à clef dans sa chambre ?

— Elle traverse une mauvaise passe, finit par dire Valerie Duffy, qui de nouveau se pencha sur les fleurs, les feuilles et les baies. C'est fréquent chez les filles de son âge.

— Quel genre de mauvaise passe ?

— Eh bien, on ne peut pas lui parler. Il n'y a pas moyen de lui faire entendre raison. Elle ne veut rien écouter.

— Faire entendre raison à propos de quoi ?

— De ses affaires de cœur.

— Vous ne pouvez pas préciser ?

— Je ne suis pas au courant.

— Ce n'est pas ce que pense votre frère, souligna Saint James. D'après lui, elle se confiait à vous. Il m'a laissé entendre que vous étiez proches toutes les deux.

— Pas suffisamment.

Elle prit une poignée de feuilles qu'elle jeta dans la cheminée. D'une poche de son tablier, elle sortit un chiffon et commença à essuyer le plateau de la table.

— Vous trouvez bien qu'il l'enferme ? Si elle est dans cet état-là ?

— Je n'ai pas dit ça. Je regrette que Henry ne...

Elle marqua une pause, s'arrêta d'épousseter et parut rassembler ses idées.

— Pourquoi Mr Brouard lui a-t-il laissé de l'argent ? questionna Saint James. A elle et pas à ses sœurs ? Une gamine de dix-sept ans se retrouve à la tête d'une petite fortune alors que les enfants de son bienfaiteur et ses propres sœurs n'ont pour ainsi dire rien.

— Elle n'est pas la seule dans ce cas. On a dû vous parler de Paul. Cyn et Paul ont tous deux des frères et sœurs. Surtout Paul, qui est d'une famille nombreuse. Et aucun de ses frères et sœurs ne figure dans le testament. J'ignore pourquoi Mr Brouard a agi de la sorte. Peut-être que ça l'amusait de déstabiliser les fratries en léguant de l'argent aux uns et pas aux autres.

— Ce n'est pas ce que prétend le père de Cynthia. Il dit que cet argent devait lui payer des études.

Valerie se mit à essuyer un coin de table parfaitement propre.

— Il dit également que Guy Brouard avait d'autres caprices. Je me demande si ce n'est pas l'un de ces caprices qui l'aurait conduit à la mort. Savez-vous ce qu'est une roue des fées, Mrs Duffy ?

— Du folklore.

— Du folklore guernesiais. Vous êtes nés ici, n'est-ce pas, votre frère et vous ?

— Ce n'est pas Henry, Mr Saint James, dit-elle en levant la tête.

Son ton était très calme. Une petite veine battait à son cou mais c'était le seul signe de trouble qu'elle donnait.

— En fait je ne pensais pas à Henry, dit Saint James. Avait-il une raison de vouloir la mort de Guy Brouard ?

Elle devint écarlate et se remit à son époussetage.

— Il était censé réaliser les vitres du musée. Si j'en crois les dessins que j'ai vus dans la grange. Etait-il également censé travailler sur le projet modifié ?

— Henry est un as dans son domaine. C'est d'ailleurs comme ça qu'ils se sont connus, Mr Brouard et lui. Mr Brouard avait besoin de quelqu'un pour aménager le jardin d'hiver. Qui est grand et compliqué. Acheter un jardin d'hiver aussi élaboré clefs en main aurait été impossible. Il lui fallait quelqu'un également pour les serres. Et, le moment venu, pour les vitres. Je lui ai parlé de Henry. Ils se sont rencontrés et ils ont trouvé un terrain d'entente. Et, depuis, Henry n'a cessé de travailler pour lui.

— C'est comme ça que Mr Brouard en est venu à remarquer Cynthia ?

— Mr Brouard prenait un tas de gens sous son aile,

dit Valerie d'un ton patient. Paul Fielder, Frank Ouseley, Nobby Debiere, Henry, Cynthia. Il a même envoyé Jemima Abbott faire une école de mannequins à Londres et il a aussi donné un coup de pouce à sa mère quand le besoin s'en est fait sentir. Il s'intéressait aux gens, il investissait dans les gens, c'était son truc.

— Les gens qui placent leur argent s'attendent généralement à un retour sur investissement, souligna Saint James. Et pas forcément d'ordre financier.

— Alors vous feriez mieux de demander à chacun d'entre eux ce que Mr Brouard espérait obtenir en retour. Pourquoi ne pas commencer par Nobby Debiere ?

Elle fit une boule de son chiffon, qu'elle fourra dans la poche de son tablier. Elle se dirigea vers la porte d'entrée. Prit les draps qu'elle avait posés par terre, les cala contre sa hanche et, faisant face à Saint James :

— S'il n'y a rien d'autre...

— Pourquoi Nobby Debiere ? C'est l'architecte, non ? Mr Brouard attendait de lui quelque chose en particulier ?

— Si tel était le cas, Nobby n'avait pas l'air spécialement disposé à lui donner satisfaction. La veille de sa mort, ils se sont disputés près de la mare aux canards, après le feu d'artifice. J'ai entendu Nobby lui dire : « Je ne vous laisserai pas me mettre sur la paille. » Je me demande ce qu'il voulait dire par là.

L'effort qu'elle faisait pour l'orienter vers une autre direction était un peu gros. Saint James n'allait pas se laisser mener en bateau comme ça.

— Il y a combien de temps que votre mari et vous travaillez pour les Brouard, Mrs Duffy ?

— Depuis leur arrivée à Guernesey.

Elle fit passer les draps d'un bras à l'autre et consulta sa montre d'un air éloquent.

— Leurs habitudes vous étaient donc familières.

Elle ne répondit pas immédiatement mais ses yeux se plissèrent tandis qu'elle envisageait les possibilités qu'impliquait cet énoncé.

— Leurs habitudes, dit-elle.

— Oui, le fait que Mr Brouard nageait tous les matins, par exemple.

— Tout le monde le savait.

— Tout le monde savait aussi ce qu'il buvait rituellement ? Du thé vert additionné de ginkgo ? Où se trouvait-il, ce thé ?

— Dans la cuisine.

— Où exactement ?

— Dans le placard de l'office.

— Et vous travaillez dans la cuisine, non ?

— Vous suggérez que je...

— Votre nièce venait bavarder avec vous ? Votre frère passait échanger quelques mots avec vous lorsqu'il travaillait au jardin d'hiver, peut-être ?

— Tous ceux qui connaissaient Mr Brouard passaient dans la cuisine. On n'est pas à cheval sur l'étiquette, au manoir. On n'y fait pas de distinction entre la domesticité et les maîtres de maison. Les Brouard ne sont pas comme ça. C'est pourquoi...

— C'est pourquoi ? reprit tranquillement Saint James.

— J'ai du travail. Mais si vous voulez bien me permettre une suggestion... (Et sans attendre de réponse :) Nos affaires de famille n'ont aucun rapport avec la mort de Mr Brouard, Mr Saint James. Mais, en creusant un peu, vous vous apercevrez que les affaires de famille de quelqu'un d'autre en ont un.

19

Frank n'avait pas réussi à rapporter le moule à Betty Petit ni à regagner le Moulin des Niaux aussi vite qu'il l'aurait désiré. Veuve et sans enfant, la fermière avait peu de visiteurs. Aussi, quand quelqu'un passait chez elle, lui offrait-elle du café et de la brioche. La seule chose qui avait permis à Frank de ne pas s'attarder plus d'une heure, ç'avait été son père. Je ne peux pas laisser papa seul trop longtemps. C'était une excuse commode quand il voulait prendre le large.

Lorsqu'il arriva dans la cour du moulin, la première chose qu'il vit fut l'Escort garée près de sa Peugeot – un gros autocollant sur la vitre arrière indiquant qu'il s'agissait d'un véhicule de location. Il jeta immédiatement un regard au cottage, dont la porte était ouverte. Il fronça les sourcils et se dépêcha. Arrivé sur le seuil, il appela : « Papa ? » Mais il se rendit vite compte qu'il n'y avait personne.

Son père ne pouvait se trouver que dans un seul autre endroit. Frank se hâta vers le premier des cottages où étaient entreposés les souvenirs de guerre. Alors qu'il passait devant la petite fenêtre du séjour, ce qu'il vit à l'intérieur lui emplit la tête du fracas d'une eau rugissante. Le frère de China River se tenait près du classeur métallique en compagnie d'une jeune femme rousse. Le tiroir du haut était ouvert, et le père de Frank planté devant. Graham Ouseley se cramponnait d'une main au tiroir pour ne pas tomber. De l'autre, il se bagarrait avec une liasse de documents qu'il essayait d'extraire du tiroir en question.

Frank ne fit ni une ni deux. Il se précipita vers la porte, l'ouvrit. Le bois gonflé grinça en raclant le sol.

— Qu'est-ce que tu fabriques ? Papa ! Arrête ! Ces documents sont fragiles !

S'ils étaient aussi fragiles que cela, une personne sensée se serait demandé ce qu'ils fabriquaient entassés en vrac dans ce meuble. Mais ce n'était pas le moment de se poser ce genre de question.

Tandis que Frank traversait vivement la pièce, Graham leva la tête.

— Le moment est venu, mon petit, dit-il. Je l'ai dit et redit. Tu sais ce qu'on a à faire, Frank.

— Tu es fou ? dit Frank. Lâche ça !

Il prit son père par le bras et essaya de le faire reculer. Graham se dégagea.

— Non ! On a une dette envers ces hommes. Et je vais faire en sorte qu'elle soit payée. J'ai survécu, Frank. Trois d'entre eux sont morts, et moi je suis toujours vivant. Après toutes ces années, quand ils auraient pu cultiver l'art d'être grands-pères, voire arrière-grands-pères, Frank. Mais ils n'ont eu ni petits-fils ni arrière-petits-fils. Tout ça à cause d'un putain de collabo qui va cette fois subir les conséquences de son acte. T'as compris, fiston ? Il est temps que les coupables trinquent.

Il se débattait comme un adolescent qu'on punit mais sans l'agilité d'un ado. Sa faiblesse ôtait à Frank toute envie de le brutaliser. Dans le même temps, elle ne lui facilitait pas la tâche.

— Il nous prend pour des journalistes, dit la jeune femme rousse. Nous avons bien essayé de le détromper... C'est à vous que nous sommes venus parler.

— Sortez, dit Frank par-dessus son épaule, avant

d'adoucir l'ordre d'un : Rien qu'un instant, s'il vous plaît.

River et la jeune femme sortirent. Frank attendit qu'ils soient dehors. Il éloigna son père du classeur dont il referma le tiroir, disant entre ses dents : « Espèce d'imbécile. » Le qualificatif retint l'attention de Graham. Frank jurait rarement et n'insultait jamais son père. L'affection qu'il avait pour cet homme, les passions qu'ils partageaient, l'histoire qui les avait liés, la vie qu'ils avaient vécue lui avaient toujours ôté l'envie de se laisser aller à la colère ou à l'impatience quand il était confronté à la volonté acharnée de son père. Mais là, c'était la limite : Frank n'en supporterait pas davantage. Un barrage creva en lui qu'il avait soigneusement édifié au cours de ces deux derniers mois et il lâcha un chapelet de jurons dont il ignorait qu'ils faisaient partie de son répertoire.

Graham parut se recroqueviller. Il se voûta, les bras lui en tombèrent. Et derrière ses grosses lunettes, ses yeux au regard incertain s'emplirent de larmes de frustration et de peur.

— Je voulais... (Son menton hérissé de barbe tremblait.) Je voulais bien faire.

Frank s'exhorta à la sévérité.

— Ecoute-moi papa, dit-il. Ces deux-là ne sont pas des journalistes. Tu comprends ? Cet homme, c'est... (Seigneur, comment lui expliquer ? Et pourquoi ?) Et cette femme...

Il ne savait même pas qui c'était. Il lui semblait l'avoir aperçue aux obsèques de Guy ; mais de là à savoir ce qu'elle fabriquait au moulin en compagnie du frère de China River... Il lui fallait avoir la réponse à cette question sans tarder.

Graham le fixait, désorienté.

— Ils ont dit... Ils sont venus...

Et, abandonnant le sujet, il se cramponna à l'épaule de Frank et s'exclama :

— Le moment est venu, Frank. Je peux mourir d'un jour à l'autre. Et je suis le seul survivant. Tu le sais ? Dis-moi que tu le sais. Et si le musée tombe à l'eau...

Il serrait de plus en plus fort le bras de Frank.

— Frankie, je peux pas faire en sorte qu'ils soient morts en vain.

Frank fut transpercé par cette remarque, moralement et physiquement.

— Papa, pour l'amour du ciel, dit-il, incapable de poursuivre.

Il attira son père vers lui et l'étreignit. Graham laissa échapper un sanglot contre l'épaule de son fils. Frank aurait voulu pleurer avec lui mais il n'avait plus de larmes. A supposer qu'il en eût encore, il n'aurait pu les laisser couler.

— Faut que j'le fasse, Frankie, gémit son père. C'est important.

— Je sais, dit Frank.

— Alors...

Graham recula et essuya ses joues avec la manche de sa veste de tweed. Frank passa un bras autour des épaules paternelles.

— On reparlera de tout ça plus tard, papa. On trouvera un moyen.

Il le poussa vers la porte et, les journalistes n'étant plus en vue, Graham se laissa faire comme s'il avait complètement oublié leur existence – ce qui était probablement le cas. Frank le reconduisit au cottage dont la porte était toujours ouverte et le guida vers son fauteuil. Graham s'appuyait de tout son poids contre lui tandis que Frank l'installait dans le fauteuil. Sa tête pendait comme si elle était devenue soudain trop lourde, ses lunettes lui glissèrent sur le nez.

— Je m'sens un peu chose, mon garçon, murmura-t-il. Je ferais peut-être bien de m'offrir un p'tit somme.

— Tu en as trop fait. Il ne faut plus que je te laisse seul.

— J'suis quand même pas qu'un nouveau-né qu'a l'derrière plein de crotte, Frank.

— Non. Mais tu fais des bêtises quand je ne suis pas là pour te surveiller. Tu es une vraie tête de mule.

Frank lui tendit la télécommande.

— Tu peux rester tranquille cinq minutes ? Je vais voir de quoi il retourne là-bas.

Et d'un mouvement de menton, il indiqua la cour. Une fois son père plongé dans la télévision, Frank s'en alla à la recherche de River et de sa compagne. Ils se tenaient près des chaises longues usées sur la pelouse derrière le cottage. En grande discussion. Voyant Frank s'approcher, ils se turent.

River présenta sa compagne : une amie de sa sœur. Deborah Saint James. Son mari et elle étaient venus de Londres pour donner un coup de main à China.

— Les enquêtes, c'est sa tasse de thé, dit River en parlant de Saint James.

Le principal souci de Frank était son père, qu'il ne pouvait laisser seul de crainte qu'il ne fasse d'autres bêtises, aussi réagit-il avec autant de courtoisie qu'il put en manifester étant donné les circonstances.

— En quoi puis-je vous aider ?

Ils répondirent quasiment d'une même voix. Leur visite avait un rapport avec une bague datant de l'Occupation. Comportant une inscription en allemand, une date et un dessin : une tête de mort et des tibias croisés.

— Vous avez un bijou de ce genre dans votre collection ? questionna River d'un ton impatient.

Frank lui jeta un regard curieux puis il regarda la femme qui l'examinait avec un sérieux indiquant combien le renseignement était important. Il réfléchit aux implications possibles des réponses qu'il pourrait leur donner. Finalement il dit :

— Je ne crois pas avoir jamais vu quelque chose de semblable. Pour autant que je m'en souvienne, en tout cas.

— Vous n'en êtes pas sûr ? reprit River.

Comme Frank ne le détrompait pas, il poursuivit, désignant du geste les cottages qui servaient d'entrepôts.

— Vous avez une sacrée quantité de marchandises. Je me souviens de vous avoir entendu dire que tout n'était pas catalogué. C'est ce que vous faisiez, n'est-ce pas, Guy et vous ? Vous prépariez les objets en vue de les exposer. Pour cela il vous fallait en dresser la liste et indiquer leur emplacement actuel, n'est-ce pas ?

— C'est effectivement ce que nous faisions, oui.

— Et le petit vous donnait un coup de main. Paul Fielder. Il accompagnait Guy ici de temps en temps.

— Son fils aussi venait, et le jeune Abbott également, dit Frank. Mais quel rapport avec...

— Tu vois ? fit River en se tournant vers sa compagne. Il y a d'autres directions dans lesquelles chercher. Paul. Adrian. Le petit Abbott. Ça arrange les flics de croire que tous les chemins mènent à China alors que ce n'est pas le cas, et en voilà la preuve.

— Pas nécessairement, dit doucement la jeune femme rousse. Sauf si...

Pensive, elle s'adressa à Frank :

— Est-il possible que vous ayez catalogué une bague comme celle que nous vous avons décrite et que vous l'ayez oubliée ? Ou que quelqu'un d'autre que vous s'en soit chargé ? Ou que vous en possédiez une, et que vous ayez oublié que vous l'aviez ?

Frank reconnut que c'était possible, toutefois il s'exprima d'un ton dubitatif parce qu'il se doutait de la requête qu'elle allait formuler et qu'il ne voulait pas y accéder. Elle la lui adressa néanmoins. Est-ce qu'ils pourraient jeter un coup d'œil ? Oh, bien sûr, ils ne pouvaient espérer tout passer en revue mais avec un peu de chance...

— Jetons un coup d'œil au catalogue, alors, dit Frank. Si une bague comme celle-ci existe, l'un d'entre nous l'aura consignée, à condition bien sûr d'être tombé dessus.

Il les emmena là où son père les avait emmenés, et sortit le premier des carnets où étaient catalogués les objets. Il y en avait quatre. Dans chacun était consigné un type particulier d'article. Un carnet pour les vêtements, un carnet pour les médailles et les insignes, un autre pour les munitions et les armes, un autre encore pour les documents et les papiers. Après examen du carnet des médailles et insignes, River et son amie constatèrent qu'aucune bague ressemblant à celle qui les intéressait n'était encore tombée entre les mains de ceux qui avaient trié les souvenirs de guerre. Cela ne voulait pas dire pour autant qu'il n'y avait pas de bague au milieu des objets qui restaient à examiner.

Deborah s'efforça de savoir si le reste des médailles et des insignes étaient entreposés en un seul endroit ou répartis en plusieurs. Elle parlait de ceux qui n'avaient pas encore été catalogués, bien sûr. Frank ne s'y trompa pas.

Il lui répondit qu'ils n'étaient pas stockés au même endroit. Il lui expliqua que les seuls articles entreposés avec des articles semblables étaient ceux qui avaient déjà été catalogués et triés. Ces objets avaient été enfermés dans des conteneurs soigneusement étiquetés afin qu'on puisse les récupérer sans problème le jour où on installerait les collections au musée. Chaque article était consigné dans le carnet correspondant, et il était doté d'un numéro d'item et d'un numéro de conteneur en prévision du jour où on en aurait besoin.

— Comme il ne figurait pas de bague dans le catalogue... dit Frank à regret.

Cela signifiait probablement qu'il n'y avait pas de bague du tout. A moins qu'elle ne soit enfouie dans la masse des objets qui n'avaient pas encore été traités.

— Mais il y avait des bagues de cataloguées, souligna River.

— Peut-être que pendant la phase de tri on vous aura piqué une bague à tête de mort sans que vous vous en aperceviez.

— Et le voleur peut fort bien être quelqu'un qui serait venu ici avec Guy Brouard, ajouta River. Paul Fielder. Adrian Brouard. Le petit Abbott.

— Peut-être, admit Frank. Mais je ne vois pas pourquoi quelqu'un aurait fait ça.

— Ou alors peut-être qu'on vous l'a volée à un autre moment ? suggéra Deborah. A supposer qu'on ait subtilisé un objet non catalogué, vous vous en seriez aperçu ?

— Ça dépend, répondit Frank. S'il s'agissait de quelque chose de volumineux... De dangereux... Je m'en serais rendu compte. Mais un objet de petite taille...

— Comme une bague, insista River.

— ... ça aurait pu m'échapper. (Frank remarqua les regards de satisfaction qu'échangeaient ses visiteurs.) Mais pourquoi est-ce si important ?

— Fielder, Brouard et Abbott, dit River à la jeune femme rousse.

Ils prirent rapidement congé. Après avoir remercié Frank, ils se dépêchèrent de rejoindre leur voiture. Il entendit River dire à son amie en réponse à une remarque qu'elle lui faisait : « Ils auraient tous pu le vouloir pour des raisons différentes. Mais pas China. Non, pas China. »

Frank pensa tout d'abord que River faisait allusion

à la bague. Mais il comprit bientôt que c'était du meurtre qu'ils parlaient. Le meurtre de Guy Brouard. Un Guy Brouard qu'il leur fallait supprimer. Dont la mort seule serait la solution face à un danger imminent.

Il frissonna, regrettant de ne pas avoir de religion pour lui fournir les réponses et lui montrer le chemin. Il ferma la porte du cottage en pensant à la mort et accorda un regard à l'accumulation de souvenirs et d'objets qui avaient donné un sens à sa vie et à celle de son père au fil des années.

Regarde un peu ce que j'ai trouvé, Frankie ! Cette phrase, combien de fois l'avait-il entendue...

Joyeux Noël, papa. Tu devineras jamais où j'ai déniché ça.

Pense aux doigts qui ont pressé la détente, fiston. A la haine qu'il a fallu.

Tout ce qu'il possédait aujourd'hui avait été amassé dans le but de l'unir de façon irrémédiable à un géant, à un colosse de dignité, de courage et de force. Impossible d'être comme lui – ou même d'espérer lui ressembler, d'espérer revivre ce qu'il avait vécu. Alors il avait fait siens ses centres d'intérêt pour pouvoir laisser sa marque dans le registre où son propre père avait laissé la sienne – imposante et fière.

C'était ça qui avait tout déclenché, le besoin d'être comme son père. Un besoin tellement viscéral que Frank se demandait souvent si les fils n'étaient pas d'une certaine façon programmés dès la naissance pour marcher sur les traces de leurs géniteurs et reproduire leur parcours de la manière la plus fidèle qui fût. Quand ce n'était pas possible – que le père était un personnage mythique, un hercule sur lequel ni l'âge ni l'infirmité n'avaient de prise –, le fils devait se rabattre sur autre chose, créer autre chose pour se prouver qu'il valait autant que son père.

Dans le cottage, Frank examina autour de lui le

témoignage concret de sa valeur. L'idée de la collection, les années de recherche – balles, pansements, etc. – avaient poussé avec autant d'exubérance que la végétation qui entourait le moulin. Tout était parti d'une malle d'objets et de documents que la mère de Graham avait conservés : cartes d'alimentation, coupons, brochures de la protection civile en cas de raids aériens, autorisations d'acheter des bougies. Ces articles longuement manipulés avaient donné à Frank l'idée du grand projet qui avait modelé sa vie. Ces objets collectés par ses soins étaient autant de mots d'amour et d'admiration qu'il n'était pas parvenu à dire à son père.

Le passé ne nous quitte jamais, Frankie. C'est à ceux qui l'ont vécu de transmettre l'expérience à ceux qui les suivent. Sinon, comment empêcher le mal de se répandre ? Comment tirer son chapeau au bien ?

Quel meilleur moyen de préserver le passé que d'éduquer les autres ? Pas seulement en classe comme il l'avait fait pendant des années. Mais aussi en mettant les gens en présence des reliques appartenant à une époque révolue. Son père avait des exemplaires de *GIFT*, une affiche nazie, une casquette de la Luftwaffe, un insigne d'appartenance au Parti, un pistolet rouillé, un masque à gaz, une lampe. Petit garçon, Frank avait tenu ces objets dans ses mains et s'était juré à l'âge de sept ans d'enrichir la collection.

T'as pas envie qu'on commence une collec, papa ? Moi, si. Ça serait amusant, tu crois pas ? Il doit y en avoir, des choses à ramasser sur l'île.

C'était pas un jeu, fiston. Ne crois surtout pas que c'était un jeu. T'as compris ?

Oui, il l'avait compris. Ça n'avait jamais été un jeu. Là était son tourment.

Frank chassa de sa tête la voix de son père mais un autre son la remplaça – une explication du passé et de l'avenir jaillie de nulle part, comportant des mots dont il lui semblait bien connaître la source mais qu'il n'aurait pu nommer en cet instant : *C'est la cause, c'est la cause, mon âme*. Il gémit comme un enfant en proie à un cauchemar. Et se força à s'enfoncer dans le cauchemar.

Le classeur ne s'était pas refermé complètement lorsqu'il avait repoussé le tiroir. Il s'en approcha prudemment tel un soldat novice traversant un champ de mines. L'ayant atteint indemne, il attrapa la poignée du tiroir, s'attendant presque à se brûler les doigts au contact de l'acier.

Il jouait finalement un rôle dans la guerre à laquelle il avait tant souhaité participer. Et il découvrait ce que c'était que de vouloir fuir à tout prix l'ennemi, et de trouver refuge dans un endroit sûr. Un endroit qui n'existait pas.

En regagnant le manoir, Ruth Brouard constata qu'une escouade de constables avait quitté les terres et progressait le long du sentier vers le petit chemin de la baie. Apparemment ils avaient fini de fouiller le Reposoir. Ils allaient maintenant inspecter le talus et les haies dénudées – et peut-être même aussi les bois et les champs alentour – dans l'espoir de mettre la main sur une preuve pour éclaircir le mystère de la mort de son frère.

Elle décida de les ignorer. Sa visite à Saint Peter Port l'avait vidée de presque toutes ses forces et menaçait de lui ôter ce qui lui avait permis de survivre tout au long d'une vie marquée par la fuite, la peur et le deuil. Bien qu'ayant traversé des épreuves qui auraient pu détruire la personnalité profonde d'un autre enfant – cet édifice dont la base repose sur l'amour inconditionnel de parents, grands-parents, oncles et tantes –, elle avait réussi à rester elle-même. Cela, grâce à Guy et à ce qu'il représentait : la famille et la certitude d'être venue de quelque part même si ce quelque part n'existait plus. Mais aujourd'hui Ruth avait l'impression que l'être humain vivant, respirant, le Guy qu'elle avait aimé et connu était près de s'effacer. Si cela arrivait, elle ne savait pas si elle s'en remettrait. Qui plus est, elle ne pensait pas avoir envie de s'en remettre.

Elle remontait l'allée de marronniers, songeant que cela lui ferait du bien de dormir. Le moindre mouvement lui coûtait un effort, depuis des semaines. L'avenir immédiat ne recelait pas de remède à ses souffrances. La morphine soigneusement dosée pourrait atténuer ses incessantes douleurs osseuses mais seul l'oubli complet pourrait chasser de son esprit les soupçons qui commençaient à la tarauder.

Elle se dit que ce qu'elle avait appris devait avoir une foule d'explications. Toutefois, savoir cela ne changeait rien au fait que certaines de ces explications étaient bien capables d'avoir coûté la vie à son frère. Peu importait que ce qu'elle avait découvert concernant les derniers mois de Guy atténue la culpabilité qui la rongeait pour le rôle qu'elle avait joué dans les circonstances encore inexpliquées de sa mort. L'important, c'est qu'elle avait ignoré ce qu'avait fait son frère, et que cette ignorance était suffisante pour commencer à lui faire perdre ses certitudes. Si cela se produisait, la vie de Ruth ne serait plus qu'une succession d'horreurs. C'est pourquoi elle savait qu'il lui fallait construire un rempart contre la possibilité de perdre ce qui avait donné un sens à son univers. Seulement elle ne savait pas comment s'y prendre.

De l'étude de Dominic Forrest elle était allée chez l'agent de change puis chez le banquier de Guy. Leurs explications lui avaient permis de reconstituer le parcours de son frère au cours des dix mois précédant sa mort. Vendant d'énormes quantités de valeurs boursières, il avait effectué des mouvements de fonds à partir de et sur son compte. Opérations qui frisaient l'illégalité. L'air impassible des conseillers financiers de Guy était lourd de sous-entendus. Cependant ils s'en étaient tenus aux seuls faits dans leur exposé – dont l'aridité et la brutalité n'avaient pu qu'éveiller les pires soupçons de Ruth.

Cinquante mille livres par-ci, soixante-quinze mille livres par-là. Tout ça pour atteindre finalement la somme astronomique de deux cent cinquante mille livres début novembre. Il devait forcément y avoir une trace écrite mais elle ne voulait pas s'en occuper pour l'instant. Tout ce qu'elle voulait, c'était la confirmation de ce que Dominic Forrest lui avait dit être le résultat de la mise à plat de la situation financière de Guy par l'expert-comptable qu'il avait requis pour éplucher ses comptes après sa disparition. Homme d'affaires avisé, Guy avait investi et réinvesti astucieusement pendant les neuf ans qui avaient suivi leur installation à Guernesey. Mais ces derniers mois l'argent lui avait soudain filé entre les doigts comme du sable... ou alors on le lui avait pompé tel du sang... ou bien il en avait eu besoin pour des... ou pour faire des dons... ou quoi encore ?

Elle n'en savait rien. Et l'espace d'un moment elle se dit que cela lui était égal. L'argent n'était pas important. Mais c'est ce qu'il représentait, ce que son absence suggérait alors que le testament de Guy avait semblé indiquer qu'il y en avait beaucoup à partager entre ses enfants et ses deux autres bénéficiaires... Cela, Ruth ne s'en moquait pas. Parce que cette situation la conduisait inéluctablement au meurtre de son frère et au rapport qu'il pouvait y avoir entre ce meurtre et l'argent.

Un affreux mal de tête la tenaillait. Trop de données

se bousculaient dans son cerveau, chacune tâchant de s'imposer à elle au détriment des autres. Elle ne voulait se pencher sur aucune en particulier. Tout ce qu'elle voulait, c'était dormir.

Elle dépassa la roseraie qui flanquait l'un des côtés du manoir. Les buissons squelettiques avaient été taillés pour l'hiver. Au-delà de la roseraie, l'allée s'incurvait de nouveau et menait à la vieille écurie où elle garait sa voiture. Lorsqu'elle freina devant l'écurie, elle comprit qu'elle n'aurait pas la force d'en ouvrir les portes. Elle coupa le contact, appuya sa tête contre le volant. Le froid s'insinuait dans la Rover, toutefois elle resta là, les yeux fermés, à écouter le silence réconfortant. Le silence l'apaisait comme rien n'aurait pu le faire. Le silence n'avait rien à lui apprendre.

Mais elle ne pouvait rester là longtemps. Elle avait besoin de son médicament. Et de repos.

D'un coup d'épaule elle ouvrit la portière. Une fois debout, elle fut surprise de constater qu'elle était incapable de traverser l'allée en direction de la serre pour entrer dans la maison. Alors elle s'appuya contre la voiture et c'est ainsi qu'elle en vint à remarquer du mouvement du côté de l'étang aux canards.

Elle pensa tout de suite à Paul Fielder. Et au fait que quelqu'un allait devoir lui annoncer la nouvelle, lui dire que son héritage ne serait pas aussi important que Dominic Forrest le lui avait laissé entendre. Non que cela importât beaucoup. La famille Fielder était pauvre, le père avait été ruiné sous la pression impitoyable de la frénésie de modernisation qui s'était emparée de l'île. Quelle que fût la somme qui lui tomberait finalement entre les mains, elle dépasserait de beaucoup ce qu'il aurait pu espérer avoir... A condition qu'il ait été au courant du testament de Guy. Mais c'étaient là encore des spéculations auxquelles Ruth ne voulait pas se laisser aller.

La petite marche pour rejoindre l'étang aux canards lui demanda un effort de volonté. Mais quand Ruth y arriva, émergeant d'entre deux rhododendrons – si bien que le bassin se déployait devant elle tel un plateau d'étain qui aurait emprunté au ciel sa couleur –, elle s'aperçut que ce n'était pas Paul Fielder qu'elle avait cru voir, qu'il n'était pas en train de reconstruire les abris destinés à remplacer ceux qui avaient été détruits. Au lieu de Paul, c'était l'homme de Londres qui se tenait au bord de la mare. Non loin d'une poignée d'outils abandonnés. Ce qu'il fixait apparemment, c'était le cimetière des canards de l'autre côté de l'eau.

Ruth voulait retourner vers la maison dans l'espoir de lui échapper. Mais il jeta un coup d'œil de son côté avant de reporter les yeux sur les tombes.

— Que s'est-il passé ? lui demanda-t-il.

— Quelqu'un qui n'aimait pas les canards.

— Comment peut-on ne pas aimer les canards ? Des animaux si inoffensifs.

— C'est vrai.

Elle n'en dit pas davantage mais, lorsqu'il se tourna vers elle, elle eut l'impression qu'il lisait la vérité sur son visage.

— Les abris ont été détruits aussi ? Qui est-ce qui les reconstruisait ?

— Guy et Paul. C'est eux qui avaient construit les cabanes d'origine. La mare, c'était une de leurs réalisations.

— Peut-être que ça n'a pas plu à quelqu'un.

Il braqua les yeux vers le manoir.

— Je ne vois pas à qui, dit-elle. (Consciente du ton artificiel de sa voix, elle savait qu'il ne la croyait pas un instant.) Comme vous l'avez dit, qui peut ne pas aimer les canards ?

— Quelqu'un qui n'aimait pas Paul, ou les relations que Paul entretenait avec votre frère.

— Vous pensez à Adrian.

— Il aurait pu être jaloux ?

Adrian, songea Ruth, était imprévisible. Alors pourquoi pas jaloux ? Cela étant, elle n'avait pas l'intention de parler de son neveu à cet homme ou à quiconque.

— C'est humide ici. Je vais vous laisser à votre contemplation, Mr Saint James, je rentre.

Il l'accompagna sans y avoir été invité. Il boitait près d'elle en silence et elle n'eut d'autre choix que de le laisser la suivre jusqu'à la serre dont la porte, comme d'habitude, n'était pas fermée.

Il ne manqua pas de le remarquer et voulut savoir si elle restait toujours ouverte.

Oui. Guernesey n'était pas comme Londres. Les gens se sentaient davantage en sécurité ici. Les serrures étaient inutiles.

Elle sentit le regard de ses yeux gris-bleu lui vriller la nuque tandis qu'elle avançait le long de l'allée de brique dans l'air humide sous la verrière. Elle savait à quoi il pensait : une porte ouverte, c'était un moyen d'accès et de sortie commode pour quiconque souhaitait nuire à son frère.

Elle préférait qu'il pense à cela plutôt qu'à ce à quoi il semblait vouloir en venir quand il lui avait parlé de la mort des canards innocents. Elle ne croyait pas qu'un parfait étranger avait un rapport avec la mort de son frère. Mais si cela empêchait le Londonien d'envisager la culpabilité d'Adrian, elle le suivrait dans cette direction.

— J'ai eu une conversation avec Mrs Duffy. Vous êtes allée en ville ?

— Oui, voir le notaire de Guy, ses banquiers et ses agents de change, dit Ruth.

Elle l'emmena dans le petit salon. Valerie, ainsi qu'elle put le constater, y était déjà passée. Les rideaux avaient été tirés pour laisser entrer le jour laiteux de décembre et le feu brûlait pour combattre le froid. Une cafetière était posée sur une table près du canapé, ainsi qu'une tasse et une soucoupe. Sa boîte à ouvrage était ouverte, attendant qu'elle se mette au travail, et le courrier s'empilait sur son secrétaire.

Tout dans la pièce indiquait que c'était une journée comme une autre. Mais c'était faux. Normales, les journées ne le seraient plus. Cette pensée incita Ruth à parler. Elle raconta à Saint James ce qu'elle avait appris à Saint Peter Port. Tout en parlant, elle prit place sur le canapé et lui fit signe de s'asseoir dans un fauteuil. Il l'écouta en silence et, quand elle eut fini, il lui offrit une palette d'explications. Elle les avait passées en revue pendant le trajet du retour. Comment aurait-elle pu ne pas les envisager, alors qu'il y avait un meurtre dans le tableau ?

— Cela évoque la possibilité d'un chantage, bien sûr, dit Saint James. Ces fonds qui baissent. Des montants qui augmentent à mesure que le temps passe...

— Rien dans la vie de mon frère ne pouvait donner lieu à un chantage.

— A première vue, peut-être. Mais apparemment il avait des secrets, miss Brouard. Il a bien effectué un voyage en Amérique à votre insu.

— Je suis sûre que pour ça il n'y avait pas de secret. Et il y a une explication simple à ce que Guy a fait de l'argent. Seulement nous ne l'avons pas encore découverte, c'est tout.

Mais elle n'était rien moins que convaincue en disant cela. Et elle voyait à son air sceptique que Saint James ne la croyait pas, lui non plus.

Il dit, essayant de la ménager :

— Vous savez que ce n'était probablement pas très légal, cette façon de transférer de l'argent.

— Non, je ne sais pas...

— Et si vous voulez retrouver son meurtrier, il va

nous falloir envisager un certain nombre de possibilités.

Elle ne répondit pas. Son malaise était d'autant plus grand qu'elle lisait de la compassion sur les traits de cet homme. Or elle détestait l'empathie. Elle l'avait toujours détestée. Pauvre petite qui a perdu sa famille aux mains des nazis. Il faut qu'on se montre charitable. Elle a bien le droit d'avoir peur et d'avoir du chagrin.

— Nous tenons son meurtrier, dit Ruth d'un ton buté. Je l'ai vue ce matin-là. Nous savons qui c'est.

Saint James poursuivit son raisonnement comme si elle n'avait rien dit.

— Peut-être qu'il avait une dette à rembourser. Peut-être qu'il avait effectué un achat considérable. Voire un achat de marchandises illégales. Des armes, de la drogue, des explosifs ?

— Grotesque.

— S'il sympathisait avec une cause...

— Les Arabes, les Algériens, les Palestiniens, les Irlandais, fit-elle avec un petit rire de dérision. Mon frère était à peu près aussi politisé qu'un nain de jardin, Mr Saint James.

— Alors c'est qu'il a fait don de cet argent à quelqu'un. Et si tel est le cas, il nous faut nous demander quels peuvent être les bénéficiaires d'une grosse somme d'argent liquide. (Il jeta un regard vers la porte comme s'il se demandait ce qu'il y avait derrière.) Où est votre neveu ce matin, miss Brouard ?

— Tout cela n'a rien à voir avec Adrian.

— Néanmoins...

— J'imagine qu'il sert de chauffeur à sa mère. Elle ne connaît pas l'île. Les routes sont mal indiquées. Elle a dû avoir besoin de son aide.

— Est-ce qu'il est venu fréquemment rendre visite à son père ? Au fil des années ? Est-ce qu'il...

— Ça n'a rien à voir avec Adrian ! répéta-t-elle d'une voix perçante.

Elle avait l'impression qu'on lui enfonçait des couteaux dans les os. Il lui fallait se débarrasser de cet homme, quelles que soient ses intentions à son égard. Il fallait absolument qu'elle prenne son médicament, qu'elle en prenne suffisamment pour que son corps cesse de la faire souffrir.

— Mr Saint James, vous n'êtes pas venu me rendre une visite de politesse, j'imagine. Pourquoi êtes-vous ici ?

— Je suis allé voir Henry Moullin.

— Oui ? fit-elle, circonspecte.

— Je ne savais pas que Mrs Duffy était sa sœur.

— Il n'y avait pas de raison qu'on vous le dise.

Il sourit. Il lui apprit qu'il avait vu les dessins des vitrages du musée réalisés par Henry. Que ces dessins lui avaient rappelé que Mr Brouard avait des plans en sa possession. Il se demandait s'il pourrait y jeter un coup d'œil.

Ruth fut tellement soulagée de la simplicité de la requête qu'elle accepta immédiatement. Sans prendre le temps de se demander où cela pouvait les entraîner. Les plans étaient à l'étage dans le bureau de Guy. Elle allait les chercher tout de suite.

Saint James lui dit qu'il allait l'accompagner si cela ne la dérangeait pas. Il désirait jeter un autre coup d'œil à la maquette de Bertrand Debiere. Cela ne prendrait pas longtemps, lui assura-t-il.

Ruth ne pouvait qu'acquiescer. Ils étaient dans l'escalier quand le Londonien reprit la parole :

— Il semble que Henry Moullin retienne sa fille Cynthia enfermée chez lui. Depuis quand, à votre avis ?

Ruth continua de monter les marches, faisant comme si elle n'avait pas entendu.

Implacable, Saint James la relança :

— Miss Brouard ?

Elle se dépêcha de répondre tandis qu'elle avançait dans le couloir en direction du bureau de son frère, soulagée de l'obscurité qui régnait dans le corridor, laquelle camouflerait son expression.

— Je n'en ai pas la moindre idée, Mr Saint James. J'ai pour habitude de ne pas me mêler des affaires d'autrui.

— Il n'y avait pas de bague répertoriée avec le reste de sa collection, dit Cherokee River à sa sœur. Ça ne veut pas dire pour autant que quelqu'un ne l'a pas subtilisée à son insu. Adrian, Stephen Abbott et le petit Fielder se sont tous trouvés là-bas à un moment ou un autre.

China secoua la tête.

— La bague retrouvée sur la plage est la mienne. Je le sais. Je le sens. Pas toi ?

— Ne dis pas ça, protesta Cherokee. Il doit y avoir une autre explication.

Ils étaient à l'appartement. Dans la chambre – où Deborah et Cherokee avaient trouvé China assise devant la fenêtre sur une chaise de cuisine. La pièce était glaciale car la fenêtre était grande ouverte, laissant apercevoir Castle Cornet.

« C'est pour m'habituer à regarder le monde depuis une petite pièce carrée munie d'une unique fenêtre », avait expliqué China d'un ton désabusé quand ils l'avaient surprise.

Ne portant ni manteau ni pull, elle avait la chair de poule mais ne semblait pas en avoir conscience.

Deborah ôta son manteau. Elle aurait voulu rassurer son amie avec une ferveur identique à celle de Cherokee mais elle ne voulait pas lui donner de faux espoirs. La fenêtre constituait un bon prétexte pour éviter une discussion sur la noirceur sans cesse croissante de la situation de China.

Elle dit :

— Tu gèles. Prends ça.

Cherokee alla fermer la fenêtre. Il dit à Deborah :

— Faut pas qu'elle reste ici.

D'un geste, il désigna le séjour, où la température était un peu plus supportable.

Lorsqu'ils eurent fait asseoir China et que Deborah lui eut enveloppé les jambes dans une couverture, Cherokee dit à sa sœur :

— Faut que tu fasses davantage gaffe à toi. Y a des choses qu'on peut faire à ta place. Mais ça, c'est impossible.

China s'adressa à Deborah :

— Il croit que c'est moi, n'est-ce pas ? S'il n'est pas venu, c'est parce qu'il croit que c'est moi.

— Qu'est-ce que tu... commença Cherokee.

Comprenant où elle voulait en venir, Deborah le coupa :

— Simon ne fonctionne pas comme ça. Examiner des preuves, c'est son travail de tous les jours. Il lui faut avoir l'esprit ouvert. Et pour l'instant, justement, il garde l'esprit ouvert.

— Alors pourquoi n'est-il pas venu ? J'aimerais tant qu'il vienne. Si seulement on pouvait se voir, se parler... Je pourrais lui fournir des explications.

— Tu n'as rien à expliquer, dit Cherokee, parce que tu n'as rien fait.

— Cette bague...

— Elle a atterri là-bas. Sur la plage. D'une façon ou d'une autre. Si elle est à toi et que tu ne te souviens pas de l'avoir eue dans ta poche quand tu es allée te promener le long de la baie, eh bien ça veut dire qu'on essaye de te faire porter le chapeau. Fin de l'histoire.

— Je regrette de l'avoir achetée.

— Merde, ça oui. Et moi qui croyais que tu avais tiré un trait sur Matt. Que tout était fini entre vous.

China jeta un long regard à son frère. Tellement long qu'il détourna les yeux.

— Je ne suis pas comme toi, fit-elle d'un ton uni.

Deborah sentit qu'il y avait du non-dit derrière cette simple phrase. Un message que la sœur avait envoyé au frère. Cherokee s'agita, il se passa les doigts dans les cheveux.

— Merde, China, voyons.

China demanda à Deborah :

— Cherokee fait toujours du surf. Tu étais au courant, Debs ?

— Oui, il m'a parlé du surf, mais je ne sais pas s'il a dit exactement...

Elle laissa sa phrase en suspens. Manifestement ce n'était pas de surf qu'il s'agissait.

— C'est Matt qui lui a appris à surfer. C'est comme ça qu'ils sont devenus amis. Cherokee n'avait pas de planche au début ; mais Matt a bien voulu lui apprendre sur la sienne. Tu avais quel âge à l'époque ? Quatorze ans ?

— Quinze, marmonna Cherokee.

— Exact. (S'adressant à Deborah, elle poursuivit :) Il avait quinze ans. Mais pas de planche. Si on veut faire des progrès, il faut s'entraîner. Pour ça il faut une planche. On ne peut pas passer son temps à en emprunter une.

Cherokee s'approcha de la télévision et prit la télécommande. Il alluma la télé et l'éteignit presque aussitôt.

— Allez, Chine.

— Matt a commencé par être copain avec Cherokee. Mais leurs relations se sont un peu distendues quand Matt et moi on s'est mis à sortir ensemble. Je trouvais ça dommage. J'ai demandé à Matt pourquoi ils se voyaient moins. Il m'a dit que ces choses-là, c'était fluctuant. C'est tout ce qu'il a dit. J'ai cru que c'était parce que leurs centres d'intérêt avaient divergé. Matt s'était orienté vers la réalisation cinématographique. Alors que Cherokee se contentait de bidouiller : jouer de la musique, brasser de la bière, vendre ses prétendus artefacts indiens. Je me suis dit que Matt était un adulte. Que Cherokee aurait dix-neuf ans toute sa vie. Mais les amitiés ne sont jamais aussi simples, n'est-ce pas ?

— Tu veux que je me tire ? demanda Cherokee à sa sœur. Je peux partir, tu sais. Rentrer en Californie. Maman peut venir. Te tenir compagnie.

— Maman ? (China eut un rire étranglé.) Il ne manquerait plus que ça. Ah, je la vois d'ici, faisant le tour de l'appartement, passant ma garde-robe en revue, jetant tout ce qui peut avoir un rapport avec les animaux. S'assurant que j'ai ma dose quotidienne de vitamines et de tofu. Vérifiant que le riz est brun et le pain complet. Ah, ce serait charmant. Ça me distrairait.

— Alors quoi ? lança Cherokee d'un ton de désespoir.

Ils se faisaient face, Cherokee debout, sa sœur assise, mais il semblait beaucoup plus petit qu'elle. Peut-être parce que la personnalité de China lui donnait un air impressionnant.

— Fais ce que tu as à faire, lui dit China.

Ce fut lui qui baissa les yeux le premier. Pendant leur silence, Deborah réfléchit à la nature des relations entre frère et sœur. Elle nageait complètement quand il s'agissait de comprendre ce qui se passait au sein d'une fratrie.

Les yeux toujours rivés sur son frère, China enchaîna :

— Ça t'arrive de souhaiter retourner en arrière, Debs ?

— Ça arrive à tout le monde.
— Qu'aimerais-tu revivre si c'était possible ?
— Une fête de Pâques avant la mort de ma mère. Une kermesse au village. Un tour de poney coûtait cinquante pence, j'avais juste de quoi. Je savais que si je montais sur le dos du poney tous mes sous partiraient en fumée en cinq minutes. Qu'il ne me resterait plus rien. Je ne savais pas comment faire. J'étais ennuyée parce que j'avais peur de prendre la mauvaise décision, de faire le mauvais choix et d'être malheureuse. J'en ai parlé à maman. Il n'y a pas de mauvaise décision, m'a-t-elle dit. Seulement ce qu'on décide et ce que cette décision nous apprend. (Deborah sourit.) J'aimerais bien revivre ce moment-là si c'était possible. A ceci près que cette fois maman ne mourrait pas.
— Qu'est-ce que tu as fait finalement ? lui demanda Cherokee. Tu es allée faire le tour en poney ?
— C'est curieux, répondit Deborah, impossible de m'en souvenir. Au fond, le poney n'était peut-être pas si important. C'est ce qu'elle m'a dit qui m'a marquée. Elle était comme ça, maman.
— Tu as de la chance, commenta China.
— Oui.
Un coup fut frappé à la porte. Puis la sonnette retentit. Cherokee alla voir qui c'était.
Il ouvrit et se trouva nez à nez avec deux constables en uniforme dont l'un jetait des regards anxieux autour de lui comme s'il craignait une embuscade et l'autre se donnait des petits coups de matraque sur la paume.
— Mr Cherokee River ? questionna l'un. Il va falloir nous suivre.
— Quoi, où ça ? s'enquit Cherokee.
— Cherokee ? dit China en se levant.
Deborah s'approcha et lui passa un bras autour de la taille.
— Qu'est-ce qui se passe ? voulut-elle savoir.

Sur ces entrefaites, Cherokee River s'entendit mettre en garde par la police de Guernesey.

Les flics avaient des menottes mais ils ne s'en servirent pas. L'un d'eux dit :

— Si vous voulez bien nous suivre.

L'autre prit Cherokee par le bras et l'entraîna vivement dehors.

20

Les cottages servant d'entrepôts étaient peu éclairés car en général Frank n'y travaillait pas en fin d'après-midi, pas plus que le soir. Mais il n'avait pas besoin de beaucoup de lumière pour mettre la main sur ce qu'il cherchait au milieu des papiers stockés dans le classeur. Il savait où se trouvait le document et, chose épouvantable pour lui, il en connaissait le contenu. Il s'en empara. Une chemise le protégeait telle une peau. A l'intérieur se trouvait le squelette : une enveloppe écornée.

A la fin de la guerre, les forces d'occupation de l'île avaient fait preuve d'un orgueil proprement démesuré. D'autant plus étonnant compte tenu des défaites subies par l'armée allemande partout ailleurs. A Guernesey, les Allemands avaient même refusé de se rendre au début, tellement ils avaient du mal à s'habituer à l'idée que leur rêve de perfection eugénique et de mainmise sur l'Europe pût ne pas aboutir. Quand le major général Heine était finalement monté à bord du HMS *Bulldog* pour négocier les termes de son retrait de l'île, c'était le lendemain de la célébration de la victoire dans le reste de l'Europe.

Se cramponnant au peu qui leur restait en ces ultimes jours et voulant peut-être – à l'instar des vagues successives d'occupants qui les avaient précédés au fil des siècles – laisser leur marque sur l'île, les Allemands n'avaient pas détruit tout ce qu'ils avaient construit. Certaines choses, tels les emplacements de canons, ne se prêtaient pas à la démolition. D'autres – comme le papier que Frank avait entre les mains – avaient valeur de messages indiquant que certains insulaires avaient fait passer leur intérêt propre avant leur sentiment de camaraderie et, par leurs actes, avaient semblé épouser la cause allemande. L'important, pour l'ennemi, c'était d'avoir couché cette trahison noir sur blanc en gros caractères anguleux.

Ce qui avait fait le malheur de Frank, c'était son respect pour l'histoire qu'il avait étudiée à l'université puis enseignée pendant près de trente ans à des adolescents globalement apathiques. Respect que lui avait inculqué son père. Respect qui l'avait encouragé à rassembler une collection qui, il l'avait espéré, servirait la cause du souvenir.

Il avait toujours tenu pour vrai l'aphorisme selon lequel ne pas se souvenir du passé, c'est se condamner à le répéter. Il avait longtemps vu dans les conflits armés qui éclataient çà et là à travers le monde l'incapacité de l'homme à reconnaître la futilité de l'agression. L'invasion et la domination entraînaient l'oppression et la rancune. De là naissait la violence sous toutes ses formes. Mais certainement pas le bien. Frank le savait, il en était fermement convaincu. Il se comportait en missionnaire qui essayait d'inculquer à son entourage les principes qu'on lui avait appris à respecter. Et c'est du haut de ses collections de souvenirs de guerre érigées en chaire qu'il entendait prêcher la bonne parole.

C'est pourquoi, comme les Allemands avant lui, il n'avait rien détruit. Il avait réuni un si vaste ensemble d'objets qu'il ne savait plus où il en était. Ce qui est certain, c'est qu'il collectionnait tout ce qui touchait à la guerre et à l'Occupation.

Il n'avait jamais su ce qu'il possédait au juste. Sa

collection, il l'avait longtemps appréhendée en termes génériques. Armes. Uniformes. Dagues. Papiers. Balles. Outils. Casquettes. C'est seulement en rencontrant Guy Brouard qu'il avait commencé à concevoir les choses sous un autre angle.

Ça pourrait être une manière de monument, Frank. Quelque chose qui servirait à distinguer l'île et les gens qui ont souffert. Sans parler de ceux qui sont morts.

Là était l'ironie. Là était la cause.

Frank se dirigea avec la vieille enveloppe vers un fauteuil en rotin dépenaillé. Un lampadaire à l'abat-jour décoloré jouxtait le fauteuil, il l'alluma et s'assit. Une lumière jaunâtre tomba sur ses genoux, où il avait placé l'enveloppe. Il l'examina un moment avant de l'ouvrir et d'en retirer une liasse de quatorze fragiles feuillets.

Il en extirpa un du lot. Le lissa contre sa cuisse. Il posa les autres par terre.

Il examina celui qu'il avait choisi avec une intensité qui aurait pu donner à penser à un spectateur non averti qu'il ne l'avait encore jamais eu sous les yeux. Et pourquoi l'aurait-il examiné, franchement ? C'était un inoffensif morceau de papier.

6 Würstchen, lut-il. *1 Dutzend Eier, 2 kilos Mehl, 6 kilos Kartoffein, 1 kilo Bohnen, 200 gr. Tabak.*

C'était une simple liste, fourrée au milieu de reçus d'achats d'essence, de peinture, etc. Un document insignifiant, un morceau de papier qui aurait pu s'égarer sans que personne s'en aperçoive. Mais pour Frank, il était révélateur, ce papier. Notamment de l'arrogance des occupants qui avaient consigné par écrit les moindres faits et gestes des insulaires et conservé précieusement ces documents pour le jour d'une victoire dont ils voudraient identifier les partisans. Si on n'avait pas enseigné à Frank, d'abord étudiant puis adulte solitaire, la valeur inestimable de tout ce qui se rattachait de près ou de loin à la période d'épreuves traversée par Guernesey, il aurait pu délibérément « égarer » ce bout de papier et personne ne s'en serait aperçu. Seulement lui aurait su qu'il avait existé, et ce n'était pas en le semant ou en le détruisant qu'il pourrait effacer cette réalité de sa conscience.

Si les Ouseley n'avaient pas songé à l'éventualité d'un musée, ce papier serait probablement resté enfoui avec les autres. Même Frank ne l'aurait pas découvert. Mais une fois que lui et son père eurent saisi l'offre de Guy Brouard de bâtir le musée de la Guerre Graham-Ouseley pour l'édification des citoyens de Guernesey, l'indispensable travail de tri et de classement avait commencé. Et c'est au cours de cette opération de dépouillement que la liste avait été mise au jour. *6 Würstchen, 1 Dutzend Eier, 2 kilos Mehl, 6 kilos Kartoffein, 1 kilo Bohnen, 200 gr. Tabak.*

C'est Guy qui avait mis la main dessus. Lui qui avait dit : « Qu'est-ce que vous pensez de ça, Frank ? », car il ne connaissait pas l'allemand.

Frank avait traduit machinalement sans même prendre le temps de lire ni de réfléchir aux conséquences. Il n'en comprit pleinement la signification que lorsque le dernier mot – tabac – franchit ses lèvres. Conscient soudain des implications, il avait braqué les yeux vers le haut du feuillet puis regardé Guy – qui l'avait déjà lu. Guy à qui les Allemands avaient pris ses père et mère, toute sa famille, son héritage.

« Qu'allez-vous en faire ? » avait dit Guy.

Frank n'avait pas répondu.

« Il va bien falloir que vous fassiez quelque chose. Vous ne pouvez pas rester les bras croisés. Seigneur Dieu, Frank. Vous n'avez pas l'intention de rester les bras croisés, si ? »

Après, c'était devenu un véritable leitmotiv : « Qu'est-ce que vous avez fait, Frank ? Vous lui en avez parlé ? »

Frank s'était dit que ce ne serait plus nécessaire maintenant que Guy, seul au courant, était mort et enterré. Il s'était dit qu'il n'aurait jamais à le faire. Mais ce qui s'était passé la veille lui avait fait comprendre qu'il en allait autrement.

Qui oublie le passé est condamné à le revivre.

Il se leva. Il remit les papiers dans l'enveloppe et l'enveloppe dans la chemise. Il referma le classeur métallique, éteignit la lumière, tira la porte derrière lui.

Au cottage, il trouva son père endormi dans son fauteuil. A la télé, une série policière américaine. Deux policiers au blouson frappé des lettres NYPD s'apprêtaient – l'arme au poing – à enfoncer une porte. A un autre moment, Frank aurait réveillé son père et l'aurait aidé à gagner l'étage. Cette fois, il passa devant lui et gravit les marches de l'escalier, cherchant la solitude de sa chambre.

Sur sa commode, deux photos encadrées. L'une de ses parents le jour de leurs noces, après la guerre. L'autre, de Frank et de son père au pied d'une tour allemande non loin de la rue de la Prévôté. Frank ne se rappelait pas qui avait pris la photo mais il se rappelait le jour où elle avait été prise. Sous une pluie battante, ils avaient marché le long du sentier bordant la falaise, et quand ils étaient arrivés, le soleil s'était levé. « Signe que Dieu approuve notre pèlerinage », avait commenté Graham.

Frank posa la liste extraite du classeur contre cette photo. Il recula tout en la regardant, tel un prêtre qui répugne à tourner le dos à l'autel. A tâtons, il repéra son lit derrière lui et s'assit. Il fixa le document, s'efforçant de ne pas entendre le défi qu'exprimait cette voix.

Vous ne pouvez pas rester les bras croisés.

Il savait que c'était impossible. *C'est la cause, mon âme.*

Frank n'avait du monde qu'une expérience limitée, mais ce n'était pas un ignorant. Il savait que l'esprit humain est une créature bizarre qui peut fréquemment se comporter comme un miroir déformant dès qu'il s'agit de détails trop pénibles à mémoriser. L'esprit peut nier, reconstruire, oublier. Créer, si nécessaire, un univers parallèle. Inventer une réalité différente et la substituer à une situation qu'il trouve trop dure à supporter. Ce faisant, l'esprit ne ment pas : il échafaude simplement une stratégie de survie.

Là où les ennuis commençaient, c'est quand cette stratégie oblitérait la vérité au lieu de vous en protéger momentanément. Alors c'était le désespoir. La confusion s'installait. Le chaos suivait.

Frank savait qu'ils étaient au bord du chaos. Le moment d'agir était venu, mais il avait l'impression d'être pétrifié. Il avait consacré sa vie à servir une chimère et, bien que le sachant depuis deux mois, il avait du mal à l'accepter.

Révéler la vérité maintenant viderait de son sens un demi-siècle de dévouement, d'admiration, de foi. Cela ferait d'un héros un misérable. Dont la vie s'achèverait dans la disgrâce publique.

Frank savait qu'il pouvait empêcher cela. Entre les fantasmes d'un vieillard et la vérité, il n'y avait après tout qu'un malheureux morceau de papier.

A Fort Road, ce fut une jeune femme séduisante bien que fortement enceinte qui vint ouvrir lorsqu'on sonna à la porte de Bertrand Debiere. Elle était la femme de l'architecte, Caroline, dit-elle à Saint James. Bertrand était derrière, dans le jardin, avec les enfants, qu'il gardait pour qu'elle puisse écrire. Vraiment gentil de sa part. C'était un époux modèle. Elle se demandait comment elle avait fait pour se retrouver mariée avec lui. Quelle chance de l'avoir rencontré...

Caroline Debiere ne manqua pas de remarquer les papiers que Saint James tenait roulés sous son bras.

— Vous venez pour affaires ? s'enquit-elle.

Et, à sa mine, on voyait qu'elle espérait bien que ce serait le cas. Son mari était un excellent architecte, dit-elle à Saint James. Quiconque souhaitait se faire construire une maison, la faire rénover ou agrandir ne pouvait se tromper en s'adressant à Bertrand Debiere.

Saint James répondit qu'il aimerait que Mr Debiere examine des plans. Il était passé à son cabinet mais la secrétaire lui avait dit qu'il était parti. Il avait cherché son adresse dans l'annuaire et s'était permis de venir le relancer à son domicile. Il espérait ne pas trop mal tomber.

Pas du tout. Caroline allait chercher Bertrand dans le jardin si Mr Saint James voulait bien attendre dans le séjour.

Un cri joyeux jaillit de derrière la maison. Suivi d'un bruit sourd – marteau heurtant du bois. Entendant cela, Saint James dit qu'il ne voulait pas interrompre Mr Debiere dans sa tâche, et que si sa femme n'y voyait pas d'inconvénient, il irait le rejoindre au jardin.

Caroline Debiere parut soulagée, contente de pouvoir continuer à travailler tranquillement. Et elle laissa le visiteur rejoindre son mari.

Bertrand Debiere s'avéra être l'un des deux hommes que Saint James avait vus s'éclipser la veille alors que la foule se massait autour de la tombe de Guy Brouard, et se plonger dans une conversation animée. Véritable échalas, il était si dégingandé, si maigre qu'il semblait sortir d'un roman de Dickens. Grimpé sur une branche de platane, il assemblait les éléments de ce qui devait devenir une cabane pour ses enfants. Ils étaient deux

– qui l'aidaient chacun à sa façon. L'aîné lui passait des clous, qu'il prenait dans une petite trousse de cuir qu'il portait autour du cou, tandis que le plus jeune tapait avec un marteau en plastique sur un morceau de bois en psalmodiant : « Je tape, je tape, je cloue, je cloue », ce qui évidemment n'aidait pas beaucoup son père.

Debiere aperçut Saint James qui traversait la pelouse mais il finit de planter son clou avant de le saluer. Saint James constata que l'architecte, après avoir discrètement observé sa démarche claudicante, posait les yeux sur le rouleau qu'il tenait sous le bras.

Debiere descendit de son perchoir, disant à l'aîné :

— Bert, rentre à la maison, s'il te plaît. Les biscuits doivent être prêts. Tu peux en prendre un, mais un seul. Sinon tu n'auras plus d'appétit pour le thé.

— Des biscuits au citron ? Maman a fait des biscuits au citron ?

— J'imagine, oui, c'est bien ceux que tu lui avais demandés ?

— Des biscuits au citron ! souffla Bert à son petit frère.

La promesse des biscuits incita les deux enfants à détaler en direction de la maison, criant : « Maman, maman ! On veut des biscuits ! », et mettant ainsi fin à la solitude de leur mère. Debiere les suivit des yeux avec attendrissement puis il ramassa la trousse dont Bert s'était délesté à la hâte, répandant la moitié des clous dans l'herbe.

Pendant qu'il les ramassait, Saint James se présenta et expliqua quelles étaient ses relations avec China River. Il dit à Debiere qu'il était à Guernesey à la demande du frère de cette dernière, et que la police savait qu'il menait sa petite enquête parallèle.

— Quelle sorte d'enquête ? voulut savoir Debiere. Je croyais que la police tenait le meurtrier.

Saint James refusait de se laisser entraîner dans une discussion sur la culpabilité de China River. Il indiqua le rouleau sous son bras et demanda à l'architecte si ça ne l'ennuyait pas d'y jeter un coup d'œil.

— Qu'est-ce que c'est ? demanda Debiere.

Les plans retenus par Mr Brouard. Pour le musée de la Guerre. Il ne les avait pas encore vus ?

Debiere lui précisa qu'il n'avait vu que ce que les invités avaient vu à la réception. C'est-à-dire un dessin qui était le rendu du bâtiment tel que conçu par son confrère américain.

— Nul à chier, entre parenthèses, dit Debiere. Je ne sais pas où Guy avait la tête quand il a opté pour ce projet. C'est à peu près aussi indiqué pour un musée qu'une navette spatiale. Immenses fenêtres en façade. Plafonds cathédrale. La ruine à chauffer. Et en plus la structure semble avoir été conçue pour reposer sur une falaise et bénéficier de la vue.

— Tandis que l'emplacement du musée... ?

— Eh bien, le musée sera situé non loin de l'église de Saint Saviour près des tunnels. C'est-à-dire aussi loin à l'intérieur des terres et des falaises qu'on peut l'être sur une île de cette taille.

— Et la vue ?

— Quelle vue ? La vue sur le parking des tunnels n'est quand même pas ce qu'on peut appeler spectaculaire.

— Vous avez fait part de vos inquiétudes à Mr Brouard ?

Debiere prit un air circonspect :

— Je lui en ai parlé.

Il soupesa la trousse à clous comme s'il envisageait de se remettre au travail. Un rapide coup d'œil au ciel l'incita à renoncer : il n'y avait plus assez de clarté. Il commença à rassembler les morceaux de bois qu'il avait réunis sur la pelouse. Il les emporta jusqu'à une grande bâche en plastique bleu sur le côté du jardin et les empila dessus.

— Je me suis laissé dire que vous aviez fait plus que parler tous les deux, dit Saint James. Vous vous seriez disputés. Après le feu d'artifice.

Debiere ne répondit pas. Il continua d'entasser les planches. Lorsque ce fut terminé, il dit :

— C'est moi qui devais décrocher ce foutu chantier. Tout le monde le savait. C'est pour... pour... pour ça... que... que... quand j'ai... j'ai appris que quel... quel... quelqu'un d'autre... (Il retourna au platane où se trouvait Saint James, s'appuya de la main au tronc. Il se tut une minute, s'efforçant de contrôler son brusque bégaiement.) Une cabane, dit-il finalement avec une moue d'autodérision. J'ai l'air malin. Je me retrouve en train de construire une cabane pour mes gosses.

— Est-ce que Mr Brouard vous avait dit que vous auriez la commande ?

— S'il me l'avait dit ?

Il eut l'air peiné. Lorsqu'il reprit la parole, il dit :

— Guy ne fonctionnait pas comme ça. Il ne faisait jamais de promesses. Seulement des suggestions. Il vous faisait miroiter des choses. Faites ça, mon vieux, et vous verrez, ça se réalisera.

— Et dans votre cas cela signifiait... ?

— L'indépendance. Mon cabinet. Fini le boulot de grouillot. Fini de bosser pour un patron. Enfin j'allais pouvoir réaliser mes propres projets dans mon propre espace. Il savait que c'était ça que je voulais, et il m'y encourageait. Lui était un entrepreneur dans l'âme. Pourquoi ne l'aurions-nous pas été, nous aussi ? (Debiere examina l'écorce du platane et eut un rire amer.) Alors j'ai plaqué mon job, et je me suis lancé. J'ai ouvert mon propre cabinet. Il avait pris des risques dans sa vie. Pourquoi pas moi ? Et puis des risques... j'avais mes arrières assurés – vu que j'étais persuadé de décrocher cette grosse commande. Je parle du musée.

— Vous avez dit que vous ne le laisseriez pas vous ruiner, lui rappela Saint James.

— Des mots qu'une bonne âme vous a rapportés au cours de la réception, je parie ? Je ne sais pas. Je ne me souviens pas d'avoir dit ça. Je me souviens seulement d'avoir jeté un coup d'œil sur le dessin au lieu de saliver bêtement dessus comme les autres. J'ai bien vu qu'il était complètement inadapté. Je n'arrivais pas à comprendre pourquoi il l'avait retenu alors qu'il m'avait pratiquement promis... Et je me souviens d'avoir éprouvé...

— Maintenant qu'il est mort, coupa Saint James, est-ce que le musée va être construit ?

— Aucune idée. Frank Ouseley m'a dit que rien n'avait été prévu pour le musée dans le testament. Je doute qu'Adrian s'y intéresse suffisamment pour le financer. Alors je suppose que c'est Ruth qui va devoir prendre la décision d'aller de l'avant. Ou de geler le projet.

— J'imagine qu'elle ne refusera pas les suggestions.

— Guy a dit très clairement combien le musée comptait pour lui. Elle doit le savoir, ce n'est pas la peine qu'on le lui rappelle, croyez-moi.

— Oh, je ne parlais pas de la construction, dit Saint James. Mais de la conception du bâtiment. Peut-être qu'elle sera plus souple que ne l'était son frère. Est-ce que vous lui avez parlé ? Est-ce que vous comptez le faire ?

— Oui. Je n'ai guère le choix.

— Pourquoi ?

— Jetez un œil autour de vous, Mr Saint James. J'ai deux petits garçons, et un bébé en route. Une femme que j'ai persuadée de quitter son boulot pour écrire.

Une maison et des traites à payer, et un cabinet flambant neuf à Trinity Square, où travaille une secrétaire qui ne vit pas de l'air du temps. J'ai besoin de décrocher cette commande. Et si je ne l'obtiens pas... Alors oui, je vais parler à Ruth. Bien sûr. Je vais plaider ma cause. Je suis prêt à tout.

Il se rendit manifestement compte de ce que signifiait sa phrase car il s'éloigna vivement de l'arbre et retourna vers la pile de bois. Il rabattit les coins de la bâche sur les planches, laissant apparaître une corde qui était restée enroulée sur le sol. Il s'en empara et replia la bâche sur le bois. Après quoi il commença à rassembler ses outils.

Saint James le suivit tandis qu'il emportait marteau, clous, niveau, mètre et scie dans un abri situé au fond du jardin. Debiere remit les outils en place au-dessus de l'établi. C'est sur cet établi que Saint James posa les plans. Son intention avait été de savoir si les vitrages conçus par Henry Moullin pouvaient être adaptés au bâtiment choisi par Guy Brouard. Mais maintenant il se rendait compte que Moullin n'était pas le seul à juger vitale sa participation à la construction du musée.

— Voilà ce que l'architecte américain a fait parvenir à Mr Brouard. Je n'y connais pas grand-chose. Vous voulez bien y jeter un coup d'œil, me dire ce que vous en pensez ? Il y en a de plusieurs sortes.

— Je vous l'ai déjà dit.

— Vous aurez peut-être envie de m'en dire davantage quand vous les aurez vus.

Les documents faisaient plus d'un mètre de long et presque un mètre de large. Debiere poussa un soupir qui pouvait passer pour un acquiescement et prit un marteau en guise de presse-papier.

Ce n'étaient pas des photocalques. Debiere lui apprit que les bleus avaient disparu. Avec le papier carbone et les machines à écrire manuelles. Il s'agissait de documents noir et blanc qui semblaient sortis des entrailles d'une photocopieuse géante. Debiere les passa en revue. Schémas de chacun des niveaux. Documents munis de cartouches indiquant le plan plafond, le plan électricité, le plan plomberie, les plans de béton. Plan d'ensemble du bâtiment. Elévations.

Debiere secoua la tête en les manipulant. Il murmura :

— Ridicule. Où avait-il la tête, cet abruti ?

Il pointa le doigt vers les salles que le bâtiment renfermerait.

— Comment, fit-il en indiquant l'une d'elles du bout d'un tournevis, voulez-vous que ce lieu serve de galerie ? Regardez-moi ça. On peut faire tenir trois personnes maxi dans un local de cette superficie. C'est pas plus grand qu'une cellule.

Saint James examina le schéma. Un détail l'intrigua.

— Est-ce que, normalement, on ne précise pas la destination de chaque pièce ? Comment se fait-il que cela ne figure pas sur les dessins ?

— J'en sais rien. C'est du travail de sagouin. Pas étonnant, si on considère qu'il a fait ce dessin sans même se rendre sur le site. Et regardez... (Il avait retiré l'un des plans et le plaça sur le dessus de la pile. Il le tapota avec son tournevis.) Un patio avec une piscine, crénom ! J'aimerais dire deux mots à cette andouille. Ce doit être un gars spécialisé dans les baraques hollywoodiennes. Qui se figure que sans une flopée de post-adolescentes en bikini une villa n'est pas digne de ce nom. Quel gâchis ! C'est un massacre. Je ne peux pas croire que Guy...

Il fronça les sourcils. Soudain il se pencha, regarda de plus près. Il cherchait quelque chose mais manifestement il ne le trouva pas car il examina les quatre coins de la feuille avant de diriger les yeux vers les bords.

— C'est bizarre.

Il écarta le premier plan afin de pouvoir accéder à celui qui était dessous. Puis il examina le suivant, et encore le suivant ; finalement il releva la tête.

— Qu'est-ce qu'il y a ? questionna Saint James.

— Ils devraient être signés, expliqua Debiere. Chaque plan devrait être signé mais aucun ne l'est.

— Qu'est-ce que vous voulez dire ?

Debiere désigna les plans.

— Quand ils sont terminés, l'architecte leur donne un coup de tampon. Il les estampille pour les rendre conformes.

— Simple formalité ?

— Non, c'est essentiel, c'est comme ça qu'on sait que les plans sont conformes. On ne peut pas obtenir le permis de construire s'ils ne sont pas signés. Et pas question non plus de trouver un entrepreneur pour entamer les travaux s'ils n'ont pas été validés.

— Alors, s'ils ne sont pas conformes, qu'est-ce que ça peut être ?

Le regard de Debiere passa de Saint James aux plans puis revint vers Saint James.

— Des documents volés, répondit-il.

Ils se turent, chacun d'eux contemplant les schémas, les plans étalés sur l'établi. Dehors une porte claqua, une petite voix s'écria :

— Papa ! Maman t'a fait des sablés.

Debiere s'ébroua. Son front se plissa tandis qu'il essayait de comprendre l'incompréhensible : le rassemblement des Guernesiais au Reposoir pour l'événement mondain qu'avait été la réception de Brouard, une annonce surprise, un feu d'artifice, la présence des VIP, la couverture médiatique, le battage.

— Papa, papa, le thé est prêt, criaient ses fils.

Debiere ne parut pas les entendre. Puis il murmura :

— Mais qu'est-ce qu'il avait donc en tête ?

Saint James se dit que la réponse à cette question lui permettrait de jeter un peu de lumière sur le meurtre.

Trouver un notaire ne se révéla pas si difficile, finalement. Après avoir laissé la Range Rover au parking d'un hôtel sur Ann's Place, Margaret Chamberlain et son fils descendirent la colline pour atteindre la Royal Court House – ce qui permit à Margaret de constater qu'ils n'auraient pas de difficulté, dans ces parages, à mettre la main sur un homme de loi. Adrian n'était pas complètement idiot. Livrée à elle-même, elle aurait dû se munir de l'annuaire du téléphone et d'un plan détaillé de Saint Peter Port. Passer des coups de fil à l'aveugle sans pouvoir voir comment on l'accueillait à l'autre bout du fil. Grâce à lui, elle n'avait pas besoin de téléphoner. Elle pouvait monter à l'assaut de la citadelle juridique de son choix et choisir un homme de loi à sa convenance pour sa mission.

Son choix se porta sur le cabinet de Gibbs, Grierson et Godfrey. Ces allitérations n'étaient peut-être pas du meilleur goût, mais la porte d'entrée était imposante, et la police de caractères de la plaque de cuivre suffisamment agressive pour laisser supposer que ces gens-là étaient des coriaces. Elle entra donc en compagnie de son fils et demanda à voir l'un des membres du cabinet. Tout en formulant sa requête, elle réprima l'envie de dire à Adrian de se tenir droit, essayant de se persuader qu'il avait déjà fait un bel effort en maîtrisant ce petit voyou de Paul Fielder.

Manque de chance, aucun des membres fondateurs du cabinet n'était présent cet après-midi. L'un d'eux était mort quatre ans plus tôt. Les deux autres, sortis pour affaires. Mais l'un des membres du cabinet – un junior – était en mesure de recevoir Mrs Chamberlain et Mr Brouard.

— Qu'est-ce que vous entendez par « junior » ? voulut savoir Margaret.

Oh, ce n'était qu'une façon de parler, lui assura-t-on. La junior en question s'avéra être une femme d'une quarantaine d'années du nom de Juditha Crown – « Miz Crown », précisa-t-elle. Elle était affligée d'une grosse verrue sous l'œil gauche et d'une haleine un peu forte due à l'ingestion récente d'un sandwich au salami dont une moitié traînait encore sur une assiette en carton. Tandis qu'Adrian s'avachissait dans un siège, Margaret exposa l'objet de sa visite : un fils dépouillé de son héritage. Un héritage dont les trois quarts avaient disparu.

Miz Crown leur dit, avec une raideur que Margaret jugea un peu trop condescendante, que c'était hautement improbable, Mrs Chamberlain. Si Mr Chamberlain...

Mr Brouard, l'interrompit Margaret. Mr Guy Brouard, du Reposoir, à Saint Martin. Elle était son ex-femme et elle était accompagnée de son fils, *leur* fils. Adrian Brouard. D'un air entendu, elle précisa qu'Adrian était l'aîné des enfants de Mr Guy Brouard – et son seul héritier mâle.

Margaret fut contente de voir Juditha Crown se redresser à ces mots, ne serait-ce que métaphoriquement. Le notaire battit délicatement des cils derrière ses lunettes à monture dorée. Elle considéra Adrian avec un intérêt accru. Margaret fut en cet instant reconnaissante à Guy d'avoir consacré tous ses efforts à réussir. Car son nom était connu et, par voie de conséquence, celui de son fils.

Margaret exposa la situation à Miz Crown : une succession divisée en deux, avec deux filles et un fils se partageant la première moitié ; et deux *étrangers*, en l'occurrence deux adolescents originaires de Guernesey, se partageant l'autre moitié. Il fallait absolument faire quelque chose.

Miz Crown hocha solennellement la tête et attendit que Margaret poursuive. Comme Margaret se taisait, Miz Crown lui demanda s'il y avait actuellement une épouse impliquée dans l'affaire. Non ? Elle posa les mains sur son bureau et ébaucha un sourire glacial. Le testament ne lui semblait rien contenir d'irrégulier. Les lois de Guernesey stipulaient la manière dont les biens d'une personne pouvaient être légués. La moitié devait, aux termes de la loi, revenir à la progéniture du testateur. Quand il n'y avait pas de conjoint survivant, l'autre moitié était dispersée au gré des désirs du défunt. Mr Brouard semblait s'être conformé à ces directives.

Margaret avait conscience qu'à côté d'elle Adrian s'agitait ; il plongea la main dans sa poche, en sortit une pochette d'allumettes. Avait-il l'intention de fumer malgré l'absence de cendrier ? Mais non, il entreprit de se curer les ongles sous le regard dégoûté du notaire.

Margaret aurait voulu engueuler son fils mais elle se contenta de lui écraser le pied. Il retira vivement son pied de sous le sien. Elle s'éclaircit la gorge.

La répartition des biens telle que stipulée dans le testament n'était pas la seule chose qui la préoccupait. Il y avait plus urgent. A savoir ce qui manquait à l'appel de ce qui aurait dû légalement constituer l'héritage. Le testament ne faisait pas état du manoir, des meubles, des terres. Il ne faisait pas mention non plus des propriétés que Guy possédait en Espagne, en Angleterre, en France, aux Seychelles et Dieu sait où encore. Pas un mot sur ses biens propres : voitures, bateaux, avion, hélicoptère. Silence également sur les œuvres d'art que Guy avait collectionnées : miniatures, antiquités diverses, argenterie, tableaux, médailles, et ainsi de suite. Tout cela aurait sûrement dû figurer dans le testament d'un capitaine d'industrie ayant amassé des millions au cours de sa carrière. Pourtant, dans ce testament, il n'était fait allusion qu'à un compte d'épargne, un compte courant, et à un portefeuille d'actions. Comment Miz Crown expliquait-elle cela ?

Miz Crown eut l'air pensif mais cela ne dura que trois secondes. Elle demanda à Margaret si elle était certaine de ce qu'elle avançait. Margaret lui dit sèchement que oui. Qu'elle ne s'amusait pas à déranger les notaires sans s'être assurée au préalable de posséder tous les éléments du dossier. Comme elle l'avait précisé au début de l'entretien, les trois quarts de la fortune de Guy Brouard s'étaient volatilisés. Et elle avait bien l'intention de faire quelque chose pour Adrian Brouard, fils aîné et seul héritier mâle de Guy Brouard.

Margaret jeta un coup d'œil à Adrian, s'attendant qu'il manifeste son approbation, voire son enthousiasme. Sa cheville droite en appui sur son genou gauche, il découvrait quelques peu appétissants centimètres d'une jambe blanche comme un cierge. Il n'avait pas mis de chaussettes, constata sa mère.

Juditha Crown jeta un coup d'œil à la chair blême et apparemment inerte de son client potentiel, et eut le bon goût de retenir un frisson. Elle reporta son attention sur Margaret. Si Mrs Chamberlain voulait attendre un moment, elle pensait avoir un document qui pourrait l'aider.

Ce qui nous aiderait, songea Margaret, ce serait un peu d'énergie. A infuser dans la nouille trop cuite qui tenait lieu de colonne vertébrale à cette chiffe molle d'Adrian. Toutefois elle dit au notaire que oui, effectivement, elle était preneur. Que si Miz Crown était trop prise pour se charger de leur affaire, elle pourrait peut-être leur recommander... Miz Crown les quitta tandis que Margaret lui adressait cette requête. Elle ferma délicatement la porte derrière elle et Margaret l'entendit parler à l'assistant qui était dans l'antichambre.

— Edward, où avez-vous mis la brochure sur le *retrait linager* ?

Margaret mit cet intermède à profit pour dire à son fils d'un ton énervé :

— Tu pourrais participer. Me faciliter le travail.

L'espace d'un moment, dans la cuisine du Reposoir, elle avait pensé que son fils avait changé. Il s'était bagarré avec Paul Fielder comme un homme, et elle avait senti fleurir l'espoir. Un espoir prématuré cependant. Qui s'était vite flétri.

— Tu pourrais au moins faire semblant de t'intéresser à ton avenir.

— Tu t'y intéresses pour deux, maman, répondit laconiquement Adrian.

— Tu es désespérant. Pas étonnant que ton père...

Elle s'arrêta. Inclinant la tête, il la gratifia d'un sourire sarcastique. Mais il ne souffla mot car Juditha Crown les rejoignait. Elle tenait à la main quelques feuillets dactylographiés. Il s'agissait, leur expliqua-t-elle, des lois concernant le *retrait linager*.

Margaret ne s'intéressait qu'à une chose : obtenir le concours de Miz Crown ou apprendre de cette dernière si elle refusait au contraire de travailler pour elle. Parce qu'elle avait du pain sur la planche. Et que sa priorité n'était pas de rester assise dans un cabinet de notaire à lire des textes alambiqués. Elle prit cependant la brochure et fouilla dans son sac à la recherche de ses lunettes. Pendant qu'elle était ainsi occupée, Miz Crown la mit au courant – ainsi que son fils – des implications juridiques afférentes au fait de posséder une grosse fortune (et d'en disposer) quand on habitait Guernesey.

Sur cette île Anglo-Normande, il ne faisait pas bon

déshériter sa progéniture. Non seulement il était interdit de tester sans tenir compte de sa descendance, mais il était également interdit de vendre ses biens avant son décès dans l'espoir de tourner la loi. Les enfants avaient, les premiers, le droit – si vous décidiez de vendre – de se porter acquéreurs de vos biens pour un montant équivalent à celui de leur mise à prix. Evidemment, s'ils n'avaient pas les moyens d'acheter, vous vous trouviez dégagé vis-à-vis d'eux. Et il vous était alors loisible de vendre, distribuer ou dépenser tout votre argent avant de décéder. Mais dans un cas comme dans l'autre, les enfants devaient être les premiers informés de votre intention de disposer de l'héritage qui devait leur revenir. Ces dispositions visaient à faire en sorte que les biens restent au sein d'une même famille tant que cette dernière pouvait financièrement se permettre de les conserver.

— Votre père ne vous a pas informé de son intention de vendre avant sa mort, je présume, dit Miz Crown en s'adressant à Adrian.

— Bien sûr que non ! intervint Margaret.

Miz Crown attendit qu'Adrian confirme. Si tel était le cas, il n'y avait qu'une explication au fait qu'une part importante de l'héritage manquait à l'appel. Une explication très simple.

— Laquelle ? questionna poliment Margaret.

Mr Brouard n'avait jamais été propriétaire des biens dont on pensait qu'ils lui appartenaient.

Margaret dévisagea son interlocutrice.

— Mais c'est absurde, dit-elle. Bien sûr que ça lui appartenait. Depuis des années, même. Ça et tout le reste. Il possédait... Vous n'allez pas me dire qu'il était locataire de...

— Loin de moi l'idée de suggérer une chose pareille, répondit Miz Crown. Je veux simplement dire que ce qui semblait lui appartenir, ce qu'il avait acheté lui-même au fil des années avait été en fait acheté par ses soins mais pour une tierce personne. Ou acheté par quelqu'un d'autre qui suivait scrupuleusement ses instructions.

Margaret fut horrifiée. Elle s'entendit murmurer d'une voix rauque : « C'est impossible ! » Puis elle bondit sur ses pieds. En un éclair elle se retrouva devant le bureau de Juditha Crown, lui soufflant au visage.

— Mais c'est de la folie, vous m'entendez ? C'est grotesque. Est-ce que vous savez qui c'était ? Vous avez une idée de la fortune qu'il avait amassée ? Vous n'avez donc jamais entendu parler des Châteaux Brouard ? En Angleterre, en Ecosse, au pays de Galles, en France et Dieu sait où encore ! Vous n'allez pas me dire que cet empire hôtelier n'appartenait pas à Guy ? Qui aurait pu en être le propriétaire si ce n'est Guy Brouard ?

— Maman... (Adrian se leva à son tour. Margaret se tourna vers lui et vit qu'il enfilait son blouson, s'apprêtant à prendre congé.) Nous avons trouvé ce que nous...

— Nous n'avons rien trouvé du tout ! s'écria Margaret. Ton père s'est moqué de toi pendant toute ta vie. Il est hors de question que cela continue après sa mort. Il doit avoir des comptes bancaires dissimulés ici et là, des biens qu'il a réussi à camoufler, et j'ai bien l'intention de les déterrer. Rien, tu m'entends, ne m'empêchera de mettre la main dessus. Tu dois en hériter.

— Il t'a roulée, maman. Il savait...

— Rien. Il ne savait rien. (Elle pivota vers le notaire comme si Juditha Crown était la personne qui avait contrecarré ses plans.) Qui, alors ? demanda-t-elle. Une de ses petites copines de coucherie ? C'est ça, hein ?

Miz Crown parut comprendre sans autres explications car elle dit :

— Quelqu'un en qui il avait toute confiance. A qui il pouvait faire confiance implicitement. Quelqu'un qui était prêt à faire ce qu'il voulait de ses biens et ne se souciait pas de savoir au nom de qui ils étaient.

Naturellement. Il n'y avait qu'une seule personne qui répondait à ces critères. Margaret n'avait pas besoin qu'on lui dise son nom. Elle le savait, songea-t-elle, depuis la lecture du testament, le jour des obsèques. Il n'y avait qu'une seule personne sur terre en qui Guy avait pu avoir une confiance illimitée. Une seule à qui il avait pu donner tous ses biens lorsqu'il les avait achetés. Une seule qui s'y serait cramponnée et les aurait dispersés selon ses souhaits à l'heure de sa mort... ou avant s'il le lui avait demandé.

Pourquoi n'y avait-elle pas pensé ?

La réponse était simple : si elle n'y avait pas pensé, c'est parce qu'elle ne connaissait pas la loi.

Elle sortit comme une furie du cabinet, se retrouva dans la rue, ivre de rage. Mais elle ne s'avouait pas vaincue. Pas question. Et elle allait le faire savoir clairement à son fils.

— On va aller la trouver tout de suite. C'est ta tante. Elle sait faire la différence entre le bien et le mal. Le juste et l'injuste. Si elle n'a pas encore saisi l'injustice monumentale de tout ça... Elle n'a jamais réussi à voir en lui qu'un dieu... Mais cet homme était un déséquilibré ; et ça, il a réussi à le lui cacher. A le cacher à tout le monde. Mais nous apporterons la preuve...

— Tante Ruth était au courant, dit carrément Adrian. Elle savait ce qu'il souhaitait. Elle était d'accord.

— C'est impossible.

Margaret l'empoigna par le bras avec force pour lui faire comprendre... Il était temps pour lui de se préparer au combat. Et s'il en était incapable, elle s'en chargerait, nom de Dieu.

— Il a dû lui dire...

Quoi donc ? se demanda-t-elle. Quel genre d'argument Guy avait-il bien pu avancer pour faire croire à sa sœur que ce qu'il voulait était pour le mieux : pour son bien à lui, pour son bien à elle, pour le bien de ses enfants, pour le bien de tout le monde ? Qu'avait-il bien pu lui raconter ?

— C'est cuit, dit Adrian. Pas question de modifier le testament. Pas question de changer quoi que ce soit aux dispositions qu'il a prises. Tout ce qu'on peut faire, c'est laisser courir.

Plongeant la main dans son blouson, il en retira sa pochette d'allumettes ainsi qu'un paquet de cigarettes. Il en alluma une et pouffa de rire bien qu'il n'eût pas l'air amusé du tout.

— Brave vieux papa, dit-il en secouant la tête. Il nous a baisés. En beauté.

Margaret frissonna. Elle essaya une autre tactique.

— Ecoute, Adrian, Ruth est quelqu'un de généreux. Elle a un bon fonds. Quand elle apprendra combien cette histoire t'a blessé...

— Justement, tu te trompes : ça ne m'a fait ni chaud ni froid, déclara Adrian en piquant un brin de tabac resté collé sur sa langue et en l'envoyant promener d'une chiquenaude dans la rue.

— Ne dis pas ça. Pourquoi te crois-tu toujours obligé de faire comme si ton père...

— Je ne fais pas comme si. Je ne suis pas blessé. Ça servirait à quoi ? Et même si je l'étais, ça n'aurait aucune importance. Ça ne changerait rien à la situation.

— Comment peux-tu dire... C'est ta tante. Elle t'aime.

— Elle était là, dit Adrian. Elle sait quelles étaient ses intentions. Et crois-moi, elle les respectera.

Margaret fronça les sourcils.

— Elle était là, comment ça, où ?

Adrian s'écarta. Il remonta le col de son blouson à cause du froid et s'éloigna à grands pas en direction de la Royal Court House. Margaret comprit qu'il cherchait à éviter de répondre et ses antennes se dressèrent. Une peur insidieuse l'envahit. Elle arrêta son fils au pied du monument aux morts et l'interpella sous le regard sombre du soldat mélancolique.

— Ne t'en va pas comme ça. On n'a pas fini. Qu'est-ce que tu ne m'as pas dit ?

Adrian jeta sa cigarette vers une rangée de scooters garés n'importe comment à deux pas du monument.

— Papa n'a jamais eu l'intention de me laisser un sou, dit-il. Ni maintenant, ni jamais. Tante Ruth le savait. Même si on fait appel à son sens de la loyauté, elle se conformera à ses volontés.

— Comment pouvait-elle savoir ce que Guy voulait faire au moment de sa mort ? ricana Margaret. Elle connaissait sans doute ses intentions au moment où il a rédigé ce document. Elle les connaissait même sûrement car il a dû avoir besoin de sa signature. Mais c'était avant son décès. Les gens changent, Adrian. Leurs souhaits également. Je me charge de le faire comprendre à ta tante.

— Tu te trompes, dit Adrian en esquissant un pas vers le parking où ils avaient garé la Range Rover.

— Reste où tu es, s'énerva Margaret.

Percevant l'agacement qui transparaissait dans sa voix, elle en fut vivement contrariée.

— Il faut qu'on mette une stratégie au point, qu'on échafaude un plan. Pas question d'accepter cette situation sans broncher. Si ça se trouve, ces arrangements avec Ruth, il les a pris dans un moment de dépit. Qu'il a regretté ensuite. Pris de court par la mort, il n'a pas eu le temps de rectifier le tir.

Margaret prit une inspiration, réfléchissant aux implications de son énoncé.

— Et quelqu'un le savait, dit-elle. Forcément. Quelqu'un savait qu'il avait l'intention de modifier son testament et de tester en ta faveur. C'est pour ça qu'il fallait l'éliminer, avant qu'il ait le temps de toucher à ce document.

— Il n'allait rien changer du tout.

— Ça suffit ! Comment le sais-tu ?

— Parce que je lui ai posé la question.

Adrian fourra ses mains dans ses poches et, l'air assez penaud, détourna la tête.

— Je lui ai posé la question, répéta-t-il. Et elle était là. Tante Ruth. Dans la pièce. Elle nous a entendus. Elle m'a entendu lui demander...

— De modifier son testament ?

— De me donner de l'argent. Elle a tout entendu. Je lui ai réclamé de l'argent. Il m'a rétorqué qu'il n'en avait pas. Qu'il n'en avait pas autant que ça. Je n'ai pas voulu le croire. On a eu une engueulade. Je suis parti, j'étais en rage, et elle est restée avec lui. (Il tourna la tête vers sa mère avec un air résigné.) Tels que je les connais, ils ont dû reparler de tout ça après mon départ. J'imagine qu'elle lui a dit : « Qu'est-ce qu'on fait, pour Adrian ? » Et lui : « On laisse les choses telles qu'elles sont. »

Margaret eut l'impression qu'un vent glacial lui giflait le visage.

— Tu as... demandé de l'argent à ton père ? Après ce qui s'était passé en septembre ?

— Oui. Il m'a envoyé bouler.

— Quand ?

— La veille de la réception.

— Mais tu m'avais dit qu'après ce qui s'était passé en septembre...

Margaret le vit se détourner de nouveau, piquant du nez, comme chaque fois qu'il l'avait déçue. Toutes ces déceptions, tous ces échecs qu'il avait subis. Elle aurait voulu se révolter contre le destin qui rendait la vie d'Adrian si difficile. Outre cette réaction de mère, toutefois, Margaret éprouva autre chose. Qui ne lui plut pas du tout. Une chose sur laquelle elle n'avait pas envie de mettre un nom.

— Adrian, tu m'avais dit...

Mentalement elle déroula le film des événements. Qu'avait-il dit ? Que Guy était mort avant que son fils n'ait eu la possibilité de lui réclamer une seconde fois l'argent dont il avait besoin pour lancer son affaire. L'accès à Internet, l'avenir. Un avenir qui ferait que son père serait fier d'avoir engendré un fils si doué.

— Mais tu m'avais dit que tu n'avais pas eu l'occasion de lui réclamer de l'argent, cette fois-là.

— Je t'ai menti, reconnut Adrian d'une voix atone.

Il alluma une autre cigarette en évitant de la regarder. Margaret sentit sa gorge se dessécher.

— Pourquoi ?

Il ne répondit pas.

Elle aurait voulu le secouer. Il lui fallait absolument lui arracher une réponse car c'était seulement avec une réponse qu'elle pourrait découvrir le reste de la vérité. De façon à savoir ce qu'elle avait en face d'elle, de façon à pouvoir agir vite, dresser des plans. Mais sous ce besoin de tout faire pour assurer la sécurité de son fils se dissimulait un sentiment d'appréhension – dont Margaret avait bien conscience.

S'il lui avait menti au sujet de cette histoire d'argent, il y avait tout lieu de supposer que ses mensonges ne s'étaient pas arrêtés là.

Après sa conversation avec Bertrand Debiere, Saint James regagna l'hôtel, songeur. La réceptionniste lui tendit un message, mais il ne l'ouvrit pas en gravissant l'escalier jusqu'à sa chambre. Il se demandait pourquoi Guy Brouard s'était donné tout ce mal pour se procurer des plans qui n'étaient pas conformes. Savait-il qu'ils n'étaient pas valables ou avait-il été la dupe d'un homme d'affaires peu scrupuleux qui lui avait soutiré de l'argent et remis en échange les plans d'un édifice que personne ne pourrait construire étant donné qu'ils n'étaient pas revêtus du tampon officiel ? Et si ce n'était pas un document officiel, qu'est-ce que cela signifiait ? Etait-ce un plagiat ? Pouvait-on plagier des plans ?

Une fois dans sa chambre, il se dirigea vers le téléphone, sortant de sa poche les éléments d'information qu'il avait glanés un peu plus tôt auprès de Ruth Brouard et de l'inspecteur Le Gallez. Ayant récupéré le numéro de Jim Ward, il le composa tout en rassemblant ses pensées.

En Californie, c'était encore le matin, et apparemment l'architecte venait tout juste d'arriver au bureau. La jeune femme qui répondit au téléphone dit : « Il arrive à l'instant. » Puis Saint James l'entendit ajouter : « Mr Ward, c'est pour vous, un type qui a un super accent... » Enfin, elle demanda à Saint James : « D'où appelez-vous ? »

Saint James répéta qu'il appelait de Saint Peter Port sur l'île de Guernesey.

— Waouh, eh ben ! fit-elle. Une seconde. (Et avant de disparaître, il l'entendit lancer à la cantonade :) Hé, les filles, c'est où, Guernesey ?

Quarante-cinq secondes s'écoulèrent pendant lesquelles Saint James eut droit à un air de reggae. Puis la musique cessa et une agréable voix d'homme la remplaça :

— Jim Ward à l'appareil, en quoi puis-je vous être utile ? Est-ce que c'est encore au sujet de Guy Brouard ?

— Vous avez eu l'inspecteur Le Gallez au téléphone, si je comprends bien, dit Saint James, qui expliqua qui il était et ce qu'il faisait à Guernesey.

— Je ne pense pas pouvoir vous être d'une grande utilité, objecta Ward. Comme je l'ai dit à cet inspecteur, je n'ai rencontré Mr Brouard qu'une fois. Son projet avait l'air intéressant mais je me suis seulement occupé de lui faire parvenir des échantillons. J'attendais qu'il me dise s'il voulait autre chose. Je lui avais fait parvenir des photos par courrier afin qu'il puisse jeter un coup d'œil à un programme sur lequel je planche au nord de San Diego. Mais c'est tout.

— Qu'est-ce que vous entendez par des échantillons ? demanda Saint James. Ce que nous avons ici, et que j'ai passé en revue aujourd'hui, me semble constituer un jeu assez complet de plans. Je les ai étudiés avec un architecte local...

— Mais c'est un jeu complet, effectivement. J'ai rassemblé la totalité des documents de travail afférents à un projet en cours de réalisation sur la côte. Un énorme spa. Je lui ai dit que ça lui donnerait une idée de mon travail. Vu qu'apparemment, c'est ça qui l'intéressait : ma façon de travailler. Il voulait se renseigner là-dessus avant de me confier éventuellement un chantier. J'ai trouvé que c'était une drôle de façon de procéder. Mais je n'ai pas eu de mal à lui donner satisfaction...

Saint James le coupa :

— Vous voulez dire que les plans qui ont été apportés à Guernesey par l'entremise du coursier n'étaient pas les plans d'un musée ?

Ward éclata de rire.

— Un musée ? Vous voulez rire ! C'est un spa haut de gamme. Le genre d'endroit où l'on bichonne la clientèle friquée des chirurgiens plasticiens. Lorsqu'il m'a demandé un échantillon de mon travail, je lui ai envoyé ce jeu. C'est ce que j'avais sous la main. Je lui ai bien précisé que ce que je lui envoyais ne correspondait pas à ce que je ferais pour un musée. Il a dit que c'était très bien, que ça irait. Pourvu que le jeu soit complet et qu'il puisse comprendre ce qu'il avait sous les yeux, c'était tout ce qu'il demandait.

— C'est pour ça que ces plans ne sont pas les plans officiels, murmura Saint James.

— Exact. Ce ne sont que de simples copies.

Saint James remercia l'architecte et raccrocha. Puis il s'assit au bord du lit, fixant pensivement ses chaussures. Il avait l'impression de nager complètement. Rien dans le meurtre de cet homme n'avait de sens, et encore moins l'homme lui-même. Le musée semblait avoir servi de couverture à Brouard. Mais pour couvrir quoi ? Et la question obsédante qui se posait ensuite était : est-ce que cela avait été une couverture depuis le début ? Si oui, est-ce que l'une des parties prenantes – quelqu'un qui avait absolument besoin que le projet se réalise, quelqu'un qui s'y était déjà abondamment investi – avait découvert le pot aux roses et décidé de se venger de Brouard le manipulateur ?

Saint James appuya le bout des doigts sur son front, comme pour adjurer son cerveau de démêler cet imbroglio. Mais il avait cette sensation lancinante que Guy Brouard, comme tous ceux qui gravitaient autour de lui dans cette affaire, gardait constamment un coup d'avance sur lui.

En se relevant, il aperçut le message de la réception qu'il avait posé, plié, sur la coiffeuse. Il vit que c'était un mot de Deborah, apparemment écrit dans une précipitation furibonde.

« Cherokee a été arrêté ! avait-elle griffonné. Viens dès que tu auras ce message. Vite. » Le mot « vite » était souligné deux fois, et elle avait ajouté à la hâte un plan pour lui indiquer le trajet jusqu'aux Queen Margaret Apartments dans Clifton Street. Saint James s'y rendit aussitôt.

Il n'eut même pas le temps d'effleurer du doigt la porte de l'appartement B : déjà Deborah ouvrait.

— Enfin ! Je suis tellement contente de te voir, mon amour ! Entre, tu vas enfin rencontrer China.

China River était assise en tailleur sur le canapé, une couverture en guise de châle autour des épaules.

— Je commençais à désespérer de vous rencontrer, dit-elle à Saint James.

Son visage se crispa, et elle porta le poing à sa bouche.

— Qu'est-ce qui s'est passé ? demanda Saint James à Deborah.

— On n'en sait rien, répondit-elle. La police n'a rien voulu nous dire quand il a été emmené. L'avocat de China est parti là-bas leur parler dès qu'on lui a téléphoné, mais il n'a pas encore donné de nouvelles. Mais, Simon... (elle baissa la voix)... ils ont quelque chose. Je crois qu'ils ont trouvé quelque chose.

— Ses empreintes sur la bague ?

— Cherokee ignorait tout de cette bague, il ne l'avait jamais vue, même. Il a été aussi surpris que moi quand on l'a apportée chez cet antiquaire et qu'on s'est entendu dire...

— Non, interrompit China, toujours assise sur le canapé.

Ils se tournèrent vers elle. L'hésitation palpable qui se lisait sur son visage se mua en un remords tout aussi palpable.

— Je... comment... (Elle alla puiser au plus profond d'elle-même la détermination de poursuivre). Deborah, cette bague, en fait, je l'ai montrée à Cherokee dès que je l'ai achetée.

— Tu es sûre qu'il n'a pas... dit Saint James à sa femme.

— Debs ne savait pas. Je ne lui ai rien dit. Je n'ai rien voulu dire parce que, lorsqu'elle m'a montré la bague, ici, dans cet appartement, Cherokee n'a pas bronché. Rien dans son comportement n'indiquait même qu'il la reconnaissait. Je n'ai pas réussi à comprendre pourquoi il... (Elle se mordit nerveusement l'ongle du pouce.) Qu'est-ce que je devais faire ? Lui ne disait rien... et moi je ne pensais pas...

— Ils l'ont emmené, expliqua Deborah à Saint James. Il avait un sac polochon et un sac à dos, et ils tenaient particulièrement à les embarquer aussi. Il y en avait deux, enfin, je veux dire deux constables, et ils ont dit : « C'est tout ? C'est tout ce que vous avez comme bagages ? » Et puis, après, ils sont revenus, et ils ont fouillé tous les placards. Et ils ont regardé sous les meubles aussi, et dans la poubelle.

Saint James hocha la tête.

— Je vais parler directement à l'inspecteur principal Le Gallez, dit-il à China.

— Quelqu'un a combiné ça de bout en bout, reprit-elle. D'abord, on s'arrange pour trouver deux crétins d'Américains. Qui ne sont jamais allés à l'étranger. Qui très probablement n'auront jamais, mais alors jamais assez de fric pour espérer pouvoir mettre les pieds hors de Californie. Sauf en stop, éventuellement. Ensuite, on leur offre la chance de leur vie : ça aura l'air tellement beau, trop beau pour être vrai que, bien sûr, ils vont sauter sur l'occasion. Et là, on les tient. (Sa voix se mit à trembler.) On s'est fait piéger. Moi d'abord, lui ensuite. Je sais ce qui va se passer, ils vont dire qu'on avait tout manigancé avant même de partir. Et comment prouver le contraire ? Comment prouver qu'on ne les connaissait même pas, ces gens-là ! Comment le prouver ?

Saint James n'était pas très chaud pour dire ce qu'il fallait pourtant bien dire à l'amie de Deborah. Il est vrai qu'elle trouvait un étrange réconfort à penser que son frère et elle étaient à présent dans la même galère.

Mais la seule vérité qui comptait était ce que deux témoins avaient vu ce matin-là, ainsi que les indices laissés sur les lieux du crime. Et une autre vérité, annexe : qui avait été arrêté aujourd'hui, et pour quelles raisons.

— Il n'y avait qu'un tueur, China, c'est assez clair. C'est une seule personne que l'on a vue suivre Brouard vers la baie, et une seule série d'empreintes que l'on a relevées près de son corps.

Malgré le peu de lumière, il vit China avaler sa salive.

— Alors peu importait lequel de nous deux se trouverait désigné coupable. Mais il fallait vraiment que l'on soit deux à venir ici pour doubler les chances que l'un des deux se fasse accuser. Tout était prévu, tout était combiné de A à Z. C'est évident, non ?

Saint James garda le silence. Oui, il voyait bien que quelqu'un avait machiné toute l'affaire, que ce crime n'avait pas été spontané. Mais ce qu'il voyait tout aussi bien, c'est que, pour autant qu'il le sache, seules quatre personnes étaient au courant du fait que deux Américains, deux pigeons à qui faire endosser le crime, allaient faire le voyage jusqu'à Guernesey pour livrer quelque chose à Guy Brouard : Brouard lui-même, l'avocat qui l'avait représenté en Californie, et les River frère et sœur. Brouard mort et l'avocat écarté, cela ne laissait que les River pour combiner le meurtre. L'un des River en tout cas.

— La difficulté, c'est que, apparemment, personne n'était au courant de votre venue, avança-t-il avec prudence.

— Quelqu'un devait être au courant. Parce que la réception était organisée... pour le musée...

— Oui, c'est vrai. Mais comme manifestement Brouard a fait croire à beaucoup de gens que le projet qu'il avait choisi était celui de Bertrand Debiere, cela prouve que votre arrivée, votre présence au Reposoir, était quand même une surprise pour tout le monde sauf pour Brouard lui-même.

— Il a dû le dire à quelqu'un. Tout le monde se confie, voyons ! Ouseley, par exemple ? Ils étaient amis ! Ou alors Ruth ? Il aurait pu le dire à sa sœur, non ?

— Apparemment, ce n'est pas le cas. Et quand bien même il l'aurait mise au courant, elle n'avait aucune raison...

— Alors que nous, si ? (China avait haussé la voix.) N'importe quoi ! Il a dit à quelqu'un qu'on venait. Si ce n'est pas Frank ou Ruth... Il y a quelqu'un qui savait. Croyez-moi. Il y a quelqu'un.

— Il l'a peut-être dit à Mrs Abbott, suggéra Deborah à Saint James. Tu sais, Anaïs, la femme avec qui il était.

— Evidemment, renchérit China. Et elle l'a sans doute répété. Et à partir de là, n'importe qui pouvait être au courant.

Saint James dut reconnaître que la chose était possible, et même probable. Et pourtant, même en admettant que Brouard ait pu révéler à quelqu'un l'arrivée imminente des River, restait tout de même ce mystère non encore élucidé : la nature apocryphe des plans d'architecte. Brouard avait présenté le dessin aquarellé comme l'authentique représentation, en élévation, du futur musée de la Guerre, alors qu'il savait pertinemment qu'il n'en était rien. S'il avait dit à quelqu'un que les River étaient en route pour lui apporter des plans depuis la Californie, avait-il également dit à ce quelqu'un que les plans en question étaient bidon ?

Deborah interrompit sa rêverie.

— Il faut vraiment que l'on parle à Anaïs, mon amour. A son fils, aussi. Il était... il était vraiment dans un drôle d'état, Simon.

— Vous voyez bien ! triompha China. Il y en a d'autres, et l'un de ceux-là était au courant de notre venue. Et a tout combiné ici. Il faut trouver cette personne nous-mêmes, Simon. Parce que ce n'est pas les flics qui vont la trouver, ça non !

Une fois dehors, ils sentirent la pluie fine qui s'était mise à tomber. Prenant le bras de Simon, Deborah se blottit contre lui. Elle aimait à penser qu'il interpréterait son geste comme celui d'une femme cherchant refuge et protection auprès de son homme ; elle savait bien cependant qu'il n'était nullement dans la nature de Simon de se rengorger ainsi. Il aurait bien compris que c'était une façon pour sa femme de s'assurer qu'il ne trébuche pas sur le pavé rendu glissant par l'humidité ; et, selon son humeur, il entrerait ou non dans son jeu.

Quelle qu'en soit la raison, ce fut apparemment son choix, entrer dans son jeu. Ignorant délibérément ses motivations, il lui glissa :

— Ça n'est pas bon signe, mon amour. Qu'il ne t'ait pas soufflé mot de cette bague... Pas même que sa sœur l'avait achetée, ou lui avait dit l'avoir achetée, ou l'avoir vue, ou quelque chose de ce genre... Ça n'est vraiment pas bon signe.

— Je n'ai pas très envie d'en saisir les conséquences, admit-elle. Surtout si la bague est couverte d'empreintes de China.

— Hmmm. C'est bien ce que je pensais, surtout vers la fin. Malgré ta remarque sur Mrs Abbott. Tu avais l'air... (Deborah sentit le regard de son mari posé sur elle.) Tu avais l'air... comment dire ? Affectée.

— Mais c'est son frère, insista Deborah. C'est juste que je n'arrive pas à penser que son propre frère...

Elle s'efforça de chasser de son esprit cette pensée, mais en vain. Elle s'y incrustait, et ce depuis le moment où son mari avait relevé le fait que personne n'était au courant de l'arrivée des River à Guernesey. Depuis, elle n'arrivait pas à penser à autre chose qu'aux innombrables occasions, dans le passé, où elle avait entendu raconter les exploits de Cherokee River – toujours légèrement en marge de la loi.

L'Homme qui valait trois milliards, c'était lui, ou c'était ce qu'il voulait être, ceci expliquant cela : cette façon qu'il avait toujours eue de se procurer de l'argent facilement. Au temps où Deborah habitait avec China à Santa Barbara, les récits des hauts faits de Cherokee avaient bercé ses veillées. Depuis l'âge de treize ou quatorze ans, et sa petite entreprise de location de lit, en l'occurrence sa chambre, réservée à l'heure pour d'urgentes occupations adolescentes, jusqu'à la prospère exploitation de cannabis à vingt ans et quelques, Cherokee River, dans les souvenirs de Deborah, avait toujours été un opportuniste. Un type sans scrupules. La question était de savoir quel genre d'opportunité il avait bien pu entrevoir et saisir dans la mort de Guy Brouard.

— Ce qui me fait horreur, rien que d'y penser, c'est ce que ça révèle à propos de China, reprit Deborah. Ce qu'il voulait lui faire... Enfin, qu'elle soit désignée... elle. C'est ignoble, Simon. Son propre frère. Mais enfin, comment ?... Je veux dire : si vraiment c'est lui qui a fait ça. Parce que, bon, il doit y avoir une autre explication, quand même ! Je refuse de croire à celle-là.

— On peut en chercher une autre, répondit Simon. On peut parler aux Abbott. A tous les autres aussi. Mais, Deborah... (Elle leva les yeux vers lui, cherchant à lire l'inquiétude sur son visage.) Il faut quand même que tu te prépares. Au pire.

— Le pire, ce serait que China passe aux assises,

répliqua Deborah. Qu'elle soit jetée en prison. Qu'elle paye les pots cassés à la place de... quelqu'un...

Les paroles s'étouffèrent dans sa gorge : elle venait de réaliser que son mari avait cent fois raison. Sans recul, ne bénéficiant pas du temps nécessaire pour s'adapter à la situation, elle se sentait prise entre deux feux. Elle était avant tout fidèle à sa vieille amie. Et donc elle savait qu'elle aurait dû ressentir de la joie à ce simple fait : une mise en accusation abusive, qui aurait pu envoyer China en prison à la suite de son arrestation, avait été, semble-t-il, évitée d'extrême justesse. Mais si le prix du sauvetage de China devait être la douleur d'apprendre que c'était son propre frère qui avait monté de toutes pièces l'opération ayant conduit à cette arrestation... Comment fêter la délivrance de China après avoir pris de plein fouet une nouvelle de ce genre ? Et comment China elle-même pourrait-elle jamais se remettre d'une trahison de cette envergure ?

— Elle ne croira jamais qu'il ait pu lui faire un coup pareil, finit-elle par lâcher.

— Et toi ?

— Moi ?

Deborah s'arrêta. Ils étaient arrivés au coin de Berthelot Street, qui descendait en pente raide vers High Street et les quais. L'étroite ruelle était glissante, et les serpents de pluie qui coulaient vers la baie commençaient à former des rigoles substantielles, qui promettaient de gonfler dans les heures à venir. La voie n'était guère sûre pour un marcheur incertain, et pourtant Simon s'y engagea résolument, pendant que Deborah méditait sur sa question.

Elle vit que, à mi-pente, les fenêtres de l'auberge Amiral de Saumarez étaient illuminées, comme pour leur faire de l'œil dans l'ombre de la ruelle. Promesses d'abri et de réconfort. Elle savait bien que, même en des circonstances plus souriantes, ces promesses-là étaient frelatées, aussi passagères que la pluie qui arrosait la ville. Et pourtant, elle vit que son mari prenait cette direction. Elle ne répondit à sa question qu'une fois à l'abri dans l'entrée de l'auberge.

— Je n'ai pas réfléchi à ça, Simon. Et en plus je ne sais pas exactement ce que tu veux dire par là.

— Rien de plus que ce que j'ai dit. Tu le crois, toi ? Seras-tu capable de le croire ? Lorsque les choses en seront là – enfin, si on en arrive là –, es-tu prête à croire que Cherokee River a berné sa propre sœur ? Parce que ce que ça signifie, en toute probabilité, c'est qu'il est venu à Londres tout spécialement pour te chercher et te ramener ici. Ou moi. Ou nous deux, en fait. Et pas seulement pour aller à l'ambassade.

— Pourquoi ?

— Tu veux dire : pourquoi il est venu nous chercher ? Pour faire croire à sa sœur qu'il tentait le maximum pour l'aider. Pour être bien sûr qu'elle ne se mette pas à ruminer des éléments qui auraient pu la conduire à le suspecter ou, pire, attirer l'attention de la police sur lui. Je dirais même que c'était aussi une façon pour lui de soulager sa conscience, en faisant au moins venir ici quelqu'un pour elle. Mais, si vraiment son intention était de lui faire porter le chapeau pour un meurtre, je ne crois pas qu'il ait vraiment une conscience, tu vois.

— Tu ne l'aimes pas, hein ? interrogea Deborah.

— La question n'est pas là. La question est d'examiner les faits, de les évaluer, et de leur donner un nom.

Deborah comprit que l'analyse rationnelle de Simon avait une double origine : sa formation de scientifique, régulièrement mise à contribution dans le cadre d'enquêtes criminelles, et d'autre part sa brève rencontre avec le frère de China. En résumé, Simon n'avait strictement rien à gagner à l'innocence ou à la culpabilité de Cherokee. Mais pour elle-même, c'était tout le contraire.

— Non, je n'arrive pas à croire qu'il ait pu faire ça, gémit-elle. Je n'y arrive pas.

Simon hocha la tête. Deborah crut lire un accablement inexplicable sur son visage, mais se dit que c'était peut-être un effet de la lumière.

— Oui, c'est bien ce qui m'inquiète, lâcha-t-il avant de s'enfoncer dans l'auberge devant elle.

Vous savez ce que ça veut dire, n'est-ce pas, Frank ? Vous savez parfaitement ce que ça veut dire.

Guy Brouard avait-il vraiment prononcé ces paroles, ou Frank les avait-il seulement lues sur son visage ? Il ne pouvait s'en souvenir, mais il savait que, quoi qu'il en soit, elles avaient existé. Elles étaient aussi tangibles que le nom G. H. Ouseley, et l'adresse Moulin des Niaux, qu'une arrogante main aryenne avait tracés en haut du reçu pour ces produits alimentaires : saucisses, farine, œufs, pommes de terre, haricots. Et tabac, pour permettre au Judas de ne plus avoir à fumer les feuilles qu'il fallait cueillir aux buissons sauvages, puis faire sécher, et rouler dans du papier.

Sans avoir à le demander, Frank savait le prix de ces produits. Il le savait, car trois des audacieux qui avaient pris le risque de rédiger *GIFT* à la lueur des cierges dans la sacristie de Saint-Pierre-du-Bois avaient été déportés en camp de travail ; mais le quatrième avait seulement été envoyé en prison en France. Les trois premiers étaient morts pendant ou à la suite de leur séjour dans les camps. Le quatrième n'avait été emprisonné qu'un an. Les rares fois où il avait parlé de cette année-là, il avait évoqué la cruauté de cet emprisonnement en France : les maladies, l'horreur de l'indifférence. Mais Frank comprenait à présent pourquoi : c'était sous ce jour qu'il lui fallait le présenter aux yeux du monde. C'était même probablement le souvenir que lui-même s'en était fabriqué, logique et nécessaire pour sa propre protection, une fois ses camarades trahis... comme une façon de se protéger à son retour en tant qu'espion qui devait tant aux nazis... comme récompense pour un acte commis sous l'empire de la *faim*, bon Dieu de bon Dieu, et pas par conviction particulière... Comment peut-on se regarder en face lorsqu'on est responsable de la mort de ses compagnons juste pour pouvoir se remplir la panse ?

Avec le temps, ce mythe d'un Graham Ouseley dénoncé comme ses camarades par un traître à sa patrie, ce mythe était devenu pour lui réalité. Dans son esprit, il ne pouvait pas en être autrement ; et le fait qu'il était lui-même ce traître – avec sur la conscience la mort de trois hommes courageux – aurait sans aucun doute, si on le lui avait mis sous les yeux, complètement ébranlé sa raison déjà chancelante. Et pourtant, c'est très exactement ce que la presse allait faire, le lui mettre sous le nez, dès qu'elle allait commencer à éplucher les documents qu'elle allait réclamer pour preuve des accusations de Graham.

Frank n'imaginait que trop bien les conséquences de la publication de l'affaire. Les journaux allaient en faire leurs choux gras pendant plusieurs jours, avant que la télévision et les radios de l'île ne reprennent l'histoire. Devant les hurlements de protestation des descendants des collaborateurs – et des collaborateurs encore vivants, comme Graham –, la presse écrite produirait alors les preuves demandées. L'affaire ne pourrait que se dégonfler sans ces preuves, et donc, parmi les traîtres dont les noms seraient révélés, on trouverait celui de Graham Ouseley. Et dès lors, quelle délicieuse et ironique aubaine pour tous les médias de pouvoir vilipender à l'envi l'homme qui était déterminé à dénoncer les scélérats responsables d'incarcérations, de déportations ou de morts : c'était lui-même une crapule de la pire espèce, un pestiféré qu'il fallait écarter de la société.

Guy avait demandé à Frank ce qu'il comptait faire, à présent qu'il était au courant de la perfidie de son père ; Frank n'en avait aucune idée. De même que Graham Ouseley était incapable d'accepter la vérité de ses actes durant l'Occupation, Frank s'était senti incapable d'accepter la responsabilité de remettre les pendules à l'heure. Il avait maudit cette soirée où il avait rencontré Guy Brouard à cette conférence en ville, et amèrement regretté le moment où il avait découvert en lui un intérêt pour la période de la guerre. S'il n'avait rien vu, ou s'il n'avait pas réagi trop impulsivement sur le moment, tout aurait été différent à présent. Ce reçu, conservé parmi d'autres par les nazis aux fins d'identification de ceux qui collaboraient, serait resté enfoui dans cette immense masse de documents accumulés, dans cette collection qui n'était ni triée, ni étiquetée de quelque manière que ce soit.

L'irruption de Guy Brouard dans leur vie avait changé tout cela. Son insistance enthousiaste pour que leur collection trouve un écrin digne d'elle, ainsi que son amour pour cette île devenue sa patrie avaient ensemble accouché d'un monstre : la connaissance. Et la connaissance exigeait reconnaissance et action. Tel était le bourbier dont Frank essayait en vain de s'extraire.

Le temps était compté. La mort de Guy avait un instant fait croire à Frank qu'il allait pouvoir garder le silence. Mais les événements de la journée lui avaient prouvé qu'il n'en était rien. Graham était bien décidé à déclencher le processus qui allait mener à sa propre destruction. Bien qu'il eût réussi à se dissimuler pendant plus de cinquante années, sa cachette était à présent éventée, et aucun sanctuaire ne pourrait désormais le protéger du sort qui l'attendait.

En s'approchant de la commode de sa chambre, Frank se sentit les jambes aussi lourdes que s'il était enchaîné à un boulet. Il prit le papier, le brandissant devant lui telle une offrande sacrificielle en descendant les marches.

La télé du salon montrait deux chirurgiens s'affairant auprès d'un patient dans une salle d'opération. Frank éteignit et se tourna vers son père, lequel était encore endormi, bouche ouverte, un filet de salive au coin des lèvres.

Frank se pencha et lui mit la main sur l'épaule.

— Papa ! Réveille-toi, il faut qu'on parle, tous les deux, fit-il en le secouant doucement.

Les yeux de Graham s'ouvrirent derrière les verres épais. Hagard, il cligna des yeux, avant d'articuler :

— J'ai dû m'endormir, Frankie. Quelle heure il est ?

— Tard, répondit Frank. L'heure d'aller au lit.

— Ah, pour sûr, mon gars, acquiesça Graham en faisant mine de se lever.

— Pas encore, attends un peu. Regarde ça d'abord, papa.

Et il tendit le reçu à bout de bras, à hauteur de vue de son père.

Graham fronça les sourcils en parcourant du regard la feuille de papier.

— C'est quoi, ça ?

— A toi de me le dire. Y a ton nom dessus. Tu vois ? Là-haut. Et y a aussi une date : 18 août 1943. C'est presque entièrement en allemand. Comment tu expliques ça, papa ?

— J'en sais rien, moi. Rien du tout, fit Graham en secouant la tête.

Il avait l'air sincère, et nul doute que, dans sa tête, il l'était.

— Tu sais ce que ça dit ? En allemand, je veux dire. Tu saurais le traduire ?

— Mais j'cause pas le boche, moi !

Graham s'agita dans son fauteuil, se pencha en avant, les mains sur les accoudoirs.

— Attends, papa, pas encore, dit Frank pour l'arrêter. Attends que je te le lise.

— C'est l'heure de se coucher, lui rappela Graham d'une voix méfiante.

— Ecoute ça d'abord. Six saucisses. Deux kilos de farine. Une douzaine d'œufs. Six kilos de patates. Un kilo de haricots. Et du tabac, papa. Du vrai tabac. Deux cents grammes. C'est ce que les Allemands t'ont donné.

— Les Boches ? s'écria Graham. Foutaises ! Où c'est que t'as trouvé... Fais-moi voir.

Il fit un geste pour s'en emparer. Mais Frank le mit hors de sa portée et poursuivit :

— Je vais te dire ce qui s'est passé, papa. Tu en avais marre. Marre de lutter pour survivre. Marre des rations insuffisantes. Et puis de l'absence de rations. Marre des infusions de ronces en guise de thé. Ras le bol des épluchures de patate en guise de gâteau. Tu étais affamé, affaibli, et malade comme un chien à force de bouffer des racines et des herbes. Alors tu as craqué, tu leur as donné des noms...

— Moi ! Jamais !...

— Tu leur as donné ce qu'ils voulaient. Parce que ce que tu voulais, toi, c'était une bonne cigarette. Et de la viande. Ah, la viande, plus que tout au monde. Et tu savais comment t'en procurer. C'est ça qui s'est passé. Trois vies pour une demi-douzaine de saucisses. Une affaire, finalement, quand on en est réduit à boulotter du chat.

— Mais c'est faux ! protesta Graham. T'es devenu dingue, ou quoi ?

— C'est ton nom, là, pas vrai ? Et ça, c'est la signature du Feldkommandant, là, en bas de la page. Heine. Ici, regarde. Regarde, papa. Il y avait des ordres d'en haut pour te réserver un traitement de faveur. Un petit colis glissé de temps en temps pour te faire supporter la guerre. Si je passe en revue le reste de ces documents, combien je vais en trouver, des comme ça ?

— Je sais pas ce que tu veux dire.

— Non, c'est vrai. Tu t'es forcé à oublier. Comment faire autrement, alors que les trois autres sont morts ? Ça, tu ne t'y attendais pas, hein ? Tu pensais qu'ils feraient juste de la prison, et qu'ils reviendraient. Je veux bien t'accorder ça.

— T'es devenu cinglé, mon gars. Laisse-moi sortir de ce fauteuil. Pas touche ! Pas touche, j'ai dit, ou j'me fâche.

Cette menace paternelle, qui remontait à son enfance, mais qu'il avait presque oubliée à présent tant elle avait été rare, fit en cet instant son effet sur Frank. Il recula d'un pas et regarda sans intervenir son père se lever à grand-peine du fauteuil.

— Je vais me coucher, dit Graham à son fils. Ça suffit comme ça, ces balivernes. Y a des choses à faire demain et y faut que je sois frais et dispos. Et fais bien attention, Frank, ajouta-t-il, l'index pointé sur la poitrine de ce dernier, t'avise pas d'essayer de m'en empêcher. T'as entendu ! Y a des histoires à raconter et j'ai bien l'intention de les raconter.

— Mais tu ne m'écoutes pas, ou quoi ? rétorqua Frank, au supplice. Tu étais l'un de ceux-là. Tu as balancé tes camarades. Tu es allé trouver les nazis. Et ça fait maintenant soixante ans que tu refuses de l'admettre.

— Moi ! J'ai jamais... ! (Graham fit un pas vers Frank, poings serrés.) Y a des gens qui sont morts, petit fumier. Des gens bien, des gens mieux que toi, qui sont allés à leur mort parce qu'y voulaient pas se soumcttre ! On leur a demandé, ça, pour sûr ! Coopérez, restez dignes, serrez les dents et ça ira. Le roi vous a laissés tomber, mais faut pas croire, y s'occupe de vous quand même, et un jour, quand tout ça sera fini, vous verrez, il vous tirera son chapeau. En attendant, faites semblant de faire ce que les Fridolins vous disent.

— C'est ça que tu te racontais ? Que tu faisais juste *semblant* de coopérer ? Donner tes amis, les voir se faire embarquer, jouer la comédie de ta propre déportation, alors que tu savais que tout ça c'était bidon ? Et où est-ce qu'ils t'ont envoyé, papa, purger ta « peine de prison » ? Et personne n'a remarqué à ton retour que tu avais un peu trop bonne mine pour un monsieur resté un an prisonnier de guerre ?

— J'étais tubard ! Il a fallu me soigner.

— Et qui a fait le diagnostic ? Pas un médecin de Guernesey, j'imagine. Et si on faisait les tests aujourd'hui, tu sais, ces tests qui montrent qu'on a eu la tuberculose, qu'est-ce qu'ils donneraient ? Positifs, tu crois ? Ça m'étonnerait.

— C'est rien que des âneries ! couina Graham. Des âneries, je te dis. Donne-moi ce papier. Tu m'entends, Frank ? Tu me l'apportes tout de suite !

— Non. Et pas question que tu parles à la presse. Parce que si tu fais ça, papa, si tu fais ça...

Il sentait brusquement tout cela lui tomber sur les épaules dans toute son horreur : cette vie qui était un mensonge, et le rôle qu'il avait joué, certes involontairement, mais néanmoins avec enthousiasme, dans l'élaboration de ce mensonge. Il avait fait ses dévotions devant l'autel de la bravoure de son père pendant cinquante-trois ans de sa vie, pour apprendre qu'en fin de compte, il s'était prosterné devant bien moins qu'un veau d'or. La douleur de cette prise de conscience intempestive lui fut intolérable. Et la rage qui l'accompagnait assez immense pour submerger son esprit et le disloquer. Il se mit à bafouiller :

— J'étais un petit... garçon... j'ai cru...

Et sa voix se brisa sur ces mots.

— Quoi, c'est quoi, ça ? Tu pleurniches ? lança Graham en remontant son pantalon. C'est tout ce que t'as dans la culotte ? A l'époque, oui, on en avait, des raisons de pleurer. Cinq ans d'enfer sur cette terre, Frankie, cinq ans, mon p'tit ! C'est long, mais tu nous as jamais entendus chialer, nous autres ! Tu nous as jamais vus nous tordre les mains à nous demander quoi faire ! Tu nous as jamais vus attendre comme des bons petits que quelqu'un vire les Chleus de c't'île ! Non. On a résisté, nous autres. On a peint le V. On cachait nos radios dans le fumier. On sectionnait des câbles de téléphone, on virait les plaques des rues, on cachait les types enrôlés de force pour travailler quand y en avait qui s'échappaient. On donnait asile aux espions britanniques qui débarquaient, et on pouvait se faire fusiller pour ça. Mais chialer ? On chialait, nous autres ? Ah, que non, on était des hommes, et on supportait tout ça comme des hommes.

Et il se dirigea vers l'escalier, sous les yeux effarés de son fils. Frank voyait bien que cette version de l'histoire était incrustée si profondément dans l'esprit de Graham qu'il allait être très compliqué de l'en extirper. La preuve qu'il tenait dans ses mains n'avait aucune existence aux yeux de son père. D'ailleurs, ce dernier ne pouvait simplement pas se permettre de la voir exister. Admettre qu'il avait trahi des hommes courageux reviendrait à admettre qu'il les avait assassinés. Et ça, il ne le ferait pas. Jamais. Comment, se dit Frank, avait-il pu seulement penser que Graham le ferait ?

Arrivé sur les premières marches, son père s'agrippa à la rampe. Frank faillit s'avancer pour aller l'aider comme d'habitude, mais il sentit qu'il ne pouvait se résoudre à toucher le vieil homme, à faire les gestes familiers : sa main droite sur le bras de Graham, son bras gauche autour de sa taille. La simple pensée d'un contact physique lui était insupportable. Immobile, il regarda le vieillard monter péniblement ainsi sept marches.

— Y vont venir, articula Graham, s'adressant cette fois autant à lui-même qu'à son fils. Je les ai appelés. L'est temps de dire la vérité. Je vais donner des noms maintenant. Va falloir que le châtiment tombe.

La voix de Frank fut alors celle d'un enfant fragile.

— Mais, papa, tu ne peux pas...

— T'amuse pas à me dire ce que je peux faire ou ne pas faire ! rugit son père. Nom de Dieu de bon Dieu, t'avise jamais de dire à ton père ce qu'y doit faire ! On a souffert, crois-moi, y en a même qui y ont laissé la peau. Et y en a qui vont payer pour ça, Frank. Un point c'est tout, tu m'entends ! C'est tout !

Il se retourna, et, agrippant plus fermement la rampe, se mit à vaciller en levant le pied pour gravir une nouvelle marche. Il se mit à tousser.

C'est alors que Frank sortit de son immobilité, car au fond, la réponse était simple. Son père ne disait que sa vérité à lui. Mais la vérité qu'ils partageaient, père et fils, était qu'il fallait que quelqu'un paye.

Il se précipita dans l'escalier, puis s'arrêta net quand Graham fut à sa portée. Il saisit les revers de pantalon du vieil homme, en murmurant : « Papa, oh, papa », puis tira d'un coup sec. Il s'effaça. Graham tomba lourdement en avant.

Sa tête alla heurter la marche du haut avec un craquement retentissant. En chutant, Graham avait poussé un cri de surprise. Mais plus rien ensuite ; son corps glissa rapidement jusqu'en bas de l'escalier.

21

Le lendemain matin, Saint James et Deborah prenaient le petit déjeuner près d'une fenêtre donnant sur le petit jardin de l'hôtel où un fouillis de pensées dessinait une bordure colorée autour d'une pelouse. Ils étaient en train d'organiser leur journée lorsque China les rejoignit, vêtue de noir de la tête aux pieds et plus spectrale que jamais.

Elle leur adressa un sourire pour s'excuser de leur tomber dessus aussi tôt.

— Il faut que je bouge. Je ne peux pas rester les bras croisés. Avant, je n'avais pas le choix. Mais maintenant ce n'est plus le cas et j'ai les nerfs en pelote. Il doit y avoir quelque chose...

Elle parut soudain se rendre compte que ses propos étaient décousus car elle s'arrêta et dit d'un ton désabusé :

— Excusez-moi. J'ai dû avaler au moins cinquante tasses de café. Je suis réveillée depuis trois heures du matin.

— Buvez donc un jus d'orange, conseilla Saint James. Vous avez pris votre petit déjeuner ?

— Impossible de manger. Mais merci. Je voulais vous le dire, hier, à propos. Sans vous deux... Merci.

Elle s'assit sur une chaise à une table voisine et la rapprocha pour rejoindre Saint James et sa femme. Elle jeta un coup d'œil aux occupants de la salle à manger :

des hommes en costumes trois pièces avec des portables posés près de leur couvert, des attachés-cases par terre près de leur chaise et des journaux largement déployés devant eux. L'atmosphère était aussi recueillie que dans un club de Londres. A voix basse, elle dit :

— On se croirait dans une bibliothèque.

— Les banquiers, dit Saint James. Ils ont des tas de choses en tête.

— Ils sont plutôt coincés, ajouta Deborah, qui sourit affectueusement à China.

Celle-ci prit le jus d'orange que Saint James lui avait servi.

— Je n'arrête pas de me dire : « Si seulement... Je ne voulais pas venir en Europe. Si seulement j'étais restée ferme sur mes positions... Si seulement j'avais refusé carrément... Si seulement j'avais eu suffisamment de travail pour me retenir de partir... Il ne serait peut-être pas venu non plus. Rien de tout cela ne serait arrivé. »

— Ça ne t'avance à rien de raisonner comme ça, lui fit remarquer Deborah. Les choses arrivent parce qu'elles arrivent. C'est tout. Nous ne sommes pas là pour défaire les événements, seulement pour avancer.

Elle sourit.

China lui rendit son sourire.

— Bizarre... J'ai déjà entendu ça quelque part. J'ai même l'impression que c'est moi qui l'ai dit.

— C'était un conseil judicieux.

— Oui, n'empêche que sur le moment tu n'as pas tellement apprécié.

— Non. Je suppose que je l'ai trouvé... disons... cruel. C'est comme ça que paraissent les choses quand on veut que nos amis se lamentent avec nous.

— Debs, fit China en fronçant le nez, ne sois pas si dure avec toi-même.

— J'ai bien envie de te dire la même chose.

— D'accord, je vais faire un effort.

Les deux jeunes femmes échangèrent un regard complice. Et un message exprimant une entente dont la teneur exacte échappa à Saint James. Là-dessus, Deborah dit à China River :

— Tu m'as manqué.

Et China, avec un petit rire et un mouvement de tête, lui répondit :

— C'est bien fait, ça t'apprendra.

Leur conversation s'arrêta là.

Cet échange rappela à Saint James que Deborah avait une vie à elle en dehors de celle qu'ils avaient partagée. Entrée dans son univers à l'âge de sept ans, elle lui avait toujours semblé faire partie intégrante de son existence. Si le fait qu'elle ait un univers propre ne le gênait pas, il avait un peu de mal à accepter qu'elle ait connu des expériences dont lui-même avait été exclu.

— Vous avez parlé à l'avocat ?

China fit non de la tête.

— Il n'est pas à son cabinet. Il a dû rester au commissariat pendant qu'on interrogeait Cherokee. Comme il ne m'a pas appelée... (Elle tripota un toast comme si elle allait le manger mais se ravisa et le repoussa.) J'imagine que l'interrogatoire a dû se poursuivre tard dans la nuit. C'est comme ça que ça s'est passé en tout cas pour moi.

— Je vais commencer par là, indiqua Saint James. Quant à vous deux, vous devriez aller rendre une petite visite à Stephen Abbott. Il a bien voulu te parler l'autre jour, ma chérie, dit-il à Deborah. Il n'y a pas de raison qu'il refuse aujourd'hui.

Il accompagna les deux femmes jusqu'au parking. Elles étalèrent une carte de l'île sur le capot de l'Escort pour repérer leur chemin jusqu'au Grand Havre

– grande entaille découpée dans la côte nord de l'île, comportant trois baies et un port au-dessus desquels un réseau de sentiers pédestres permettait d'accéder à des tours militaires et à des forts abandonnés. China guiderait Deborah jusqu'à la Garenne, où Anaïs Abbott avait sa maison. Pendant ce temps, Saint James se rendrait au commissariat et s'arrangerait pour soutirer à Le Gallez le maximum d'informations concernant l'arrestation de Cherokee.

Il regarda sa femme et son amie s'éloigner au volant de la voiture, une fois leur itinéraire tracé. Elles descendirent Hospital Lane et prirent la route menant au port. Il aperçut la courbe de la joue de Deborah tandis que la voiture tournait en direction de Saint Julian Avenue. Elle souriait à une remarque de son amie.

Il resta planté là un moment, songeant aux avertissements qu'il aurait pu prodiguer à sa femme si seulement elle avait accepté de l'écouter. Ce n'est pas ce que je pense qui est important, lui aurait-il dit. Mais ce qu'il me reste à découvrir.

Et il comptait bien sur Le Gallez pour boucher les trous. Saint James se mit à sa recherche, franchissant à pied les quelques mètres qui le séparaient du commissariat et pénétrant dans la cour par la grille de fer forgé.

L'inspecteur principal venait d'arriver. Il avait encore son manteau sur le dos lorsqu'il vint chercher Saint James. Il le déposa sur un fauteuil de la salle des opérations et fit approcher Saint James d'un tableau en haut duquel un constable en uniforme fixait des photos en couleurs.

— Jetez un coup d'œil, dit Le Gallez avec un hochement de tête. (Il avait l'air de jubiler.) La fouille a été fructueuse.

Saint James vit des clichés d'un flacon marron, du genre de ceux qui contiennent du sirop pour la toux.

Niché au milieu des mauvaises herbes. Sur l'un des clichés, une règle en plastique permettant d'en apprécier la taille. Les autres photos en montraient l'emplacement par rapport à la végétation, au champ dans lequel il avait été retrouvé, par rapport à la bordure qui isolait le champ de la route et à la route bordée d'arbres que Saint James reconnut aussitôt.

— C'est le sentier qui conduit à la baie.

— Exactement, confirma Le Gallez.

— De quoi s'agit-il ?

— Le flacon ? (L'inspecteur s'approcha d'un bureau, prit un bout de papier et lut :) *Eschscholzia californica*.

— En clair ?

— Huile de pavot.

— Le voilà, votre opiacé, alors.

Le Gallez eut un sourire :

— Effectivement.

— Et *californica*...

— Tout juste. Ses empreintes sont sur la bouteille. Bien nettes, visibles à l'œil nu.

— Peste, murmura Saint James pour lui-même.

— Nous le tenons.

Le Gallez avait l'air aussi catégorique et sûr de lui qu'il l'avait été vingt-quatre heures plus tôt quand il avait appréhendé China.

— Comment vous avez fait pour... ?

Le Gallez prit un crayon qu'il pointa vers les photos en parlant.

— Vous voulez savoir comment le produit s'est retrouvé dans le flacon ? Laissez-moi vous expliquer. Il n'a pas dû verser l'opiacé dans la Thermos la veille ni même le lendemain aux aurores. Brouard aurait pu rincer la Thermos avant de la remplir de thé : il ne pouvait pas se permettre de prendre ce risque. Alors il l'a suivi jusqu'à la baie. Il a profité du moment où

Brouard nageait pour verser l'huile de pavot dans la bouteille.

— Courant le risque d'être vu ?

— Quel risque ? L'aube n'est même pas encore là, il y a peu de chances que quelqu'un traîne dans les parages. Au cas où il y aurait quelqu'un, il a revêtu la cape de sa sœur. De son côté, Brouard nage, il ne prête pas attention à ce qui se passe sur la plage. C'était un jeu d'enfant pour River d'attendre qu'il soit loin dans l'eau. A ce moment-là, il se précipite vers la Thermos – comme il suivait Brouard, il sait où elle se trouve –, et il verse l'opiacé dedans. Puis il va se cacher. Dans les arbres, derrière un rocher. Et il attend que Brouard sorte de l'eau et boive son thé comme tous les matins. Chose que personne n'ignore. Le ginkgo et le thé vert : rien de tel pour vous mettre du poil sur la poitrine et vous doper les burnes. Faut pas que Brouard déçoive sa fiancée. River attend que le produit agisse. Et à ce moment-là, crac !

— Supposez que le produit n'ait pas eu le temps d'agir sur la plage ?

— Aucune importance, fit Le Gallez avec un haussement d'épaules éloquent.

L'aube n'était pas encore là, l'opiacé ferait effet pendant le trajet de retour de Brouard au Reposoir. Et River pourrait ainsi lui sauter dessus, peu importait l'endroit où il se trouvait.

— Mais le produit a agi sur la plage. Alors il lui a enfoncé la pierre dans le gosier, et voilà. Il s'est dit que l'étouffement serait considéré comme la cause du décès. Bien vu. Il s'est débarrassé du flacon compromettant en le jetant dans les fourrés pendant qu'il regagnait le manoir en vitesse. Il n'a pas pensé qu'il serait procédé à des tests de toxicologie sur le corps quelle que puisse être la cause apparente du décès.

Ça se tenait, comme scénario. Les meurtriers se

trompaient toujours à un moment ou un autre, c'est d'ailleurs comme ça qu'ils se faisaient pincer. Les empreintes de Cherokee River ayant été relevées sur le flacon qui avait contenu l'opiacé, il était logique que Le Gallez le considère comme le principal suspect. Toutefois, ça n'expliquait pas le reste.

— Et la bague ? objecta Saint James. Ses empreintes sont dessus également ?

Le Gallez fit non de la tête. Impossible de relever une empreinte exploitable sur cette bague. Juste une partielle d'une partielle.

— Alors ?

— Il devait l'avoir sur lui. Il avait peut-être l'intention de la coincer dans la gorge de Brouard au lieu de la pierre. Cette histoire de pierre nous a embrouillés et c'est peut-être le but qu'il cherchait. Il n'avait peut-être pas envie qu'on soupçonne tout de suite sa sœur. Et il ne voulait pas nous apporter la solution sur un plateau. Il a certainement voulu qu'on se décarcasse pour aboutir à cette conclusion.

Saint James réfléchit. C'était plausible mais il y avait autre chose que Le Gallez laissait de côté dans sa hâte à élucider l'affaire sans mettre le crime sur le dos de quelqu'un du cru.

— Vous voyez, je suppose, que ce qui s'applique à Cherokee River s'applique également à d'autres. Et il y a d'autres personnes qui ont des raisons de vouloir la mort de Brouard. (Sans laisser à Le Gallez le temps de protester, il enchaîna :) Henry Moullin a une roue de fée accrochée à son porte-clefs et rêve d'être un artiste – un rêve que Brouard lui a mis en tête et qui apparemment a avorté. Bertrand Debiere s'est endetté, pensant décrocher le chantier. Quant au musée...

Le Gallez l'interrompit d'un geste expéditif de la main.

— Moullin et Brouard étaient très proches, leur

amitié remonte à des années. Ensemble, ils ont métamorphosé le vieux manoir Thibeault pour en faire le Reposoir. Henry lui aura donné la pierre en gage d'amitié. Façon de dire : « Vous êtes des nôtres maintenant. » Quant à Debiere, je vois mal Nobby assassiner l'homme qu'il s'efforçait de faire changer d'avis.

— Nobby ?

— Bertrand. Un surnom. Nous étions en classe ensemble.

Ce qui faisait de Debiere, aux yeux de l'inspecteur, un meurtrier potentiel encore moins plausible que s'il n'avait été qu'un simple Guernesiais. Saint James continua d'argumenter, cherchant toujours à ouvrir les yeux de l'inspecteur.

— Mais pourquoi ? Quel était le mobile de Cherokee River ? Et celui de sa sœur, quand elle était votre principal suspect ?

— Le voyage de Brouard en Californie, il y a plusieurs mois. C'est à ce moment-là que River a échafaudé son plan.

— Pourquoi ?

Le Gallez perdit patience.

— Ecoutez, mon vieux, j'en sais rien, dit-il en s'échauffant. Et je m'en fous. Tout ce que je veux, c'est trouver le meurtrier de Brouard : c'est fait. Certes, j'ai commencé par soupçonner la sœur, mais au vu d'indices qu'il avait soigneusement disséminés à droite et à gauche. Tout comme je le soupçonne, lui, maintenant, au vu d'autres indices.

— Quelqu'un aurait pu les déposer, ces indices, quelqu'un d'autre.

— Qui ? Pourquoi ?

Le Gallez se leva du bureau et se dirigea d'un air agressif vers Saint James. Ce dernier comprit qu'il était à deux doigts de se faire flanquer dehors.

— Il manque de l'argent sur le compte de Brouard,

inspecteur, dit-il tranquillement. Une grosse somme d'argent. Vous le saviez ?

Le Gallez changea de physionomie. Saint James en profita pour enchaîner :

— Je tiens ça de Ruth Brouard. Cet argent semble s'être volatilisé progressivement.

Le Gallez réfléchit. D'un ton moins convaincu, il dit :

— River aurait pu...

Saint James l'interrompit.

— A supposer que River ait fait chanter Brouard, pourquoi aurait-il tué la poule aux œufs d'or ? Mais si tel est le cas, si River faisait chanter Brouard, pourquoi Brouard aurait-il accepté qu'il serve de coursier pour les plans ? L'avocat américain de Brouard a bien dû lui donner le nom de River, sinon comment Brouard aurait-il su qui aller chercher à l'aéroport ? Une fois que l'avocat lui aurait donné le nom du coursier, si ce nom était River, il aurait mis un terme immédiatement à l'opération.

— Il l'aura peut-être appris trop tard, contra Le Gallez, qui commençait à s'exprimer avec beaucoup moins d'assurance.

Saint James poursuivit son raisonnement.

— Inspecteur, Ruth Brouard ne savait pas que son frère dépensait son argent. Je parie que personne d'autre ne le savait. Du moins pas au début. Ne peut-on imaginer que quelqu'un l'ait liquidé pour l'empêcher de continuer à dilapider sa fortune ? Ne peut-on penser qu'il se livrait à je ne sais quel trafic louche ? Voilà qui constituerait un mobile autrement sérieux que celui que pourraient avoir les River ?

Le Gallez garda le silence. Saint James vit que l'inspecteur était abasourdi de s'entendre révéler une chose qu'il aurait dû savoir. Il jeta un regard au tableau où les photos du flacon semblaient déclarer qu'il tenait son meurtrier. Il regarda ensuite Saint James et parut réfléchir au défi que ce dernier lui avait lancé. Puis il finit par lâcher :

— Suivez-moi. Nous allons passer quelques coups de téléphone.

— A qui ? voulut savoir Saint James.

— Aux seules personnes capables de délier la langue d'un banquier.

China était une excellente navigatrice. Quand il y avait des panneaux, elle annonçait le nom des rues qu'elles traversaient en se dirigeant vers le nord, et elles atteignirent sans encombre la pointe nord de la baie de Belle Greve.

Elles franchirent une petite banlieue avec épicier, coiffeur, garage, et, à un des rares feux de l'île, elles mirent le cap sur le nord-ouest. A Guernesey, le paysage changeant sans cesse, elles se retrouvèrent bientôt dans une zone rurale – huit cents mètres plus loin. Zone de grandes serres qui étincelaient au soleil matinal, et de champs. Elles avaient parcouru quelque quatre cents mètres dans ces parages lorsque Deborah se demanda pourquoi elle n'avait pas reconnu les lieux plus tôt. Elle jeta un coup d'œil à sa passagère et vit que China, elle aussi, reconnaissait l'endroit.

— Arrête-toi, fit China abruptement lorsqu'elles furent à la hauteur de la route menant à la prison.

Lorsque Deborah, après avoir freiné, se rangea sur le bas-côté, China descendit de voiture et s'approcha du fouillis de ronces qui tenait lieu de haie. De l'autre côté se dressaient deux des bâtiments qui constituaient la prison. Avec sa façade jaune pâle et son toit de tuiles rouges, l'établissement pénitentiaire aurait pu être une école ou un hôpital. Seules les fenêtres garnies de barreaux en indiquaient la destination.

Deborah rejoignit son amie. Comme China avait

l'air absorbée dans ses pensées, elle n'osa pas la déranger. Elle resta près d'elle en silence, agacée de se sentir impuissante alors que son amie l'avait si bien soutenue quand elle-même se trouvait en difficulté.

Ce fut China qui rompit le silence :

— Jamais il ne tiendra le coup là-dedans. Impossible.

— Je ne sais pas qui peut supporter ça sans broncher.

Deborah songea aux portes qui se ferment, aux clefs qui tournent, aux jours qui se traînent, deviennent des semaines, des mois, des années, et aux couleurs du désespoir.

— C'est toujours pire pour les hommes, observa China.

Deborah lui jeta un coup d'œil. Elle se souvint du récit que des années plus tôt China lui avait fait de l'unique fois où elle était allée rendre visite à son père en prison.

« Si tu avais vu ses yeux, avait-elle dit à Deborah. Perpétuellement en mouvement. On était assis à une table et, quand quelqu'un le frôlait, il se retournait d'un bond comme s'il s'attendait à ce qu'on lui plante un couteau dans le dos. Ou pire. »

Cette fois-là, il s'était retrouvé au trou pour cinq ans. Le système pénitentiaire californien avait toujours, lui avait dit China, réservé le meilleur accueil à son père.

— Il ne sait pas ce qui l'attend, conclut China.

— Il n'ira pas en prison, lui assura Deborah. On va tirer cette histoire au clair et vous rentrerez chez vous.

— Je serais drôlement contente de rentrer, tu peux me croire. Tu sais, j'arrêtais pas de râler quand j'étais sans un sou. Toujours à compter. Affreux ! Obligée de courir après les petits boulots rien que pour m'acheter une paire de pompes au supermarché du coin. Obligée de bosser comme serveuse pendant des années pour rassembler de quoi aller faire les courses chez Brooks. Et cet appart à Santa Barbara. Un vrai trou à rats, Debs. L'horreur ! Pourtant j'y retournerais tout de suite pour être hors d'ici. Cherokee me rend dingue. J'avais peur de décrocher le téléphone tellement je craignais que ce ne soit lui, me disant, triomphant : « Chine ! J'ai un super plan ! » Je savais qu'il s'agissait d'une combine louche et qu'il voulait que je lui file du fric. Mais maintenant, Debs, je donnerais tout ce que j'ai pour que mon frère soit près de moi, qu'on soit sur la jetée à Santa Barbara et qu'il me raconte ses dernières élucubrations.

— J'en suis sûre.

Deborah la serra impulsivement contre elle. China se raidit mais Deborah ne la lâcha pas pour autant.

— On va le tirer de là. On va vous tirer de là. Vous rentrerez chez vous.

Elles retournèrent à la voiture. Deborah reprit le volant tandis que China disait :

— Si j'avais pu me douter qu'ils venaient l'arrêter... J'ai pas envie de jouer les martyres, non. Mais franchement je préférerais me retrouver moi-même en prison.

— Personne n'ira en prison, affirma Deborah. Tu peux compter sur Simon.

China déploya la carte sur ses genoux et y jeta un coup d'œil comme pour vérifier leur itinéraire. Mais elle risqua :

— Il n'a rien de... Il ne ressemble pas... Jamais je n'aurais cru... Il a l'air très gentil, Deborah.

Deborah lui glissa un regard de biais et termina sa phrase :

— Mais il ne ressemble pas à Tommy.

— Absolument pas. Tu as l'air... Je ne sais comment dire... moins libre avec lui. Je me trompe ? Moins libre en tout cas que tu ne l'étais avec Tommy. Je me souviens de tes fous rires avec Tommy. De vos escapades. Je ne te vois pas, bizarrement, faisant ça avec Simon.

— Ah non ?

Deborah eut un sourire forcé. Il y avait beaucoup de vrai dans les propos de China. Ses relations avec Simon n'auraient pu être plus différentes de celles qu'elle avait eues avec Tommy. Toutefois la remarque ressemblait à une critique et, du coup, elle se sentait tenue de défendre son mari – situation qui ne lui plaisait pas trop.

— C'est peut-être parce que tu nous vois au milieu d'une affaire sérieuse.

— Je ne crois pas que ce soit ça, dit China. Il est différent de Tommy. C'est peut-être à cause... de sa jambe ? S'il est plus posé, plus sérieux, c'est peut-être à cause de ça ?

— Peut-être a-t-il davantage de raisons de l'être.

Deborah savait que ce n'était pas forcément vrai : Tommy, à la Criminelle, avait des soucis professionnels beaucoup plus écrasants que Simon. Toutefois elle essayait de trouver un moyen d'expliquer la personnalité de son mari à son amie, un moyen de lui faire comprendre qu'aimer un introverti n'était pas au fond si différent d'aimer un homme extraverti, passionné et engagé. C'est parce que Tommy peut se permettre d'être tout ça, aurait voulu dire Deborah pour défendre son époux. Pas parce qu'il est riche mais parce qu'il est ce qu'il est. Plein d'assurance.

— C'est son handicap ? risqua China au bout d'un moment.

— Quoi ?

— Qui rend Simon plus sérieux que Tommy ?

— Je ne pense jamais à son handicap, dit Deborah, gardant soigneusement les yeux sur la route, de façon que sa passagère ne puisse lire sur son visage qu'elle venait de mentir.

— Tu es heureuse avec lui ?

— Très.

— Tu as de la chance. (China reporta son attention sur la carte.) Tu franchis le carrefour, dit-elle soudain. Et à la prochaine intersection, c'est à droite.

Deborah les mena sans problème jusqu'à l'extrémité nord de l'île – secteur qui n'avait rien à voir avec les paroisses dont dépendaient le Reposoir et Saint Peter Port. Les falaises de granit du sud cédaient la place aux dunes du nord. Une côte sablonneuse remplaçait les pentes escarpées et couvertes d'arbres descendant vers les baies. Là où la végétation protégeait les terres du vent, poussaient l'ammophila et les liserons sur les dunes mouvantes, la fétuque et l'euphorbe sur les dunes stables.

Elles passèrent devant l'extrémité sud du Grand Havre, vaste baie ouverte où les bateaux de plaisance étaient amarrés à l'abri du vent. D'un côté, les humbles cottages blancs du Picquerel le long d'une route qui obliquait vers l'ouest jusqu'à la succession de baies qui caractérisaient la partie la plus basse de Guernesey. De l'autre, la Garenne – ainsi nommée à cause des terriers de lapins abritant le mets de choix de l'île.

C'est à l'endroit où la Garenne épousait la côte qu'elles découvrirent la maison d'Anaïs Abbott. La villa se dressait au milieu d'un vaste terrain, isolée de la route par un mur de pierre grise. Une pierre identique à celle qui avait servi à construire la bâtisse. Un grand jardin s'étendait devant la villa, que traversait une allée sinueuse menant à la porte d'entrée. Anaïs Abbott était plantée sur le perron, bras croisés sous la poitrine. Elle était en conversation avec un homme à calvitie déclarée et attaché-case qui semblait avoir un mal fou à garder les yeux rivés au-dessus de son cou.

Tandis que Deborah se garait, l'homme tendit la main à Anaïs. Ils se serrèrent la main comme pour conclure une transaction, et il descendit l'allée bordée de lavande. Anaïs l'observait du perron et, comme son véhicule était garé juste devant celui de Deborah, elle ne manqua pas de voir les deux jeunes femmes descendre de l'Escort. Elle se raidit et son expression jusque-là détendue changea. Ses yeux se plissèrent, pleins d'une lueur calculatrice, tandis que Deborah et China remontaient l'allée à sa rencontre.

Anaïs porta la main à sa gorge comme pour se protéger.

— Qui êtes-vous ? dit-elle à Deborah. Pourquoi êtes-vous sortie de prison ? dit-elle à China. (Et aux deux jeunes femmes :) Qu'est-ce que vous êtes venues fabriquer chez moi ?

— China a été libérée, expliqua Deborah en se présentant et en précisant qu'elle était là pour éclaircir certaines choses.

— Libérée ? Mais qu'est-ce que ça signifie ?

— Ça signifie que China est innocente, Mrs Abbott. Elle n'a pas fait de mal à Mr Brouard.

A l'énoncé de ce nom, les yeux d'Anaïs s'emplirent de larmes.

— Pas question que je vous parle. Je ne sais pas ce que vous voulez mais laissez-moi tranquille.

Elle fit mine de saisir la poignée de la porte.

— Anaïs, attendez, intervint China. Il faut qu'on parle...

Anaïs pivota.

— Vous, je refuse de vous... Je ne veux pas vous voir. Vous ne trouvez pas que vous en avez assez fait ? Ça ne vous suffit pas ?

— Mais...

— Taisez-vous ! J'ai bien vu comment vous manœuvriez avec lui. Figurez-vous que je ne suis pas aveugle. Je sais bien ce que vous vouliez.

— Mais, Anaïs, il m'a fait visiter le manoir. La propriété. C'est tout. Il voulait me montrer...

— Il voulait, il voulait, ironisa Anaïs d'une voix qui tremblait. (Cette fois ses larmes coulèrent.) Il était à moi, vous le saviez. Tout le monde vous l'avait dit. Ça ne vous a pourtant pas empêchée de vouloir le séduire. Et vous avez passé tout ce temps...

— A prendre des photos, compléta China. En voyant le Reposoir, je me suis dit que cela pouvait faire un sujet de reportage épatant. Et j'ai sauté sur l'occasion. Mon idée lui a plu. Jamais nous n'avons...

— Inutile de nier ! s'écria Anaïs d'une voix rauque de mouette. Il s'est détourné de moi. Il a dit qu'il ne pouvait pas... mais c'est plutôt qu'il ne voulait plus... Et maintenant j'ai tout perdu.

Sa réaction était si violente que Deborah se demanda si, au sortir de l'Escort, elle n'avait pas été transportée dans une autre dimension. Elle chercha à s'interposer.

— Il faut qu'on voie Stephen, Mrs Abbott. Il est là ?

Anaïs recula contre la porte.

— Qu'est-ce que vous lui voulez ?

— Il a, je crois, accompagné Mr Brouard chez Frank Ouseley pour voir ses collections. On aimerait lui poser des questions à ce sujet.

— Pourquoi ?

Deborah n'allait pas s'amuser à lui en dire davantage, surtout si cela pouvait l'inciter à penser que son fils portait une part de responsabilité dans le meurtre de Guy Brouard. Ce serait la goutte d'eau qui ferait déborder le vase et Anaïs n'avait pas besoin de ça. Aussi, naviguant entre mensonge et vérité, elle dit :

— On aimerait savoir quel souvenir il a gardé de cette visite.

— Pourquoi ?

— Est-ce qu'il est là, Mrs Abbott ?

— Stephen n'a fait de mal à personne. Comment osez-vous suggérer... (Cette fois Anaïs ouvrit la porte.) Sortez de la propriété. Si vous êtes en quête d'un interlocuteur, allez plutôt trouver mon avocat. Stephen n'est pas là. Il est hors de question qu'il vous parle.

Elle entra et claqua la porte mais son regard la trahit. Car elle jeta les yeux dans la direction d'où étaient venues les deux jeunes femmes, vers un clocher à quelque quatre cents mètres de là.

Deborah et China ne firent ni une ni deux et s'engagèrent dans cette direction. Rebroussant chemin et remontant la Garenne, elles prirent le clocher comme point de repère. Elles arrivèrent bientôt devant un cimetière qui s'élevait à flanc de colline, laquelle était surmontée de l'église de Saint-Michel-de-Vale. Pensant que Stephen Abbott pouvait être à l'intérieur, elles en poussèrent la porte.

A l'intérieur, toutefois, silence. Les cordes des cloches pendaient, inertes, près des fonts baptismaux. Sur son vitrail, un Christ crucifié contemplait, à ses pieds, un autel décoré de branches de houx et de baies. Personne dans la nef. Personne dans la chapelle des archanges à côté de l'autel principal où la lueur vacillante d'un cierge indiquait la présence du Saint-Sacrement.

Rebroussant chemin, elles se dirigèrent vers le cimetière.

— Si ça se trouve, elle nous a menées en bateau, dit China. Je parie qu'il est à la maison.

C'est alors que Deborah aperçut un étang de l'autre côté de la rue. Caché jusque-là par les roseaux. Mais, du haut de la colline, elle le voyait se déployer non loin d'une maison au toit rouge. Une silhouette jetait des branches dans l'eau, à ses côtés un chien, indifférent. Le gamin poussa l'animal vers l'eau de l'étang.

— Stephen Abbott, murmura Deborah. On s'amuse comme on peut.

— Charmant garçon, rétorqua China tandis qu'elles traversaient.

L'adolescent jetait un autre morceau de bois dans l'étang quand elles émergèrent de la végétation épaisse qui entourait le plan d'eau.

— Qu'est-ce que t'attends, vas-y ! disait-il au chien accroupi non loin de là qui fixait l'eau d'un air de martyr chrétien. Allez, quoi ! s'écria Stephen Abbott. T'es même pas foutu de faire ça !

Il jeta une autre branche et encore une autre comme s'il voulait prouver qu'il était le maître d'une créature sur laquelle les menaces n'avaient aucune prise.

— Il n'a pas envie de se mouiller, observa Deborah. Bonjour, Stephen. Tu te souviens de moi ?

Stephen lui jeta un coup d'œil par-dessus son épaule. Puis son regard glissa jusqu'à China. Il écarquilla les yeux un moment avant que son expression ne se fige.

— Quel con, ce clebs. C'est comme cette île. Une île de cons. Quelle connerie tout ça.

— Il a l'air transi, dit China. Il tremble.

— Il croit que je vais le corriger. C'est ce que je vais faire s'il se bouge pas le cul. Biscuit ! Allez ! Rapporte cette putain de branche.

Le chien lui tourna le dos.

— En plus, il est sourd, dit Stephen. Mais ça l'empêche pas de savoir ce que je veux lui faire faire. Et il a intérêt à obéir.

Balayant le sol du regard, il découvrit une pierre qu'il soupesa d'un air songeur.

— Hé ! s'exclama China. Tu ne vas quand même pas...

Stephen la fixa, la lèvre retroussée. Puis il lança la pierre en criant :

— Biscuit ! Enfoiré ! Remue-toi !

La pierre heurta le chien à la tête. Il poussa un jappement, se mit sur ses pattes et fonça dans les roseaux, où on l'entendit geindre.

— De toute façon, c'est le clebs de ma sœur, lâcha Stephen avec mépris.

Il pivota, se mit à jeter des pierres dans l'eau, non sans avoir laissé le temps à Deborah de constater qu'il était au bord des larmes.

China fit un pas vers lui, l'air furieux.

— Ecoute, espèce de petit abruti.

Mais Deborah leva la main pour la faire taire. Puis elle dit : « Stephen », mais il l'interrompit avant qu'elle ait le temps de continuer.

— « Sors le chien, qu'elle me fait, dit-il d'un ton amer. Va lui faire faire une promenade, mon chéri. » Je lui dis que c'est à Jemima de l'emmener. C'est son chien, après tout, merde. Mais non. Pas question. Jemima est trop occupée à chialer sous prétexte qu'elle veut pas quitter ce trou à rats. Vous imaginez ça !

— Vous partez ? fit Deborah.

— Et comment ! L'agent immobilier est dans le salon, il essaie de pas mettre ses grosses pattes graisseuses sur les lolos de maman. Comme si la seule chose qui l'intéressait, c'était pas de la tringler séance tenante. Le chien lui aboie après. Jemima fait une crise d'hystérie parce qu'elle a pas envie d'aller vivre chez grand-mère à Liverpool. Mais moi, je m'en fous. Là ou ailleurs... Pourvu que je me tire de cette baraque de merde, c'est tout ce que je demande. Bon, alors j'emmène ce crétin de chien dehors. Mais je ne suis pas Jemima. Or la seule personne à laquelle il s'intéresse, c'est Duck. Je veux dire Jemima.

— Pourquoi est-ce que vous quittez Guernesey ? s'enquit China d'une voix vibrante.

— Ça me paraît évident, rétorqua Stephen.

Mais, sans leur laisser le temps d'approfondir la question, il dit :

— Qu'est-ce que vous me voulez, au fait ?

Et il jeta un coup d'œil vers les roseaux où Biscuit s'était réfugié.

Deborah voulut savoir s'il était allé au Moulin des Niaux avec Mr Brouard.

Une fois, dit-il.

— Maman était super contente. Mais la seule raison pour laquelle il m'a demandé d'y aller, c'est qu'elle avait insisté. (Il eut un petit rire étranglé.) On était censés devenir copains. Pauvre conne. Comme s'il avait jamais eu l'intention... C'était débile. Moi, Guy, Frank, le père de Frank – un vrai dinosaure. Et tout ce foutoir. Des montagnes de trucs. Des boîtes, des sacs, des placards, des... oh, des tas d'objets. Partout, y en avait partout, quelle perte de temps.

— Qu'est-ce que vous avez fait ?

— Ben, ils ont passé les trucs en revue, les couvre-chefs. Les chapeaux, les casquettes, les casques et je ne sais quoi. Ils discutaient pour savoir qui portait quoi, quand, comment, pourquoi, c'était débile. Moi, pendant ce temps-là, je suis allé me promener dans la vallée.

— Tu n'as pas fourré ton nez dans les collections ? questionna China.

Stephen parut détecter un sous-entendu dans sa voix car il dit :

— En quoi ça vous intéresse ? Qu'est-ce que vous fabriquez là, d'abord ? Vous deviez pas être en prison ?

Deborah intervint de nouveau.

— Est-ce qu'il y avait quelqu'un d'autre avec toi ? Le jour où tu es allé voir les collections ?

— Non. Guy et moi, c'est tout.

Il reporta son attention sur Deborah et sur le sujet qui apparemment l'obsédait.

— Comme je vous l'ai dit, on était censés devenir copains. J'étais censé exploser de joie sous prétexte qu'il voulait jouer au papa avec moi pendant un quart d'heure. Il était censé se dire que je ferais un bien meilleur fils qu'Adrian, pauvre mec. Contrairement à lui, j'ai une petite chance d'aller à l'université sans m'effondrer sous prétexte que ma maman est pas là pour me tenir la main. Ah, c'était débile, mais débile. Comme si Guy allait l'épouser un jour, tu parles !

— C'est fini, tout ça, dit Deborah. Vous rentrez en Angleterre.

— Oui, seulement parce qu'elle n'a pas réussi à obtenir de Brouard ce qu'elle cherchait. (Il jeta un regard de mépris en direction de la Garenne.) Comme si elle allait jamais obtenir quoi que ce soit de lui. J'ai essayé de lui faire comprendre qu'elle s'était plantée. Mais elle m'écoute jamais. Fallait pas être très malin pour comprendre ce qu'il fabriquait.

— Quoi ? firent d'une même voix China et Deborah.

Stephen leur jeta un regard aussi méprisant que celui qu'il avait braqué vers sa maison et sa mère.

— Il couchait ailleurs, résuma-t-il. J'ai essayé de le lui dire. Mais pas moyen de lui faire entendre raison. Elle n'arrivait pas à croire qu'elle s'était donné tout ce mal pour le piéger – les opérations chirurgicales et tout, même si c'était lui qui avait casqué – alors que, pendant ce temps-là, il se tapait quelqu'un d'autre. « C'est ton imagination qui travaille, mon chéri. Tu ne serais pas en train d'inventer une histoire comme ça sous prétexte que t'as pas de succès ? Tu auras une petite amie, un jour. Tu verras. Un grand garçon avec une belle gueule comme la tienne. » Bon Dieu, quelle conne.

Deborah passa tout cela en revue pour être sûre de

comprendre : l'homme, la femme, l'adolescent, la mère et toutes les raisons d'accuser.

— C'est qui, la rivale de ta mère, Stephen ? demanda Deborah tandis que China faisait un pas vers lui.

Elles tenaient le bon bout, enfin, et Deborah fit signe à son amie de ne pas bousculer le petit. Elle ne voulait pas qu'il se mure dans le silence.

— C'est Cynthia Moullin.

Deborah jeta un coup d'œil à China – qui fit non de la tête. Deborah dit à Stephen :

— Qui est Cynthia Moullin ?

— Une camarade de classe.

— Comment tu le sais ? demanda Deborah.

Et comme il roulait les yeux d'un air expressif, elle comprit :

— Brouard te l'a piquée, c'est ça ?

— Où est passé cet abruti de chien ? fit-il pour toute réponse.

Son frère n'ayant toujours pas répondu au téléphone pour la troisième matinée consécutive, Valerie décida que ça commençait à bien faire. Elle prit sa voiture et se rendit à la Corbière une fois que Kevin fut parti travailler et que Ruth eut terminé son petit déjeuner. Ainsi son absence passerait-elle inaperçue.

La première chose que Valerie remarqua en arrivant à la Maison aux Coquillages fut le saccage du jardin, et elle en eut froid dans le dos. C'était une manifestation éloquente du caractère de son frère. Henry était un type bien – un frère sur qui on pouvait compter, un ami loyal, un père aimant pour ses filles – mais il était doté d'un tempérament coléreux et capable d'exploser d'une minute à l'autre. Elle ne l'avait jamais vu à l'œuvre mais elle avait vu le résultat de ses explosions. Jamais pourtant, s'il s'attaquait à des choses, elle ne l'avait vu s'en prendre à un être humain. C'est ce qu'elle avait craint le jour où elle était passée le voir – et où elle l'avait trouvé faisant des scones pour sa benjamine – afin de lui dire que son employeur et ami Guy Brouard couchait régulièrement avec sa fille aînée.

C'était le seul moyen qu'elle avait trouvé pour mettre un terme à cette liaison. Car parler à Cynthia, ç'avait été comme pisser dans un violon. « On s'aime, tante Val, lui avait dit la jeune fille avec les grands yeux innocents d'une vierge agréablement déflorée. T'as jamais été amoureuse, toi ? »

Impossible de convaincre la petite que des hommes comme Guy Brouard ne tombaient pas amoureux. Et apprendre qu'il se tapait Anaïs Abbott alors qu'il couchait avec Cynthia n'avait pas le moins du monde ému l'adolescente.

« Je suis au courant. Il est bien obligé, avait dit Cynthia. Sinon les gens penseraient que c'est avec moi qu'il couche.

— Mais justement, il couche avec toi ! Il a soixante-huit ans ! Mon Dieu, il pourrait se faire arrêter pour ça.

— Non, tante Val. Je suis majeure. On a attendu que je sois majeure.

— Attendu ? »

Et Valerie avait vu en un instant défiler les années pendant lesquelles son frère avait travaillé pour Guy Brouard, amenant avec lui au manoir l'une ou l'autre de ses filles parce qu'il était important pour Henry de leur consacrer du temps. Histoire de les dédommager du fait que leur mère les avait abandonnées pour aller vivre avec une rock star dont la gloire s'était fanée depuis.

C'est Cynthia qui, le plus souvent, avait accompagné son père. Valerie ne s'en était pas émue. Jusqu'au jour où elle avait intercepté les échanges de regards entre la jeune fille et Guy Brouard, les frôlements, une main qui effleure furtivement un bras. Où elle les avait suivis, où elle s'était postée pour les observer et où elle avait mis au pied du mur sa nièce, qui lui avait appris le pire.

Elle avait été obligée de le dire à Henry. Elle n'avait pas d'autre solution car Cynthia ne pouvait se laisser convaincre de changer de direction. Et maintenant les conséquences de ces révélations étaient suspendues au-dessus de sa tête comme la lame d'une guillotine qui n'attend que le signal pour tomber.

Elle se fraya un chemin à travers les tristes vestiges du jardin kitsch. La voiture de Henry était garée sur le côté de la maison non loin de la grange-atelier ; la grange elle-même étant fermée à clef, elle se dirigea vers l'entrée de la maison. Elle marqua une pause avant de frapper.

C'était son frère. Elle n'avait rien à craindre. Ils avaient traversé une enfance difficile dans la maison d'une mère aigrie qui, comme Henry plus tard, avait été plaquée par un conjoint volage. Outre le sang, ils partageaient des souvenirs d'une grande intensité. Ils avaient appris à se soutenir l'un l'autre en l'absence physique de leur géniteur et en celle, affective, de leur mère. Ils avaient fait en sorte que ces absences ne comptent pas. Ils s'étaient juré que cela ne marquerait pas leurs vies. S'ils avaient échoué, ce n'était la faute de personne, et en tout cas ce n'était pas faute de s'être donné du mal.

La porte s'ouvrit sans qu'elle ait eu le temps de frapper. Son frère se tenait devant elle, un panier de linge contre la hanche. Elle ne lui avait jamais vu l'air aussi sombre.

— Val, qu'est-ce que tu veux ?

Il pénétra dans la cuisine, se dirigeant vers un appentis qui servait de buanderie.

Tout en le suivant, elle ne put s'empêcher de remarquer que Henry faisait la lessive comme elle le lui avait appris. Blanc d'un côté, couleurs de l'autre, soigneusement séparés ; les serviettes formant un tas à part.

Constatant qu'elle l'observait, il dit :

— Y a des leçons qui ne s'oublient pas, tu vois.

— Ça fait trois jours que j'essaie de te joindre. Pourquoi n'as-tu pas répondu ? Tu étais à la maison, non ?

— J'avais pas envie.

Il ouvrit la machine à laver qui était pleine, sortit le linge et le mit dans le séchoir. Dans l'évier, l'eau gouttait sur du linge qui trempait. Henry l'examina, versa de l'eau de Javel dessus et se mit à remuer vigoureusement avec une longue cuillère en bois.

— C'est pas bon pour les affaires, répliqua Valerie. Imagine qu'on t'ait appelé pour te confier du travail.

— Les clients m'appellent sur mon portable. Je l'avais laissé branché.

Valerie jura en silence. Elle n'avait pas pensé au portable. Pourquoi ? Sans doute parce qu'elle avait eu trop peur, qu'elle était trop inquiète, qu'elle se sentait trop coupable.

— Ah, le portable, je n'avais pas pensé au portable.

— Ouais, fit-il en mettant du linge dans la machine à laver. (C'étaient les vêtements des filles : jeans, pulls, chaussettes.) Tu n'y avais pas pensé, Val.

Il y avait un mépris cinglant dans sa voix mais elle refusa de se laisser intimider. Pas question qu'elle quitte la maison.

— Où sont les filles, Harry ?

Il leva les yeux en l'entendant utiliser son surnom. L'espace d'un instant, elle distingua derrière son masque hostile le petit garçon dont elle tenait la main lorsqu'ils traversaient l'Esplanade pour aller se baigner du côté de Havelet Bay. Inutile de te cacher de moi,

Harry, aurait-elle voulu lui dire. Au lieu de quoi, elle attendit sa réponse.

— Où veux-tu qu'elles soient ? A l'école, tiens !

— C'est surtout à Cynthia que je pensais.

Il ne broncha pas.

— Harry, tu ne peux pas continuer à l'enfermer...

— Je n'ai enfermé personne.

— Tu l'as laissée sortir, alors.

Au lieu de répondre, il prit la lessive et en versa sur les vêtements. Il la regardait tout en versant comme pour la provoquer. Comme pour la pousser à lui donner des conseils. Mais ça, elle l'avait déjà fait. Maintenant elle était venue s'assurer que son « Henry, il faut que tu fasses quelque chose » n'avait pas eu de conséquences.

— Elle est sortie ? dit-elle.

— Elle refuse de quitter sa chambre.

— Tu as enlevé le verrou de la porte ?

— C'est inutile.

— Comment ça, inutile ?

Un frisson la parcourut. Elle se passa les bras autour de la taille bien que la température dans la maison fût agréable.

— C'est inutile, dit Henry.

Et comme pour lui faire comprendre ce qu'il entendait par là, il s'approcha de l'évier où l'eau continuait de goutter, et à l'aide de la cuillère en bois il y repêcha quelque chose.

Une petite culotte. Qu'il brandit, laissant l'eau dégouliner sur le sol. Valerie aperçut une petite tache qui s'y trouvait toujours malgré le trempage et l'eau de Javel. Elle fut horrifiée en comprenant pourquoi son frère avait tenu sa fille enfermée dans sa chambre.

— Elle n'est donc pas... murmura Valerie.

— Tu parles d'un putain de soulagement. (Il eut un mouvement de tête en direction des chambres.) Elle refuse de sortir. Tu peux lui parler, si ça te chante. Mais maintenant sa porte est fermée à clef de l'intérieur. Elle miaule comme une chatte dont on a noyé les petits. L'imbécile.

Il referma le couvercle de la machine à laver, appuya sur les boutons et lança le programme.

Valerie se rendit jusqu'à la chambre de sa nièce. Elle frappa et s'annonça :

— C'est tante Val, chérie. Tu m'ouvres ?

Mais Cynthia garda le silence. Aussitôt Valerie craignit le pire. Elle s'écria :

— Cynthia, Cynthia, il faut que je te parle. Ouvre, s'il te plaît.

Silence de mort. Silence inhumain. Valerie se dit qu'il n'y avait qu'une seule explication au fait qu'une gamine de dix-sept ans reste aussi silencieuse. Elle rejoignit son frère en courant.

— Il faut absolument qu'on entre dans cette chambre, dit-elle. Si ça se trouve, elle s'est...

— Dis pas de conneries. Elle sortira quand elle l'aura décidé.

Il eut un rire amer :

— Peut-être qu'elle se plaît là-dedans.

— Henry, tu ne peux pas la laisser...

— Je t'interdis de me dire ce que je peux ou ne peux pas faire ! hurla-t-il. Ne t'avise jamais plus de me donner des conseils. Tu m'en as suffisamment donné comme ça. Tu as fait ce que tu croyais devoir faire. Laisse-moi me démerder.

Justement, c'était de ça que Valerie avait peur. Parce que maintenant, il allait devoir s'attaquer à quelque chose de beaucoup plus grave que l'activité sexuelle de sa fille. Si le partenaire avait été un gamin du collège, Henry aurait pu avertir Cynthia des dangers qu'elle courait, veiller à ce qu'elle prenne des précautions. Mais il s'était agi d'autre chose que de l'éveil sexuel de sa fille. Ç'avait été une opération de séduction et une trahison si énormes que, lorsque Valerie l'avait révélée à son frère, il avait refusé de la croire. Il avait reculé comme un animal qui reçoit un coup en pleine tête. Elle lui avait dit : « Ecoute-moi, Henry. C'est la vérité, et si tu ne fais pas quelque chose, Dieu sait ce qui arrivera à la petite. »

« Si tu ne fais pas quelque chose » : telles avaient été les paroles fatales. La liaison était maintenant terminée et elle se demandait avec angoisse en quoi ce *quelque chose* avait pu consister.

Henry la fixa un long moment et son « laisse-moi me démerder » résonnait comme les cloches de l'église de Saint-Martin. Valerie porta une main à ses lèvres comme pour s'empêcher de dire ce qu'elle redoutait.

Henry, comme d'habitude, lisait en elle à livre ouvert. Il la regarda de haut en bas.

— Tu te sens coupable, Val ? Faut pas, ma grande.

— Oh, Harry, Dieu merci, parce que je...

Elle s'arrêta net lorsqu'elle entendit son frère ajouter :

— T'as pas été la seule à me prévenir.

22

Ruth pénétra dans la chambre de son frère pour la première fois depuis sa mort. C'était le moment de faire du tri dans ses vêtements. Non qu'elle y fût obligée. Mais cette activité lui fournirait une occupation. Et c'était ça qu'il lui fallait : s'occuper. Faire quelque chose qui avait un rapport avec Guy, qui la rapproche de lui et lui fasse sentir sa présence réconfortante tout en lui permettant de garder ses distances – ce qui l'empêcherait d'en apprendre davantage sur ses mensonges et la façon dont il l'avait bernée. S'approchant de la penderie, elle décrocha du cintre sa veste de tweed préférée. Prenant le temps de humer l'odeur familière de sa lotion de rasage, elle glissa la main dans les poches, dont elle sortit un mouchoir, un rouleau de pastilles à la menthe, un Bic et une feuille de papier arrachée à un petit carnet à spirale. Le papier était plié en quatre, Ruth le déplia. *C + G = amour toujours !* Tels étaient les mots tracés d'une écriture à n'en pas douter juvénile. Ruth froissa vivement le message tout en jetant des regards gênés autour d'elle comme si quelqu'un avait pu l'observer. Un ange vengeur à la recherche du genre de preuve qu'elle venait de dénicher.

Non qu'elle eût besoin de preuves. Non qu'elle en ait jamais eu besoin. A quoi bon des preuves quand on avait eu sous les yeux une chose aussi monstrueuse...

Ruth sentit une vague de nausée la submerger. Identique à celle qu'elle avait éprouvée le jour où elle était rentrée plus tôt que prévu de sa réunion des Samaritains. Son cancer n'avait pas encore été diagnostiqué. Croyant à de l'arthrite, elle se traitait à l'aspirine. Mais ce jour-là, la douleur était telle qu'elle ne se sentait bonne qu'à rentrer s'étendre sur son lit. Elle avait donc quitté la réunion bien avant la fin et regagné le Reposoir au volant de sa voiture.

Monter l'escalier lui avait demandé un gros effort de volonté tant elle se sentait faible. Elle avait néanmoins réussi à se traîner dans le couloir jusqu'à sa chambre, voisine de celle de Guy. Elle avait la main sur la poignée de la porte lorsqu'elle entendit des éclats de rire. Puis une voix enfantine s'exclamant : « Non, Guy ! Ça chatouille ! »

Ruth s'était figée telle une statue car cette voix, elle l'avait reconnue. Et parce qu'elle l'avait reconnue, elle était restée immobile devant sa porte. Incapable de bouger car elle n'arrivait pas à y croire. Pour cette raison, elle se dit qu'il devait y avoir une explication simple au fait que son frère était enfermé dans sa chambre en compagnie d'une adolescente.

Si elle avait réussi à s'enfuir, elle aurait pu se cramponner à cette certitude. Mais avant qu'elle ait eu le temps de disparaître, la porte de la chambre de son frère s'ouvrit. Guy en sortit, nu comme un ver, enfilant un peignoir à la va-vite tout en lançant par-dessus son épaule : « Je vais prendre une des écharpes de Ruth. Tu vas voir, tu vas adorer ça. »

Il s'était retourné, il s'était trouvé nez à nez avec sa sœur. Il fallait lui rendre cette justice : de rouges, ses joues étaient devenues blêmes. Ruth avait fait un pas vers lui mais il avait fermé la porte. Derrière lui, Cynthia Moullin avait lancé : « Qu'est-ce qui se passe ? », tandis que Guy et sa sœur se faisaient face.

Ruth ordonna : « Ecarte-toi » tandis que Guy, d'une

voix rauque, disait : « Seigneur, Ruth, pourquoi être rentrée si tôt ?

— Pour voir, je suppose », répondit-elle.

Elle le bouscula pour atteindre la porte. Il n'essaya pas de l'en empêcher, elle s'en étonna en y repensant. C'était comme s'il avait voulu qu'elle profite pleinement du spectacle : la jeune fille sur le lit – mince, belle, nue, éclatante de fraîcheur – et le pompon avec lequel il la caressait, abandonné sur sa cuisse.

« Habillez-vous, avait-elle dit à Cynthia Moullin.

— Je crois pas », avait répondu la petite.

Ils étaient restés là tous les trois, tels des acteurs attendant un signal qui n'était pas venu : Guy près de la porte, Ruth près de la penderie, la jeune fille sur le lit. Cynthia regarda Guy et haussa un sourcil. Ruth s'était demandé comment une gamine surprise dans cette situation pouvait avoir l'air aussi sûre d'elle.

« Ruth, dit Guy.

— Non », fit Ruth. Et à la gamine : « Rhabillez-vous et sortez d'ici. Si votre père vous voyait... »

Elle n'alla pas plus loin. Guy, s'approchant, lui passa un bras autour des épaules. De nouveau, il prononça son prénom. Puis il chuchota ces paroles incroyables : « On aimerait être un peu seuls, Ruthie, si ça ne t'ennuie pas. On ne t'attendait pas si tôt. »

Les paroles de Guy, si prosaïques compte tenu des circonstances, poussèrent Ruth dehors. Quand elle fut dans le couloir, Guy lui dit en fermant la porte : « On se verra plus tard. » Avant qu'elle soit complètement refermée, Ruth l'entendit déclarer à la petite : « Tant pis pour l'écharpe, ce sera pour une autre fois. » Là-dessus le plancher craqua sous ses pas, puis le lit tandis qu'il la rejoignait.

Après cela – des heures plus tard, lui sembla-t-il, alors que vraisemblablement il ne s'était écoulé que vingt-cinq minutes –, Ruth entendit couler l'eau et bourdonner le sèche-cheveux. Allongée sur son lit, elle écouta ces bruits si naturels, si familiers qu'elle réussit presque à se persuader que ses yeux l'avaient trompée.

Mais Guy dissipa bien vite ses illusions. Il vint la trouver après le départ de Cynthia. Il faisait nuit et elle n'avait pas encore allumé dans sa chambre. Elle aurait préféré rester indéfiniment dans l'obscurité mais lui en avait décidé autrement. Il se dirigea vers sa table de chevet, alluma la lampe. « Je savais bien que tu ne serais pas encore endormie », dit-il.

Il la fixa un long moment, murmura : « Ma chère sœur. » Il avait l'air si profondément troublé que, dans un premier temps, Ruth crut qu'il allait lui présenter des excuses. Elle se trompait. Se dirigeant vers le petit fauteuil, il se laissa tomber dedans. Il avait l'air... transporté – c'était le terme –, physiquement transporté dans une autre dimension.

« C'est elle, dit-il d'une voix pénétrée, comme parlant d'une relique sacrée. Je l'ai enfin trouvée. Tu te rends compte, Ruth ? Après toutes ces années... Cette fois, c'est la bonne. »

Il se leva comme s'il était incapable de contenir son émotion. Il commença à arpenter la chambre. Tout en parlant, il touchait les rideaux, le bord d'une broderie, le coin de la commode, la dentelle d'un napperon.

« Nous allons nous marier. Ce n'est pas parce que tu nous as surpris comme ça que je te le dis. J'avais l'intention de te le dire après son anniversaire. On voulait te le dire tous les deux. Ensemble. »

L'anniversaire de Cynthia. Ruth dévisagea son frère. Elle avait l'impression d'être piégée dans un monde qu'elle ne reconnaissait pas. Un monde gouverné par une seule maxime : si ça te semble agréable, fais-le ; explique-toi plus tard mais seulement si tu es pris.

« Dans trois mois elle fête ses dix-huit ans, continua Guy. Je pensais qu'un dîner... Toi, son père et ses sœurs. Adrian, peut-être. Je pensais mettre la bague au milieu de ses cadeaux et quand elle aurait ouvert le paquet... (Il eut un sourire. Il avait l'air d'un petit garçon.) Ça aurait été une sacrée surprise. Tu tiendras ta langue jusque-là ?

— C'est... fit Ruth », incapable de poursuivre.

Elle ne pouvait qu'imaginer, et ce qu'elle imaginait était trop terrible pour être regardé en face, aussi détourna-t-elle la tête.

« Ruth, dit Guy, tu n'as rien à craindre. Tu es chez toi ici. Cyn le sait et elle est d'accord. Tu continueras d'habiter au manoir. Elle t'aime comme... »

Il laissa sa phrase en suspens. Ce fut Ruth qui termina pour lui :

« Comme une grand-mère, oui. Tu te rends compte de ce que cela fait de toi ?

— L'âge, en amour, ce n'est pas important.

— Seigneur ! Mais tu as cinquante ans...

— Je suis plus âgé qu'elle, coupa-t-il, je le sais. (Se rapprochant du lit, il se pencha, plutôt perplexe.) Je croyais que tu serais contente qu'on s'aime. Qu'on veuille vivre ensemble.

— Combien de temps ?

— Personne ne sait combien de temps, nul ne sait combien de temps il va vivre.

— Non, je veux dire : depuis combien de temps cela dure-t-il ? Aujourd'hui ça ne pouvait pas être la première fois, elle avait l'air beaucoup trop à l'aise. »

Dans un premier temps, Guy ne répondit pas. Ruth sentit ses paumes devenir moites en réalisant ce que sa répugnance à répondre impliquait.

« Dis-le-moi. Si tu ne me le dis pas, je saurai la faire parler, elle.

— Depuis son seizième anniversaire. »

C'était pire que ce qu'elle avait pensé : son frère avait pris la jeune fille le jour où – légalement – ça avait été possible. Cela signifiait qu'il avait jeté son dévolu sur elle depuis un bon bout de temps. Il avait échafaudé des plans, soigneusement orchestré sa séduction. Mon Dieu, songea-t-elle, quand Henry saura ça, quand il comprendra...

« Et Anaïs ? dit-elle d'une voix atone.

— Quoi, Anaïs ?

— Tu as dit la même chose à son propos. Tu ne t'en souviens pas ? « C'est elle qu'il me faut. » Et tu y croyais dur comme fer à l'époque. Alors qu'est-ce qui te permet de penser...

— Cette fois, c'est différent.

— Guy, avec toi, c'est toujours différent. Dans ton esprit, c'est différent. Mais c'est seulement parce que c'est nouveau.

— Tu ne comprends pas. Comment le pourrais-tu ? Nos vies sont tellement différentes.

— Je t'ai suivi pas à pas, dit Ruth. Et ça, c'est...

— C'est plus profond, coupa-t-il. Ça m'a transformé. Si je suis assez fou pour la quitter, c'est que je mérite de finir mes jours seul.

— Mais Henry ? »

Guy détourna les yeux.

Ruth comprit alors que Guy était tout à fait conscient d'avoir utilisé son ami Moullin pour arriver à ses fins et séduire Cynthia. Elle comprit que les phrases apparemment anodines de Guy, du genre : « Et si on demandait son avis à Henry ? », à propos de ceci ou de cela lui avaient permis de se rapprocher de la gamine. Tout comme il ne manquerait pas de justifier ses machinations avec Henry, il continuerait de justifier ce qui, elle en était sûre, n'était qu'une illusion à propos d'une femme qui, apparemment, avait gagné son cœur. Oh, il était persuadé que Cynthia était celle qu'il lui fallait. Mais n'avait-il pas pensé la même chose de Margaret, de JoAnna, de toutes les Margaret et les JoAnna qui avaient suivi jusqu'à Anaïs Abbott ? S'il parlait d'épouser sa dernière conquête, c'était parce qu'elle avait dix-huit ans, qu'elle était d'accord et que ça flattait son ego de vieux. Le temps passant, cependant, il recommencerait à aller voir ailleurs. Ou alors ce serait elle. Mais dans un cas comme dans l'autre, il y avait des gens qui allaient souffrir. Ils allaient être anéantis. Ruth se devait d'intervenir pour empêcher ça. Alors elle avait parlé à Henry. Ruth se dit que cette démarche, elle l'avait entreprise pour empêcher Cynthia d'avoir le cœur brisé. Et encore maintenant, elle avait besoin de croire à cette motivation. Mille choses rendaient la liaison entre son frère et l'adolescente moralement répréhensible. Si Guy manquait du courage et de la sagesse nécessaires pour mettre un terme en douceur à cette aventure et rendre sa liberté à la jeune fille, alors c'était à elle de prendre des mesures.

Elle avait décidé de ne dire à Henry Moullin qu'une partie de la vérité : que Cynthia s'attachait un peu trop à Guy. Traînant un peu trop souvent au Reposoir au lieu de consacrer du temps à ses amis et à ses études, inventant des prétextes pour passer voir sa tante, suivant Guy un peu partout. Ruth avait qualifié ça d'amours adolescentes, et suggéré à Henry de parler à sa fille...

Ce qu'il avait fait. Cynthia avait répondu avec une franchise à laquelle Ruth ne s'était pas attendue : elle avait tranquillement expliqué à son père qu'il ne s'agissait pas d'un béguin d'écolière ni d'amours adolescentes. Elle lui avait dit qu'il ne fallait pas qu'il s'inquiète. Ils avaient l'intention de se marier, ils étaient amants depuis près de deux ans.

Henry s'était précipité au manoir. Guy donnait à manger aux canards près du jardin tropical. Stephen Abbott était avec lui ; mais Henry, il s'en était bien fichu, le pauvre. Il s'était mis à hurler : « Sale porc, fumier », et il s'était jeté sur Guy. « Jc vais te tuer, salopard. Je vais te la couper et te la faire bouffer. Tu vas aller pourrir en enfer. Pour avoir osé toucher à ma fille ! »

Stephen était venu ventre à terre chercher Ruth, les mots se bousculant sur ses lèvres. Elle avait saisi au passage le nom de Henry Moullin et cette phrase : « C'est au sujet de Cyn. » Elle avait laissé tomber ce qu'elle était en train de faire et suivi le jeune homme. Traversant la pelouse du jeu de croquet, elle avait entendu les éclats de voix. Elle avait cherché frénétiquement du regard quelqu'un qui puisse s'interposer mais la voiture de Kevin et Valerie était partie et il n'y avait qu'elle et Stephen pour mettre un terme aux violences.

Car des violences, il y en aurait sûrement. Ruth se dit qu'elle avait été stupide de penser qu'un père pourrait, une fois en présence de l'homme qui avait séduit sa fille, ne pas vouloir l'étrangler, le tuer.

Alors qu'elle approchait du jardin tropical, elle entendit les coups. Henry grognait, grondait, les canards caquetaient mais Guy gardait le plus profond silence, un silence de tombe. Poussant un cri, elle s'élança au milieu de la végétation.

Il y avait des cadavres partout. Du sang, des plumes. Henry était au milieu des canards qu'il avait frappés avec une planche qu'il tenait toujours à la main. Sa poitrine se soulevait, son visage était défiguré par les larmes. Levant un bras tremblant, il avait pointé le doigt vers Guy qui se tenait statufié près d'un palmier, un sac de grains répandu à ses pieds :

« Ne l'approche plus jamais. Je te tue si tu remets la main sur elle. »

Dans la chambre de Guy, Ruth revivait cet épisode. Elle éprouvait un énorme sentiment de culpabilité pour ce qui s'était passé. Ses bonnes intentions n'avaient pas suffi. Elles n'avaient pas épargné Cynthia. Elles n'avaient pas sauvé Guy.

Elle plia lentement le manteau de son frère. Se tourna tout aussi lentement et s'approcha de nouveau de la penderie pour y prendre un autre vêtement. Tandis qu'elle détachait un pantalon d'un cintre, la porte de la chambre s'ouvrit brutalement sur Margaret Chamberlain, qui s'écria :

— Il faut que je vous parle, Ruth. Vous avez réussi à m'éviter à table, hier soir – une longue journée, votre arthrite, vous aviez besoin de repos... autant d'excuses commodes. Pas question que vous vous défiliez maintenant.

Ruth s'interrompit dans sa tâche.

— Je ne vous ai pas évitée.

Margaret eut un petit rire de dérision et s'engouffra dans la pièce. Ruth constata qu'elle avait l'air défaite. Le chignon normalement impeccable était en débandade. Ses bijoux juraient avec sa tenue, et elle avait oublié ses lunettes qu'elle portait généralement en serre-tête par tous les temps.

— On est allés consulter un notaire, annonça-t-elle. Adrian et moi. Mais vous vous doutiez qu'on le ferait, bien sûr, pas vrai ?

Ruth posa le pantalon sur le lit.

— Oui, dit-elle.

— Apparemment, Guy aussi. C'est pour ça qu'il a pris ces dispositions.

Ruth ne souffla mot. Les lèvres de Margaret s'étirèrent en une grimace.

— Ce n'est pas vrai, ce que je dis, Ruth ? fit-elle avec un sourire mauvais. N'est-ce pas que Guy savait comment je réagirais en découvrant qu'il déshéritait son fils unique ?

— Margaret, il n'a pas déshérité...

— Inutile de prétendre le contraire. Il a étudié à fond les lois de cette île, il a découvert ce qui se passerait s'il ne mettait pas à votre nom tout ce qu'il possédait. Il ne pouvait même pas vendre tout ou partie de ses biens sans en parler d'abord à Adrian... Alors il s'est arrangé pour n'être propriétaire de rien. Quel plan magistral ! J'espère que ça vous a amusée d'anéantir les espoirs de votre unique neveu. Parce que c'est ce qui s'est passé.

— Ça n'avait rien à voir avec la destruction de quoi que ce soit, dit tranquillement Ruth. Guy n'a pas pris ces mesures parce qu'il n'aimait pas ses enfants, et il n'a pas fait ça parce qu'il leur voulait du mal.

— N'empêche qu'il leur en a fait.

— Ecoutez, Guy...

Ruth hésita, ne sachant comment expliquer la psychologie de son frère à Margaret, ne sachant comment dire à l'ex de ce dernier que rien n'était aussi simple que les apparences pouvaient le laisser penser. Ne sachant comment lui faire comprendre certains aspects de la personnalité de Guy.

— Il ne croyait pas au coup de pouce que les parents donnent aux enfants. Lui-même est parti de rien : il voulait que ses enfants fassent de même. La confiance que seul...

— Tout ça, c'est des conneries, ricana Margaret. C'est grotesque, et vous le savez, Ruth.

Elle s'arrêta comme pour se calmer et rassembler ses pensées, comme si elle était persuadée qu'elle pouvait changer quoi que ce soit à la situation.

— Ruth, dit-elle faisant un effort manifeste pour retrouver son calme, le but de la vie, c'est de laisser à ses enfants plus que ce que l'on a reçu. Et pas de les mettre dans la situation où on se trouvait soi-même.

Pourquoi essaierait-on d'avoir un avenir meilleur que le présent si c'était pour rien ?

— Pas pour rien. C'est pour apprendre à relever des défis et en sortir vainqueur. Guy croyait que construire soi-même sa vie vous forgeait le caractère. Lui-même s'était fait tout seul, il était parti de rien, et il s'en était bien trouvé. Et c'est ce qu'il voulait que fassent ses enfants. Il ne voulait pas qu'ils soient en situation de ne plus avoir à travailler. Il ne voulait pas qu'ils soient soumis à la tentation de laisser leur vie en friche.

— Ah, mais cette théorie ne s'appliquait pas aux deux autres. On pouvait les tenter, eux, parce que, pour une raison qui m'échappe, ils n'étaient pas censés se décarcasser, c'est ça ?

— Les filles de JoAnna sont logées à la même enseigne qu'Adrian.

— Je ne parle pas des filles de Guy, et vous le savez très bien, insista Margaret. Je parle des deux autres : Fielder et Moullin. On leur a légué une fortune à chacun. Qu'est-ce que vous pensez de ça ?

— C'est différent. Ils n'ont pas bénéficié des avantages...

— Oh, non. C'est un fait. Mais ils se rattrapent maintenant, n'est-ce pas, Ruthie ? dit Margaret en éclatant de rire et en s'approchant de la penderie ouverte. Elle farfouilla au milieu des pulls de cachemire que Guy affectionnait, les préférant aux chemises et aux cravates.

— Eux, c'est spécial, dit Ruth. C'étaient des petits-enfants adoptifs en quelque sorte. Guy leur tenait lieu de mentor, de protecteur et eux se sont comportés avec lui comme...

— Des voleurs, compléta Margaret. Des voleurs qu'on aurait récompensés malgré leurs doigts crochus.

— Des voleurs ? fit Ruth en fronçant les sourcils.

— Parfaitement. J'ai surpris le protégé de Guy, ou

peut-être devrais-je dire son petit-fils, en train de voler. Pas plus tard qu'hier matin. Dans la cuisine.

— Paul devait avoir une petite faim. Il aura pris un biscuit. Valerie lui en donne quand elle est là.

— Pour le fourrer dans son sac à dos ? Et lâcher sur moi son sale clebs quand j'ai voulu voir ce qu'il avait chipé ? Continuez comme ça, Ruth, laissez-le filer avec l'argenterie. Avec les antiquités de Guy. Avec un bijou. Ou je ne sais quoi. Il a détalé quand il nous a vus, Adrian et moi. Si vous le croyez innocent, demandez-lui pourquoi il a bondi sur son sac à dos et s'est débattu quand nous avons essayé de le lui arracher.

— Je ne vous crois pas, dit Ruth. Jamais Paul ne volerait quoi que ce soit ici.

— Ah oui ? Dans ce cas, je vous suggère de demander à la police de fouiller son sac.

Margaret se dirigea vers la table de chevet et décrocha le téléphone. Elle le tendit d'un air provocant à sa belle-sœur.

— Je les appelle ou vous préférez vous en charger, Ruth ? S'il est innocent, il n'a rien à craindre.

La banque de Guy Brouard était située dans le Pollet, étroit prolongement de High Street qui courait parallèlement à North Esplanade. Artère courte, presque tout entière plongée dans l'ombre, le Pollet était néanmoins bordé d'immeubles couvrant près de trois siècles d'architecture. Façon de rappeler aux passants que les villes sont des entités en perpétuelle évolution. Un imposant hôtel particulier du XVIIIe – pierre de taille et pierres d'angle – avait été transformé au XXe en hôtel de tourisme. Non loin de là, deux maisons du XIXe étaient devenues des magasins de vêtements. Les vitrines des boutiques édouardiennes rappelaient qu'une intense activité commerciale avait fleuri dans ce quartier avant la Première Guerre mondiale. Derrière les boutiques se dressait une aile résolument moderne d'un établissement bancaire londonien.

La banque que cherchaient Le Gallez et Saint James était au bout du Pollet, non loin d'une station de taxis qui rejoignait le quai. Ils s'y rendirent à pied en compagnie de l'inspecteur Marsh, du Service des fraudes – un type plutôt jeune avec des favoris à l'ancienne qui laissa tomber à l'intention de l'inspecteur principal :

— Ça va être une arrivée en fanfare. Vous n'avez pas peur d'y aller un peu fort ?

— Dick, répondit Le Gallez, acerbe, comme ça on est sûrs qu'ils coopéreront dès le départ. Cela nous fera gagner du temps.

— Un coup de fil de la Brigade financière serait aussi efficace qu'un débarquement en force, commenta Marsh.

— Ma politique a toujours été de mettre toutes les chances de mon côté. Je ne vais pas en changer maintenant. La Brigade financière pourrait leur délier la langue, c'est sûr. Mais une visite des Fraudes... ça va leur liquéfier les boyaux.

L'inspecteur Marsh sourit et roula les yeux d'un air expressif.

— Les occasions de se distraire doivent être rares à la Criminelle.

— On saute sur celles qui se présentent, Dick.

Le Gallez ouvrit la lourde porte de verre et poussa Saint James à l'intérieur. Le directeur de la banque était un certain Robilliard, qui connaissait bien l'inspecteur. Car, lorsqu'ils entrèrent dans son bureau, le directeur se leva en disant : « Louis, comment ça va ? », tout en lui tendant la main. Et il poursuivit :

— Ton absence s'est fait sentir sur le terrain de foot. Alors, cette cheville ?

— Guérie.

— Rendez-vous ce week-end, alors. Un peu d'exercice ne te fera pas de mal.

— Les croissants du matin, c'est mortel pour la ligne, convint Le Gallez.

— Seuls les gros meurent jeunes, fit Robilliard, éclatant de rire.

Le Gallez présenta ses compagnons au banquier en disant :

— Nous sommes venus te parler de Guy Brouard.

— Ah.

— Il était client chez toi, n'est-ce pas ?

— Comme sa sœur. Quelque chose qui cloche ?

— On dirait bien, oui. Désolé, David.

Le Gallez s'expliqua. La disparition d'un important portefeuille d'actions, suivie d'une série de retraits effectués sur un laps de temps relativement court. Retraits qui avaient sérieusement écorné le compte de Brouard. Ce dernier était mort, comme Robilliard ne pouvait manquer de le savoir. Et vu qu'il s'agissait d'un homicide...

— Il faut qu'on jette un coup d'œil à tout ça, conclut Le Gallez.

— Bien sûr, acquiesça Robilliard. Mais si vous voulez vous servir d'éléments bancaires comme preuves... il va vous falloir demander l'autorisation judiciaire. Je ne vous apprends rien.

— En effet, répondit le Gallez. Mais pour l'instant, tout ce que nous voulons, ce sont des infos. Savoir où cet argent est allé, par exemple, et comment.

Robilliard réfléchit. Les autres attendirent. Le Gallez avait expliqué à Saint James qu'un coup de fil de la Brigade financière suffirait s'ils voulaient obtenir des renseignements de la banque. Mais il préférait faire jouer ses relations personnelles avec le banquier. Ce serait plus efficace mais surtout plus rapide. Les établissements bancaires étaient tenus par la loi de révéler à la Brigade financière les transactions douteuses quand cette dernière l'exigeait. Mais ils ne se précipitaient pas pour lui donner satisfaction. Au contraire, ils traînaient souvent les pieds. C'est pourquoi il s'était fait accompagner du Service des fraudes en la personne de l'inspecteur Marsh.

Robilliard dit finalement :

— Du moment que la situation est claire en ce qui concerne les preuves...

Le Gallez se tapota la tempe.

— C'est gravé là, David. Donne-nous ce que tu peux.

Le directeur se chargea personnellement de la mission, les laissant jouir de la vue sur le port et la jetée de Saint Julian qui se déployait sous ses fenêtres.

— Avec un bon télescope, remarqua Le Gallez, on voit la France d'ici.

Marsh répliqua :

— Mais ça intéresse qui, la France ?

Les deux hommes éclatèrent de rire en insulaires victimes d'invasions touristiques dont le sens de l'hospitalité s'est singulièrement émoussé.

Lorsque Robilliard revint cinq minutes plus tard, il tenait une feuille de papier à la main. Il leur fit signe de s'asseoir à une petite table de conférence et déposa le feuillet sur la table.

— Guy Brouard avait un compte très important chez nous. Pas aussi important que celui de sa sœur, mais quand même. Les mouvements effectués sur le compte de miss Brouard au cours des derniers mois sont peu nombreux. En ce qui concerne Mr Brouard, quand on songe à ce qu'il était – propriétaire de la chaîne des Châteaux Brouard – et au volume des affaires qu'il traitait quand il la dirigeait, il n'y avait pas de raison de tirer la sonnette d'alarme.

— Message reçu, dit Le Gallez en ajoutant à l'adresse de Marsh : Vu, Dick ?

— Jusque-là, ça va, fit Marsh.

Saint James admira la façon dont on traitait les affaires dans une petite ville. Tout cela pouvait prendre un temps fou si l'on passait par les voies officielles, qui exigeaient une autorisation judiciaire ou une injonction de la Brigade financière. Il attendit la suite – qui ne tarda pas.

— Il a effectué une série de virements à Londres, leur dit Robilliard. Sur la même banque et le même compte. Cela a commencé (il se reporta à son papier, un listing, comme Saint James put le constater) huit mois plus tôt. Et cela s'est poursuivi pendant le printemps et l'été. Avec des montants croissants. Pour se terminer par un ultime virement le 1er octobre. Le premier virement est d'un montant de cinq mille livres. Le dernier, de deux cent cinquante mille livres.

— Deux cent cinquante mille ? Et toujours sur le même compte ? dit Le Gallez. Bon Dieu, David ! Qui est-ce qui surveille la boutique ici ?

Robilliard rougit imperceptiblement.

— Les Brouard sont titulaires de comptes importants, comme je vous l'ai dit tout à l'heure. Il dirigeait une entreprise qui avait des holdings dans le monde entier.

— Il était à la retraite, nom de Dieu.

— Oui, c'est vrai. Si les virements avaient été effectués par quelqu'un que nous connaissions moins bien, nous aurions tout de suite tiré la sonnette d'alarme, voyez-vous. Si nous ne l'avons pas fait, c'est que rien ne permettait de penser à une irrégularité. Rien n'indique qu'il y a eu une irrégularité.

Il détacha un Post-it jaune du listing et poursuivit :

— L'argent a été viré sur le compte d'International Access. Avec une adresse à Bracknell. Je crois que c'était une start-up dans laquelle Braouard investissait. Si vous vérifiez, c'est ce que vous trouverez.

— Dis plutôt ce que tu aimerais que nous trouvions, fit Le Gallez.

— Je n'en sais pas plus, répliqua Robilliard.

Le Gallez ne se tint pas battu pour autant.

— Tu n'en sais pas plus ou tu refuses de nous en dire plus, David ?

David abattit le poing sur le listing en disant :

— Ecoute, Louis, je n'ai aucune raison de penser qu'il y a quelque chose de louche là-dedans.

Le Gallez s'empara de la feuille.

— C'est ce qu'on va voir.

Une fois dehors, les trois hommes s'immobilisèrent devant une boulangerie, Le Gallez contemplant d'un air d'envie les croissants au chocolat de la vitrine. L'inspecteur Marsh dit :

— Ces chiffres méritent qu'on se penche dessus. Mais comme Brouard est mort, ils ne vont pas se dépêcher, à Londres, de s'en occuper.

— Il pourrait s'agir d'une transaction tout ce qu'il y a de plus régulière, fit valoir Saint James. Adrian Brouard vit en Angleterre, si je ne m'abuse. Et Guy avait d'autres enfants. Peut-être qu'International Access appartient à l'un d'entre eux, et que Brouard s'employait à l'épauler. Ou à le renflouer.

— Investissement de capitaux, dit Marsh. Il va falloir qu'on trouve quelqu'un à Londres pour s'occuper de ça. Je vais appeler le FSA et leur passer le mot. Mais je parie que la banque réclamera une ordonnance du tribunal. En téléphonant à Scotland Yard...

— Je connais quelqu'un à Londres, coupa Saint James. Au Yard, justement. Il pourra peut-être nous donner un coup de main. Je vais l'appeler. Mais en attendant... (Il fronça les sourcils, songeant à ce qu'il avait appris ces derniers jours.) Laissez-moi me charger de l'aspect Londres de l'affaire, si vous le voulez bien, dit-il à Le Gallez. Après ça, il nous faudra avoir une conversation à cœur ouvert avec Adrian Brouard.

23

— Voilà le topo, mon petit, dit le père de Paul à ce dernier.

Il attrapa la cheville de Paul d'une main calleuse. Lui sourit affectueusement. Mais Paul lut comme un regret dans ses yeux. Il l'avait perçu, ce regret, avant même que son père ne lui demande de monter pour qu'ils puissent avoir une petite conversation. Le téléphone avait sonné, Ol Fielder avait décroché. « Oui, Mr Forrest, mon fils est là. » Et il avait écouté un long moment, son visage d'abord réjoui exprimant tour à tour inquiétude puis franche déception. « Bien, avait-il conclu à la fin des explications de Dominic Forrest. Ça reste quand même une somme. Et ce n'est pas Paul qui va faire la fine bouche. » Après quoi il avait demandé à Paul de le suivre à l'étage, ignorant les sarcasmes de Billy : « Qu'est-ce qui se passe ? Paulie n'est plus le nouveau Richard Branson ? »

Ils s'étaient installés dans la chambre de Paul. Celui-ci s'était assis, le dos contre la tête de lit. Son père, posé sur un coin du lit, lui avait expliqué que l'héritage qui devait se monter à quelque sept cent mille livres se réduisait en fait à quelque chose comme soixante mille livres. Nettement moins que ce que Mr Forrest leur avait laissé miroiter, certes, mais toutefois pas une somme sur laquelle il fallait cracher. Paul pouvait employer cet argent à diverses fins : collège technique, université, voyages. Il pouvait s'acheter une voiture, dire enfin adieu à son vieux clou. Il pouvait, s'il le souhaitait, monter une petite affaire. Acheter une maison. Un petit cottage dans lequel il y aurait des travaux à faire mais qu'il pourrait aménager au fil du temps et rendre vraiment coquet pour le jour où il se marierait... Tout ça, c'étaient des rêves, bien sûr. Mais on avait bien le droit de rêver.

— T'avais pas déjà tout claqué dans ta tête, quand même ? demanda Ol Fielder à son fils une fois arrivé au bout de ses explications. (Il tapota la jambe de Paul.) Non, je crois pas. Tu as la tête sur les épaules, toi, fiston. Une bonne chose que ce soit toi le légataire, et pas... Je te fais pas de dessin.

— Alors c'est ça, la nouvelle ? Merde, y a de quoi pisser de rire.

Paul leva les yeux et vit que, fidèle à ses bonnes habitudes, son aîné les avait rejoints sans y avoir été invité. Billy se tenait dans l'encadrement de la porte. Il mangeait une Pop Tart.

— Paulie l'a dans l'os, on dirait. Bye bye, la belle vie. Eh ben, tout compte fait, chuis plutôt content. Parce que sans Paulie pour se branler au lit toutes les nuits, j'sais pas ce que ça serait ici.

— Ça suffit, Bill. (Ol Fielder se leva et s'étira.) Tu as sûrement des choses à faire ce matin.

— Ah tu crois ? lâcha Billy. Eh ben non, j'ai rien à faire justement. J'suis différent de vous autres, moi. C'est pas facile, pour moi, de trouver du boulot.

— Tu pourrais essayer, rétorqua Ol Fielder à son fils aîné. C'est la seule différence entre nous, Bill.

Le regard de Paul passa de son frère à son père. Il baissa les yeux, fixant son pantalon. On voyait le jour à travers tellement le tissu était usé.

— Oh, sans blague ? fit Billy.

Paul frissonna car il se rendait bien compte que la phrase de son père, si elle partait d'un bon sentiment, avait valeur d'invitation à la bagarre. Il y avait des mois que Billy remâchait sa colère, attendant une occasion de la laisser exploser. Ça n'avait fait qu'empirer le jour où leur père s'était fait embaucher pour bosser sur la route, laissant Billy ressasser ses griefs.

— C'est la seule différence, papa ? Y en a pas d'autre ?

— Tu connais les faits, Bill.

Billy s'avança d'un pas dans la chambre. Paul se recroquevilla. Billy était de la même taille que leur père. Bien que plus costaud, Ol était trop gentil. En outre, il n'avait pas d'énergie à gaspiller : il avait besoin de toutes ses forces pour aller trimer sur le chantier. Et même si tel n'avait pas été le cas, il n'était pas homme à se battre.

C'était justement ça, le problème, aux yeux de Billy : le fait que leur père manquait de volonté. Les propriétaires d'étals du marché de Saint Peter Port avaient tous reçu un papier comme quoi leurs baux ne seraient pas renouvelés étant donné que le marché allait fermer pour céder la place à un centre commercial avec boutiques branchées, antiquaires, coffee-bars, magasins pour touristes et tout le tremblement. Les bouchers, les poissonniers, les marchands de légumes devraient vider les lieux : ils pouvaient partir les uns après les autres – à l'expiration de leur bail – ou s'en aller tous en même temps. Les autorités s'en fichaient pourvu que les commerçants lèvent l'ancre quand on leur en donnerait l'ordre.

« On va pas se laisser faire », avait juré Billy à la table du dîner. Soir après soir, il avait exposé ses plans. S'ils ne gagnaient pas, ils incendieraient le marché parce que personne ne pouvait prendre à la famille Fielder ce qui lui appartenait sans en payer le prix.

C'était compter sans son père. Ol Fielder était en effet un homme pacifique. Tandis que Billy, toujours bagarreur, brûlait d'en découdre et cherchait une occasion de déclencher les hostilités. Comme maintenant.

— Faut que j'aille bosser, Bill. Tu ferais mieux de te trouver un boulot.

— J'en avais un, remarqua Billy. Toi aussi. Mon grand-père et mon arrière-grand-père également.

Ol secoua la tête.

— C'est du passé, ça, fils.

Il esquissa un mouvement vers la porte.

Billy le prit par le bras.

— T'es qu'une lavette.

Et comme Paul poussait un cri de protestation, Billy lui lança d'un air mauvais :

— Toi, le branleur, occupe-toi de tes fesses.

— Faut que j'aille au boulot, Bill.

— Tu vas nulle part. On a à parler. Tout de suite.

— Les choses changent, dit Ol Fielder. Essaie de comprendre.

— Tu les as laissées changer, rétorqua Billy. C'était notre travail. Notre fric. Notre commerce. Tu le tenais de grand-père. Qui lui-même le tenait de son père. Mais est-ce que tu t'es battu pour le garder ? Est-ce que t'as essayé de le sauver ?

— Y avait pas moyen de le sauver, tu le sais, Bill.

— Ça devait me revenir. C'est ça que j'étais censé faire, boucher.

— Désolé.

— Désolé ? (Billy secoua son père par le bras.) Tu peux te les carrer où je pense tes « désolé ». Tu parles que ça me fait une belle jambe. Ça changera rien à la situation.

— Et qu'est-ce qui va la changer, la situation ? protesta Ol Fielder. Lâche-moi.

— Pourquoi ? T'as peur que je t'esquinte ? C'est pour ça que t'as pas voulu leur tenir tête ? T'avais peur qu'ils te tapent dessus ? Qu'ils te bousculent ?

— J'ai du boulot, fiston. Laisse-moi partir, Billy.

— Tu partiras quand j'te le dirai. Pour l'instant, toi et moi, faut qu'on parle.

— On n'a rien à se dire. Les choses sont comme elles sont.

— Je t'interdis de dire ça ! hurla Billy. Je t'interdis de dire ça, bordel. La viande, j'ai commencé quand j'avais dix ans. J'ai appris le métier sur le tas. J'étais doué. Pendant toutes ces années, papa, j'ai eu du sang sur les mains, plein mes fringues. L'odeur était tellement forte qu'on m'appelait le Saigneur. Je parie que ça t'en bouche un coin, p'pa. Mais je m'en foutais parce que j'avais un boulot. J'avais ma vie. L'étal était à moi. Maintenant qu'est-ce qui me reste ? Rien. Tu t'es laissé dépouiller parce que t'avais peur qu'on te fasse mal. Qu'est-ce qui me reste, tu veux me le dire ?

— Ce sont des choses qui arrivent, Bill.

— Pas à moi ! s'écria Billy.

Il lâcha le bras de son père et le poussa. Une fois, deux fois, trois fois, sans qu'Ol Fielder fasse quoi que ce soit pour l'arrêter.

— Mais bats-toi, bordel ! hurlait Billy à chaque poussée. Bats-toi, fais quelque chose.

Assis sur le lit, Paul regardait la scène à travers un brouillard. Quelque part dans la maison, il entendit Taboo aboyer, et des voix. La télé, songea-t-il. Puis : Où est maman ? Elle entend donc pas ? Elle va pas venir lui dire d'arrêter ?

Mais l'aurait-elle pu ? Non, bien sûr. Personne jamais ne pourrait arrêter Billy. La violence du métier de boucher, ça lui avait plu, à Billy. Il avait aimé les couperets, les fendoirs, les coups sur le billot pour séparer la chair des os. Maintenant qu'il ne l'exerçait plus, ce métier, il éprouvait le besoin de détruire quelque chose, de le couper en morceaux jusqu'à ce qu'il n'en reste rien. Ce besoin de frapper, qu'il refoulait depuis un bon bout de temps, devait maintenant se donner libre cours.

— Pas question que je me batte avec toi, Billy, dit Ol Fielder tandis que Bill le bousculait une dernière fois.

Il avait les mollets contre le bord du lit, il se laissa tomber sur le matelas.

— Pas question que je me batte avec toi, fiston.

— T'as peur que je te mette une plumée ? Allez, lève-toi.

Billy assena avec le tranchant de sa main un coup sur l'épaule de son père. Fielder eut une grimace. Billy sourit.

— Ouais, c'est ça, alors tu te décides ? Lève-toi, enfoiré. Lève-toi, mais lève-toi.

Paul tendit le bras vers son père pour le protéger. Billy s'en prit à lui :

— Te mêle pas de ça, toi, le branleur. T'entends ? On a des choses à régler, lui et moi.

Il attrapa la mâchoire de son père et serra, faisant pivoter sa tête de côté, de façon que Paul puisse distinguer le visage d'Ol.

— Vise-moi cette tronche. Est-ce qu'il est pas pathétique ? Y refuse de se battre.

Les aboiements de Taboo s'intensifièrent. Des voix approchèrent.

Bill ramena le visage de son père vers lui. Il lui pinça le nez, l'attrapa par les oreilles.

— Qu'est-ce qu'il va falloir que je fasse pour que tu te décides à devenir un homme, papa ?

Ol repoussa les mains de son fils.

— Ça suffit !

— Déjà ? ricana Billy. Mais, p'pa, tu déconnes, on fait que commencer.

— J'ai dit ça suffit ! cria Ol Fielder.

C'était exactement ce que Billy attendait et il s'éloigna tout content. Les poings serrés, il éclata de rire, décochant triomphalement des coups dans l'air. Il se tourna vers son père, imitant le jeu de jambes d'un boxeur.

— Alors, où est-ce qu'on s'y colle ? Ici ou dehors ?

Il s'avança vers le lit, lançant des directs. Mais un seul toucha le père – à la tempe – avant que la pièce ne se remplisse de gens. Des hommes en uniforme se ruèrent dans la chambre, suivis de Mave Fielder portant dans ses bras le petit dernier. Derrière elle, ses deux autres fils, de la confiture sur la figure, un toast en main.

Paul se dit qu'ils étaient venus séparer son père et son aîné. Quelqu'un quelque part avait dû téléphoner à la police et, comme les flics étaient dans le secteur, ils s'étaient pointés en un temps record. Ils allaient prendre les choses en main et embarquer Billy. Ils allaient le boucler et la paix reviendrait enfin à la maison.

Mais ce qui se passa fut tout différent. L'un des policiers dit à Billy :

— Paul Fielder ?

— Vous êtes Paul Fielder ? dit l'autre tandis qu'il avançait vers le frère de Paul.

Et le second constable ajouta à l'adresse du père de Paul :

— Qu'est-ce qui se passe ici, monsieur ? Des ennuis ?

Ol Fielder dit que non. Que c'était juste une querelle familiale.

— C'est votre fils Paul ? voulut savoir le constable.

— C'est Paulie qu'ils veulent, dit Mave Fielder à son mari. Ils veulent pas dire pourquoi, Ol.

Et Billy de jubiler.

— T'as fini par te faire pincer, espèce de branleur,

dit-il à Paul. Tu t'es donné en spectacle dans les chiottes publiques, t'as pas pu t'en empêcher, hein ? Je t'avais pourtant bien dit qu'il fallait pas traîner par là-bas.

Paul tremblait contre la tête de lit. Il vit que l'un de ses petits frères tenait Taboo par son collier. Le chien continuait d'aboyer et un des constables dit :

— Faites-moi taire cette bestiole.

— Vous avez un flingue ? Rien de plus facile, alors, ricana Billy.

— Bill ! protesta Mave. Ol, qu'est-ce qui se passe, enfin ?

Mais Ol Fielder n'était au courant de rien lui non plus. Taboo continua d'aboyer. Il se tortillait dans tous les sens, essayant de se libérer, mais le petit frère de Paul le tenait bien.

— Faites donc taire de clebs, bon Dieu ! ordonna le constable.

Taboo voulait seulement qu'on lui rende sa liberté, Paul le savait bien. Le chien voulait seulement s'assurer que Paul n'était pas en danger.

L'autre constable intervint :

— Attendez, je m'en charge.

Il attrapa Taboo par son collier. Le chien montra les crocs. Il se jeta sur le policier. Le constable poussa un cri et lui allongea un rude coup de pied. Paul bondit du lit pour se précipiter vers son chien, qui s'enfuit dans l'escalier en poussant des jappements plaintifs.

Paul essaya bien de le suivre mais il s'aperçut qu'on le retenait. Sa mère criait : « Qu'est-ce qu'il a fait, qu'est-ce qu'il a fait ? », tandis que Billy éclatait d'un rire hystérique. Les pieds de Paul raclaient le sol, et sans le faire exprès, il fila un coup de pied à un constable. Ce dernier grogna, relâcha Paul. Ce qui donna au garçon le temps d'empoigner son sac à dos et de foncer vers la porte.

— Arrêtez-le ! hurla quelqu'un.

Ce fut un jeu d'enfant. La chambre étant bondée, il n'y avait nulle part où aller ni aucun endroit où se cacher. Paul fut donc rapidement rattrapé, traîné dans l'escalier, et on le sortit de force de la maison.

Dès lors, il se trouva plongé dans un tourbillon d'images et de sons. Il entendait sa mère qui continuait à demander ce qu'on voulait à son Paulie, il entendit son père qui disait : « Mave, ma grande, pas de panique. » Il entendait Billy rire, et quelque part Taboo aboyer, et il voyait les voisins attroupés dehors. Au-dessus des voisins, le ciel bleu pour la première fois depuis des jours ; et contre le ciel, les arbres qui bordaient le parking, comme dessinés au fusain.

Il n'eut pas le temps de comprendre ce qui lui arrivait : il se retrouva à l'arrière d'une voiture de police, son sac à dos plaqué contre la poitrine. Il avait les pieds gelés et en baissant la tête il s'aperçut qu'il n'avait pas de chaussures. Il avait gardé ses pantoufles élimées et personne n'avait pensé à lui laisser le temps d'enfiler une veste.

La portière claqua, le moteur ronfla. Paul entendit sa mère qui continuait à crier. Il tourna la tête tandis que la voiture commençait à s'éloigner. Il regarda sa famille disparaître derrière lui.

Soudain, jaillissant de la foule, Taboo courut après le véhicule. Il aboyait comme un fou et ses oreilles flottaient au vent.

— Quel con, ce chien, dit le constable qui conduisait, s'il ne rentre pas chez lui...

— C'est pas notre problème, dit l'autre.

Ils sortirent du Bouet pour s'engager dans Pitronnerie Road. Lorsqu'ils eurent atteint le Grand Bouet, ils accélérèrent. Taboo galopait toujours frénétiquement derrière eux.

Deborah et China eurent un peu de mal à trouver la maison de Cynthia Moullin à la Corbière. On leur avait dit que c'était la Maison aux Coquillages et qu'elles ne pourraient pas la rater, bien que se trouvant en bordure d'un sentier à peine large comme un pneu de bicyclette – sentier qui était lui-même le prolongement d'un autre chemin sinuant entre bas-côté et haie. C'est seulement à leur troisième tentative qu'elles aperçurent une boîte aux lettres décorée de coquilles d'huître et se dirent qu'elles touchaient au but. Deborah s'engagea dans l'allée, et là, elles découvrirent un véritable carnage.

— Ah, c'est donc ça, la Maison aux Coquillages, murmura Deborah, pas étonnant qu'on ne l'ait pas repérée tout de suite.

L'endroit semblait désert : pas de voiture dans l'allée, une grange fermée, des rideaux tirés derrière les vitres à losanges. Mais tandis qu'elles descendaient du véhicule, elles remarquèrent une jeune femme accroupie au bout de ce qui restait d'un jardin très kitsch. Elle avait passé le bras autour d'un puits en béton incrusté de coquillages, et sa tête blonde reposait sur le rebord. On aurait dit Viola après le naufrage ; elle resta immobile tandis que Deborah et China s'approchaient.

Toutefois elle prit la parole :

— Allez-vous-en, je ne veux pas vous voir, j'ai téléphoné à Gran, elle dit que je peux aller à Aurigny. Elle a besoin de moi et j'ai bien l'intention d'y aller.

— Cynthia Moullin ? interrogea Deborah.

Interloquée, la jeune fille leva la tête. Son regard passa de China à Deborah comme si elle tentait de deviner qui elles étaient. Puis elle regarda derrière elles, peut-être pour voir si elles étaient accompagnées. Comme il n'y avait personne avec elles, elle s'affaissa. Son visage reprit son air de désespoir.

— Je croyais que c'était papa, dit-elle d'un ton morne.

De nouveau elle posa la tête sur le rebord du puits.

— J'ai envie de mourir.

Elle se cramponna au puits.

— Je connais ça, dit China.

— Ça m'étonnerait, répliqua Cynthia. Il est content. La vie va pouvoir reprendre son cours, qu'il dit. Ce qui est fait est fait, maintenant on peut passer à autre chose. C'est fini. C'est ce qu'il croit. Mais pas pour moi. Je n'oublierai jamais.

— Vous voulez dire que c'est fini entre Mr Brouard et vous ? lui demanda Deborah. Parce qu'il est mort ?

La jeune fille releva de nouveau la tête à l'énoncé du nom de Brouard.

— Qui êtes-vous ?

Deborah le lui expliqua. Pendant le trajet depuis le Grand Havre, China lui avait dit qu'elle n'avait pas entendu parler d'une liaison entre Guy Brouard et Cynthia Moullin pendant son séjour au manoir. Pour elle, la seule maîtresse de Guy était Anaïs. « Ils ne se cachaient pas, d'ailleurs », avait dit China. Il était clair que la jeune fille n'avait pas fait partie du paysage avant l'arrivée des River à Guernesey. Restait à savoir pourquoi.

Les lèvres de Cynthia se mirent à trembler tandis que Deborah présentait China et exposait l'objet de leur visite. Lorsqu'on lui eut tout expliqué, des larmes coulèrent le long de ses joues. Elle ne fit rien pour les arrêter. Elles dégoulinèrent sur son sweat-shirt gris, formant de minuscules ovales de chagrin.

— Je le voulais, dit-elle en pleurant. Lui aussi. On se l'est jamais dit, mais on savait. Cette fois-là, juste avant, il m'a regardée, et j'ai compris que tout avait changé entre nous. J'ai lu sur son visage ce que ça signifierait pour lui et je lui ai dit : « Ne te protège pas. » Il a souri, d'un sourire qui signifiait qu'il savait à quoi je pensais, et qu'il était d'accord. Et ça aurait facilité les choses. Ça aurait été logique pour nous de nous marier.

Deborah regarda China. China articula en silence : « Waouh. » Deborah dit à Cynthia :

— Vous étiez fiancée à Guy Brouard ?

— Ça n'allait pas tarder, dit-elle. Et maintenant... Oh, Guy.

Elle se mit à pleurer avec l'abandon d'une petite fille.

— Il ne me reste rien. Si au moins j'avais eu un bébé, il me serait resté quelque chose. Mais maintenant il est vraiment mort, et ça je ne peux pas le supporter. Je le déteste, je le déteste. Il me dit : « Reprends le cours de ta vie, tu es libre. » Et c'est comme s'il n'avait pas prié pour que ça arrive, comme s'il ne savait pas que je me serais sauvée pour avoir l'enfant. Il me dit que ça m'aurait gâché l'existence, mais c'est maintenant qu'elle est gâchée. Et il jubile.

Elle entoura le puits de ses bras, pleurant contre le rebord grumeleux.

Elles avaient la réponse à leur question, se dit Deborah. Aucun doute ne subsistait quant à la nature des relations unissant Cynthia Moullin et Guy Brouard. Et cet homme qu'elle disait détester n'était autre que son père.

— Cynthia, dit-elle, vous ne voulez pas rentrer ? Il fait froid. Et vous n'avez qu'un malheureux sweat-shirt sur le dos...

— Non ! Jamais ! Je resterai dehors jusqu'à ce que je meure. Je veux mourir.

— Je doute que votre père vous laisse faire.

— Détrompez-vous, ça ne lui déplairait pas, dit-elle. « Rends-moi la roue, qu'il me dit. Tu n'es pas digne de sa protection. » Comme si c'était censé me faire de la peine. Comme si j'étais censée comprendre ce qu'il voulait réellement dire. Et ce qu'il voulait dire, c'est : « Tu n'es plus ma fille », mais je m'en fous, je m'en fous.

Deborah regarda China. China haussa les épaules en signe d'incompréhension. Ni l'une ni l'autre ne savaient que penser. Des explications auraient été les bienvenues.

— De toute manière, j'en avais fait cadeau à Guy, de la roue, poursuivit Cynthia. Y a des mois de ça. Je lui avais dit de l'emporter partout avec lui. C'était idiot, c'était qu'une pierre. Mais je lui ai dit que ça le protégerait, et sans doute qu'il m'a crue parce que... (Ses larmes redoublèrent.) Mais elle ne l'a pas protégé... C'était qu'une vulgaire pierre.

La jeune fille constituait un mélange fascinant d'innocence, de sensualité, de naïveté et de vulnérabilité. Deborah comprenait l'attrait qu'elle avait exercé sur un homme qui avait été tenté de faire son éducation, de lui apprendre les choses de la vie tout en l'en protégeant simultanément, de l'initier à certains des plaisirs de l'existence. Cynthia Moullin avait permis à Guy de jouer tous les rôles, tentation à laquelle pouvait difficilement résister un homme qui avait besoin de se sentir à tout moment supérieur. En fait, Deborah avait l'impression de se retrouver dans cette adolescente. De retrouver du moins celle qu'elle aurait pu être si elle n'était pas allée passer trois ans en Amérique.

C'est d'ailleurs ce qui la poussa à s'agenouiller près de la jeune fille et à lui poser doucement une main sur la nuque.

— Cynthia, je suis désolée mais je vous en prie, laissez-nous vous emmener à l'intérieur. Vous avez peut-être envie de mourir maintenant mais vous changerez d'avis. Croyez-moi.

— Je suis passée par là, moi aussi, ajouta China. Elle dit la vérité.

Cette complicité féminine qui transparaissait dans leurs propos parut toucher l'adolescente. Elle les laissa l'aider à se mettre debout, s'essuya les yeux avec la manche de son sweat-shirt et dit d'un ton pitoyable :

— Faut que je me mouche.

— Il y a sûrement un mouchoir à la maison, assura Deborah.

C'est ainsi qu'elles réussirent à l'amener jusqu'à la porte d'entrée. Là, elle se raidit, et l'espace d'un moment Deborah se dit qu'elle allait refuser d'entrer. Mais lorsque Deborah donna de la voix pour demander s'il y avait quelqu'un et qu'aucune réponse ne lui parvint, Cynthia se laissa entraîner à l'intérieur. Une fois entrée, elle prit un essuie-mains en guise de mouchoir, après quoi elle s'en alla dans le séjour et se blottit dans un vieux fauteuil, posant la tête sur un accoudoir et s'enveloppant dans une couverture qui était posée sur le dossier.

— Il a dit qu'il faudrait que j'avorte, expliqua-t-elle d'une voix atone. Il a dit qu'il m'enfermerait jusqu'à ce qu'il sache si j'avais besoin d'avorter. Pas question qu'il me laisse mettre au monde le bâtard de ce salaud. Je lui ai dit que ce ne serait pas un bâtard puisqu'on allait se marier, et ça l'a mis en rage. « Tu ne sortiras que quand j'aurai vu le sang. Quant à Brouard, il ne perd rien pour attendre. »

Le regard de Cynthia était braqué sur le mur où étaient accrochées des photos de famille. Au centre, un portrait d'un homme assis entouré de trois petites filles. Il avait l'air sérieux, plein de bonnes intentions. Les gamines avaient l'air sérieuses, et sevrées de distractions.

— Pas moyen de lui faire comprendre ce que je

voulais, dit Cynthia. Il s'en fichait pas mal. Et maintenant, il n'y a plus rien. Si au moins j'avais eu le bébé...

— Croyez-moi, je comprends, dit Deborah.

— On s'aimait, mais lui, pas moyen de lui faire comprendre ça. Il a dit que Guy Brouard m'avait séduite mais c'est pas du tout de cette façon que ça s'est passé.

— Non, fit Deborah. Ce n'est pas comme ça que ça se passe.

— Non. (Cynthia ramena la couverture, dont elle avait fait une boule, jusqu'à son menton.) Ça a tout de suite fait tilt entre nous. On a sympathisé. Il me voyait comme une personne à part entière. Pas comme un meuble. J'existais. Le reste a suivi. Mais en douceur. Jamais il ne m'a forcée. Et puis papa a découvert le pot aux roses. J'ignore comment. Et il a tout gâché. Il a fait de notre histoire quelque chose de laid et de dégoûtant. Il a voulu me faire croire que Guy prenait ça à la blague. Qu'il avait parié qu'il serait mon premier amant, et qu'il avait besoin des draps pour le prouver.

— Les pères protègent leurs filles, souligna Deborah. Il ne voulait pas dire forcément...

— Oh si, si. Et Guy était comme ça de toute façon.

— Capable de vous mettre dans son lit pour gagner un pari ?

China lança un regard mystérieux à Deborah. Elle articula en silence : « Salaud. »

Cynthia s'empressa de rectifier.

— Il voulait me montrer ce que ça pouvait être. Il savait que je n'avais jamais... Je le lui avais dit. Il m'a dit combien c'était important, la première fois. Qu'il fallait qu'une femme soit... transportée. Et j'ai été transportée, en effet. A chaque fois.

— Vous vous sentiez donc liée à lui, dit Deborah.

— Oui. Je voulais qu'il vive éternellement avec

moi. Je me fichais pas mal de savoir qu'il était plus vieux. Quelle différence cela pouvait-il faire ? On n'était pas que des animaux qui passent leur temps à baiser. Mais deux âmes sœurs qui s'étaient retrouvées et avaient l'intention de rester ensemble en dépit de tout. Et on serait restés ensemble s'il n'avait pas... (Cynthia reposa sa tête sur l'accoudoir et se remit à pleurer.) Moi aussi je veux mourir.

Deborah s'approcha. Elle caressa les cheveux blonds et dit :

— Je suis désolée. Vous l'avez perdu. Vous n'avez pas eu son enfant, vous devez être anéantie.

— Détruite, sanglota Cynthia.

China resta où elle était, les bras croisés comme pour se protéger de ce débordement d'émotion.

— Ça ne va peut-être pas vous mettre du baume au cœur tout de suite, mais vous surmonterez cette épreuve. Vous finirez même par vous sentir mieux. Par vous sentir complètement différente.

— Mais je ne veux pas me sentir différente.

— Bien sûr que non. On aime avec passion, on a l'impression en perdant cet amour qu'on va se flétrir et mourir, que la mort serait une bénédiction. Mais aucun homme ne mérite qu'on meure pour lui. Et de toute façon, dans la vie, les choses ne se passent pas comme ça. On poursuit son petit bonhomme de chemin, vaille que vaille, on cicatrise, et on guérit.

— Je ne veux pas guérir.

— Pas tout de suite, dit Deborah. Pour l'instant vous avez envie de pleurer. Votre chagrin est à la mesure de votre amour. Mais renoncer à son chagrin le moment venu est une façon d'honorer cet amour.

— Vraiment ?

La voix de Cynthia était celle d'une enfant, elle avait l'air tellement fragile que Deborah aurait voulu se porter à son secours. Tout d'un coup elle comprit ce que le père de la jeune fille avait dû éprouver en apprenant que Guy Brouard l'avait séduite.

— C'est ce que je crois, dit Deborah.

China se dirigeait vers la porte.

Sur ces paroles, elles laissèrent Cynthia blottie sous sa couverture, sa tête appuyée contre un bras. Les larmes l'avaient épuisée mais elle était calme. Elle leur dit qu'elle allait dormir. Peut-être qu'elle pourrait rêver de Guy.

Dehors, dans l'allée menant à la voiture, China et Deborah restèrent silencieuses. S'immobilisant, elles inspectèrent le jardin, qui semblait avoir été piétiné par un géant. China résuma :

— Quel gâchis.

Deborah lui jeta un coup d'œil. Elle savait que son amie ne parlait pas du saccage du jardin.

— On sème des mines dans nos vies, commenta-t-elle.

— Plutôt des bombes atomiques. Il avait quoi... soixante-dix ans ? Et elle... dix-sept ans ? C'est à la limite de l'abus sexuel. Mais à la limite seulement, parce qu'il a fait gaffe.

Elle passa brutalement sa main dans ses cheveux en un geste qui rappelait étrangement son frère. Puis elle dit :

— Les hommes sont des porcs. S'il existe un type bien sur cette terre, je serais contente qu'on me le présente. Pas pour lui mettre le grappin dessus, seulement pour lui serrer la main. Ça me ferait plaisir de savoir qu'ils ne sont pas tous des obsédés de la quéquette. « Tu es l'amour de ma vie, je t'aime... » Quelles conneries. Pourquoi est-ce que les femmes avalent ça ?

Elle regarda Deborah et, sans lui laisser le temps de répliquer, elle poursuivit :

— Oh, excuse-moi, j'oublie toujours que tu n'es pas du genre à te faire piétiner par les hommes.

— China...

— Désolée, désolée, coupa China d'un geste de la main, je n'aurais pas dû... C'est juste que la voir, l'écouter...

Elle sc hâta vers la voiture. Deborah la suivit.

— Chacun de nous récolte son lot d'épreuves. Pas moyen d'y couper. C'est la vie.

— Ça ne devrait pas se passer comme ça. (China ouvrit sa portière, se laissa tomber sur le siège.) Les femmes ne devraient pas être aussi stupides.

— C'est parce qu'on nous apprend à croire aux contes de fées, expliqua Deborah. Un homme tourmenté sauvé par l'amour d'une femme... On nous conditionne dès le berceau.

— Mais là, il ne s'agissait pas exactement d'un pauvre homme tourmenté, souligna China. Alors pourquoi est-elle tombée amoureuse de lui ? Oh, certes, il était charmant. Il avait de la prestance. Il ne faisait pas son âge. Mais de là à se laisser persuader... Je veux dire pour sa première... Ç'aurait pu être son grand-père.

— Ça ne l'a pas empêchée de l'aimer, apparemment.

— Son compte en banque ne doit pas y être étranger. Une belle propriété, une belle voiture, et tout et tout. La perspective d'être la maîtresse du manoir. Des grandes vacances autour du monde. Des vêtements en pagaille. Tu aimes les diamants ? Tiens. Cinquante mille paires de chaussures ? Pas de problème. Tu veux une Ferrari ? Pourquoi pas ? Tu parles que ça devait le rendre rudement sexy, le Guy Brouard. Je veux dire : regarde autour de toi, regarde d'où elle vient ; c'était une proie facile. Une fille venant d'un endroit comme celui-ci ne pouvait que lui tomber toute cuite dans les bras. Certes, les femmes ont toujours été attirées par les hommes tourmentés. Mais s'il y a en plus de l'argent à récolter, alors là, elles se ruent carrément dessus.

Le cœur de Deborah se mit à battre follement.

— Tu crois vraiment ce que tu dis, China ?

— Et comment ! Et les hommes connaissent la musique. Ils font briller les billets. C'est aussi efficace que du papier tue-mouches. Ce qui intéresse la plupart des femmes chez un homme ? Son fric. S'il a encore assez de souffle pour respirer et qu'il est plein aux as, inutile d'en dire davantage. Je signe. Mais d'abord j'appelle ça de l'amour. Et puis je me déclare heureuse d'être en sa compagnie. J'affirme que, quand on est ensemble, les oiseaux me gazouillent aux oreilles, la terre se met à trembler. Mais une fois qu'on a retiré le vernis, tout ce qui reste, c'est le pognon. On peut aimer un mec qui pue du bec, un homme qui n'a qu'une jambe et pas de quéquette pourvu qu'il nous entretienne sur un grand pied.

Deborah ne pouvait répondre. Les déclarations de China pouvaient par bien des façons s'appliquer à son cas. Pas seulement à sa relation avec Tommy, qui avait suivi son départ, le cœur brisé, de Londres pour la Californie. Mais également à son mariage – célébré quelque dix-huit mois après la fin de sa liaison avec Tommy. En apparence, cela correspondait exactement à ce que China était en train de décrire : la fortune considérable de Tommy avait été le leurre initial ; la situation financière de Simon, si elle était un peu moins éclatante, lui permettait néanmoins de jouir d'une liberté inconnue de la plupart des femmes de son âge. Le fait que rien de tout cela ne correspondait à la réalité... que l'argent et la sécurité qu'il offrait lui donnaient parfois l'impression d'une toile qu'on avait tissée autour d'elle pour la piéger, pour l'empêcher d'être libre, de jouer un rôle dans la société... Comment tout cela pouvait-il compter quand on avait la chance immense d'avoir eu pour amant un homme fortuné et d'avoir pour mari quelqu'un qui pouvait vous entretenir ?

Deborah ravala ces réflexions. Sa vie, elle le savait, elle l'avait construite. Sa vie était une chose que China connaissait mal.

— Oui, ce qui pour une femme est de l'amour peut passer aux yeux d'une autre pour une source de revenus. Rentrons. Simon a dû s'entretenir avec la police.

24

L'avantage d'avoir pour ami intime un commissaire par intérim au Yard, c'est qu'on pouvait le joindre sans problème. Aussi Saint James n'attendit-il qu'un moment avant d'avoir la voix de Tommy au bout du fil. Un Tommy disant d'un ton amusé :

— Alors, Deb a réussi à te traîner jusqu'à Guernesey ? Je l'aurais parié.

— En fait, elle ne voulait pas que je vienne, répondit Saint James. J'ai réussi à la convaincre que ce n'était peut-être pas une bonne idée d'aller jouer les miss Marple à Saint Peter Port.

— Et comment ça se passe là-bas ? fit Lynley en éclatant de rire.

— Ça avance mais pas aussi vite que je le souhaiterais.

Saint James mit son ami au courant des développements de l'enquête parallèle que Deborah et lui menaient tout en essayant de ne pas trop piétiner les plates-bandes de la police locale.

— J'ignore combien de temps je vais pouvoir continuer à m'en sortir tout seul.

— D'où ce coup de fil ? demanda Lynley. Je me suis entretenu avec Le Gallez après le passage de Deborah au Yard avec River. Il n'a pas mâché ses mots : hors de question que la Police métropolitaine mette son nez dans son enquête.

— Il ne s'agit pas de cela, objecta Saint James,

s'empressant de le rassurer. Juste d'un ou deux coups de téléphone que tu pourrais donner pour moi.

— Quel genre de coup de téléphone ? s'enquit Lynley, circonspect.

Et Saint James d'expliquer. Lorsqu'il eut terminé, Lynley lui rappela que le FSA était l'organisme chargé des problèmes bancaires en Angleterre. Il ferait de son mieux pour soutirer des informations à la banque destinataire des virements effectués à partir de Guernesey. Mais il lui faudrait peut-être se procurer une ordonnance du tribunal, ce qui risquait de prendre un peu plus de temps, comme Saint James le savait d'ailleurs.

— Si ça se trouve, tout ça est parfaitement légal, dit Saint James. Nous savons que l'argent a été crédité sur le compte d'International Access, société domiciliée à Bracknell. Est-ce que, éventuellement, tu peux partir de là pour aller à la pêche aux informations ?

— Il se peut que nous ayons à procéder de cette façon. Je vais voir ce que je peux faire.

Son coup de fil terminé, Saint James gagna le hall de l'hôtel, où, tandis qu'il essayait de faire comprendre à la réceptionniste combien il était important qu'elle le prévienne au cas où il y aurait des appels de Londres pour lui, il se dit qu'il ferait peut-être bien de se décider à acheter un téléphone cellulaire. Elle nota ce qu'il lui dit et lui assura sans trop d'empressement qu'elle lui transmettrait tous les messages lorsque Deborah et China rentreraient de leur excursion au Grand Havre.

Tous trois s'installèrent au salon, où ils commandèrent un café et firent le point. Deborah avait élaboré un certain nombre de déductions qui tenaient la route. De son côté, China se garda d'utiliser les faits pour essayer de l'influencer, et Saint James l'en admira. A sa place, il n'aurait peut-être pas été aussi circonspect.

— Cynthia Moullin nous a parlé d'une pierre, conclut Deborah. En forme de roue. Elle nous a dit qu'elle l'avait donnée à Guy Brouard. Pour le protéger. Que son père voulait qu'elle la lui rende. Et je me suis demandé si par hasard il ne s'agissait pas de la pierre avec laquelle on l'a étouffé. Son père a un mobile gros comme une maison. Il l'a même enfermée en attendant qu'elle ait ses règles pour être sûr qu'elle n'était pas enceinte.

Saint James hocha la tête.

— Le Gallez pense que quelqu'un a peut-être tenté d'étouffer Brouard avec la bague mais que cette personne a changé d'avis en trouvant la pierre sur Brouard.

— Et cette personne, ce serait Cherokee ? s'écria China. Je ne vois pas pourquoi, de même que je ne vois pas pourquoi les policiers m'ont collé le meurtre sur le dos. Il leur faut bien un mobile, Simon ?

— Oui.

Il aurait voulu ajouter que la police avait trouvé quelque chose qui pouvait être aussi important qu'un mobile mais il n'avait pas envie de faire part de ce détail à quiconque. Ce n'était pas tant qu'il soupçonnait China River ou son frère. Mais plutôt qu'il soupçonnait tout le monde et que la prudence lui enjoignait de ne pas dévoiler ses batteries.

Sans lui laisser le temps de poursuivre, Deborah prit la parole :

— Cherokee ne pouvait pas savoir que Guy Brouard détenait cette pierre.

— Sauf s'il l'a vu avec, fit valoir Saint James.

— Comment aurait-il pu la voir ? contra Deborah. Cynthia nous a dit que Guy Brouard l'avait toujours sur lui. Dans une poche, j'imagine. Pas au creux de sa main.

— Oui, en effet, convint Saint James.

— Pourtant Henry Moullin savait que Brouard l'avait. Il a formellement demandé à sa fille de la lui restituer, en tout cas c'est ce qu'elle nous a dit. Si elle lui avait dit avoir donné son amulette à Brouard – l'homme contre lequel son père avait une sérieuse dent –, pourquoi Moullin ne se serait-il pas précipité ici pour exiger de Brouard qu'il la lui rende ?

— Rien ne nous dit qu'il ne l'a pas fait, souligna Saint James. Mais tant que nous n'en serons pas sûrs...

— On colle le meurtre sur le dos de Cherokee, termina China.

Et elle regarda Deborah comme pour lui dire : Tu vois ?

Ce regard de connivence déplut à Saint James :

— On est obligés d'envisager toutes les hypothèses. C'est tout.

— Mon frère n'a pas fait ça, insista China. Anaïs Abbott a un mobile. Henry Moullin a un mobile. Stephen Abbott a un mobile s'il voulait mettre sa main dans la culotte de Cynthia, ou s'il voulait que sa mère et Brouard se séparent. Cherokee, lui, qu'est-ce qu'il vient faire dans cette galère ? Il n'a rien à voir là-dedans. Il est innocent. Il ne connaissait pas ces gens plus que moi.

Deborah ajouta :

— Tu ne peux pas laisser de côté ce qui semble impliquer Henry Moullin. Surtout quand il n'y a rien qui permette de penser que Cherokee est mêlé à la mort de Guy Brouard.

Elle parut lire quelque chose sur le visage de son mari au moment où elle faisait cette remarque parce qu'elle poursuivit en disant :

— A moins qu'il n'y ait quelque chose. Et il doit forcément y avoir autre chose, sinon pourquoi les flics l'auraient-ils arrêté ? Oui, il doit y avoir quelque chose. Mais au fait, j'y pense, tu es allé trouver la police. Qu'est-ce qu'ils t'ont dit ? Est-ce que c'est au sujet de la bague ?

Saint James jeta un regard à China, qui se penchait vers lui, puis de nouveau à sa femme. Il fit non de la tête et dit :

— Deborah.

Puis il conclut avec un sourire d'excuse :

— Désolé, ma chérie.

Les yeux de Deborah s'écarquillèrent alors qu'elle semblait comprendre où son mari voulait en venir. Elle détourna les yeux, Saint James la vit serrer les poings comme pour contenir sa colère. Manifestement, China comprit elle aussi le sens de ce geste car elle se leva, bien que n'ayant pas fini de boire son café.

— Je vais voir si je peux avoir un entretien avec mon frère. Ou si je peux m'arranger avec Holberry pour qu'il lui fasse parvenir un message. Ou...

Elle hésita, son regard se porta vers la porte du salon. Deux femmes chargées de sacs de chez Marks et Spencer venaient faire une pause pendant leur shopping matinal. Les regardant s'installer, écoutant leur papotage, China prit un air sombre. Elle dit à Deborah :

— On se retrouve plus tard, d'accord ?

Avec un signe de tête à Saint James, elle attrapa son manteau.

Deborah l'interpella tandis qu'elle sortait précipitamment mais China ne se retourna pas.

— C'était vraiment nécessaire ? questionna Deborah en se retournant vers son mari. C'est tout juste si tu n'as pas traité Cherokee d'assassin. Tu crois qu'elle est de mèche avec lui ? C'est pour ça que tu as refusé de parler devant elle ? Tu crois qu'ils ont fait le coup ensemble, ou que l'un des deux l'a fait ? C'est ce que tu penses ?

— On ne sait pas s'ils ne l'ont pas fait, répondit Saint James même si ce n'était pas exactement ce qu'il voulait dire à Deborah.

Au lieu de répondre calmement à sa question, il

s'énervait devant le ton accusateur de sa femme. L'engueulade n'était pas loin.

— Comment peux-tu dire ça ?

— Deborah, comment peux-tu ne pas le dire ?

— Parce que je viens de te dire ce qu'on a trouvé, et que rien ne concerne Cherokee. Ni China.

— Non, concéda-t-il. Ce que tu as trouvé ne les concerne pas.

— Mais ce que tu as, toi, si. C'est ce que tu es en train de me dire. Et en bon détective, tes découvertes, tu les gardes pour toi. Très bien. Je ferais mieux de rentrer. De te laisser...

— Deborah.

— ... régler ça tout seul puisque manifestement c'est l'objectif que tu t'es tracé.

Comme China, elle commença à enfiler son manteau, se débattant avec les manches, incapable d'effectuer la sortie mélodramatique qu'elle avait escomptée.

— Deborah, assieds-toi, écoute-moi.

— Ne me parle pas sur ce ton. Je ne suis pas une enfant.

— Alors ne te conduis pas comme...

Il s'arrêta in extremis, leva les mains, paumes vers elle, en un geste qui signifiait : « Maintenant on arrête. » Il se força à être calme, à parler d'une voix raisonnable.

— Ce que je crois n'est pas important.

— Alors tu...

— Et, coupa-t-il d'un ton ferme, ce que tu crois n'est pas important non plus. La seule chose qui compte, ce sont les faits. Dans ce genre de situation, il n'y a pas de place pour les sentiments.

— Alors, tu as pris ta décision, n'est-ce pas ? Et fondée sur quoi ?

— Je n'ai pris aucune décision. Il ne m'appartient

pas d'en prendre et personne ne me demande d'en prendre.

— Alors ?

— C'est mal parti pour lui. Voilà.

— Qu'est-ce que tu sais ? Qu'est-ce qu'ils ont, à la police ?

Comme il ne répondait pas immédiatement, elle dit :

— Mais, ma parole, tu n'as pas confiance en moi ? Que crois-tu que je vais faire de tes infos ?

— Que ferais-tu si ces infos impliquaient le frère de ton amie ?

— Ça rime à quoi, cette question ? Qu'est-ce que tu crois que je ferais ? Que je le lui dirais ?

— La bague...

Saint James n'était pas très content d'avoir à le dire mais il y était bien obligé.

— Il l'a reconnue mais n'en a pas soufflé mot. Comment expliques-tu cela, Deborah ?

— Ce n'est pas à moi de l'expliquer. Mais à lui. Et c'est ce qu'il fera.

— Tu crois en lui à ce point ?

— Ce n'est pas un meurtrier.

Toutefois les faits tendaient à suggérer le contraire, bien que Saint James ne pût courir le risque de les lui faire connaître. *Eschscholzia californica*, le flacon retrouvé dans un champ, avec des empreintes. Et tout ce qui s'était passé dans le comté d'Orange en Californie.

Il réfléchit un moment. Tout désignait River. Mais il y avait un détail qui n'avait aucun rapport avec lui : les transferts de fonds entre Guernesey et Londres.

Margaret, postée devant la fenêtre, poussait un petit cri chaque fois qu'un oiseau frôlait la façade de la maison. Elle avait passé deux autres coups de fil à la police, exigeant de savoir quand les policiers se décideraient à faire quelque chose au sujct de ce « sale petit voleur », et elle attendait l'arrivée d'un officier qui écouterait son récit et prendrait les mesures nécessaires. De son côté, Ruth essayait de se concentrer sur sa broderie.

Mais Margaret l'en empêchait avec ses réflexions : « Vous allez protester, le proclamer innocent, et je vais vous montrer ce que c'est que la vérité et l'honnêteté. » Ce qu'elles attendaient, Ruth ne le savait pas car sa belle-sœur s'était bornée à lui dire : « Ils s'en occupent immédiatement », après son premier coup de fil au commissariat.

Plus cet « immédiatement » traînait en longueur et plus Margaret s'agitait. Elle était à deux doigts de passer un autre appel pour exiger des autorités qu'elles se manifestent lorsqu'une voiture de police s'arrêta devant le manoir. Elle poussa un cri de triomphe :

— Ils le tiennent !

Elle se précipita vers la porte. Ruth fit de son mieux pour la suivre, se levant avec difficulté de son fauteuil et boitant derrière Margaret. Sa belle-sœur se rua dehors. L'un des deux constables en tenue ouvrait la portière arrière du véhicule. Elle se jeta entre le policier et l'occupant de la banquette arrière. Quand Ruth finit par la rejoindre, Margaret était penchée à l'intérieur pour attraper Paul Fielder par le col et elle l'extrayait rudement de la voiture.

— Tu as cru que tu t'en tirerais comme ça ?

— Un instant, madame, dit le constable.

— Donne-moi ce sac à dos, petit voleur !

Paul se débattait, son sac plaqué contre sa poitrine. Il lui lança des coups de pied dans les chevilles. Elle se mit à hurler :

— Il essaye de s'échapper. Mais faites quelque

chose, bon sang. Prenez-lui son sac. C'est là qu'il a caché ce qu'il nous a volé.

Le second constable fit le tour de la voiture pour la rejoindre. Il dit :

— Vous ne voyez pas que vous nous empêchez de...

— Je ne serais pas obligée de m'en mêler si vous faisiez votre boulot !

— Reculez, madame, dit le constable numéro un.

— Margaret, dit Ruth, vous lui faites peur. Paul, mon petit, tu ne veux pas entrer ? Messieurs, vous voulez bien l'aider, s'il vous plaît ?

Margaret le lâcha à contrecœur et Paul se précipita vers Ruth, les bras tendus. A l'évidence, il ne remettrait son sac qu'à elle.

Ruth guida l'adolescent et les deux constables vers la maison, le sac dans une main, et un bras passé autour des épaules de Paul en un geste de réconfort. Il tremblait comme une feuille. Elle aurait voulu lui dire qu'il n'avait rien à craindre. L'idée que ce gamin ait pu voler quoi que ce soit au Reposoir était grotesque.

Cela lui faisait mal de le voir dans cet état d'angoisse et elle savait que la présence de sa belle-sœur ne ferait qu'aggraver les choses. Elle aurait dû réagir, empêcher Margaret de téléphoner à la police. Mais faire quoi ? L'enfermer au grenier ? Couper les fils du téléphone ?

Maintenant que le mal était fait, elle pouvait au moins empêcher Margaret d'assister à ce qui promettait d'être un entretien éprouvant pour le pauvre petit. Aussi, lorsqu'ils furent dans le hall, elle dit :

— Par ici, messieurs, si vous voulez bien passer dans le petit salon. C'est juste après ces deux marches et la cheminée.

Et quand elle vit le regard de Paul braqué sur le sac, elle le tapota et lui dit gentiment :

— Je vais l'apporter, va avec eux, mon petit, ne crains rien.

Lorsque les constables eurent emmené Paul dans le petit salon et refermé la porte derrière eux, Ruth rejoignit sa belle-sœur.

— Je vous ai laissée agir à votre guise, Margaret. Laissez-moi faire à mon idée maintenant.

Margaret n'était pas une imbécile. Elle vit tout de suite dans quel sens soufflait le vent. Il n'était pas question qu'elle assiste à l'interrogatoire du gamin qui avait volé de l'argent appartenant à son fils.

— Ouvrez son sac, vous vous rendrez compte par vous-même.

— J'attendrai d'être en présence de la police, dit Ruth. S'il a pris quelque chose...

— Vous lui trouverez des excuses, dit Margaret, amère. Bien sûr. Vous trouvez des excuses à tout le monde. C'est votre façon de vivre à vous, Ruth.

— On se verra plus tard.

— Il est hors de question que vous me mettiez dehors. Vous ne pouvez pas me mettre dehors.

— C'est exact. Mais la police, si. Et elle le fera.

Margaret se raidit. Ruth vit qu'elle savait qu'elle avait perdu la bataille mais qu'elle cherchait une ultime remarque qui résumerait les souffrances que les Brouard, ces gens méprisables, lui avaient infligées. Incapable de trouver une repartie cinglante, elle quitta brusquement la pièce. Ruth attendit que ses pas résonnent dans l'escalier.

Lorsqu'elle rejoignit les deux constables et Paul Fielder dans le petit salon, elle adressa un sourire affectueux au jeune homme.

— Assieds-toi, mon petit, lui dit-elle.

— Asseyez-vous, messieurs.

Elle indiqua deux fauteuils et le canapé. Paul choisit

le canapé. Elle l'y rejoignit et lui tapota la main en murmurant :

— Je suis vraiment désolée. Elle s'énerve pour un rien.

— Ce jeune homme a été accusé de vol...

Ruth leva la main pour faire taire le policier.

— C'est le fruit de l'imagination fertile de ma belle-sœur. Si un objet a disparu, je suis incapable de vous dire lequel. J'ai toute confiance dans ce garçon : il peut aller et venir au manoir comme bon lui semble.

Pour bien appuyer ce qu'elle venait de dire, elle rendit à son propriétaire le sac qu'elle n'avait pas ouvert, disant aux officiers :

— Je suis désolée de vous avoir dérangés. Margaret est bouleversée par la mort de mon frère. Elle a perdu les pédales.

Elle se dit que ça mettrait un terme à la scène mais elle se trompait. Car Paul poussa le sac vers elle et, quand elle protesta : « Mais Paul, je ne comprends pas », il déboucla le sac et en tira un objet cylindrique.

Ruth le regardait, perplexe. Les constables se mirent debout. Paul insista pour que Ruth prenne dans ses mains le rouleau et, comme elle ne savait qu'en faire, il le déroula sur ses genoux.

Elle le regarda, dit : « Oh mon Dieu », et soudain elle comprit.

Un voile passa devant ses yeux ; elle pardonna tout à son frère : ses secrets, ses mensonges. Sa façon de manipuler les gens. Son besoin de se prouver sa virilité. Sa boulimie de conquêtes féminines. Elle redevint la petite fille que son grand frère tenait par la main en lui disant : *N'aie pas peur. N'aie jamais peur. On rentrera à la maison.*

L'un des constables disait quelque chose, et Ruth perçut comme à travers un brouillard le son de sa voix.

Repoussant une myriade de souvenirs, elle réussit à dire :

— Paul n'a pas volé cet objet. Il en était le dépositaire. Il devait me le remettre à l'occasion de mon anniversaire. Guy voulait qu'il soit en sécurité. Il savait que Paul veillerait dessus avec le plus grand soin.

Elle ne put en dire davantage. Elle était sous le coup de l'émotion, bouleversée par le geste de son frère – et le mal insensé qu'il s'était donné pour l'honorer, honorer leur famille et son héritage. Elle murmura à l'adresse des officiers :

— Nous vous avons dérangés pour rien, messieurs, je vous prie de m'excuser.

Cela les décida à prendre congé.

Elle resta assise sur le canapé avec Paul. Il se glissa près d'elle. Il lui désigna du doigt l'édifice que le peintre avait représenté, les minuscules ouvriers qui travaillaient à sa construction, la femme diaphane assise au premier plan, les yeux baissés sur un énorme livre posé sur ses genoux. Sa tunique s'étalait en plis bleus autour d'elle. Le vent semblait avoir ramené ses cheveux en arrière. Elle était aussi ravissante que lorsque Ruth l'avait vue pour la dernière fois, soixante ans plus tôt : sans âge, intacte, intemporelle. Ruth tâtonna, cherchant la main de Paul, et la prit dans la sienne. C'était elle qui tremblait maintenant, elle ne pouvait parler. Mais comme elle avait encore la force d'agir, elle porta la main de Paul à ses lèvres et se mit debout. Elle lui fit signe de l'accompagner. Elle allait l'emmener en haut afin qu'il puisse se rendre compte par lui-même et comprendre la nature du cadeau extraordinaire qu'il venait de lui faire.

Valerie trouva le billet en rentrant de la Corbière. Quelques mots de l'écriture appliquée de Kevin : « Le récital de Cherie ». Le fait qu'il s'en soit tenu là indiquait à quel point il était contrarié.

Elle eut un coup au cœur. Elle avait complètement oublié le concert de Noël. Elle devait y aller avec son mari pour applaudir la petite de six ans qui chantait au gala de l'école mais, obnubilée par le besoin de savoir dans quelle mesure elle était responsable de la mort de Guy Brouard, elle en avait oublié le reste. Kevin lui avait peut-être rappelé le concert au petit déjeuner mais elle n'y avait pas prêté attention. Car elle était occupée à organiser sa journée : comment elle pourrait faire un saut à la Maison aux Coquillages sans que son absence soit remarquée, et ce qu'elle dirait à Henry une fois là-bas.

Quand Kevin rentra, elle préparait du bouillon de poulet, ôtant le gras qui recouvrait le liquide fumant. Une recette était posée sur le comptoir. Elle l'avait découpée dans un magazine avec l'espoir que cela donnerait de l'appétit à Ruth. Kevin apparut sur le seuil et resta à la regarder, sa cravate desserrée, son gilet déboutonné. Il s'était mis sur son trente et un pour assister au spectacle de Noël, et Valerie eut un autre coup au cœur en le voyant : il avait fière allure ; elle aurait dû l'accompagner. Le regard de Kevin se porta sur le petit mot qu'il avait laissé collé sur la porte du réfrigérateur. Valerie dit :

— Je suis désolée. J'ai oublié. Cherie s'en est bien tirée ?

Il fit oui de la tête. Il retira sa cravate, l'entortilla autour de sa main, la posa sur la table près d'une coupe pleine de noix. Il ôta sa veste puis son gilet. Tira une chaise et s'assit.

— Ça va, Mary Beth ? demanda Valerie.

— Comme ça peut. C'est son premier Noël sans lui.

— C'est ton premier Noël sans lui également.

— C'est pas pareil pour moi.

— Bien sûr. Heureusement pour les petites que tu es là.

Un silence s'établit. Le bouillon de poulet mijotait. Des pneus crissèrent sur le gravier devant la fenêtre de la cuisine. Valerie jeta un coup d'œil dehors et vit une voiture de police qui sortait de la propriété. Elle fronça les sourcils, se replongea dans la préparation du bouillon, auquel elle ajouta du céleri coupé en bâtonnets. Elle versa une poignée de sel et attendit que son mari reprenne la parole.

— Impossible de trouver la voiture pour aller en ville, dit-il. J'ai dû prendre la Mercedes de Guy.

— Tu devais être très chic, dans cette superbe auto. Ça lui a plu, à Mary Beth, ce petit trajet en Mercedes ?

— J'y suis allé seul. Il était trop tard pour passer la prendre. Je suis arrivé en retard au concert. Je t'attendais. Je me suis dit que tu avais fait un saut quelque part. Chez le pharmacien peut-être.

Elle écuma de nouveau le bouillon alors qu'il n'y avait pratiquement plus de gras à la surface. Ruth n'aimait pas le gras. Si elle trouvait des yeux dans le potage, elle repousserait le bol. Il fallait que Valerie fasse attention. Il fallait qu'elle se concentre.

— Cherie était déçue de ne pas te voir, insista Kevin. Elle comptait sur toi.

— Mary Beth ne t'a pas demandé où j'étais ?

Kevin ne répondit pas.

— Alors, fit Valerie d'un ton aussi enjoué que possible, ces fenêtres, c'est réparé ? Les fuites, c'est fini ?

— Où étais-tu ?

Elle s'approcha du frigo, jeta un coup d'œil à l'intérieur, se demandant ce qu'elle allait pouvoir dire. Elle fit mine d'examiner le contenu du réfrigérateur mais pendant ce temps ses pensées voletaient telles des mouches autour de fruits trop mûrs.

La chaise de Kevin racla le sol tandis qu'il se mettait

debout. Il s'approcha du réfrigérateur, en ferma la porte. Valerie retourna vers la cuisinière et il l'y suivit.

Lorsqu'elle s'empara de la cuiller pour s'occuper du potage, il la lui prit des mains. Il la reposa sur son support et dit :

— Il faut qu'on parle, Val. Je crois que tu le sais.

Mais pas question d'en convenir. Valerie ne pouvait pas se le permettre. Elle décida de les entraîner dans une autre direction. Elle savait qu'elle prenait un risque terrible, le risque de se retrouver dans la même situation que sa mère : abandonnée. Son enfance et son adolescence, elle les avait passées dans l'ombre de cet abandon. Et elle avait tout fait pour ne jamais se trouver en situation de contempler le dos d'un conjoint désertant à jamais le foyer conjugal. Sa mère avait été abandonnée. Son frère avait été abandonné. Elle s'était juré que ça ne lui arriverait pas. Quand on fait des efforts, qu'on s'applique, qu'on se sacrifie, on est aimé en retour.

Rassemblant ses forces, elle dit :

— Les garçons te manquent, n'est-ce pas ? Ça ne m'étonne pas. On s'est bien occupés d'eux ; mais maintenant ils ont leur vie. Et ça te manque de ne plus pouvoir jouer ton rôle de père. C'est comme ça que tout a commencé. J'ai bien vu comment tu regardais les filles, la première fois qu'elles sont venues prendre le thé avec Mary Beth.

Elle ne regarda pas son mari, il ne souffla mot, il ne protesta pas, il ne répondit pas. Dans d'autres circonstances elle aurait interprété son silence comme un acquiescement et elle aurait laissé tomber la conversation. Mais en l'occurrence, elle ne pouvait se le permettre. Elle poursuivit donc :

— N'est-ce pas, Kevin ? C'est comme ça que tout a commencé ?

Elle ne pouvait s'empêcher de penser à sa mère et à

ce que cette dernière avait vécu : les supplications, les larmes, les ne me quittc pas, je ferai ce que tu veux, je serai ce que tu voudras, je serai « elle » si c'est ce que tu exiges. Elle s'était promis que si les choses devaient en arriver là, elle ne suivrait pas l'exemple maternel.

— Valerie, lança Kevin d'une voix rauque, que nous est-il arrivé ?

— Tu ne le sais pas ?

— Dis-le-moi.

Elle le regarda.

— Est-ce qu'il y a encore un nous ?

Il eut l'air si perplexe que l'espace d'un instant elle eut envie de s'arrêter tout près de la frontière, de ne pas la franchir. Mais elle ne pouvait pas.

— De quoi tu parles ? reprit-il.

— De choix. Des choix qu'on évite quand ils sont à notre portée. Des choix qu'on fait et de ceux qu'on évite. Voilà ce qui nous est arrivé. Je me suis efforcée de faire comme si je ne voyais rien. Mais il n'empêche que les faits sont là, et que tu as raison. Il est temps qu'on parle.

— Val, est-ce que...

— Les hommes ne vont voir ailleurs que s'il y a un vide dans leur vie, Kev.

— Voir ailleurs... ?

— Un vide, oui. Dans leur vie. D'abord je me suis dit : Il peut leur tenir lieu de père sans devenir leur père, n'est-ce pas ? Leur donner ce qu'un père donne à ses filles et ça ne posera pas de problème entre Kev et moi. Il peut remplacer Corey. Il peut faire ça. Ce sera bien.

Elle déglutit mais elle savait qu'elle n'avait pas vraiment le choix.

— Et puis je me suis dit : Il n'a pas besoin de se décarcasser autant pour la femme de Corey.

— Alors comme ça tu as pensé que Mary Beth... et moi ?

Il avait l'air atterré, elle aurait voulu éprouver du soulagement mais il fallait qu'elle aille de l'avant, qu'elle soit sûre.

— Ce n'est pas ce qui s'est passé ? Dis-moi la vérité, Kev. Tu me la dois.

— La vérité, c'est ce que nous voulons tous. Je ne suis pas sûr qu'on nous la doive.

— Dans un couple ? Dis-moi, Kevin, je veux savoir ce qui se passe.

— Rien. Et je ne vois vraiment pas comment tu as pu t'imaginer qu'il y avait quelque chose entre nous.

— Les petites, ses coups de fil à répétition, ses appels au secours. Le fait que nos fils te manquent, que tu voulais... Je vois bien que nos fils te manquent, Kev.

— Evidemment qu'ils me manquent. Je suis leur père. Ça me paraît normal. Mais ça ne veut pas dire pour autant... Ecoute, Val, je dois à Mary Beth ce qu'un frère doit à sa sœur et rien de plus, rien de moins. Je pensais que tu l'aurais compris. Alors c'est ça qui te pousse à agir comme ça ?

— Quoi ?

— Le silence, les secrets, les cachotteries. Parce que tu me caches quelque chose, non ? D'habitude tu es plus bavarde que ça. Quand je t'ai demandé... (Il fit un geste, laissa retomber sa main.) T'as pas voulu me répondre. Alors je me suis dit...

Il détourna les yeux, examinant le bouillon comme s'il s'agissait d'une potion magique.

— Tu as pensé quoi ? insista-t-elle.

Il lui fallait absolument savoir et il fallait qu'il parle afin qu'elle puisse lui répondre et qu'ils en finissent une bonne fois pour toutes.

— D'abord, dit-il, je me suis dit que tu avais parlé

à Henry malgré ta promesse de tenir ta langue. Je me suis dit : Bon Dieu, elle a tout raconté à son frère pour Cynthia, et elle se figure qu'il a liquidé Brouard, et si elle ne veut pas m'en parler, c'est parce que je lui avais déconseillé de mettre Henry au courant. Après je me suis dit qu'il y avait autre chose. Quelque chose de pire. Pour moi.

— Quoi ?

— Val, je le connaissais bien. Je savais comment il fonctionnait. Il couchait avec Mrs Abbott mais elle n'était pas pour lui. Il avait Cynthia mais Cynthia n'est qu'une gamine. Ce qu'il lui fallait, c'était une vraie femme, une qui lui soit nécessaire. Une dont il ne puisse se passer. Et tu es exactement ce genre de femme, Val, il le savait. J'ai bien vu qu'il le savait.

— Tu as cru que Mr Brouard et moi... ?

Valerie n'en revenait pas : non seulement qu'il ait cru ça, mais de la chance qu'elle avait eue. Il avait l'air si malheureux que son cœur se gonfla. Elle aurait voulu éclater de rire : c'était de la folie de penser que Guy Brouard pouvait avoir eu des vues sur elle – avec ses mains abîmées par les travaux ménagers et son corps déformé par les grossesses, qui avait échappé au scalpel salvateur des chirurgiens plasticiens. Espèce d'idiot, ce qu'il cherchait, c'était la jeunesse et la beauté pour remplacer les siennes, aurait-elle voulu dire à son mari. Mais au lieu de cela elle lui répondit :

— Qu'est-ce qui t'a mis une idée pareille en tête, mon amour ?

— Ce n'est pas dans ta nature d'être cachottière. S'il ne s'agissait pas de Henry...

— Et il ne s'agissait pas de ça, mentit-elle en souriant à son mari. De là à penser que Mr Brouard et moi... Comment as-tu pu penser qu'il m'intéresserait ?

— Je me suis fié à ce que j'ai vu. Lui, je le connaissais bien, et toi, tu te mettais à avoir des secrets pour moi. Il était riche, Dieu sait que je ne le serai jamais, et que ça comptait peut-être pour toi, l'argent. Et toi...

— Quoi ?

Il tendit les mains. On pouvait lire sur son visage ce qu'il s'apprêtait à dire.

— N'importe qui aurait eu envie de te séduire si l'occasion s'était présentée.

Elle sentit une grande douceur l'envahir. Se communiquer à son visage, à ses yeux. Elle le rejoignit.

— Il n'y a jamais eu qu'un homme dans ma vie, Kevin. Peu de femmes peuvent en dire autant. Moins encore peuvent en être fières. Je peux le dire et j'en suis fière. Il n'y a jamais eu que toi.

Il l'étreignit. La serra contre lui avec force. Il se cramponna à elle mais ce n'était pas le désir qui le poussait. Il voulait avant tout se rassurer, elle le comprenait d'autant mieux qu'elle éprouvait la même chose.

Il cessa de la questionner plus avant, Dieu merci.

Elle n'en dit pas davantage.

Margaret ouvrit sa seconde valise, qu'elle avait posée sur le lit, et se mit à sortir d'autres vêtements de la commode. Elle avait soigneusement plié ses affaires en arrivant mais elle se fichait pas mal de savoir comment elle faisait ses bagages pour repartir. Le manoir, elle en avait soupé. Les Brouard, également. Elle ignorait à quelle heure était le prochain vol pour l'Angleterre mais elle était bien décidée à le prendre.

Elle avait fait ce qu'elle pouvait : pour son fils, pour son ex-belle-sœur, pour tout le monde, bon sang. Mais la façon dont Ruth l'avait congédiée avait été la goutte d'eau qui avait fait déborder le vase après sa dernière conversation avec Adrian.

Elle s'était rendue dans la chambre de son fils et, ne l'y trouvant pas, elle avait exploré la maison. Margaret l'avait finalement déniché au dernier étage dans la galerie où Guy avait rassemblé une partie de ses collections d'objets et d'œuvres d'art. Le fait que tout ceci aurait pu appartenir à Adrian, aurait dû lui appartenir... Même si les tableaux n'étaient que des barbouillages sans queue ni tête – des taches de peinture, de vagues silhouettes qui semblaient avoir été débitées en rondelles par un robot ménager –, ils avaient probablement de la valeur, ils auraient dû tomber dans l'escarcelle d'Adrian. A la pensée de ce que Guy avait manigancé ces dernières années pour priver délibérément son fils de son dû, c'est bien simple, Margaret bouillait de rage. Elle se promit de se venger.

Adrian ne faisait rien de spécial dans la galerie : il était tout simplement et très adrianesquement avachi dans un fauteuil. Comme il faisait froid, il avait enfilé son blouson de cuir. Mains dans les poches, jambes allongées devant lui, il se tenait dans l'attitude d'un joueur de foot en chambre qui assiste à la déculottée de son équipe préférée. Toutefois ses yeux n'étaient pas braqués sur un téléviseur mais sur le dessus de la cheminée, où s'alignaient une bonne dizaine de photos de famille, et parmi elles Adrian avec son père. Adrian avec ses demi-sœurs. Adrian avec sa tante.

Margaret l'appela :

« Adrian, tu m'entends ? Elle pense que tu n'as aucun droit sur son argent. Et selon elle, c'était également l'avis de Guy. Elle dit qu'il ne croyait pas aux « coups de pouce » des parents aux enfants, c'est comme ça qu'elle a formulé la chose. Quelle blague ! Comme si on était censés gober ça. Si ton père avait eu la chance qu'on lui laisse un héritage, tu crois qu'il aurait craché dessus ? Tu crois qu'il aurait dit : « Non merci, ce n'est pas bon pour moi, donnez plutôt cet argent à quelqu'un dont la pureté d'âme ne sera pas souillée » ? Ça m'étonnerait un peu. Si tu veux que je te dise, ce sont de fieffés hypocrites, ces deux-là. Ce qu'il a fait, il l'a fait pour me punir à travers toi, et elle s'en lèche les babines de contentement. Adrian, tu m'écoutes ? Tu as entendu ce que je t'ai dit ? »

Elle se demanda s'il ne s'était pas réfugié dans un de ses états seconds, ce qui n'aurait pas été surprenant de sa part. C'est ça, descends en toi-même, plonge dans une pseudo-catatonie, mon petit. Et laisse maman se débattre avec la réalité.

Finalement, c'en fut trop pour Margaret. Tous ces coups de téléphone que lui avaient passés les écoles où Adrian était allé d'échec en échec, où les sœurs de l'infirmerie lui disaient en confidence qu'il n'y avait rien qui clochait vraiment chez cet enfant. Les psychologues avec leurs formules compatissantes lui indiquant qu'il fallait tout simplement qu'il quitte les jupes de sa mère s'il voulait faire des progrès. Les maris successifs qui n'avaient pas les reins assez solides pour s'occuper d'un beau-fils perclus de problèmes. Les frères et sœurs qu'on punissait parce qu'ils l'asticotaient. Les professeurs vertement sermonnés parce qu'ils ne le comprenaient pas. Les médecins congédiés parce qu'ils ne réussissaient pas à lui venir en aide. Les animaux de compagnie dont on se séparait parce qu'ils n'arrivaient pas à le distraire. Les employeurs qu'on suppliait de lui donner une troisième ou une quatrième chance. Les propriétaires auprès desquels il fallait intercéder. Les petites amies qu'il fallait manipuler. Tout ça pour en arriver là. Alors qu'il était censé au moins l'écouter, murmurer ne serait-ce qu'un seul mot, la rassurer d'un grognement et d'un vague : « Tu as fait de ton mieux, maman. » Mais non, c'était encore trop lui demander que de faire un petit effort, d'avoir un peu d'initiative, de s'intéresser à sa vie, d'essayer d'avoir une vie à lui qui ne soit pas seulement un prolongement de la sienne parce qu'il fallait qu'une mère ait des garanties, qu'elle ait au moins la garantie de savoir que ses enfants avaient la volonté de survivre une fois livrés à eux-mêmes. Mais la maternité ne lui avait rien garanti. Margaret sentit sa détermination s'effondrer.

« Adrian ! »

Comme il ne répondait pas, elle le gifla. Elle hurla :

« Je ne suis pas un meuble, bon Dieu. Réponds-moi tout de suite ! Adrian, si tu ne... »

De nouveau elle leva la main. Il s'en saisit alors qu'elle allait encore frapper. Il serra sa main avec force en se mettant debout. Puis il la lâcha comme s'il s'agissait d'un détritus et dit :

« Il faut toujours que tu aggraves les choses. Je ne veux pas de toi ici. Tire-toi.

— Mon Dieu, comment oses-tu ? »

Mais ce fut tout ce qu'elle réussit à proférer.

« Ça suffit », dit-il en la plantant là.

Alors elle avait regagné sa chambre. Elle avait sorti ses valises de sous son lit. Elle avait terminé la première, et maintenant elle s'attelait à la seconde. Elle allait rentrer. L'abandonner à son sort. Lui donner l'occasion de voir comment il s'en sortait tout seul.

Dans l'allée, deux portières claquèrent à quelques secondes d'intervalle. Margaret se précipita à la fenêtre. Elle avait entendu la voiture de la police quitter les lieux cinq minutes plus tôt et elle avait vu qu'ils n'avaient pas emmené le petit Fielder. Elle espérait qu'ils revenaient le chercher, ayant trouvé une bonne raison de boucler cette misérable vermine. Mais ce qu'elle vit en contrebas, c'est une Ford Escort marine dont le conducteur et le passager conversaient. Le passager, elle le reconnut pour l'avoir vu à la réception après les obsèques de Guy : c'était le handicapé à l'air ascétique qui se tenait près de la cheminée. Sa compagne au volant était une jeune femme rousse.

Margaret se demanda ce qu'ils voulaient, qui ils comptaient voir.

Elle n'eut pas à attendre longtemps la réponse. Car Adrian arrivait à pied le long de l'allée, venant de la baie. Le fait que les visiteurs étaient tournés dans sa direction lui permit de comprendre qu'ils l'avaient aperçu en arrivant en voiture et qu'ils attendaient qu'il les rejoigne.

Ses antennes se dressèrent. Malgré sa décision de laisser son fils se débrouiller seul, elle se dit que si Adrian parlait à des étrangers alors que le meurtre de son père n'était toujours pas élucidé, il était en danger.

Margaret, qui s'apprêtait à enfourner une chemise de nuit dans sa valise, la jeta sur le lit et sortit en hâte de sa chambre.

Elle entendit, venant du bureau de Guy, la voix de Ruth. Elle se promit d'avoir une explication avec sa belle-sœur qui avait refusé de la laisser assister à l'entretien entre le petit Fielder, cette graine de voyou, et les officiers de police. Pour le moment il y avait plus urgent.

Une fois dehors, elle constata que l'homme et la jeune femme rousse rejoignaient son fils. Elle les interpella :

— Bonjour ! Je peux vous aider ? Margaret Chamberlain.

Elle vit une petite lueur s'allumer dans les yeux d'Adrian : du mépris. Elle faillit le laisser se dépatouiller seul – Dieu sait qu'il méritait qu'on le laisse à son sort – mais elle ne put s'y résoudre : elle tenait à savoir ce qui amenait les visiteurs.

Elle les rattrapa, et de nouveau se présenta.

L'homme dit s'appeler Simon Allcourt-Saint James, et sa femme, Deborah. Tous deux étaient venus voir Adrian Brouard. Il ponctua ces mots d'un signe de tête adressé au fils de Margaret pour bien lui faire comprendre qu'il le reconnaissait – ce qui empêcha Adrian de prendre la fuite.

— De quoi s'agit-il ? s'enquit Margaret aimablement. Je suis la mère d'Adrian.

— Vous avez une minute ? demanda Simon Allcourt-Saint James à Adrian comme si Margaret n'avait pas prononcé un mot.

Elle se hérissa mais, d'un ton aussi avenant que possible, poursuivit :

— Désolée. Nous sommes un peu pressés. Je dois partir pour l'Angleterre et comme c'est Adrian qui me conduit à l'aéroport...

— Entrez, coupa Adrian. Nous parlerons à l'intérieur.

— Adrian, chéri, dit Margaret d'un air entendu.

Elle lui jeta un long regard en essayant de lui faire passer le message : Surtout, pas de bêtises. Nous ignorons qui sont ces gens.

Il n'en tint pas compte et entraîna les visiteurs vers la porte. Elle n'eut d'autre choix que de les suivre, disant : « Je suppose qu'on a une minute », dans un effort pour présenter un front uni.

Margaret les aurait obligés à rester debout dans le hall glacial pour écourter leur visite. Adrian, lui, les emmena au salon. Là, il eut le bon goût de ne pas demander à sa mère de s'éclipser. Aussi s'installa-t-elle au milieu d'un des canapés pour être sûre qu'on n'oublie pas sa présence.

Saint James – c'est ainsi qu'il avait demandé qu'on l'appelle quand elle s'était risquée à utiliser son nom à tiroirs – ne sembla pas voir d'objection à ce qu'elle assiste à l'entretien qu'il voulait avoir avec son fils. Pas plus que sa femme, d'ailleurs, qui vint s'asseoir près de Margaret sans qu'on lui ait demandé quoi que ce soit et se mit en position d'observateur. De son côté, Adrian ne semblait pas particulièrement ému par la présence de ces étrangers. Il ne broncha pas lorsque Saint James commença à lui parler d'argent, de grosses sommes d'argent qui avaient disparu de la succession de son père.

Il fallut un moment à Margaret pour assimiler les implications des révélations de Saint James et pour mesurer jusqu'à quel point l'héritage d'Adrian avait été dilapidé. Car il semblait que la somme que devait toucher Adrian, aussi faible qu'elle fût compte tenu des dispositions prises par son géniteur, était en fin de compte nettement inférieure à ce que Margaret avait imaginé.

— Vous êtes en train de nous dire... s'écria-t-elle.

— Maman, l'interrompit Adrian. Poursuivez, dit-il à Saint James.

Apparemment le Londonien n'était pas venu uniquement pour apprendre à Adrian qu'il allait devoir réviser ses espérances à la baisse. Au cours des huit ou neuf derniers mois, Guy avait transféré de l'argent hors de Guernesey, et Saint James était venu voir si Adrian savait pourquoi son père avait viré de grosses sommes sur un compte à Londres, un compte domicilié à Bracknell. Il avait chargé quelqu'un en Angleterre de se renseigner là-dessus, dit-il à Adrian ; mais si Mr Brouard pouvait leur faciliter la tâche en leur donnant éventuellement des détails à ce sujet... Sans laisser à Adrian le temps de parler, Margaret dit :

— Dites-nous en quoi consiste votre boulot, Mr Saint James ? Parce que franchement... Comprenez-moi bien, je n'ai pas l'intention d'être désagréable, mais je ne vois pas pourquoi mon fils répondrait à vos questions.

Adrian aurait dû comprendre qu'il valait mieux se taire mais naturellement ce fut peine perdue.

— J'ignore pourquoi, dit Adrian, mon père aurait viré de l'argent à qui que ce soit.

— Ce n'était donc pas à vous qu'il l'envoyait, alors ? Pour raisons personnelles ? Une société que vous vouliez monter ? Eponger vos dettes ?

Adrian sortit de la poche de son jean un paquet de cigarettes froissé. Il en prit une, qu'il alluma.

— Mon père ne m'a jamais épaulé financièrement. Pas plus pour monter une entreprise que pour quoi que ce soit. Notez que j'aurais bien voulu. Mais il a refusé.

Margaret grimaça intérieurement. Il ne se rendait pas compte de ce qu'il disait. Il ne se rendait pas compte de l'impression qu'il produisait. Et il allait leur en donner plus qu'ils n'en demandaient. Et pourquoi pas, quand il tenait une aussi belle occasion de la faire enrager ? Ils avaient eu des mots et voilà qu'il avait l'occasion de se venger. Il sauterait dessus sans penser aux conséquences. Franchement il était exaspérant.

— Donc, vous n'avez pas de liens avec International Access, Mr Brouard ? reprit Saint James.

— C'est quoi ? fit Margaret prudemment.

— Le destinataire des fonds transférés par Mr Brouard. Plus de deux millions de livres.

Margaret s'efforça de prendre l'air intéressé mais elle était atterrée, elle avait l'impression qu'un étau de fer lui broyait les entrailles. Elle se força à détourner les yeux de sa progéniture. Et si Guy lui avait envoyé de l'argent, songea-t-elle, si Adrian avait menti à ce sujet ? International Access, n'était-ce pas le nom qu'Adrian avait envisagé de donner à la société qu'il souhaitait créer ? Ça, c'était typique de lui, de baptiser le projet avant même qu'il ne soit sur pied. Mais est-ce que ce n'était pas là la brillante idée qui devait lui faire gagner des millions si seulement son père voulait bien accepter de lui servir de bailleur de fonds ? Pourtant Adrian avait déclaré que son père n'avait pas investi un centime dans son projet. Et s'il avait menti ? Si Guy lui avait donné cet argent ?

Il était hors de question de laisser croire à ces étrangers qu'Adrian puisse s'être rendu coupable de quoi que ce soit. Elle allait leur mettre les points sur les *i* :

— Mr Saint James, si Guy a viré de l'argent en Angleterre, ce n'est pas à Adrian.

— Non ? fit Saint James, aussi aimable qu'elle-même.

Mais ni le regard qu'il échangea avec sa femme ni sa signification n'échappèrent à Margaret. Manifestement ils trouvaient curieux qu'elle parle à la place d'un fils adulte qui semblait parfaitement capable de se débrouiller seul. Ils avaient l'air de la prendre pour une emmerdeuse. Qu'ils pensent ce qu'ils voulaient. Elle avait des soucis plus importants en tête que l'effet qu'elle produisait sur ces gens-là.

— Mon fils m'en aurait parlé. Il n'a pas de secrets pour moi. Comme il ne m'a rien dit de cette histoire d'argent, c'est que Guy ne lui en a pas donné.

— Vraiment, Mr Brouard ? interrogea Saint James en regardant Adrian. Il vous a peut-être dépanné pour des raisons autres que professionnelles ?

— C'est une question que vous lui avez déjà posée, souligna Margaret.

— Je ne crois pas qu'il y ait répondu, dit poliment la femme de Saint James. Enfin, pas complètement.

Cette fille-là, c'était exactement le genre de femme que Margaret avait en horreur : assise là, le buste bien droit, avec sa masse de cheveux bouclés et son teint de porcelaine. Elle devait être ravie qu'on la voie et surtout qu'on ne l'entende pas, comme il seyait à une femme de l'époque victorienne – laquelle était priée de fermer les yeux et de penser à l'Angleterre.

— Dites donc ! protesta Margaret.

Adrian l'interrompit :

— Je n'ai pas reçu un sou de mon père.

— Vous voyez, triompha Margaret. Et maintenant,

si vous n'avez plus de questions, nous avons des tas de choses à régler.

Elle commença à se lever. La question de Saint James l'arrêta net.

— Est-ce qu'il y aurait quelqu'un d'autre alors, Mr Brouard, en Angleterre, que votre père aurait souhaité dépanner ? Quelqu'un qui aurait un rapport avec une société du nom d'International Access ?

Cette fois, ça commençait à bien faire. Ils avaient répondu aux questions de ce type. Il fallait qu'il s'en aille.

— Si Guy envoyait de l'argent à quelqu'un, dit Margaret d'un ton insolent, c'est probablement à une femme. Je vous conseille de creuser dans ce sens. Adrian, chéri ? Tu veux bien m'aider à boucler mes valises ? Il faut qu'on file.

— Une femme en particulier ? questionna Saint James sans se laisser décourager. Je sais qu'il avait une liaison avec Mrs Abbott, mais comme elle habite Guernesey... Y a-t-il quelqu'un à qui nous devrions parler en Angleterre selon vous ?

Margaret vit qu'ils allaient devoir lui fournir le nom s'ils voulaient s'en débarrasser. Il valait mieux que cela vienne d'eux plutôt que de laisser cet homme le découvrir tout seul et s'en servir ensuite pour salir son fils. Venant d'eux, ça pourrait encore avoir l'air innocent. S'adressant à Adrian et s'efforçant de prendre un ton négligent quoiqu'un peu impatient pour bien montrer qu'elle n'avait pas que ça à faire, elle dit :

— Oh... Il y avait bien cette jeune femme qui t'a accompagné au manoir l'an dernier. Ta petite partenaire d'échecs. Son prénom, c'était quoi déjà ? Carol ? Carmen ? Non. Carmel. C'est ça. Carmel Fitzgerald. Guy semblait s'en être entiché. Autant que je m'en souvienne, ils ont eu une petite aventure. Une fois que ton père a su qu'elle et toi n'étiez pas... tu vois ce que je veux dire. Ce n'était pas ainsi qu'elle s'appelait, Adrian ?

— Papa et Carmel...

Margaret poursuivit, enfonçant le clou pour le bénéfice des Saint James.

— Guy a toujours été un homme à femmes, et comme Carmel et Adrian n'étaient pas ensemble... Si ça se trouve, mon chéri, il était encore plus toqué de cette fille que tu ne l'imaginais. Même que ça t'amusait. « Papa a fait de Carmel son chouchou du mois. » On en riait tous les deux mais peut-être que ton père s'intéressait plus à elle que tu ne le soupçonnais ? Elle t'avait laissé entendre que ce n'était pas sérieux, cette histoire avec Guy. Mais si ça se trouve, ça l'était pour lui. Certes, il n'a jamais été du genre à acheter les sentiments de quelqu'un ; mais c'est peut-être parce que jusque-là il n'y avait pas été obligé. Qu'en penses-tu, mon chéri ?

Margaret retint son souffle. Elle se rendait bien compte qu'elle avait nettement rallongé la sauce, mais le moyen de faire autrement ? Il fallait bien qu'elle lui souffle sous quel jour dépeindre les relations entre son père et la femme qu'il était censé épouser. Il lui suffisait d'enchaîner, de dire : « Ah oui, papa et Carmel. Quelle rigolade ! C'est à elle que vous devriez parler si vous voulez savoir où est passé son fric. » Mais au lieu de cela, il dit à l'homme de Londres :

— Ce n'était pas Carmel. Ils se connaissaient à peine. Papa ne s'intéressait pas à Carmel. Ce n'était pas son genre.

Malgré elle, Margaret intervint :

— Pourtant tu m'as dit...

— Je ne crois pas t'avoir rien dit, maman, fit-il en lui jetant un coup d'œil. Tu as *supposé*. Et pourquoi pas ? C'était logique après tout.

Margaret se rendait bien compte que les deux autres

n'avaient pas la moindre idée de ce dont son fils et elle parlaient mais en tout cas ils semblaient décidés à le découvrir. Elle était tellement abasourdie par les propos de son fils, cependant, qu'elle ne parvint pas à les analyser assez vite pour savoir jusqu'à quel point il serait fâcheux d'avoir devant des étrangers la conversation qui s'imposait avec Adrian. Seigneur... Lui avait-il encore beaucoup menti ? Si elle se risquait à susurrer le mot *mensonge* en présence des visiteurs, quelles conclusions en tireraient-ils ?

— J'ai tiré des conclusions hâtives, dit-elle. Ton père a toujours... Tu sais comment il était avec les femmes. J'ai supposé... J'ai dû mal comprendre... Tu m'as dit qu'elle avait pris ça à la blague, non ? Peut-être que tu parlais de quelqu'un d'autre, et que j'ai pensé qu'il s'agissait de Carmel ?

Il eut un sourire sarcastique : apparemment ça l'amusait de voir sa mère s'empêtrer dans ses explications. Il la laissa patauger encore un moment avant d'intervenir.

— Je ne connais personne en Angleterre avec qui mon père ait pu entretenir des relations. Mais ce qui est sûr, c'est qu'il avait quelqu'un avec qui il baisait dans l'île. J'ignore qui, mais ma tante le sait.

— Elle vous l'a dit ?

— Je les ai entendus se disputer à ce propos. Tout ce que je peux vous dire, c'est qu'il s'agit de quelqu'un de jeune. Parce que Ruth menaçait d'aller tout raconter au père de la petite. Elle a dit que si c'était le seul moyen d'empêcher papa de sortir avec une gamine, elle n'hésiterait pas.

Il eut un sourire sans joie et ajouta :

— C'était un drôle de phénomène, mon paternel, vous savez. Pas étonnant qu'on lui ait fait la peau.

Margaret ferma les yeux, souhaitant être transportée ailleurs, et en son for intérieur elle maudit son fils.

25

Saint James et sa femme n'eurent pas à se mettre à la recherche de Ruth Brouard. Ce fut elle qui les rejoignit. Elle entra dans le salon, l'air surexcitée.

— Mr Saint James, quelle chance de vous trouver ! J'ai téléphoné à votre hôtel, où l'on m'a dit que vous deviez venir. Les grands esprits se rencontrent.

Ignorant sa belle-sœur et son neveu, elle demanda à Saint James de l'accompagner, précisant que tout était clair comme de l'eau de roche, et qu'elle comptait bien tout lui expliquer sans plus tarder.

— Est-ce que je... commença Deborah, amorçant un mouvement de repli en direction du jardin.

Ruth lui dit de les accompagner lorsqu'elle apprit qui elle était.

Margaret Chamberlain protesta aussitôt :

— De quoi s'agit-il, Ruth ? Si c'est au sujet de l'héritage d'Adrian...

Mais Ruth continua de l'ignorer, fermant la porte tandis qu'elle confiait à Saint James :

— Excusez-la. Margaret est plutôt...

Et avec un haussement d'épaules entendu, elle ajouta :

— Suivez-moi. Dans le bureau de Guy.

Une fois là, elle ne perdit pas de temps en préambules.

— Je sais ce qu'il a fait de l'argent qui a disparu. Tenez, regardez.

Saint James vit une peinture à l'huile posée sur le bureau de Guy Brouard. Les coins de la toile – laquelle mesurait environ soixante centimètres de haut sur quarante-cinq de large – étaient solidement maintenus par quatre livres tenant lieu de presse-papiers. Ruth l'effleura comme s'il s'agissait d'un objet sacré.

— Guy a fini par la rapporter.

— Qu'est-ce que c'est ? demanda Deborah près de Ruth et contemplant la toile.

— *La Belle Dame au livre et à la plume*. Elle appartenait à mon grand-père. A son père avant lui. Qui lui-même la tenait du sien, et ainsi de suite. Guy devait en hériter. Je pense que c'est pour la récupérer qu'il a dépensé tout cet argent. Il n'y a rien d'autre...

Sa voix s'altéra. Levant la tête, Saint James constata que derrière leurs lunettes rondes les yeux de Ruth Brouard étaient pleins de larmes.

— ... c'est tout ce qui me reste d'eux.

Elle ôta ses lunettes et s'essuya avec la manche de son pull. Elle s'approcha d'une table entre deux fauteuils à un bout de la pièce. Elle y prit une photo et la leur apporta.

— Tenez. Elle figure sur cette photo. Maman nous l'a donnée la nuit où on est partis parce qu'on est tous dessus. Grand-père, grand-mère, tante Esther, tante Becca, leurs maris, nos parents, nous. Elle nous a dit : « Gardez-la en attendant qu'on se retrouve, comme ça vous nous reconnaîtrez quand vous nous verrez. » Nous ne pouvions pas savoir que nous ne les reverrions plus. Et regardez, sur la photo, elle est au-dessus du buffet. *La Belle Dame au livre et à la plume*, c'était sa place. Vous voyez les petites silhouettes au loin occupées à construire cette église. Un énorme édifice gothique qu'il a fallu cent ans pour achever. Et elle, elle est là, sereine. Comme si elle savait sur cette église des choses que le reste du monde ignorera toujours.

Ruth sourit affectueusement en contemplant le tableau et pourtant elle avait les yeux brillants de larmes.

— Très cher frère, murmura-t-elle. Tu n'as pas oublié.

Saint James, près de Deborah, regardait la photo tandis que Ruth Brouard parlait. Il constata qu'effectivement la toile posée sur le bureau était celle de la photo, et que le cliché était celui qu'il avait remarqué la dernière fois qu'il s'était trouvé dans cette pièce. Il représentait une famille rassemblée autour d'une table à l'occasion du dîner de la Pâque. Tous souriaient, en paix avec un monde qui bientôt les détruirait.

— Qu'est-il arrivé à cette toile ? questionna-t-il.

— Ça, on ne l'a jamais su, dit Ruth. On s'est bornés à faire des suppositions. A la fin de la guerre, Guy et moi, on a attendu. Pensant que nos parents viendraient nous chercher. On ne savait pas... au début. Il nous a fallu un certain temps. On continuait d'espérer, voyez-vous... Vous savez comment sont les enfants, ils espèrent toujours. C'est plus tard seulement qu'on a découvert la vérité.

— Qu'ils étaient morts, murmura Deborah.

— Oui. Ils étaient restés trop longtemps à Paris. Ils étaient partis pour le Sud, pensant y être en sécurité ; mais après ça, on n'a plus entendu parler d'eux. Ils s'étaient rendus à Lavaurette. Seulement, pas moyen d'être en sécurité où que ce soit. Le gouvernement de Vichy trahissait les Juifs quand on le lui demandait. Les gens du gouvernement étaient pires que les nazis parce que les Juifs étaient des Français.

Elle prit la photo des mains de Saint James et la regarda tout en continuant de parler.

— A la fin de la guerre, Guy avait douze ans, et moi neuf. Des années s'écoulèrent avant qu'il puisse se rendre en France pour essayer de savoir ce qui était arrivé aux membres de notre famille. Nous savions juste, d'après leur dernière lettre, qu'ils avaient dû tout abandonner à l'exception de quelques vêtements qu'ils avaient entassés dans une valise. C'est pourquoi *La Belle Dame au livre et à la plume* resta, ainsi que toutes leurs affaires, à la garde d'un de leurs voisins, Didier Bombard. Ce monsieur a dit à Guy que les nazis avaient fait main basse sur leurs biens, étant donné qu'ils étaient juifs. Mais bien sûr c'était peut-être un mensonge.

— Comment votre frère a-t-il réussi à remettre la main dessus ? demanda Deborah. Après toutes ces années ?

— C'était quelqu'un de tenace, Guy. Il a dû engager du personnel pour effectuer les recherches et récupérer la toile.

— C'est là qu'intervient International Access, observa Saint James.

— Qu'est-ce que c'est ? interrogea Ruth.

— Une société anglaise à qui il a viré de l'argent.

— Ah, c'est donc ça, observa Ruth.

De nouveau elle contempla la toile. Elle prit une petite lampe sur le bureau et l'approcha du tableau.

— C'est donc grâce à International Access qu'il a pu remettre la main dessus. Ça n'a pas dû être facile... Quand on pense au nombre de collections de tableaux qui sont dispersées dans les salles des ventes quotidiennement en Angleterre... Quand vous irez voir ces gens-là, ils vous raconteront comment ils ont réussi à retrouver la trace de cette toile. Ça doit être des enquêteurs privés, j'imagine. Peut-être une galerie. Mon frère l'aura rachetée, évidemment. On ne se sera pas contenté de la lui remettre.

— Mais si elle vous appartient... objecta Deborah.

— Oui, mais comment le prouver ? Nous n'avions pour preuve que cette seule photo de famille, c'est bien insuffisant. Nous n'avions pas d'autre document. Il n'y en avait pas d'autre. Cette toile a toujours été dans la famille, et il n'y avait que cette photo pour le prouver.

— Et les témoignages de parents ou d'amis l'ayant vue chez votre grand-père ?

— Ces gens-là sont tous morts, j'imagine, dit Ruth. Et en dehors de M. Bombard, je ne vois pas qui ça pouvait être. Guy n'avait d'autre moyen de remettre la main dessus que de la racheter à celui ou celle qui l'avait en sa possession ; et c'est ce qu'il a fait, vous pouvez en être sûrs. C'était le cadeau qu'il voulait me faire pour mon anniversaire : me rapporter la seule chose qui restait de notre famille. Avant ma mort.

En silence, ils examinèrent la toile. Elle était ancienne, aucun doute là-dessus. Hollandaise ou flamande, d'après Saint James. C'était un travail fascinant, d'une beauté intemporelle. Sans doute une allégorie.

— Je me demande qui est cette femme, dit Deborah. Certainement une dame de bonne famille, à en juger par sa tenue. Magnifique. Et le livre, cet énorme livre... Quelqu'un qui possédait un livre de cette taille, qui savait lire à cette époque... Ça devait être quelqu'un de riche. Une reine, peut-être.

— Pour moi, ce n'est que *La Belle Dame au livre et à la plume*, dit Ruth.

Saint James s'arracha à sa contemplation pour lui demander :

— Comment l'avez-vous retrouvée ? En cherchant dans les affaires de votre frère ?

— Non. C'est Paul Fielder qui me l'a remise.

— Le jeune homme dont votre frère était le parrain ?

— Il me l'a remise, oui. Margaret pensait qu'il avait volé quelque chose parce qu'il ne voulait pas qu'on touche à son sac à dos. Mais c'était la toile qu'il avait dans son sac, et il me l'a donnée immédiatement.

— Quand ?

— Ce matin. Quand la police l'a amené ici du Bouet.

— Il est encore là ?

— Je crois, oui. Pourquoi ? Vous ne pensez tout de même pas qu'il l'a dérobée ? Parce que je suis sûre que non. Ce n'est pas son genre.

— Est-ce que vous voulez bien me la confier, miss Brouard ? (Saint James effleura le bord de la toile.) Je ne la garderai qu'un moment. J'en prendrai le plus grand soin.

— Pourquoi ?

— Si ça ne vous ennuie pas, dit-il en guise de réponse. Ne vous inquiétez pas. Je vous la rends très rapidement.

Elle fixa le tableau comme si elle répugnait à s'en séparer, ce qui était probablement le cas. Au bout d'un moment, toutefois, elle fit oui de la tête et retira les quatre livres qui servaient de presse-papiers.

— Il faut l'encadrer. Il faut qu'elle soit accrochée correctement.

Elle remit la toile à Saint James. Il la lui prit en ajoutant :

— Vous saviez que votre frère était l'amant de Cynthia Moullin, n'est-ce pas, miss Brouard ?

Ruth détourna le regard. Elle éteignit la lampe et la remit à sa place initiale. Saint James crut un moment qu'elle allait ne pas répondre mais elle finit par dire :

— Je les ai surpris ensemble. Il m'a certifié qu'il m'en aurait parlé. Qu'il allait m'en parler. Il m'a dit qu'il avait l'intention de l'épouser.

— Vous ne l'avez pas cru ?

— Mon frère m'a dit ça tellement souvent, Mr Saint James. « Enfin je l'ai trouvée. Cette fois, c'est la bonne. Cette femme, Ruth, c'est vraiment celle qu'il me faut. » Sur le moment, il y croyait dur comme fer. Il prenait ses moindres frémissements de désir pour de l'amour. Ce sont des choses qui arrivent, certes. Mais Guy ne réussissait jamais à voir plus loin. Et quand la passion retombait, il pensait aussitôt que c'était la mort de l'amour. Pas seulement une chance de commencer à aimer.

— Vous avez averti le père de la petite ? questionna Saint James.

Ruth s'approcha de la maquette du musée. Elle chassa du toit une poussière invisible.

— Il ne m'a pas laissé le choix. Il ne voulait pas mettre un terme à cette liaison. Et c'était mal.

— Pourquoi ?

— Parce que c'est une gamine qui n'avait pas d'expérience. Je voulais bien fermer les yeux quand il batifolait avec des femmes. Elles savaient ce qu'elles faisaient. Mais Cynthia, non. Là, c'était trop. Il était allé trop loin. Il ne m'a pas laissé le choix, j'ai dû aller trouver Henry. Je me suis dit que c'était la seule façon de les sauver tous les deux : la petite d'une déception, et lui de l'opprobre général.

— Ça n'a pas marché ?

Elle se détourna de la maquette du musée.

— Henry n'a pas tué mon frère, Mr Saint James. Il n'a pas levé la main sur lui. Et pourtant l'occasion s'est présentée ; mais croyez-moi, ce n'est pas son genre.

Saint James vit combien Ruth Brouard avait besoin d'y croire. Sinon sa responsabilité dans le drame aurait été écrasante. Or le fardeau qu'elle portait était déjà suffisamment lourd.

— Etes-vous certaine de ce que vous avez vu, de votre fenêtre, le matin de la mort de votre frère, miss Brouard ?

— Je l'ai vue, dit-elle. Qui le suivait. Je l'ai vue.

— Vous avez vu quelqu'un, rectifia doucement Deborah. Une silhouette vêtue de noir. Et de loin, encore.

— Elle n'était pas à la maison. Elle l'a suivi. Je le sais.

— Son frère a été arrêté, dit Saint James. La police semble penser avoir commis une erreur en appréhendant sa sœur. Serait-il possible que vous ayez aperçu Cherokee et non China River ? Il aurait pu lui emprunter sa cape et se faire passer pour elle. A ce moment-là, c'est lui que vous auriez vu dans ce vêtement... tout en étant persuadée d'avoir vu China.

Saint James évita le regard de Deborah, sachant comment elle réagirait en l'entendant émettre l'hypothèse que l'un des River pût être impliqué dans cette affaire. Mais il avait encore des questions à élucider, et tant pis pour les sentiments de Deborah. Il poursuivit :

— Est-ce que vous avez fouillé la maison pour voir si Cherokee River y était ? Est-ce que vous avez jeté un coup d'œil dans sa chambre comme vous avez dit en avoir jeté un dans celle de China ?

— J'ai bel et bien inspecté la chambre de miss River, protesta Ruth Brouard.

— Et la chambre d'Adrian ? Vous y avez jeté un coup d'œil, aussi ? Et celle de votre frère, vous êtes allée voir si China s'y trouvait ?

— Adrian n'a pas... Guy et cette femme n'ont... jamais... Guy ne...

Mais Ruth ne termina pas sa phrase. Saint James n'insista pas.

Une fois la porte du salon refermée sur les visiteurs, Margaret ne perdit pas de temps pour aller au fond des choses avec son fils. Il commençait à leur emboîter le pas pour quitter la pièce mais, le devançant, elle se précipita et lui barra le chemin en se postant devant le battant. Elle lui dit :

— Assieds-toi, Adrian. On a des choses à se dire.

Elle entendit nettement la menace qui perçait dans sa voix, et regretta de ne pouvoir la faire disparaître. Seulement elle en avait par-dessus la tête de tirer sur ses réserves d'amour maternel – réserves au demeurant limitées. Il lui fallait maintenant regarder la réalité en face : Adrian avait été un enfant difficile dès sa naissance, et les enfants difficiles devenaient souvent des adolescents difficiles qui, eux-mêmes, se transformaient en adultes non moins difficiles.

Elle avait longtemps considéré son fils comme une victime des circonstances et elle s'était longtemps servie de ces circonstances pour expliquer ses bizarreries. Son manque d'assurance ? Il avait été provoqué par la présence dans son entourage d'hommes qui manifestement ne le comprenaient pas. C'est à ces présences hostiles qu'elle avait également imputé ses épisodes de somnambulisme et ses crises quasi catatoniques auxquelles même une tornade n'aurait pu l'arracher. Son incapacité à se faire une vie à lui ? Elle venait de sa peur d'être abandonné par une mère qui s'était remariée trois fois. Son renvoi de l'université à la suite d'un épouvantable incident de défécation en public ? Elle l'attribuait à un traumatisme de la petite enfance. Bref, Margaret avait toujours trouvé des bonnes raisons à tout. Mais là, elle n'arrivait pas à en trouver pour expliquer les mensonges qu'il lui avait débités. Elle lui avait consacré sa vie. Elle voulait quelque chose en échange. Faute d'avoir la vengeance qu'elle souhaitait de toute son âme, elle se contenterait d'une explication. Et il allait la lui fournir ou il mourrait dans cette pièce en essayant de se dérober.

— Assieds-toi, dit-elle de nouveau. Pas question que tu sortes d'ici. Nous avons à parler.

— De quoi ?

Margaret s'énerva : loin d'avoir l'air méfiant, il semblait irrité, lui donnant l'impression qu'elle abusait de son précieux temps.

— De Carmel Fitzgerald. J'ai l'intention d'aller au fond des choses, figure-toi.

Il croisa son regard et elle constata qu'il avait l'audace de se donner un air insolent tel un adolescent pris en flagrant délit de désobéissance et tout content de se faire pincer car cela lui évite de formuler sa révolte en paroles. L'envie de le gifler démangeait Margaret, de chasser cette expression du visage de son fils : la lèvre supérieure légèrement retroussée, les narines frémissantes. S'efforçant de se maîtriser, elle s'approcha d'un fauteuil.

Il ne bougea pas de la porte, ne quittant toutefois pas la pièce.

— Carmel. Bon. Qu'est-ce que tu veux savoir ?

— Tu m'as dit que ton père et elle...

— Non. Tu as supposé. Moi, je t'ai dit que dalle.

— Je te défends de parler comme...

— Que dalle, répéta-t-il, nada, rien.

— Adrian !

— Tu as *supposé*. Tout ça parce que tu as passé ta vie à nous comparer, lui et moi. Et que tu ne vois pas pourquoi une femme pourrait préférer le fils au père.

— C'est faux !

— Eh bien, bizarrement, vois-tu, c'est moi qu'elle préférait. Et pourtant il était là. Peut-être parce qu'elle n'était pas son type et qu'elle le savait – elle n'était ni blonde, ni soumise, ni suffisamment bluffée par son argent et son pouvoir. En réalité, il avait beau lui faire du plat, elle n'était pas impressionnée du tout. Elle savait que tout ça n'était qu'un jeu : la conversation, les anecdotes, les questions, cette attention de tous les instants qu'il lui prodiguait. Il ne voulait pas la mettre dans son lit, pas vraiment ; mais si elle avait été d'accord, il l'aurait prise parce que c'était plus fort que lui. Une seconde nature. Tu es bien placée pour le savoir, maman. Mais elle n'était pas partante.

— Alors pourquoi diable m'as-tu dit... laissé entendre... Tu ne peux pas le nier : tu as fait des allusions dans ce sens. Pourquoi ?

— Parce que tu avais déjà trouvé la réponse dans ta petite tête. Comme Carmel et moi avions rompu après notre séjour ici, quelle autre raison cette rupture pouvait-elle avoir ? J'avais surpris papa la main dans sa culotte et...

— Ça suffit !

— Et j'avais été forcé de mettre un terme à notre relation. Ou alors c'est elle qui avait pris l'initiative de la rupture, le préférant à moi. C'est la seule explication que tu as trouvée, n'est-ce pas ? Parce que si tel n'était pas le cas, si papa ne me l'avait pas piquée, il aurait fallu trouver une autre raison. Et ça, pas question. Tu espérais que mes petits ennuis, c'était du passé, n'est-ce pas ?

— Tu racontes des bêtises.

— Je vais te dire, maman, ce qui s'est vraiment passé. Carmel aurait accepté pratiquement n'importe quoi. Ce n'était pas un prix de beauté, elle était terne. Elle n'avait pas beaucoup de chances de trouver un autre mec avec qui se maquer, c'est pourquoi elle était prête à faire une fin. Et une fois rangée, ce n'était pas la fille à cavaler après d'autres mecs. En un mot, elle était parfaite. Tu t'en es rendu compte. Moi aussi. Et Carmel également. Nous étions faits l'un pour l'autre. Seulement il y avait un hic. Un truc qui lui est resté en travers de la gorge.

— De quoi parles-tu ?

— D'un truc qui se passait la nuit.

— Une crise de somnambulisme ? Elle a eu peur ? Elle n'a pas compris que ces choses-là...

— Je pissais au lit, coupa-t-il, écarlate d'humiliation. Tu es contente ? Je pissais au lit, maman.

Margaret tenta de camoufler sa répugnance.

— Ça aurait pu arriver à n'importe qui, dit-elle. Une soirée trop arrosée... Un cauchemar... Le fait de ne pas être dans ton cadre habituel...

— Toutes les nuits. J'ai pissé au lit toutes les nuits. Elle compatissait, bien sûr. Mais comment s'étonner qu'elle ait voulu me plaquer ? Y a des limites ! Même pour une petite joueuse d'échecs, une fille insignifiante sans espoir de se caser. Elle avait accepté mes crises de somnambulisme. Mes sueurs nocturnes. Mes mauvais rêves. Même mes plongées occasionnelles dans le brouillard. Mais dormir dans ma pisse, ça, elle a dit niet. Franchement, je peux pas lui en vouloir. Ça fait trente-sept ans que je dors dedans, ça finit par être désagréable.

— Non ! Tu en avais fini avec tout ça. Ce qui s'est passé ici n'est qu'un accident de parcours. Maintenant que ton père est mort ça ne se reproduira plus. Je vais lui téléphoner, à Carmel. Je vais lui dire...

— Tu es impatiente à ce point-là ?

— Tu mérites...

— Inutile de se voiler la face. Carmel, c'était ta seule chance de te débarrasser de moi. Ça ne s'est pas goupillé comme tu l'espérais, voilà tout.

— C'est faux !

— Ah bon ? (Il secoua la tête d'un air moqueur.) Et moi qui croyais que tu en avais soupé, des mensonges.

Il se tourna vers la porte, sa mère n'étant plus là pour l'empêcher de sortir. Il l'ouvrit. Il dit par-dessus son épaule tandis qu'il franchissait le seuil :

— J'en ai fini avec tout ça.

— Avec quoi ? Adrian, tu ne peux pas...

— Mais si, dit-il. Je suis ce que je suis et, regardons les choses en face, ce que tu voulais que je sois. Regarde où ça nous a menés, maman, nous ne sommes plus que tous les deux.

— Et c'est ma faute ? demanda-t-elle, horrifiée de voir que c'était ainsi qu'il interprétait ses moindres gestes.

Pas un merci, pas une once de gratitude. Et dire qu'elle l'avait protégé, couvé, qu'elle avait intercédé pour lui. Bon sang, il lui devait bien au moins un petit remerciement : n'avait-elle pas toujours pris la défense de ses intérêts ?

— Adrian, tu m'en veux ? fit-elle de nouveau, comme il ne répondait pas.

Pour toute réponse, il eut un hurlement de rire. Il lui claqua la porte au nez et disparut.

— China m'a dit qu'il n'y avait rien eu entre elle et lui, annonça Deborah à son mari lorsqu'ils furent dans l'allée. (Elle pesait ses mots.) Mais peut-être qu'elle n'a pas voulu m'en parler. Peut-être qu'elle était gênée d'avoir eu une aventure juste après sa rupture avec Matt. Elle n'est peut-être pas très fière d'elle. Non pour des raisons morales mais parce que c'est un peu triste. Ça veut dire qu'elle était en manque. Et elle n'est pas du genre à supporter qu'on pense qu'elle avait besoin d'affection à ce point-là.

— En tout cas ça expliquerait pourquoi elle ne se trouvait pas dans sa propre chambre, remarqua Simon.

— Et ça donne à quelqu'un d'autre – qui savait où elle était – l'occasion de s'emparer de sa cape, de la bague, de quelques cheveux, de ses chaussures... Un jeu d'enfant.

— Une seule personne peut avoir fait ça, souligna Simon.

Deborah détourna les yeux.

— Je ne peux pas croire ça de Cherokee. Ecoute, Simon, il y en a d'autres qui avaient l'occasion. Et surtout un mobile. Adrian. Henry Moullin.

Simon garda le silence, observant un petit oiseau qui voletait de branche en branche dans les marronniers. Il prononça son prénom dans un soupir et Deborah sentit combien leurs positions étaient différentes : il avait des informations. Elle, non. Manifestement, il les rattachait à Cherokee.

A cause de cela, Deborah se crispa sous son regard affectueux.

— Et maintenant, qu'est-ce qu'on fait ? dit-elle d'un ton raide.

Il accepta ce changement d'humeur sans protester :

— On va voir Kevin Duffy.

Le cœur de Deborah fit un bond.

— Ainsi tu crois que ça peut être quelqu'un d'autre ?

— Je crois que ça vaut le coup de lui parler. (Simon, qui tenait sous le bras la toile empruntée à Ruth Brouard, y jeta un coup d'œil.) En attendant je te charge de retrouver Paul Fielder. Il ne doit pas être bien loin.

— Paul Fielder ? Pourquoi ?

— J'aimerais savoir où il a déniché ce tableau. Est-ce que Guy Brouard le lui a confié ou est-ce que le gamin l'a vu, s'en est emparé et ne l'a remis à Ruth que lorsqu'on l'a pris avec dans son sac ?

— Je le vois mal voler cette toile. Pour en faire quoi ? Ce n'est pas le genre de choses qu'un adolescent s'amuserait à dérober.

— Non. D'un autre côté, Paul n'est pas un adolescent ordinaire. Et j'ai eu l'impression qu'on tirait plutôt le diable par la queue dans sa famille. Il s'est peut-être dit qu'il pouvait revendre la peinture à un antiquaire. Il faut tirer ça au clair.

— Parce que tu crois qu'il me le dira si je lui pose la question ? Je ne peux tout de même pas l'accuser d'avoir volé ce tableau.

— Je te crois capable de faire parler les gens de n'importe quoi, rétorqua son mari. Paul Fielder inclus.

Ils se séparèrent, Simon se dirigeant vers le cottage des Duffy. Deborah resta près de la voiture, se demandant dans quelle direction aller chercher Paul Fielder. Compte tenu de la mésaventure qu'il avait vécue ce jour-là, il avait besoin d'être au calme. Elle songea qu'il devait être dans l'un des jardins ; il lui faudrait les passer en revue l'un après l'autre. Comme c'était le plus proche du manoir, elle commença par le jardin tropical. Quelques canards nageaient tranquillement dans l'étang, un chœur d'alouettes gazouillait dans un arbre mais il n'y avait personne pour observer les canards ou écouter les oiseaux. Alors elle passa dans le jardin aux sculptures où Guy Brouard avait été enterré. Voyant la grille rouillée ouverte, Deborah fut à peu près certaine que l'adolescent s'y trouvait.

Ce fut effectivement le cas. Paul Fielder était assis par terre près de la tombe de son parrain. Il tapotait doucement la terre au pied des pensées qu'on avait plantées autour de la sépulture.

Deborah traversa le jardin pour le rejoindre. Ses pas firent crisser le gravier et elle ne fit rien pour en étouffer le bruit. Mais le jeune homme ne leva pas la tête pour autant.

Deborah vit qu'il était pieds nus dans ses pantoufles. L'une de ses chevilles grêles était maculée de terre, le bas de son jean était sale et élimé. Ce n'était pas franchement la tenue adéquate vu la température. Malgré tout, il ne frissonnait pas.

Elle gravit les quelques marches moussues accédant à la tombe. Au lieu de le rejoindre, elle se dirigea vers la tonnelle juste derrière, où un banc de pierre se dressait sous un jasmin d'hiver touffu. Les fleurs jaunes répandaient dans l'air un léger parfum. Elle le huma tout en regardant l'adolescent tripoter la terre.

— Il doit drôlement te manquer, amorça-t-elle. C'est terrible de perdre quelqu'un qu'on aime. Surtout un ami. Des amis, on n'en a jamais assez. Enfin, c'est mon avis.

Se penchant, il ôta une pensée fanée. Il la roula entre son pouce et son index.

Mais, à un frémissement de ses paupières, Deborah s'aperçut qu'il écoutait. Elle poursuivit :

— Ce qui est bien, en amitié, c'est qu'on est libre de se montrer tel qu'on est. Les vrais amis vous acceptent tel que vous êtes, avec tous vos défauts. Ils sont là quand ça va. Ils sont là quand ça ne va pas. Et on peut leur faire confiance : ils vous disent toujours la vérité.

D'une pichenette, Paul se débarrassa de la fleur fanée. Il se mit à arracher des mauvaises herbes invisibles au milieu des pensées.

— Ils veulent ce qu'il y a de mieux pour nous, dit Deborah. Même quand nous ne savons pas nous-mêmes ce que c'est. Je suis sûre que Mr Brouard était pour toi un ami de ce genre. Tu as de la chance de l'avoir connu. Ce doit être affreux de l'avoir perdu.

A ces mots, Paul se mit debout. Il essuya ses paumes sur son jean. De crainte qu'il ne se sauve, Deborah poursuivit, essayant de gagner la confiance du jeune homme qui s'obstinait à garder le silence.

— Quand quelqu'un meurt comme ça... surtout... je veux dire de cette façon... on ferait n'importe quoi pour que la personne revienne. Et comme c'est impossible, qu'on sait que c'est impossible, on se dit qu'on aimerait bien avoir un objet lui appartenant pour s'y raccrocher. Jusqu'au moment où on se sent prêt à lâcher prise.

Paul frotta ses pieds chaussés de pantoufles contre le gravier. Il s'essuya le nez avec la manche de sa chemise en flanelle et jeta à Deborah un regard circonspect. Puis il détourna vivement la tête, posant les yeux sur la grille à quelque trente mètres de là. Deborah, qui l'avait refermée, se reprocha brièvement son geste. Il allait se sentir pris au piège. Il y avait donc peu de chances qu'il se mette à parler.

— Les victoriens n'étaient pas idiots, poursuivit-elle. Ils fabriquaient des bijoux avec les cheveux de leurs morts. Ça semble un peu macabre à première vue ; mais quand on y pense, ça devait être réconfortant de porter une broche ou un médaillon contenant une parcelle de la personne aimée. C'est dommage que cette pratique soit passée de mode. Car le besoin de conserver un souvenir concret de quelqu'un qu'on aime est toujours bien vivace. Si la personne disparue ne nous a rien laissé, quelle autre solution a-t-on que de mettre la main sur ce qu'on trouve ?

Paul cessa de racler le sol avec ses pieds. Il resta planté là, immobile comme une statue, mais une tache de couleur apparut sur sa joue telle une empreinte de pouce.

— Je me demande si c'est ce qui s'est passé avec le tableau que tu as donné à miss Brouard, enchaîna Deborah. Je me demande si Mr Brouard te l'a montré parce qu'il avait l'intention de faire une surprise à sa sœur. Peut-être t'a-t-il dit que c'était un secret. Votre secret à tous les deux. Ainsi tu savais que personne d'autre n'était au courant qu'il l'avait.

Le rouge gagna peu à peu les oreilles de l'adolescent. Il fixa Deborah, détourna les yeux. Ses doigts agrippèrent le bas de sa chemise qui pendait hors de son jean.

— A la mort soudaine de Mr Brouard, continua Deborah, tu t'es peut-être dit que tu pouvais garder ce tableau en souvenir. Lui et toi étiez seuls à en connaître l'existence. Quel mal y aurait-il à cela ? C'est comme ça que ça s'est passé ?

Le jeune homme eut un mouvement de recul comme si on l'avait frappé. Puis il poussa un cri inarticulé.

— Ne t'inquiète pas, dit Deborah. On a récupéré le tableau. Mais ce que je me demande...

Il pivota sur ses talons et prit la fuite. Il dévala les marches, se rua dans l'allée de gravillons tandis que Deborah se levait du banc de pierre et l'appelait. Elle crut qu'elle avait échoué mais, arrivé au milieu du jardin, il s'immobilisa près d'un énorme nu en bronze d'une femme accroupie, enceinte jusqu'aux yeux, l'air mélancolique avec ses gros seins pendants. Il se tourna vers Deborah, elle le vit se mordiller la lèvre inférieure. Elle esquissa un pas. Il ne bougea pas. Elle se mit à avancer comme si elle s'approchait d'un faon. Lorsqu'elle fut à dix mètres, il repartit. Mais il s'arrêta à la grille et lui jeta de nouveau un regard. Il ouvrit la grille mais sans la refermer. Il s'éloigna vers l'est mais sans courir.

Deborah comprit qu'elle était censée le suivre.

26

Saint James trouva Kevin Duffy de l'autre côté du cottage, travaillant dans le potager où il bêchait la terre. Avec les dents de sa lourde fourche, il brisait des mottes de sol noir. Il s'arrêta à la vue de Saint James.

— Val est au manoir. A la cuisine.

— C'est à vous que j'aimerais parler, déclara Saint James. Vous avez un moment ?

Le regard de Kevin se posa brièvement sur la toile que Saint James tenait mais, s'il la reconnut, il ne le montra pas.

— Allez-y.

— Saviez-vous que Guy Brouard était l'amant de votre nièce ?

— Mes nièces ont respectivement six et huit ans, Mr Saint James. Guy Brouard s'intéressait à beaucoup de choses. Mais pas à la pédophilie.

— Je parlais de la nièce de votre femme. Cynthia Moullin, rectifia Saint James. Saviez-vous que Cynthia et lui avaient une liaison ?

Il ne souffla mot mais jeta un bref coup d'œil au manoir, ce qui était une façon de répondre.

— Vous en avez parlé à Brouard ?

De nouveau, pas de réponse.

— Et au père de la petite ?

— Je ne peux rien pour vous, dit Duffy. C'est tout ce que vous vouliez me demander ?

— Non. C'est à ce sujet que je suis venu vous voir.

Il déroula la toile avec précaution. Kevin Duffy planta les dents de sa fourche dans le sol et laissa l'outil fiché dans la terre. Il s'approcha de Saint James, s'essuyant les mains sur son jean. Il examina la toile et siffla vivement.

— Apparemment, Mr Brouard s'est décarcassé pour la récupérer, dit Saint James. D'après sa sœur, les Brouard en ont perdu la trace dans les années 1940. Elle ignore où elle est passée pendant la guerre et elle ignore également comment son frère l'a retrouvée. Je me demande si vous pourriez éclairer ma lanterne.

— Pourquoi est-ce que je...

— J'ai vu au moins deux rayonnages de livres d'art et de vidéos dans votre séjour, Mr Duffy. Sans compter un diplôme en histoire de l'art. J'en conclus que vous en savez sur le sujet nettement plus qu'un régisseur lambda.

— J'ignore où elle a pu atterrir. Et j'ignore comment il a réussi à la récupérer.

— Vous en connaissez la provenance ?

Kevin Duffy n'avait cessé de contempler le tableau. Au bout d'un moment, il dit : « Venez », et il se dirigea vers le cottage.

Arrivé devant la porte, il ôta ses bottes boueuses ; puis il entraîna Saint James vers le séjour. Il alluma un plafonnier qui éclairait directement sa bibliothèque et prit une paire de lunettes posées sur l'accoudoir d'un fauteuil en triste état. Il passa en revue sa collection de livres d'art jusqu'à ce qu'il repère le bon volume. Il le saisit sur l'étagère, s'assit, se reporta à l'index. Après avoir trouvé ce qu'il cherchait, il feuilleta le livre jusqu'à ce qu'il atteigne la page voulue. Il la contempla longuement et tourna l'ouvrage vers Saint James en lui disant :

— Tenez, regardez.

Ce n'est pas une photo de la toile que vit Saint

James, comme il l'avait tout d'abord pensé étant donné la réaction de Duffy. Mais plutôt un dessin, une étude. Un dessin partiellement mis en couleurs comme si l'artiste avait testé les nuances qui s'harmoniseraient le mieux dans l'œuvre définitive. Il n'avait coloré que la tunique, toutefois, et le bleu qu'il avait choisi était identique à celui du tableau. Peut-être qu'après avoir pris une décision concernant le reste de son travail et avoir jugé inutile de continuer à colorer le dessin, l'artiste avait tout simplement travaillé sur la toile elle-même – toile que Saint James tenait maintenant entre ses mains.

La composition et les figures de la reproduction du livre de Duffy étaient identiques à celles de la toile que Paul Fielder avait remise à Ruth Brouard. Sur le dessin comme sur le tableau, la Belle Dame au livre et à la plume était assise tranquillement au premier plan tandis que, derrière, des ouvriers soulevaient les blocs de pierre destinés à bâtir une énorme cathédrale gothique. La seule différence entre l'étude et l'œuvre achevée, c'est qu'en cours de route on avait donné au dessin un titre : *Sainte Barbara*. Il était précisé que ceux qui voulaient l'admirer le trouveraient au musée des beaux-arts d'Anvers, parmi les maîtres hollandais.

— Ah, fit lentement Saint James. Oui. Je pensais bien que c'était une œuvre de valeur quand je l'ai vue pour la première fois.

— De valeur ? fit Kevin Duffy. Mais c'est un Pieter de Hooch que vous avez entre les mains. Un des trois maîtres de Delft. Du XVIIe siècle. Si ça se trouve, personne à ce jour ne savait que cette toile existait.

Saint James regarda l'objet qu'il avait entre les mains.

— Mon Dieu.

— Vous pouvez consulter tous les ouvrages d'histoire de l'art que vous voudrez, vous ne trouverez jamais ce tableau, dit Kevin Duffy. Seulement le dessin préliminaire. Il est fort probable que de Hooch ne l'a jamais peint lui-même. Les sujets religieux n'étaient pas sa spécialité. C'est pourquoi on a toujours supposé qu'il s'était essayé à aborder ce thème pour le laisser ensuite en plan.

Saint James se dit que les propos de Kevin Duffy corroboraient les dires de Ruth. Le tableau avait toujours été dans sa famille. De génération en génération, on se l'était transmis. De ce fait, personne n'avait probablement pensé à montrer l'objet à un expert pour en connaître la valeur exacte. C'était simplement, comme Ruth l'avait dit, un tableau de famille représentant une belle dame avec un livre et une plume.

— Ce n'est pas une plume, corrigea Kevin Duffy. Ce qu'elle tient, c'est une palme, le symbole d'une martyre. C'est classique sur les tableaux religieux.

Saint James examina la toile plus attentivement et vit effectivement que cela ressemblait à une branche de palmier mais il vit également qu'un enfant ignorant tout des symboles pouvait y avoir vu une plume d'oie.

— Ruth m'a dit que son frère, une fois en âge de voyager, était allé à Paris après la guerre. Pour récupérer les biens de sa famille. Seulement, tout ce qu'ils possédaient avait disparu. La toile également, je suppose.

— C'est même elle qui a dû disparaître en premier, convint Duffy. Les nazis raflaient tout ce qu'ils qualifiaient d'art aryen. Ils le rapatriaient, comme ils disaient. La vérité, c'est que ces salopards embarquaient tout ce sur quoi ils pouvaient faire main basse.

— Ruth semble penser que le voisin de ses parents, un certain Didier Bombard, avait pris leurs biens en dépôt. Comme il n'était pas juif, si c'est lui qui avait le tableau, pourquoi ce dernier est-il tombé entre les mains des Allemands ?

— Les œuvres d'art ont atterri chez les nazis par toutes sortes de cheminements. Pas seulement parce qu'elles avaient été purement et simplement volées. Il y avait des intermédiaires français, des courtiers en tableaux qui s'en portaient acquéreurs pour le compte des nazis. Et des marchands allemands qui passaient des annonces dans les journaux à Paris demandant qu'on leur apporte des œuvres d'art à tel ou tel hôtel pour des acheteurs potentiels. Il se peut que ce M. Bombard ait vendu la toile de cette façon. S'il ignorait ce que c'était, il l'a peut-être apportée à un de ces marchands et il s'est sans doute estimé heureux d'en tirer deux cents francs.

— Et de là, où le tableau serait-il passé ?

— Ça... fit Duffy. A la fin de la guerre, les Alliés ont organisé des unités spécialisées pour récupérer les œuvres d'art confisquées et les rendre à leurs légitimes propriétaires. Mais ces œuvres d'art, il y en avait partout. Goering à lui seul en avait des trains entiers. Et des millions de personnes étaient mortes : des familles entières avaient été anéanties, il ne restait plus personne pour réclamer quoi que ce soit. Quant à ceux qui avaient survécu mais qui ne pouvaient prouver que telle ou telle chose leur appartenait, tant pis pour eux. C'est ce qui a dû arriver dans ce cas précis, j'imagine. A moins qu'un soldat aux doigts crochus, d'une des armées alliées, ne l'ait fourrée dans son sac et rapportée chez lui en guise de souvenir. Ou que quelqu'un, en Allemagne, un particulier peut-être, ait acheté ce tableau à un courtier français pendant la guerre et réussi à le cacher à l'arrivée des Alliés. Si la famille était morte, qui pouvait savoir à qui appartenait quoi ? Et quel âge avait Guy Brouard à l'époque ? Douze, quatorze ans ? A la fin de la guerre il n'a pas dû penser à récupérer les biens de sa famille. Il n'a dû y penser que plus tard ; mais à ce moment-là ils avaient disparu.

— Et il lui aura fallu des années pour le retrouver. Sans parler d'une armée d'historiens d'art, de conservateurs de musée, de salles des ventes et d'enquêteurs.

A quoi il fallait ajouter une véritable fortune, songea-t-il.

— Il a eu de la chance de remettre la main dessus, dit Duffy. Il y a des œuvres d'art qui n'ont jamais refait surface. D'autres à propos desquelles on se bat toujours. Je me demande comment Mr Brouard a réussi à prouver que cette toile lui appartenait.

— Je ne pense pas qu'il ait tenté de prouver quoi que ce soit. Je pense plutôt qu'il l'a rachetée. Car, voyez-vous, il y a une énorme somme d'argent qui a disparu de la succession et qui a été virée à Londres.

— Ah oui, vraiment ? fit Duffy en haussant un sourcil d'un air dubitatif. Il l'a peut-être récupérée dans une vente aux enchères. Ou alors elle a refait surface dans un village, chez un petit antiquaire, ou sur un marché. C'est dur de croire que personne ne savait de quoi il s'agissait.

— Mais combien de gens s'y connaissent en peinture ?

— N'importe qui peut voir qu'il s'agit de quelque chose d'ancien. Et l'aurait fait évaluer, dit Duffy.

— Mais si quelqu'un l'a subtilisée à la fin de la guerre ? Un soldat, par exemple, il l'embarque où ? Berlin, Munich ?

— Berchtesgaden ? suggéra Duffy. Les grands pontes nazis avaient tous des villas là-bas. Et à la fin de la guerre, ça grouillait de soldats alliés.

— Très bien, Berchtesgaden. Un soldat s'en empare pendant que le pillage bat son plein. Il rapporte la toile chez lui dans un bled quelconque d'Angleterre, l'accroche au mur de son cottage au-dessus du canapé et n'y pense plus. Elle reste là jusqu'à ce qu'il meure. Ses enfants en héritent. Ils n'ont jamais tenu en grande estime les biens de leurs parents, ils vendent. Dans une vente aux enchères. La toile est achetée. Elle atterrit sur un étal. A Portobello Road. Ou dans une boutique de Camden Passage. Voire à la campagne, comme vous le suggériez à l'instant. Brouard avait lancé des gens à sa recherche et, quand ils l'ont vue, ils se sont jetés dessus.

— Je suppose que les choses pourraient s'être passées comme ça. Non, elles se sont vraiment passées comme ça.

Saint James fut intrigué par le ton décidé de Duffy.

— Pourquoi ?

— Parce que c'est le seul moyen qu'a eu Brouard de la récupérer. Il n'avait aucun document pour prouver que ça lui appartenait. Il a donc été obligé de racheter le tableau et ce n'est pas dans une vente chez Christie's ou Sotheby's qu'il a pu l'acquérir, c'est pourquoi...

— Attendez, dit Saint James. Pourquoi pas chez Christie's ou Sotheby's ?

— Parce qu'il y aurait eu quelqu'un pour surenchérir. Et qu'il n'aurait pas pu suivre. Un musée comme le Getty disposant de fonds illimités. Un magnat du pétrole.

— Mais Brouard avait de l'argent...

— Pas suffisamment d'argent. Surtout que les experts de Christie's et Sotheby's auraient su exactement ce qu'ils avaient entre les mains, et que le monde de l'art se serait battu pour l'acquérir.

Saint James examina la toile : une œuvre de génie.

— De quelle somme exactement parlons-nous, Mr Duffy ? A votre avis, ce tableau, il vaut combien ?

— Dix millions de livres au moins. Et ça, c'est seulement la mise à prix.

Paul entraîna Deborah derrière le manoir. Elle crut

tout d'abord qu'il se dirigeait vers les écuries mais il ne leur accorda même pas un regard. Au lieu de cela, il continua son chemin, traversant la cour qui séparait les écuries de la maison et débouchait sur des buissons qu'il franchit également.

Le suivant toujours, elle se retrouva sur une vaste pelouse au-delà de laquelle se dressait un bois d'ormes. Paul plongea au milieu des arbres et Deborah accéléra l'allure pour ne pas le perdre. Arrivée à la hauteur des arbres, elle constata qu'il y avait un petit chemin, que le sol était spongieux du fait de la couche de feuilles mortes qui le recouvrait et ne s'était pas encore décomposée. Elle suivit ce sentier jusqu'à ce qu'un peu plus loin elle aperçoive un mur de pierre rugueux. Elle vit Paul l'escalader et crut qu'elle allait le perdre pour de bon. Cependant, lorsqu'il atteignit la crête du mur, il s'immobilisa. Jetant un regard en arrière comme pour s'assurer qu'elle suivait toujours, il attendit qu'elle parvienne au pied du mur. Là, il lui tendit la main et l'aida à le franchir.

Une fois de l'autre côté, Deborah vit que le paysage bien léché du Reposoir cédait la place à un vaste enclos envahi d'un épais hallier d'herbes folles, de buissons et de ronciers qui poussaient presque jusqu'à hauteur de la taille. Un passage avait été ménagé au milieu de cette végétation serrée, lequel menait à un curieux monticule de terre. Elle ne fut pas étonnée de voir Paul sauter à bas du mur et s'engager sur ce sentier. Arrivé au monticule, il se dirigea vers la droite et le contourna. Elle se hâta de lui emboîter le pas.

Elle se demandait comment cet étrange mamelon pouvait receler un tableau, lorsqu'elle aperçut les pierres soigneusement agencées qui cernaient le pourtour du tertre. Elle comprit alors que ce n'était pas une croupe naturelle mais quelque chose qui avait été construit par l'homme et datait de la préhistoire.

Le sentier allant vers la droite était aussi malaisé que celui qu'elle avait suivi depuis la base du mur. Un peu plus loin, elle vit Paul Fielder aux prises avec la combinaison d'un cadenas, lequel fermait une vieille porte de chêne de travers. Manifestement, il l'entendit arriver car il s'arrangea pour masquer le cadenas avec son épaule. Ce dernier s'ouvrit avec un déclic. Paul poussa la porte du pied et remisa soigneusement le cadenas dans sa poche. L'ouverture ainsi ménagée dans le tertre ne faisait pas plus d'un mètre vingt de haut. Paul se courba, franchit l'entrée à la manière d'un crabe et disparut à l'intérieur.

Que faire ? Se conduire en bonne petite épouse et aller rendre consciencieusement compte à Simon ? Ou suivre l'adolescent ? Deborah opta pour la seconde solution.

La porte franchie, un étroit boyau à forte odeur de renfermé la happa. Du sol de pierre au plafond de pierre, il y avait moins d'un mètre cinquante. Six mètres plus loin, toutefois, le boyau s'élargissait, formant une voûte qu'éclairait à peine la lumière du dehors. Deborah se redressa, cilla, laissa à ses yeux le temps d'accommoder. Elle comprit alors qu'elle se trouvait au sein d'une vaste chambre tout en granit – sol, murs et plafond –, ornée d'une pierre sentinelle où, avec de l'imagination, on pouvait presque distinguer la silhouette gravée d'un guerrier brandissant son arme pour mettre en fuite des intrus. Un bloc de granit, à dix centimètres du sol, semblait servir d'autel. Une bougie – éteinte – était fichée près de cet autel. Aucune trace de l'adolescent.

Deborah eut un moment de panique. Elle s'imagina enfermée dans cet endroit alors que personne ne savait où elle était. Elle poussa un juron bien senti : voilà qui lui apprendrait à faire preuve d'initiative. Toutefois elle se ressaisit, appela Paul. En guise de réponse elle entendit craquer une allumette. La lumière jaillit sur sa droite d'une anfractuosité dans le mur. Elle comprit qu'il devait y avoir une autre chambre, et se dirigea de ce côté.

Le passage qu'elle découvrit ne faisait pas plus de vingt-cinq centimètres de large. Elle s'y faufila tant bien que mal, plaquée contre le mur de pierre extérieur. La seconde chambre contenait une collection de bougies et un lit de camp pliant. A la tête du lit, un oreiller ; au pied, un coffret en bois sculpté. Sur le lit, Paul Fielder, assis, une pochette d'allumettes dans une main, une bougie allumée dans l'autre. Il posa cette bougie dans une fente entre les supports du mur extérieur. Après quoi il en alluma une seconde, dont il fit couler un peu de cire pour la fixer au sol.

— Alors, c'est ton repaire, Paul ? dit tranquillement, Deborah. C'est là que tu as trouvé le tableau ?

Elle songea que c'était peu probable. Il lui semblait plus logique de penser que ce sanctuaire, compte tenu de la présence du lit, était destiné à autre chose. Elle avait son idée sur la question. Et lorsqu'elle s'empara du coffret en bois et qu'elle en souleva le couvercle, elle en eut la confirmation.

Le coffret contenait en effet des préservatifs de toutes sortes : lisses, gaufrés, colorés, parfumés. Et en quantité suffisante pour suggérer que cet endroit était régulièrement le cadre de parties de jambes en l'air. De fait, c'était un lieu de rendez-vous idéal : difficile à dénicher, probablement oublié, et suffisamment romanesque pour une gamine persuadée que son amant et elle était maudits. Ce devait être là que Guy Brouard retrouvait Cynthia Moullin. La seule question était de savoir pourquoi il y avait également amené Paul Fielder.

Deborah jeta un coup d'œil à l'adolescent. A la lueur des bougies, elle ne pouvait que remarquer l'aspect angélique de son visage, sa peau lisse, ses cheveux blonds et bouclés comme ceux d'un page de la Renaissance. Il y avait quelque chose de féminin chez lui, que faisaient ressortir ses traits fins et son ossature délicate. Guy Brouard était un homme qui ne s'intéressait apparemment qu'aux femmes, mais on ne pouvait rejeter l'éventualité que Paul lui ait tapé dans l'œil.

Le jeune homme fixait le coffret resté ouvert sur les genoux de Deborah. Il prit une poignée de préservatifs et les regarda. Puis, alors que Deborah se risquait à dire : « Paul, est-ce que Mr Brouard et toi étiez amants ? », il fourra les préservatifs dans le coffret dont il rabattit sèchement le couvercle.

Deborah le fixa et lui reposa la question.

Le jeune homme se détourna vivement, éteignit les bougies et disparut par l'anfractuosité qui leur avait permis d'arriver jusque-là.

Paul se dit qu'il ne fallait pas pleurer, que ça ne voulait rien dire. Pas vraiment. C'était un homme et, d'après ce qu'il tenait de Billy, de son père, de la télé, de *Play-Boy* et des gars à l'école – quand il s'y rendait –, un homme, ça faisait ça tout le temps. Mais qu'il l'ait fait là, dans leur repaire... Parce qu'il l'avait fait, n'est-ce pas ? Sinon, que signifiaient ces paquets ? Il avait forcément amené quelqu'un d'autre ici, une femme, quelqu'un qu'il considérait comme suffisamment important pour partager avec lui ce secret.

« Tu peux garder un secret, Paul ? Si je te le fais visiter, tu me promets de ne jamais parler de cet endroit à quiconque ? Tout le monde a dû en oublier l'existence depuis le temps. J'aimerais que ça reste entre nous. Tu veux bien... ? Tu me le promets ? »

Bien sûr, et il avait gardé le secret.

Il avait bien vu le lit de camp, mais il s'était dit que Mr Guy s'en servait pour faire la sieste, éventuellement pour y passer la nuit, peut-être pour méditer ou prier. Il avait vu le coffret mais il ne l'avait pas ouvert car on lui avait appris à la maison qu'il ne fallait jamais toucher à ce qui ne vous appartenait pas. Il avait failli empêcher la jeune femme rousse de l'ouvrir, mais elle avait été plus rapide que lui. Quand il avait vu ce qu'il contenait...

Paul n'était pas idiot. Les préservatifs, il savait à quoi ça servait. S'il avait tendu la main pour les toucher, c'était dans l'espoir de les voir disparaître comme des objets fantômes aperçus en rêve. Mais au lieu de disparaître, ils étaient restés là, bien réels, témoins concrets des activités de Mr Guy.

La dame avait parlé mais il ne l'avait pas entendue. Il n'avait entendu que le son de sa voix tandis que la pièce tournoyait autour de lui. Il voulait être invisible, il voulait s'enfuir, alors il avait soufflé les bougies et décampé.

Mais bien sûr il ne pouvait quitter le dolmen. Il avait le cadenas dans sa poche et il était responsable. Il ne pouvait laisser la porte ouverte. Il lui fallait refermer parce qu'il avait promis à Mr Guy...

Il n'allait pas se mettre à pleurer parce que c'était vraiment trop bête de pleurer. Après tout Mr Guy était un homme avec des besoins, il les avait assouvis, point final. Ça n'avait rien à voir avec Paul ni avec leur amitié. Ils étaient copains depuis le début et ils le resteraient jusqu'à la fin, et ce n'était pas parce qu'il avait partagé cet endroit avec quelqu'un d'autre que cela allait y changer quoi que ce soit, n'est-ce pas ?

Après tout, qu'avait dit Mr Guy exactement ? « Ce sera notre secret, mon prince. »

Avait-il spécifié que personne d'autre ne partagerait ce secret ? Avait-il laissé entendre que personne d'autre n'aurait jamais assez d'importance à ses yeux pour qu'il lui fasse connaître cet endroit ? Il n'avait rien dit de tel. Il n'avait pas menti. Alors pourquoi se mettre dans tous ses états...

Tu l'aimes comment, branleur ? Il te la met comment ? ?

Voilà ce que Billy s'imaginait. Mais il était complètement à côté de la plaque. Si Paul avait jamais eu envie d'être plus proche de Mr Guy, c'était surtout parce qu'il voulait lui ressembler. Pas fusionner avec lui.

« Cachette secrète, pensées secrètes. Un endroit pour parler, un endroit où me réfugier. Voilà à quoi sert ce repaire, Paul. »

Apparemment il ne s'en était pas servi seulement pour ça. Mais cela n'enlevait rien au caractère sacré du lieu.

— Paul, Paul ?

Il l'entendit qui venait de la chambre intérieure. Elle tâtonnait ; normal, puisque les bougies étaient éteintes. Elle retrouverait ses marques une fois parvenue dans la chambre principale. Il n'y avait pas de bougie allumée mais le jour filtrait, formant un rai de lumière le long de la galerie d'accès.

— Tu es là ? questionna-t-elle. Ah, te voilà. Tu m'as fait une de ces peurs. J'ai cru...

Elle rit mais Paul comprit qu'elle était nerveuse et honteuse de l'être. Il connaissait ça.

— Pourquoi m'as-tu amenée ici ? Tu peux me le dire ? Ça a un rapport avec le tableau ?

Il avait presque oublié. La vue de ce coffret ouvert sur tous ces... Il avait presque oublié. Il voulait qu'elle sache et qu'elle comprenne parce qu'il fallait que quelqu'un soit mis au courant. Miss Ruth ne pensait pas qu'il avait volé quoi que ce soit au Reposoir mais, s'il n'expliquait pas d'une façon ou d'une autre où il avait trouvé la toile, des soupçons pèseraient toujours sur lui. Or ça, il ne pouvait le supporter. Le Reposoir était son unique refuge, il ne voulait pas le perdre ; il ne pouvait se résoudre à l'idée de devoir subir la seule compagnie de Billy ou celle des copains qui, à l'école, passaient leur temps à le charrier. Mais révéler à quelqu'un de la propriété l'existence de cet endroit, ce serait trahir le secret qu'il avait juré de garder : l'emplacement du dolmen. Ne pouvant s'en ouvrir au manoir, il ne lui restait plus qu'une solution : parler à un étranger de passage que ça n'intéresserait pas particulièrement et qui ne remettrait jamais les pieds dans l'île.

Mais il ne pouvait lui montrer l'emplacement exact. Il avait lui aussi un secret à garder. Pourtant il fallait qu'il lui montre quelque chose ; alors il s'approcha de l'autel, s'agenouilla devant le creux qui était derrière, à la base de la table de pierre, et en sortit une bougie, qu'il alluma. De la main, il désigna le sol.

— C'est là ? dit la jeune femme. C'est là que se trouvait le tableau ?

Elle jeta un coup d'œil à l'endroit qu'on lui désignait puis à Paul, lequel hocha solennellement la tête. Il lui fit voir comment la toile avait dû être placée, ce qui expliquait qu'elle ait échappé aux regards de quelqu'un qui ne s'était pas agenouillé.

— Comme c'est bizarre ! dit placidement la jeune femme en lui souriant. Merci, Paul. Je suis sûre que tu n'as jamais eu l'intention de garder pour toi ce tableau. Ce n'est pas ton genre.

— Mr Ouseley, nous sommes là pour rendre cette épreuve le moins pénible possible, dit la jeune fille à Frank.

Jamais il n'aurait cru qu'une personne de cet âge puisse faire preuve d'autant de compassion.

— Nous sommes là pour vous aider en cette triste période. Nous nous occuperons de tout ce que vous voudrez que nous prenions en charge. N'hésitez pas à nous faire part de vos désirs. Nous sommes à votre entière disposition.

Frank se dit qu'elle était beaucoup trop jeune pour recevoir les clients, prendre les dispositions nécessaires et vendre les prestations offertes par l'entreprise de pompes funèbres Markham & Swift. Elle paraissait seize ans à tout casser, même si, plus vraisemblablement, elle avait une vingtaine d'années. Elle s'était présentée sous le nom d'Arabella Agnes Swift, aînée des arrière-petites-filles du fondateur de la maison. Elle lui avait chaleureusement serré la main et l'avait emmené dans son bureau qui, par égard pour les personnes qu'elle recevait, était aussi peu formel que possible. En fait on aurait dit le salon d'une mamie, avec table basse et photos de famille sur le dessus d'une cheminée factice où brûlait un feu électrique. Le portrait d'Arabella figurait parmi les clichés – celui d'une Arabella vêtue d'une toge de diplômée de l'université. Ce qui avait permis à Frank de déduire son âge.

Elle attendait poliment qu'il réponde. Elle avait discrètement posé sur la table basse un album de cuir. A l'intérieur duquel se trouvaient, sans aucun doute, des photos des cercueils proposés par la maison. Elle tenait un carnet à spirale sur ses genoux, toutefois elle ne s'empara pas du stylo qu'elle avait placé dessus lorsqu'elle le rejoignit sur le canapé. C'était une professionnelle jusqu'au bout des ongles. Et elle n'avait rien à voir avec le lugubre personnage dickensien que Frank s'était attendu à trouver en ces murs.

— Si c'est ce que vous souhaitez, nous pouvons également faire célébrer un office ici même dans notre chapelle, dit-elle avec douceur. Certaines personnes ne fréquentent pas régulièrement l'église. Et préfèrent une approche plus agnostique.

— Non, dit Frank.

— Alors le service sera célébré dans une église ? Je peux noter le nom de l'église, le nom du pasteur ?

— Pas de cérémonie, dit Frank. Pas d'obsèques. Il n'en aurait pas voulu. Je veux qu'il...

Frank s'interrompit. « Je veux » : la formulation n'était pas bonne.

— Il était pour l'incinération. Vous vous chargez des crémations, j'imagine ?

— Oh oui. Bien sûr, lui assura Arabella. Nous prenons toutes les dispositions et nous assurons le transport du corps au crématorium. Il ne vous reste plus qu'à emporter l'urne. Je vais vous montrer...

Elle se pencha et il perçut les effluves de son parfum, une agréable fragrance qui devait être source de réconfort pour ses clients. Même à lui, qui n'en avait nul besoin, ce parfum rappelait le sein de sa mère. Comment les parfumeurs réussissaient-ils le miracle de vous faire replonger aussi loin en arrière ?

— Il y a différentes possibilités, poursuivit Arabella. Le tout est de savoir ce que vous voulez faire des cendres. Certaines personnes préfèrent les garder tandis que d'autres...

— Pas d'urne, l'interrompit Frank. J'emporterai les cendres telles quelles. Dans une boîte, dans un sac. Peu importe.

— Oh, bien, très bien.

Son visage était impassible. Ce n'était pas à elle de se livrer à des commentaires sur ce que les proches du défunt faisaient de ses restes et elle avait été suffisamment bien formée pour le savoir. La décision de Frank ne rapporterait pas à Markham & Swift autant d'argent qu'ils avaient probablement l'habitude d'en gagner, mais ce n'était pas le problème de Frank.

Les dispositions furent rapidement prises et avec un minimum de chichis. Frank se retrouva très vite au volant de la Peugeot, filant le long de Brock Road pour remonter ensuite vers le port de Saint Sampson.

Ça avait été moins compliqué qu'il ne l'avait pensé. D'abord il était sorti du cottage pour aller jeter un œil aux bâtiments adjacents et les fermer pour la nuit. En revenant, il s'était approché de son père, qui était allongé, immobile, au pied de l'escalier. Il avait crié : « Papa ! Mon Dieu ! Je t'avais dit de ne jamais monter... », tout en se précipitant vers lui. Le souffle de son père était faible, presque inexistant. Frank avait fait les cent pas, consulté sa montre. Au bout de dix minutes, il était allé au téléphone et il avait composé le numéro des urgences. Il avait fait son rapport. Puis il avait attendu.

Graham Ouseley était mort avant que l'ambulance arrive au Moulin des Niaux. Tandis que son âme quittait cette terre pour rejoindre le pays du Jugement, Frank se mit à pleurer sur leur sort à tous deux, sur ce qu'ils avaient perdu. Et c'est ainsi que les ambulanciers le découvrirent : pleurant comme un enfant, berçant la tête de son père dont le front en heurtant les marches s'était couvert d'une grosse ecchymose.

Le médecin traitant de Graham ne tarda pas à arriver, abattant une grosse main sur l'épaule de Frank. Son père avait dû partir très vite, dit le Dr Langlois. Il avait dû faire une crise cardiaque en essayant de monter l'escalier. Il avait présumé de ses forces. Toutefois, considérant le peu de marques qu'il avait sur le visage... Il y avait tout lieu de penser qu'il était inconscient quand il avait heurté la marche, et qu'il était mort peu de temps après sans se rendre compte de quoi que ce soit.

« J'étais sorti fermer les cottages, expliqua Frank, sentant les larmes sur ses joues qui séchaient et lui brûlaient la peau autour des yeux. Quand je suis revenu... Je lui avais pourtant bien dit de ne...

— Oh, mais c'est qu'ils y tiennent, à leur indépendance, les vieux, répondit Langlois. Je ne vois que des spécimens comme ça autour de moi. Ils ont beau savoir qu'ils ne sont pas fringants, ils ne veulent être un fardeau pour personne. Surtout, ils ne veulent rien demander à leur entourage. (Il pressa l'épaule de Frank.) Y avait pas grand-chose à faire, Frank. »

Le médecin était resté tandis que les ambulanciers apportaient leur chariot, et il s'était attardé même après qu'on eut emporté le corps. Frank s'était senti obligé de lui offrir du thé et, quand Langlois lui avait confié : « Un whisky, ça serait pas de refus », il lui avait servi deux doigts d'Oban single malt et avait regardé le visiteur les avaler avec un plaisir manifeste.

« La soudaineté de la mort est un choc, dit Langlois, même si on s'y prépare. Mais quel âge avait-il, déjà ? Quatre-vingt-dix ?

— Quatre-vingt-douze.

— Quatre-vingt-douze. Il devait s'être préparé à cette éventualité. Ils sont prêts, vous savez. Les gens de cette génération. Il leur fallait être prêts il y a un demi-siècle. Il a dû se dire que les jours qu'il vivait après 1940 étaient un cadeau du ciel. »

Frank aurait désespérément voulu que le médecin s'en aille mais Langlois continua de jacasser, de lui dire des paroles qu'il ne voulait surtout pas entendre. Le moule dans lequel des hommes comme Graham Ouseley avaient été façonnés était désormais brisé. Frank devrait se réjouir d'avoir eu un tel père pendant si longtemps. Graham avait dû être fier d'avoir un fils avec qui vivre en harmonie jusqu'à sa mort. L'amour et le dévouement indéfectible de Frank avaient compté plus que tout pour Graham...

« Gardez précieusement tout ça en tête », lui dit Langlois d'un ton solennel.

Là-dessus il était parti, laissant Frank monter dans

sa chambre, s'asseoir sur son lit, se coucher finalement et attendre, l'œil sec, l'avenir.

Ayant atteint South Quay, il se trouva piégé dans Saint Sampson. Derrière lui le trafic du Bridge s'accumulait tandis que, leurs courses terminées, les gens quittaient le centre commercial et regagnaient leur domicile. Devant lui un bouchon s'étendait jusqu'à Bulwer Avenue. Là, au croisement, un camion qui avait pris son virage trop court s'était retrouvé en travers de la route alors qu'une quantité impressionnante de véhicules essayaient de passer, qu'il n'y avait pas assez d'espace pour manœuvrer et trop de badauds qui y allaient de leurs conseils. Voyant cela, Frank tourna sèchement à gauche. Il réussit à s'extraire de la file des véhicules pour gagner le quai, où il se gara devant la mer.

Il sortit de la voiture. Entre ses murs de granit, le port enfermait peu de bateaux à cette époque de l'année. L'eau de décembre qui léchait les pierres était vierge des nappes de pétrole du plein été qu'abandonnaient les plaisanciers insouciants – bête noire des pêcheurs du coin. A l'extrémité nord du Bridge, le chantier naval pulsait de toute sa cacophonie – martèlements, raclements, bruits de soudure, jurons – tandis que les bateaux, en cale sèche pour l'hiver, étaient remis en état en vue de la belle saison. Frank, qui n'avait aucun mal à identifier ces bruits familiers, se laissa aller à transposer les martèlements en bruit de bottes sur les pavés, les raclements en bruit de fusils qu'on arme, les jurons en ordres de tirer, compréhensibles quelle que fût la langue utilisée pour les donner.

Il ne pouvait chasser de son esprit les récits qu'on lui avait faits, pas même maintenant alors qu'il en avait tellement besoin : cinquante-trois ans de récits, ressassés mais jamais éculés, jamais importuns jusqu'à ce jour. Ils revenaient le hanter à son corps défendant.

28 juin 1940 : 6 h 55 du matin. Le bourdonnement régulier des avions qui approchaient, la terreur et la confusion qui s'emparaient des gens massés à Saint Peter Port et venus assister comme d'habitude au départ du bateau chargé du courrier et des maraîchers qui, dans leurs camions pleins de tomates, attendaient qu'on embarque leur cargaison à bord des cargos... Cela faisait beaucoup de monde. Et quand les six appareils disparurent, ils laissèrent nombre de morts et de blessés derrière eux. Des bombes incendiaires furent larguées sur les camions, que de puissants explosifs réduisirent en miettes tandis que les mitrailleuses arrosaient la foule sans distinction. Hommes, femmes, enfants.

Déportations, interrogatoires, massacres suivirent dans la foulée. Chasse à la moindre goutte de sang juif, proclamations, ordres. Travaux forcés pour ceci, peloton d'exécution pour cela. Contrôle de la presse, contrôle du cinéma, contrôle des informations, contrôle des esprits.

Des adeptes du marché noir apparurent, qui profitaient de la détresse de leurs concitoyens. De simples fermiers qui cachaient des récepteurs radio dans leurs granges accédaient au rang d'improbables héros. Des gens réduits à se battre pour un peu de nourriture et de combustible attendaient le moment de se relever dans des circonstances apparemment ignorées du reste du monde tandis que la Gestapo allait et venait en leur sein, espionnant sans relâche, prête à se jeter sur le premier qui ferait un pas de travers.

Les gens mouraient, Frankie. Là, sur cette île, les gens en bavaient, et y mouraient. La faute à ces salauds de Boches. Y avait des gens qui se battaient par tous les moyens. Oublie jamais ça, mon p'tit. Tu peux marcher la tête haute. Tu viens d'une lignée qui a en a vu de dures, et qui a survécu pour les raconter. Tout le monde ici peut pas en dire autant, Frank.

La voix et les souvenirs. La voix distillant en permanence les souvenirs. Frank ne pouvait se déprendre ni de l'une ni des autres. Il avait l'impression qu'il serait hanté pour le reste de sa vie. Il pouvait se noyer dans les eaux du Léthé mais cela ne suffirait pas à lui nettoyer le cerveau.

Les pères n'étaient pas censés mentir à leur progéniture. S'ils choisissaient d'avoir des enfants, c'était pour leur transmettre les vérités que l'expérience leur avait enseignées. A qui un fils pouvait-il faire confiance sinon à son père ?

C'était à cela que tout se résumait pour Frank tandis que, sur le quai, il observait l'eau mais voyait, au lieu des flots, un reflet de l'histoire qui avait impitoyablement façonné une génération d'insulaires. La confiance, seul cadeau qu'un enfant puisse faire à l'impressionnante figure paternelle. Graham avait pris cette confiance et il en avait usé grossièrement. Il ne restait plus que le fragile treillage d'une relation, fait de paille et de colle. L'âpre vent de la révélation l'avait détruit. Qui sait, cet impalpable treillis n'avait peut-être jamais existé.

Dire qu'il avait vécu plus d'un demi-siècle en prétendant n'être pour rien dans la mort d'hommes courageux... Comment, se demanda Frank, réussir à éprouver de l'affection pour un père qui s'était rendu coupable d'une telle infamie ? Maintenant, en tout cas, il s'en sentait incapable. Un jour peut-être... S'il arrivait au même âge... S'il considérait la vie d'un autre œil à ce moment-là...

Derrière lui, il entendit la circulation qui redémarrait enfin. Se retournant, il vit que le camion bloqué au carrefour avait réussi à se dégager. Il remonta dans sa voiture et se glissa au milieu des véhicules qui quittaient Saint Sampson. Il se dirigea avec eux vers Saint Peter Port, accélérant quand il eut traversé la zone industrielle de Bulwer Avenue, et prit la route qui suivait le croissant de Belle Greve Bay.

Il lui restait encore une visite à faire avant de regagner Talbot Valley. Il continua en direction du sud avec la mer à sa gauche, et à sa droite Saint Peter Port se dressant telle une forteresse grise en terrasse. Il se faufila au milieu des arbres du Val des Terres et s'arrêta dans Fort Road, chez les Debiere, avec une petite quinzaine de minutes de retard sur l'horaire prévu.

Il aurait préféré faire l'économie d'une autre conversation avec Nobby. Mais quand l'architecte lui avait téléphoné, il avait tellement insisté que son vieux sentiment de culpabilité avait poussé Frank à capituler : « Très bien, je passerai », et à lui indiquer une heure.

Ce fut Nobby qui vint ouvrir la porte et entraîna Frank dans la cuisine, où, en l'absence de sa femme, il préparait le thé des garçons. La chaleur était accablante, Nobby avait le visage luisant de sueur. Une forte odeur de poisson brûlé imprégnait l'air. Dans le séjour, un jeu vidéo était en cours : des explosions retentissaient tandis que le joueur flinguait les méchants.

— Caroline est en ville.

Nobby se pencha pour examiner une plaque qu'il sortit du four. Une fournée de bâtonnets de poisson fumait dessus, dégageant une odeur pestilentielle. Il fit une grimace.

— Comment peuvent-ils avaler ce truc-là ?

— Du moment que leurs parents détestent ça, pour eux c'est bon, laissa tomber Frank.

Nobby fit glisser les bâtonnets sur le plan de travail et à l'aide d'une cuiller en bois les posa sur une assiette. Il sortit un sac de frites surgelées du congélateur et les posa sur la plaque, qu'il remit dans le four. Pendant ce temps-là, sur le brûleur, bouillait avec enthousiasme le contenu d'une casserole, lâchant un nuage de vapeur fantomatique.

Nobby remua et sortit de l'eau une cuillerée de petits pois. D'un vert artificiel, ils semblaient peints. Il les considéra d'un air perplexe, les replongea dans l'eau.

— Ce serait plutôt à elle de s'occuper de tout ça. Elle se débrouille mieux que moi. Je m'y prends comme un manche.

Frank savait que son ancien élève ne l'avait pas convoqué pour se faire donner des leçons de cuisine mais il savait également qu'il ne pourrait pas tenir beaucoup plus longtemps dans la pièce surchauffée. Aussi prit-il la situation en main. Il se munit d'une passoire, y jeta les petits pois, les recouvrit ainsi que les abominables bâtonnets de poisson d'une feuille de papier d'aluminium pendant que les pommes de terre cuisaient. Cela fait, il ouvrit la fenêtre et dit :

— Tu voulais me voir à propos de quoi, Nobby ?

Ce dernier s'employait à mettre le couvert.

— Elle est en ville, répondit l'architecte.

— Ça, tu l'as déjà dit.

— Elle passe un entretien pour un job. Demandez-moi où.

— Très bien. Où ?

Nobby eut un rire amer.

— Au Citizens' Advice Bureau [1]. Demandez-moi ce qu'elle va y faire.

— Nobby... fit Frank, qui commençait à fatiguer.

— Elle va rédiger leurs saloperies de brochures, énonça Nobby avec un nouveau rire proche cette fois

1. Organisme d'utilité publique chargé d'informer les consommateurs sur tout ce qui touche aux questions sociales. (*N.d.T.*)

de l'hystérie. Elle est passée de l'*Architectural Review* au Citizens' Advice. Vous parlez d'une promotion ! Tout ça grâce à qui ? Grâce à moi. Je lui avais dit de démissionner. « Mets-toi donc à ton roman. » D'essayer de réaliser son rêve. Comme j'ai essayé, moi.

— Je suis désolé. Tu ne peux pas savoir à quel point.

— Non, effectivement. Mais, et c'est là que ça vaut le coup, on a fait tout ça pour rien. On s'est fait avoir depuis le début. Vous vous en êtes aperçu ? Ou est-ce que vous l'avez toujours su ?

— Comment ? questionna Frank en fronçant les sourcils.

Nobby, qui avait enfilé l'un des tabliers de sa femme, le retira et le posa sur le dos d'une chaise. On aurait dit qu'il prenait un plaisir pervers à cette conversation. Lequel s'intensifia lorsqu'il poursuivit ses révélations. Les plans que Guy s'était fait livrer d'Amérique étaient bidon, dit-il. Il les avait eus sous les yeux, ils n'étaient pas conformes. En outre ce n'étaient même pas des plans de musée. Qu'est-ce que Frank pensait de ça ?

— Il n'a jamais eu l'intention de faire construire un musée, dit Nobby. Jamais. Ce n'était qu'un jeu. Comme au bowling. On rassemble les quilles pour les faire tomber d'un coup. Les quilles, en l'occurrence, c'était nous. Vous, moi, Henry Moullin, tous ceux qui étaient partie prenante dans l'affaire. Il a fait monter la mayonnaise de nos espoirs avec ses grands projets, et quand on a été bien remontés, il nous a laissés tomber comme un soufflé. J'ai été le seul à en faire les frais, notez bien. Après, il s'est fait trucider, et vous êtes tous restés le bec dans l'eau à vous demander comment mener le projet à bien sans lui. Je tenais à ce que vous le sachiez. Y a pas de raison que je sois le seul à avoir profité de son sens de l'humour.

Frank se fit violence pour digérer la nouvelle. C'était contraire à tout ce qu'il savait de Guy et à tout ce qu'il avait vécu en qualité d'ami de cet homme. La disparition brutale de Guy et les dispositions de son testament avaient certes signé l'arrêt de mort du musée ; mais de là à dire qu'il n'avait jamais eu l'intention de le construire... Frank ne pouvait se permettre de penser une chose pareille maintenant. Ni jamais. Cela lui coûtait trop.

— Mais les plans... Les plans que les Américains ont apportés ?

— Complètement bidon, répondit Nobby. Je les ai examinés. Ce type de Londres, le handicapé, me les a montrés. J'ignore qui les a dessinés ou à quoi ils sont destinés, mais ce qui est sûr, c'est que ce n'est certainement pas à la construction d'un musée situé près de Saint Saviour Church.

— Mais il devait...

Quoi ? se demanda Frank. Il devait quoi ? Savoir que quelqu'un examinerait attentivement les plans ? Quand ? Cette fameuse nuit ? Il avait dévoilé devant ses invités le dessin d'un édifice dont il avait déclaré que c'était celui qu'il avait retenu mais personne n'avait songé à demander à consulter les plans.

— Il s'est fait rouler, alors, dit Frank. Parce qu'il avait bel et bien l'intention de le construire, ce musée.

— Avec quel argent ? Comme vous l'avez souligné, Frank, il n'a rien prévu dans ce sens dans son testament. Et il n'a pas donné à Ruth l'autorisation de le financer au cas où il lui arriverait quelque chose. Non, Guy n'a été arnaqué par personne. Si quelqu'un s'est fait avoir, c'est nous. Nous tous. Comme des enfants.

— Il doit y avoir une erreur. Un malentendu. Peut-être qu'il avait effectué des placements malheureux récemment et perdu les fonds qu'il destinait au musée. Il n'a pas dû vouloir nous en parler... Ça aurait été perdre la face. Alors il a préféré faire comme si de rien n'était, de façon que personne ne sache...

— Vous croyez ? s'exclama l'architecte franchement incrédule. Vous croyez vraiment ?

— Comment expliquer les choses autrement ? Le projet avait été mis sur les rails. Guy devait se sentir responsable. Tu avais plaqué ton boulot pour monter ta boîte. Henry avait investi dans du matériel de son côté. Les journaux allaient publier des articles, les gens comptaient dessus. Il aurait fallu ou qu'il avoue s'être planté financièrement ou qu'il fasse semblant de donner suite dans l'espoir que les gens se désintéresseraient de la chose s'il traînait les pieds suffisamment longtemps.

Nobby croisa les bras.

— C'est vraiment ce que vous pensez ? dit-il d'un ton suggérant que l'ancien étudiant était devenu le maître. Oui, je vois combien vous avez besoin de vous cramponner à cette idée.

Frank crut lire sur le visage de Nobby qu'il comprenait une chose : que lui – détenteur de milliers de souvenirs de guerre – ne voulait pas que ces objets voient la lumière du jour. Cela avait beau être la vérité, Frank ne voyait pas comment Nobby pouvait être parvenu à cette conclusion. C'était trop compliqué : Nobby ne pouvait pas avoir deviné. Pour lui, Frank Ouseley n'était qu'un des déçus du petit groupe qui avait placé ses espoirs dans un projet qui avait capoté.

— J'avoue que je suis sous le choc, dit Frank. Je n'arrive pas à croire... Il doit forcément y avoir une explication.

— Je viens de vous la donner. Dommage que Guy ne soit pas là pour voir le résultat de ses machinations. Tenez, je vais vous montrer un truc.

Nobby s'approcha d'un coin du comptoir où la famille déposait le courrier. Contrairement au reste de la maison, c'était un désordre insensé, avec des piles de lettres, de magazines, de catalogues et des annuaires entassés les uns sur les autres. De sous la pile, Nobby sortit un papier et le tendit à Frank.

Celui-ci constata que c'était un projet pour un prospectus publicitaire. Un Nobby Debiere légèrement caricatural trônait à une table de dessinateur couverte de plans. A ses pieds, des rouleaux de plans à moitié déroulés. Le texte indiquait que Bertrand Debiere allait ouvrir une entreprise de travaux et de rénovation sise ici même dans Fort Road.

— J'ai dû me séparer de ma secrétaire, évidemment, ajouta Nobby avec une bonne humeur glaçante. Ça fait une personne de plus sur le sable. Dommage que Guy ne soit plus là : tout ça l'aurait bien fait rigoler.

— Nobby...

— Et désormais je vais bosser à la maison, ce qui est une bonne chose vu que Caroline risque de passer son temps en ville. Je me suis brouillé avec mon employeur quand je lui ai collé ma démission. Mais sans doute qu'avec le temps je réussirai à me dégoter un job dans une autre boîte. A condition, bien sûr, qu'on ne m'ait pas mis sur la liste noire. C'est pas merveilleux de voir comment tout ça se goupille ?

Il retira le projet de prospectus des mains de Frank et le fourra sous l'annuaire.

— Désolé, dit Frank. Que les choses aient tourné comme ça...

— C'est sans doute mieux, conclut Nobby. Sinon pour moi. Du moins pour quelqu'un d'autre.

27

Saint James trouva Ruth Brouard dans la serre. Celle-ci était plus vaste qu'il ne l'avait cru tout d'abord lorsqu'il l'avait vue le jour des obsèques. L'air, par rapport à la température extérieure, y était humide et chaud. En conséquence, les vitrages étaient couverts de buée. L'eau qui gouttait des vitres et du système d'irrigation composait une symphonie ininterrompue de *ploc ploc* tandis que les gouttes dégoulinaient sur les feuilles des exubérantes plantes tropicales et sur l'allée de brique qui sinuait au milieu des végétaux.

Ruth Brouard était au centre de la serre, là où l'allée s'élargissait pour former un coin salon abritant une méridienne, un fauteuil et une table en rotin blanc, et un petit bassin où flottaient des nénuphars. Elle était installée sur la méridienne, les jambes sur un coussin de tapisserie. Sur la table, un plateau. Sur ses genoux, un album de photos.

— Je sais, ça fait un peu étuve, dit Ruth avec un mouvement de tête en direction du radiateur électrique qui ajoutait encore à la chaleur ambiante. Mais pour moi, c'est un réconfort. Moral, en tout cas. J'ai l'impression que ça me fait du bien.

Son regard se dirigea vers la peinture qu'il tenait roulée. Elle ne souffla mot. Elle l'invita à approcher un fauteuil car elle voulait lui montrer « qui nous étions ».

L'album illustrait les années passées par les Brouard dans des familles d'accueil anglaises. Sur les photos, on voyait un petit garçon et une petite fille pendant et après la guerre à Londres, toujours ensemble, fixant l'objectif d'un air sévère. On les voyait prendre de l'âge de cliché en cliché ; mais leur expression restait pratiquement la même, qu'ils posent devant une porte, une grille, une cheminée ou dans un jardin.

— Il ne m'a jamais oubliée, dit Ruth, tournant les pages. Nous étions dans des familles différentes. Jamais ensemble. Et j'étais morte de peur chaque fois qu'il partait. J'avais peur qu'il ne revienne pas, que quelque chose lui arrive et qu'on ne me prévienne pas. J'avais peur qu'il ne revienne plus. Mais il m'a assuré que ça ne pouvait pas arriver, et que même si ça arrivait, je le saurais, je le sentirais. Je sentirais comme un changement dans l'univers. Si je ne sentais rien, eh bien, il ne fallait pas que je m'inquiète. (Elle referma l'album et le mit de côté.) Mais je n'ai rien ressenti. Quand il s'est rendu à la baie, ce matin-là, Mr Saint James. Je n'ai rien ressenti du tout.

Saint James lui tendit la toile.

— Mais quelle chance d'avoir trouvé ça ! dit-elle en la prenant. D'une certaine façon, c'est comme si cela me rendait ma famille.

Elle posa la toile sur l'album et le regarda.

— Mais vous vouliez me parler, peut-être ?

Il sourit.

— Vous ne seriez pas un peu sorcière, miss Brouard ?

— Voyons, vous avez encore besoin de quelque chose, non ?

Il en convint. Aux propos qu'elle tenait et à sa façon d'agir, il était évident qu'elle n'avait pas la moindre idée de la valeur de la toile que son frère avait réussi à lui rapporter. Saint James ne fit rien pour éclairer sa lanterne. Il savait que la toile garderait à ses yeux la même valeur – qu'elle fût ou non l'œuvre d'un maître.

— Votre frère a investi, je crois, presque tout ce qu'il possédait pour récupérer ce tableau. J'aimerais jeter un œil à ses comptes, histoire de me faire une idée. Vous les avez ici, je suppose ?

Elle dit que oui, que Guy rangeait tout ça dans son bureau. Si Mr Saint James voulait bien la suivre, elle se ferait un plaisir de lui montrer où cela se trouvait. Ils emportèrent la toile et l'album alors que Ruth Brouard était prête à les laisser innocemment dans la serre.

Une fois dans le bureau de son frère, elle commença par donner de la lumière car le jour déclinait. Au grand étonnement de Saint James, elle sortit d'un meuble un livre de comptes à reliure de cuir du genre de ceux qui devaient être utilisés au XIXe siècle. Devant sa réaction, elle sourit.

— La comptabilité de l'entreprise était informatisée. Mais pour ses finances personnelles, Guy était terriblement vieux jeu.

— Le fait est que ça semble un peu... risqua Saint James, cherchant un euphémisme.

— Dépassé ? fit-elle. Il n'a jamais réussi à se mettre à l'informatique. Les téléphones à touches et les micro-ondes, c'est à peu près toute la technologie qu'il maîtrisait. Vous allez voir, c'est très clair. Guy tenait sa comptabilité avec une grande rigueur.

Tandis que Saint James s'asseyait à la table de travail et ouvrait le registre, Ruth lui en apporta deux autres. Chacun d'eux couvrait trois années de dépenses. Celles-ci n'étaient pas tellement importantes, étant donné que la plus grande partie de l'argent était à son nom à elle, et que c'était avec cet argent que le manoir était entretenu.

S'étant emparé du dernier registre, Saint James le parcourut afin de voir à quoi avaient ressemblé les dépenses de Guy Brouard les trois dernières années. Il ne lui fallut pas longtemps pour comprendre que son argent, c'était Anaïs Abbott qui en avait largement profité. Brouard avait en effet déboursé tant et plus pour sa maîtresse, payant toutes les factures, depuis les opérations de chirurgie esthétique jusqu'à l'impôt foncier de sa maison en passant par des vacances en Suisse et à Belize, sans oublier les frais d'inscription dans une école de mannequins pour sa fille. A part ça, il avait noté dans ses dépenses une Mercedes, dix sculptures identifiées par le nom de l'artiste et le titre, un prêt à Henry Moullin – destiné à l'achat d'un four – et des prêts ou des cadeaux à son fils. Plus récemment, il avait acheté un terrain à Saint Saviour et il avait également effectué des paiements à l'ordre de Bertrand Debiere ainsi qu'à De Carteret Cabinet Design, Tissier Electrics et Burton Terry Plomberie.

Saint James en conclut que Brouard avait effectivement eu l'intention d'édifier le musée et même de faire appel à Debiere. Toutefois les paiements afférents, ne serait-ce que de loin, à la construction de l'édifice avaient brusquement cessé neuf mois plus tôt. Epoque à laquelle, au lieu de continuer à tenir soigneusement ses comptes, Brouard s'était contenté de noter des montants sans mentionner de destinataire. Saint James se dit que ce dernier ne devait être autre qu'International Access. Les chiffres correspondaient à ceux que la banque avait communiqués à Le Gallez. Il nota que le dernier paiement – le plus important – avait été viré de Guernesey le jour de l'arrivée des River.

Saint James demanda à Ruth Brouard une calculatrice, qu'elle sortit d'un tiroir du bureau. Il additionna les montants en face desquels ne figurait aucun nom de destinataire. Le total atteignait plus de deux millions de livres.

— A combien la fortune de votre frère se montait-elle quand vous vous êtes installés ici ? demanda-t-il à

Ruth. Vous m'avez dit qu'il avait presque tout mis à votre nom. Mais j'imagine qu'il avait quand même gardé quelque chose pour ses dépenses personnelles ? Vous avez une idée de la somme ?

— Un million et demi de livres. Il pensait pouvoir vivre des intérêts, une fois cet argent judicieusement placé. Pourquoi, est-ce qu'il y a quelque chose qui...

Elle ne termina pas sa phrase mais ce n'était pas nécessaire. Il y avait pas mal de choses qui clochaient dans les finances de son frère.

La sonnerie du téléphone évita à Saint James de répondre immédiatement. Ruth prit la communication et lui passa le combiné.

— La fille de la réception ne te porte pas dans son cœur, fit Thomas Lynley, qui appelait de Londres. Elle t'engage vivement à acheter un portable. Je suis chargé de te transmettre le message.

— Message reçu. As-tu découvert quelque chose ?

— Oui. C'est curieux mais ça ne va pas te plaire car ça risque de mettre de sérieux bâtons dans les roues de ton enquête.

— Attends, laisse-moi deviner. Il n'y pas d'International Access à Bracknell.

— Pile dans le mille. J'ai passé un coup de fil à un vieux pote à moi de Hendon. Il travaille aux mœurs dans ce secteur. Il s'est rendu à l'adresse censée être celle d'International Access et il est tombé sur un espace de bronzage. Huit ans qu'ils sont implantés là. La bronzette, ça marche, à Bracknell...

— J'en prends bonne note.

— ... ils ont prétendu ne pas avoir la moindre idée de ce que mon copain leur racontait. Du coup, j'ai recontacté la banque. Je leur ai susurré le nom de la FSA, et ça leur a délié la langue, figure-toi : ils m'ont tuyauté au sujet d'International Access. Apparemment, l'argent viré de Guernesey sur ce compte était viré de nouveau quarante-huit heures plus tard à Jackson Heights, dans le quartier du Queens à New York.

— Jackson Heights ? Est-ce que...

— C'est une adresse, pas le nom du titulaire du compte.

— Ils t'ont donné un nom ?

— Vallera & Son.

— Une société ?

— Ça m'en a tout l'air. Mais de quel genre, mystère. La banque n'est pas au courant. Et leur boulot n'est pas de poser des questions. Toutefois, si tu veux mon avis, je crois qu'il y a là de quoi aiguiser l'appétit du gouvernement américain, qui voudra peut-être faire une enquête.

Saint James examina le dessin du tapis sous ses pieds. Puis, levant les yeux, il surprit Ruth Brouard qui l'observait. Elle avait l'air sérieuse, mais à part ça impénétrable. Avant qu'il ne raccroche, Lynley lui assura qu'il avait fait le nécessaire pour essayer d'avoir quelqu'un de chez Vallera & Son au téléphone. Cela dit, il avertit Saint James de ne pas trop s'attendre qu'on coopère de l'autre côté de l'Atlantique.

— Si c'est ce que je crois, on risque de se retrouver dans une impasse. A moins de brancher sur le coup un organisme capable de leur mettre la pression. Style fisc, FBI, police de New York.

— Voilà qui devrait débloquer la situation, commenta Saint James, acerbe.

Lynley éclata de rire.

— Je te tiens au courant.

Puis il raccrocha. Après avoir reposé le combiné, Saint James réfléchit aux implications des éléments que venait de lui fournir Lynley. Lorsqu'il eut mis bout à bout toutes les informations dont il disposait, il s'aperçut que le résultat ne lui plaisait pas.

— Qu'y a-t-il ? lui demanda Ruth Brouard.

Il s'ébroua.

— Je me demande si vous avez gardé l'emballage des plans du musée, miss Brouard.

Deborah n'aperçut pas tout de suite son mari lorsqu'elle émergea des buissons. C'était le crépuscule et elle pensait à ce qu'elle avait vu à l'intérieur du dolmen où Paul Fielder l'avait entraînée. Et également à ce que signifiait le fait que le jeune homme connaissait la combinaison du cadenas et avait pris bien soin de la lui cacher.

Aussi ne vit-elle Simon que lorsqu'elle tomba nez à nez avec lui. Ou presque. Armé d'un râteau, il fouillait dans les déchets ménagers de quatre poubelles qu'il avait renversées après avoir examiné un tas de compost.

Il s'arrêta lorsqu'elle le héla.

— Tu te recycles ?

Il sourit et dit :

— C'est une idée. Mais si jamais je deviens éboueur, je m'en tiendrai aux détritus des pop stars et des hommes politiques. Qu'as-tu découvert ?

— Tout ce que tu as besoin de savoir, et plus encore.

— Paul t'a parlé du tableau ? Bien joué, ma chérie, bravo.

— Paul n'est pas un grand bavard. Mais il m'a conduite à l'endroit où il l'avait trouvé. Quoique, au début, j'avoue, j'aie eu peur qu'il ne m'y enferme.

Elle expliqua l'emplacement et la nature du monument où Paul l'avait conduite ainsi que le cadenas à combinaison et le contenu des deux chambres de pierre. Elle termina en disant :

— Les préservatifs... Le lit de camp... Pas difficile de deviner à quoi servait cet endroit. Cela dit, je ne comprends pas pourquoi Guy Brouard ne faisait pas ses galipettes à la maison.

— Sans doute parce que sa sœur y était les trois quarts du temps, lui rappela Saint James. Et vu que les galipettes, il les faisait avec une adolescente...

— Des adolescents, Simon, si Paul Fielder était dans le coup. C'est d'un goût douteux, tout ça, n'est-ce pas ?

Elle jeta un coup d'œil vers les buissons, la pelouse, le sentier à travers bois et ajouta :

— En tout cas, crois-moi, personne ne risquait de les surprendre là-bas. Il faut savoir exactement où se trouve le dolmen si on veut le voir.

— Il t'a montré où, au dolmen ?

— Tu veux dire où il avait déniché la toile ?

Deborah raconta. Son mari écouta, s'appuyant sur le râteau tel un ouvrier agricole qui fait sa pause. Lorsqu'elle eut fini sa description de l'autel et du creux qui se trouvait derrière, et qu'il se fut fait préciser que ce creux était dans le sol, il secoua la tête.

— Ça ne tient pas debout, Deborah. Ce tableau vaut une fortune.

Il lui apprit alors tout ce qu'il tenait de la bouche de Kevin Duffy. Il termina en disant :

— Et Brouard devait le savoir.

— Il savait que c'était un de Hooch ? Mais comment ? Si la toile était dans sa famille depuis des générations, si on se la transmettait de père en fils, comment est-ce qu'il l'aurait su ? Tu l'aurais su, toi ?

— Non. Mais à défaut d'autre chose, il devait savoir combien il avait déboursé pour la récupérer. C'est-à-dire une somme allant chercher dans les deux millions de livres. J'ai du mal à croire qu'après avoir fait tous ces frais et s'être donné tout ce mal, il ait planqué ne serait-ce que cinq minutes cette toile à l'intérieur d'un dolmen.

— Mais c'était fermé...

— Ce n'est pas le problème, ma chérie. Il s'agit d'une œuvre du XVIIe. Il n'allait pas la déposer dans un endroit où le froid ou l'humidité risquaient de l'endommager.

— Alors tu crois que Paul ment ?

— Je n'ai pas dit ça. Je dis seulement qu'il est peu probable que Brouard ait caché la toile dans un monument préhistorique. S'il voulait la planquer en attendant de l'offrir à sa sœur pour son anniversaire, il y a des dizaines d'endroits au manoir où il aurait pu la caser sans courir le risque qu'elle s'abîme.

— Alors quelqu'un d'autre... ?

— C'est la seule chose qui ait un sens.

Et Saint James se remit à son ratissage.

— Que cherches-tu, au fait ? dit Deborah avec une inquiétude qu'il ne manqua pas de percevoir.

Lorsqu'il la regarda, il constata que ses yeux s'étaient assombris comme chaque fois qu'elle était préoccupée.

— La manière dont elle est arrivée à Guernesey.

Il se tourna de nouveau vers les détritus et continua de les éparpiller jusqu'à ce qu'il trouve ce qu'il cherchait. Un gros tube de quatre-vingt-dix centimètres de long et de vingt centimètres de diamètre. Fermé à chaque extrémité par un solide embout métallique dont le rabat épousait étroitement le tube.

Simon le fit rouler pour le sortir du tas d'ordures et se baissa péniblement pour le ramasser. Lorsqu'il l'eut en main, il distingua sur la surface du cylindre une incision qui courait du haut en bas. L'incision avait été agrandie jusqu'à former une entaille béante aux bords déchiquetés, et l'enveloppe externe du tube forcée, révélant sa véritable structure. Il se trouvait en présence d'un tube qui avait été dissimulé à l'intérieur d'un autre tube. Inutile d'être grand clerc pour deviner à quoi cet espace caché avait servi.

Il regarda Deborah.

Elle savait à quoi il pensait : tous deux pensaient la même chose. Elle dit :

— Je peux jeter un coup d'œil ?

Elle lui prit le tube des mains. Lorsqu'elle l'eut inspecté, Deborah s'aperçut d'un détail important : la seule façon d'accéder au compartiment intérieur était de forcer la coque du tube. Les embouts s'emmanchaient en effet si étroitement aux extrémités du cylindre qu'en les écartant on aurait endommagé tout le rouleau de façon irréversible. Et révélé à quiconque l'examinait – son destinataire, ou la douane – que quelqu'un l'avait trafiqué. Or les embouts étaient vierges de toute trace suspecte. Comme Deborah le fit remarquer à son mari.

— En effet, lui répondit-il. Mais tu comprends ce que ça signifie, n'est-ce pas ?

Deborah se sentit troublée par l'intensité de la question.

— Quoi ? Que celui qui a acheminé ce tube à Guernesey ne savait pas...

— Ne l'a pas ouvert avant d'arriver ici, coupa-t-il. Mais ça ne veut pas dire que cette personne ignorait ce qu'il contenait.

— Comment peux-tu dire ça ?

Elle était malheureuse. Une petite voix intérieure et son instinct lui criaient *non*.

— A cause du dolmen. A cause de sa présence dans le dolmen. Guy Brouard a été tué à cause de cette toile, Deborah, c'est le seul mobile qui explique tout le reste.

— C'est trop commode, répliqua-t-elle. C'est ce qu'on veut nous faire croire. Non, fit-elle comme il allait reprendre la parole. Ecoute-moi, Simon. Tu es en train de me dire qu'ils savaient ce que le cylindre contenait.

— Ce que je dis, c'est que l'un d'eux le savait. Mais pas les deux.

— Très bien. L'un d'entre eux. Mais si tel est le cas... s'ils voulaient...

— I-L. Il voulait, rectifia son mari.

— Oui, bien, mais s'il...

— Cherokee River, Deborah.

— Oui, Cherokee. S'il voulait le tableau, s'il savait qu'il était dans le tube, pourquoi l'apporter à Guernesey ? Pourquoi ne pas disparaître avec ? Ça n'a pas de sens, il fait tout ce chemin avec lui depuis la Californie, et *ensuite* il le vole. Il doit y avoir une autre explication.

— Laquelle ?

— Je crois que tu la connais. Guy Brouard a ouvert le paquet, il a montré la toile à quelqu'un. Et c'est cette personne qui l'a tué.

Adrian roulait trop vite et pratiquement au milieu de la chaussée. Il doublait les autres voitures sans raison et ralentissait inutilement. Bref, il conduisait dans l'intention délibérée de déstabiliser Margaret, qui n'était pas décidée à se laisser mettre en colère. Son fils manquait vraiment de subtilité. Il voulait qu'elle lui demande de conduire différemment pour pouvoir continuer à sa guise et lui prouver une bonne fois pour toutes qu'elle ne faisait pas la loi. C'était exactement le genre d'attitude qu'on pouvait attendre d'un gamin de dix ans.

Adrian l'avait déjà suffisamment énervée et Margaret devait faire appel à toute sa maîtrise de soi pour ne pas lui crier dessus. Elle le connaissait assez bien pour comprendre qu'il ne lui communiquerait pas des informations qu'il avait décidé de garder pour lui car, à ce stade, il devait être persuadé qu'en les lui communiquant il reconnaîtrait qu'elle avait gagné.

Gagné quoi, elle n'aurait su le dire. Elle n'avait jamais voulu qu'une chose pour son fils aîné : une vie normale avec un bon métier, une femme et des enfants.

Etait-ce trop espérer ? Margaret ne le pensait pas. Mais ces derniers jours lui avaient montré que toutes ses tentatives pour faciliter les choses à Adrian, toutes ses interventions en sa faveur – les excuses qu'elle avait trouvées à tous ses troubles, du somnambulisme aux dysfonctionnements intestinaux – n'avaient été que des perles jetées aux cochons.

Très bien, songea-t-elle. Parfait. En tout cas, elle ne quitterait pas Guernesey avant d'avoir tiré une chose au clair. Les faux-fuyants, c'était très bien. Vus sous un certain angle, ils pouvaient même passer pour la manifestation d'un âge adulte qui n'en finissait pas d'arriver. Mais les mensonges éhontés, c'était inacceptable. Car les mensonges étaient le signe d'un épouvantable manque de caractère.

Elle se rendait compte qu'Adrian lui avait probablement menti pendant toute sa vie, par action et par omission. Mais elle avait été tellement obsédée par le souci de le soustraire à l'influence pernicieuse de son père qu'elle avait accepté sa version de tous les événements qui avaient jalonné son existence : de la noyade censément accidentelle de son chiot, la veille de son second mariage, à la rupture de ses fiançailles avec Carmel.

Qu'il fût encore en train de lui mentir, Margaret n'en doutait pas. Cette histoire d'International Access, c'était le bouquet en la matière.

— Il t'a envoyé de l'argent, n'est-ce pas ? dit-elle. Il y a des mois. Ce que je me demande, c'est ce que tu en as fait.

La réponse d'Adrian ne la surprit pas :

— De quoi tu parles ?

Il avait un air indifférent, pire même : ennuyé.

— Tu l'as dépensé en paris ? aux cartes ? à la Bourse ? International Access n'existe pas. En un an tu n'es sorti de la maison que pour aller rendre visite à ton père ou pour voir Carmel. Ah, mais peut-être que c'est ça. Tu as tout claqué pour Carmel ? Tu lui as acheté une voiture ? des bijoux ? une maison ?

Il roula les yeux.

— Ben voyons, c'est exactement ce que j'ai fait, maman. Si elle était d'accord pour m'épouser, c'est parce que je la couvrais de cadeaux, c'est évident.

— Je ne plaisante pas, dit Margaret. Tu m'as menti quand je t'ai demandé si tu avais demandé de l'argent à ton père, tu m'as menti au sujet de Carmel et de ses relations avec ton père. Tu m'as laissé croire que si vous aviez rompu vos fiançailles, c'est parce que tes désirs ne correspondaient plus à ceux de la femme qui avait accepté de t'épouser... Est-ce qu'il y a un moment où tu ne m'as pas menti ?

Il lui jeta un regard de biais.

— Quelle importance ?

— Comment ça, quelle importance ?

— La vérité ou les mensonges. Tu ne vois que ce que tu veux bien voir. Je te facilite les choses.

Il doubla un minivan qui se traînait devant eux. Il klaxonna comme un malade tandis qu'il le dépassait et il rejoignit sa file juste au moment où un bus arrivait.

— Comment peux-tu dire une chose pareille ? s'écria Margaret. J'ai passé presque toute ma vie...

— A vivre la mienne.

— C'est faux. Je me suis investie comme n'importe quelle mère. Je me suis occupée de toi.

— Tu voulais que tout se passe comme tu le souhaitais.

Margaret poursuivit, ne voulant pas laisser à Adrian l'initiative de la conversation.

— Tout ce que j'ai récolté pour ma peine, ça a été des mensonges éhontés. C'est inacceptable. Je mérite et j'exige la vérité. Tout de suite.

— Parce qu'on te la doit ?

— C'est exact.

— Evidemment. Mais parce que tu es intéressée.

— Comment oses-tu ? C'est pour toi que je suis venue ici. Que je me suis exposée à revivre les souvenirs atroces de ce mariage...

— Oh, je t'en prie, ricana-t-il.

— A cause de toi. Pour être sûre que tu obtiendrais ce qui te revient. Car je savais qu'il était prêt à tout pour te priver de ton héritage. C'était la seule façon qui lui restait de me punir.

— Pourquoi aurait-il voulu te punir ?

— Parce qu'il croyait que j'avais gagné. Parce qu'il a toujours eu horreur de perdre.

— Gagné quoi ?

— Toi. C'est pour ton bien que je t'ai tenu éloigné de lui. Mais il n'a pas été fichu d'en convenir. Lui croyait que j'agissais par désir de vengeance. Ça l'arrangeait ! S'il avait essayé de voir les choses autrement, il aurait été obligé de s'interroger sur son mode de vie, de réfléchir à l'impact désastreux que sa conduite pouvait avoir sur son fils unique. Il a préféré me rendre responsable de la séparation. Ça lui coûtait moins que de changer de comportement.

— Parce que, bien entendu, tu n'avais jamais eu l'intention de nous séparer, fit Adrian, sarcastique.

— Bien sûr que si. Mais que voulais-tu que je fasse d'autre ? Un défilé de maîtresses. Quand il était marié à JoAnna. Et Dieu sait quoi d'autre encore. Des orgies probablement, de la drogue, la boisson, et pourquoi pas la nécrophilie, la bestialité. Oui, je t'ai protégé de tout ça, et je recommencerais. J'ai eu raison d'agir comme je l'ai fait.

— Ce qui fait de moi ton débiteur. J'ai compris. Alors, dis-moi, qu'est-ce que tu veux exactement savoir ?

— Où est passé son argent. Pas l'argent avec lequel il a acheté tout ce qu'il a mis au nom de Ruth, mais le reste, l'argent qu'il a gardé pour lui. Parce qu'il faut bien qu'il en ait gardé, et pas qu'un peu. Il ne pouvait pas se permettre d'avoir des aventures et d'entretenir une femme comme Anaïs Abbott, compte tenu de ses goûts de luxe invraisemblables, avec l'argent que Ruth lui filait au compte-gouttes. Elle est beaucoup trop moralisatrice pour financer le train de vie de sa maîtresse. Au nom du ciel, qu'est-ce qui est arrivé à son fric ? Soit il te l'a donné, soit il l'a caché ; si je veux agir, il faut que je sache la vérité. Est-ce qu'il t'a donné de l'argent ?

— Inutile de t'acharner, répondit-il.

Ils arrivaient en vue de l'aéroport, où un avion s'apprêtait à atterrir, vraisemblablement celui qui, une fois le plein fait, reconduirait Margaret en Angleterre. Adrian prit l'allée menant au terminal et s'arrêta devant le bâtiment au lieu de se garer dans l'un des parkings.

— Laisse tomber, dit-il.

Elle essaya de déchiffrer l'expression de son visage.

— Est-ce que ça signifie...

— Ça signifie ce que ça signifie, dit-il. L'argent a disparu. Tu ne le retrouveras pas. C'est même pas la peine d'essayer.

— Comment peux-tu... il te l'a donné, alors ? Tu l'avais, cet argent, mais si tel est le cas... pourquoi n'as-tu pas dit... Adrian, je veux la vérité pour une fois.

— Tu perds ton temps, dit-il, et c'est ça, la vérité.

Il ouvrit sa portière, se dirigea vers l'arrière de la Range Rover. L'air froid s'engouffra dans l'habitacle tandis qu'il sortait ses valises et les laissait tomber sans plus de cérémonie sur le trottoir. Il s'approcha de sa portière. La conversation semblait terminée. En ce qui le concernait. Mais pas sa mère.

Elle sortit, ramenant son manteau étroitement autour d'elle. Dans cet endroit exposé de l'île, un fort vent glacial soufflait. Elle arriverait ainsi plus vite en Angleterre, espéra-t-elle. Et le moment venu, ce même vent hâterait le retour de son fils. Car elle connaissait Adrian, il avait beau dire et beau faire : il reviendrait. C'était inévitable, cela faisait partie du monde dans lequel ils vivaient. Le monde qu'elle leur avait créé à tous les deux.

— Quand rentres-tu à la maison ?

— Ça ne te regarde pas, maman.

Il sortit son paquet de cigarettes et s'y reprit à cinq fois pour en allumer une. Tout autre que lui aurait abandonné à la deuxième tentative, mais pas son fils. Pour certaines choses il ressemblait étrangement à sa mère.

— Adrian, ma patience a des limites.

— Rentre, lui dit-il. Tu n'aurais jamais dû venir.

— Que comptes-tu faire si tu ne rentres pas avec moi ?

Il sourit d'un sourire sans joie avant de regagner son côté de la voiture. Par-dessus le capot, il lui dit :

— Je trouverai, ne t'inquiète pas.

Saint James quitta Deborah tandis qu'ils gravissaient la pente qui, du parking, menait à l'hôtel. Elle avait été pensive en rentrant du Reposoir. Elle avait conduit avec sa prudence habituelle mais il avait bien vu qu'elle avait la tête ailleurs. Il savait qu'elle pensait à l'explication qu'elle lui avait fournie, au fait qu'une toile d'une valeur inestimable avait été dissimulée dans un tumulus préhistorique. Il ne pouvait l'en blâmer. Lui-même pensait à son explication simplement parce qu'il ne pouvait la rejeter. Il savait que, de même que la propension de Deborah à voir le bien chez autrui pouvait la conduire à ignorer des vérités fondamentales, de même sa tendance à lui à se méfier de tout le monde pouvait l'amener à voir les choses de façon erronée. Aussi ni l'un ni l'autre n'avait-il parlé pendant le trajet de retour à Saint Peter Port. C'est seulement lorsqu'ils s'approchèrent du perron de l'hôtel que Deborah se tourna vers lui comme si elle était parvenue à une décision.

— Je ne rentre pas tout de suite. Je vais d'abord marcher.

Il hésita avant de répondre. Il n'ignorait pas que c'était dangereux de dire ce qu'il ne fallait pas. Mais il savait également qu'il y avait encore plus de danger à se taire dans une situation où Deborah en savait plus qu'elle n'aurait dû, compte tenu du fait qu'elle n'était pas neutre.

— Où vas-tu ? Tu ne veux pas boire quelque chose ? Une tasse de thé ?

Elle plissa les yeux. Elle savait bien où il voulait en venir. Elle dit :

— Peut-être que j'ai besoin d'un garde du corps armé, Simon.

— Deborah...

— Je n'en ai pas pour longtemps, dit-elle en se dirigeant vers Smith Street, menait vers High Street et le port.

Il ne pouvait que la laisser partir, reconnaissant qu'il ne savait pas plus qu'elle quelle était la vérité sur la mort de Guy Brouard. Il n'avait que des soupçons – qu'elle semblait décidée à ne pas partager.

Alors qu'il entrait dans l'hôtel, il entendit qu'on l'appelait et il vit la réceptionniste derrière le comptoir qui brandissait un bout de papier dans sa direction.

— Un message de Londres, dit-elle en le lui remettant avec sa clé.

Elle avait écrit sur une feuille : « Linlay », estropiant le nom du policier.

— Il m'a dit de vous dire de vous acheter un portable, ajouta-t-elle d'un air entendu.

Une fois dans sa chambre, Saint James ne rappela pas Lynley immédiatement. Au lieu de ça, il s'approcha du bureau sous la fenêtre, composa un autre numéro.

En Californie, Jim Ward était en réunion avec ses associés, apprit-on à Saint James lorsqu'il eut le numéro. Réunion qui malheureusement n'avait pas lieu au cabinet mais à l'hôtel Ritz Carlton. Sur la côte, lui précisa une femme qui se présenta sous le nom de Crystal, du cabinet Southby, Strange, Willow & Ward.

— Ils sont injoignables, ajouta-t-elle. Mais si vous voulez, je peux prendre un message.

Saint James n'avait pas le temps d'attendre qu'on fasse parvenir un message à l'architecte, aussi demanda-t-il à la jeune femme, qui semblait mâchonner du céleri, si elle pouvait l'aider.

— Je vais faire de mon mieux, dit-elle gaiement. Moi-même j'étudie pour devenir architecte.

La chance fut avec lui lorsqu'il l'interrogea à propos des plans que Jim Ward avait envoyés à Guernesey. L'envoi ne remontait pas à si loin que cela dans le temps, et il se trouvait que c'était Crystal elle-même qui s'occupait de tout le courrier : UPS, Fedex, DHL, etc. Etant donné que les choses s'étaient passées différemment pour ce colis, elle s'en souvenait très bien, et elle se ferait un plaisir de lui expliquer tout ça s'il voulait bien attendre un moment car elle avait un autre appel.

Il attendit, et la voix tonique ne tarda pas à se refaire entendre. Normalement, lui dit-elle, les plans auraient dû franchir l'Atlantique via le net et seraient arrivés au cabinet de l'architecte qui dirigeait le projet sur place. Mais dans ce cas précis, les plans n'étant que des échantillons du travail de Mr Ward, il n'y avait pas de raison de se dépêcher. Aussi les avait-elle glissés dans...

— Dans quoi ? demanda Saint James.

— Dans un tube standard, lui expliqua-t-elle.

Elle les avait emballés comme d'habitude et remis à un avocat qui était passé en prendre livraison aux termes de l'accord conclu entre Mr Ward et son client.

— Un certain Mr Kiefer ? voulut savoir Saint James. Mr William Kiefer ? C'est ce monsieur qui est passé les prendre chez vous ?

Impossible de se souvenir du nom, fit Crystal. Mais Kiefer, ça lui disait rien. Quoique, tout bien réfléchi... Mais non, le type n'avait pas donné de nom. Il lui avait simplement dit qu'il était venu chercher des plans à destination de Guernesey et elle les lui avait remis.

— Ils sont bien arrivés à destination, j'espère ? fit-elle, inquiète.

— Certainement.

Dans quoi avaient-ils été emballés ? questionna Saint James.

Dans un grand tube en carton épais.

— Ils ont pas été abîmés, au moins ? fit-elle, toujours aussi inquiète.

— Non, dit Saint James.

Il remercia Crystal et raccrocha, pensif. Il composa un autre numéro et en moins de trente secondes William Kiefer, l'avocat californien, fut en ligne. Il n'était pas d'accord avec la version de Crystal. Il n'avait envoyé personne prendre les plans, dit-il. Mr Brouard lui avait dit que les plans seraient livrés à son cabinet par quelqu'un du cabinet d'architectes quand ils seraient prêts. A ce moment-là, il prendrait les dispositions pour que les coursiers les acheminent jusqu'à Guernesey. C'est ce qui s'était passé.

— Vous vous souvenez de la personne qui vous a apporté les plans de chez l'architecte ? voulut savoir Saint James.

— Je ne l'ai pas vue. Je suis incapable de vous dire si c'était un homme ou une femme, répondit Kiefer. La personne a laissé les plans à la secrétaire. Je les ai récupérés en rentrant de déjeuner. Ils étaient emballés, prêts à partir. Mais, attendez une minute, peut-être qu'elle se souviendra...

L'attente dura plus d'une minute, et Saint James eut droit à de la musique de fond : Neil Diamond massacrant la langue anglaise pour les besoins de la rime. Lorsque le téléphone reprit vie, Saint James se trouva en conversation avec une certaine Cheryl Bennett.

La personne qui avait déposé les plans chez Mr Kiefer était un homme, dit-elle à Saint James. Lorsque Saint James lui demanda si cet homme lui avait semblé avoir quelque chose de particulier, elle pouffa :

— Ça, c'est sûr. Des comme lui, y en a pas beaucoup dans le comté d'Orange.

— Comment ça, des comme lui ?

— Des rastas.

L'homme qui avait livré les plans venait des Caraïbes, lui apprit-elle. Dreadlocks qui lui battaient les flancs, sandales, jean coupé au genou, chemise hawaïenne.

— Même que je me suis dit : « Drôle de touche pour un architecte. » Mais peut-être que c'était seulement un coursier.

Elle n'avait pas noté son nom. Ils ne s'étaient pas adressé la parole. Il écoutait de la musique sur son baladeur. Elle avait trouvé qu'il ressemblait à Bob Marley.

Saint James remercia Cheryl Bennett et raccrocha.

S'approchant de la fenêtre, il examina la vue sur Saint Peter Port. Il songea à ce que la secrétaire venait de lui dire, à ce que cela pouvait signifier. En y réfléchissant, il songea qu'il n'y avait qu'une conclusion possible : rien de ce qu'ils avaient appris jusqu'à maintenant ne tenait debout.

28

La méfiance de Simon agit sur Deborah comme un aiguillon. Et le fait qu'il imputerait probablement cette méfiance au fait qu'elle n'avait pas remis la bague à la police en temps et en heure constituait un aiguillon supplémentaire. Les doutes qu'il nourrissait sur ses capacités ne reflétaient pas la situation actuelle. La vérité, c'est que si Simon se méfiait d'elle, c'est parce qu'il ne lui avait *jamais* fait confiance. C'était sa réaction instinctive face à un événement qui exigeait d'elle une réflexion d'adulte dont il semblait la croire incapable. Cette attitude était la plaie de leur relation, le résultat de son mariage avec un homme qui lui avait jadis tenu lieu de second père. Il ne réendossait pas toujours ce rôle en cas de conflit. Mais le fait – ô combien irritant – qu'il eût tendance à recommencer suffisait à inciter Deborah à prendre des initiatives qu'il désapprouvait.

C'est pourquoi elle se rendit aux Queen Margaret Apartments alors qu'elle aurait pu tranquillement faire du lèche-vitrines dans High Street, se promener à Candie Gardens ou à Castle Cornet, flâner dans les bijouteries de Commercial Arcade. Sa visite à Clifton Street ne donna aucun résultat. Elle frappa à la porte de l'appartement B en pure perte. Alors elle descendit l'escalier conduisant au marché, se disant qu'elle n'était pas à la recherche de China, et que même si elle la cherchait, qu'est-ce que ça pouvait bien faire ? Elles étaient amies de longue date et China devait attendre qu'on la rassure, qu'on lui dise que la situation dans laquelle son frère et elle se trouvaient était en bonne voie d'être réglée.

Deborah voulait lui offrir ce réconfort. C'était le minimum.

China n'était pas aux halles. Elle n'était pas non plus à la coopérative où Deborah l'avait rencontrée avec son frère. C'est seulement lorsque Deborah renonça à la trouver qu'elle l'aperçut alors qu'elle-même tournait au coin de High Street dans Smith Street.

Elle commençait à gravir la pente, se résignant à regagner l'hôtel. Elle s'arrêta pour acheter un journal à un marchand dans la rue et, alors qu'elle remettait son portefeuille dans son sac, elle aperçut China à mi-colline au-dessus d'elle qui sortait d'une boutique et qui remontait vers l'endroit où Smith Street s'élargissait pour former une petite place sur laquelle se trouvaient le monument aux morts de la Première Guerre mondiale et l'intersection de plusieurs rues – dont l'une menait à l'hôtel, l'autre au Royal Court House et la troisième au commissariat de police. Deborah héla son amie. China pivota, examinant les piétons qui remontaient, hommes et femmes d'affaires impeccablement habillés, sortant de leur banque à la fin d'une journée de travail. Elle agita la main et attendit que Deborah la rejoigne.

— Comment ça se présente ? demanda-t-elle lorsque Deborah fut arrivée à sa hauteur. Du nouveau ?

— On ne sait pas trop, répondit Deborah. (Et pour orienter la conversation dans une direction qui n'exigerait pas d'elle qu'elle fournisse des détails, elle dit :) Qu'est-ce que tu fais ?

— J'achetais des sucreries. J'étais à la recherche de Baby Ruth ou de Butterfingers. (China tapota son énorme sac à bandoulière où manifestement elle avait stocké les friandises.) Ce sont ses barres chocolatées préférées, mais impossible d'en trouver ici. Alors j'ai pris ce qui s'est présenté. J'espère qu'on me laissera le voir.

Contrairement, ajouta China, à la première fois où elle s'était rendue à Hospital Lane. Elle était allée droit au commissariat quand elle avait laissé Deborah et son mari, mais on avait refusé de la laisser s'entretenir avec son frère. Pendant qu'on interrogeait un suspect, seul son avocat, lui avait-on dit, avait l'autorisation de le voir. Elle aurait dû le savoir puisqu'elle-même était passée par là. Elle avait téléphoné à Holberry. Il lui avait promis qu'il ferait tout pour qu'elle puisse voir son frère. Forte de cette promesse, elle était sortie et s'était mise en quête de chocolats. Elle était en route pour les lui apporter.

— Tu m'accompagnes ?

Deborah acquiesça. Ensemble elles se rendirent au commissariat, qui était à deux minutes à pied de l'endroit où elles s'étaient rencontrées.

A la réception, elles apprirent de la bouche d'un constable assez désagréable que miss River ne serait pas autorisée à rencontrer son frère. Lorsque China lui annonça que Roger Holberry avait pris les dispositions pour qu'elle soit autorisée à le voir, le constable lui rétorqua qu'il n'était au courant de rien, et que si ces dames n'y voyaient pas d'inconvénient il avait du travail.

— Eh bien, appelez le responsable, lui enjoignit China. L'inspecteur Le Gallez. Holberry l'a certainement contacté puisqu'il m'a dit qu'il allait faire le nécessaire pour me permettre de... Ecoutez, je veux juste voir mon frère, vous comprenez ?

L'homme se montra intraitable. Si des dispositions avaient été prises par Mr Holberry, apprit-il à China, la personne que ce dernier aurait contactée – qu'il s'agisse de l'inspecteur Le Gallez ou de la reine de Saba – se serait empressée de transmettre la consigne à la réception. Faute de quoi personne à l'exception de l'avocat du suspect n'était autorisé à le voir.

— Mais Holberry est son avocat, protesta China.

L'homme leur adressa un sourire parfaitement odieux.

— Je ne vois pas ce monsieur, répondit-il en regardant avec insistance par-dessus l'épaule de China.

Alors que China commençait à s'énerver, disant : « Ecoutez, espèce de petit... », Deborah intervint. Elle dit calmement au constable :

— Peut-être que vous pourriez faire porter des friandises à Mr River ?

Là-dessus, China fit d'un ton sec : « Laisse tomber », et sortit à grandes enjambées du commissariat, emportant ses chocolats.

Dans la cour qui tenait lieu de parking, Deborah la trouva assise au bord d'une jardinière, maltraitant les branches d'une plante. Tandis que Deborah s'approchait, China maugréa :

— Les salauds ! Qu'est-ce qu'ils croient ? Que je vais le faire évader ?

— Tu as demandé à Holberry comment il s'en sort ?

— Aussi bien que possible compte tenu des circonstances. Il a dit ça pour me rassurer mais ça peut vouloir dire n'importe quoi. Je suis bien placée pour le savoir : j'ai donné. Tu verrais ces cellules, Deborah. Complètement à poil. Des murs nus, un sol nu, un malheureux banc de bois qui fait office de couchette quand on doit y passer la nuit. Des chiottes en inox. Un évier en inox. Et cette grosse porte bleue. Pas le moindre magazine en vue, pas un seul bouquin à portée de main, pas d'affiche, pas de radio, pas de mots croisés, pas de jeu de cartes. De quoi vous rendre cinglé. Il n'est pas préparé... C'est pas le genre à... Ah là là... Tu ne peux pas savoir quel soulagement ç'a été quand je suis sortie. J'arrivais à peine à respirer là-dedans. Même la prison est mieux que les cellules de garde à vue. Et pas question qu'il... Faut que je fasse venir maman. Je suis sûre qu'il voudrait qu'elle soit là, et si je peux faire ça, je me sentirai moins coupable d'éprouver du soulagement à l'idée que c'est quelqu'un d'autre qui est au trou, et pas moi. Tu te rends compte de l'énormité de ce que je raconte... Tu dois vraiment me prendre pour une drôle de fille.

— C'est normal que tu sois soulagée d'être dehors.

— Si seulement je pouvais le voir, m'assurer qu'il tient le choc.

Elle changea de place sur la jardinière et Deborah se dit qu'elle allait repartir à l'assaut du commissariat. Deborah savait que ce serait inutile, alors elle se leva et dit :

— Allons marcher.

Elle rebroussa chemin en direction du monument aux morts et prit l'itinéraire le plus court pour aller aux Queen Margaret Apartments. Deborah se rendit compte un peu tard que cela les ferait passer devant la Royal Court House. Arrivée devant le palais de justice, China hésita, regardant la façade imposante du bâtiment qui abritait la machine judiciaire de l'île. Au-dessus flottait le drapeau de Guernesey, trois lions sur fond rouge, qui claquait au vent.

Sans laisser à Deborah le temps de réagir, China gravit l'escalier, atteignit l'entrée de l'édifice. Elle la franchit. Deborah n'avait d'autre solution que de la suivre, ce qu'elle se dépêcha de faire. Elle trouva China dans le hall, en train de consulter un annuaire. Lorsqu'elle la rejoignit, China lui dit :

— Tu n'es pas obligée de m'accompagner. Je me débrouillerai toute seule. De toute façon Simon doit t'attendre.

— Je veux rester avec toi. Ne t'inquiète pas, China, ça va aller.

— Ah bon ?

Elle traversa le hall, dépassa les portes mi-pleines, mi-vitrées où étaient inscrits les noms des différents services. Elle se dirigea vers l'escalier imposant qui menait au premier, où elle découvrit ce qu'elle cherchait : la salle d'audience où se déroulaient les procès. Deborah se dit que ce n'était peut-être pas le meilleur endroit pour se remonter le moral et que ce choix était révélateur. Quand sa sœur, innocente, avait été placée en garde à vue, Cherokee avait agi en impulsif, en homme d'action qui a toujours un plan dans sa musette. Deborah voyait bien que, même si elle faisait le désespoir de sa sœur, la débrouillardise de Cherokee avait ses avantages.

— Je ne sais pas si l'endroit est bien choisi, fit remarquer Deborah à son amie tandis que China s'asseyait à l'extrémité de la salle, le plus loin possible de l'estrade du juge.

Comme si Deborah n'avait pas bronché, China poursuivit :

— Holberry m'a expliqué comment se passent les procès, ici. Quand je me suis dit que j'allais y avoir droit, j'ai voulu savoir comment les choses se dérouleraient. C'est pour ça que je lui ai posé la question. (Elle regardait droit devant elle, comme si elle assistait à la scène à mesure qu'elle la décrivait.) Voilà. Il n'y a pas de jury comme chez nous. Comme aux Etats-Unis, je veux dire. Mais des jurés professionnels. Des gens dont c'est le boulot, quoi. Je vois mal comment on peut espérer que le procès soit équitable dans ces conditions. N'importe qui peut leur parler, à ces jurés, non ? Ils peuvent lire la presse, non ? Si ça se trouve, ils peuvent même mener leurs propres enquêtes.

— Ça fait peur, reconnut Deborah.

— Chez nous, je saurais quoi faire, sachant à quoi m'attendre. On pourrait trouver quelqu'un qui saurait comment choisir les meilleurs jurés. Donner des interviews à la presse. Parler aux journalistes de la télé. Façonner l'opinion de sorte qu'au procès...

— Il n'y aura pas de procès, dit fermement Deborah. Il n'y aura pas de procès, tu me crois ?

— ... on réussirait à influer sur la façon de voir et de penser des gens. Cherokee n'est pas seul. Je suis là. Tu es là. Simon est là. On pourrait faire quelque chose. Si les choses se passaient comme chez nous...

Chez nous, songea Deborah. Son amie avait raison. La situation serait beaucoup moins pénible si elle était chez elle, dans un environnement familier, entourée d'individus et d'objets familiers et face à une procédure qui lui était également familière. Deborah comprit qu'elle ne pouvait lui offrir le réconfort qui va de pair avec la familiarité. Elle pouvait seulement lui suggérer de changer de cadre, d'aller dans un endroit où elle pourrait la réconforter. China qui avait été un tel réconfort pour elle.

Dans le silence qui suivit les remarques de China, elle dit à voix basse :

— Hé, China...

China la regarda.

Deborah sourit et, reprenant une expression de Cherokee, elle dit :

— On se casse. Cet endroit, c'est la déprime assurée.

Malgré son état d'esprit, China ne put s'empêcher de sourire.

— T'as raison, dit-elle.

Lorsque Deborah se leva et lui tendit la main, China la prit. Et elle ne la lâcha que lorsqu'elles furent sorties de la salle d'audience, qu'elles eurent descendu l'escalier et se furent retrouvées dehors.

Pensif, Saint James raccrocha au terme de sa seconde conversation téléphonique de la journée avec Lynley. D'après ce dernier, il n'avait pas été difficile d'obtenir des renseignements de Vallera & Son. La personne que Lynley avait eue au bout du fil à Jackson Heights, New York, n'était apparemment pas très futée. Non seulement cet individu s'était écrié : « Papa ! On a l'Ecosse au bout du fil ! Tu te rends compte ? », quand Lynley s'était annoncé en précisant qu'il appelait de Scotland Yard, mais il avait fait preuve d'une surprenante volubilité quand Lynley lui avait demandé quel genre d'affaires traitait Vallera & Son.

Avec un accent digne du *Parrain*, le type – un certain Chiz Vallera – avait expliqué à Lynley que Vallera & Son, entre autres opérations, virait de l'argent dans le monde entier. « Pourquoi ? Vous songez à envoyer des dollars aux USA ? On peut s'en charger, si vous voulez. On peut changer n'importe quelle monnaie en dollars. C'est quoi, votre monnaie, en Ecosse ? Le franc ? La couronne ? L'euro ? Quelle que soit la monnaie, c'est dans nos cordes. Evidemment, nos services ne sont pas gratuits. »

Toujours aussi affable et manifestement sans méfiance, il avait expliqué que son père et lui viraient de l'argent en incréments de neuf mille neuf cent quatre-vingt-dix-neuf dollars. « Et quatre-vingt-dix-neuf cents si ça vous fait plaisir. (Et avec un gloussement :) Mais là, c'est peut-être pousser un peu, non ? » Pour le compte de gens prudents qui ne voulaient pas que les Fédéraux viennent mettre le nez dans leurs affaires. Ce qu'ils feraient sans doute si les Vallera – comme l'Oncle Sam et ces connards de Washington leur en faisaient l'obligation – faisaient état de virements d'un montant de dix mille dollars ou plus. Si donc en Ecosse quelqu'un souhaitait envoyer à un correspondant aux USA une somme inférieure à dix mille dollars, les Vallera seraient heureux de servir d'intermédiaires. Moyennant finance, évidemment. Car aux USA, pays des politiciens ripoux, des lobbyistes qui leur versaient des pots-de-vin, des élections arrangées et du capitalisme qui avait perdu la boule, tout avait un prix.

Et si, s'était enquis Lynley, le montant à virer dépassait les neuf mille neuf cent quatre-vingt-dix-neuf dollars et quatre-vingt-dix-neuf cents, que se passait-il ?

Dans ce cas, Vallera & Son devait en informer les Fédéraux.

Que faisaient les Feds ?

Ils se penchaient sur la question le moment venu. Si on s'appelait Gotti[1] ils s'y intéressaient sans perdre une minute. Si on s'appelait Joe Machin, ils mettaient davantage de temps à réagir.

« Très instructif, avait dit Lynley à Saint James en conclusion. Mr Vallera aurait pu poursuivre comme ça indéfiniment tellement il avait l'air content de recevoir un appel d'Ecosse.

— Mais il n'a pas poursuivi ? fit Saint James avec un gloussement.

— Mr Vallera Senior, si j'ai bien compris, s'est pointé sur ces entrefaites. Au bruit, j'ai compris qu'il n'était pas content. D'ailleurs, peu de temps après, la communication a été coupée.

— J'ai une dette envers toi, Tommy. »

De retour dans sa chambre d'hôtel, Saint James réfléchit à la suite à donner aux événements. A moins de mettre un organisme américain ou un autre dans le coup, il était seul pour déterrer d'autres éléments et s'en servir pour faire sortir de sa cachette le tueur de

1. Patron de la Mafia. (*N.d.T.*)

Guy Brouard. Il envisagea plusieurs façons d'aborder le problème et descendit dans le hall.

Là, il demanda s'il pouvait utiliser l'ordinateur de l'établissement. La réceptionniste, qui ne le portait pas dans son cœur pour s'être échinée à le suivre à la trace dans l'île, n'accueillit pas la requête avec un enthousiasme débordant. Elle mordit sa lèvre inférieure, qui disparut sous ses envahissantes incisives, et lui déclara qu'elle allait devoir demander à Mr Alyar, le directeur de l'hôtel.

— Nous ne laissons pas les clients accéder à... Les gens ont généralement le leur. Vous n'avez pas d'ordinateur portable ?

Et avec un regard excédé qui disait : « Qu'est-ce que vous attendez pour en acheter un ? », elle s'en alla à la recherche de son patron.

Saint James patienta dans le hall près de cinq minutes avant qu'un homme genre tonneau vêtu d'un costume à veston croisé ne jaillisse de derrière une porte qui menait dans les profondeurs de l'hôtel. Il se présenta – Felix Alyar – et demanda ce qu'il pouvait faire pour lui.

Saint James lui exposa sa requête de façon un peu plus détaillée. Il lui remit sa carte professionnelle et s'arrangea pour glisser dans la conversation le nom de l'inspecteur Le Gallez, de façon que le directeur ne doute pas de la légitimité de sa participation à l'enquête en cours.

Bon prince, Mr Alyar accepta de laisser Saint James utiliser l'ordinateur de l'hôtel. Il le fit passer derrière le comptoir de la réception, et de là dans un bureau attenant. Deux employées travaillaient sur des terminaux, une troisième introduisait des documents dans un fax.

Felix Alyar désigna à Saint James un troisième terminal et dit à la fille qui s'occupait des fax :

— Penelope, ce monsieur va se mettre sur votre poste de travail.

Puis il s'éclipsa en présentant à Saint James les compliments de la maison assortis d'un sourire faux. Saint James le remercia et s'empressa d'accéder à Internet.

Il commença par le site de l'*International Herald Tribune*. Là, il découvrit que les articles datant de plus de quinze jours ne pouvaient être consultés qu'à partir de leur site d'origine. Il n'en fut pas autrement étonné compte tenu de la nature de ce qu'il cherchait et de l'importance limitée du journal. Il alla donc sur le site de *USA Today*, mais là, on ne donnait que les principales nouvelles en matière de politique intérieure, de problèmes internationaux, d'affaires de meurtre retentissantes, de faits divers juteux.

Il décida ensuite d'interroger le *New York Times*. Comme il n'obtenait rien en tapant « pieter de hooch », il entra également le titre de l'étude : « sainte barbara ». Mais de nouveau il fit chou blanc. Aussi commença-t-il à douter du bien-fondé de l'hypothèse qu'il avait échafaudée en apprenant l'existence de Vallera & Son à New York et la nature des prestations que cette entreprise offrait.

Il ne lui restait plus que le *Los Angeles Times*. Il entama une recherche dans leurs archives. Comme précédemment, il entra la période sur laquelle faire porter les recherches – les douze derniers mois – et y ajouta le nom du peintre. En moins de cinq secondes, l'écran se remplit d'une liste d'articles – cinq sur une page, et d'autres qui suivaient.

Il cliqua sur le premier et attendit que l'ordinateur le télécharge. Apparut la manchette : *Souvenirs d'un père*.

Saint James parcourut l'article. Des phrases lui sautaient au visage, comme écrites en gras. C'est en voyant les mots *ancien combattant décoré... Seconde Guerre mondiale* qu'il ralentit sa lecture. Le papier relatait une triple transplantation cœur, reins, poumons – une première à l'époque – effectuée au St Clare Hospital de Santa Ana en Californie. Le bénéficiaire en avait été un ado de quinze ans, du nom de Jerry Ferguson. Son père, Jim, était l'ancien combattant que mentionnait l'article.

Jim Ferguson, vendeur d'automobiles, avait apparemment passé le reste de ses jours à trouver un moyen de remercier St Clare d'avoir sauvé son fils. Cet hôpital, qui avait pour politique de ne refuser aucun patient, fût-il indigent, n'avait pas réclamé à Ferguson un centime de la note, qui se montait à plus de deux cent mille dollars. Un vendeur de voitures nanti de quatre enfants avait peu de chances de réunir une somme pareille. A sa mort, Jim Ferguson avait légué à St Clare la seule chose de valeur qu'il possédât : un tableau.

« On se doutait pas... avait dit sa veuve. Jimmy n'a sûrement jamais su... Il l'a eu pendant la guerre... Un souvenir... C'est tout ce que je sais. »

« Je croyais que c'était juste un vieux truc, commenta Jerry Ferguson une fois que la toile eut été expertisée par le Getty Museum. Il était accroché dans la chambre de papa et maman. J'y ai jamais prêté tellement attention. »

C'est ainsi que, transportées de joie, les sœurs de la Charité qui faisaient tourner St Clare avec un budget plus qu'étriqué et devaient consacrer une bonne partie de leur temps à réunir des fonds pour le maintenir à flot, avaient reçu une œuvre d'art d'une valeur colossale. Une photo montrait Jerry Ferguson adulte et sa mère remettant le tableau à l'austère sœur Monica Casey, qui, à cet instant, n'avait pas la moindre idée de ce sur quoi elle posait ses pieuses mains.

Lorsqu'on leur demanda plus tard s'ils ne regrettaient pas de se séparer d'une chose aussi précieuse, les Ferguson avaient dit : « Ça a été une surprise d'apprendre qu'on avait un truc comme ça à la maison. » « Papa voulait que les sœurs en héritent, moi, j'y vois pas d'inconvénient. » Sœur Monica Casey avait reconnu que cela lui avait donné de « sacrées palpitations », qu'elle comptait mettre le de Hooch en vente une fois qu'il aurait été nettoyé et restauré. En attendant, avait-elle confié au journaliste venu l'interroger, les sœurs de la Charité veilleraient à ce qu'il soit en sécurité.

Mais elles n'avaient pas réussi, songea Saint James. Et cela avait tout déclenché.

Il cliqua sur les articles suivants et ne fut pas surpris de découvrir la suite des événements tels qu'ils s'étaient déroulés à Santa Ana. Il les parcourut – il ne lui fallut pas longtemps pour comprendre comment la *Sainte Barbara* de Pieter de Hooch avait effectué le voyage de l'hôpital St Clare au Reposoir –, et il imprima ceux qu'il jugea intéressants.

Il attacha le tout à l'aide d'un trombone. Et il remonta dans sa chambre pour réfléchir.

Deborah préparait le thé tandis que China tantôt s'emparait du combiné tantôt le reposait. Alors qu'elles regagnaient à pied les Queen Margaret Apartments, China avait pris la résolution de téléphoner à sa mère pour l'avertir de ce qui se passait. Mais maintenant qu'elle était au pied du mur, c'est-à-dire face au moment de vérité, elle n'arrivait pas à passer à l'acte. Elle appuyait sur les touches de l'international, elle faisait le 1 pour obtenir les Etats-Unis. Elle était même allée jusqu'à composer le code du comté d'Orange. Mais une fois arrivée là, elle s'était dégonflée.

Tandis que Deborah versait le thé, ouvrait un paquet

de biscuits à la figue et les posait sur une assiette, China lui expliqua les raisons de son hésitation. Il s'avéra que celle-ci était le fruit de la superstition.

— J'ai peur de lui porter la poisse si je téléphone à maman.

Deborah se souvint de l'avoir entendue utiliser cette expression. On pense qu'on va faire un reportage photographique fumant, qu'on va réussir brillamment à un examen et on se plante. On attend un coup de fil de son petit ami et on compte tellement dessus qu'il n'appelle pas. On se félicite de la fluidité de la circulation alors que les autoroutes californiennes sont en général massivement encombrées, et dans les dix minutes qui suivent, comme par hasard, on tombe sur un accident et un bouchon de cinq kilomètres. Ce genre de raisonnement tordu, Deborah l'avait baptisé « loi de Chinaland » et pendant son séjour avec China à Santa Barbara, elle s'était efforcée de ne rien faire qui pût lui porter malheur.

— Comment ça, la poisse ? dit-elle.

— Je ne sais pas. Une impression. Je me dis que si je l'appelle pour lui raconter ce qui se passe, elle va se pointer, et qu'au lieu d'arranger les choses, ce sera pire.

— Mais c'est contraire à la loi de Chinaland, observa Deborah. Telle que je me la rappelle, du moins.

Elle brancha la bouilloire électrique et apporta les gâteaux dans la cuisine.

A l'énoncé de ce terme jailli du passé, China sourit malgré elle.

— Comment ça ?

— Pour autant que je m'en souvienne, à Chinaland, on fait tout pour obtenir le contraire de ce qu'on souhaite. On ne met pas le destin au courant de ce qu'on vise ; comme ça il ne risque pas de tout foutre par terre. On le prend à rebrousse-poil, quoi.

— On le feinte, le salaud, murmura China.

— Tout juste. (Deborah sortit des mugs du placard.) Dans le cas présent, tu dois appeler ta mère. Tu n'as pas le choix. Si tu l'appelles et que tu insistes pour qu'elle vienne à Guernesey...

— Elle n'a pas de passeport, Debs.

— Parfait. Elle aura un mal de chien à se propulser jusqu'ici.

— Sans parler de ce que ça va coûter.

— Mmm. Oui. C'est pour ainsi dire le succès assuré. (Deborah s'appuya contre le comptoir, attendant que la bouilloire siffle.) Il faut qu'elle se dépêche de se procurer un passeport. Donc qu'elle se rende... où ?

— A Los Angeles. Au Federal Building. A la sortie du San Diego Freeway.

— Après l'aéroport ?

— Bien après. Après Santa Monica, même.

— Génial. Cette circulation infernale. Elle n'est pas sortie de l'auberge. Donc il faut qu'elle aille là-bas, qu'elle obtienne son passeport. Il faut qu'elle achète ses billets. Qu'elle prenne un vol jusqu'à Londres, et de là jusqu'à Guernesey. Et après s'être décarcassée comme une malade dans un état d'angoisse pas possible...

— Quand elle débarque ici, c'est pour s'apercevoir que tout est réglé.

— Une heure avant son arrivée, sourit Deborah. Et voilà ! La loi de Chinaland a fonctionné. Toutes ces complications, toutes ces dépenses... Pour rien, finalement.

Derrière elle, la bouilloire fit entendre un déclic. Elle versa l'eau dans une grosse théière verte qu'elle posa sur la table, fit signe à China de la rejoindre.

— Mais si tu ne lui téléphones pas...

China abandonna l'appareil pour gagner la cuisine. Deborah attendit qu'elle termine sa phrase. Au lieu de cela, China s'assit et se mit à faire tourner l'assiette de biscuits tel un vieux disque.

— J'ai renoncé à penser comme ça. De toute façon ça n'a jamais été qu'un jeu. Qui a cessé de marcher. Ou alors c'est moi qui ai cessé d'y croire. Je ne sais pas. (Elle repoussa l'assiette.) C'est avec Matt que ça avait commencé. Quand on était ados. Je t'en ai jamais parlé ? Je passe devant chez lui et si je m'abstiens de jeter un œil pour voir s'il est dans le garage ou en train de tondre la pelouse, si je m'abstiens de penser à lui en passant devant sa maison, il sera là. Mais si j'y pense ou que je jette un coup d'œil, si j'évoque seulement son nom, il sera pas là. Ça marchait à tous les coups. Alors j'ai continué. Je me disais : Si je joue l'indifférence, il s'intéressera à moi. Si je fais celle qui n'a pas envie de sortir avec lui, il m'invitera. Si je me persuade que jamais il ne voudra m'embrasser, il me roulera une pelle. Il en aura désespérément envie. Je savais que ça marchait pas comme ça dans la vie. Je savais qu'on n'était pas obligé de penser et de dire le contraire de ce qu'on souhaitait. Mais une fois que j'ai commencé, j'ai continué à fonctionner comme ça. Finalement j'en suis arrivée à me dire : Pense à une vie avec Matt, et ça se réalisera jamais. Vis ta vie, et tu le verras rappliquer, prêt à se maquer avec toi.

Deborah versa le thé dans les mugs. Elle en fit glisser un vers China.

— Désolée que les choses aient tourné comme ça. Je sais ce que tu ressentais pour lui. Ce que tu voulais.

— Ouais.

China prit le sucrier qui trônait au milieu de la table et l'inclina au-dessus de son mug, si bien que les granulés s'y déversèrent en une pluie de flocons de neige.

Lorsque Deborah se dit que son thé allait être imbuvable, China reposa le sucrier.

— Dommage que ça n'ait pas marché comme tu le souhaitais, dit Deborah. Mais peut-être que les choses finiront par s'arranger.

— Comme elles se sont arrangées pour toi, tu veux dire ? Non. On ne se ressemble pas, toi et moi. Je suis pas du genre à retomber sur mes pieds. Ça ne m'est jamais arrivé. Ça ne m'arrivera jamais.

— Tu ne peux pas savoir...

— Il n'y a eu qu'un homme dans ma vie, Deborah, coupa China, s'énervant. Il n'y en avait pas un de rechange dans la coulisse – handicapé ou pas – qui attendait que ça foire avec Matt pour prendre la succession.

Au ton mordant de China, Deborah eut comme un mouvement de recul.

— Parce que c'est comme ça que tu perçois les choses ? Ce qui s'est passé ? C'est comme ça que... China, ce n'est pas juste.

— Ah non ? Souviens-toi. Matt et moi, ça n'a jamais été simple. Un coup on était ensemble, un coup on cassait. Un jour, on baisait et c'était le super pied ; le lendemain, on rompait. On se remettait ensemble en se promettant que cette fois ce serait différent. On se fourrait au pieu, on tringlait à s'en faire péter la cervelle. Trois semaines plus tard : patatras ! Rupture. Tout ça pour une broutille. Genre il me dit qu'il sera là à huit heures et il ne se pointe qu'à onze heures et demie, le bec enfariné. Sans même m'avoir passé un coup de fil pour me prévenir de son retard. La moutarde me monte au nez. Cette fois il a poussé le bouchon trop loin. Je lui dis de se casser. Et dix jours plus tard, devine quoi ? Coup de téléphone. « Baby, je t'en supplie, donne-moi une autre chance, j'ai besoin de toi. » Je suis tellement gourde ou en manque que je tombe dans le panneau et nous voilà repartis pour un tour. Et toi, pendant ce temps-là, tu fais quoi ? Tu sors avec un putain de duc que tu n'as qu'à siffler pour qu'il accoure. Et quand il disparaît, dix minutes plus tard Simon entre en scène. Tu vois ? Tu te débrouilles toujours pour retomber sur tes pieds.

— Les choses ne se sont pas passées comme ça.

— Non ? Dis-moi comment, alors. Certainement que ça n'avait rien à voir avec ce que je vivais avec Matt. (China prit un biscuit à la figue qu'elle coupa en deux sans pour autant le manger. Elle poursuivit :) Ta situation et la mienne, ça a toujours fait deux.

— Les hommes ne sont pas...

— Je ne te parle pas des hommes, Deborah. Mais de la vie. De la mienne. De la tienne.

— Tu ne vois que l'aspect extérieur des choses, observa Deborah. Tu compares ça avec ce que tu ressens. Et ça n'a pas de sens. Je n'ai jamais eu de mère, China. J'ai grandi dans la maison d'un étranger. J'ai passé la première partie de mon existence à avoir peur de mon ombre. A l'école j'étais la tête de Turc sous prétexte que j'avais les cheveux roux et des taches de rousseur. J'étais trop timide pour demander quoi que ce soit à qui que ce soit. Même à mon père. Je fondais quand on me tapotait la tête comme un petit chien. Les seuls camarades que j'ai eus jusqu'à l'âge de quatorze ans ? Mes livres et un appareil photo d'occasion. J'habitais dans la maison d'un homme dont mon père était le domestique et je me disais : Pourquoi n'a-t-il pas réussi à être quelqu'un ? A exercer une profession ? Médecin, dentiste, banquier, un truc dans ce goût-là ? Pourquoi ne va-t-il pas travailler à l'extérieur comme les pères des autres gamins ? Pourquoi...

— Merde ! s'écria China. Mon père, lui, il était au trou. Il passait son temps à y entrer et à en sortir. Et c'est encore là qu'il se trouve maintenant. Son métier, c'est dealer, Deborah. Tu piges ? Mon paternel est un putain de dealer. Et ma mère... Ça te plairait d'avoir Miss Séquoia pour mère ? Toujours prête à sauver la chouette mouchetée ou les écureuils à trois pattes. A s'opposer à la construction d'un barrage ou d'une route, au forage d'un puits de pétrole. Mais pas fichue de se souvenir d'un anniversaire, de préparer à bouffer pour ses gosses ni de vérifier s'ils ont une paire de godasses correctes. Pas foutue non plus d'aller voir ses mômes jouer au foot, d'assister à une réunion de parents d'élèves parce que la disparition d'une touffe de pissenlits risque de foutre en l'air l'écosystème. Alors t'amuse pas à comparer avec la mienne ta vie de pauvre petite fille dans un hôtel particulier.

Deborah respira avec difficulté. Il n'y avait plus grand-chose à dire. China mordit sauvagement dans sa moitié de biscuit en détournant la tête.

Deborah aurait voulu lui faire remarquer que personne au monde ne pouvait formuler de réclamation quant au jeu que la vie lui avait distribué. Que c'était la façon de jouer qui comptait, pas la main. Mais elle s'abstint. Elle ne lui dit pas non plus qu'elle avait appris toute petite à la mort de sa mère que du mal pouvait jaillir un bien. Ç'aurait été faire du prêchi-prêcha. Et cela les aurait à coup sûr conduites à parler de son mariage avec Simon. Lequel n'aurait jamais eu lieu si la famille de Simon n'avait pas jugé nécessaire d'éloigner de Southampton son père alors en grand deuil. Si les Saint James n'avaient pas chargé Joseph Cotter de remettre sur pied l'hôtel particulier décrépit de Chelsea, jamais elle n'aurait vécu avec, idéalisé, appris à aimer et finalement épousé l'homme dont elle partageait aujourd'hui l'existence. Mais c'était se risquer en terrain glissant que d'aborder ce sujet avec

China. Et puis elle avait suffisamment de quoi s'occuper. Ce n'était pas philosopher sur la nécessité d'accepter une situation telle qu'elle était et d'agir en conséquence qui allait réconforter China.

Deborah le savait, elle possédait des éléments qui pouvaient atténuer les inquiétudes de China – le dolmen, la combinaison du cadenas, la toile dissimulée à l'intérieur du monument, l'état du tube dans lequel cette toile avait été introduite en fraude en Angleterre, et de là à Guernesey par Cherokee River, ce que l'état du tube impliquait. Mais elle savait aussi que, par égard pour son mari, elle devait garder ces détails pour elle. Elle dit :

— Je sais que tu as peur, China. Ne t'inquiète pas, il va s'en sortir. Crois-moi.

China détourna encore davantage la tête. Deborah vit avec quelle difficulté elle déglutissait.

— On avait à peine le pied sur l'île qu'on était déjà les dindons de la farce. Si j'avais su, j'aurais remis ces conneries de plans à leur destinataire et je serais repartie aussi sec. Mais non. Je me suis dit que ce serait cool de faire un reportage sur le manoir. Tu parles, un reportage que je n'aurais même pas réussi à placer si ça se trouve. C'était débile, comme idée. Stupide. Du China tout craché. Et maintenant... C'est à cause de moi, tout ça, Deborah. Il serait reparti. Trop content de repartir. Mais moi, j'ai vu là une occasion de bosser sans filet, sans contrat. D'autant plus ridicule que je n'ai jamais réussi à placer un reportage dont j'avais pris l'initiative. Jamais. Putain de merde, je suis nulle.

C'en était trop. Deborah se leva et s'approcha de la chaise de son amie. Se postant derrière, elle entoura China de ses bras. Elle appuya sa joue contre le haut de son crâne en disant :

— Ça suffit, voyons, je te jure...

Elle n'eut pas le temps de finir : la porte s'ouvrit

derrière elles et l'air glacé de la nuit de décembre s'engouffra dans la pièce. Elles pivotèrent. Deborah esquissa un pas pour aller refermer. Mais elle s'immobilisa quand elle vit qui était là.

— Cherokee !

Il avait l'air complètement défait – pas rasé, vêtements tout froissés – mais cela ne l'empêcha pas de sourire. Il leva la main pour empêcher exclamations et questions de fuser, puis il ressortit. Près de Deborah, China se redressa lentement. Elle se mit debout tout en s'appuyant d'une main au dossier de sa chaise.

Cherokee reparut. Un gros sac dans chaque main. Qu'il lança dans l'appartement. De sous son blouson, il sortit deux petits livrets bleu marine dont la couverture s'ornait de lettres dorées. Il en jeta un à sa sœur, embrassa l'autre.

— Cette fois, on se casse, Chine.

Elle le scruta, considéra le passeport qu'elle avait rattrapé au vol.

— Quoi ? (Puis, se ruant vers lui et le serrant :) Que s'est-il passé ? Cherokee, que s'est-il passé ?

— Je sais pas et, crois-moi, j'ai pas cherché à savoir. Toujours est-il qu'un flic s'est pointé dans ma cellule avec nos affaires il y a vingt minutes. En me disant : « Ce sera tout, Mr River. Arrangez-vous pour quitter l'île demain matin. » Un truc dans ce goût-là. Il nous a même filé des billets pour Rome, au cas où ça nous tenterait. Avec les excuses de Guernesey pour la gêne occasionnée, bien entendu.

— La gêne ? C'est le mot qu'il a utilisé ? Putain, ces salopards mériteraient qu'on leur foute un procès au cul et...

— Tout ce qui m'intéresse, l'interrompit Cherokee, c'est de me tirer d'ici. S'il y avait un vol ce soir, crois-moi, je le prendrais. La seule question, c'est de savoir si t'as envie de voir Rome.

— Je veux rentrer à la maison, rétorqua China.

Cherokee hocha la tête et lui fit une bise sur le front.

— J'avoue que ma cabane au fond du canyon ne m'a jamais semblé aussi confortable.

Deborah regardait la scène et se sentait le cœur plus léger. Elle savait qui était responsable de la liberté de Cherokee, et intérieurement elle le bénit. Simon était souvent venu à son aide mais là, vraiment, il avait particulièrement bien choisi son moment. Et puis cela voulait dire qu'il avait tenu compte de son interprétation des faits. Qu'il l'avait écoutée.

Ruth Brouard finit sa méditation dans un état de paix tel qu'elle n'en avait pas connu de semblable depuis des mois. Depuis la mort de Guy, elle avait cessé de faire ses trente minutes quotidiennes de contemplation. Le résultat, c'est que son esprit n'arrivait plus à se fixer sur un sujet, et que son corps paniquait à chaque nouvelle vague de douleur au lieu de composer avec elle comme on le lui avait appris. Elle était allée de rendez-vous en rendez-vous avec avocats, notaires, banquiers, courtiers, quand elle n'était pas plongée dans les papiers de son frère, à la recherche de documents indiquant comment et pourquoi il avait modifié son testament. Le reste du temps, elle l'avait passé en grande partie chez le médecin à lui demander de modifier son traitement, de lui prescrire de quoi l'aider à gérer la douleur plus efficacement. Pourtant, pendant ce temps, les réponses et les solutions se trouvaient en elle. Il fallait simplement qu'elle se donne la peine d'aller les chercher.

Cette séance lui prouva qu'elle était encore capable d'une contemplation soutenue. Assise seule dans sa chambre, une bougie allumée sur sa table, elle s'était concentrée sur sa respiration. Uniquement sur cela. Elle avait évacué de son système nerveux l'angoisse qui la tenaillait. L'espace d'une demi-heure, elle avait même réussi à oublier son chagrin.

Il faisait nuit lorsqu'elle se leva de sa chaise. Un calme profond baignait le manoir. Les bruits familiers qui avaient disparu avec Guy laissaient un vide au cœur duquel elle avait l'impression d'être une créature projetée brutalement dans l'espace.

Il en serait ainsi jusqu'à ce qu'elle meure. Elle ne pouvait que souhaiter une mort prochaine. Elle avait réussi à faire face quand il y avait eu des invités au manoir, prenant les dispositions pour les obsèques de son frère, menant le tout à bien. Mais cela lui avait beaucoup coûté et elle en payait le prix en termes de douleur et de fatigue. Sa solitude lui donnait la possibilité de récupérer. Elle lui donnait également l'occasion de lâcher prise.

Plus personne devant qui jouer la comédie de la santé, songea-t-elle. Guy était mort et Valerie était au courant – bien que Ruth ne lui en eût soufflé mot. Mais cela ne faisait rien car Valerie avait tenu sa langue depuis le début. Ruth n'avait rien dit, Valerie avait fait comme si elle ne savait rien. Difficile d'en demander davantage à une femme qui passait autant de temps chez vous.

Dans sa commode Ruth prit un flacon et fit tomber deux gélules au creux de sa paume. Elle les avala avec un peu d'eau d'une carafe. Elles allaient l'abrutir mais c'était sans importance car il n'y avait personne au manoir devant qui feindre la vivacité. Elle pouvait piquer du nez dans son assiette au dîner si elle le souhaitait. S'endormir devant la télé. Et même là, dans sa chambre, tout de suite. Il suffirait de quelques gélules. C'était tentant.

En bas, toutefois, elle entendit une voiture rouler sur les gravillons de l'allée. Elle s'approcha de la fenêtre et aperçut l'arrière d'un véhicule qui disparaissait derrière la maison. Elle fronça les sourcils. Elle n'attendait personne.

Elle se rendit dans la chambre de son frère, se mit à la fenêtre. De l'autre côté de la cour, elle distingua un véhicule dans les vieilles écuries. Les feux arrière étaient encore allumés comme si le conducteur se demandait quoi faire.

Elle regarda, guetta, mais rien ne survint. C'était à croire que l'automobiliste attendait qu'elle fasse le premier pas. Ce qu'elle fit.

Quittant la chambre de Guy, elle se dirigea vers l'escalier, qu'elle descendit lentement, car elle était ankylosée d'être restée assise aussi longtemps. Elle humait l'odeur de son dîner que Valerie avait laissé sur la plaque dans la cuisine. Elle se dirigea de ce côté non parce qu'elle avait faim mais parce que ça semblait raisonnable.

Comme le bureau de Guy, la cuisine donnait sur l'arrière. Elle pouvait prétexter qu'elle descendait dîner et voir qui était venu au Reposoir.

Elle eut la réponse lorsqu'elle arriva aux dernières marches. Elle suivit le couloir jusqu'à l'arrière de la maison, où une porte était entrebâillée et où un rai de lumière zébrait la moquette. Là, elle vit son neveu devant la cuisinière, qui remuait énergiquement ce que Valerie avait laissé sur le feu.

— Adrian ! J'ai cru...

Il pivota.

— Quand ta mère m'a annoncé qu'elle partait, je me suis dit...

— ... tu t'es dit que j'allais partir aussi. Forcément. Où qu'elle aille, en règle générale, je la suis. Mais pas cette fois-ci, tante Ruth. (Il lui tendit une longue cuillère en bois pour qu'elle goûte ce qui semblait être du bœuf bourguignon.) Tu veux dîner ? Ici ou dans la salle à manger ?

— Merci, mais je n'ai pas très faim.

Elle était un peu étourdie, le résultat des antalgiques sur un estomac vide, peut-être.

— Ça se voit que l'appétit ne va pas fort, remarqua Adrian. Tu as drôlement maigri. Mais ce soir... (Il s'approcha de la desserte et y prit une assiette.) Ce soir tu vas me faire le plaisir de manger.

Et de verser du bœuf dans l'assiette. Lorsqu'elle fut pleine, il prit dans le frigo la salade verte préparée par Valerie. Du four, il sortit une autre assiette – de riz – et posa le tout sur la table au milieu de la cuisine. Il apporta ensuite un verre à eau, et des couverts.

— Adrian, pourquoi es-tu revenu ? Ta mère... Elle ne m'a pas dit exactement que... mais j'ai supposé... Mon cher petit, je sais combien le testament de ton père t'a déçu, mais il s'est montré intraitable. Et je me dis que je dois respecter...

— Je n'attends rien de toi, lui dit Adrian. Papa a fait passer le message, il est très clair. Assieds-toi, tante Ruth, je vais chercher du vin.

Ruth se sentait gênée. Elle attendit pendant qu'il allait dans le cellier dont Guy avait fait sa cave à vins. Elle l'entendit faire son choix au milieu des bouteilles millésimées. Bientôt elle perçut le bruit du vin qu'on verse.

Elle se demanda ce qu'il fabriquait. Lorsqu'il revint, il tenait une bouteille de bourgogne dans une main, et dans l'autre un verre à vin. C'était une vieille bouteille à l'étiquette poussiéreuse. Guy ne l'aurait sans doute pas ouverte pour un repas aussi anodin.

— Je ne crois pas...

Mais Adrian tira cérémonieusement une chaise de sous la table.

— Prenez place, madame, le dîner est servi.

— Tu ne manges pas ?

— J'ai grignoté en rentrant de l'aéroport. Maman est partie. A l'heure qu'il est, elle a dû atterrir. Nous nous sommes débarrassés l'un de l'autre. C'est William, son mari, qui va être content. Ça se comprend ! Quand il l'a épousée, il ne comptait pas trouver un beau-fils squattant le domicile conjugal.

Si Ruth n'avait pas si bien connu son neveu, elle aurait estimé que son comportement et sa conversation trahissaient une sorte d'hystérie. Mais en trente-sept ans elle n'avait jamais constaté chez lui quoi que ce soit qui pût être qualifié de tel. C'était autre chose. Une chose à laquelle elle n'arrivait pas à donner de nom. Qu'elle ne savait pas comment accueillir.

— N'est-ce pas bizarre ? murmura Ruth. J'étais persuadée que tu avais fait tes bagages. Je n'ai pas vu les valises mais je... j'ai supposé... C'est bizarre, non ?

— Je ne te le fais pas dire. (Il la servit en riz et en bourguignon. Déposa l'assiette devant elle.) Voilà à quoi on s'expose quand on fonctionne avec des idées préconçues sur les gens. Tu ne manges pas, tante Ruth ?

— Mon appétit... C'est difficile.

— Je vais te faciliter les choses.

— Je vois mal comment.

— Je ne suis pas aussi empoté que j'en ai l'air.

— Je n'ai pas voulu dire...

— Ne t'inquiète pas. (Il prit son verre.) Bois une gorgée de vin. Choisir un vin, c'est sans doute la seule chose que j'aie apprise de papa. Celui-ci, fit-il en tendant le verre vers la lumière, a de la cuisse, un bouquet excellent, une longueur en bouche exceptionnelle, une pointe de mordant en finale... Cinquante tickets la bouteille, je parie ? Ou davantage ? Peu importe. Il est parfait avec le bourguignon. Goûte-le.

Elle lui sourit.

— Si je ne te connaissais pas, je dirais que tu essaies de me saouler.

— De t'empoisonner, tu veux dire. Pour hériter d'une fortune qui n'existe pas. Je n'étais pas celui de papa, je suppose que je ne suis pas non plus ton légataire.

— Désolée, mon petit. (Et comme il lui faisait signe de tremper les lèvres dans son verre, elle expliqua :) Je ne peux pas. Mon médicament... Le mélange risquerait d'être détonant.

— Ah, répondit-il en reposant le verre. Tu refuses de vivre dangereusement ?

— Ton père s'en chargeait pour deux.

— Et regarde où ça l'a mené.

Ruth baissa la tête et se mit à jouer avec ses couverts.

— Il va me manquer.

— C'est sûr. Prends un peu de bourguignon. Il est délicieux.

— Tu l'as goûté ? demanda-t-elle en relevant la tête.

— Non, mais je fais confiance à Valerie : c'est un cordon-bleu. Allez, mange, tante Ruth. Tu ne sortiras de la cuisine que lorsque tu auras avalé la moitié de ton dîner.

Ruth remarqua qu'il ne répondait pas à la question. Cela, plus le fait qu'il était revenu alors qu'elle le croyait parti avec sa mère, lui donna à réfléchir. Toutefois elle n'avait pas de raison de se méfier de son neveu. Il était au courant pour le testament de son père, et elle venait de lui dire ce qu'il en était du sien.

— Tu es aux petits soins, Adrian. Je suis vraiment flattée.

Ils s'observèrent de part et d'autre de la table, pardessus le riz et le bourguignon ; un silence d'une nature différente s'était installé dans la pièce. Et Ruth fut soulagée lorsque le téléphone fit entendre sa double sonnerie insistante.

Elle esquissa un mouvement.

Adrian l'intercepta.

— Non, tante Ruth, reste assise, il faut que tu manges. Voilà bien une semaine que tu négliges de prendre soin de toi. Celui qui est au bout du fil rappellera. En attendant, régale-toi.

Elle prit sa fourchette, qui lui parut peser une tonne.

— Bon, si tu insistes, mon petit... dit-elle, comprenant que cela n'avait aucune importance puisque l'issue serait la même. Mais si je puis me permettre... Pourquoi fais-tu ça, Adrian ?

— Il y a un truc que personne n'a compris : je l'aimais. Malgré tout. Il aurait voulu que je sois là, tante Ruth. Tu le sais aussi bien que moi. Il aurait voulu que je reste au manoir jusqu'à la fin pour m'occuper de tout. Parce que c'est ce que lui-même aurait fait.

C'était là une vérité que Ruth ne pouvait nier. Et c'est pour cela qu'elle porta la fourchette à sa bouche.

29

Lorsque Deborah quitta les Queen Margaret Apartments, Cherokee et China passaient leurs affaires en revue, en prévision de leur départ, afin de s'assurer qu'ils n'oubliaient rien. Cherokee commença par demander à China son sac à bandoulière et fouilla dedans à la recherche de son portefeuille. Il cherchait de l'argent afin d'emmener tout le monde dîner et faire la fête, annonça-t-il. Toutefois, en voyant le peu qui se trouvait dans le portefeuille, il finit par dire :

— Quarante livres, Chine ? Merde, va falloir que je casque, si je comprends bien.

— Ça changera, rétorqua China.

— Attends, reprit-il, un doigt levé tel un homme pris d'une soudaine inspiration. Y a sûrement un distributeur de billets dans High Street.

— Et dans le cas contraire, ajouta China, j'ai ma carte de crédit.

— Ouahou ! C'est mon jour de chance aujourd'hui.

Ils rirent de bon cœur. Ils ouvrirent leurs sacs de voyage pour examiner leurs affaires. C'est à ce moment-là que Deborah leur dit bonsoir. Cherokee la raccompagna à la porte. Une fois dehors, il l'arrêta dans la pénombre du palier.

Sous cet éclairage faible, il ressemblait au petit garçon qu'il ne cesserait probablement jamais d'être.

— Debs, merci. Sans toi... sans Simon... Merci.

— On n'en a pas fait tant que ça.

— Si. Et surtout merci d'avoir été là. En amie. (Il eut un rire bref.) J'aurais préféré autre chose, tu t'en doutes, mais bon... Tu es mariée. Je n'ai jamais eu de chance avec toi.

Deborah cilla. Elle se sentit brûlante mais ne souffla mot.

— C'était le mauvais endroit et le mauvais moment, poursuivit Cherokee. Mais si les choses avaient été différentes là-bas ou ici... (Son regard se porta vers la minuscule cour et les lumières de la rue.) Je voulais que tu le saches. Et ce n'est pas seulement à cause de ce que tu as fait pour nous. J'ai toujours eu un faible pour toi.

— Merci, je m'en souviendrai.

— Si jamais un jour...

— Je ne crois pas, fit-elle en lui posant la main sur le bras. Mais merci.

— Ouais, bon, dit-il en l'embrassant sur la joue.

Puis, sans lui laisser le temps de dire ouf, il lui prit le menton et l'embrassa sur la bouche. Sa langue effleura les lèvres de Deborah, les fit s'entrouvrir, s'attarda, se retira.

— J'ai envie de faire ça depuis que je te connais. Ils en ont, un pot, ces Anglais.

Deborah recula, elle avait encore dans la bouche le parfum de son haleine. Son cœur battait à grands coups, mais il était pur. Ce ne serait peut-être plus le cas si elle s'attardait dans la pénombre avec Cherokee River.

— Les Anglais ont toujours du pot, dit-elle en le laissant près de la porte.

Elle voulait penser à ce baiser et à tout ce qui l'avait précédé, tout en regagnant l'hôtel. Aussi ne s'y rendit-elle pas directement. Elle descendit Constitution Steps et se dirigea vers High Street.

Dehors il y avait peu de monde. Les magasins

étaient fermés, les restaurants étaient situés plus loin, vers le Pollet. Trois personnes faisaient la queue au distributeur de billets de Cherokee, et cinq adolescents se repassant un portable partageaient une conversation bruyante dont l'écho se répercutait contre les façades des immeubles bordant l'étroite rue. Un chat famélique montait l'escalier venant du quai et longeait les bâtiments, se plaquant contre la devanture d'un magasin de chaussures tandis que non loin de là un chien aboyait frénétiquement et qu'une voix d'homme lui ordonnait de se taire.

A l'endroit où High Street bifurquait vers la droite pour devenir le Pollet, dévalant vers le port avec ses pavés, Smith Street remontait la colline. Deborah s'y engagea et commença à monter, songeant à ces douze brèves heures qui avaient retourné la situation. Ce qui avait commencé dans l'inquiétude et le désespoir s'était terminé dans la joie. Mais elle préféra ne pas s'attarder là-dessus. Les paroles de Cherokee, elle le savait, étaient dictées par l'exaltation de l'instant, le fait qu'il avait soudain recouvré une liberté qu'il avait failli perdre. On ne pouvait prendre au sérieux des propos tenus sous le coup de la jubilation.

Quant au baiser... Ça, elle pouvait le prendre au sérieux. Mais pour ce qu'il était. Un baiser, ni plus ni moins. Elle l'avait apprécié. Elle avait vibré. Mais elle avait la sagesse de ne pas confondre l'exaltation d'un instant avec autre chose. Et elle n'éprouvait ni culpabilité ni remords à l'égard de Simon. Ça n'avait été qu'un baiser.

Elle sourit en revivant les moments qui l'avaient précédé. Cette exubérance enfantine avait toujours été un trait de caractère de Cherokee. Cet intermède un peu sinistre à Guernesey avait été une exception en ses trente-sept ans d'existence. Pas la règle.

Ils allaient poursuivre leur voyage ou bien rentrer

chez eux. De toute façon ils emportaient un pan de Deborah avec eux : les trois ans passés en Californie qui l'avaient vue quitter le statut d'adolescente pour accéder à celui de femme. Cherokee continuerait d'exaspérer sa sœur. China de frustrer son frère. Ils continueraient de se disputer – normal, pour des personnalités aussi complexes. Mais ils finiraient toujours par se retrouver. C'était ça, les relations entre frère et sœur.

Pensant à ces relations, Deborah longea les boutiques de Smith Street sans trop prêter attention à son environnement. C'est seulement à mi-chemin qu'elle s'arrêta, à quelque trente mètres du marchand de journaux où elle avait acheté un journal un peu plus tôt. Elle examina les immeubles de part et d'autre de la rue : Citizens' Advice Bureau, Marks & Spencer, Davies Travel, Fillers Bakery, St James's Gallery, Buttons Bookshop... Elle fronça les sourcils. Revenant sur ses pas, elle redescendit la rue ; puis elle repartit dans l'autre sens, la remontant lentement, préoccupée. Elle s'immobilisa lorsqu'elle fut près du monument aux morts. *Va falloir que je casque, alors*.

Elle se hâta vers l'hôtel.

Simon était au bar. Il lisait le *Guardian*, un whisky posé près de son coude. Un contingent d'hommes d'affaires partageaient le bar avec lui, sifflant avec bruit des gin-tonic tout en piochant dans un bol de chips. L'air empestait la cigarette et la sueur de trop de corps trempés par une journée de dur labeur.

Deborah se fraya un chemin au milieu de ces messieurs jusqu'à son mari. Elle constata qu'il s'était habillé pour le dîner.

— Je monte me changer, lui dit-elle très vite.

— Inutile. On y va ? Ou tu veux prendre un verre d'abord ?

Elle fut étonnée qu'il ne lui demande pas d'où elle

venait. Il replia son journal et prit son whisky, attendant sa réponse.

— Un xérès, peut-être ?

— Je vais te le chercher.

Et il s'en alla, louvoyant au milieu des consommateurs. Lorsqu'il revint avec son verre, elle dit :

— Je suis allée voir China. Cherokee a été libéré. Ils peuvent partir. En fait, on leur a fortement conseillé de prendre le premier vol. Que s'est-il passé ?

Il parut la scruter pendant un moment qui se prolongea et mit le rouge aux joues de Deborah.

— Tu l'aimes bien, Cherokee River, n'est-ce pas ?

— Je les aime bien tous les deux. Simon, que s'est-il passé ? Raconte.

— Le tableau a été volé, et non racheté. En Californie du Sud.

— En Californie du Sud ?

Deborah se rendait bien compte qu'elle devait avoir l'air de se faire de nouveau du souci pour ses amis malgré les événements des deux dernières heures, mais c'était plus fort qu'elle.

— Oui, reprit Simon. En Californie du Sud.

Il raconta l'histoire du tableau. Pendant ce temps il ne cessait de la dévisager – ce qui ne lui plut pas du tout car elle avait l'impression d'être un enfant qui a déçu ses parents. Elle détestait ce regard – elle l'avait toujours détesté – mais elle ne souffla mot, attendant qu'il termine son récit.

— Les sœurs de St Clare prirent des précautions quand elles surent ce qu'était la toile. Mais des précautions insuffisantes. Quelqu'un avait découvert ou connaissait l'itinéraire, le véhicule et la destination. Le camion était blindé et les gardes armés. Mais tout ça se passe en Amérique, où l'on peut se procurer librement toutes sortes d'armes, y compris des AK47, et des explosifs.

— Le camion a été attaqué ?

— Alors que le tableau sortait de l'atelier du restaurateur, oui. Aussi bête que ça. A la faveur d'un incident qui ne risquait pas d'attirer les soupçons sur une autoroute californienne.

— Un bouchon, des travaux ?

— Les deux.

— Mais comment ? Comment le voleur a-t-il pu prendre la fuite ?

— Le moteur du camion avait chauffé dans l'embouteillage, sans compter qu'il y avait une fuite dans le radiateur, comme on l'a découvert plus tard. Le chauffeur s'arrête sur le bas-côté. Il descend jeter un coup d'œil au moteur. Un motocycliste se charge du reste.

— En présence de tous ces témoins ? Dans les voitures et les camions ?

— Oui. Mais les conducteurs, qu'est-ce qu'ils voient ? Un motard qui s'arrête pour proposer son aide à un véhicule en difficulté, puis ce même motard filant entre les rangées de voitures bloquées...

— Incapables de le poursuivre. Je vois. Mais où... Comment Guy Brouard pouvait-il savoir... en Californie du Sud ?

— Il y avait des années qu'il courait après la toile, Deborah. Si j'ai pu la localiser grâce à Internet, pourquoi pas lui ? Une fois en possession du renseignement, son argent et un petit voyage en Californie ont fait le reste.

— Mais s'il ignorait la valeur de la toile... le nom du peintre... il lui a fallu éplucher tous les articles sur lesquels il a pu mettre la main concernant des œuvres d'art. Pendant des années.

— Il avait le temps. Et l'histoire de ce tableau était extraordinaire. Un ancien combattant de la Seconde Guerre mondiale lègue sur son lit de mort, à l'hôpital qui a sauvé son fils quand il était petit, un souvenir rapporté d'Europe. Le cadeau se révèle être une œuvre d'art d'une valeur colossale – dont on ne savait même pas qu'elle existait. Elle vaut des millions. Et les religieuses décident de la mettre en vente pour réunir de quoi faire fonctionner leur établissement. Ça a dû faire du bruit dans la presse, Deborah. Guy Brouard sera tombé dessus et il n'a fait ni une ni deux.

— Il s'est rendu là-bas personnellement...

— Pour prendre les dispositions nécessaires, oui. C'est tout. Pour prendre les dispositions nécessaires.

— Donc...

Deborah savait comment il risquait d'interpréter sa question mais elle la posa quand même, parce qu'elle avait besoin d'en avoir le cœur net, parce qu'il y avait quelque chose qui ne collait pas, elle le sentait. Déjà dans Smith Street elle avait eu un pressentiment.

— Si tout ça s'est passé en Californie, pourquoi Le Gallez a-t-il libéré Cherokee ? Pourquoi leur a-t-il dit à tous les deux de quitter l'île ?

— Sans doute qu'il a du nouveau. De quoi mettre en cause quelqu'un d'autre.

— Tu ne lui as pas dit pour...

— La toile ? Non, rien.

— Pourquoi ?

— La personne qui a remis le tableau à l'avocat de Tustin pour qu'il soit convoyé jusqu'à Guernesey n'était pas Cherokee River, Deborah. C'était quelqu'un qui ne ressemblait aucunement à Cherokee. Cherokee River n'était pas impliqué.

Avant que Paul Fielder ait le temps de poser la main sur la poignée, Billy ouvrit la porte de la maison du Bouet. Manifestement il attendait le retour de Paul. Sans doute était-il en son absence resté vautré dans le séjour avec la télé qui hurlait, à péter comme un mulet, fumer ses clopes et siroter sa Lager, criant aux petits de lui foutre paix et de ne pas s'approcher. Il devait guetter près de la fenêtre l'instant où Paul remonterait le sentier. Le voyant s'avancer, il s'était posté de façon à être le premier sur son chemin. Paul n'avait pas encore mis le pied dans la maison que Billy s'écria :

— Eh, mais regardez-moi ça. C'est notre petit Paul. La police en a fini avec toi, branleur ? Tu t'es bien marré au ballon ? Y z'ont pas leur pareil, les flics, pour vous faire rigoler.

Paul le dépassa. Il entendit son père à l'étage qui criait : « C'est toi, Paulie ? » et sa mère dans la cuisine qui y allait de son : « Paulie, c'est toi, mon grand ? »

Paul jeta un coup d'œil vers l'escalier et un autre vers la cuisine, se demandant ce que ses parents fabriquaient tous les deux à la maison. A la tombée du jour son père rentrait du chantier ; mais sa mère, à la caisse de Boots, avait un horaire très lourd, et en plus, elle faisait des heures supplémentaires chaque fois qu'elle en avait la possibilité. Autant dire presque tous les jours. Résultat, le dîner était toujours composé de bric et de broc. Boîte de soupe ou de haricots blancs. Toasts. Chacun se préparait son truc. Sauf les petits. Les petits, c'était Paul qui s'en occupait.

Il se dirigea vers l'escalier mais Billy le stoppa.

— Hé, branleur, où il est passé, ton clebs ? T'en as fait quoi, de ton copain ?

Paul hésita. La peur lui noua les entrailles. Il n'avait pas vu Taboo depuis que la police était venue le cueillir. Sur la banquette arrière de la voiture pie, il s'était tortillé pour apercevoir Taboo qui les suivait. Aboyant. Leur cavalant après. Bien décidé à les rattraper.

Paul jeta un coup d'œil autour de lui. Où donc était passé son chien ?

Il arrondit les lèvres pour le siffler mais n'y parvint pas tant sa bouche était sèche. Il entendit le pas de son père dans l'escalier. Au même instant sa mère sortit de la cuisine, enveloppée dans un tablier taché de ketchup. Elle s'essuyait les mains avec un torchon déchiré.

— Paulie, dit son père d'une voix caverneuse.

— Mon petit, fit sa mère.

Billy éclata de rire.

— Il s'est fait écraser, ce con de clébard. Il s'est d'abord fait niquer par une voiture. Ensuite c'est un camion qui lui est passé dessus. Mais ça l'a pas empêché de continuer. Finalement il s'est retrouvé à aboyer comme un dingue sur le bord de la route et à attendre que quelqu'un vienne le finir.

— Ça suffit, Billy, fit Ol Fielder. Va au pub, va n'importe où, mais reste pas là.

— J'ai pas envie...

Mave Fielder s'écria :

— Billy, fais ce que te dit ton père, et plus vite que ça !

Sa voix était si perçante que son aîné, ouvrant une bouche comme un four, se traîna jusqu'à la porte et prit son blouson en jean.

— Pauv' merde, dit-il à Paul. Pas foutu de t'occuper de quoi que ce soit. Même pas d'un connard de chien.

Il s'éloigna dans la nuit, claquant la porte derrière lui. Paul l'entendit ricaner méchamment et lancer :

— Allez vous faire mettre, bande de nuls.

Mais rien de ce que Billy pouvait dire ou faire ne le touchait maintenant. Il trébucha jusque dans le séjour, ne voyant rien sinon Taboo. Taboo courant derrière la voiture de police. Taboo sur le bord de la route, mortellement blessé mais grognant frénétiquement, les crocs découverts, pour empêcher qu'on l'approche. Tout ça, c'était sa faute : il aurait dû crier à la police de s'arrêter le temps de laisser le chien sauter dans la voiture. Ou leur demander de le laisser ramener l'animal à la maison pour l'y attacher.

Il se laissa tomber sur le canapé, sa vision était devenue floue. Quelqu'un le rejoignit et lui passa un bras autour des épaules. Geste de réconfort. Bien sûr. Mais il eut l'impression qu'on l'emprisonnait dans un cerceau de métal brûlant. Il poussa un cri, essaya de se dégager.

— Je sais ce que tu ressens, fiston, lui dit son père à l'oreille afin qu'il n'en perde pas une miette. Ils l'ont transporté chez le véto. Ils ont téléphoné. Ils ont fini par avoir ta mère au boulot. Quelqu'un leur avait dit à qui appartenait cette bête...

Cette bête. Voilà comment son père osait l'appeler. Taboo qui était son ami, la seule personne qui le connût à fond. Car ce chien, oui, ce pauvre chien était une personne.

— ... on va aller là-bas. Ils nous attendent, termina son père.

Paul leva la tête, décontenancé, effrayé. Qu'est-ce que cela voulait dire ?

Mave Fielder comprit aussitôt à quoi il pensait.

— Ils ne l'ont pas encore piqué, mon chéri. Je leur ai dit que non. D'attendre. Que tu sois là pour lui dire adieu. Je leur ai dit de faire le nécessaire pour qu'il ne souffre pas et d'attendre que tu arrives. Papa va t'emmener. Les petits et moi... on vous attendra.

Elle eut un geste vers la cuisine, où les enfants devaient prendre leur repas. Un repas exceptionnellement préparé par leur mère rentrée plus tôt que d'habitude.

Et comme Paul et son père se levaient, elle ajouta :

— Je suis vraiment désolée, tu sais, Paulie.

Une fois dehors, le père de Paul n'ajouta pas un mot. Ils gagnèrent le vieux van sur le flanc duquel on pouvait encore lire *Fielder Butchery, Halle à la Viande* en lettres rouges. Ils montèrent en silence et Ol Fielder mit le contact.

Il leur fallut un temps fou pour arriver là-bas, car le vétérinaire avait son cabinet sur la route Isabelle, et le chemin n'était pas direct du Bouet. Ils furent obligés de traverser Saint Peter Port au plus mauvais moment de la journée. Paul avait l'impression que son estomac se liquéfiait. Il avait les paumes moites, le visage glacé. Il voyait le chien, et rien d'autre. Le chien courant et aboyant derrière la voiture de police car cette voiture emmenait la seule personne qu'il aimait. Or ils n'avaient jamais été séparés l'un de l'autre, Paul et Taboo. Même quand Paul était à l'école, le chien était là, à l'attendre avec une infinie patience.

— Allez, mon petit.

Paul se laissa mener à l'intérieur. Tout était flou. Il percevait l'odeur des animaux et des produits pharmaceutiques. Il entendait les voix de son père et de l'assistant du vétérinaire. Mais il ne distinguait rien. On l'emmena derrière, dans un coin où un radiateur dispensait sa chaleur à une forme emmitouflée. D'une perfusion, un calmant coulait dans les veines de cette petite forme.

— Il ne souffre pas, murmura le père de Paul. On leur a dit de ne pas le laisser souffrir, fiston. Ils ont fait le nécessaire. On leur a dit d'attendre pour le piquer que son maître soit là.

— C'est vous le propriétaire ? fit une autre voix.

— C'est lui, confirma Ol Fielder.

Ils se parlaient par-dessus la tête de Paul, qui s'était penché au-dessus du chien, soulevant la couverture pour voir Taboo, les yeux mi-clos, haletant, une aiguille enfoncée dans une patte. Paul approcha son visage du chien. Le chien gémit, battit péniblement des paupières. Il sortit la langue et lécha la joue de Paul.

Qui pouvait savoir ce qu'ils partageaient ? Ce qu'ils étaient, ce qu'ils savaient ? Personne. Cela ne concernait qu'eux. Quand les gens pensaient chien, ils pensaient à un animal. Mais Paul, lui, n'avait jamais envisagé Taboo sous cet angle. Pour lui, être en compagnie d'un chien, c'était partager amour et espoir.

Pauvre nouille, aurait dit son frère.

Pauvre abruti, aurait renchéri le monde entier.

Mais Taboo et Paul s'en moquaient bien. Ils ne formaient qu'un seul être. Une seule âme.

— ... chirurgical, disait le véto. (Paul se demanda à qui il parlait.)... rate... mais ça n'est pas forcément fatal... le problème le plus préoccupant... les pattes arrière... si ça se trouve, ce sera pour rien... difficile à dire... vraiment difficile.

— Hors de question, j'en ai peur, fit Ol Fielder à regret. Le coût... C'est exclu.

— ... je comprends... bien sûr, oui. D'autant que rien n'est garanti vu que les hanches sont brisées... des soins d'orthopédie importants...

Paul releva la tête, comprenant de quoi son père et le véto parlaient. Comme il était penché au-dessus de Taboo, il avait l'impression que les deux autres étaient des géants. Le véto dans sa longue blouse blanche. Ol Fielder dans sa tenue de travail pleine de poussière. Mais des géants porteurs d'espoir.

Se redressant, il attrapa son père par le bras. Ol Fielder le regarda puis fit non de la tête.

— C'est trop de dépenses, mon grand. Ta mère et moi, on peut pas se permettre ça. Et même si on l'opérait, il n'est pas sûr que le pauvre Taboo récupérerait.

Paul tourna vers le véto un regard anxieux. L'homme avait un badge avec son nom : Alistair Knight.

— Il en sortira ralenti, c'est certain, précisa le médecin. Et arthritique, à terme. S'il n'y reste pas. Et si par chance il s'en sort, il lui faudra des mois pour se remettre à peu près.

— C'est trop, répondit Ol Fielder. Tu t'en rends

bien compte, Paulie, non ? Ta mère et moi, on n'a pas... Ça coûterait une fortune. Je suis désolé, Paul.

Mr Knight caressa la robe ébouriffée de Taboo.

— Pourtant c'est un bon chien, pas vrai, mon vieux ?

Comme s'il comprenait, Taboo ressortit son bout de langue pâle. Il frissonnait. Ses pattes de devant étaient agitées de spasmes.

— Il va falloir le piquer, dit Mr Knight en se levant. Je vais chercher ce qu'il faut. (Et, s'adressant à Paul :)

— Tenez-le, ce sera un réconfort pour lui et pour vous.

Paul se pencha de nouveau, mais il ne prit pas Taboo dans ses bras comme il l'aurait fait en d'autres circonstances. Le prendre, ce serait certainement lui faire mal, et Paul ne voulait pas lui causer de souffrances supplémentaires.

Ol Fielder s'agitait tandis qu'ils attendaient le retour du médecin. Paul ramena la couverture sur le pauvre Taboo. Tendant le bras, il approcha le radiateur, et quand le vétérinaire revint avec deux seringues, Paul était prêt.

Ol Fielder s'accroupit. Le vétérinaire aussi. Paul tendit le bras, arrêta la main du médecin.

— J'ai de l'argent, dit-il à Mr Knight en articulant avec soin. Peu importe ce que ça va coûter. Sauvez-le.

Deborah et son mari attaquaient le premier plat du dîner lorsque le maître d'hôtel s'approcha avec déférence pour parler à Simon. Il y avait un gentleman qui souhaitait parler à Mr Saint James. Il attendait devant la porte du restaurant. Mr Saint James souhaitait-il s'entretenir avec lui ? Lui transmettre un message ?

Simon jeta un coup d'œil en direction de la porte. Deborah suivit son regard et aperçut un homme massif en anorak vert foncé qui les observait. Lorsqu'elle croisa son regard, il braqua les yeux vers Simon.

— C'est Le Gallez, fit Simon, excuse-moi, mon amour.

Il alla le rejoindre. Tous deux avaient le dos tourné à la porte. Ils ne parlèrent qu'une minute et Deborah les observa, essayant d'interpréter l'apparition inopinée du policier à l'hôtel. Simon la rejoignit bientôt, il resta debout.

— Je dois te laisser.

Son visage était grave. Il prit la serviette qu'il avait abandonnée sur la chaise et la plia avec soin, comme il avait coutume de le faire.

— Pourquoi ?

— Il semble que j'aie vu juste. Le Gallez a du nouveau. Il aimerait que je jette un coup d'œil.

— Cela ne peut pas attendre que nous ayons...

— Il ronge son frein. Apparemment, il veut procéder à une arrestation ce soir.

— Une arrestation ? Qui... Avec ton accord ? Mais, Simon...

— Il faut que j'y aille, Deborah. Continue à dîner. Je ne devrais pas en avoir pour longtemps. Le commissariat n'est pas loin. Je fais un saut et je reviens.

Se penchant, il l'embrassa.

— Pourquoi est-il venu en personne te chercher ? Il aurait pu... Simon !

Mais il s'éloignait.

Deborah resta un moment à contempler la bougie dont la flamme vacillait sur la table. Elle avait une sensation de malaise, celle qu'on peut éprouver quand on a le sentiment qu'on vous ment. Elle ne voulait pas courir après son mari pour exiger des explications mais en même temps elle savait qu'elle ne pouvait rester assise là tel un faon tremblant de peur dans sa forêt.

Adoptant une solution intermédiaire, elle quitta le restaurant pour se réfugier au bar, dont une fenêtre se situait sur la façade de l'établissement.

De là, elle vit Simon enfiler rapidement son manteau. Le Gallez échangeait quelques mots avec un constable en tenue. Dans la rue, une voiture pie attendait, moteur en marche. Derrière la voiture, une camionnette blanche de la police. Deborah aperçut des silhouettes de flics à l'intérieur.

Elle poussa un petit cri. Un cri de douleur sur la signification duquel elle n'eut pas le temps de s'appesantir. Elle sortit du bar en toute hâte.

Elle avait laissé son sac et son manteau dans la chambre, comme le lui avait suggéré Simon. « Tu n'en auras pas besoin, mon amour. » Elle s'était inclinée comme elle s'inclinait toujours. Il était si plein de bon sens, si... Si quoi ? Si décidé à l'empêcher de le suivre. Alors que lui, naturellement, avait laissé son manteau à portée de main, sachant que Le Gallez allait venir le chercher au beau milieu du repas.

Mais Deborah n'était pas aussi sotte que son mari se l'était imaginé. Elle avait de l'intuition. Elle avait également l'avantage d'être déjà allée là où elle croyait qu'ils se rendaient. Où ils devaient se rendre malgré tout ce que Simon lui avait dit pour l'amener à penser différemment.

Ayant fait un saut à l'étage pour récupérer manteau et sac, elle redescendit en vitesse et se rua dehors. Les véhicules de la police avaient disparu, le trottoir était désert, la rue dégagée. Elle se mit à courir et fonça vers le parking qui donnait sur le commissariat. Elle ne fut guère étonnée de ne pas voir de voiture pie ni de camionnette dans la cour. Le Gallez ne se serait certainement pas donné la peine de déplacer tout ce monde pour faire faire à Simon les quelque cent mètres qui le séparaient du commissariat.

— Nous avons téléphoné au manoir pour la mettre au courant, disait Le Gallez à Simon tandis qu'ils se hâtaient vers Saint Martin. Pas de réponse.

— Vous en concluez ?

— Qu'elle s'est absentée pour la soirée. Peut-être est-elle allée au concert. A l'église. Dîner avec une amie. A une réunion des Samaritains.

Ils remontèrent le Val des Terres et ses virages, se plaquant contre le mur de soutènement moussu. Suivis de près par la camionnette, ils émergèrent du côté de Fort George, où les lampadaires éclairaient le pré communal désert sur le côté est de Fort Road. Les maisons côté ouest semblaient curieusement inhabitées à cette heure, à l'exception de celle de Bertrand Debiere. Chez les Debiere toutes les lumières étaient allumées comme pour servir de phare à un visiteur tardif.

Ils se dirigèrent plein pot vers Saint Martin. Dans la voiture, un seul bruit : le grésillement sporadique de la radio de bord. Le Gallez décrocha tandis qu'ils s'engageaient dans l'un des innombrables sentiers de l'île, filant sous les frondaisons jusqu'au mur d'enceinte du Reposoir. L'inspecteur dit au chauffeur de la camionnette de prendre le virage menant à la baie. De laisser le véhicule là-bas et de revenir avec ses collègues par le sentier piétonnier. Ils se retrouveraient au portail de la propriété.

— Et pour l'amour du ciel, ne vous montrez pas, conclut Le Gallez avant de remettre la radio en place.

Au chauffeur de sa voiture, il ordonna :

— Arrêtez-vous au Bayside. Passez par-derrière.

Le Bayside était un hôtel fermé comme bien d'autres pour la saison. Il se dressait au bord de la route, à un kilomètre des grilles du Reposoir. Ils roulèrent vers l'arrière du bâtiment, où une poubelle attendait près d'une porte fermée au cadenas. Une rangée d'ampoules prit vie immédiatement.

— Filons d'ici, dit Le Gallez.

Détachant en vitesse sa ceinture, il ouvrit la portière dès que le véhicule fut à l'arrêt.

Tandis qu'ils remontaient à pied vers la propriété des Brouard, Saint James fournit à Le Gallez quelques précisions concernant la topographie des lieux. Une fois qu'ils eurent franchi le mur d'enceinte, ils filèrent dans l'allée de marronniers, où ils attendirent que les flics de la camionnette remontent de la baie et les rejoignent.

— Vous en êtes certain ? marmonna Le Gallez tandis qu'ils attendaient dans l'obscurité, tapant des pieds pour se réchauffer.

— C'est la seule explication qui tienne, répondit Saint James.

— J'espère.

Près de dix minutes s'écoulèrent avant que les policiers – la respiration haletante à cause de la grimpette – franchissent le portail et se glissent sous les arbres pour les rejoindre.

— Montrez-nous le chemin, fit Le Gallez à Saint James en l'invitant à prendre la tête de l'expédition.

Ce qu'il y avait de merveilleux quand on avait pour épouse une photographe, c'était son sens du détail. Trouver le dolmen ne présentait donc pas trop de difficultés. Le problème, c'était de ne pas se laisser voir en y allant. Ni du cottage des Duffy, ni du manoir. Ils avançaient centimètre par centimètre le long du côté est de l'allée. Ils firent le tour de la maison en restant à bonne distance, tapis sous le couvert des arbres, évitant d'utiliser leurs torches.

La nuit était étonnamment noire : une épaisse couche de nuages voilait la lune et les étoiles. Les hommes marchaient en file indienne sous les arbres à la suite de Saint James. De cette manière ils arrivèrent en vue des buissons derrière les écuries, cherchant le passage dans la haie qui leur permettrait d'atteindre les bois et le chemin au-delà duquel s'étendait l'enclos entouré d'un mur où se trouvait le dolmen.

Dépourvu d'échalier, le mur n'était pas commode à franchir pour qui voulait atteindre l'enclos. Pour quelqu'un qui avait une prothèse, comme Saint James, c'était encore plus difficile. Et l'obscurité n'arrangeait rien, loin de là.

Le Gallez parut s'en rendre compte. Il alluma une petite torche. Sans un mot, il longea l'obstacle jusqu'à ce qu'il découvre un pan de mur qui s'était éboulé, dégageant un étroit passage par où un homme pouvait se risquer. Marmonnant : « Voilà qui devrait faire l'affaire », il s'y glissa le premier.

Une fois dans l'enclos, ils se trouvèrent au cœur d'un véritable hallier d'églantiers, de fougères et de ronciers qui semblaient tendre vers eux des bras menaçants. L'anorak de Le Gallez resta pris dans une branche, et deux des constables qui le suivaient jurèrent à voix basse tandis que les épines leur griffaient sévèrement les mains.

— Bon Dieu, murmura Le Gallez en se dégageant du piège végétal. Vous êtes sûr que c'est là ?

— Y a certainement un autre moyen d'y accéder. Plus facile.

— Sûrement. (Le Gallez dit à un de ses hommes :) Donnez-nous un peu de lumière, Saumarez.

— Attention à ne pas alerter... dit Saint James.

— Je ne vois pas ce qu'on va pouvoir faire si on reste coincés là-dedans. On aura l'air d'insectes pris dans une toile d'araignée. Allez, Saumarez, lumière. Mais allez-y mollo.

Le constable était muni d'une torche qui inonda le sol de sa clarté lorsqu'il l'alluma. Saint James poussa un gémissement, craignant que la lumière ne se voie du manoir. Heureusement, ils avaient bien choisi leur endroit pour franchir l'obstacle. A moins de dix mètres sur leur droite, ils aperçurent en effet l'amorce d'un sentier qui sinuait à travers l'enclos.

— Eteignez, ordonna Le Gallez lorsqu'il l'eut repéré.

La torche s'éteignit. L'inspecteur se fraya un chemin à travers les ronciers, qu'il écartait et rabattait pour faciliter le passage à ses hommes. L'obscurité était à la fois une bénédiction et une plaie. Elle les avait empêchés de trouver facilement le sentier conduisant au cœur de l'enclos, les laissant au milieu d'un véritable cloaque végétal. Mais elle avait également dissimulé leur progression à travers fougères et ronciers – progression qui n'aurait été que trop visible si la lune et les étoiles s'étaient montrées.

Le dolmen était bien, pour l'essentiel, tel que Deborah le lui avait décrit, dressé au centre du vaste enclos, comme si, des siècles plus tôt, on l'avait entouré de plusieurs acres de terres pour le protéger. Aux yeux des néophytes, il ressemblait à un tertre qu'on aurait planté sans raison au milieu d'un champ laissé à l'abandon. Pour qui possédait des connaissances en matière de préhistoire, le tertre indiquait qu'on était en présence d'un endroit où des fouilles s'imposaient.

On y accédait par un étroit sentier taillé dans la végétation. Les hommes suivirent ce sentier et arrivèrent devant l'épaisse porte de bois munie d'un cadenas.

Le Gallez s'immobilisa, braquant le faisceau de sa mini-lampe sur le cadenas. Puis il dirigea la torche vers les ronciers et les fougères environnants.

— Pour se mettre à couvert, ça va pas être de la tarte, dit-il doucement.

Effectivement. S'ils devaient s'embusquer au milieu des épineux, ça n'allait pas être facile. D'un autre côté, ils ne seraient pas obligés de se poster trop loin du monument car la végétation était tellement dense qu'ils avaient largement de quoi s'y dissimuler.

— Hughes, Sebastian, Hazell, dit Le Gallez avec un signe de tête vers les fougères. Allez-y. Vous avez cinq minutes pour atteindre la porte sans vous faire repérer. Et pas un mot, crénom. Si l'un d'entre vous se tord la cheville, je lui conseille de souffrir en silence. Hawthorne, vous qui êtes près du mur, si quelqu'un arrive, mon bipeur est allumé, vous me sonnez. Les autres, vous éteignez portables, bipeurs, radios. Interdiction de parler, d'éternuer, de roter ou de péter. Si on foire, c'est retour à la case départ. Là, vous aurez de mes nouvelles. Compris ? Allez-y.

Ils avaient l'avantage de l'heure, songea Saint James. Car même s'il faisait très noir, il n'était pas encore tard. Il y avait peu de chances que l'assassin se risque au dolmen avant minuit. Le danger était trop grand de tomber sur quelqu'un avant minuit. Et il avait peu de chances d'expliquer sa présence sur les lieux, sans torche, de façon convaincante à quiconque l'y aurait surpris.

Aussi Saint James fut-il assez stupéfait d'entendre Le Gallez étouffer un juron et dire laconiquement un quart d'heure plus tard :

— Hawthorne a repéré quelqu'un. Merde. Et remerde. (Et aux constables qui écartaient les ronciers à quelque quatre mètres de la porte :) J'avais dit cinq minutes, les gars. On arrive.

Il se mit en route le premier, suivi de Saint James. Ses hommes avaient réussi à dégager un espace de la taille d'une niche dans les buissons. Un abri pouvant accueillir deux guetteurs. Cinq hommes s'y serrèrent.

Celui qui arrivait ne traînait pas, franchissant le mur, s'engageant sur le sentier. Bientôt une silhouette sombre se déplaça sur fond de ténèbres. Seule une ombre allongée marquait la progression dénuée d'hésitation de qui était déjà venu sur les lieux.

Puis une voix basse, ferme et parfaitement reconnaissable, s'éleva :

— Simon, où es-tu ?

— Bordel... marmonna Le Gallez.

— Je sais que tu es là, fit distinctement Deborah. Je ne partirai pas.

Saint James poussa un soupir assorti d'un juron. Il aurait dû s'y attendre. Sa femme avait beau être jeune, ce n'était pas une imbécile.

— Elle a deviné, dit-il à Le Gallez.

— C'est étonnant, commenta Le Gallez. Débrouillez-vous pour qu'elle foute le camp d'ici.

— Ça ne va pas être commode, soupira Saint James.

Il passa devant Le Gallez et les constables, revint vers le dolmen.

— Ici, Deborah.

Elle se tourna vers lui :

— Tu m'as menti.

Il la rejoignit sans un mot. Il distinguait son visage fantomatique dans l'obscurité. Elle braquait vers lui de grands yeux sombres. Lesquels, au moment le moins opportun, lui rappelèrent ceux de la fillette qui assistait aux obsèques de sa mère près de vingt ans plus tôt, une fillette en plein désarroi à la recherche d'un adulte à qui faire confiance.

— Désolé, je n'ai pas pu faire autrement.

— Je veux savoir ce qui se passe.

— Ce n'est pas l'endroit, Deborah. Il faut que tu t'en ailles. Le Gallez a fait une entorse au règlement en m'autorisant à l'accompagner. Je doute qu'il en fasse une deuxième te concernant.

— Non, je sais ce que tu penses. Et je vais rester : je veux voir ta tête quand tu comprendras que tu t'es trompé.

— Il ne s'agit pas de ça.

— Evidemment, dit-elle. Pour toi il ne s'agit pas d'avoir tort ou raison. Ce qui t'intéresse, ce sont les faits et *ton* interprétation des faits. Au diable celui qui les interprète différemment. Mais je les connais, moi, les River. Pas toi. Tu les vois uniquement à travers...

— Tu tires des conclusions hâtives, Deborah. On n'a pas le temps de discuter. Le risque est trop grand. Il faut que tu t'en ailles.

— Alors tu devras me porter.

C'était dit avec une fermeté qui avait de quoi rendre fou. Elle enchaîna :

— Tu aurais dû y penser plus tôt. « Je fais quoi si Deb s'aperçoit que je ne me rends pas au commissariat ? »

— Deborah, pour l'amour du ciel...

— Qu'est-ce qui se passe, crénom ?

Le Gallez, qui avait rejoint Saint James, s'avança vers Deborah d'un air mauvais.

Saint James n'avait pas la moindre envie d'admettre en présence de quelqu'un qu'il connaissait à peine qu'il n'était pas – et n'avait jamais été, ça non – le maître de cette jeune femme déterminée. Dans un autre monde, à une autre époque, il se serait peut-être trouvé un homme pour venir à bout d'une femme comme Deborah. Mais l'époque était révolue où les femmes, sous prétexte qu'elles les avaient épousés, devenaient la propriété de leurs maris.

— Elle refuse de...

— Je refuse de m'en aller, indiqua Deborah à Le Gallez.

— Vous ferez ce qu'on vous dit, nom de Dieu, ou je vous fais boucler, rétorqua l'inspecteur.

— Je vois, répondit-elle. Vous êtes très fort pour ce qui est de boucler les gens. Vous avez déjà envoyé mes amis au trou. Sans motif valable. Alors pourquoi pas moi ?

— Deborah... (Saint James avait beau savoir qu'il était inutile d'essayer de lui faire entendre raison, il tenta quand même le coup.) Tu ne disposes pas de tous les éléments.

— Et pourquoi donc ?

— Je n'ai pas eu le temps de...

— Vraiment ?

Il comprit qu'il aurait mieux fait de la mettre au courant. Seulement il n'avait pas eu le droit de l'informer aussi complètement qu'elle l'aurait souhaité. Et puis tout s'était passé trop vite.

— On est venus ici ensemble, fit-elle à voix basse. Pour les aider. Ensemble.

Il faut qu'on termine cette affaire ensemble. Deborah ne prononça pas cette phrase, ce qui n'empêcha pas son mari de comprendre ce qu'elle ressentait. Mais il n'en serait pas ainsi et il ne pouvait lui expliquer pourquoi. Ils ne formaient pas un couple de détectives amateurs à la Tommy et Tuppence[1], venus à Guernesey résoudre une affaire de meurtre. Un homme était mort, un vrai – pas un personnage de roman, pas un méchant qui avait bien mérité de passer de vie à trépas. La seule forme de justice qu'on pouvait rendre à cet homme était de piéger son meurtrier en ce moment infiniment délicat qui risquait d'être compromis si Saint James n'arrivait pas à résoudre le problème que lui posait la présence de sa femme.

— Désolé, je n'ai pas le temps. Je t'expliquerai plus tard.

— J'attendrai. Tu pourras toujours m'apporter des oranges.

— Deborah...

1. Héros d'Agatha Christie. (*N.d.T.*)

Le Gallez l'interrompit.

— Bon Dieu, mon vieux. (Et à Deborah :) On réglera ça plus tard, madame.

Il pivota sur ses talons et regagna l'abri. Saint James en déduisit que Deborah était censée rester. Cette perspective ne lui plaisait pas mais il savait qu'il valait mieux ne pas discuter maintenant. Lui aussi devrait remettre les explications à plus tard.

30

Ils s'étaient ménagé une planque au milieu des églantiers et des ronciers. Deborah constata qu'un rectangle avait été grossièrement dégagé au milieu de la végétation – où s'étaient embusqués deux autres officiers de police. Il y en avait apparemment eu un troisième. Lequel était allé se poster à l'autre bout de l'enclos pour une raison qui lui échappa. Elle ne voyait pas ce qui avait pu le pousser à se mettre là car il n'y avait qu'une seule voie d'accès et une seule sortie : le sentier traversant les buissons.

A part ça, elle n'avait pas la moindre idée du nombre de policiers qui étaient en place, et elle ne s'en préoccupait guère. Elle s'efforçait encore d'assimiler le fait que son mari lui avait délibérément menti pour la première fois depuis leur mariage. Du moins croyait-elle que c'était la première fois ; car, à ce stade, tout était possible. Elle était partagée entre la colère, le désir de se venger et la préparation du discours qu'elle comptait lui servir une fois que la police aurait procédé à l'arrestation qu'elle semblait décidée à effectuer cette nuit-là.

Le froid s'abattit sur eux tel un fléau biblique, montant de la baie puis se répandant sur tout l'enclos. Il les atteignit aux environs de minuit. Telle fut l'impression de Deborah. Nul n'osait courir le risque de donner de la lumière pour jeter ne serait-ce qu'un coup d'œil à sa montre.

Tous gardaient le silence. Les minutes passèrent,

puis les heures, et toujours rien. De temps à autre, un froissement de buissons provoquait une tension dans le petit groupe. Toutefois, comme rien ne succédait au froissement sinon un autre froissement, ils attribuèrent le bruit à un animal sur le territoire duquel ils avaient fait irruption. Un rat vraisemblablement. Ou un chat sauvage, venu en reconnaissance.

Deborah eut l'impression que c'était presque l'aube lorsque Le Gallez murmura : « Attention, on vient. » C'est à peine si elle l'entendit mais elle comprit qu'il y avait du nouveau au soudain raidissement de la petite troupe.

Puis elle perçut un autre bruit : le craquement des pierres du mur de l'enclos sous les pas d'un arrivant, suivi d'un craquement de branche sur le sol tandis que cette même personne s'approchait du dolmen dans le noir. L'arrivant n'avait pas besoin de torche, il connaissait le chemin. Quelques instants après, une silhouette enveloppée de noir et semblable à une sorcière se glissait le long du sentier qui cernait le tertre.

A la porte du dolmen, la sorcière braqua une torche sur le cadenas. De sa cachette, Deborah ne distinguait qu'une petite flaque de lumière qui lui permit d'apercevoir les contours d'un dos penché vers l'entrée du monument.

Elle attendit que la police passe à l'action. Personne ne bougea. Personne ne respira tandis que la silhouette près du dolmen ouvrait la porte et, s'accroupissant, pénétrait dans la chambre préhistorique.

La porte resta entrouverte dans le sillage de la sorcière et au bout d'un moment une faible clarté vacilla : la flamme d'une bougie. Puis il y eut une seconde flamme. Au-delà du chambranle, impossible de voir quoi que ce soit, et s'il y avait du mouvement à l'intérieur il était étouffé par l'épaisseur des murs de pierre et de la terre qui recouvrait le monument depuis des générations.

Deborah ne comprenait pas pourquoi la police restait inerte.

— Qu'est-ce que... ? chuchota-t-elle à l'oreille de Simon.

Il lui emprisonna le bras dans sa main. Elle ne pouvait distinguer son visage mais elle avait l'impression qu'il fixait la porte du dolmen.

Trois minutes s'écoulèrent, pas davantage, quand on éteignit les bougies à l'intérieur. La clarté régulière de la torche les remplaça, qui s'approcha de la porte de l'intérieur tandis que Le Gallez chuchotait :

— Attention, Saumarez. Attendez. Doucement, mon vieux, doucement.

Tandis que la silhouette noire émergeait puis se relevait, Le Gallez dit : « Action. » Dans la cachette exiguë, Saumarez se dressa d'un bond et, d'un même mouvement, il alluma une torche si puissante qu'elle aveugla un instant Deborah et faillit aveugler également China River, épinglée dans le faisceau lumineux. Prise au piège tendu par Le Gallez.

— Ne bougez plus, miss River, lança l'inspecteur. Le tableau n'est pas là.

— Oh, non, murmura Deborah.

Alors que Simon chuchotait : « Désolé », les événements se précipitèrent.

Devant la porte du dolmen, China pivota tandis qu'une seconde lumière l'épinglait telle une proie. Elle ne souffla mot. Elle se précipita de nouveau à l'intérieur et poussa la porte derrière elle.

Deborah se leva sans réfléchir. Criant : « China ! » Puis, paniquant, s'adressant à son mari et à la police :

— Ce n'est pas ce que vous croyez.

Comme si elle n'avait pas parlé, Simon dit en réponse à une question de Le Gallez :

— Juste un lit de camp, des bougies, un coffret contenant des préservatifs...

Elle comprit qu'il avait raconté à la police tout ce qu'elle lui avait dit.

Deborah vit dans ce fait, de façon totalement illogique et ridicule, une trahison encore plus grave. Complètement désarçonnée, incapable de réfléchir, elle ne pouvait songer qu'à se précipiter hors de la cachette pour rejoindre son amie.

Simon l'intercepta.

— Lâche-moi ! fit-elle en se débattant.

Elle entendit Le Gallez qui disait : « Eloignez-la, bon sang ! » Et elle s'écria :

— Je vais la chercher. Lâche-moi, lâche-moi.

Elle se dégagea des bras de Simon mais resta sur place. La respiration sifflante. Ils se dévisagèrent.

— Elle n'a nulle part où aller, dit-elle à son mari. Tu le sais. La police aussi. Je vais aller la chercher. Laisse-moi la ramener ici.

— Il ne m'appartient pas de le faire.

— Explique-leur.

— Il n'y a pas d'autre sortie, vous en êtes sûr ? demanda Le Gallez à Saint James.

— Et même s'il y en avait une, quelle différence ça ferait ? dit Deborah. Comment voulez-vous qu'elle quitte l'île ? Elle sait que vous allez téléphoner à l'aéroport et au port. Vous ne pensez tout de même pas qu'elle va gagner la France à la nage ? Elle sortira quand elle saura... Laissez-moi lui dire qui est dehors...

S'apercevant que sa voix tremblait, elle se maudit. Non seulement il lui fallait discuter avec la police et avec Simon pour faire valoir son point de vue mais il lui fallait aussi compter avec ses satanées émotions qui l'empêcheraient toujours d'être comme lui calme, dépassionnée, capable de s'adapter en un éclair à toutes les situations s'il le fallait. Et il le fallait.

— Qu'est-ce qui t'a poussé à conclure que... ? fit-elle d'une voix brisée à son mari.

— Je ne sais pas. Je n'avais pas de certitude. Je me disais juste que ce devait être l'un des deux.

— Qu'as-tu omis de me dire ? Non, je m'en fiche. Laisse-moi aller la retrouver. Je lui dirai ce qui l'attend à la sortie. Je la ferai sortir.

Simon l'étudia en silence. Deborah voyait combien il était indécis – cette indécision se lisait assez clairement sur ses traits mobiles. Mais elle voyait également qu'il se demandait jusqu'à quel point il avait entamé la confiance qu'elle avait en lui.

Par-dessus son épaule, il dit à Le Gallez :

— Vous permettez...

— Merde alors, non ! C'est une meurtrière. On a assez d'un cadavre. (Puis, s'adressant à ses troupes :) Ramenez-moi cette salope.

C'en fut assez pour inciter Deborah à se précipiter vers le dolmen. Elle se rua au milieu des buissons et atteignit la porte du monument avant que l'inspecteur ait le temps de hurler :

— Attrapez-la.

Une fois qu'elle fut là, ils furent bien obligés d'attendre la suite des événements. Ils pouvaient prendre le dolmen d'assaut, risquant ainsi de mettre sa vie en danger si China était armée – et Deborah savait que ce n'était pas le cas. Ou ils pouvaient attendre que Deborah la leur ramène. Ce qui se passerait ensuite – son arrestation, vraisemblablement –, elle s'en moquait totalement pour l'instant.

Elle poussa l'épais battant de bois et pénétra dans la chambre.

La porte refermée, les ténèbres l'enveloppèrent. Epaisses et silencieuses, dignes d'une tombe. Le dernier bruit qu'elle perçut fut un cri de Le Gallez, qu'étouffa la lourde porte quand elle la referma. La dernière chose qu'elle vit fut un point de lumière qui s'éteignit au même instant.

— China ? fit-elle dans le silence en tendant l'oreille.

Elle essayait de visualiser l'intérieur du dolmen où Paul Fielder l'avait emmenée. La chambre principale était juste devant. La chambre secondaire, à sa droite. Il y en avait peut-être d'autres – sans doute à sa gauche –, mais elle ne les avait pas visitées et elle n'arrivait pas à se rappeler s'il y avait des moyens d'y accéder.

Elle se mit à la place de son amie, à la place de quiconque se trouverait pris dans cette situation. Sécurité, songea-t-elle. Retour au ventre maternel. La chambre intérieure, petite. Là, elle serait en sécurité.

Elle atteignit le mur. Inutile d'attendre que ses yeux s'habituent à l'obscurité car il n'y avait rien à voir ; pas la moindre lumière, pas la moindre lueur vacillante ne perçait les ténèbres.

— China, dit-elle. La police est dehors. Dans l'enclos. Il y a trois policiers à dix mètres de la porte, un près du mur et je ne sais combien d'autres au milieu des arbres. Je n'étais pas avec eux. Je ne savais pas. J'ai suivi. Simon... (Impossible de dire à son amie que son mari avait été l'instrument de sa perte.) Il n'y a aucun moyen de sortir d'ici. Je ne veux pas qu'il t'arrive quoi que ce soit. Je ne sais pas pourquoi...

Sa voix la trahissant, le calme lui manquant pour terminer sa phrase, elle s'y prit autrement :

— Il doit y avoir une explication à tout ça. Il y en a forcément une, n'est-ce pas, China ?

Elle tendait l'oreille tandis que, de la main, elle tâtonnait pour trouver l'anfractuosité permettant d'accéder à la petite chambre latérale. Elle se dit qu'elle n'avait rien à craindre. Cette femme était son amie.

Une amie qui l'avait aidée à traverser une sale période – peut-être la plus difficile de sa vie. Une période d'amour et de rupture, d'indécision. Qu'elle l'avait tenue dans ses bras, et lui avait promis : « Ça passera, Debs, crois-moi. »

Dans le noir, Deborah prononça de nouveau le nom de China, ajoutant :

— Laisse-moi t'emmener dehors. Je veux t'aider. Te sortir de là. Je suis ton amie.

Elle gagna la chambre intérieure, sa veste frottant contre le mur de pierre. Elle perçut nettement le froissement que fit le tissu. Et China aussi, car elle se décida à parler.

— Une amie, oh oui, Debs, tu parles.

Elle alluma la torche dont elle s'était servie pour éclairer le cadenas de la porte. La lumière aveugla Deborah. Elle venait d'en bas, du lit de camp où China était assise. Par-delà cette lumière, son visage était aussi blanc qu'un masque mortuaire.

— L'amitié, merde, fit simplement China, tu n'y comprends que dalle. Tu n'y as jamais rien compris. Alors inutile de me raconter que tu veux m'aider.

— Je n'ai pas amené la police jusqu'ici. Je ne savais pas...

Mais en cet instant décisif Deborah ne pouvait pas mentir. Car elle s'était trouvée dans Smith Street un peu plus tôt, n'est-ce pas ? Elle y était retournée, et elle n'avait pas vu de magasin où China aurait pu acheter des sucreries pour son frère comme elle l'avait prétendu. Cherokee avait fouillé dans son sac pour y prendre de l'argent mais il n'avait rien trouvé, et surtout pas les chocolats dont il était censé raffoler. Deborah dit, s'adressant plus à elle-même qu'à China :

— L'agence de voyages, c'est là que tu t'es rendue, n'est-ce pas ? Oui, forcément. Tu dressais tes plans, tu décidais de l'endroit où tu irais en quittant l'île. Parce que tu savais qu'ils te relâcheraient. Après tout, ils le tenaient, lui. C'est ce que tu cherchais depuis le début, ce que tu avais manigancé, si ça se trouve. Mais pourquoi ?

— T'aimerais bien le savoir, hein ? (China balaya avec le faisceau lumineux la silhouette de Deborah.) Tu es parfaite. A tous points de vue. Tu réussis dans tout ce que tu entreprends. Tu as toujours à portée de main des hommes qui tiennent à toi comme à la prunelle de leurs yeux. Pas étonnant que tu aies envie de savoir ce qu'on ressent quand on se dit qu'on est une minable. Et qu'on a en plus, près de soi, quelqu'un qui est bien décidé à vous le prouver.

— Ne me dis pas que tu l'as tué parce que... China, qu'as-tu fait ? Pourquoi as-tu... ?

— Cinquante dollars, dit-elle d'une voix sans timbre. Ça et une planche de surf. Tu te rends compte, Deborah. Cinquante dollars et une planche de surf pourrie.

— De quoi tu parles ?

— De ce que ça lui a coûté. Le prix. Pour un coup avec moi. Il croyait que ça s'arrêterait là. Ils le croyaient tous les deux. Mais j'étais douée. Meilleure qu'il ne s'y attendait, meilleure que je ne l'aurais cru. Alors il a voulu repiquer au truc. Remettre le couvert, quoi. Au départ, il voulait juste se débarrasser de son pucelage. Mon frère lui avait certifié que je serais partante s'il se montrait gentil avec moi, s'il faisait celui qui se désintéressait complètement de la chose. Voilà. Seulement, nous deux, ça a duré treize ans. Autant dire, pour lui, une affaire qui l'a pas ruiné. Parce que tout ce qu'il a raqué, c'est cinquante dollars qu'il a refilés, avec la planche, à mon frangin. Mon frère, parfaitement. (La torche trembla, mais China réussit à s'arracher un rire.) Tu imagines ? D'un côté, une nana qui croit que c'est arrivé, l'amour avec un grand A. De l'autre, un mec qui sonne à ma porte parce que, pour la baise, il a jamais trouvé mieux. Et pendant tout ce temps, Debs, pendant tout ce temps, monsieur se fait une avocate à Los Angeles, une galeriste à New York, une chirurgienne à Chicago et je ne sais plus qui encore dans le reste du pays. Mais aucune de ces dames – rends-toi compte, aucune – ne m'arrive à la cheville au plumard. C'est pour ça qu'il revient me voir. Je suis tellement gourde que je me dis que c'est qu'une question de temps, qu'on finira par se mettre ensemble pour de bon. C'est obligé, c'est tellement le pied, au lit, nous deux. Il finira par s'en rendre compte, crénom. Et il s'en rend compte, oui. Seulement il en a d'autres, des femmes, dans sa vie. Il en a toujours eu d'autres. Et c'est ce qu'il finit par me dire quand je le mets au pied du mur après que mon putain de frère m'a avoué m'avoir vendue à son meilleur copain pour cinquante dollars et une planche quand j'avais dix-sept ans.

Deborah osait à peine respirer et encore moins bouger : elle ne voulait pas qu'un faux mouvement de sa part fasse perdre complètement les pédales à son amie.

— Ce n'est pas possible, China. C'est faux.

— Quoi ? fit China. Ton histoire ou la mienne ? Mon histoire est abso-lu-ment vé-ri-di-que. Tu dois parler de la tienne, alors. Tu vas me dire que tu ne te l'es pas coulée douce, peut-être ? Que tout n'a pas marché pour toi comme sur des roulettes ?

— Bien sûr que non. La vie n'est un long fleuve tranquille pour personne.

— Un père qui t'adore. Un petit ami friqué à mort, prêt à te décrocher la lune. Dans la foulée, un mari lui aussi plein aux as. Tout ce que tu veux, tu l'as. Aucun souci. Certes, tu traverses un sale moment à Santa Barbara mais ça finit par s'arranger. Tout finit toujours par s'arranger pour toi.

— China, ce n'est pas aussi simple. Et tu le sais.

— Là-dessus tu disparais, enchaîna China comme si Deborah n'était pas intervenue. Comme les autres. Comme si je ne m'étais pas efforcée d'être pour toi l'amie dont tu avais besoin. Tu fais comme Matt. Comme tout le monde, comme mon frère. Tu prends quand ça t'arrange, et tu oublies ce que tu dois.

— Tu veux dire... Tu ne peux pas avoir fait tout ça... Ça ne peut pas être à cause de...

— Toi ? Tu te flattes, Debs. Le moment est venu pour mon frère de payer l'addition.

Deborah réfléchit. Elle se souvint de ce que Cherokee lui avait dit le premier soir à Londres :

— Je croyais que tu ne voulais pas l'accompagner à Guernesey. Au début, en tout cas, tu avais refusé de l'accompagner.

— C'était avant de décider que je profiterais de ce voyage pour me venger. Je ne savais pas encore ni quand ni comment je m'y prendrais. Mais je savais que l'occasion se présenterait. De la dope dans sa valise, peut-être. Il se ferait pincer à la douane. On avait projeté d'aller à Amsterdam. Je me serais procuré la drogue là-bas. Ç'aurait été chouette. Pas sûr à cent pour cent, note bien. Mais ça valait le coup d'essayer. Ou alors une arme. Ou des explosifs camouflés dans son bagage de cabine. Je me foutais pas mal de savoir quoi. Tout ce que je savais, c'est que je trouverais un truc, à condition d'ouvrir l'œil. Quand on est arrivés au Reposoir, et qu'il m'a montré... ce qu'il m'a montré... (Derrière la torche, elle esquissa un sourire fantomatique.) Je me suis dit que je ne pouvais pas laisser passer l'occasion.

— Cherokee t'a montré la toile ?

— Ah, fit China. Mais non, Debs. Cherokee n'avait pas la moindre idée de ce qu'il transportait. Moi non plus. Du moins pas avant que Guy ne me la fasse voir. « Venez donc prendre un dernier verre dans mon bureau, ma charmante. Laissez-moi vous montrer quelque chose qui va vous épater, vous impressionner plus que tout ce que j'ai pu vous montrer jusqu'ici, au point que vous me laisserez enfin vous sauter. La baise, c'est mon truc. Et ça tombe bien parce que je suis sûr que vous êtes chaude. D'ailleurs, même si vous n'êtes pas partante, y a pas de mal à tenter le coup, pas vrai ? Après tout je suis riche. Pas vous. » Et les types riches, tout ce qu'une femme leur demande quand ils veulent obtenir ses faveurs, c'est de les aligner. C'est pas à toi que j'apprendrai ça, Debs. Seulement cette fois il ne s'agissait pas de cinquante dollars et d'une planche. Et ce n'était pas mon frangin qui allait récolter la monnaie. J'ai fait d'une pierre plusieurs coups. Je l'ai baisé ici même quand il m'a montré cet endroit. C'est ce qu'il voulait, c'est pour ça que ce connard me traitait d'amie choisie. Pour ça qu'il a allumé la bougie et tapoté le lit avec un : « Eh bien, qu'en pensez-vous, de mon sanctuaire ? Chuchotez-moi votre réponse. Approchez que je vous touche. Je vais vous faire vibrer, j'en suis capable, vous allez me faire vibrer, j'en suis sûr, la lumière luit doucement sur notre peau, la lueur se fait dorée là où nous brûlons d'être caressés. Ici, et là, mon Dieu, je crois bien que cette fois, c'est la bonne, ma chère, enfin. » Alors je l'ai sauté, Deborah. Je me suis surpassée, il n'aurait pas tardé à en redemander, comme Matt. Et c'est là que j'ai caché la toile après l'avoir volée la nuit précédant l'aube où je l'ai tué.

— Seigneur, fit Deborah.

— Le Seigneur n'a rien à voir là-dedans. Ni ce jour-là. Ni aujourd'hui. Le Seigneur n'existe pas pour moi. Pour toi, peut-être. Mais dans ma vie, non. Et veux-tu que je te dise ? Ça n'est pas juste. Rien n'a jamais été juste. Je vaux autant que toi, ou que quiconque, je mérite mieux que ce que je récolte.

— Ainsi tu t'es emparée du tableau ? Tu en connais la valeur ?

— Je lis le journal, rétorqua China. La presse, en Californie du Sud, c'est pas le top. Mais les affaires de ce genre, ça fait du bruit. Les journalistes les couvrent, oui.

— Qu'allais-tu en faire ?

— Aucune idée, et je m'en foutais. Ça m'est venu après. Je savais où il était dans le bureau. Guy ne s'était pas donné beaucoup de mal pour le cacher. Je m'en suis emparée. Je l'ai planqué dans le sanctuaire de Guy. Je reviendrais le chercher ultérieurement. Je savais qu'il y serait en sécurité.

— Mais n'importe qui aurait pu tomber dessus, dit Deborah. Une fois à l'intérieur du dolmen. Et pour y entrer, il suffisait d'arracher le cadenas faute d'en connaître la combinaison. L'intrus aurait une torche, il verrait la toile, il...

— Comment ?

— Parce qu'elle se voyait nettement, à condition de passer derrière l'autel. Impossible de la rater.

— C'est là que tu l'as trouvée ?

— Pas moi, Paul, le protégé de Guy...

— Ah, fit China, c'est donc lui que je dois remercier.

— De quoi ?

— D'avoir mis ça à la place.

China approcha de la lumière la main qui ne tenait pas la torche. Deborah vit qu'elle tenait un objet en forme de petit ananas. Elle articula en silence *qu'est-ce que c'est* alors qu'elle reconnaissait l'objet.

A l'extérieur du dolmen, Le Gallez dit à Saint James :

— Je lui laisse encore deux minutes. Pas plus.

Saint James essayait toujours de digérer le fait que

c'était China, et non son frère, qui s'était pointée au dolmen. Il avait certes dit à Deborah qu'il savait que ce serait l'un des River – car cela lui semblait la seule explication logique à tout ce qui s'était passé, de la bague récupérée sur la plage à la bouteille retrouvée dans le champ – mais il avait conclu d'entrée de jeu que le coupable serait Cherokee. Et cela, bien que n'ayant pas eu le courage moral de le reconnaître ouvertement. Ce n'était pas tant parce que le meurtre était une chose qu'il associait aux hommes plutôt qu'aux femmes. Mais parce qu'à un certain niveau – qui relevait de l'atavisme et dont il n'était pas fier – il voulait que Cherokee River soit mis hors circuit, et cela depuis le moment où l'Américain avait débarqué chez eux à Londres, affable, à l'aise, appelant sa femme *Debs*. Comme si l'usage de ce surnom lui donnait des droits sur elle.

C'est pourquoi il mit un certain temps à répondre à Le Gallez. Il était trop occupé à essayer d'effacer mentalement ses méprisables faiblesses personnelles.

— Saumarez, dit Le Gallez, tenez-vous prêt à agir. Vous autres...

— Elle va la faire sortir, affirma Saint James. Elles sont amies. Elle écoutera Deborah. Debbie la fera sortir. Il n'y a pas d'autre solution.

— Je ne suis pas disposé à prendre ce risque, jeta Le Gallez.

La grenade n'avait pas l'air de la première jeunesse. De l'autre bout de la chambre, Deborah voyait qu'elle était recouverte d'une croûte de terre et décolorée par la rouille. Ça semblait être un vestige de la Seconde Guerre mondiale, et à ce titre elle ne pouvait pas être vraiment dangereuse. Comment un truc aussi abîmé pouvait-il fonctionner ?

China parut lire dans ses pensées car elle dit :

— Mais tu n'en es pas sûre, n'est-ce pas ? Moi non plus. Dis-moi comment ils en sont arrivés là, Debs.

— Comment ça, là ?

— Moi, ça, ici. Avec toi. Tu ne serais pas ici s'ils n'avaient pas deviné. Ça n'a pas de sens.

— Je ne sais pas. Je te l'ai dit. J'ai suivi Simon. On allait dîner, la police s'est pointée. Simon m'a dit...

— N'essaie pas de me mentir. Ils ont dû trouver le flacon d'huile de pavot, sinon ils ne seraient pas venus chercher Cherokee. Ils en ont déduit qu'il avait soigneusement disposé les autres pièces à conviction pour faire croire que c'était moi l'assassin. Ils ont trouvé le flacon. Mais après ?

— Je ne suis pas au courant pour le flacon. Ni pour l'huile de pavot.

— Voyons, comme si Simon pouvait cacher quoi que ce soit à la petite fille à son papa. Dis-moi, Debs.

— Je viens de te le dire. J'ignore ce qu'ils savent. Simon ne me l'a pas dit. Il ne me l'aurait jamais dit.

— Il ne te fait pas confiance ?

— Apparemment, non.

Cette prise de conscience frappa Deborah telle la gifle d'un parent à bout de nerfs. Un flacon d'huile de pavot. Il ne lui faisait pas confiance.

— Il faut qu'on y aille, dit-elle. Ils nous attendent. Ils vont venir si nous ne...

— Très peu pour moi, dit China.

— Quoi donc ?

— La prison, le procès, que sais-je. Je me tire.

— Impossible, où veux-tu aller ? Tu ne peux pas quitter l'île. Ils ont déjà dû alerter...

— Je me suis mal fait comprendre, dit China. Je ne me tire pas pour aller ailleurs. Je me tire tout court. Toi et moi, on se tire. Amies jusqu'à la mort.

Elle posa la torche par terre et se mit à tripoter la goupille de la vieille grenade.

— Combien de temps ça met, ces machins-là, pour sauter ? Tu le sais ?

— China ! Non ! Elle ne sautera pas. Mais si jamais elle...

— C'est bien là-dessus que je compte.

Deborah, horrifiée, vit China enlever la goupille. Rouillée, endommagée par soixante ans d'exposition aux agents atmosphériques, la grenade aurait dû rester figée. Mais ce ne fut pas le cas. Telles les bombes qu'on retrouvait périodiquement dans le sud de Londres, elle reposait dans la paume de China tandis que Deborah essayait sans y parvenir de se rappeler combien de temps il leur – il lui – restait avant l'anéantissement.

— Cinq, quatre, trois, deux... murmura China.

Deborah se jeta en arrière, atterrissant dans le noir. L'espace d'un moment qui lui parut durer une éternité, rien ne se produisit. Puis une explosion secoua le dolmen dans un rugissement de fin du monde.

Après quoi ce fut le néant.

Le souffle de l'explosion arracha la porte. Qui fila tel un missile se perdre dans la végétation touffue, accompagnée d'un vent pestilentiel semblable à celui d'un sirocco venu de l'enfer. Le temps se figea. Pendant que son vol était suspendu, les bruits disparurent, engloutis par l'horreur de la prise de conscience.

Au bout d'un moment – heure, minute ou seconde – toutes les réactions de l'univers se focalisèrent sur la tête d'épingle qu'était ce point de l'île de Guernesey. Bruit et mouvement jaillirent autour de Saint James avec la violence d'un barrage qui cède, entraînant sur son passage tonnes d'eau et de boue, feuilles, branches et arbres déracinés, cadavres brisés d'animaux. Il sentit qu'on se bousculait au sein du petit abri où il était terré. Il sentit des corps se couler à l'extérieur ; il entendit, comme venu d'une lointaine planète, le juron d'un homme, les cris rauques d'un autre. Un peu plus loin un cri perçant retentit qui parut flotter au-dessus des têtes, tandis qu'autour d'eux des lumières se balançaient tels des membres de pendus, essayant de percer l'épais rideau de poussière.

Au milieu de cette panique, il fixait le dolmen, reconnaissant la porte arrachée, le vacarme, le souffle fétide et leurs conséquences pour ce qu'ils étaient : la manifestation d'un événement dont personne n'avait un seul instant songé qu'il pût survenir. Lorsqu'il se fut rendu à l'évidence, il se mit en marche tant bien que mal. Il se dirigea droit vers la porte sans prêter attention aux ronciers. Il s'arrachait avec violence à l'étreinte de la végétation hostile, et si les épines lui déchiraient la chair, il ne s'en rendait pas compte. Tout ce qui l'intéressait, c'était la porte, l'intérieur du monument, et la peur indicible de ce qu'il n'osait nommer mais comprenait néanmoins car personne n'avait besoin de lui expliquer ce qui venait de se passer entre sa femme et une meurtrière prises toutes deux au piège.

On l'empoigna, il comprit qu'on criait. Il comprit les paroles criées :

— Bon Dieu. Par ici, mon vieux. Saumarez, pour l'amour du ciel, tenez-le. Saumarez, de la lumière, quoi, merde ! Hawthorne, attendez-vous à ce qu'on accoure du manoir. Je compte sur vous pour les empêcher d'approcher.

On le tira, on le secoua, on le poussa en avant. Enfin il réussit à se libérer de la végétation insensée de l'enclos, et il se retrouva progressant tant bien que mal dans le sillage de Le Gallez. Leur destination : le dolmen.

Car il était toujours là où il se dressait depuis cent mille ans déjà : masse de granit taillée dans le matériau dont le sous-sol de l'île était constitué, enchâssée dans l'âpre roche, masse aux murs, au sol et au plafond eux aussi granitiques. Cachée dans la terre d'où avait émergé l'homme qui essaierait encore et encore de la détruire.

Mais sans y parvenir.

Le Gallez lançait des ordres. Il braquait le faisceau de sa torche sur l'intérieur du dolmen ; la torche éclaira la poussière qui s'en exhalait telles des âmes délivrées au jour du Jugement dernier. Il adressa par-dessus son épaule quelques mots à l'un de ses hommes qui lui posait une question, et c'est cette question – qui ne parvint pas jusqu'à Saint James, préoccupé uniquement de ce qui était à l'intérieur du monument – qui obligea l'inspecteur à s'arrêter devant l'entrée. Saint James se dit que c'était le moment ou jamais de profiter de cette pause. Il se mit à prier, à marchander avec Dieu : si elle survit, je ferai tout, j'essaierai de faire tout ce que Vous voudrez. J'accepterai tout. Mais pas ça, je Vous en prie, mon Dieu, pas ça.

Il n'avait pas de torche mais c'était sans importance : il avait ses mains. Il se glissa à l'intérieur en tâtonnant, s'écorchant les paumes contre les pierres rêches, se cognant les genoux, heurtant de la tête, dans sa hâte, une sorte de linteau bas. Il chancela sous le choc. Il sentit le sang tiède couler d'une blessure au front. Il continua de marchander. Je ferai tout, je serai tout ce que Vous voudrez, j'accepterai tout ce que Vous exigerez de moi sans protester, je ne vivrai que pour les autres, que pour elle, je serai fidèle et loyal, je serai plus attentif, j'essaierai de comprendre car c'est par là que je pèche, que j'ai toujours péché, et Vous le savez bien, c'est pour ça que Vous me l'avez prise n'est-ce pas n'est-ce pas.

Il aurait voulu pouvoir ramper, seulement c'était impossible avec sa prothèse qui le maintenait droit. Pourtant il avait besoin de ramper, de s'agenouiller pour supplier dans le noir et la poussière où elle demeurait introuvable. Déchirant sa jambe de pantalon, il essaya d'atteindre l'infernal plastique et le Velcro. N'y parvenant pas, il se mit à jurer tout en priant et suppliant. C'est ainsi que la torche de Le Gallez le découvrit.

— Nom de Dieu, mon vieux, fit l'inspecteur. (Et, criant derrière lui, il ajouta :) Saumarez, de la lumière.

Mais Saint James n'avait pas besoin de lumière. Car il venait de distinguer le cuivre de la masse de cheveux roux qu'il aimait tant.

Deborah gisait devant la table surélevée faisant office d'autel, là où Paul Fieldder lui avait dit avoir trouvé la Belle Dame au livre et à la plume.

Saint James trébucha jusqu'à elle. Il avait vaguement conscience qu'autour de lui on s'agitait, que la lumière était plus intense. Il perçut des voix, des bruits de pieds raclant la pierre. Il eut dans les narines la poussière et l'odeur âcre de l'explosif. Il goûta le sel et le cuivre de son sang, et il sentit bientôt sous sa paume la pierre glacée de l'autel puis, non loin de là, la chair souple et tiède du corps de sa femme.

Il ne vit que Deborah lorsqu'il la retourna. Le sang sur son visage, dans ses cheveux, ses vêtements déchirés, ses paupières closes.

Il la prit sauvagement dans ses bras. Plaqua sauvagement son visage contre son cou. Il était au-delà de la prière ou des jurons, le centre de sa vie – de son être – lui avait été arraché en un instant qu'il avait été incapable de prévoir. Sans qu'il eût un instant pour s'y préparer.

Il prononça son nom. Il ferma les yeux, refusant d'en voir davantage, il n'entendit rien.

Mais il avait encore la faculté de sentir, non seulement le corps qu'il étreignait et se promettait de ne pas lâcher, de ne jamais lâcher, mais au bout d'un moment, un souffle. Faible, rapide, léger contre son cou. Merci, Seigneur. Contre son cou.

— Mon Dieu, fit Saint James. Mon Dieu. Deborah.

Il allongea sa femme par terre et dans un hurlement rauque appela à l'aide.

La conscience lui revint en deux temps. D'abord, le sens de l'ouïe : une vibration perçante dont l'intensité et la tonalité demeuraient constantes. Elle lui emplissait le conduit auditif, butant contre la fine membrane protectrice qui le recouvrait. Puis elle semblait traverser le tympan pour prendre possession de son cerveau tout entier. Il n'y avait plus de place pour les bruits ordinaires du monde tels qu'elle les connaissait.

Après l'ouïe, elle retrouva la vue : lumière et ténèbres, ombres posant devant un rideau lumineux qui ressemblait au soleil. L'incandescence en était si vive qu'elle ne pouvait s'y exposer que de brèves secondes d'affilée, après quoi il lui fallait refermer les yeux, ce qui intensifiait d'autant le bruit qui lui vrillait le crâne.

La vibration ne cessait pas. Qu'elle eût les yeux ouverts ou fermés, qu'elle fût consciente ou flottât entre deux eaux, le bruit était là. Peut-être était-ce la première sensation auditive que percevaient les nouveau-nés lorsqu'ils émergeaient du ventre maternel, songea-t-elle. Un point de repère. Quelque chose à quoi se raccrocher. Aussi s'y raccrocha-t-elle, nageant à la rencontre de ce son comme on peut nager pour atteindre la surface lointaine d'un lac dont l'eau mouvante ondule lourdement mais qui étincelle de promesses, annonçant le soleil et l'air.

Lorsqu'elle réussit à supporter la lumière plus de quelques secondes, Deborah constata que c'était parce que le jour avait cédé la place à la nuit. L'éclairage de l'endroit où elle se trouvait, quel qu'il fût, avait radicalement changé. Ce n'était plus une scène brillamment illuminée pour un parterre de spectateurs. Mais une pièce sombre où une mince rampe fluorescente fixée au-dessus de son lit dessinait comme un bouclier lumineux sur les contours de son corps, paysage de collines et de vallons sous la fine couverture qui la recouvrait. Près d'elle était assis son mari, dans un fauteuil qu'il avait tiré contre le lit de façon que sa tête repose contre le matelas. Il avait beau avoir la tête au creux de ses bras, le visage tourné de l'autre côté, elle savait que c'était Simon. Car cet homme, unique entre tous, elle le reconnaîtrait où qu'elle le rencontre. Elle reconnaîtrait sa silhouette, sa stature, la façon dont ses cheveux bouclaient sur sa nuque, la façon dont ses omoplates s'effaçaient, révélant les plans lisses et fermes des muscles quand, de ses bras levés, il faisait un oreiller pour sa tête.

Elle remarqua que sa chemise était sale. Des taches cuivrées souillaient son col comme s'il s'était coupé en se rasant et qu'il avait épongé le sang en hâte avec sa chemise. Des traînées noires parsemaient la manche qu'elle apercevait, d'autres traces cuivrées maculaient ses poignets. C'était tout ce qu'elle pouvait voir de lui et elle n'avait pas la force de le réveiller. Tout ce qu'elle parvint à faire, c'est à rapprocher imperceptiblement de lui ses doigts. Mais cela suffit.

Simon releva la tête. Il ressemblait à un miracle. Il prononça quelques mots mais le bruit qui lui vrillait le crâne les masquant, elle secoua la tête, elle ne l'entendait pas ; elle essaya de parler, constata qu'elle en était incapable car sa gorge était desséchée, et ses lèvres et sa langue semblaient collées à ses dents.

Simon tendit le bras vers la table de chevet. Il l'aida à se soulever légèrement et approcha de ses lèvres un gobelet en plastique d'où dépassait une paille. Il lui glissa doucement la paille dans la bouche. Elle but avec joie l'eau qu'elle trouva tiède – tant pis, c'était très bien comme ça. Tandis qu'elle buvait, elle sentit qu'il s'approchait. Il tremblait, l'eau allait sûrement se renverser. Elle essaya de lui prendre la main mais il ne la laissa pas aller au bout de son geste. Il s'empara de sa main, qu'il posa contre sa joue, et porta les doigts de Deborah à ses lèvres. Il se pencha vers elle et appuya sa propre joue contre le haut de sa tête.

Deborah avait survécu, lui avait-on dit, parce qu'elle n'avait pas pénétré dans la chambre intérieure où s'était produite l'explosion, ou parce qu'elle avait réussi à s'en échapper et à gagner la chambre principale quelques secondes avant l'explosion.

Quant à l'autre femme... Quiconque faisait délibérément exploser un projectile garni de TNT ne pouvait espérer en réchapper. Et l'explosion avait été délibérée, conclut la police. Rien d'un accident. Il n'y avait pas d'autre explication possible.

« Heureusement que ça s'est produit dans le tumulus, avaient dit à Saint James les policiers et les deux médecins qui s'étaient occupés de sa femme à l'hôpital Princess Elizabeth. Une explosion pareille aurait pu tout lui faire retomber dessus. Elle aurait pu être complètement écrasée. Elle a eu de la chance. Tout le monde a eu de la chance. Un projectile explosif moderne aurait soufflé le tumulus et l'enclos par la même occasion. Comment diable cette femme a-t-elle réussi à mettre la main sur une grenade ? C'est la question. »

Ou plutôt l'une des questions, songea Saint James. Qui toutes commençaient par pourquoi. Il ne faisait pas de doute que China River était retournée au dolmen pour prendre la toile qu'elle y avait dissimulée. Il était également évident qu'elle avait d'une façon ou d'une autre réussi à savoir que la toile était cachée parmi les plans acheminés jusqu'à Guernesey. Qu'elle ait mis au point et commis le crime en fonction de ce qu'elle avait appris concernant les habitudes de Guy Brouard étaient deux faits que la police pouvait déduire des interrogatoires des principaux protagonistes. La raison de tout cela restait mystérieuse. Pourquoi voler un tableau qu'elle ne pouvait espérer vendre sur le marché officiel, mais seulement à un collectionneur privé, pour une somme nettement inférieure à sa valeur... et à condition de dénicher l'amateur d'art qui était disposé à enfreindre la loi ? Pourquoi semer des indices qui l'accusaient, elle, dans l'espoir bien mince que la police retrouverait un flacon portant les empreintes de son frère, flacon contenant des traces de l'opiacé ayant servi à droguer la victime ? Et pourquoi déposer le flacon là où les policiers l'avaient retrouvé, de façon à faire accuser son propre frère ? C'était *la* question.

Et puis il y avait la manière. Comment avait-elle réussi à dénicher la roue qui lui avait servi à étouffer Brouard ? La lui avait-il montrée ? Savait-elle qu'il la portait en permanence ? Avait-elle prévu de l'utiliser ? Ou avait-elle agi dans un moment d'inspiration subite pendant lequel, décidée à brouiller les cartes, elle avait utilisé – au lieu de la bague dont elle s'était munie en se rendant à la baie – un objet qu'elle avait déniché ce matin-là dans une des poches des vêtements abandonnés sur la plage par la victime ?

Saint James espérait que sa femme pourrait répondre à certaines de ces questions. Il y en avait d'autres auxquelles ils n'auraient jamais la réponse.

Deborah retrouverait l'ouïe, lui avait-on dit. Seul le temps permettrait de savoir si son acuité auditive avait baissé. Elle avait eu une violente commotion cérébrale et il lui faudrait des mois pour s'en remettre complètement. Il était probable qu'elle souffrirait de pertes de mémoire quant aux événements qui avaient entouré l'explosion de la grenade. Mais il ne fallait pas qu'il essaie à tout prix de la faire se souvenir de ces événements. La mémoire lui reviendrait quand elle pourrait, si jamais elle lui revenait.

Il téléphonait d'heure en heure à son père pour le tenir au courant. Lorsque tout danger fut écarté, il se mit à évoquer avec Deborah ce qui s'était passé. Il lui parlait à l'oreille, à voix basse, sa main posée sur la sienne. On avait retiré les pansements qu'elle avait au visage, mais pas les points de suture de son entaille à la mâchoire. Elle était couverte d'ecchymoses impressionnantes, mais elle n'arrivait pas à se tenir tranquille. Elle voulait rentrer. Retrouver son père, ses appareils photo, le chien, le chat, Cheyne Row, Londres, son univers familier.

— China est morte, n'est-ce pas ? dit-elle d'une voix qu'elle avait bien du mal à maîtriser. Dis-moi. Je t'entendrai si tu te mets suffisamment près.

Près d'elle, c'est là qu'il voulait être de toute façon. Il s'installa sur le lit d'hôpital et lui raconta ce qui s'était passé. Il lui dit également tout ce qu'il lui avait caché. Et il reconnut que s'il lui avait dissimulé des faits, c'était en partie pour la punir de n'avoir agi qu'à sa guise avec la bague, et en partie à cause du savon que Le Gallez lui avait passé à cette occasion. Il lui dit qu'après avoir parlé à l'avocat américain de Guy Brouard et appris que la personne qui lui avait apporté les plans n'était pas Cherokee River mais un rasta dont le signalement n'avait pas le moindre rapport avec celui de Cherokee, il avait réussi à persuader Le Gallez de tendre un piège à l'assassin. C'est forcément l'un des River, alors lâchez-les dans la nature, avait-il suggéré à l'inspecteur. Laissez-les partir, à condition qu'ils quittent l'île le plus vite possible. Si ce meurtre a un rapport avec le tableau retrouvé dans le dolmen, l'assassin devra le récupérer avant l'aube... si c'est bien l'un des River.

— Je m'attendais à ce que ce soit Cherokee, glissa Saint James à l'oreille de sa femme. (Il hésita avant d'avouer :) Je voulais que ce soit Cherokee, Deborah.

Elle tourna la tête vers lui. Il ne savait pas si elle pouvait l'entendre à cette distance et il ne savait pas non plus si elle pouvait lire sur ses lèvres ; mais il lui parla néanmoins tandis qu'elle braquait les yeux dans sa direction. Il lui devait bien cette confession.

— Combien de fois me suis-je demandé si on n'allait pas en arriver là un jour !

Elle l'entendit ou bien elle déchiffra les mots sur ses lèvres.

— Où, « là » ?

— Moi contre eux. Moi tel que je suis, eux tels qu'ils sont. Ce que tu avais choisi par opposition à ce que tu aurais pu avoir si tu avais choisi quelqu'un d'autre.

— Cherokee ? fit-elle, les yeux écarquillés.

— Ou un autre. Voilà que se pointe chez nous un type que je ne connais pas, dont je ne me souviens même pas de t'avoir entendu prononcer le nom, et ce type, il t'est familier. Qui plus est, il se montre familier avec toi. Il t'appelle Debs. En souvenir de ta période américaine dont il fait partie intégrante. Contrairement à moi. Alors forcément, ça me turlupine. Et ce n'est pas tout : ce type, beau gosse, valide et tout, vient chercher ma femme pour l'emmener à Guernesey. Parce qu'il va l'emmener, c'est sûr, je vois ça gros comme une maison. Même s'il dit avoir l'intention d'aller demander de l'aide à l'ambassade américaine. Et je sais que c'est la porte ouverte à n'importe quoi. Mais pour rien au monde je ne l'admettrais.

— Comment as-tu pu penser un seul instant que je te quitterais, Simon ? fit-elle, le scrutant. Pour suivre qui que ce soit. Tu as une drôle de conception de l'amour.

— Ce n'est pas toi. C'est moi. La personne que tu es... Tu n'as jamais fui quoi que ce soit. Tu ne le ferais pas. Parce que si tu le faisais, tu ne serais plus la femme que tu es. Mais je vois le monde avec les yeux de quelqu'un qui s'est enfui, Deborah. Et qui n'a pas fui que toi. C'est pour cela que, pour moi, le monde est un endroit où les gens passent leur temps à se faire du mal. Par égoïsme, cupidité, culpabilité, bêtise. Ou dans mon cas par peur. Une peur abjecte qui vous donne les mains moites. C'est tout ça qui revient me hanter lorsqu'un garçon comme Cherokee River débarque chez moi. La peur m'empoigne, et cette peur colore toutes mes actions. Je voulais que ce soit lui le tueur parce que alors seulement j'aurais pu être sûr de toi.

— Tu crois vraiment que c'est important à ce point-là, Simon ?

— Quoi donc ?

— Tu le sais bien.

Il baissa la tête, fixa sa main qui étreignait celle de Deborah : si elle lisait sur ses lèvres, elle ne pourrait peut-être pas lire ce qu'il allait dire.

— J'ai eu toutes les peines du monde à arriver jusqu'à toi, mon amour, dans le dolmen. A cause de mon... état. Alors, oui, c'est important.

— Seulement si tu as l'impression que j'ai besoin de protection. Ce qui n'est pas le cas, Simon. Il y a longtemps que je n'ai plus sept ans. Ce que tu as été pour moi à l'époque... je n'en ai plus besoin maintenant. Je n'en veux plus maintenant. Tout ce que je veux, c'est toi.

Il s'efforça d'assimiler ces mots, de les faire siens. Il avait été accidenté quand elle avait quatorze ans, longtemps après avoir sévèrement remis à leur place les petits abrutis qui à l'école l'avaient prise pour tête de Turc. Il savait que Deborah et lui avaient atteint un stade où il devait s'en remettre à la force que leur donnait le fait de former un couple. Il n'était pas certain d'y parvenir.

C'était comme s'il lui fallait traverser une frontière. Il voyait la frontière mais ne voyait pas ce qu'il y avait de l'autre côté. Il fallait un acte de foi pour être un pionnier. Et il ne savait où puiser cette foi.

— Il va falloir que je m'habitue à l'idée que tu es une adulte, Deborah, dit-il enfin. Je ne peux pas faire plus pour l'instant. Et même ça, ça ne va pas aller sans difficultés. Je vais sûrement commettre des gaffes. Tu vas pouvoir le supporter ? Tu le supporteras ?

Elle serra ses doigts entre les siens.

— C'est un début. J'en suis heureuse.

31

Saint James se rendit au Reposoir le troisième jour et y trouva Ruth Brouard avec son neveu. Ils passaient devant les écuries, revenant de l'enclos où Ruth avait voulu se rendre pour voir le dolmen. Elle en connaissait l'existence dans la propriété, bien sûr, mais pas sous ce nom-là. Pour elle ce n'était qu'un « ancien lieu de sépulture ». Que son frère en ait découvert l'entrée à force de fouiller et de creuser, qu'il s'y soit aménagé un refuge... Cela, elle l'ignorait. Et Adrian aussi, comme Saint James put s'en rendre compte.

Ils avaient entendu l'explosion au beau milieu de la nuit mais sans savoir d'où elle venait. Réveillés par le vacarme, ils s'étaient rués hors de leurs chambres respectives, retrouvés dans le couloir. Ruth avoua à Saint James – avec un rire gêné – qu'elle avait cru dans un premier temps que le retour d'Adrian au manoir était directement lié à cet épouvantable boucan. Elle avait compris intuitivement que quelqu'un avait fait exploser une bombe quelque part. Et que c'était pour ça qu'Adrian avait insisté pour qu'elle mange ce qu'il lui avait lui-même préparé dans la cuisine – où elle l'avait surpris un peu plus tôt dans la soirée. Elle s'était dit que, voulant qu'elle dorme, il avait versé un petit quelque chose dans sa nourriture pour faciliter son endormissement. C'est pourquoi, lorsque les ondes de choc de l'explosion avaient secoué les fenêtres de sa chambre et fait trembler la maison, elle ne s'était pas attendue à trouver son neveu dans le couloir en pyjama, criant qu'il y avait eu un crash, une fuite de gaz, que c'était un coup des terroristes arabes, de l'IRA.

Elle avait craint qu'il ne veuille saccager la propriété, convint-elle. Ne pouvant en hériter, il allait la détruire. Elle s'était ravisée en le voyant prendre la situation en main, appeler la police, des ambulances, les pompiers. Elle se demandait comment elle s'en serait sortie sans lui.

— Je m'en serais remise à Kevin, dit Ruth Brouard. Mais Adrian n'a pas voulu. « Il ne fait pas partie de la famille. On ignore ce qui se passe. Tant qu'on ne le saura pas, on s'occupe de tout nous-mêmes. » C'est ce qu'on a fait.

— Pourquoi a-t-elle tué mon père ? questionna Adrian Brouard.

Cela les amenait au tableau car, pour autant que Saint James pût le savoir, l'objectif de China River était de mettre la main dessus. Mais l'endroit était mal choisi pour parler d'une toile volée du XVIIe siècle. Aussi leur demanda-t-il s'ils pouvaient regagner le manoir, où il leur faudrait avoir une conversation près de la *Belle Dame au livre et à la plume*. Ils avaient des décisions à prendre concernant cette toile.

Le tableau était dans la galerie, une pièce qui faisait presque toute la longueur de la partie est de la maison. Lambrissée de chêne, elle accueillait la collection de tableaux modernes de Guy Brouard. Posée, sans cadre, sur une table où, dans une petite vitrine, étaient exposées des miniatures, la *Belle Dame* semblait parfaitement déplacée dans cet environnement.

— Qu'est-ce que c'est ? fit Adrian en s'approchant de la table.

Il alluma une lampe dont la lumière éclaira l'épaisse

chevelure qui enveloppait tel un voile les épaules de sainte Barbara.

— Pas vraiment le style des collections de papa.

— La dame devant laquelle nous prenions nos repas à Paris, répondit Ruth. Elle était dans la salle à manger quand nous étions petits.

— Paris ? fit Adrian. Mais après Paris... Comment est-elle arrivée ici ?

— Ton père a réussi à la retrouver. Il voulait me faire une surprise.

— Où l'a-t-il retrouvée ? Comment ?

— Je me demande si je le saurai un jour. Mr Saint James et moi... Nous pensons qu'il a engagé quelqu'un pour retrouver sa trace. La toile a disparu après la guerre mais il ne l'a jamais oubliée. Pas plus qu'il n'a oublié la famille. D'elle, nous n'avions qu'une photo – celle du Seder, qui est dans le bureau de ton père. Photo sur laquelle figure ce tableau. Sans doute est-ce pour cela qu'il n'a jamais oublié. Faute de pouvoir ramener nos parents, il a tout fait pour rapporter le tableau. Et il a réussi. Il l'avait confié à Paul Fielder, qui me l'a remis. Guy avait dû lui demander de faire ça au cas où... quelque chose lui arriverait avant que je disparaisse.

Adrian Brouard n'était pas complètement idiot. Il interrogea Saint James :

— Cela a un rapport avec sa mort ?

— Je vois mal comment, répondit Ruth. (Elle fixa la toile, vint se poster près de son neveu.) C'est Paul qui en avait la garde, je ne vois pas comment China River aurait pu en connaître l'existence. A supposer qu'elle l'ait connue – si ton père lui en avait parlé pour une raison ou une autre –, cette peinture n'a de valeur que sentimentale. C'est le dernier vestige de notre famille. Une promesse qu'il m'a faite dans notre enfance, quand nous avons quitté la France. Une façon de nous réapproprier tout cc qui nous avait été retiré et que nous ne pourrions jamais remplacer. En outre, c'est une toile d'assez belle facture. Mais en fin de compte, cela ne va pas plus loin. Ce n'est qu'un vieux tableau. Que pouvait-il signifier pour quelqu'un d'autre ?

Saint James se dit qu'elle aurait bientôt la réponse à cette question. Ne serait-ce que par Kevin Duffy. Un jour ou l'autre, le régisseur apercevrait la toile dans le hall de pierre, dans le petit salon ou dans la galerie, à moins que ce ne soit dans le bureau de Guy Brouard. Il le verrait et il parlerait... sauf s'il apprenait par Ruth que cette fragile toile n'était qu'un souvenir datant d'une époque et d'un peuple que la guerre avait détruits.

Saint James comprit que le tableau serait en sûreté chez elle. Autant qu'il l'avait été des décennies durant dans une famille où on se l'était transmis de génération en génération avant qu'une armée d'occupation ne mette la main dessus. Il appartenait désormais à Ruth. Comme il était tombé en sa possession après le meurtre de son frère, et qu'il n'en était pas fait mention dans le testament de ce dernier, elle pouvait en faire ce que bon lui semblait. A condition que Saint James tienne sa langue.

Le Gallez était au courant de l'existence du tableau, mais que savait-il au juste ? Que China River avait voulu s'approprier une œuvre d'art appartenant à Brouard. Rien de plus. La nature du tableau, sa provenance, le nom du peintre... Saint James était le seul à savoir tout ça. Il était libre d'utiliser ces éléments comme il l'entendait.

— Le père transmettait le tableau à son fils aîné, dit Ruth. C'était la tradition. Aimerais-tu l'avoir, mon petit ?

— Un jour peut-être, fit Adrian. Mais pas maintenant, non. Papa aurait voulu que tu le gardes.

Ruth effleura amoureusement la tunique de sainte Barbara, pareille à une chute d'eau à jamais figée. Derrière la sainte, les maçons taillaient des blocs de granit. Le visage placide de Barbara arracha un sourire à Ruth. « Merci, mon frère. Merci. Tu as tenu cent fois la promesse que tu avais faite à maman. » Puis, se tournant vers Saint James :

— Vous avez voulu la voir une dernière fois. Pourquoi ?

— Elle est belle, je voulais lui dire au revoir, répondit Saint James en toute simplicité.

Sur ces mots, il prit congé. Ils l'accompagnèrent jusqu'à l'escalier. Il leur dit qu'il était inutile qu'ils aillent plus loin. Il connaissait le chemin. Ils descendirent un étage avec lui cependant. Puis s'arrêtèrent. Ruth avait besoin de se reposer. Ses forces déclinaient de jour en jour.

Adrian dit qu'il allait la mettre au lit.

— Prends mon bras, tante Ruth.

Deborah attendait la dernière visite du neurologue qui suivait son rétablissement. C'était le dernier obstacle à franchir. Après quoi Simon et elle pourraient regagner l'Angleterre. Elle avait rassemblé ses quelques affaires et s'était habillée pour recevoir le feu vert du spécialiste. Elle était installée sur une inconfortable chaise scandinave près du lit. Pour que l'on comprenne bien le message, elle avait retiré draps et couverture du matelas en prévision de l'arrivée du patient qui lui succéderait.

Son audition s'améliorait de jour en jour. Un jeune chirurgien lui avait ôté ses points de suture à la mâchoire. Ses ecchymoses disparaissaient petit à petit et les traces de coupure s'effaçaient de son visage. Les blessures internes mettraient davantage de temps à guérir. Elle avait réussi jusque-là à ne pas trop en souffrir mais elle savait que le moment viendrait où il lui faudrait compter avec.

Lorsque la porte s'ouvrit, elle se leva à moitié, s'attendant à voir le médecin. Mais non, c'était Cherokee River.

— J'aurais voulu me précipiter à ton chevet mais... j'ai eu tellement de choses à faire. Et puis après, je me suis aperçu que je ne savais pas quoi te dire. Je ne sais toujours pas. Mais il fallait que je vienne. Je pars dans deux heures.

Elle lui tendit une main, qu'il ne prit pas. Alors elle la laissa retomber, disant :

— Je suis désolée.

— Je la ramène chez nous, dit-il. Maman voulait venir me donner un coup de main mais je lui ai dit... (Il eut un petit rire de chagrin. Il se passa la main dans les cheveux, les ramenant en arrière.) China ne voudrait pas d'elle. Elle n'a jamais voulu de maman près d'elle. Et puis je crois qu'il serait inutile qu'elle se déplace. Tout ce trajet juste pour atterrir et repartir dans l'autre sens. Elle aurait bien aimé venir, pourtant. Elle pleurait. Il y avait près d'un an qu'elles ne s'étaient pas parlé. Deux, peut-être. China n'aimait pas... Je ne sais pas trop ce qu'elle aimait ou n'aimait pas.

Deborah l'invita à s'asseoir sur la chaise scandinave mais il refusa.

— Non. Prends-la.

— Je vais m'asseoir sur le lit, dit-elle.

Elle se percha sur le matelas nu. Cherokee prit la chaise. Il se posa au bord du siège, les coudes sur les genoux. Deborah attendit qu'il parle. Elle non plus ne savait que dire si ce n'est qu'elle était désolée.

— Je ne comprends pas, dit-il. Je n'arrive toujours

pas à croire... Il n'y avait aucune raison. Pourtant elle a dû préparer son coup depuis le début. Je ne vois pas pourquoi.

— Elle savait que tu avais de l'huile de pavot.

— Pour le décalage horaire. Je ne savais pas si on arriverait à dormir ou non une fois arrivés à Guernesey. Je ne savais pas combien de temps il nous faudrait pour nous habituer au changement d'heure et retrouver le sommeil. Je me suis donc procuré de l'huile de pavot chez nous. Au cas où. Je lui avais dit qu'on pourrait en prendre tous les deux si besoin était. Finalement je n'ai pas eu à m'en servir.

— Et tu as oublié que tu l'avais dans tes affaires ?

— Oublié, non. Je n'y ai plus pensé, c'est tout. (Il avait les yeux rivés sur ses chaussures mais là, il releva la tête.) Quand elle en a fait boire à Guy, elle a dû oublier que le flacon m'appartenait. Qu'il y aurait mes empreintes dessus.

Deborah regarda ailleurs. Apercevant un fil qui pendait au bord du matelas, elle l'enroula autour de son doigt. Elle vit sa lunule noircir.

— On n'a pas relevé d'empreintes de China sur la bouteille. Seulement les tiennes.

— Oui, mais il doit y avoir une explication, forcément. Peut-être la façon dont elle l'a manipulée.

Il avait l'air si plein d'espoir que Deborah ne put que lui jeter un coup d'œil. Les mots lui manquèrent, un silence s'installa. Elle percevait sa respiration et, à l'arrière-plan, des voix dans le couloir de l'hôpital. Quelqu'un s'engueulait avec un membre du personnel. Un homme qui réclamait une chambre individuelle pour son épouse. « Elle bosse dans votre établissement, merde ! Elle mérite bien un traitement spécial, non ? »

— Pourquoi ? laissa finalement tomber Cherokee d'une voix rauque.

Deborah se demanda si elle réussirait à trouver les

mots qu'il fallait. Il lui semblait que les River frère et sœur s'étaient donné coup pour coup, mais il n'était pas vraiment possible, il ne serait jamais possible, surtout maintenant, de les renvoyer dos à dos compte tenu des crimes commis et de la souffrance endurée.

— Elle n'a jamais réussi à pardonner à ta mère. A digérer le genre d'existence que vous avez menée quand vous étiez petits. Ses absences à répétition. Les motels minables. Les vêtements d'occasion. L'unique paire de chaussures. Elle n'a jamais réussi à voir que ce n'étaient que des choses matérielles. Rien d'autre. Que ça ne signifiait rien d'autre : un motel, des vêtements d'occasion, des chaussures, une mère qui était un courant d'air. Pour elle ça signifiait autre chose. Quelque chose comme une injustice monumentale. Alors que ça n'était rien d'autre que les cartes qu'on lui avait distribuées. Dont elle pouvait tirer le parti qu'elle voulait. Tu vois ce que je veux dire ?

— Alors elle a tué... Elle a voulu faire croire aux flics... (Cherokee n'arrivait manifestement pas à accepter la réalité ni à terminer sa phrase.) Je ne pige pas.

— Elle voyait de l'injustice là où les autres ne voyaient que la vie, dit Deborah. Et cette injustice lui restait en travers de la gorge. Elle était incapable de digérer ce qui s'était passé, ce qui...

— Ce qui lui était arrivé, compléta Cherokee. Ouais, bon. Mais qu'est-ce que j'ai bien pu... Non. Quand elle s'est servie de cette huile, elle ne savait pas... Elle n'a pas réalisé...

— Comment as-tu eu notre adresse à Londres ? questionna Deborah.

— China l'avait. Elle me l'a donnée au cas où j'aurais des problèmes à l'ambassade. Me disant que tu pourrais m'aider. Nous aider à découvrir la vérité.

Ce qui s'était en effet produit, songea Deborah. Mais pas comme China l'avait prévu. Elle s'était dit que

Simon conclurait à son innocence, qu'il ferait pression sur la police locale pour qu'elle continue ses recherches jusqu'à ce qu'elle tombe sur le flacon qu'elle avait soigneusement dissimulé. Ce qu'elle n'avait pas prévu, c'est que la police locale pourrait découvrir seule le flacon tandis que le mari de Deborah s'engagerait dans une tout autre direction, déterrant les faits concernant le tableau et lui tendant un piège à l'aide de ce même tableau.

— Alors elle t'a envoyé nous chercher, dit Deborah. Elle savait comment ça se passerait si on venait.

— Que je serais...

— C'est ce qu'elle voulait.

— Me coller un meurtre sur le dos. (Cherokee se leva et s'approcha de la fenêtre. Les stores étaient baissés, il tira sur le cordon.) Pour que je finisse... quoi ? Comme son père ? Elle voulait se venger de ce que son père était au trou et pas le mien ? Parce que c'est ma faute, à moi, si son père est un perdant ? J'y suis pour rien. D'ailleurs mon père, qu'est-ce qu'il avait de tellement mieux que le sien ? Un mec bourré de bonnes intentions qui passait son temps à sauver les tortues du désert, la salamandre jaune, j'en passe et des meilleures. Putain de merde. Quelle différence ça peut bien faire ? Je ne comprends pas.

— Et tu as besoin de comprendre ?

— Ben, ouais. C'était ma sœur.

Deborah descendit du lit pour le rejoindre. Elle lui retira doucement le cordon des doigts. Elle ouvrit les stores et le lointain soleil de décembre vint éclairer leurs visages.

— Tu as vendu sa virginité à Matthew Whitecomb. Elle l'a découvert, Cherokee. Elle a voulu te le faire payer.

Il ne répondit pas.

— Elle était persuadée qu'il l'aimait. Qu'il l'avait

toujours aimée. Comme il revenait toujours, elle se figurait qu'il l'aimait. Erreur. Certes, elle savait qu'il la trompait avec d'autres. Mais elle croyait que ça finirait par lui passer. Qu'il finirait par décider de faire sa vie avec elle.

Cherokee se pencha, appuyant son front contre la vitre.

— Ça, pour la tromper, il la trompait, murmura-t-il. Il l'a drôlement menée en bateau, le salaud. Mais qu'est-ce qu'elle s'imaginait, aussi ? Un week-end par mois ? Deux, quand elle avait du pot ? Un voyage au Mexique cinq ans plus tôt et une croisière quand elle a fêté ses vingt et un ans ? Ce salopard est *marié*, Debs. Depuis dix-huit mois. Il a même pas été foutu de le lui dire. Et elle, qui se cramponnait, qui s'incrustait... Je me suis dit que je ne pouvais pas la laisser vivre dans l'incertitude. Alors je lui ai raconté comment ça avait commencé entre eux. J'espérais que, folle de rage, elle se déciderait à rompre.

— Tu veux dire... ? (Deborah ne put aller au bout de sa pensée : les conséquences étaient trop dramatiques.) Tu ne l'as pas vendue ? Elle s'est seulement imaginé... Cinquante dollars et une planche de surf ? A Matt ? Tu n'as pas fait ça ?

Il détourna la tête. Il contempla le parking de l'hôpital. Un taxi venait de s'immobiliser. Simon en descendit. Il adressa quelques mots au chauffeur, qui se gara pendant qu'il se dirigeait vers l'entrée de l'établissement.

— L'heure de ta libération a sonné, fit Cherokee.

Deborah insista :

— Tu ne l'as pas vendue à Matt ?

— Tes affaires sont prêtes ? Si on descendait au rez-de-chaussée ?

— Cherokee.

— Merde, j'avais envie de surfer. J'avais besoin

d'une planche. L'emprunter, ça suffisait pas. J'en voulais une à moi.

— Oh, mon Dieu, soupira Deborah.

— C'était pas si grave que ça, lui expliqua Cherokee. Une autre nana n'en aurait pas fait un tel plat. Comment je pouvais deviner que China réagirait comme ça ? Merde, Debs, c'était juste un coup vite fait.

— Et toi, tu as fait le mac.

— Mais non. Elle... J'avais bien vu qu'elle en pinçait pour lui. J'ai pas cru mal faire. Jamais elle aurait su pour le deal si elle ne s'était pas transformée en pot de colle, foutant sa vie en l'air pour un sombre connard. Il a bien fallu que je lui dise. Elle m'a pas laissé le choix. C'était pour son bien.

— Le deal aussi ? questionna Deborah. Tu es sûr que ce n'est pas plutôt pour toi que tu as fait ça, Cherokee ? Pour obtenir ce que tu voulais, quitte à utiliser ta sœur pour y parvenir ? Ce n'est pas plutôt ça ?

— Ouais, bon, d'accord. Seulement elle était pas censée prendre le truc au sérieux à ce point-là : elle était censée passer à autre chose, pas s'incruster comme ça.

— Peut-être. Seulement elle s'est incrustée, souligna Deborah. Pas facile de tourner la page quand on n'a pas tous les éléments du dossier.

— Mais elle les avait, ces éléments. C'est juste qu'elle refusait de les voir. Bon Dieu. Pourquoi fallait-il toujours qu'elle s'accroche comme ça ? On avait l'impression que tout suppurait en elle. Elle n'arrivait pas à digérer la réalité.

Deborah savait qu'il avait raison au moins sur un point : China avait mis un prix sur chaque chose, s'imaginant qu'on lui devait plus qu'on ne lui offrait. Deborah s'en était rendu compte dans sa dernière conversation avec elle : China attendait trop des autres. De la vie. Là se trouvaient les germes de sa déception.

— Le pire dans tout ça, c'est que rien ne l'obligeait à coucher avec Matt, Debs. Personne ne lui a mis un revolver sur la tempe. Je les ai branchés, c'est vrai. Il a fait les premiers pas, c'est vrai. Mais elle, elle a laissé faire. Et laissé aller les choses. En quoi est-ce ma faute, bordel de merde ?

Deborah n'avait pas la réponse à cette question. Les River, lui semblait-il, avaient passé trop de temps au fil des années à voir des fautes partout et à se les rejeter les uns sur les autres.

Après avoir frappé un coup rapide à la porte, Simon entra dans la chambre. Il apportait, du moins l'espéra-t-elle, les papiers qui lui permettraient de sortir. Il adressa un signe de tête à Cherokee et une question à Deborah :

— Prête à rentrer à la maison ?

— Ça, oui, dit-elle.

32

Frank Ouseley attendit le 21 décembre, jour le plus court et nuit la plus longue de l'année. Le crépuscule viendrait tôt, il avait besoin du crépuscule. Ses longues ombres porteuses de réconfort le protégeraient des yeux indiscrets qui auraient pu être témoins du dernier acte de sa tragédie personnelle.

A trois heures et demie, il prit le paquet. Une boîte en carton qu'il avait posée sur le téléviseur depuis qu'il l'avait rapportée de Saint Sampson. Les bords en avaient été scellés avec du ruban adhésif que Frank avait retiré pour vérifier le contenu : un sac plastique renfermant maintenant tout ce qui restait de son père. Cendres et poussière. La couleur de la substance était à mi-chemin entre les deux, à la fois plus claire et plus foncée ; çà et là, un fragment d'os s'en détachait.

En Orient, il le savait, certains fouillaient dans les cendres des morts. Armée de baguettes, la famille recueillait les os qui n'avaient pas brûlé. Pour en faire quoi ? Il l'ignorait. Sans doute des reliquaires, à l'instar de ceux qui avaient abrité les os des martyrs qui sanctifiaient les premières églises chrétiennes. Mais ce n'était pas à cet usage qu'il destinait les cendres de son père. Les os qui restaient, Frank les déposerait à l'endroit où il entendait se défaire des restes paternels.

Il avait d'abord pensé au réservoir. L'endroit où sa mère s'était noyée aurait pu sans peine recevoir son père, même s'il ne dispersait pas les restes dans l'eau.

Puis il songea au terrain de l'église de Saint Saviour, où devait être édifié le musée. Mais il conclut que ce serait un sacrilège de mettre son père dans un lieu où devaient être honorés des hommes si différents de lui.

Avec précaution il porta le paquet jusqu'à la Peugeot et le posa sur le siège du passager, bien enveloppé dans une vieille serviette de plage dont il se servait quand, petit garçon, il allait se baigner à Vazon Bay. Toujours aussi précautionneusement, il sortit de Talbot Valley. Les arbres étaient dénudés, seuls des bouquets de chênes étaient encore couverts de feuilles sur la pente sud de la vallée. Et même là, le sol était jonché de feuilles, recouvrant les gros troncs d'une cape d'ambre et de safran.

Il faisait nuit plus vite dans Talbot Valley que partout ailleurs dans l'île. Nichés dans un paysage de collines à la croupe ondulante, érodée par l'eau séculaire des ruisseaux, les rares cottages qui bordaient la route étaient brillamment éclairés. Mais lorsque Frank émergea de la vallée pour se retrouver dans Saint Andrew, la physionomie des lieux changea ; et avec elle, la lumière. Les pâturages cédaient la place à l'agriculture et aux hameaux, dont les cottages entourés de dizaines de serres absorbaient et réfléchissaient les derniers rayons du soleil.

Il prit la direction de l'est et arriva à Saint Peter Port de l'autre côté de l'hôpital Princess Elizabeth. De là, il n'était pas difficile de rejoindre Fort George. Bien que la lumière déclinât, il était encore trop tôt pour que la circulation pose des problèmes. En outre les voitures n'étaient pas tellement nombreuses à cette période de l'année. Ce n'est qu'à Pâques que les routes commenceraient à être encombrées.

Il laissa passer un tracteur poussif à l'embranchement avec Prince Albert Road. Après quoi il fila jusqu'à Fort George, franchissant l'épaisse arche de pierre au moment où le soleil atteignait les fenêtres des maisons disséminées à l'intérieur du fort. En dépit de son nom, l'endroit avait depuis longtemps cessé d'avoir une destination militaire mais, contrairement aux autres forteresses de l'île – de Doyle à Le Crocq – il n'était pas pour autant en ruine. Sa situation par rapport à Saint Peter Port, dont il était très proche, et la vue sur Soldiers Bay en avaient fait un lieu prisé des exilés du fisc britannique qui s'y étaient fait construire de somptueuses demeures. Derrière de hautes haies de buis et d'ifs. Derrière des grilles de fer forgé munies de portails électroniques. Sur des étendues de pelouses près desquelles étaient garées Mercedes et Jaguar.

En traversant le fort, une voiture comme celle de Frank aurait éveillé les soupçons, mais il avait décidé de gagner directement le cimetière situé, par une ironie du sort, dans le plus bel endroit de cette banlieue. Il occupait en effet une pente orientée à l'est, à l'extrémité sud du vieux cimetière militaire. L'entrée était signalée par un monument aux morts. Une énorme croix de granit au sein de laquelle – autre ironie du sort – nichait une épée, elle aussi cruciforme.

Frank se gara au milieu des gravillons juste sous le monument et traversa le sentier pour atteindre l'entrée du cimetière. De là, il distinguait les îles de Herm et de Jethou, dressées de l'autre côté d'une placide étendue d'eau. De là, également, une rampe de béton – striée – descendait en pente douce vers le cimetière constitué d'une succession de terrasses creusées à flanc de colline. Flanquant les terrasses, un mur de soutènement supportait un bas-relief de bronze représentant des silhouettes humaines. Peut-être des citoyens, des soldats ou des victimes de la guerre, Frank n'aurait su le dire. Toutefois une inscription – « La vie ne s'arrête pas à la tombe ! » – suggérait que ces figures de bronze représentaient les âmes des défunts enterrés en ce lieu, et la sculpture elle-même ornait une porte qui, ouverte, laissait apparaître les noms de ceux qui étaient ensevelis là.

Frank ne les lut pas. Il s'arrêta, posa par terre la boîte en carton contenant les cendres de son père et l'ouvrit pour en retirer le sac plastique.

Il descendit les marches conduisant à la première terrasse. Là étaient enterrés les courageux îliens qui avaient péri pendant la Première Guerre mondiale. Ils gisaient sous les ormes en rangs serrés, précis, délimités par du houx et des pyracanthas. Frank les dépassa et continua de descendre.

Il savait exactement à quel endroit commencer sa cérémonie solitaire. Les pierres tombales correspondaient à des tombes creusées après la Première Guerre mondiale, et toutes identiques. Tombes de pierre blanche ornées d'une croix dont la seule forme aurait suffi à les identifier sans erreur possible si les noms n'avaient pas été gravés dessus.

Frank rejoignit cet ensemble de sépultures. Il y en avait cent onze. C'est pourquoi il plongerait cent onze fois la main dans le sac plastique et il laisserait filer cent onze fois entre ses doigts les cendres de son père ; ces vestiges se déposeraient sur les tombes des Allemands qui étaient venus occuper l'île de Guernesey et y étaient morts.

Il entama le processus. Au début cela le révulsait, ce contact de sa chair vivante avec les restes incinérés de son père. Lorsque le premier fragment d'os lui érafla la paume, il frissonna et eut un haut-le-cœur. Il marqua une pause, le temps d'ordonner à ses nerfs de ne pas le lâcher, et poursuivit la manœuvre. Il lisait les noms des Allemands, leur date de naissance, la date de leur décès, tout en plaçant son père en compagnie de ceux qu'il s'était choisis pour camarades.

Certains n'avaient été que des gamins de dix-neuf

ou vingt ans, qui avaient dû quitter la maison familiale pour la première fois. Il se demanda comment, venant de leur pays qui était vaste, ils avaient trouvé cette île minuscule. Avaient-ils eu l'impression d'être dans un avant-poste d'une autre planète ? Ou cet endroit leur avait-il apporté un répit bienvenu après les combats sanglants du front ? Qu'avaient-ils éprouvé, eux si puissants, à se sentir dans le même temps si violemment méprisés ?

Mais pas par tout le monde, évidemment. Telle était la tragédie de Guernesey à cette époque. Tout le monde ne les avait pas considérés comme des ennemis auxquels il fallait battre froid.

Frank passa machinalement de tombe en tombe, allant de rangée en rangée jusqu'à ce que le sac fût vide. Quand il eut fini, il gagna le muret en bas du cimetière et resta planté là un moment, les yeux levés vers la colline et ses rangées de tombes.

Il constata que, bien qu'ayant dispersé une petite quantité de cendres sur chacune des sépultures allemandes, il n'en restait plus aucune trace. La poussière d'os s'était déposée sur le lierre, le houx et les plantes grimpantes qui poussaient çà et là sur les tombes, les recouvrant d'une pellicule semblable à une brume impalpable qui se dissiperait au premier souffle de vent.

Le vent viendrait. Et avec lui, la pluie. Qui gonflerait les cours d'eau dévalant les collines pour rejoindre les vallées et, de là, la mer. La poussière qu'était son père viendrait bientôt s'y mêler en partie. Le reste demeurerait là. Partie intégrante de la terre qui recouvrait les morts. Partie intégrante de la terre qui nourrissait les vivants.

REMERCIEMENTS

Comme toujours, j'ai une dette envers ceux qui m'ont aidée à créer ce roman.

A Guernesey, cette charmante île Anglo-Normande, il me faut remercier l'inspecteur Trevor Coleman, l'aimable personnel du Citizens' Advice Bureau, et Mr R. L. Heaume, directeur du musée de l'Occupation à Forest.

En Grande-Bretagne, une fois de plus je dois remercier Sue Fletcher, mon éditrice chez Hodder & Stoughton, ainsi que sa merveilleuse assistance Swati Gamble, toujours si pleine de ressources. Merci également à Kate Brandice de l'ambassade américaine.

En France, mes remerciements vont à ma traductrice attitrée Dominique Wattwiller, dont la générosité m'a permis de mettre au point certains dialogues. En Allemagne, merci à Veronika Kreuzhage, qui m'a fourni la traduction des artefacts de la Seconde Guerre mondiale.

Aux Etats-Unis, je remercie le professeur Jonathan Petropoulos, dont les explications et le formidable ouvrage *The Faustian Bargain* m'ont permis de mieux comprendre le processus de rapatriement des œuvres d'art par les nazis. Le Dr Tom Ruben, qui m'a obligeamment fourni les données médicales nécessaires. Bill Hull, qui m'a aidée à comprendre la profession d'architecte. Mon confrère Robert Crais, qui m'a fait bénéficier de ses lumières en matière de blanchiment d'argent. Je suis extrêmement reconnaissante à Susan Berner d'avoir bien voulu lire une première version de ce roman. Ma reconnaissance va également à Tom McCabe pour sa patience et sa compréhension du temps que nécessite l'élaboration d'un roman. Enfin, bien sûr, jamais je n'aurais pu entreprendre ce livre sans la présence, le soutien constant et la bonne humeur de mon assistante Dannielle Azoulay.

Outre *The Faustian Bargain* de Jonathan Petropoulos déjà cité, les ouvrages qui m'ont été particulièrement utiles pendant la préparation de ce roman sont *The Silent War* de Frank Falla, *Living with the Enemy* de Roy McLoughlin, *Buildings in the Town and Parish of St Peter Port* de C.E.B. Brett, *Folklore of Guernsey* de Marie De Garis, *Landscape of the Channel Islands* de Nigel Jee, *Utrecht Painters of the Dutch Golden Age* de Christopher Brown, et *Vermeer and Painting in Delft* d'Alex Rüger.

Un mot enfin à propos de sainte Barbara. Les étudiants en histoire de l'art savent que si le tableau que je décris dans ce roman n'existe pas, le dessin, lui – que j'attribue à Pieter de Hooch –, existe bel et bien. Il n'est toutefois pas l'œuvre de Pieter de Hooch mais celle de Jan Van Eyck. Si j'ai changé le nom de l'artiste, c'est en raison de l'époque à laquelle le dessin a été réalisé et où Van Eyck travaillait. S'il avait effectivement peint sainte Barbara, il l'aurait peinte sur bois comme cela se faisait à l'époque. Or, pour les besoins de mon intrigue, j'avais besoin d'une toile – dont l'usage ne devait se répandre qu'ultérieurement. J'espère qu'on me pardonnera les libertés que j'ai prises avec l'histoire de l'art.

Le livre comportera naturellement des erreurs. Ces erreurs, j'en suis seule responsable. Elles ne sauraient en aucun cas être imputées à ceux et celles qui m'ont prêté leur concours.

Le mystère de la lande

(Pocket n° 11267)

Calder Moor, une vaste lande au cœur du Derbyshire. En promenant son chien, une vieille dame tombe sur le cadavre d'un homme, puis sur celui d'une femme. Y a-t-il un lien entre les deux meurtres ? C'est ce que Linley et Havers, les deux agents de Scotland Yard, vont tenter de découvrir. Pour la première fois, ils travaillent séparément et vont devoir démêler seuls les fils d'une affaire qui les emmènera très loin des contrées paisibles et romantiques de la lande anglaise…

Il y a toujours un Pocket à découvrir

Faiblesses humaines

(Pocket n° 11331)

Figure incontournable du roman policier à l'anglaise, Elizabeth George, décortiquant les mécanismes de l'âme humaine, signe ici trois nouvelles, trois récits délicieusement pervers et typiquement british… Convoitise, jalousie, désir effréné de réussite, autant de mobiles puissants pour inciter les protagonistes de *Un petit reconstituant*, *Moi Richard*, et *La surprise de sa vie* à éliminer les empêcheurs de tourner en rond…

Il y a toujours un Pocket à découvrir

Un passé qui ne passe pas

(Pocket n° 11662)

Lors d'un concert à Wingmore Hall, le violoniste Gideon Davies se retrouve subitement incapable de jouer. Le blocage persistant, et les neurologues ne décelant aucune lésion organique, il se voit contraint de suivre une psychanalyse et apprend à consigner bribes de souvenirs et lambeaux de rêves pour découvrir la cause de l'amnésie foudroyante qui le frappe. Mais la quête effrénée de sa mémoire perdue fait resurgir des événements que Gideon aurait préféré oublier à jamais…

Il y a toujours un Pocket à découvrir

www.pocket.fr
Le site qui se lit comme
un bon livre

POCKET

Informer
Toute l'actualité de Pocket,
les dernières parutions
collection par collection,
les auteurs, des articles,
des interviews,
des exclusivités.

Découvrir
Des 1ers chapitres
et extraits à lire.

Choisissez vos livres selon vos envies :
thriller, policier,
roman, terroir,
science-fiction...

POCKET

Il y a toujours un Pocket à découvrir
sur www.pocket.fr

Composé par Nord Compo
59650 Villeneuve-d'Ascq

Achevé d'imprimer sur les presses de

BUSSIÈRE

GROUPE CPI

à Saint-Amand-Montrond (Cher)
en mai 2005

POCKET - 12, avenue d'Italie - 75627 Paris Cedex 13
Tél. : 01-44-16-05-00

— N° d'imp. : 51342. —
Dépôt légal : juin 2005.

Imprimé en France

Pocket – 12, avenue d'Italie – 75627 Paris Cedex 13
Tél. : 01-44-16-05-00

— N° d'imp. : 51242. —
Dépôt légal : juin 2005

Imprimé en France